中华传世藏书

續資治通鑒

［清］畢　沅◎著

線裝書局

续资治通鉴卷第一百一十五

中华传世藏书

續資治通鑒

【原文】

宋纪一百十五　起旃蒙单阏【乙卯】正月，尽六月，凡六月。

高宗受命中兴全功至德　圣神武文昭仁宪孝皇帝

绍兴五年　金天会十三年【乙卯，1135】　春，正月，乙巳朔，日有食之。

帝在平江。

金人去濠州。

初，金右都监宗弼与刘豫之兵既去，乃遣人报其知濠州赵荣，荣率北军及投拜官兵马都监魏进偕去，出北门，市人尚未知。少顷，提辖官丁怀等四人，盗库兵欲作乱，荣闻之，悔曰："吾弃城而来，无守臣以主州事，安得不乱！"乃以卫兵复入城，怀遁去，执其馀三人，诛之，以录事参军杨寿亨权知州事。既而州人不便寿亨之政，夺其印，请兵马都监孙奕代之。荣既归，自是金人在江北者尽去矣。

丁未，知枢密院事张浚奏："金人潜师遁去，今已绝淮而北。见行措置招集淮南官吏还任，抚存归业人户等事。"

侍御史张致远言："敌骑已远，缘淮南之人多为敌所拘，兼于山间水面结集保守，又有中原被签军民，意欲投归，尚留敌寨，及暂时投避在村野者。不速行措置，深虑官军以袭番伪民社、收复州县为名，肆行剽掠，妄有杀戮；或执俘级，侥幸赏典，使吾民被害，重于寇盗。乞预降德音，并戒饬黄榜，以付张浚。"诏以章示浚。

己酉，诏："淮南州县官吏擅离职任之人，特与放罪，令依旧还任；其抛弃官物，并与除破。"

庚戌，御史张致远乞省并淮南官吏。沈与求曰："官省则吏省，吏省则事省。今州县胥吏，未尝赋禄，皆蚕食百姓而已。淮南凋残之后，遗民有几，堪受其扰耶！"

淮西宣抚司统制官王进薄金人于淮，降其将程师回、张延寿而还。

初，金人自六合归，命师回、延寿（收）〔殿〕后，二人皆骁将也。（淮）〔江〕南〔东路〕宣抚使张俊谓进曰："敌既无留心，必渡淮而去，可速进兵，及其未济击之。"进与统领官杨忠闵偕往。金人且渡淮，遂薄诸河，金众悉溃，堕河而死，师回、延寿势窘而降。初，师回以俊为浚，既降，乃悟曰："吾以为张枢密，乃关西也。"

辛亥，淮东宣抚司统制官崔德明败金人于盱眙。

乙卯,张浚自江上还,入见。

(西)〔丙〕辰,帝谓赵鼎曰:"大臣,朕之股肱,台谏,朕之耳目,职任不同,而事体则一。或有官非其人,所当罢黜者,卿等急宜以告朕,不必专待台谏。"

戊午,辅臣进呈曲赦淮南事目,帝曰:"敌虽远去,然南北之民,皆吾赤子,当事兼爱并容之意。中原未复,二圣未还,赦文不可夸大,第使实惠加于两淮百姓,乃朕指也。"帝又曰:"敌已北退,须当渐图恢复。若止循故辙为退避之计,何以立国! 祖宗德泽在天下二百年,民心不忘,当乘此时,大作规模措置,朕亦安能郁郁久居此乎!"赵鼎曰:"时不可失,诚如圣(论)〔谕〕。事所可为者,谨当以次条画奏禀。"

命:"江东帅漕司缮治建康行宫,修筑城壁,须管日近了毕,其省库百司仓库等,且图来上,务从简省,无得取给于民。"时帝将还临安,故有是旨。

庚申,行宫留守孟庾言别无职事,乞先次结局,诏留守依旧,其官属并罢。

壬戌,武成、感德军节度使、开府仪同三司、充镇江、建康府、淮南东路宣抚使韩世忠为少保、充淮南东路宣抚使,镇江府置司。时世忠与刘光世、张俊相继入觐,世忠奏:"金人退兵,陛下必喜。"帝曰:"此不足喜,惟复中原,还二圣,乃可喜耳。然有一事,以卿等将士贾勇争先,非复它时惧敌之比,所喜盖在此也。"

后数日,帝以谕辅臣,赵鼎等赞帝诚得驭将之道。帝曰:"楚用子玉,晋文公为之侧席而坐。今敌骑虽退,然尼玛哈等辈犹在,朕敢忘此忧乎!"

癸亥,参知政事、行宫留守孟庾上表,请车驾还临安府驻跸,许之。

起复检校太傅、宁武宁国军节度使、开府仪同三司、充江南东路淮南西路宣抚使刘光世为少保、充淮南西路宣抚使,置司太平州;太尉、定江昭庆军节度使、两浙西路江南东路宣抚使、神武右军都统制张俊开府仪同三司、江南东路宣抚使,置司建康府,俊仍落都统制。诏:"韩世忠、刘光世、张俊各赐银帛三千匹两,异姓亲补承信郎者二人,一子五品服,有服亲封孺人者三人,冠帔五道。"

甲子,淮西宣抚司统制官郦琼拔光州,执其知州、武翼郎许约。

金人之侵淮也,刘光世遣琼自庐州统兵,声言过淮,至芍陂,乃摘轻兵由间道趋光州城下。约乘城固守,刘麟亦遣其统领官李知柔以众援之。琼说约降,不从,即进兵急攻,城欲破,约势穷,乃降,遂复光州。后六日,奏至,既而光世以约赴行在。帝谓大臣曰:"约为刘豫结连杨么及劫张昂山寨,凶逆宜诛。今来归,朕不欲失信,当贷之。"乃迁约一官,监南剑州盐税。

戊辰,诏:"承州权废两县,〔和〕、庐、濠、黄、滁、楚州各废一县,逐县各置监镇官一员。"以民事简少,省其徭役也。

己巳,金主殂于明德宫,年六十一,谥曰文烈皇帝,庙号太宗,后增上尊谥曰体元应运世德昭功哲惠仁圣文烈皇帝。

太宗在位十三年,宫室苑籞,无所增益。承太祖草创之后,以杲、宗干知国政,以宗翰总戎事,既灭辽、破汴,即议礼制度,治历明时,经国规摹,至是始定云。

庚午,安班贝勒宣承遗诏即位于枢前。

壬申,刘光世、韩世忠、张俊入辞,尚书右仆射赵鼎、知枢密〔院〕事张(俊)〔浚〕、参知政事沈与求、签书枢密院事胡松年侍。帝命光世等升殿,谕曰:"敌南侵,盖有窥江、浙之意,赖卿等戮力捍敌,使其失律而去,朕甚嘉之。然中原未复,二圣未还,朕心歉然,卿等其勉之!"光世曰:"臣等蒙国厚恩,敢不效死。"鼎曰:"臣闻降人程师回言:逆臣刘豫绐金人,云光世、世忠比失欢,及至淮甸异所闻,其气已沮矣。"帝曰:"有告朕光世、世忠坐小嫌意不释然者。烈士当以意气相许,先国家之急而后私仇,小嫌何足校! 昔寇恂戮贾复部将,复以为耻,深衔之。光武曰:'天下未定,两虎安得私斗!'于是并坐极欢,结友而去。光世、世忠纵有睚眦,今日宜释前憾,结欢如初。"二人感泣,再拜曰:"臣等顷过听,尝有违言;至于国事,不敢分彼此。今乃烦君父训饬,臣等敢不奉诏!"鼎等顿首贺。帝曰:"将帅和,社稷之福也。"命近侍出内金盘尊斝赐光世、世忠、俊,酒一行,并所饮器赐之,陛辞而退。鼎谓与求曰:"将帅国之爪牙,推毂授帅,则闻之矣;天子御正衙,赐卮酒而亲劝之,未之前闻。臣闻英宗皇帝于司马光尝有是赐,其后渊圣皇帝用李纲,实踵行之。光世等乃蒙恩宠如此,必有以图报。"诏:"光世妻汉国夫人向氏,俊妻华原郡夫人魏氏,并特给内中俸,如世忠妻例。"

自建帅府以来,俊常以军从帝行,至是始军于外,在帝左右者惟杨沂中而已。

癸酉,金遣使告哀于齐、高丽、夏;仍诏齐自今称臣,勿称子。

齐知濠州马秦引兵犯光州,承信郎、权主管州事王莘率众拒敌,淮西宣抚使刘光世遣统制官郦琼、靳赛以所部援之。

甲戌,金主诏中外公私禁酒。

二月,丙子,清远军节度使、神武后军统制、充湖北路荆、襄、潭州制置使岳飞为镇宁、崇信军节度使。

岳飞自池州入朝,前一日,御笔赐岳飞银帛二千匹两,封其母荣国太夫人姚氏为福国太夫人,亲属为承信郎者一人,封孺人者二人,赐冠帔三道,赏淮西之功也。

刑部尚书兼详定一司敕令章谊试户部尚书。

中书门下省检(左)正(主)〔诸〕房公事兼权给事中晏敦复权尚书吏部侍郎。

丁丑,帝御舟发平江府,晚,泊吴江县。

戊寅,命祠部员外郎兼权太常少卿张铢奉太庙神主自海道至临安府,令本府饬同文馆安奉;其景灵宫神御祭享事,令温州通判权管。

御舟宿平望镇。己卯,宿秀州北。庚辰,宿崇德县。辛巳,宿临平镇。壬午,御舟至临安府行宫,留守孟庾率京官小使臣以上迎于五里外。帝还行宫,赐百官休沐三日。

癸未,诏:"扈从官吏并转一官资。"

枢密院承旨兼都督府参谋官折彦质至行在。

始,赵鼎议遣彦质至川、陕谕指西帅,而彦质言:"折可求辜负国恩,不能守节;臣之儿女七人,昨在京师为金人取去,传闻亦在府州。倘臣以督府上佐骤至川、陕,于职事岂能人人得其欢心! 万一因疑似之迹兴暗昧之谤,则臣一身不可自保,况为朝廷办事! 伏望追寝成命,别赐令诏不行。"遂罢入蜀之议。

乙酉,川陕宣抚副使卢法原,言已选锐兵五千,令右武大夫、开州团练使刘锜统领,速赴行在。

丙戌,尚书右仆射、同中书门下平章事赵鼎守左仆射,知枢密院事张浚守右仆射,并同中

2661

书门下平章事兼知枢密院事、都督诸路军马。

始议浚以右揆出使湖外平杨么,鼎〔升〕左揆,鼎密启曰:"宰相事无不统,不必专以边事,乃为得体。"暨两制出,浚独以军功(出)〔及〕专任边事为言。帝既以边事付浚,而改政事及进退人才皆付于鼎矣。

以岳飞为荆湖南、北、襄阳府路制置使,充神武后军都统制,将所部平湖贼杨太,赐钱十万缗、帛五千匹为犒军之费,以湖北转运判官刘延年充随军转运,及令湖南、江西漕臣薛弼、范振应副随军钱粮。飞所部皆西北人,不习水战。飞曰:"兵何常,顾用之何如耳。"

丁亥,定国军承宣使、统制关外军马吴璘、武泰军承宣使、同统制关外军马杨政复秦州。

先是川陕宣抚副使吴玠,闻金人侵淮南,遣璘、政乘机牵制。璘等出奇兵,自天水至秦,谕其守顾宣以逆顺,宣不肯降,遂攻之,拔其城。金右都监完颜杲闻秦被围,集诸道兵来援,政复击败之。

戊子,诏都督府以诸路军马为名。

己丑,帝躬率百官遥拜二圣。自帝出巡,此礼权废,至是复行。

奉安濮安懿王神主于绍兴府光孝寺之法堂。

辛卯,徽猷阁待制、都督府参议官程昌寓知江州。

昌寓守鼎州六年,贼不能犯,至是就用之。后数月,新守程千秋至鼎州,时湖北兵马都监杜湛亦改为都督府左军统制,千秋因留湛所将蔡兵捍贼。

壬辰,诏张浚暂往江上,措置边防,且赐诸路宣抚、制置司手诏曰:"朕以边圉稍安,遣相臣往行(帅)〔师〕垒,西连陇、蜀,北洎江、淮,既加督护之权,悉在指挥之域。既难从于中复,宜专制于事几。咨尔多方,若时统率,钦承朕命,咸使闻知。"

丁酉,诏参知政事孟庾、沈与求签书枢密院事。

戊戌,诏:"神武中军见入队官兵,每五百人为一指挥,选将校,置兵籍,俟就绪日,取旨赐军名。"渡江以来,诸小将之兵及招安群盗,往往拨隶中军,然无排置之法,至是始举行焉。

〔是月〕,伪齐将商元率众千馀袭信阳军,成忠郎、阁门祗候、知军事舒继明率麾下十三人转战,登师阳门,矢尽,被擒。贼诱以美官,继明骂曰:"吾宁为大宋鬼,岂污逆耶!汝速杀我。"驱行至军北史陂,竟不降,遂遇害。后赠修武郎,官其家一人。荆襄制置岳飞以忠训郎、阁门祗候(催)〔权〕随州兵马都监李迪知军事,就戍之。

乙巳,金谥太祖后唐古氏曰圣穆皇后,费摩氏曰光懿,追册太祖妃布萨氏曰德妃,乌库哩氏曰贤妃。

闰二月,丁未,参知政事沈与求兼权枢密院事。

龙图阁直学士、枢密都承旨折彦质试尚书工部侍郎,仍兼都督府参谋军事。

壬子,辅臣奏遣中使往温州奉迎太庙神主事,帝曰:"朕以宗庙在远,心常歉然。今奉迎神主至行在,当行朝谒之礼。"沈与求曰:"古者征伐,载木主以行。今虽戎辂在行,九庙未复,然因时草创,一行朝谒之礼,亦足以仰慰孝思。"帝曰:"祖宗故事,惟景灵宫则有荐献,太庙则爇香而已。大礼必简,所以尚严也。"

乙卯,以参知政事孟庾、沈与求并兼权枢密院事。

时庾自桐庐还行在,与求乞交割密院职事与庾兼权,帝顾赵鼎曰:〔"已与卿议定,今参知政事并兼权枢密院矣。"鼎曰：〕"枢密非故也，自五代时以郭崇韬为使，国朝因而不改，故三省、枢密院分为二途。仁宗朝，富弼作谏官，时陕西用兵，弼议乞（今）〔令〕宰相兼枢密院，自吕夷简始也。臣既以宰相兼治院事，而参知政事之臣并令兼权，则事归一体。前人谓枢密院调发军马而三省不知，三省财用已竭而枢密院用兵不止，此诚至论。"〔帝曰〕："往时三省、枢密院不同班进呈，是以事多不相关白。然朝廷论议，岂有帷幄二三大臣不与闻者！"

丙辰，诏："襄、汉州军，先因盗贼并伪齐占据日劫掠残杀等罪，一切不问。元劫人见在者，许其家经官识认，验实给还；即抚定，后来再有犯者，令所属治罪。"

尚书兵部侍郎兼史馆修撰王居正言："四库书籍多阙，乞下诸州县，将已刊到书板，不拘经、史、子、集、小说、异书，各印三峡赴本省；系民间者，官给纸墨工价偿之。"从之。

丁巳，武功大夫、川陕宣抚司后军将牛晧，与金人遇于瓦吾谷，死之。

时右都监完颜杲与熙河经略使慕容洧欲攻秦州，宣抚副使吴玠遣诸校分道伺敌。晧行至瓦吾谷，与金将呼善遇。晧所部步卒不满二百，乃下马与战，谓其众曰："吾所以舍马者，欲与若等同死也。"敌见晧异于它人，欲招之，晧骂而死。承信郎高万旋马复战，遂与武功大夫、熙河路部将任安、宣抚司队官、忠翊郎秦元、承节郎薛琪、张亨皆死于陈。敌曰："真健儿也！"后赠晧、安皆翊卫大夫，官其家五人，赠元、亨三官，录其子。

乙未，故迪功郎李东赠宣教郎，官一子。东监楚州军资库，金人南侵被害故也。

辛酉，都督行府奏招捕水贼杨太等约束。

时张浚以建康东南都会，而洞庭实据上流，今寇日滋，壅遏漕运，格塞形势，为腹心害，不去之，无以立国。然寇阻大湖，春夏耕耘，秋冬水落，则收粮于湖寨，载老小于泊中，而尽驱其众四出为暴。前日朝廷反谓夏多水潦，屡以冬用师，故寇得并力而我不得志。今乘其怠，盛夏讨之，彼众既散，一旦合之，疲于奔命，又不得守其田亩，禾稼蹂践，则有秋冬绝食之忧，党与携离，方可招来。乃以便宜命荆、潭、鼎、澧、岳州将逐寨出首人，多方存恤，首领申行府授官，馀人给以闲田，贷之种子。又命湖南安抚司统制官任士安以兵三千屯湘阴，保护湘江粮道；统制官郝晸屯桥口，王俊屯益阳旧县，吴锡屯公安，崔邦弼屯南阳渡，马浚、步谅留潭州；其鼎州官兵，令程千秋分拨紧要屯驻。应诸校招收致人数，比附出战获级例推赏；其招收人，报所属给种授田，务令安业。候黄诚、杨太、周（谕）〔伦〕公参了日，当议蠲免租税，补授官资。仍给黄榜下任士安军及岳、潭、鼎州抚谕。

保义郎唐开，特换右迪功郎。开献《国朝会要》三百卷，诏进一官；自言本诸生，故有是命。

癸亥，降授（神龙）〔龙神〕（押）卫四厢都指挥使、建武军承宣使、神武前军统制王瓒权主管侍卫马军司公事。

初，帝在平江，侍御史张致远疏论瓒乖缪，乞同（主）〔诸〕将召归，帝纳其言，命瓒全军驻镇江府而以（新）〔亲〕兵赴行在。既至，乃有是命。

金改葬太祖于和陵。

丙寅，右仆射张浚至镇江，召韩世忠谕上旨，使举军前屯楚州以撼山东，世忠欣然承命。浚遂至建康抚张俊军，至太平州抚刘光世军，军士无不踊跃思奋。浚以诸路军马所用钱粮，当从督府总制，故悉以上佐兼之。行府关三省指挥自此始。

2663

丁卯,权主管侍卫马军司公事王璡提举江州太平观,免辞谢。

初,璡既除骑帅,而侍御史张致远奏璡之罪恶不在辛企宗下。右司谏赵需复奏:"璡无武艺,不闲戎律,偶缘遭遇,滥窃兵权。建炎间为河东经制,敌骑将至,乃拥兵自卫,避地入蜀,使川、陕之民闻风震恐。陛下贷而弗诛,责其后效,而璡不务循省以赎前愆。方杜充之守建康也,璡闻敌至,不复应援,而引兵先遁,直趋闽中,其罪一也。方扈驾离永嘉也,璡持军无律,不能统御,而致溃散为盗,毒流东南,其罪二也。及出师讨杨太,旷日持久,攻取无策,而崔增、吴全之军遂致陷失,其罪三也。比诏回军镇江,中外欣悦,皆谓陛下必欲正其罪状,重置典宪。今璡以轻骑造行朝,曾未数日,忽有侍卫马军之命,士论滋不能平。迩者陛下以诸军捍江有功,既优加赏典;今璡有罪,独置而不问,是有赏而无刑,恐非所以示劝惩也。乞断自圣意,重加窜斥。"璡闻,亦奏辞新命,乞在外宫观。乃诏权主管侍卫步军司公事边顺兼权马军司公事,而以璡兵万五千人隶淮东宣抚使韩世忠。后三日,又从璡奏,罢军职。

己巳,参知政事孟庾言:"准敕差提领措置财用,今乞以总制司为名,专察内外官司隐漏违欠,行移如三省体式。应本司措置事件,依例进呈。"诏关申尚书省,仍铸印以赐。诸路系省钱出入旧经制司,每千收头子钱二十三,其十上供,其十三州县及漕计支用。庾请增十钱;又请收者户长雇钱,抵当四分息钱,转运司移用钱,勘合朱墨钱,常平司七分钱,茶盐司袋息等钱。又收人户合零就整二税钱、免役一分宽剩钱,又收官户不减半、民户增三分役钱,又收常平司五文头子钱,并令诸州通判、诸路提刑司拘催。其后东南诸路,岁收总制钱七百八十馀万缗,而四川不预焉。大凡东南诸路经、总二司钱,岁收一(十)〔千〕四百四十馀万缗,四川岁收五百四十馀万缗。

是日,经筵开讲。自帝视师,辍讲读,至是复之。

壬申,诏右承奉郎徐度,令中书舍人试策一道。左迪功郎胡理,左朝散郎、主管江州太平观钱葇,新授太常博士张宦,并召试馆职;左朝奉郎、新提举浙东常平茶盐公事汪恺,左承议郎、新通判潭州王棠,并与升擢差遣。度,处仁子;宦,守兄也。士以十科荐用者自此始。

三月,甲戌朔,建武军承宣使、提举江州太平观王璡,降授濠州团练使。

己卯,淮西宣抚使刘光世兼太平州宣抚使,淮东宣抚使韩世忠兼镇江府宣抚使。

辛巳,以户部尚书章谊兼权工部尚书。

癸未,诏:"殿前马步军司,各据见管兵数,权行排置指挥。"

初,禁卫诸军遇赦转员,其法甚备。自中原侦扰,军营纷乱,排转不行。时诸将所总岁岁奏功,而宿卫亲兵久无升迁之望。左仆射赵鼎,请据三衙见管人数,仿佛旧例,立为转员之法。乃诏:"诸班直将校、亲从亲事官,各依条排转一资,三司将校亦与转行。"时殿前司有兵九百馀人,马步司各六百馀人而已。

甲申,淮东宣抚使韩世忠以大军发镇江。

世忠将行,帝赐手札曰:"昨因敌退,议者以经理淮甸为言,人多惮行,卿独请以身任其责,朕甚嘉之。"翼日,赵鼎曰:"世忠已过淮南,乞遣中使抚问。"帝赐世忠银合〔茶〕药,且以手札劳之曰:"今闻全师渡江,威声遐畅。卿妻子同行否?乍到,医药饮食或恐未备,有所须,一一奏来也。"

2664

时山阳残弊之馀,世忠披荆棘,立军府,与士同力役。其夫人梁氏,亲织薄为屋。将士有临敌怯懦者,世忠遗以巾帼,设乐,大燕会,俾为妇人妆以耻之。军垒既成,世忠乃抚集流散,通商惠工,遂为重镇。

乙酉,侍御史张致远权尚书户部侍郎。

辛卯,起复秘阁修撰、淮东宣抚使司参谋官陈桷言:"濒淮之地,久经兵火,官私废田,一目千里,连年既失耕耰,草莽覆养,往地皆肥饶,臣愿敕分屯诸帅,占射无主荒田,度轻重之力,斟酌多寡,给所部官兵趁时布种,或仿陕西弓箭手法,从长区处,因地土所宜,种麻、粟、稻、麦,一切听之,无问税租。力耕之人,添破粮米,朝廷逐旋应副耕牛之费。诸帅计置种子,将来尽还其价。不特入粮可以足办,如饲马刍秣之用,亦皆需然矣。仍乞委自都督府选官兼总其事,令亲到逐(师)〔司〕与主帅熟议,俟上下情通,然后行之。每军就令统制、统领官管认监督,近上谋议官领之。收成受纳之日,同认所得之数并随时价直,具申都督府籍记,支还价钱,以金银、见钱品搭(级)〔给〕降。将逐司所得,除一岁合支数外,馀就令封桩为储积之计。"诏关都督行府。

甲午,赵鼎奏:"近久雨,恐伤苗稼,欲下临安府祈请。"孟庾、沈与求曰:"多雨,天气久寒,蚕损甚众。"帝曰:"朕见令禁中养蚕,庶使知稼穑艰难。祖宗时于延春阁两壁画农家养蚕、织绢甚详,元符间因改山水。"

丁酉,复移浙西安抚司于临安府,以驻跸之地理宜增重事权故也。徽猷阁直学士、知临安府梁汝嘉兼两浙西路安抚使,徽猷阁待制、知镇江府沈晦兼沿江安抚使。试尚书吏部侍郎兼侍读郑滋与权户部侍郎张致远两易。

癸卯,移镇江府(权贷)〔榷货〕务都茶场于真州。

夏,四月,丙午,检校少保、武泰军节度使、知明州兼沿海制置使郭仲荀来朝。

丁未,龙神卫四厢都指挥使、洪州观察使、金、均、房州镇抚使、川陕宣抚司参议王彦知荆南府,充归、(陕)〔峡〕州、荆门、公安军安抚使。

先是彦闻帝亲赴军前,乞提兵入援,不许。会张浚以都督视师湖南,乃召彦赴府议事。至是令彦留所部三千人戍金、房,馀悉与俱,乃归荆南旧治,其合用钱粮,令行府于湖南、江西那移应副。

召荆南镇抚使解潜赴行在。

靖康中,潜为河东制置副使,辟赵鼎干当公事,故鼎荐用之,于是诸镇抚使尽罢矣。

戊申,尚书祠部员外郎兼权太常少卿张铢奉太庙神主自温州至行在。

戊午,奉安太庙神主,参知政事孟庾为礼仪使,每室用特羊、八笾豆,盖权礼也。

诏:"福建、广东帅臣措置团结濒海居民为社,擒捕海贼。"

时宝文阁直学士连南夫论海寇之患,谓:"国家每岁市舶之入数百万,今风信已顺而舶船不来,闻有乘黄屋而称侯王者,臣恐未易招也。愿令委州县措置团结濒海居民,五百人结为一社,不及三百人以下附近社,推材勇物力人为社首,其次为副,社首备坐圣旨给帖差捕。盖滨海之民,熟知海贼所向,今听其会合,如擒获近上首领,许保奏,优与补官,其谁不乐为用?"乃下张守、曾开相度,如所请。

己未,诏:"乡村五保为一大保,通选保正,于免役令中去长字。"始改绍圣法也。

先是言者以为:"役法行之岁久,积至大弊,乡村乡保正长,最为重役,不专取物力薄厚,而兼用人丁多寡，不通轮一乡点差，而但取逐甲人户。官吏贪浊，差募之际，富者以贿赂幸免，贫者以诛求受害，被役一次，辄至破产。民巧为规避，遂有父亡、母嫁、兄弟析产，求免役次，非惟重困民力以虚邦本，亦将有伤民教以坏风俗。乞下有司稍革旧法，专用物力及通轮一乡差募保正长，凡官吏因役事受财者，重示惩诫。"又，进士上书："窃观方今害民之法，无如保甲之弊。愿更去保甲法，复申元祐之制，行户长之法。"故有是旨：仍许今后差物力高（下）单丁每都不得过一人；即应充而居它乡别县或城郭及僧道，并许募人充役，官司毋得追正身，馀如见行条法。时祠部员外郎林季仲，亦奏乞总一乡物力，次第选差，其单丁，许募人充役，于是颇采其说焉。

庚申，诏："韩世忠纪律严明，岳飞治军有法，并令学士院降诏奖谕。"

时世忠移屯淮甸，军行整肃，秋毫无犯。飞移军潭州，所过不扰，乡民私遗士卒酒食，即时偿直。帝闻之，故有是诏。

丙寅，金主闻昏德公以甲子日薨，遣使致祭及赗赠。

时兵部侍郎司马朴与通问副使、修武郎朱弁同在燕山，闻上皇崩，议举哀制服。弁欲先请，朴曰："吾侪为人臣子，闻君父丧，当致其哀，又何请？设不见许，可但已乎？"遂服衰，朝夕哭。金人义之而弗问。弁有《送大行文》，略云："节上之旄尽落，口中之舌徒存。叹马角之未生，魂消雪窖；攀龙髯而莫逮，泪洒冰天。"洪皓在冷山，闻之，北向泣血，遣同使者沈珍往燕山，建道场于开泰寺，作《功德疏》云："故宫为禾黍，改馆徒馈于秦牢；新庙游衣冠，招魂漫歌于楚些。虽置河东之赋，莫止江南之哀。遗民失望而痛心，孤臣久絷而呕血。"金人读之，亦为堕涕，相传诵焉。

是月，龙图阁直学士、致仕杨时卒，年八十三。

起居郎兼侍讲朱震言："时学有本原，行无玷缺，进必以正，晚始见知。其撰述皆有益于学者。"诏有司取时所著《三经义辨》，赐其家银帛二百匹两，后谥曰文靖。

时尚书左仆射赵鼎，素尊程颐之学，一时习者皆聚于朝。然鼎不及见颐，故有伪称伊川门人以求进者，亦蒙擢用。

丙子，直秘阁、知浔州范直方行尚书刑部侍郎。

五月，辛巳，忠训郎、阁门祗候何薛特迁修武郎，赴大金国军前奉表通问二（使）〔圣〕，赐金带一，装钱千缗，官其家二人。薛，灌子也。时右仆射张浚奏遣薛至云中见金帅，故有是命。

甲申，尚书礼部侍郎唐煇兼权兵部侍郎（唐）。

张浚至潭州。

初，浚自建（昌）〔康〕西上，而枢密副都承旨、沿江制置副使马扩自武昌召归，乃以为都督行府都统制。浚行至醴陵，狱囚数百人，尽杨太遣为间探者，安抚使席益（傅）〔传〕致远县囚之。浚召问，尽释其缚，给以文书，俾分示诸寨曰："今既不得保田亩，秋冬必乏食，且馁死矣。不若早降，即赦尔死。"数百人欢呼而往。浚至长沙，贼首黄诚、周伦先请受约束，然诚等屡杀招安吏士，犹自疑不安。浚遣制置使岳飞分兵屯鼎、澧、益阳，压以兵势，贼大惊，遂定出降之计。

诏："中书舍人胡寅论使事，辞旨剀切详明，深得论思之体，令学士院赐诏奖谕。"

金左副元帅宗辅行次妫州，薨，年四十。

宗辅魁伟尊严，人望而畏之。先是太祖征伐四方，诸子皆总戎旅，宗辅常在帷幄。及代宗望为副元帅，平河北，遂取东平及徐州，继又定陕西五路，所向有功。后追封潞王，谥襄穆。

宗辅妃富察氏，其母即太祖之妹也。次妃李氏，生子褒，教之有义方，尝密谓所亲曰："吾儿有奇相，贵不可言。"李氏性明敏，刚正有决，言不妄发。女直旧俗，妇女寡居，宗族接续之。至是宗辅薨，李氏乃祝发为比丘尼，归辽阳，营建清安禅寺，别为尼院居之，号通慧圆明大师。

己丑，参知政事兼权枢密院事、提领措置财用孟庾进知枢密院事。

戊戌，左朝散郎、主管华州云台观王灌充川陕宣抚使司〔计〕（义）〔议〕军事，用吴玠请也。

是日，岳飞至鼎州城外，置寨列舰。

飞素有威望，而军律甚严，乃遣潭州兵马钤辖杨华入贼营招降。贼党黄佐曰："岳节使号令如山，如与之战，万无生理。"遂降。飞单骑按其部，拊佐背曰："子知逆顺者，果能立功，封侯岂足道！欲遣子至湖中，视可乘者擒之，可劝者招之。"佐感泣，誓以死报。时参政席益疑飞玩寇，欲以闻，张浚曰："岳侯，忠孝人也。兵有深机，何可易言！"益惭而止。时大旱，湖水涸如深冬，贼益惧。

是日，诏："殿前司军人与百姓相犯，并送大理寺根治。"

六月，甲辰，洞庭贼杨钦将所部三千人诣岳飞降。

初，张浚至长沙，亲临湖以观贼势，疑未可攻。会召浚还朝谋防秋之计，飞至潭州，袖出小图示浚，浚欲俟来年议之，飞曰："已有定画。都督能少留否？八日可破。"浚曰："何言之易！"飞曰："王四厢以王师攻水寇则难，飞以水寇攻水寇则易。水战我短彼长，以所短攻所长，故难。若因敌势，用敌兵，夺其手足之助，离其腹心之托，而后以王（帅）〔师〕乘之，八日之内，当俘诸贼。"浚许之。

先是湖南统制官任士安、王俊、郝晸等，领兵二万馀，不禀王瓊号令，遂至于败。及飞始至，鞭士安以折其气，使为贼饵，令曰："三日不能平贼，皆斩！"先扬言"岳太尉将二十万兵至矣"！及是止见士安等军，贼并力拒之。三日，飞乃以大兵四合，一战，破贼众殆尽，乘其舟以入水寨，钦等迎降。钦在贼中最悍，所至常先诸贼，杨太恃以为强，飞厚待之，贼愈丧气。浚承制授钦武略大夫。

乙巳，名新历曰《统元》。

辛亥，废蕲州罗田、广济二县并为镇。

癸丑，诏曰："闻诸路久愆雨泽，由朕不德，致使亢旱。虽恐惧修省，思所以答谴戒，弭天灾，尚虑州县违戾诏令，重扰吾民，致伤和气。除税租和预买及应副大军之外，应干科敷催驱等事，日下并罢。仍仰州县具其所罢名件申尚书省。"

荆湖制置使岳飞破湖贼夏诚。

飞既降杨钦，率统制官牛皋、傅选、王刚乘胜击攻水寨。贼将陈瑶劫伪太子钟子仪船，获金龙交床与龙凤簟等，诣飞降。杨太穷蹙赴水，牛皋擒斩之，馀党刘衡等相继皆降。飞入水寨，杀贼众殆尽，惟夏诚寨三面临大江，背倚峻山，官军陆攻则入湖，水攻则登岸。至是飞亲往，测其浅处，乃择善骂者二十人，夜往骂之，且悉众运草木上流。贼闻骂声，争掷瓦石击之，草木为瓦石所压,一旦填满,飞长驱入寨,遂执诚,果八日而湖寇悉平。浚叹曰:"岳侯神箅也!"初,贼恃其险,曰:"犯我者除是飞来。"至是人以其言为谶。

甲寅,尚书左仆射赵鼎、知枢密院事孟庾、参知政事〔沈与求奏:"自五月丙子不雨,今越四旬,叨冒近司,辅政无状,致此谴戒,乞赐黜责。"诏:"各安厥位,无得再请。"〕

丁巳,徽猷阁待制、提举建隆观兼史馆修撰兼侍〔讲〕、资善堂翊善范冲言:"伏见和靖处士尹焞,诚明之学,实有渊源,直方之行,动应规矩,举以代臣,允慊公议。"诏川陕宣抚司以礼津遣赴行在。

焞避难长安,刘豫以玉帛招之,焞却币奔蜀,居于涪州。帝闻其贤,故召。

湖寇既平,得丁壮五六万人,老弱不下十馀万。张浚更易郡县奸赃吏,宣布宽恩。命岳飞进军屯荆、襄以图中原,浚率官属泛洞庭而下。

时淮东宣抚使韩世忠、江东宣抚使张俊,皆已立功,而飞以列校拔起,世忠、俊不能平,飞皆屈己下之,数通书,俱不答。及飞破杨太,献楼船各一,兵徒战守之械毕备,世忠始大悦,而俊益忌之。

癸未,赵鼎奏甘泽应祈,乞御常膳,帝曰:"朕累日寝食不安者,岂特为国无储蓄而望岁之心甚切!兼恐岁饥民贫,起而为盗,朝廷不免遣兵讨定,残杀人命,亦天道之所宜悯也。"

是月,汴京地震。

【译文】

宋纪一百十五　起乙卯年(公元1135年)正月,止六月,共六月。

绍兴五年　金天会十三年(公元1135年)

春季,正月,乙巳朔(初一),出现日食。

高宗在平江。

金人离开濠州。

起初,金国右都监宗弼和刘豫的军队已经退走,于是派人去报告知濠州赵荣。赵荣率领北方军队及投拜官兵马都监魏进一起离去,从北门出,街市上的人还不知道。一会儿,提辖官丁怀等四人,盗窃库房兵器企图作乱,赵荣听到后,后悔说:"我弃城出来,没有派守臣主持州事,怎能不乱!"于是派衙兵再次入城,丁怀逃走了,赵荣抓获其余的三人,将他们斩杀,任命录事参军杨寿亨为权知州事。不久州人对杨寿亨主持州事不满,夺了他的印,请兵马都监孙奕代替他。赵荣已回北方,从此金人在江北的都离去了。

丁未(初三),知枢密院事张浚上奏:"金人暗中起兵逃走,如今已渡过淮河北去。现在应采取措施招集淮南的官吏回还任上,安抚慰问归来从业人户等事宜。"

侍御史张致远上言:"敌骑已经远去,由于淮南的人很多被敌人所拘留,有的在山间水面结集自保,还有中原被征发从军的民众,都想投归我朝,还留在敌寨,以及暂时在村野里躲避。如果不迅速采取措施,我深恐官军以袭击蕃伪地方官吏、收复州县为名,肆意抢掠,妄行杀戮;或拿着俘虏首级,侥幸得赏,使我百姓受害,这比盗寇所加的危害更重。乞求陛下预先降下德音,并出示黄榜告诫,交给张浚处置。"高宗诏令将奏章给张浚看。

己酉(初五),高宗下诏:"淮南州县官吏擅离职守的人,特准赦免,允许他们依旧返回原任;所抛弃的官府财物,一并注销。"

庚戌(初六),御史张致远乞求减并淮南官吏。沈与求说:"官减省则吏就减省,吏减省则官就减省。如今州县胥吏,未曾发给俸禄,都是蚕食百姓而已。淮南因战乱凋敝残破之后,留下的百姓有几个,能经受住他们的侵扰吗!"

淮西宣抚司统制官王进逼迫金军到淮河,降伏金兵将领程师回、张延寿而返回。

起初,金人从六合回去,命令程师回、张延寿殿后,这二人都是骁将。江南东路宣抚使张俊对王进说:"敌人已无留下之心,必定渡过淮河北去,可以迅速进兵,在敌人没有渡淮之前予以攻击。"王进与统领官杨忠闵一同前往。金人即将渡淮时,宋军就逼迫到河边,金人兵众全部溃败,堕河而死,程师回、张延寿势穷力尽而投降。起初,程师回以为张俊是张浚,投降后才醒悟说:"我以为是张枢密使,原来是关西张俊。"

辛亥(初七),淮东宣抚司统制官崔德明在盱眙打败金兵。

乙卯(十一日),张浚从长江上还朝,入见高宗。

丙辰(十二日),高宗对赵鼎说:"大臣,是朕的股肱,台谏,是朕的耳目,职责不同,但事体一

加彩文官司坐俑　金

样。如有的官员不称职,应当罢免贬黜的,爱卿等应迅速奏告朕,不必专门等待台谏。"

戊午(十四日),辅臣进呈特赦淮南一事概况,高宗说:"敌人虽然远去,然而南北的百姓,都是我朝的赤子,应当以兼爱宽容之意处理事宜。中原没有收复,二圣没有回来,赦文不要夸大其词,只是要让两淮百姓得到实惠,才是朕的旨意。"高宗又说:"敌人已经北退,应当逐渐谋划恢复。如果只是依照旧法作退避之计,凭什么来立国!祖宗恩德泽被天下二百年,民心不忘,应当乘此时机,大作规划措施,朕也怎么能郁郁久居在这里呢!"赵鼎说:"机不可失,诚如圣谕。凡事可以办到的,请允许我们谨慎按次序向陛下分条谋划禀奏。"

高宗命令:"江东帅漕司修缮整治建康行宫,修筑城墙,务必保证在近日完成,其他省库百司仓库等,将图画申报上来,务必从简,不得向百姓索取钱物。"当时高宗将回临安,所以有这道诏旨。

庚申(十六日),行宫留守孟庾上言说自己别无职事,乞求分步结束留守司,高宗诏令孟庾依旧留守,其下属官员全部撤销。

壬戌(十八日),武成、感德军节度使、开府仪同三司、充镇江、建康府、淮南东路宣抚使韩世忠被任命为少保、充任淮南东路宣抚使,在镇江府设置官署。当时韩世忠与刘光世、张俊

相继入朝觐见高宗,韩世忠上奏:"金人退兵,陛下必定欢喜。"高宗说:"这不足欢喜,只有收复中原,迎还二圣,才可以欢喜。然而有一件事,由于爱卿等将士奋勇争先,不再像以前那样害怕敌人,朕所欢喜的大概是在这里。"

几天后,高宗以此晓谕辅臣,赵鼎等人称赞高宗掌握了驾驭将帅之道。高宗说:"楚国任用子玉,晋文公因此忧虑得坐不安稳。如今敌骑虽然退走,然而尼玛哈等人还在,朕怎敢忘记这些忧患呢!"

癸亥(十九日),参知政事、行宫留守孟庾上表,请求高宗的车驾回到临安府驻扎,高宗同意。

停止服丧的检校太傅、宁武宁国军节度使、开府仪同三司、充江南东路淮南西路宣抚使刘光世被任命为少保,充任淮南西路宣抚使,在太平州设置官署;太尉、定江昭庆军节度使、两浙西路江南东路宣抚使、神武右军都统制张俊被任命为开府仪同三司、江南东路宣抚使,在建康府设置官署,张俊便被免去都统制。高宗诏令:"韩世忠、刘光世、张俊各赐给银帛三千匹两,各从其异姓亲戚中录用二人为承信郎,赐给一个儿子五品官服,封五服以内女性亲戚三人为孺人,赐予冠帔五副。"

甲子(二十日),淮西宣抚司统制官郦琼攻取光州,活捉伪齐光州知州、武翼郎许约。

金人侵犯淮河时,刘光世派遣郦琼由庐州统兵,声称要渡过淮河,到芍陂,却选择轻兵抄小路直抵光州城下。许约利用城墙固守,刘麟也派遣统领官李知柔率众来援助。郦琼劝说许约投降,许约不从,宋军立即进兵急攻,城快要攻破时,许约势穷力尽,才投降,于是收复了光州。六天后,捷报奏到朝廷,随后刘光世将许约押往行在。高宗对大臣说:"许约为刘豫勾结杨么并劫掠张昂的山寨,凶恶叛逆罪当诛杀。今天来投降,朕不想失信,应免他一死。"于是升迁许约官一级,任命他监南剑州盐税。

戊辰(二十四日),高宗诏令:"承州暂时撤销两县,和、庐、濠、黄、滁、楚州各撤销一县,每县各设置监镇官一员。"因为民事简少,以节省徭役的缘故。

己巳(二十五日),金主完颜晟在明德宫驾崩,年六十一岁,谥号为文烈皇帝,庙号为太宗,后来增上尊谥为体元应运世德昭功哲惠仁圣文烈皇帝。

金太宗在位十三年,宫室禁苑,没有增加。在继承太祖草创金国基业之后,以完颜杲、完颜宗干执掌国政,以宗翰总领军事,已灭掉辽国。攻破汴梁,即议定礼仪制度,修治历法以明时日,治理国家的规模体制,至此开始确定下来。

庚午(二十六日),安班贝勒完颜亶承太宗遗诏在枢前即位。

壬申(二十八日),刘光世、韩世忠、张俊入见高宗辞行,尚书右仆射赵鼎、知枢密院事张浚、参知政事沈与求、签书枢密院事胡松年在高宗身边侍立。高宗命令刘光世等人升殿,宣谕说:"敌人南侵,大概有窥取江、浙之意,由于爱卿等全力抗敌,使敌人失败而去,朕甚为嘉奖。然而中原没有收复,二圣没有还朝,朕的内心报恨不安,爱卿等要更加努力!"刘光世说:"臣等承蒙国家厚恩,敢不以死报效国家!"赵鼎说:"臣听投降的程师回说;逆臣刘豫欺骗金人,说刘光世、韩世忠近来不和,到金人到淮甸后看到的与刘豫所说的不一样,军队的气势已经沮丧了。"高宗说:"有人告诉朕说刘光世、韩世忠因为有小的嫌怨,不能消释。有志建功立业之士应当以意气相许,先国家之所急而后才记私仇。小的嫌怨何足计较!昔日寇恂杀掉贾复的部将,贾复以之为耻辱,深为记恨。汉光武帝说:'天下还不安定,两虎怎能私斗!'于是寇恂与贾复二人坐在一起,极为欢喜,结成友好而去。刘光世、韩世忠纵使有怨怼,今日应该消去前嫌,结好如初。"二人感激流泪,再拜说:"臣等先前误听偏信,曾经因言语不和而失和;至于国家大事,不敢分彼此。今天还烦君父训诫,臣等敢不奉诏!"赵鼎等人顿首称贺。高宗说:"将相和睦,是社稷之福。"命令近侍拿出宫内的金盘尊罍赐给刘光世、韩世忠、张俊,酒过一行,将酒器一并赐给他们,三人辞别高宗而退。赵鼎对沈与求说:"将帅是国家的武臣,推荐人才授予帅位,则是听说过;天子坐在大殿正衙,赐给酒器并亲自劝酒,以前还没有听说过。臣听说英宗皇帝对司马光曾经有过这样的赏赐,以后渊圣皇帝任用李纲,实际上是继用这种办法。刘光世等人能承蒙如此恩宠,必定会思图报恩。"高宗诏令:"刘光世之妻汉国夫人向氏,张俊之妻华原郡夫人魏氏,一并特给宫内俸钱,按照韩世忠之妻的先例给付。"

自建立帅府以来,张俊常常率领军队跟随高宗出行,至此开始在外率领军队,在高宗左右的只有杨沂中而已。

癸酉(二十九日),金国派遣使者向伪齐、高丽、西夏国告哀;并诏令伪齐从此称臣,不称子。

伪齐知濠州马秦率领军队进犯光州,承信郎、权主管州事王莘率领部众抗拒敌人,淮西宣抚使刘光世派遣统制官郦琼、靳赛率领所部去支援。

甲戌(三十日),金主完颜亶诏令朝廷内外公私一律禁酒。

二月,丙子(初二),清远军节度使、神武后军统制、充湖北路荆、襄、潭州制置使岳飞被任命为镇宁、崇信军节度使。

岳飞从池州入朝,一天前,高宗御笔赐给岳飞银帛两千匹两,封岳飞母亲荣国太夫人姚氏为福国太夫人,亲属中录用一人任承信郎,封二人为孺人,赐给冠帔三套,以奖赏他在淮西的战功。

刑部尚书兼详定一司敕令章谊被任命为试户部尚书。

中书门下省检正诸房公事兼权给事中晏敦复被任命为权尚书吏部侍郎。

丁丑(初三),高宗御舟从平江府出发,夜晚,停泊在吴江县。

戊寅(初四),命令祠部员外郎兼权太常少卿张铢奉太庙神主牌位从海道到临安府,命令本府修整同文馆安奉;另外景灵宫神御祭享事宜,命令温州通判暂时代管。

高宗御舟停宿在平望镇。乙卯(初五),停宿在秀州北。庚辰(初六),停宿在崇德县。辛巳(初七),停宿在临平镇。壬午(初八),御舟到达临安府行宫,留守孟庾率领京官,小使臣以上的官员在五里外迎接。高宗回到行宫,赐百官休息沐浴三天。

癸未(初九),高宗诏令:"扈从官都升迁一级官职俸禄。"

枢密院承旨兼都督府参谋官折彦质到行在。

起初,赵鼎议论派遣折彦质到川、陕向西路各帅宣谕旨意,而折彦质上言:"折可求辜负国恩,不能守节;臣的儿女七人,昨天在京师被金人抓去,据传闻也在府州。如果臣以督府参谋官身份突然到川、陕,所担负的职事岂能让人人都欢心!万一因为可疑之迹而受到不明真伪的诽谤,那么臣自身都不能保护,何况是为朝廷办事!恳切希望追回成命,再赐诏令让我不出行。"于是取消了入蜀的动议。

乙酉(十一日)，川陕宣抚副使卢法原，上言已选择精兵五千人，命令右武大夫、开州团练使刘锜统领，迅速赶赴行在。

丙戌(十二日)，尚书右仆射、同中书门下平章事赵鼎被任命守左仆射，知枢密院事张浚被任命为守右仆射，一并同中书门下平章事兼知枢密院事、都督诸路军马。

起初议论让张浚以右仆射身份出使湖外平定杨么，赵鼎升任左仆射，赵鼎秘密启奏说："宰相无事不统领，不必专门任以边事，才是得当。"到两人委任制书颁出，张浚独因军功及专任边事而奏言。高宗已将边事交给张浚，而将政事及进退人才都交给了赵鼎。

任命岳飞为荆湖南、北、襄阳府路制置使、充任神武后军都统制，率领所部平定湖寇杨太，赐钱十万缗、帛五千匹作为犒劳军队的费用，以湖北转运判官刘延年充任随军转运，并命令湖南、江西漕臣薛弼、范振供应随军钱粮。岳飞所部都是西北人，不习水战。岳飞说："军队哪有常规常式，就看如何使用罢了。"

丁亥(十三日)，定国军承宣使、统制关外军马吴璘、武泰军承宣使、同统制关外军马杨政收复秦州。

先前川陕宣抚副使吴玠，听说金人侵犯淮南，派遣吴璘、杨政乘机牵制。吴璘等人派出奇兵，从天水到秦州，以逆顺之理晓谕敌秦州守将顾宣，顾宣不肯投降，于是发起进攻，攻下秦州城。金国右都监完颜杲听说秦州被围，调集各路军队来救援，杨政再次击败敌人。

戊子(十四日)，高宗诏令都督府以诸路军马为名。

己丑(十五日)，高宗亲自率领百官遥拜二位圣上。自高宗出巡，此礼暂停，到这时又恢复实行。

濮安懿王神主牌位供奉在绍兴府光孝寺的法堂。

辛卯(十七日)，徽猷阁待制、都督府参议官程昌寓被任命为知江州。

程昌寓守鼎州有六年，贼寇不能侵犯，到这时就地任用他。几月后，新任守鼎州程千秋到鼎州，当时湖北兵马都监杜湛也改为都督府左军统制，程千秋于是留下杜湛所领的蔡州兵来抗拒贼寇。

壬辰(十八日)，高宗诏令张浚暂往长江上游，处置边防事务，并赐各路宣抚、制置司手诏说："朕因为边境稍微安稳，派遣宰相大臣巡视军队，西连陇、蜀，北到江、淮，已加给督护的权力，都在指挥范围之内。既然难以得到朝廷的批复，就应该对某些事情自行决断处置。你们各方，现时的统帅，钦承朕的命令，使大家都知道。"

丁酉(二十三日)，高宗诏令参知政事孟庾、沈与求为签书枢密院事。

戊戌(二十四日)，高宗诏令："神武中军现入队官兵，每五百人为一个指挥，选拔将校，设置兵籍，等到一切就绪那天，取旨赐军名。"自朝廷南渡以来，各小将的军队和招安的群盗，往往拨给中军，然而没有编制法规，到这时开始制定。

这个月，伪齐将领商元率领部众一千余人袭击信阳军，成忠郎、阁门祗候、知军事舒继明率领部下十三人转战，登上师阳门，箭矢射完，被活捉。贼军用美官诱降，舒继明大骂："我宁为大宋鬼，怎能被污辱从逆呢！你快来杀我。"被驱赶行到信阳军北的史陂，终不投降，于是被害。后来朝廷追赠他修武郎，录用他家中一人为官。荆襄制置岳飞任命忠训郎、阁门祗候权随州兵马都监李迪为知军事，到信阳军驻防。

乙巳(疑误)，金国为太祖后唐古氏谥号圣穆皇后，费摩氏为光懿，追册太祖妃布萨氏为德妃，乌库哩氏为贤妃。

闰二月，丁未(初三)，参知政事沈与求被任命为兼权枢密院事。

龙图阁直学士、枢密都承旨折彦质被任命为试尚书工部侍郎，仍兼都督府参谋军事。

壬子(初八)，辅臣奏请派遣中使到温州奉迎太庙神主，高宗说："朕因为宗庙在远方，心中常有歉意。现在奉迎神主到行在，应当举行朝谒之礼。"沈与求说："古代的征发，载着神主而行。现在虽然战事未息，但九庙没有重建，然而适时草创，举行一次朝谒之礼，也足以慰藉孝心。"高宗说："依照祖宗惯例，只在景灵宫有荐献，在太庙有烧香而已。大礼必须简单，是因为崇尚庄严的缘故。"

乙卯(十一日)，任命参知政事孟庾、沈与求都兼权枢密院事。

当时孟庾从桐庐回到行在，沈与求乞求将枢密院职事交给孟庾兼管。高宗对赵鼎说："已与爱卿议定，今天参知政事一并兼权枢密院了。"赵鼎说："枢密不是自古就有的，从五代时以郭崇韬为枢密使，宋朝因袭不改，所以三省、枢密院分为两个系统。仁宗朝时，富弼作谏官，当时陕西用兵，富弼建议请求让宰相兼职枢密院，这是从吕夷简开始的。臣既已是宰相兼管枢密院事，而参知政事这样的大臣都让兼权枢密院事，那么省院的职事就归为一体了。前人说枢密院调发军马而三省不知道，三省财用已枯竭而枢密院用兵不止，这实在是最深刻的议论。"高宗说："以往三省、枢密院不同班进呈，所以事情多互不通告。然而朝廷的议论，怎么能有处于宫内中枢的二、三位大臣都听不到的呢！"

丙辰(十二日)，高宗诏令："襄、汉的军队，以前因为盗贼和伪齐占据时有劫掠残杀等罪的，一切不问。原来被劫掠的人现在还在的，允许他的家通过官府认领，验实后发还；到安抚平定以后，再有违犯的，由所属官府治罪。"

尚书兵部侍郎兼史馆修撰王居正上言："四库书籍多有缺失，乞求下诏各州县，将已刊刻的书板，不拘经、史、子、集、小说、异书，各印三套送给本省；属于民间的，官府给纸墨偿付工钱。"高宗同意。

丁巳(十三日)，武功大夫、川陕宣抚司后军将牛晧，在瓦吾谷遭遇金人，战死。

当时金国右都监完颜杲与熙河经略使慕容洧想攻打秦州，宋宣抚副使吴玠派遣诸校分道侦察敌人。牛晧行到瓦吾谷，与金将呼善相遇。牛晧所率领的步卒不到二百人，于是下马与敌人交战，他对部众说："我之所以舍弃战马，是要和你们一同战死。"敌人见牛晧与众不同，想招降他，牛晧大骂而战死。承信郎高万回马再战，于是与武功大夫、熙河路部将任安、宣抚司队官、忠翊郎秦元、承节郎薛琪、张亨都战死在阵前。敌人说："真是健儿啊！"后来朝廷追赠牛晧、任安为翊卫大夫，录用他们家中五人为官，追赠秦元、张亨三级官职，录用他们的儿子为官。

己未(十五日)，已故迪功郎李东被追赠为宣教郎，一个儿子被录用为官。这是由于李东监楚州军资库，在金人南侵时被害的缘故。

辛酉(十七日)，都督行府奏告招捕水贼杨太等部署。

当时，张浚以为建康是东南都会，而洞庭湖实际位于长江上流，如今贼寇日益滋盛，阻遏漕运，堵塞地形，是心腹之害，不消灭它，无以立国。然而贼寇依仗大湖，春夏耕耘，秋冬水落

2673

时，就在湖寨收粮，用船装载老小停泊湖中，而全部驱使部众四出抢掠。前些日子朝廷反而认为夏季多雨水，多次在冬季用兵，所以贼寇能合力抵抗而官军却不能得志。今天乘贼寇懈怠，在盛夏讨伐他们，贼众既已分散，一旦会合起来，会疲于奔命，又不能守卫他们的田亩，庄稼被践踏破坏，就有秋冬绝食的忧虑，党羽叛背离散，这时才可以招徕他们。于是随宜处置，命令荆、潭、鼎、澧、岳州对各寨自首的人，多方抚恤，对其首领申报行府授予官职，其余的人给予闲田，贷给他们种子。又命令湖南安抚司统制官任士安率三千军队驻扎湘阴，保护湘江粮道；命令统制官郝晸驻扎桥口，王俊驻扎益阳旧县，吴锡驻扎公安，崔邦弼驻扎南阳渡，马浚、步谅留守潭州；在鼎州的官军，命令程千秋分拨到紧要处驻扎。凡各校官招降到的人数，比照出战斩获首级的惯例行赏；所招收的人，申报所属官府贷给种子授予田地，务须让他们安居乐业。等到黄诚、杨太、周伦向官军投降时，应当议定免除租税，给诸校官补授官职俸禄。于是颁下黄榜到任士安军及岳、谭、鼎州抚慰晓谕。

保义郎唐开，特命调换为右迪功郎。唐开献上《国朝会要》三百卷，高宗诏令晋升他官阶一级；唐开自称本是儒生，所以有这道诏命。

癸亥（十九日），降授龙神卫四厢都指挥使、建武军承宣使、神武前军统制王瓒权主管侍卫马军司公事。

起初，高宗在平江，侍御使张致远上疏议论王瓒荒谬背理，乞求将他同各将一起召回朝廷，高宗采纳了他的意见，命令王瓒全军驻扎镇江府而让亲兵赶赴行在，既已回朝，所以有这道诏命。

金国改葬金太祖于和陵。

丙寅（二十二日），右仆射张浚到镇江，召韩世忠宣谕高宗旨意，让韩世忠率领军队前往楚州驻扎以震撼山东，韩世忠欣然从命。张浚于是到建康抚慰张俊的军队，到太平州抚慰刘光世的军队，军士无不踊跃思奋报国。张浚认为各路兵马所用钱粮，应从督府统一管发，因而都用高级属官兼管。都督行府通知三省指挥从此开始。

丁卯（二十三日），权主管侍卫马军司公事王瓒被任命提举江洲太平观，免除辞谢之礼。

起初，王瓒已任骑帅，而侍御史张致远奏言王瓒的罪恶不在辛企宗之下。右司谏赵霈又上奏："王瓒没有武艺，不懂兵法，因偶然的机遇，滥用兵权。建炎年间为河东经制，敌骑快要到达，才拥兵自卫，逃避入川，使川、陕的百姓闻风惊恐。陛下宽免其罪而没有诛杀他，责令他以观后效，而王瓒不思反省改正以赎前罪。当杜充守建康时，王瓒听说敌人到了，不去应援杜充，反而带兵先逃，一直逃奔到闽中，这是他的第一条罪。当扈从陛下车驾离开永嘉时，王瓒治军没有纪律，不能统驭，而使军队溃散成为盗贼，毒害东南，这是他的第二条罪。到出师讨伐杨太时，旷日持久，攻取无策，而致使崔增、吴全的军队招致失败，这是他的第三条罪。近来诏令他回军镇江，朝廷内外欢喜，都说陛下一定要查证他的罪状，依法从重处置。今天王瓒率领轻骑到朝廷，没有几天，忽然又有侍卫马军的任命，士大夫议论不平。最近陛下因为各军保卫长江有功，已给予优厚赏赐；如今王瓒有罪，唯独放置一边不问，这是有赏而无罚，恐怕不能表明劝勉惩罚。乞求陛下圣断，对王瓒重加贬斥放逐。"王瓒知道后也奏请辞去新职，乞求在外宫观任职。于是诏命王瓒权主管侍卫步军司公事边顺兼权马军司公事，而将他的一万五千人军队改属淮东宣抚使韩世忠指挥。三天后，又因王璸的奏请，免去军职。

己巳(二十五日)，参知政事孟庾上言："依照敕令差遣让我负责财用的筹措调拨，现在请求以总制司为名，专门检察内外官司的隐漏违欠，公文往来依照三省体式。凡本司处理事件，依照先例进呈。"高宗下诏通知尚书省，并赐给铸印。诸路系省钱出入以前经制司每千钱收头子钱二十三，其中十钱上供，十三钱给州县及漕计支用。孟庾请求增加十钱；又请求收耆户长雇钱，抵当四分息钱，转运司移用钱，勘合朱墨钱，常平司七分钱，茶盐司袋息等钱。又收人户合零就整二税钱、免役一分宽剩钱，又收官户不减半、民户增三分役钱，又收常平司五文头子钱，并命令诸州通判、诸路提刑司取催。以后东南诸路，每年征收总制钱七百八十余万缗，而四川不算在内。大凡东南诸路经制司、总制司二司钱，每年征收一千四百四十余万缗，四川每年征收五百四十余万缗。

这一天，经筵开讲。自从高宗视师亲征以来，停止讲读，到这时才恢复。

壬申(二十八日)，高宗诏令右承奉郎徐度，命令中书舍人试他一道策文。左迪功郎胡理，左朝散郎、主管江州太平观钱葇，新授太常博士张宓，一并召来考试馆职；左朝奉郎、新提举浙东常平茶盐公事汪恺，左承议郎、新通判潭州王棠，一并提升差遣。徐度，是徐处仁的儿子；张宓，是张守的哥哥。士人通过十科荐用从此开始。

三月，甲戌朔(初一)，建武军承宣使、提举江州太平观王璸，降授濠州团练使。

己卯(初六)，淮西宣抚使刘光世兼任太平州宣抚使，淮东宣抚使韩世忠兼任镇江府宣抚使。

辛巳(初八)，任命户部尚书章谊兼权工部尚书。

癸未(初十)，高宗诏令："殿前马步军司，各根据现管兵数，暂行编排设置指挥。"

起初，禁卫各军遇到大赦迁转名额，法规很完备。自从中原战乱兴起，军营纷扰混乱，按资迁转不能进行。当时诸将所率军队每年都上奏请功，而宿卫亲兵久无升迁的希望。左仆射赵鼎，请求根据三衙现管的人数，大体仿照旧例，订立升迁的法规。于是高宗诏令："诸班直将校、亲从亲事官，各依照条例论资升迁一级官资，三司将校也参照实行升迁。"当时殿前司有军队九百余人，马步司各有六百余人而已。

甲申(十一日)，淮东宣抚使韩世忠率领大军由镇江进发。

韩世忠将启程，高宗赐给手札说："以前因敌军退走，议论的人上言经营治理淮甸，但人们多害怕前往，爱卿独请亲自担任这一重责，朕十分赞赏。"第二天，赵鼎说："韩世忠已抵达淮南，乞求派遣中使前去抚问。"高宗赐给韩世忠银合茶药，并且以手札慰劳他说："现在听说全军渡过长江，威声传震远方。爱卿妻子儿女是否同行？初来乍到，医药饮食恐怕没有齐备，有所需要，一一奏来。"

当时山阳残破，韩世忠披荆斩棘，建立军府，与士兵一起苦干。韩世忠的夫人梁氏，亲自编织薄席盖房。将士中有临敌怯懦的，韩世忠就送给他们妇人用的头饰，举行乐舞，大摆宴会，让他们穿上妇人服装以羞辱他们。军营建成，韩世忠于是安抚招集流散的百姓，通商并优惠工匠，于是山阳成为一座重镇。

乙酉(十二日)，侍御史张致远被任命为权尚书户部侍郎。

辛卯(十八日),起复秘阁修撰、淮东宣抚使司参谋官陈桷上言:"濒淮之地,久经战火,官私废弃的田地,一望千里,已连年没有耕作,被莽莽野草覆盖。以前这一片土地都很肥沃富饶,臣希望陛下敕令在此地分别驻扎诸帅,占据无主荒田,考虑到劳力的大小,斟酌划分多少,给所部官兵适时播种,或仿照陕西弓箭手法,从长计议处置,因地制宜,种植麻、粟、稻、麦,一切听便,不问税租。对努力耕作的人,可以增发粮米,朝廷陆续供应耕牛的费用。诸帅计算安排种子,将来按其价钱全部偿还。不仅军粮收入充足,如喂马的饲料等用度,也都很充足丰富了。还请求委任都督府选官来兼管这件事,让他们亲自到每一宣抚司与主帅周详计议,使上下情况相通,然而执行。每军就由统制官、统领官管理认定监督,让级别高的谋议官来管理。收成交纳的时候,共同确认所得数目并随时估计价值,申报都督府登记,支还价钱,以金银、现钱搭配给付。又各个司所得粮食,除一年合计支出的数目外,余数就地令封桩作储积之计。"高宗诏令通知都督行府。

甲午(二十一日),赵鼎上奏:"近来久雨,恐怕伤了禾苗庄稼,想到临安府祈求上天。"孟庾、沈与求说:"雨水多,天气久寒,蚕损失很多。"高宗说:"朕现在令宫中养蚕,多少知道种植收获的艰难。祖宗先时在延春阁两壁画有十分详细的农家养蚕、织绢图,元符年间因故改为山水。"

丁酉(二十四日),又将浙西安抚司移到临安府,这是因为皇帝所在之地理应增重事权。徽猷阁直学士、知临安府梁汝嘉兼任浙西路安抚使。徽猷阁待制、知镇江府沈晦兼任沿江安抚使。试尚书吏部侍郎兼侍读郑滋与权户部侍郎张致远互换官职。

癸卯(三十日),迁移镇江府榷货务都茶场于真州。

夏季,四月,丙午(初三),检校少保、武泰军节度使、知明州兼沿海制置使郭仲荀来朝见。

丁未(初四),龙神卫四厢都指挥使、洪州观察使、金、均、房州镇抚使、川陕宣抚司参议王彦被任命为知荆南府,充任归州、峡州、荆门、公安军安抚使。

先前王彦听说高宗亲自到军前,乞求率军入援,没有被允许。适逢张浚以都督名义在湖南视察军队,于是召王彦到都督府商议事情。到这时命令王彦留所部三千人戍守金州、房州,余下的都随从王彦,于是回归旧治所荆南,所需全部钱粮,令行府从湖南、江西调拨应付。

朝廷召令荆南镇抚使解潜赴行在。

靖康年中,解潜为河东制置副使,征召赵鼎为干当公事,所以赵鼎这时举荐他,于是诸镇抚使全部罢免。

戊申(初五),尚书祠部员外郎兼权太常少卿张铢奉太庙神主牌位从温州到行在。

戊午(十五日),奉安太庙神主,参知政事孟庾为礼仪使,每室用特羊、八笾豆,大概是暂行礼仪。

高宗诏令:"福建、广东帅臣筹措编制临海居民为社,捕捉海贼。"

当时室文阁直学士连南夫议论海寇之患,说:"国家每年海外贸易收入数百万,如今风向已顺而外国船舶不来,听说有乘黄屋而称侯王的,臣恐怕不容易招降。希望命令委托州县筹措编制临海居民,五百人结成一社,不到三百人以下的附属于邻社,推举有才能勇力家产的人为社首,其次为副,社首申报并根据圣旨发给文帖派遣。海滨的百姓,熟知海贼动向,现在可任其会合,如擒获较高级的海贼首领,允许取保上奏,从优委任官职,这样谁不高兴为我效力呢?"于是将此议交给张守、曾开互相审议,结果如同连南夫所议。

己未(十六日),高宗诏令:"乡村五保为一大保,从五保中选举保正,在免役令中去掉长字。"开始改变绍圣年间的法规。

先前上言者认为:"职役法实行了多年之久,积成很大的弊害,乡村乡保正长,是最重的职役,不但要根据他财力的贫富,还要兼据人丁的多少,不在全乡轮流差遣,而是只从富裕人家中指派。官吏贪污,在差遣招募之际进行,富裕人家通过贿赂幸免充役,贫困人家因被贪污的官吏勒索而受害,被充役一次,往往招致破产。百姓设法逃避,于是有父亲逃亡、母亲出嫁,兄弟分家析产,以求免服职役,不仅严重困顿百姓财力而致国家根本的虚弱,也将损害百姓教化而破坏风俗。乞求下令有关官吏对旧法稍做改革,只根据家财及在全乡轮流差遣招募保正长,凡官吏因差遣职役一事而收受财物者,重加惩处以示警戒。"另外,有进士上书:"臣私下看当今害民之法,没有比保甲的弊害更大的。希望废除保甲法,恢复元祐时的制度,实行户长之法。"因而有这道诏旨,仍准许今后差遣财力丰厚的单丁人家每次不得超过一人;就是应充役而居住他乡别县或城市以及僧侣道士,一并允许募人充役,官司不得追征本人,其余的按照现行条法实行。当时祠部员外郎林季仲,也奏请总计一乡财力物力,次第选派职役,是单丁的允许募人充役,于是较多采纳了他的意见。

庚申(十七日),高宗诏令:"韩世忠纪律严明,岳飞治军有方,都令学士院降诏通谕嘉奖。"

当时韩世忠移驻淮甸,行军整齐严肃,秋毫无犯。岳飞移驻潭州,军队所到之处没有侵扰,乡里百姓私下送给士卒酒食,士卒即刻付钱。高宗知道这些后,因而有这道诏令。

丙寅(二十三日),金主听说昏德公(宋徽宗)在甲子(二十一日)去世,派遣使者致祭并赠送财物以助丧事。

当时兵部侍郎司马朴与通问副使、修武郎朱弁同在燕山,听说上皇驾崩,议论举哀制丧服。朱弁想先去金廷申请,司马朴说:"我们是大宋的臣子,闻知君父丧告,应当致以哀悼,又何必请求?假如不被允许,能作罢吗?"于是服衰衣,早晚哭泣。金人认为他们有大义而不问。朱弁撰有《送大行文》,大意说:"节上之旄尽落,口中之舌徒存。叹马角之未生,魂消雪窖;攀龙髯而莫逮,泪洒冰天。"洪晧在冷山,知道上皇驾崩后,向着北方而哭,泪血俱下,派遣一同出使的沈珍前往燕山,在开泰寺设置道场,写有《功德疏》说:"故宫为禾黍,改馆徒馈于秦牢;新庙游衣冠,招魂漫歌于楚些。虽置河东之赋,莫止江南之哀。遗民失望而痛心,孤臣久絷而呕血。"金人读后,也为之落泪,相传吟诵。

这个月,龙图阁直学士、已退休的杨时去世,年八十三岁。

起居郎兼侍讲朱震上言:"杨时学问有本原,行为没有污点缺失,正直求进功名,晚年才被人知晓。他的撰述都有益于学者。"高宗诏令有关官吏取来杨时所著《三经义辨》,赐给他家里银帛二百匹两,后来追谥称文靖。

当时尚书左仆射赵鼎,一向尊崇程颐之学,一时学习程颐之学的人都聚集在朝廷。然而赵鼎没见过程颐,所以有伪称是伊川程颐门人而求进当官的,也被提拔任用。

丙子(疑误),直秘阁、知浔州范直方被任命为行尚书刑部侍郎。

五月,辛巳(初八),忠训郎、阁门祗候何薜特别晋升为修武郎,前去大金国军前奉表通问二圣,受赐金带一条,旅费一千缗,录用他家中二人为官。何薜,是何灌的儿子。当时右仆射张浚奏请派遣何薜到云中去见金军统帅,所以有这道诏命。

甲申(十一日),尚书礼部侍郎唐辉被任命为兼权兵部侍郎。

张浚到潭州。

起初,张浚从建康西上,而枢密副都承旨、沿江制置副使马扩从武昌被召回,于是任命他为都督行府都统制。张浚来到醴陵,狱囚数百人,都受杨太派遣做密探,安抚使席益将他们转到远县囚禁。张浚召来审问后,全部给他们松绑,发给文书,让他们分别出示诸寨说:"今天既不能保护田亩,冬季必然缺乏粮食,将会饿死。不如早日投降,即可免你们一死。"数百人欢呼而去。张浚到长沙,贼首黄诚、周伦先请求接受招安,然而黄诚等人多次杀害招安的官兵,所以仍然疑虑不安。张浚派遣制置使岳飞分兵驻扎鼎州、澧州、益阳,以兵势相压迫,贼寇大为惊恐,于是定出投降的计划。

高宗诏令:"中书舍人胡寅议论出使事宜,辞意剀切详明,深得论思的要领,命令学士院赐诏嘉奖表彰。"

金国左副元帅宗辅行到妫州,去世,年四十岁。

宗辅魁伟有尊严,人们望而生畏。先前金太祖征伐四方,几个儿子都总领军队,宗辅常在帷幄中运筹。到后来代替宗望为副元帅,平定河北,并攻取东平及徐州,继而又平定陕西五路,所向有功。后来追封他为潞王,谥号称襄穆。

宗辅的妃子富察氏,她的母亲就是金太祖的妹妹。次妃李氏,生有儿子完颜褒,李氏教之有方,曾私下对亲信说:"我儿子有奇异之相,富贵不可言。"李氏性情聪慧快敏,刚正有决断,不妄自言语。按女真族旧习俗,妇女寡居,宗族可以继续婚配。至此宗辅去世,李氏于是削发为比丘尼,回到辽阳,营造清安禅寺,另建尼院居住,号为通慧圆明大师。

己丑(十六日),参知政事兼权枢密院事、提领措置财用孟庾升任知枢密院事。

戊戌(二十五日),左朝散郎、主管华州云台观王灌充任川陕宣抚使司计议军事,这是采纳吴玠的请求。

这一天,岳飞到鼎州城外,安营扎寨布列舰船。

岳飞一向有威望,而且军队纪律严明,于是派遣潭州兵马钤辖杨华到贼营招降。贼党黄佐说:"岳飞节使号令如山,如果与他交战,绝无生还之理。"于是投降。岳飞单骑收编贼部,抚着黄佐的肩背说:"你是知道逆顺的人,果真能立功,封侯岂在话下!想派遣你到湖中,看到可乘机抓获的人就活捉他,可以劝降的人就招降他。"黄佐感动落泪,誓死相报。当时参政席益怀疑岳飞轻慢贼寇,想奏告朝廷,张浚说:"岳侯是忠孝之人。用兵有深谋密策,怎么可以轻易谈论!"席益惭愧不已。当时大旱,湖水像深冬那样干涸,贼寇更加恐惧。

这一天,高宗诏令:"殿前司军人触犯百姓的,一并送交大理寺彻底追究治罪。"

六月,甲辰(初二)洞庭湖贼杨钦率领所部三千人向岳飞投降。

起初,张浚到长沙,亲赴洞庭湖观察贼势,怀疑不可攻取。恰逢召张浚还朝谋划防秋的计策,岳飞到了潭州,从衣袖中拿出小图给张浚看,张浚想等到来年商议此事,岳飞说:"已经定下计划。都督能否稍做停留?八天就可以攻破贼寇。"张浚说:"怎么说得这样容易!"岳飞说:"王四厢率官军进攻水寇就困难,岳飞用水寇攻水寇就容易。水战我短彼长,用所短攻所长,所以困难。如果根据敌情,利用敌兵,夺去其手足之肋,离间其心腹之托,然后率官军乘机进攻,八天之内,定当俘获诸贼。"张浚准许岳飞的请求。

先前湖南统制官任士安、王俊、郝晸等人,率领军队二万余人,不听王璨的号令,所以导致大败。到岳飞来时,鞭打任士安以消除他的傲气,以他作为引诱贼寇的诱饵,命令说:"三天之内不能平定贼寇,一律斩首!"并事先扬言"岳太尉率领二十万大军到了!"后来只要见到任士安等军队,贼寇就合力抗拒。三天后,岳飞才率领大军四面围合,一战攻破贼众,将之消灭殆尽,乘坐贼船进入水寨,杨钦等人出降。杨钦在贼寇中最为强悍,所到之处常在诸贼之前行动,杨太就是依靠他而逞强。岳飞厚待招降后的杨钦,使贼寇更加丧气。张浚依据制令授予杨钦武略大夫。

乙巳(初三),给新历取名叫《统元》。

辛亥(初九),废除蕲州罗田、广济二县县制,合并为镇。

癸丑(十一日),高宗下诏说:"得知各路久未下雨,是因朕的不德,致使严重干旱。朕虽然恐惧反省修德,思考怎样答复老天的谴责警戒,消灭天灾,还担忧州县违背诏令,严重侵扰我百姓,以致伤害和气。除税租和预买以及应付大军之外,凡科配摊派等事,立即一齐罢止。仍希望州县申报所罢止的事件名目到尚书省。"

荆湖制置使岳飞攻破湖贼夏诚。

岳飞既已招降杨钦,率领统制官牛皋、傅选、王刚乘胜攻击水寨。贼将陈瑶劫持伪太子钟子仪的船,获取金龙交床与龙凤簟等,投降岳飞。杨太窘迫投水,被牛皋擒获斩首,其余党刘衡等人都相继投降。岳飞进入水寨,将贼众斩杀殆尽,只有夏诚的水寨三面临江,背靠峻山,官军陆路进攻他就退入湖中,水路进攻他就登上岸。至此岳飞亲自往攻,探到水浅之处,就选择善于骂人的二十人,夜间前去叫骂,并且让全部人马将草木运到上流。贼寇听到骂声,争相投掷瓦石攻击叫骂者。草木被瓦石所压,一旦填满,岳飞就长驱而入贼寨,于是活捉夏诚,果然八天就全部平定了湖寇。张浚叹息说:"岳侯真是神机妙算啊!"当初,贼寇依恃险要,说:"能侵犯我们的除非是岳飞来。"至此人们都将此话看成是谶语。

甲寅(十二日),尚书左仆射赵鼎、知枢密院事孟庾、参知政事沈与求上奏:"从五月丙子(初三)未下雨,至今已超过四旬,这是因为臣等官居高位而不称职,辅助政务没有情状,以致老天如此谴责惩戒,乞求陛下贬黜斥责臣等。"高宗诏令:"卿等各安其位,不得再请。"

丁巳(十五日),徽猷阁待制、提举建隆观兼史馆修撰兼侍讲、资善堂翊善范冲上言:"臣看和靖处士尹焞,其诚明的学问,实在渊源,行为正直,合乎规矩,举荐他代替臣,可以满足大家的议论。"高宗诏令川陕宣抚司以礼资助遣送尹焞赶赴行在。

尹焞在长安避难,刘豫用玉帛招请他,尹焞拒受钱财投奔四川,住在涪州。高宗知道他的贤才,所以召他入朝。

洞庭湖寇既已扫平,得到丁壮五六万人,老弱不下十余万。张浚调换郡县作奸犯赃的官吏,宣布宽恩。命令岳飞进军驻扎荆州、襄州,以图中原,张浚率领官属渡洞庭湖而下。

当时淮东宣抚使韩世忠、江东宣抚使张俊,都已立功,而岳飞是由列校提拔上来的,所以韩世忠、张俊心中不平,岳飞委屈自己,与他们多次通信,但都没有答复。到岳飞攻破杨太,向他们各献上楼船一艘,兵众战守器械齐备,韩世忠才大为欢喜,而张俊却更加妒忌岳飞。

癸未(疑误),赵鼎上奏应祈求降下甘泽,乞求高宗像往常一样用御膳,高宗说:"朕连日寝食不安,岂止因为国家没有储蓄而盼望年成丰足之心急切!还恐怕今年的旱灾引起饥荒而使百姓贫穷,起而成为盗贼,朝廷免不了派兵征讨平定,残杀人命,也是天道所应怜悯的啊。"

这个月,汴京发生地震。

续资治通鉴卷第一百一十六

【原文】

宋纪一百十六　起旃蒙单阏【乙卯】七月,尽柔兆执徐【丙辰】五月,凡十一月。

高宗受命中兴全功至德　圣神武文昭仁宪孝皇帝

绍兴五年　金天会十三年【乙卯,1135】　七月,丙子,武功大夫、忠州团练使兼阁门宣赞舍人、都督府提举亲兵柴斌知金州,兼金、房、均三州安抚使,用行府奏也。仍命斌隶属襄阳帅府,其探报事宜及边防措置,则申川陕宣抚副使吴玠。

都督行府请移鼎州龙阳县于黄诚寨地,仍升为军,以持服人黄与权起复左奉议郎、充龙阳军使兼知县事,又言:"潭、鼎诸县因水贼侵扰,多有移治去处,并令移归旧治。如系选人知县,俟任满而改(令)〔合〕入官;京官与转一官。应水寨出首之人,制置司量事体轻重,拟定合补官资申行府,愿归及充水军者听。"又请免澧州上供钱三年,皆从之。既而制置使岳飞言水寨愿归业者二万七千馀家,诏州郡存恤之,无得骚扰。然黄诚寨地低而迫湖,土人不以为便,仍令如旧焉。

丁丑,孟秋荐享太庙。自是岁五飨,如常礼。

己卯,知枢密院事、提领措置材用孟庾充观文殿学士、知绍兴府。庾以行府关三省、密院事,积不平,因称疾求去。

甲申,帝亲酌献祖宗神御于行宫斋殿,文武官少卿已上陪位如仪。

乙酉,降光州襃信县为镇。

乙未,神武中军统制杨沂中兼权主管殿前司公事,代刘锡也。诏:"制造御前军器所依旧例不隶台察。"

丙(午)〔申〕,徽猷阁直学士赵子昼试尚书兵部侍郎。

承节郎赵珪迁承忠郎、阁门祗候。

初,帝以赵普佐命元勋,视汉萧何,而子孙沦落,命所在访求,量才录用。珪,普五世孙也,避地郁林州,以普绘像及《谏伐幽燕疏》来献,故有是命。

免湖南上供米三年,用本路漕臣请也。

废邓州顺阳、淅川、襄阳府邓城、中庐县并为镇。

辛丑,废随州唐城县。

是月，伪齐刘豫废明堂，得金龙之金四万两，大铜钱三百万。暴风连日，屋瓦皆震。

八月，壬寅朔，录故相范质七世孙(樏)〔梾〕为将仕郎。

罢荆南营田司，令安抚司措置官兵耕种，毋得循旧扰民，又以归州还利〔隶〕(州)安抚使王彦，皆用都督行府请也。

初，彦自渠州以所部之镇至荆南，而镇抚使解潜已去，食廪皆竭。彦惧不可留，即引兵追潜至鄂州。会张浚平湖贼还，与之遇，复劝彦还自枝江，徙居旧治。时军储不继，彦乃仿川钱引法造交子，行于荆南管内，渐措置屯田，为出战入耕之计。仍择荒田，分将士为庄，庄耕千亩。治石唐、瓦窑二废堰，计工六万有奇，不浃旬告成，公私利之。

甲辰，诏增馆职为十八员。

时言者论："〔唐〕太宗当兵戈抢攘之际，置文学馆学士凡十有八人，其后皆为名臣。祖宗辟三馆以储养人才，盖本(如)〔于〕此。今国步艰难，时方右武，故馆职犹多阙员。然临事每有乏才之叹，则储养之方，亦不可以兵戈而遽已也。一馆职之奉入，仅比一小使臣，小使臣动万数，何独于馆职较此微禄哉！乞依祖宗故事，通以十八人为额。"故有是命。既而本省再请，乃命秘书郎及著作各除二员，校书郎、正字通除十二员，而少、丞不与焉。

礼部贡院放榜，考校到合格进士樊光远等二百人。

己酉，赵鼎言探报刘豫将山东百姓六十以下、二十以上皆签发为兵，每亩田科钱五百，帝曰："朕未尝一日忘中原之民，使陷于涂炭，皆朕过。百姓为豫虐用如此，朕心恻然。"

鼎又言："故右奉直大夫邵伯温，大贤之后，行义显著，元符末以上书得罪，书名党籍，坐废者四十年。伏望优加褒赠。"鼎，伯温门人也。诏赠秘阁修撰，官其家一人。

庚戌，废汉阳军为县，隶鄂州。

癸丑，权尚书吏部侍郎张致远复为户部侍郎，中书舍人刘大中试吏部侍郎，中书门下省检正诸房公事吕祉权兵部侍郎。

戊午，故集英殿修撰周鼎特赠徽猷阁待制。

己未，淮东宣抚使韩世忠遣统领官韩彦臣等袭伪镇淮军，获知军、成忠郎王拱等，遣亲校温济献于朝。诏贷拱罪，以本官隶忠锐第五将。帝因言："宿迁伪官，本吾赤子。它时边臣，如此等小吏，不须赏，庶免生事。世忠既有请，可量与推恩。"

癸亥，帝策正奏名进士于射殿。

都督行府言以见管湖南水军及周伦等所部置十指挥，并于手背上刺"横江水军"四字，从之。

甲子，帝御幄殿，阅试武举人弓马。

是月，伪齐陷光州。

时刘麟出猎于陈留县，有义党百馀人，欲擒麟南归，为其徒所告，悉斩于汴京。

豫又以其弟复知济南府，观知淮宁军。

九月，壬申，金主追尊其考丰王宗峻为景宣皇帝，庙号徽宗，妣富察氏为惠昭皇后。

乙亥，帝御射殿，赐进士汪洋等二百二十人及第、出身。洋乞避远祖嫌名；时年十八，帝以其与王拱辰同岁，赐名应辰。

戊寅，金主尊太祖后赫舍哩氏、太宗后唐古氏皆为太皇太后。

乙酉，尚书左仆射、监修国史赵鼎上《重修神宗实录》五十卷。旧文以墨，新修以朱，删出以黄。帝起，诣殿东壁，焚香再拜受书。鼎、冲及直史馆诸人进秩各有差。

金改葬景宣帝及惠昭后于兴陵。

是月，淮西宣抚司统制官华旺复光州。

名雷州寇准庙曰旌忠。

自靖康之末，两河之民不从金者，皆于太行山保聚。太原义士张横者，有众二千，来往岚、宪之间，是秋，败金人于宪州，擒其首将。又有梁青者，怀、卫间人，聚众数千人，破神山县，平阳府判官郑爽以大军讨之，不敢进。居数日，都统制乌玛剌引骑五百与爽会，乃并其兵与青战，兵败，为青所杀。

冬，十月，丙午，复高邮县为军，以知县兼军事。

己酉，罢宫观月破供给钱。

自蔡京用事，始创祠官供给，庶官依本资序降二等，学士以上不降。王黼继相，已除其法，绍兴令复旧，至是除之。

庚戌，尚书右仆射张浚入见。

浚既平贼，遂自鄂、岳转淮东、西，会诸大将议防秋之宜，至是入见。诏："浚母庆国夫人计氏进封蜀国，兄直徽猷阁滉赐紫章服，赐浚银帛千匹两，亲二人六品服，一人承务郎。"帝亲书》《否泰卦》赐浚。

乙卯，端明殿学士、荆湖南路安抚制置大使兼知潭州席益为资政殿学士、成都、潼川、夔州、利州路安抚制置大使兼知成都府。

先是川陕宣抚副（司）〔使〕吴玠与都转运使赵开不咸，玠叠以馈饷不给诉于朝，开亦称老病求罢，故命益往帅。诏以益前执政，序位在宣抚副使之上，逐州兵马并隶大使司；如边防切紧大事，即令宣抚司处置，其调发隶都督府。

观文殿大学士、提举西京嵩山崇福宫李纲为江南〔西〕路安抚制置大使，兼知洪州。

张浚数于帝前言纲忠，赵鼎亦为帝言纲才器过人，故有是命。

镇南军节度使、开府仪同三司、提举临安府洞霄宫吕颐浩为荆湖南路安抚制置大使，兼知潭州。

丁巳，故文林郎范正平，赠直秘阁，予一子官。正平，纯仁长子也，以忤蔡京故陷党籍，不出仕，终身为选人。

戊午，诏："川、陕类省试合格第一名，依殿试第三名例推恩，馀并赐同进士出身，特奏名人令宣抚司置院差官试时务策一道。"以道远举人赴殿试不及故也。

庚申，故承议郎吴侔赠直秘阁，官其家一人。侔，育孙也，名在党籍，其家请而赐之。

乙丑，淮东宣抚使韩世忠，奏伪齐遣沂、海州等签军攻犯涟水军，世忠遣统制官、吉州刺史呼延通等击殪之，所脱无几。帝曰："中原赤子，为豫逼胁，死于锋镝，良可悯也。可令收拾遗骸埋瘗，设水陆斋追荐。仍出榜晓谕，使彼知朝廷矜恤之意。"乃赐通袍带，将官拱卫大夫、贵州刺史王权已下金碗，仍以通为果州团练使，权领果州团练使，与将士推恩有差。

是月，祫享太庙，祖宗并为一列，不序昭穆，谓之随宜设位，以庙之前楹迫狭故也。

十一月，庚午朔，初置节度使已下象牙牌。其法，自节钺正任至横行遥郡，第其官资，书之于牌，御书押字，刻金填之，仍合用制造，一留禁中，一降付都(统)〔督〕府，相臣主其事。缓急临敌，果有建立奇勋之人，量其功劳，先次给赐，以为执守。自军兴以来，皆宣抚使便宜给札补转，至是都省有此请焉。

癸酉，诏："一应守臣守御，临难不屈，死节昭著，不以官品高下，并令帅司保奏，特与赐谥。"

乙亥，进士颜邵特补右修职郎，卓右迪功郎，彦辉下州文学。

初，帝闻颜真卿之后有居温州者，命守臣推择以闻，得邵等三人，而彦辉，则真卿十一世孙也。帝谓大臣曰："人有一死，或轻于鸿毛，或重于泰山，在处死为难耳。真卿在唐死节，可谓得所处矣。况今艰难之际，欲臣下尽节，可量与推恩，以为忠义之劝。况仁祖时，曾命颜似贤以官，自有故事。"遂命邵、卓监潭州南岳庙。

金主以尚书令、宋国王宗磐为太师。宗磐自以太子，当为安班贝勒。金主虽加尊礼，而宗磐心常怏怏。

先是金天会五年，司天杨级始造历，其所用历元日法，不知所本，或曰因宋《纪元历》而增损之也。乙亥，初颁历，其后名之曰《大明历》。

己卯，金以元帅左监军完颜希尹为尚书左丞相兼侍中，以太子少保高庆裔为左丞，平阳尹萧庆为右丞。希尹自太祖举兵，常在行陈，所至有功，又尝权西南、西北两路都统，有威望；及为相，有大政，皆身先执咎，时人称之。

甲申，翰林学士兼侍讲孙近试吏部尚书。

自渡江，宰辅已减俸三之一，至是赵鼎等复请于内权减二分，从之。于是行在官吏俸禄皆权减。

乙酉，显谟阁直学士、知平江府李光试礼部尚书，试尚书工部侍郎、都督府参谋军事折彦质试兵部尚书，徽猷阁待制、知静江府李弥大试工部尚书，给事中廖刚试刑部侍郎。

丙戌，诏："荆、襄、川、陕见宿大兵，措置事宜，委任至重，虽已除席益制置大使，而调发节制，隶在督府，可令张浚往视师，仍谕诸路。"

议者谓："梁、洋沃壤数百里，环以崇山，南控蜀，北拒秦，东阻金、〔房〕，西拒兴、凤，可以战，可以守。今两川之民，往往逃趋蜀中，未敢复业，垦辟既少，多屯兵则粮不足以赡众，少屯兵则势不足以抗敌，宜以文臣为统率，分宣抚司〔兵〕驻焉，而以良将统之，遇防秋则就食绵、阆。如此，则兵可以备援，而民得安业。"诏宣抚副使邵溥、吴玠择二郡守臣相度。

初，玠苦军储不继，于兴元、洋、凤、成、岷五郡治官庄屯田，又调戍兵治褒城废堰，民知灌溉可恃，皆愿归业，诏书嘉奖。别路漕臣郭大中言于玠曰："汉中岁得营田粟万斛，而民不敢复业。若使民自为耕，则所得数什百于此矣。"玠用其言，岁入果多。已而玠复欲陆运，召诸路转运使持户籍至军中。溥曰："今春驱梁、洋遗民负粮至秦州，饿死十八九，岂可再也！且宣司已取蜀民运脚钱百五十万，其忍复使陆运乎！"既上疏，立以便宜止之，卒行水运。大中患水运亡失，以策诱贾贩，省费十之五。

己丑，金建天开阁于约罗。

癸巳，亲从官赵胜归自金国。帝曰："太上皇帝在漠北苦寒之地，居处、衣服、饮食，百种皆阙；为人子不能拯父兄之难，深自悲伤。今朕所居宫室及一饮一食之间，念及父兄，痛入骨髓！"因嘻嘘泣下。

十二月，己亥朔，带御器械、神武中军都统制、权殿前司公事、提举宿卫亲兵杨沂中权主管殿前司公事，并中军隶殿前司。自五军外，又置选锋、护圣二军，每军皆〔有〕统制，仍令沂中具名申枢密院给降付身。

庚子，诏："神武系北齐君号，宜以行营护军为名，神武前军改称中护军，左军称前护军，后军称后护军。刘光世所部人马称左护军，吴玠所部称右护军，并听本路宣抚招讨司节制。王彦所部人马称前护副军，听荆南安抚司节制。〔统制〕官已下请给、资任、军分如旧。"

中护〔军〕者，本张俊所将信德府部曲，后以忠锐诸将及张（浚）〔俊〕亲兵与张用、李横、阎皋之众隶之。前护军者，本韩世忠所将庆源府部曲，后以张遇、曹成、马友、李宏、巨师古、王璒、崔增之众隶之。后护军者，本岳飞所将河北部曲，后以韩京、吴锡、李山、赵乘渊、任士安之众隶之。左护军者，本刘光世鄜延部曲，其后王德、郦琼、靳赛自以其众隶之。右护军者，本吴玠泾原部曲，后得秦、凤散卒及刘子羽、关师古之众隶之。前护副军者，本王彦河北所招部曲，其后稍以金州禁卒隶之。至是俊与世忠、光世军最多，玠次之，飞又次之，彦兵视诸将最少。

自渡江以后，三衙名在实亡，逮赵鼎、张浚并相，乃以杨沂中所将隶殿前司，解潜部曲隶马军司，统制官颜渐部曲隶步军司。沂中之军本辛永宗部曲，后又益以它兵，故其众特盛。潜之军才千馀，渐所统乌合之众而已。

丙午，右朝请大夫、提举江州太平观刘子羽复集英殿修撰、知鄂州，主管荆湖北路安抚司公事。

张浚既还朝，始议大合兵马为北讨计，乃自招子羽令谕指西帅，且察边备虚实，故有是命。

右武大夫、开州团练使刘锜为江南东路马步军副总管、带御器械，以其亲兵遥隶步军司。

庚戌，武卫大夫、秦州刺史、都督府中军统制军马吴锡为殿前司策选锋军统制兼都督府军统制。

辛亥，权户部侍郎王俣言："兵革未息，屯戍方兴，大计所入，充军须者十居八九，此国用所以常乏。当讲究长策，细大不遗，斯为尽善。敢略陈五事：一曰去冗食之兵，二曰损有馀之禄，三曰收隐漏之赋，四曰补消毁之实，五曰修平准之法。"

"臣闻兵贵精不贵多。兵多而不精，则冗食者众；冗食者众，则勇怯不分；勇怯不分，则战无必胜。是冗食之兵，不惟徒费粮饷，取败之道。故治军之法，战兵之外，车御、火长、牧人、工匠之属，皆有定数，舍是则为冗食。今日财用所出，尽于养兵，然其间未尝入队，不堪披带者，尚多有之。竭民力以养无用之人，不如委将帅自加澄汰，付之漕臣，籍荒闲之田，计口分受，官为措贷，给与牛、种，使之垦辟，仍且与减半支给钱粮，俟秋熟之时，便罢请给，一岁之后，量立租课。且以万人为率，每岁所减米十馀万石，钱四十馀万缗，绢布五万馀匹，况又有租课所入,储此以养战士,非小补也。"

"艰难以来,流品猥众,进用殊常,而制禄之数,一循旧法,理宜不给。欲乞应内外文武官俸给等,以缗计者,自百千以上,每千减半,有兼职者通计,并候事平日依旧。如此则裁捐虽众,不及小官,恕而易行,夫复何患!"

"自军兴以来,十年于兹,财用所出,大则资之民力,其次则资之商贾,无不自竭以奉其上。唯是释家者流,一毫不取,邑以千计,郡以万计,不穑坐食,其隐漏租税,暗损国计,不知其几何也。宜酌古今之意,权急缓之宜,使之输米赡军,人岁五斗,依税限进纳,凡居禅房及西北流寓者,特与蠲免,于以少舒民力,不为过也。"

"自艰难以来,饶、虔两司鼓铸(逐)〔遂〕亏,而江、浙之民巧为有素,销毁残宝,习以成风。其最者,如建康之句容、浙西之苏、湖、浙东之明、越,鼓铸器用,供给四方,无有纪极。计一两所费,不过千数钱,器成之日,即市百金,奸民竞利,靡所不铸。一岁之间,计所销毁,无虑数十万缗。两司所铸,未必称是,加以流入伪境,不知几何。乞明诏有司,申严铜禁,屏绝私匠,自今以始,悉论如律。除公私不可阙之物,立定名色,许人存留,及后官铸出卖外,其馀一两以上,严立罪赏,并令纳官,量给铜价,令分拨赴钱监,额外鼓铸。"

"国家平昔无事之时,在京则有平准务,在外则有平货务,边计之馀,内裨国用,无虑二十万缗,其效固已可见。况今日师旅方兴,用度日广,欲乞先于行在置平准务,次及诸路要会去处各置平货务,以广利源,诚非小补,俟其就绪,置使领之。"

"此五事者,傥有可采,乞令有司讲究条画,排斥浮议,断以必行。"诏户部、工部勘当。其后颇施行之。

癸亥,金始定齐、高丽、西夏朝贺、赐宴、朝辞之仪。

以京西鹿囿赐民。

丙寅,都督府请以集英殿修撰、新知鄂州刘子羽权本府参议军事,与主管机宜文字熊彦诗并往川、陕抚谕,诏各赐银二百两,遣行。

时张浚将谋出师,故令子羽等见宣抚副使吴玠谕指。而玠亦屡言军前粮乏,因命子羽与都转运使赵开计事,并察边备虚实焉。

是冬,金主〔以蒙古叛,遣领三省事宋国王宗磐提兵破之。蒙古在女真之东北,其人劲捍善战,〕以鲛鱼皮为甲,可捍流矢。

伪齐刘豫献海道图及战船木样于金主,金主入其说,调燕、云、两河夫四十万入蔚州交(邪)〔牙〕山,采木为筏,开河道,运至虎州,将造战船,且浮海以入。既而盗贼蜂起,事遂中辍,聚船材于虎州。

是岁,夏国主乾顺改元大德。

绍兴六年 金天会十四年【丙辰,1136】 春,正月,己巳朔,帝在临安。

辛未,帝以雪寒,民艰食,命有司赈之。翼日,谓尚书右仆射张浚曰:"朕居燠室尚觉寒,细民甚可念。若湖南、江西旱灾去处,亦宜早措置赈济。民既困穷,则老弱者转于沟壑,强悍者流为盗贼,朕为民父母,岂得不忧!"浚曰:"陛下推是心以往,则足以感召和气,况实惠乎!"帝曰:"朕每以事机难明,专意精思,或达旦不寝。"浚曰:"陛下以多难之际,两宫幽处,一有差失,存亡所系,虑之诚是也。然杂听则易惑,多畏则易疑。以易惑之心,行易疑之事,终归于无成而已。是以自昔人君,正心修己,仰不愧,俯不怍,持刚健之志,洪果毅之姿,为所当为,曾不它恤。以陛下聪明,苟大义所在,断以力行,夫何往而不济!臣愿万机之暇,保养太和,澄心静气,庶几利害纷至而不能疑,则中兴之业可建矣。"

癸酉,荆襄招讨使岳飞,言太行山忠义社梁青百馀人欲径渡河,自襄阳来归。时金人并兵攻青,故青将精骑突至飞军前。帝曰:"果尔,当优与官,以劝来者。谍言固未可信,若此等人来归,方见敌情。"沈与求曰:"若敌诚衰,来者众,则敌情审矣。"

丁丑,诏:"纳粟别作名目授官〔人〕,毋得注亲民、刑法官,已授者并罢;自今到部隐漏不实者,抵其罪。"时论者谓:"县令,民之师帅,刑罚之官,人命所系,不可轻以授人。比年军兴,以纳粟得官者,不谓之纳粟,或以上书文理可采,或作献纳助国,与理选限。原朝廷之意,欲激劝其乐输,使得为官户,而铨曹别无关防之法,近年以来,固有得县令,亦有得司法者。此曹素未尝知政务,直以多赀,一旦得官,若遂使之临县议刑,其不称职必矣。欲下吏部立法关防,仍先改正。"故有是旨。

癸酉,金颁历于高丽。

丁丑,金太皇太后赫舍哩氏崩,后上尊谥曰钦献皇后,葬睿陵。

己卯,起复徽猷阁待制、都督府参议、权川陕宣抚副使邵溥试尚书礼部侍郎。

癸未,尚书左仆射兼监修国史赵鼎上《重修神宗实录》二百卷。

乙酉,高丽、西夏及刘豫并遣使贺金主万寿节。金主本七月七日生,以同皇考忌日,改用正月十七日。

丙戌,尚书右仆射张浚辞往荆、襄视师。

浚以敌势未衰,而刘豫复据中原,为谋叵测,奏清亲行边塞,部分诸将,以观机会,帝许之。浚即张榜声豫叛逆之罪。

时淮东宣抚使韩世忠驻军承、楚,淮西宣抚使刘光世屯太平州,江东宣抚使张俊屯建康府,而湖北、京西招讨使岳飞在鄂州,朝论以为边防未备,空阙之处尚多。浚独谓:"楚、汉交兵之际,汉驻兵荥、渑间,则楚不敢越境而西,盖大军在前,虽有它歧捷径,敌人畏我之议其后,不敢逾越而深入。故太原未陷,则粘罕之兵不复济河,亦以此耳。而论者多以前后空阔为忧,曾不议其粮食所自来,师徒所自归,岂必环数千里之地尽以兵守之,然后可安乎!"浚既白于帝,又以告之同列,惟帝深以为然。

戊戌,都督行府奏:"乞将大姓已曾买官人,于元名目上升转。文臣迪功郎升补承直郎一万五千缗,特改宣教郎七万缗,通直郎九万缗。武臣进义校尉升补修武郎二万二千缗,保义郎已上带阁门祗候三万缗,武翼郎已上带阁门宣赞舍人十万缗。已有官人特赐金带五万缗。并作军功,不作进纳,仍与见缺差遣,日下起支请给,其家并作官户,见当差役科敷并免。如将来参部注拟资考、磨勘改转、荫补之类,一切并依奏补出身条法施行,仍免铨试;金带永远许系。"从之。

二月,壬寅,都督府奏改江、淮营田为屯田。

先是言屯田者甚众,而行之未见其效。会张浚出行边,因出户帖钱二十万缗为本。浚请

2687

应事务并申行府措置,俟就绪日归省部,许之。于是官田、逃田并行拘籍,依民间例召庄客承佃,每五顷为一庄。客户五家相保共佃,一人为佃头。每客,官给牛五具,种子、农器副之。每家别给(菜)〔菜〕田十亩,又贷本钱七十千,分二年偿,勿取息,若收成日愿以斛斗折还者听。遂命屯田郎官樊宾、提举粮料院王弗同推行焉。

戊申,湖北襄阳府路招讨使岳飞,请复以襄阳府路为京西南路,唐、邓、随、郢、均、房州、信阳军并为所隶,从之。

辛亥,诏张浚暂赴行在所奏事。

浚命(京)〔淮〕东宣抚使韩世忠自承、楚以图淮阳,命淮西宣抚使刘光世屯合肥以招北军,命江东宣抚使张俊练兵建康,进屯盱眙,又请权主管殿前司公事杨沂中领中军,为后翼,命湖北、京西招讨使岳飞屯襄阳以图中原。帝亲书《裴度传》赐浚。

甲寅,兵部尚书、都督府参谋军事折彦质充端明殿学士、签书枢密院事。

乙卯,淮东宣抚使韩世忠引兵至宿迁县,时刘豫聚兵淮阳,世忠欲攻之,乃引兵逾淮、泗,旁符离而北。

前一日,遣统制官岳超,以二百人,探知邳州贾舍人者亦以千骑南来,与之遇。众欲不战,超曰:"遇敌不击,将何以报!"敌鸣鼓,超率众突入陈中,出入数四,敌乃还。

翼日,世忠引大军进趋淮阳城下,命统制官呼延通前行,世忠自以一骑随之,行三十馀里,遇金人而止。世忠升高丘以望通军,通骑至陈前请战,金将叶赫贝勒大呼令解甲,通曰:"我乃呼延通也。我在祖宗时,杀契丹,立大功,誓不与契丹俱生。况尔与我仇,我肯与尔俱生乎!"叶赫即驰刺,与通交锋,转战移时不解,皆失杖,以手相格,去陈已远,逢坎而坠,二军俱不知。叶赫刃通之腋,通扼其吭而擒之。

既而世忠为敌所围,乃按甲不动,俄麾其众曰:"视吾马首所向。"奋戈一跃,已溃围而出,不遗一镞。世忠曰:"敌易与耳。"复乘锐掩击,敌败去。

丙辰,韩世忠围淮阳军。

戊午,诏杨沂中以八队万人赴都督行府。

张浚欲以沂中助韩世忠,故有是命。庚申,诏沂中落阶官为密州观察使、龙神卫四厢都指挥使,遣行。

辛酉,权主管侍卫马军公事解潜兼权殿前司,带御器械刘锜兼权宿卫亲兵,以杨沂中出戍故也。

韩世忠攻淮阳,敌坚守不下,刘豫遣使入河间求援于金右副元帅宗弼。先是金、伪与其守将约,受围一日则举一烽,至是城中举六烽,刘猊与宗弼皆至。

世忠之出师也,乞援于江东宣抚使张俊,俊不能从,世忠乃还。道遇金师,世忠勒陈向敌,遣小校郝彦雄造其军大呼曰:"锦袍骢马立陈前者,韩相公也。"众咎世忠,世忠曰:"不如是,不足以致敌。"及敌至,世忠以数骑挑之,杀其引战者二人,诸将乘之,敌败去。

淮阳民从军南归者万数,都督行府悉授田居之。帝诏州县存恤,毋令失所。

壬戌,折彦质参知政事。

癸亥,参知政事沈与求罢,为资政殿学士、知明州。与求乞宫观,改提举临安府洞霄宫。

诏:"临安府民间僦舍钱,不以多寡,并三分中减一分,白地钱四分之一。"

观文殿大学士、新江西制置大使李纲见于内殿。

三月,戊辰朔,礼部尚书李光兼权刑部尚书。

己巳,少保、武成、感德军节度使、淮南东路兼镇江府宣抚使韩世忠为京东、淮东宣抚处置使兼节制镇江府,徙镇武宁、安化,楚州置司。检校少保、镇宁崇信军节度使、湖北京西南路招讨使岳飞为湖北京西宣抚副使,徙镇武胜、定国,襄阳府置司。时锐意大举,都督张浚于诸将中每称世忠之忠勇,飞之沉鸷,可以倚办大事,故并用之。

是日,李纲入辞,退,上疏言:"今日主兵者之失,大略有四:兵贵精不贵多,多而不精,反以为累;将贵谋不贵勇,勇而不谋,将致敌擒;陈贵分合,合而不能分,分而不能合,皆非善置陈者;战贵设伏,使直前而有中道邀击之虞,即非善战者。愿明诏之,使知古人用兵之深意,非小补也。朝廷近来措置恢复,有未尽善者五,有宜预备者三,有当善后者二。今降官告,给度牒,卖户帖,理积欠,以至折帛、博籴、预借、和买,名虽不同,其取于民则一,而不能生财、节用、核实、懋迁,一也。议者欲因粮于敌,而不知官军抄掠,甚于寇盗,恐失民心,二也。金人专以铁骑胜中国,而吾不务求所以制之,三也。今朝廷与诸路之兵尽付诸将,外重内轻,四也。兵家之事行诡道,今以韩世忠、岳飞为京东、京西宣抚,未有其实而以先声临之。且中军既行,宿卫单弱,肘腋之变,不可不虞,则行在当预备。江南、荆湖之众尽出,敌或乘间捣虚,则上流当预备。海道去京东不远,乘风而来,一日千里,而苏、秀、明、越全无水军,则海〔道〕当预备。假使异时王师能复京东、西地,则当屯以何兵? 守以何将? 金人来援,何以待之? 万一不能保,则两路生灵虚就屠戮,而两河之民绝望于本朝。胜犹如此,当益思善后之计。"

纲又言:"今日之事,莫利营田。然淮南兵革,江湖旱灾之馀,民力必不给。谓宜令淮南、襄、汉宣抚诸使,各置招纳司,以招纳京东、西、河北流移之民,明出文榜,厚加抚谕,拨田土,给牛具,贷种粮,使之耕凿。许江、湖诸路于地狭人稠地分自行招诱,而军中兵愿耕者听,则人力可用矣。初年租课,尽畀佃户,方耕种时,仍以钱粮给之,秋成之后,官为籴买,次年始收其三分之一,二年之后乃收其半,罢钱粮,此其大概也。不然,徒有营田之实,何补于事?"诏都督(府行)〔行府〕措置。其后颇施行之。

辛未,诏:"去岁旱伤及四分以上州县,所负绍兴四年已前钱帛之税,皆除之。"

壬午,金以太保宗翰、太师宗磐、太傅宗干并领三省事。

丁亥,诏:"江东宣抚司统制官赵密、巨师古军,并权听殿前司节制。"

时都督张浚在淮南,谋渡淮北向,惟倚韩世忠为用。世忠辞以兵少,欲摘张俊之将赵密为助。浚以行府檄俊,俊拒之,谓世忠有见吞之意。浚奏乞降旨,而俊亦禀于朝。赵鼎白帝曰:"浚以宰相督诸军,若号令不行,何以举事! 俊亦不可拒。"乃责俊当听行府命,不应尚禀于朝;后下浚一面专行,不必申明,虑失机事;时议者以为得体。至是浚终以俊不分军为患,鼎谓浚曰:"世忠所欲者赵密耳,今杨沂中武勇不减于密,而所统乃御前军,谁敢觊觎? 当令沂中助世忠,却发密入卫,俊尚敢为辞耶?"浚曰:"此上策也,浚不能及。"

辛巳,诏:"天章阁、万寿观祖宗帝后神御,见在温州,令干办官黄彦节迎奉赴行在,惟圣祖像留温州如故。"

检校少师、奉宁保静军节度使、川陕宣抚副使吴玠易镇保平、静难,兴州置司。

枢密副都承旨马扩兼沿海制置副使。扩自镇江将殿前司策选锋军赴行在,遂有是除。

庚寅,江西制置大使李纲始领使事于金谿县。

是春,伪齐刘豫再开贡举,得邵世以下六十九人。改明堂基为讲武殿,于其地造战船。

夏,四月,庚子,殿中侍御史周秘言:"国家岁以十五事考校监司,四善、四最考校县令,而五六年惟有成都潼川路一尝奏到,至其馀诸路课绩,并不申奏。法令废弛,能否无辨,有善最者不赏,有过恶者无罚,吏治之不良,亦无足怪者。欲望责诸路监司、州县,自今各依限奏明,其累年辄不申奏者,亦乞取问因依,从朝廷审度,岁取殿最各一二人,量行赏罚。庶几监司、守令,咸知自竭,以副陛下责任之意。"诏吏部申严行下,违者令御史台纠劾。

帝御经筵。

甲辰,伪齐将王威攻唐州,陷之,团练判官扈举臣、推官张从之皆死。诏各赠一官,录举臣子初品文阶,从之子进义校尉。

乙巳,诏:"湖北、京西宣抚使岳飞丁母忧,已择日降制起复,缘见措置进兵渡江,不可等待,令飞日下主管军马,措置边事,不得辞免。"先是飞母庆国夫人姚氏卒于军,飞不俟报解官去,帝闻之,乃诏起复。

辛巳,故朝请大夫赵君锡,赠徽猷阁直学士。

癸丑,故奉直大夫韩璆,赠右朝议大夫,官其家一人。

甲寅,京东淮东宣抚处置司统制官、果州团练使呼延通,特迁永州防御使,诸将王权、刘宝、岳超、许世安、刘锐、崔德明、单德忠、杜琳等十八人,并进官有差,赏淮阳之捷也。

乙卯,故中大夫赵瞻,赠资政殿大学士。

戊午,翰林学士兼侍读胡交修试刑部尚书。

辛酉,诏四川制置大使司:"禁止采伐禁山林木。"蜀三面被边,绵亘四百里,山谿阻限,林木障蔽,初时封禁甚备。前一日,太常博士李彌直面对,论:"顷岁以来,一切废弛,加以军兴,而制器械,运粮造船,自近及远,斫采殆尽,异时障蔽之地,乃四通八达。"帝曰:"如河东黑松林,祖宗时所以严禁采伐者,正藉此为阻,以屏捍外敌耳。异日营缮,为一时游观之美,遂使边境荡然,更无阻隔。"折彦质曰:"皆臣不言之罪。"

癸亥,左谏议大夫赵霈试尚书工部侍郎。

甲子,少保、武宁安化军节度使、京东淮南东路宣抚处置使韩世忠,赐号扬武翊运功臣,加横海、武宁、安化军节度使,赏淮阳之捷也。

丙寅,诏岳飞仍旧兼节制蕲、黄州。

伪齐刘豫筑刘龙城以窥淮西,刘光世遣本司副统制王师晟破之。

五月,戊辰朔,徽猷阁直学士胡世将试尚书兵部侍郎。世将自江西召还,乃有是命。

癸酉,左通议大夫、新知鄂州、荆湖北路安抚使王庶复显谟阁待制,赐银帛二百匹两。庶既老,愈通习天下事,前二日入对,首言今日之患,莫大于士风之委靡,愿振拔名节士以起其气,又论安危在修己,治乱在立政,成败在用人,帝韪其言。庶因请曰:"臣肝胆未尽吐也,愿赐臣间,时得缕陈于前。"帝乃燕见之,庶言益深,尝跪问曰:"陛下欲保江南,无所复事;如欲绍复大业,都荆为可。荆州左吴右蜀,利尽南海,前临江、汉,可出三川,涉大河,以图中原,曹操所以畏关羽也。"帝大异之。

诏:"自今臣僚未经上殿者,令三省审察讫,关阁门引对。"复旧典也。

乙亥,诏:"除见任知州以上及尝任侍从官依旧堂除宫观外,馀并令吏部按格拟差。"

时言者论:"艰难以来,士或不调。陛下悯其失职,授以〔词馆〕〔祠观〕,有六等宫观之格,五项岳庙之法。但其间有昔已叨窃名禄之人,论其家则丰羡,而乃更与失职寒士均享家食,徒使州郡之间,用度不支。欲乞今后陈乞宫观之人,除贫乏廉洁朝廷所知者,其馀一切按格与之。或察其人富而贪,敢于格法之外辄有干求者,惩戒一二。"故有是旨。

诏广西经略使胡舜陟与邕州守臣同提举买马刘远措置市战马。时都督行府言去岁所市马弱不堪用,于是提举官李预再贬秩,而更以其事付帅臣。

命沿海制置副使马扩阅习水军战舰。时右司谏王缙言:"舟师实吴、越之长技。将帅之选既慎矣,而舟船数百,多阁水岸,士卒逾万,未经训习。欲乞明诏将帅相视,舟船损漏者修之,士卒疲弱者汰之。船不必多,取可乘以战斗;人不必众,取可资以胜敌。分部教习,周而复始,出入风涛,如履平地,则长技可施,威声远震,折冲千里之外矣。"从之。

丙子,诏刘挚特赠太师,以挚曾孙登仕郎〔芮〕言,系籍元祐宰相六人,〔挚独〕未〔尽〕被恩典故也。

庚寅,少保、宁武宁国节度使、淮南西路兼太平州宣抚使刘光世为保静、宁武、宁国军节度使,赏龙城之捷也。

壬辰,定江、昭庆军节度使、开府仪同三司、江南(路东)〔东路〕宣抚使张俊加崇信、奉宁军节度使,进屯盱眙。右仆射张浚命依山筑城,左仆射赵鼎曰:"德远误矣,是虽不为资敌之具,然当念劳人也。"是役也,兴于盛夏,自下运土而上者,皆有日课,望青采斫,数十里间,竹木皆尽。劚掘新旧冢,莫知其数,人甚苦之。城成,无水可守,亦无樵采。筑城之际,伪齐遣三百骑于泗州境上,临淮仡观久之而去。

乙未,尚书祠部员外郎、都督府主管机宜文字杨晨移礼部,尚书〔工部员外郎、都督府主管机宜文字熊彦诗移祠部。〕

【译文】

宋纪一百十六 起乙卯年(公元 1135 年)七月,止丙辰年(公元 1136 年)五月,共十一月。

绍兴五年 金天会十三年(公元 1135 年)

七月,丙子(初五),武功大夫、忠州团练使兼阁门宣赞舍人、都督府提举亲兵柴斌被任命为知金州,兼任金、房、均三州安抚使,这是因为行府奏请的缘故。还命令柴斌隶属于襄阳帅府,其负责的探报事宜及边防举措,则申报川陕宣抚副使吴玠。

都督行府请求将鼎州龙阳县治所移到黄诚寨地,并升格为军,起用任命守孝的黄与权起复为左奉议郎、充任龙阳军使兼知县事,又上言:"潭州、鼎州各县因为水贼侵扰,多有移走县治的,应下令让他们将县治都移往旧治所。如果是候选知县,等到任期届满时改合入京为官;京官晋升一级官阶。凡水寨自首的人,制置司衡量其事体轻重,拟定应授官资申报行府,愿意回家及充任水军的听便。"又请求免除澧州上供钱三年,都受到高宗的准许。不久制置使岳飞说水寨愿意回家归业者有二万七千余家,高宗诏令州郡予以抚恤,不准骚扰。然而黄诚寨地势低洼而且靠近湖水,当地人认为不便利,于是命令依旧设寨不设军治。

丁丑(初六),孟秋荐享太庙。从此开始每年五祭,依照常礼。

己卯(初八),知枢密院事、提领措置材用孟庾充任观文殿学士、知绍兴府。孟庾因为都督行府与三省、枢密院文书往来之事,积郁不平,因而称病请求去职。

甲申(十三日),高宗亲自在行宫斋殿酌献祖宗神御,文武官员少卿以上者按礼仪陪位。

乙酉(十三日),将光州褒信县降格为镇。

乙未(二十四日),神武中军统制杨沂中被任命为兼权主管殿前司公事,替代刘锡。高宗诏令:"制造御前军器所依照旧例不隶属于御史台监察。"

丙申(二十五日),徽猷阁直学士赵子昼被任命为试尚书兵部侍郎。

承节郎赵珪晋升承忠郎、阁门祗候。

起初,高宗因为赵普是佐命元勋,如同汉代的萧何,但他的子孙沦落,于是命令各地访求赵普后人,量才录用。赵珪是赵普的五世孙,在郁林州避乱居住,献上赵普的画像和《谏伐幽燕疏》,所以有这道诏命。

免去湖南三年的上供米,这是采纳本路漕臣的请求。

撤销邓州顺阳县、淅川县,襄阳府邓城县、中庐县,都改为镇。

辛丑(三十日),撤销随州唐城县。

这个月,伪齐刘豫撤除明堂,获得金龙之金四万两,大铜钱三百万。暴风连日,屋瓦震动。

八月,壬寅朔(初一),录用已故宰相范质的七世孙范楑为将仕郎。

撤销荆南营田司,命令安抚司安排官兵耕种,不得像以前那样侵扰百姓,又将归州划还隶属于安抚使王彦管辖,这都是采用都督行府的请求。

起初,王彦率领所部从渠州到荆南,而镇抚使解潜已离去,仓库都已空虚。王彦担心此地不可久留,立即带兵追赶解潜到鄂州。适逢张浚平定湖贼后返回,与他相遇,张浚又劝王彦回到枝江,将治所迁到原址。当时军需储备接济不上,王彦于是仿照川钱引法制造交子,在荆南管辖范围内通行,还逐渐处置屯田,作战时出战、战后耕作之计。另外选择荒田,分给将士为庄,每庄耕种千亩。治理石唐、瓦窑两处废弃的堰塘,总计用工六万有余,不到十天就告修成,公私都得到好处。

甲辰(初三),高宗诏令增加馆职官员为十八人。

当时上言者议论:"唐太宗在兵戈争斗之际,设置文学馆学士共有十八人,以后他们都是名臣。祖宗开辟三馆以储养人才,大概是以此为原本。如今国家时运艰难,正是用武之时,所以馆职还缺员较多。然而遇事总有缺人才的感叹,那么储养人才的方略,也就不可因为战事而骤然停止。一个馆职的俸禄,仅与一个小使臣相当,小使臣人数常以万数,为何唯独对馆职计较这点微薄的俸禄呢!乞求按照祖宗惯例,馆职以十八人为满员。"所以有这道诏令。

随后本省再有请求,于是命令秘书郎及著作各任命二人,校书郎、正字共设置十二人,而秘书少监、秘书丞不计在内。

礼部贡院公榜,考校到合格进士樊光远等二百人。

己酉(初八),赵鼎上言:探报刘豫将山东百姓六十岁以下、二十岁以上的都征发为兵,每亩田科钱五百,高宗说:"朕未曾一天忘记过中原的百姓,使百姓陷入涂炭,都是朕的过失。百姓被刘豫如此虐待役使,朕心里忧伤难过。"

赵鼎又上言:"已故右奉直大夫邵伯温,是大贤的后人,操行道义显著,元符末年因为上书得罪,名字写进党籍,被废用四十年。臣希望陛下给予优厚的褒奖赠赐。"赵鼎是邵伯温的门人。高宗诏令赠邵伯温秘阁修撰,录用他家中一人为官。

庚戌(初九),撤销汉阳军改为县,隶属鄂州。

癸丑(十二日),权尚书吏部侍郎张致远复任户部侍郎,中书舍人刘大中被任命为试吏部侍郎,中书门下省检正诸房公事吕祉被任命为权兵部侍郎。

戊午(十七日),已故集英殿修撰周鼎被特赠予徽猷阁待制。

己未(十八日),淮东宣抚使韩世忠派遣统制官韩彦臣等人袭击伪齐镇淮军,俘获伪知军、成忠郎王拱等人,并派遣亲信校官温济将俘虏献给朝廷。高宗诏令赦免王拱的罪行,以本官录用他隶属于忠锐第五将。高宗因而说:"宿迁的伪官,本是朕的赤子。以后边臣俘虏的此等小吏,无须行赏,以免生事。韩世忠既已有请求,可以酌情给予奖赏。"

癸亥(二十二日),高宗在射殿以策论试正奏名进士。

都督行府上言以现管湖南水军及周伦等人所部设置十指挥,都在手背上刺"横江水军"四字,高宗同意。

甲子(二十三日),高宗亲临幄殿,检阅考试武举人弓马。

这个月,伪齐攻陷光州。

当时刘麟在陈留县打猎,有义党一百余人,想活捉刘麟投奔南方,被其党徒告发,全在汴京被斩首。

刘豫又委任他的弟弟刘复为知济南府,刘观为知淮宁军。

九月,壬申(初二),金主完颜亶追尊其父丰王完颜宗峻为景宣皇帝,庙号徽宗,追尊其母富察氏为惠昭皇后。

乙亥(初五),高宗亲临射殿,赐予进士汪洋等二百二十人进士及第、进士出身。汪洋乞求避其远祖名讳而改名;汪洋时年十八岁,高宗因为他与王拱辰同年,赐名应辰。

戊寅(初八),金主完颜亶尊太祖后赫舍哩氏、太宗后唐古氏都为太皇太后。

乙酉(十五日),尚书左仆射、监修国史赵鼎上《重修神宗实录》五十卷。旧文用墨笔书写,新修用红笔书写,删除用黄笔书写。高宗起身到殿东壁,焚香再拜后受书。赵鼎、范冲及直史馆各人晋升官级不等。

金国改葬景宣帝及惠昭后于兴陵。

这个月,淮西宣抚使统制官华旺收复光州。

将雷州寇准庙题名为旌忠庙。

从靖康末年以来,两河的百姓不愿服从金人的,都在太行山聚集自保。太原义士张横,有部众二千人,来往于岚州、宪州之间,这年秋天,在宪州打败金兵,活捉金兵首领。又有叫梁青的,是怀州、卫州间人氏,聚众数千人,攻破神山县,金平阳府判官郑爽率领大军讨伐,不敢进兵。几天后,都统制乌玛刺带领五百骑兵与郑爽会合,于是合兵与梁青交战,兵败被梁青所杀。

冬季,十月,丙午(初七),恢复高邮县为军,任命知县兼军事。

己酉(初十),免去宫观月破供给钱。

从蔡京当政,开始创设祠官供给,一般官员根据本官资序降二等,学士以上官员不降。王黼继任宰相后,已罢黜此法,绍兴年间又令复旧,至此又罢黜。

庚戌(十一日),尚书右仆射张浚入见高宗。

张浚既已扫平贼寇,于是从鄂州、岳州转道淮东、淮西,会合各大将商议防秋的事宜,到这时才入朝参见。高宗诏令:"张浚的母亲庆国夫人计氏晋封为蜀国夫人,其兄直徽猷阁张滉赐予紫章服,赐予张浚银帛千匹两,亲属二人六品服,录用一人为承务郎。"高宗亲自书写《周易》的《否泰卦》赐予张浚。

乙卯(十六日),端明殿学士、荆湖南路安抚制置大使兼知潭州席益被任命为资政殿学士、成都、潼川、夔州、利州路安抚制置大使兼知成都府。

先前川陕宣抚副使吴玠与都转运使赵开不和,吴玠多次以馈饷不济向朝廷上诉,赵开也称年老多病请求辞职,所以命令席益赴任安抚制置大使。高宗诏令,因席益以前曾任执政,序位排在宣抚副使之上,各州兵马都隶属于大使司;如果边防大事紧急,即令宣抚司处置,其军队的调发隶属于都督府。

观文殿大学士、提举西京嵩山崇福宫李纲被任命为江南西路安抚制置大使,兼任知洪州。

张浚多次在高宗面前说李纲忠诚,赵鼎也对高宗说李纲才气过人,所以有这道任命。

镇南军节度使、开府仪同三司、提举临安府洞霄宫吕颐浩被任命为荆湖南路安抚制置大使,兼任知潭州。

丁巳(十八日),已故文林郎范正平,被追赠直秘阁,赐予他的一个儿子官职。范正平是范纯仁的长子,因为触犯蔡京被列入党籍,不再出任仕官,终身为选人。

戊午(十九日),高宗诏令:"川、陕类省试合格第一名,依照殿试第三名旧例推恩,其余的一并赐予同进士出身,特奏名人令宣抚司置院差官试时务第一道。"这是因为路远的举人来不及赶赴殿试的缘故。

庚申(二十一日),已故承议郎吴俦被赠予直秘阁,录用他家中一人为官。吴俦是吴育的孙子,名列于党籍,由他家属申请而赐官。

乙丑(二十六日),淮东宣抚使韩世忠,奏告伪齐派遣沂州、海州等地签发的军队进犯涟水军,韩世忠派遣统制官、吉州刺史呼延通歼灭敌人,逃脱的没有几个。高宗说:"中原赤子,受刘豫的胁迫,死于锋镝之下,实在可怜。可命令收拾遗骸掩埋,设置水陆斋追悼。另外出榜晓谕,使他们知道朝廷的怜悯抚恤之意。"于是赐给呼延通衣袍腰带,将官拱卫大夫、贵州刺史王权以下金碗,仍以呼延通任果州团练使,王权遥领果州团练使,与将士分别受到不同的奖赏。

这个月,在太庙合祭祖先,祖宗并为一排,不以昭穆为序,叫作随意设置牌位,这是因为庙的前殿狭窄拥挤的缘故。

十一月,庚午朔(初一),初次设立节度使以下象牙牌。其方法是:从节度使正任到偏远郡的官员,将其官资次第,书写在牌上,有皇帝亲笔署名,刻上字用金充填笔画,并按对制造,一个留在宫中,一个下发都督府,由宰相大臣主持这事。遇敌情况紧急时,果真有建立奇勋的人,根据他的功劳,按先后次序给以恩赐,以象牙牌作为凭证。自从战事兴起以来,都由宣抚使随机处置发给札子任命和晋升官位,到现在都省有了设置象牙牌的请求。

癸酉(初四),高宗诏令:"凡是守臣防御拒敌,临危不屈,为国而死节义昭著的,不论官品高下,都令帅司向朝廷保奏,特别赐给谥号。"

乙亥(初六),进士颜邵被特授右修职郎,颜卓被特授右迪功郎,颜彦辉被特授下州文学。

起初,高宗听说颜真卿的后人有居住在温州的,命令守臣推举选拔上报,得到颜邵等三人,而颜彦辉,则是颜真卿的十一世孙。高宗对大臣说:"人有一死,或轻于鸿毛,或重于泰山,只是死得其所就难了。颜真卿在唐朝死时保持气节,可以说是死得其所。何况目前正是艰难之际,要想臣下尽节,应根据情况给予恩惠,作为对忠义的劝勉。况且仁宗时,曾经任命颜似贤官职,自有先例。"于是任命颜邵、颜卓监潭州南岳庙。

金主完颜亶任命尚书令、宋国王完颜宗磐为太师。宗磐自以为是太子,应当是安班贝勒,金主虽然加给他尊礼,但宗磐心里常常怏怏不乐。

先前金天会五年,司天杨级开始造历法,他所用历的元日法,不知道根据什么,有人说是沿袭宋朝《纪元历》增减而成的。

乙亥(初六),初次颁布历法,以后称之为《大明历》。

己卯(初十),金国任命元帅左监军完颜希尹为尚书左丞相兼侍中,任命太子少保高庆裔为左丞,任命平阳尹萧庆为右丞。希尹从金太祖起兵始,就常在军队中,所到之处都有战功,又曾经代理西南、西北两路都统,有威望;到他任丞相,有重大政事,都首先承担责任,受到当时人的称赞。

甲申(十五日),翰林学士兼侍讲孙近被任命为试吏部尚书。

自宋朝南渡以来,宰辅大臣已减少俸禄三分之一,到这时赵鼎等人又请求暂时再减少十分之二,高宗表示同意。于是行在的官吏俸禄都暂时减少。

乙酉(十六日),显谟阁直学士、知平江府李光被任命为试礼部尚书,试尚书工部侍郎、都督府参谋军事折彦质被任命为试兵部尚书,徽猷阁待制、知静江府李弥大被任命为试工部尚书,给事中廖刚被任命为试刑部侍郎。

丙戌(十七日),高宗诏令:"荆、襄、川、陕现驻大军,筹措事宜,委任至关重要,虽然已任命席益为制置大使,而军队调发节制,都隶属于督府,可命令张浚前去视察军队,并告谕诸路。"

议论的人说:"梁州、洋州沃土数百里,崇山环绕,南控蜀地,北拒秦川,东屏金、房,西御兴、凤，可以战，可以守。如今两川的百姓，往往逃奔蜀中，未敢恢复旧业，开垦的土地已少，屯兵多则粮食不足以供养兵众，屯兵少则兵势不足以抵抗敌人，应当任命文臣为统帅，将宣抚司军队分派驻防，而任命良将统领军队，遇到防秋则在绵州、阆州就食。这样，军队就可以预备增援，而百姓得以安居乐业。"高宗诏令宣抚副使邵溥、吴玠选择二郡守臣商议。

超初，吴玠苦于军需接济不上，在兴元、洋、凤、成、岷五郡设置官庄屯田，又抽调守军整治褒城的废堰，百姓知道灌溉有了依靠，都愿意回归旧业，高宗下诏予以嘉奖。另一路的漕臣郭大中对吴玠说："汉中每年解收取营田粟一万斛，而百姓不敢恢复旧业。如果让百姓自己耕种，那么收取的粟比现在的要多数十百倍。"吴玠采纳他的意见，每年的收成果然很多。不久吴玠又想从陆路运粮，召集各路转运使带着户籍到军中。邵溥说："今年春季驱使梁州、洋州的百姓背粮到秦州，饿死十之八九，怎么能再这样做！而且宣抚司已，收取蜀民运脚钱一百五十万，怎能容忍再驱使百姓从陆上运粮呢！"上疏后立即以便宜行事的权力加以禁止，最后是用水运。郭大中担忧水运丢失粮食，想法诱使商贩去运，节省费用十分之五。

己丑(二十日)，金国在约罗修建天开阁。

癸巳(二十四日)，亲从官赵胜从金国回来。高宗说："太上皇帝在漠北苦寒之地，居住、衣服、饮食，样样都缺；朕为人子不能拯救父兄的危难，自己深感悲伤。今天朕所居住的宫室以及一次次饮食之间，想到父兄，痛入骨髓！"为此哀叹而流泪。

十二月，己亥朔(初一)，带御器械、神武中军都统制、权殿前司公事、提举宿卫亲兵杨沂中被任命为权主管殿前司公事，合并中军隶属于殿前司。除五军外，又设置选锋、护圣二军，每军都有统制，仍命令杨沂中将名单申报枢密院颁下委任状。

庚子(初二)，高宗诏令："神武是北齐君号，应以行营护军为名，神武前军改称中护军，左军改称前护军，后军改称后护军。刘光世所部人马称左护军，吴玠所部称右护军，都听任本路宣抚招讨司节制。王彦所部人马称前护副军，听荆南安抚司节制。统制官以下的俸禄、官资、隶属关系照旧。"

所谓中护军，本来是张俊所率领的信德府部曲，后来忠锐诸将及张俊亲兵与张用、李横、阎皋等部众都隶属其下。所谓前护军，本来是韩世忠所率领的庆源府部曲，后来张遇、曹成、马友、李宏、巨师古、王瓒、崔增等部众隶属其下。所谓后护军，本来是岳飞所率领的河北部曲，后来韩京、吴锡、李山、赵秉渊、任士安等部众都隶属其下。所谓左护军，本来是刘光世鄜延部曲，以后王德、郦琼、靳赛各自率领部众隶属其下。所谓右护军，本来是吴玠泾原部曲，后来得到秦、凤的流散士兵及刘子羽、关师古的部众也隶属其下。所谓前护副军，本来是王彦在河北所招的部曲，以后逐渐以金州的禁军士卒隶属其下。至此张俊与韩世忠、刘光世的军队最多，吴玠次之，岳飞又次之，王彦的军队较之诸将最少。

自从渡江以后，三衙名存实亡，到赵鼎、张浚都为宰相，于是以杨沂中所部隶属于殿前司，解潜的部曲隶属于马军司，统制官颜渐的部曲隶属于步军司。杨沂中的军队本是辛永宗的部曲，后来又补充了其他军队，所以部众特别多。解潜的军队才一千余人，颜渐所率领的都是乌合之众而已。

丙午(初八)，右朝请大夫、提举江州太平观刘子羽恢复集英殿修撰、知鄂州，主管荆湖北路安抚司公事。

张浚已还朝廷,开始商议大合兵马北伐的计划,于是亲自招来刘子羽,令他传达西部各帅,并且视察边防军备的虚实,所以有这道命令。

右武大夫、开州团练使刘锜被任命为江南东路马步军副总管、带御器械,率领他的亲兵遥隶于步军司。

庚戌(十二日),武卫大夫、秦州刺史、都督府中军统制军马吴锡被任命为殿前司策选锋军统制兼都督府军统制。

辛亥(十三日),权户部侍郎王俣上言:"战事未息,屯垦戍边正在兴起,国家财政收入中,用于军需的占十之八九,这是国家财用经常缺乏的原因。应当讲究长远计策,大小费用都不浪费,这才是尽善尽美。臣斗敢简略陈述五件事:一是除去冗食之兵,二是减省多余的俸禄,三是收取隐漏的赋税,四是补充消耗了的钱物,五是修治平准之法。"

"臣听说军队贵精不贵多。军队多而不精,那么吃闲饭的就多;吃闲饭的多,就会勇敢怯懦不分;勇敢怯懦不分,就会战无必胜。这种吃闲饭的士兵,不仅白白浪费粮饷,而且是取败之道。所以治军的方法,除战斗的士兵之外,车夫、伙夫、牧人、工匠等等,都有定额,其他的就是吃闲饭的。现在国家财用支出,都用于养兵,然而其中未曾编入军队,不能披盔带甲的,还有很多。竭尽百姓财力以养无用之人,不如委托将帅自己加以澄清裁汰,将裁汰下来的人交给漕臣,在荒闲的田地落籍,按人口分给土地,官府为他们安排借贷,给予耕牛、种子,让他们开垦耕种,而且给他们减半支给钱粮,等到秋收的时候,就停止给付他们钱粮,一年之后,酌情订立应缴的课税。姑且以一万人来计算,每年所减省的米有十余万石,钱四十余万缗,绢布五万余匹,况且还有课租收入,储存起来用以养战士,这不是小的补充。"

"自从南渡国运艰难以来,官员等级品类众多杂滥,进用不同常规,而俸禄的数额,都沿袭旧法,按理当是不敷应用。臣想请求所有内外文武官员的俸给等,以缗计算,自百千以上,每千减半,有兼职的合算,一并等到局势平定后恢复旧制。这样,裁减的人虽多,但不涉及小官,政策宽容而容易推行,还有什么忧患呢!"

"自从战事兴起以来,至今已十年,财用所出,大的则是依靠百姓财力,其次则是取之于商贾,无人不竭尽资财以奉朝廷。唯有佛教僧侣之流,分毫不收,僧侣县以千计,郡以万数,不种庄稼而坐食,隐漏租税,暗中损害国家大计,不知道有多少。应该斟酌古今的民意,权衡缓急的事宜,让他们输米养军,每人每年五斗,依照税限缴纳,凡居住禅房及流动居位西北的,特别予以免除,借以缓解百姓财力的困乏,这不算过分。"

"自从南渡国运艰难以来,饶州、虔州两司的铸钱渐渐亏损,而江、浙的百姓素有巧工,销毁钱币,习以成风。其中最严重的,如建康的句容,浙西的苏州、湖州,浙东的明州、越州,将钱销毁铸成器物,供给四方,无法无天到了极点。计算一两铜所费,不过十几文钱,器物铸成之日,即可卖到百金,奸民争利,没有什么不铸的。一年之间,总计销毁的铸钱,无疑有数十万缗。饶、虔两司所铸的钱数,未必与此相等,加上流入伪齐敌境的,不知有多少。乞求公开下诏给有关官吏,申严铜禁,摒绝私人工匠,从今天开始,对违犯者一律按法律论处。除公私不可缺少的器物,规定名目,允许人有存留,以后官府铸造出卖之外,其余铜一两以上,严格

2697

制定罪赏办法,并令官府收取,酌量给予铜价,令分别拨往钱监,额外铸钱。"

"国家往常无事之时,在京师则有平准务,在外则有平货务,除了边防所用之外,对内补充国家财用的,无疑需二十万缗,其效用确实很明显。况且今日军队正兴,开支日增,臣请求先在行在设置平准务,再在各路要地各设置平货务,以扩大利源,这实在不是小的裨益,等到一切就绪,可派使职总领其事。"

"这五件事,倘若有可采纳的,乞求命令有关官吏讲求研究规划,排斥不切实际的议论,坚决果断地推行。"高宗诏令户部、工部审核研究。后来有很多都施行了。

癸亥(二十五日),金国开始制定伪齐、高丽、西夏朝贺、赐宴、朝辞的礼仪。

将京西鹿苑赐给百姓。

丙寅(二十八日),都督府请求以集英殿修撰、新知鄂州刘子羽代理本府参议军事,与主管机宜文字熊彦诗一道前往川、陕安抚宣谕,高宗下诏各赐银二百两,派遣出行。

当时张浚正谋划出兵,所以令刘子羽等去见宣抚副使吴玠传达谕旨。而吴玠也多次上言军前缺乏粮食,所以命令刘子羽与都转运使赵开商议事情,并巡察边防虚实。

这年冬季,金主完颜亶因为蒙古叛乱,派遣领三省事宋国王完颜宗磐率领军队打败蒙古。蒙古在女真的东北,其人强悍善战,用鲛鱼皮做成甲,可以抵御流矢。

伪齐刘豫献海道图及战船的木样给金主完颜亶,完颜亶采纳刘豫的建议,调遣燕、云、两河四十八万民夫进入蔚州交牙山,采木制筏,开挖河道,运到虎州,准备制造战船,并渡海南侵。不久因盗贼蜂起,此事于是中断,将造船的材料聚积在虎州。

这一年,夏国主乾顺改元大德。

绍兴六年 金天会十四年(公元 1136 年)

春季,正月,己巳朔(初一),高宗在临安。

辛未(初三),高宗因为下雪寒冷,百姓苦无粮食,命令有关官吏赈济饥民。第二天,高宗对尚书右仆射张浚说:"朕居住暖室还觉得寒冷,百姓甚为朕所挂念。如湖南、江西旱灾地区,也应尽早安排赈济。百姓既已穷困,而老弱者就会弃尸于沟壑,强悍者就会流亡为盗贼,朕作为百姓的父母,怎能不忧虑!"张浚说:"陛下以此慈爱之心念及百姓,就足以感召百姓使之和气,何况还有实际恩惠呢!"高宗说:"朕常常因事机难明,专心致志苦思冥想,有时通宵达旦不能安寝。"张浚说:"陛下因在多难之际,两位上皇被敌幽禁,一有差错,关系到国家存亡,所以才专一于思虑。然而杂听议论则容易迷惑,过多的畏惧则容易多疑。用容易迷惑的心,去做容易多疑的事,终归是于事无成而已。所以自古人君,正心修己,上不愧于天,下不怍于人,保持刚健的意志,弘扬果毅的姿态,做应该做的事,不去忧虑其他方面。以陛下的聪明天资,如果大义所在,果断地身体力行,有什么事不能成功! 臣愿陛下在日理万机的空暇,保养太和元气,澄心静气,众多利害纷至沓来而不疑惑,那么中兴的大业就可以建立了。"

癸酉(初五),荆襄招讨使岳飞,上言说太行山忠义社梁青等百余人想径直渡过黄河,从襄阳来归朝。当时金人合兵进攻梁青,所以梁青率领精骑突围来到岳飞军前。高宗说:"果然如此,应当优待并给予官职,以劝勉来者。间谍之言本不可信,如果这种人来归朝,正可见到敌情。"沈与求说:"如果敌人确实衰弱,来归的人众多,那么敌情就清楚了。"

丁丑（初九），高宗诏令："纳粟而另作名目授予官职的人，不得安排亲民、刑法官，已授予的全部免除；从今以后凡到吏部隐瞒遗漏不讲实情的，要相应定罪处罚。"当时议论的人说："县令，是百姓的师帅，刑罚的官吏，是关系人命的要职，不可以轻易授人。近年来军事兴起，因为纳粟而获得官职的人，不说他是纳粟得官，有的说是因为上书文理可采，有的说是其献纳有助于国家，按理由吏部授官的。原来朝廷的意思，是想激励他们乐意献纳，使之能成为官户，而吏部铨曹别无防范制止之法，近年以来，确实有得到县令职位的，也有得到司法职位的。这种官一向不曾知晓政务，只是因为家财丰厚，一旦得到官职，若让他们去当知县判定刑罚，一定不会称职。希望下令吏部立法防范，并先改正。"所以有这道诏旨。

癸酉（初五），金国颁行历法于高丽。

丁丑（初九），金国太皇太后赫舍哩氏驾崩，后来上尊谥叫钦献皇后，葬于睿陵。

己卯（十一日），起复徽猷阁待制、都督府参议、权川陕宣抚副使邵溥被任命为试尚书礼部侍郎。

癸未（十五日），尚书左仆射兼监修国史赵鼎呈上《重修神宗神录》二百卷。

乙酉（十七日），高丽、西夏及刘豫都派遣使者向金主完颜亶祝贺万寿节。金主本来是七月七日生，因为与父皇的忌日相同，改用正月十七日。

丙戌（十八日），尚书右仆射张浚向高宗辞谢前往荆、襄视察军队。

张浚以为敌势未衰，而刘豫又占据中原，阴谋叵测，于是奏请亲自到边塞，安排诸将，以观察机会，高宗表示同意。张浚立即张榜声讨刘豫叛逆之罪。

当时淮东宣抚使韩世忠驻军承州、楚州，淮西宣抚使刘光世驻扎太平州，江东宣抚使张俊驻扎建康府，而湖北、京西招讨使岳飞在鄂州，朝廷议论认为边防还不完备，空缺之处还很多。张浚批说："楚、汉交兵之际，汉军驻扎在殽、渑之间，而楚军不敢越境向西，大概是大军在前，虽然有其他捷径，敌人害怕我抄其后路，不敢逾越而深入。因此太原没有失陷，那么粘罕的军队就不再渡河，也是因为这个道理。而议论者多以边境前后空阔为忧，却不曾议论军队粮食从何而来，军队兵士从何而归，难道一定要环绕几千里之地都派兵把守，然后就可以安全吗！"张浚已奏告高宗，并将此议告诉同列，只有高宗深以为然。

戊戌（三十日），都督行府上奏："请求将大姓已经买官的人，在原来的名目上升转。文臣迪功郎升补承直郎一万五千缗，特改宣教郎七万缗，通直郎九万缗。武臣进义校尉升补修武郎二万二千缗，保义郎以上带阁门祗候三万缗，武翼郎以上带阁门宣赞舍人十万缗。已有官人特赐金带五万缗。一并作为军功，不当作进纳，另外安排在现缺差遣，即日起支给俸禄，其家一并作为官户，现应承担的差役科敷一律免除。如将来到吏部注册登记官资考任、磨勘改转官职、荫补子孙之类，一切都按奏补出身条法施行，并免去铨试；金腰永远允许束系。"高宗表示同意。

二月，壬寅（初四），都督府上奏改江、淮营田为屯田。

先前议论屯田的人很多，但实行后未见其效。适逢张浚出行边防，为此支出户帖钱二十万缗为本。张浚请求凡屯田事务都申报行府处置安排，等到事务安排就绪时归省部，高宗同意。于是官田、逃田都进行拘籍，依照民间惯例召庄客承佃，每五顷为一庄。客户五家相保共同承佃，一人为佃头。每一客户，官府给牛五头，种子、农具也相应配齐。每家另给菜田十亩，还贷给本钱七十千，分两年还清，不收利息，如果收成之日愿意以斛斗折还的听便。于是命令屯田郎官樊宾、提举粮料院王弗同去推行。

戊申(初十)，湖北襄阳府路招讨使岳飞，请求重新将襄阳府路改为京西南路，唐、邓、随、郢、均、房州、信阳军都由其管辖，高宗批准了请求。

辛亥(十三日)，高宗诏令张浚暂赴行在奏事。

张浚命令淮东宣抚使韩世忠从承州、楚州以图取淮阳，命令淮西宣抚使刘光世驻扎合肥以招降北军，命令江东宣抚使张俊在建康练兵，进驻盱眙，又请权主管殿前司公事杨沂中率领中军，作为后翼，命令湖北、京西招讨使岳飞驻扎襄阳以图取中原。高宗亲笔书写《裴度传》赐给张浚。

甲寅(十六日)，兵部尚书、都督府参谋军事折彦质被任命为充端明殿学士、签书枢密院事。

乙卯(十七日)，淮东宣抚使韩世忠率军到宿迁县，当时刘豫聚兵淮阳，韩世忠想攻打他，于是率军跨过淮河、泗河，靠近符离而北去。

一天前，韩世忠派遣统制官岳超，率领二百人，探知邳州贾舍人也率领一千骑兵南来，与之相遇。部众不想交战，岳超说："遇到敌人而不发起攻击，将何以报效国家！"敌人鸣鼓，岳超率众冲入敌阵，出入四次，敌人才退回。

第二天，韩世忠率领大军赶到淮阳城下，命令统制官呼延通前行，韩世忠亲自带一名骑兵随后跟进，走了三十余里，遇到金人而停止。韩世忠登上高丘眺望呼延通军，呼延通骑兵到阵前请战，金将叶赫贝勒大声呼喊要宋军解除盔衣，呼延通说："我就是呼延通。我在祖宗时杀契丹，立大功，誓不与契丹同生。何况你与我是仇敌，我怎肯与你同生呢！"叶赫贝勒立即驰马杀来，与呼延通交锋，二人转战多时难解难分，都丢弃了兵器，徒手互相格斗，离开阵地很远，碰到土坎而坠马，二军都不知道。叶赫贝勒用刀刺呼延通的腋下，呼延通扼住他的喉咙而活捉了他。

不久韩世忠被敌人所包围，于是按甲不动，一会儿指挥部下说："看我的马首所指的方向。"奋力挥戈一跃，已击溃敌围而出，没有丢失一个箭镞。韩世忠说："敌人容易对付。"接着乘着锐势截击敌人，敌人败走。

丙辰(十八日)，韩世忠包围淮阳军。

戊午(二十日)，高宗诏令杨沂中率领八队一万人赴都督行府。

张浚想派杨沂中援助韩世忠，所以有此诏令。

庚申(二十二日)，高宗诏令杨沂中降官阶，任命他为密州观察使、龙神卫四厢都指挥使，派遣他前行。

辛酉(二十三日)，权主管侍卫马军公事解潜兼权殿前司，带御器械刘锜兼权宿卫亲兵，这是因为杨沂中出外戍守的缘故。

韩世忠进攻淮阳，敌人坚守不能攻下，刘豫派遣使者进入河间求援于金国右副元帅宗弼。先前金国、伪齐与淮阳守敌约定，被围一天就举一座烽火，到现在城中举烽火六座，刘猊与宗弼都已赶来。

韩世忠出兵时，向江东宣抚使张俊求援，张俊不能听从，韩世忠于是退还。在路上遇到金兵，韩世忠摆下阵势面向敌人，派遣小校郝彦雄到敌军前大声呼叫："穿锦袍骑青白色的战马站立阵前者，就是韩相公。"众人都埋怨韩世忠，韩世忠说："不这样，不足以招致敌人。"到敌人来战，韩世忠派数骑挑战，杀死敌人领头的二人，各将乘机出击，敌人败走。

淮阳百姓从军南归者以万数，都督行府都授给田地让他们安居。高宗诏令州县抚恤，不要让他们流离失所。

壬戌(二十四日)，折彦质被任命为参知政事。

癸亥(二十五日)，参知政事沈与求罢免，被任命为资政殿学士、知明州。沈与求乞求任宫观官，于是改任提举临安府洞霄宫。

高宗诏令："临安府民间房屋出租钱，不论多少，一律三分中减一分，白地钱减四分之一。"

观文殿大学士、新江西制置大使李纲在内殿朝见高宗。

三月，戊辰朔(初一)，礼部尚书李光被任命为兼权刑部尚书。

己巳(初二)，少保，武成、感德军节度使、淮南东路兼镇江府宣抚使韩世忠被任命为京东、淮东宣抚处置使兼节制镇江府，迁到武宁、安化戍守，在楚州设置帅司。检校少保、镇宁崇倍军节度使、湖北京西南路招讨使岳飞被任命为湖北京西宣抚副使，迁到武胜、定国戍守，在襄阳府设置帅司。当时朝廷锐意大举北伐，都督张浚在诸将中常常称赞韩世忠的忠义勇敢，岳飞的沉着勇猛，可以依靠他们办大事，所以一并加以运用。

这一天，李纲入朝辞行，退后，上疏说："今日主管军队的人的失误，大略有四个方面：兵贵精不贵多，多而不精，反而成为累赘；将贵谋不贵勇，勇而无谋，将被敌人擒获；阵贵有分有合，合而不能分，分而不能合，都不是善于布阵者；战贵设伏，派军直前而有中途被邀击的危险，就不是善战者。希望陛下明示诸将，使之懂得古人用兵的深意，这是不小的裨益。朝廷近来筹措恢复中原，有未尽善的五件事，有应作预备的三件事，有应作善后处理的二件事。现在颁降告身，发给度牒，出卖户帖，清理积欠，以至折帛、博籴、预借、和买，名目虽然不同，取之于民则是一样的，却不能生财、节用、核实、贸易，这是其一。议论者想取粮于敌，却不知道官军抄掠，甚于寇盗，恐怕有失民心，这是其二。金人专用铁骑战胜中国，而我却不专门研究用以制服敌人，这是其三。如今朝廷与诸路的军队都交给诸将，外重内轻，这是其四。兵家之事要行诡诈之道，如今以韩世忠、岳飞为京东、京西宣抚使，没有实际行动却已先声张扬。而且中军既已行动，宿卫单薄软弱，肘腋之变，不可不防，那么行在当有准备。江南、荆湖的兵众全部出动，敌人或许会乘机击虚，那么长江上流应有准备。海道离京东不远，乘风而来，一日千里，而苏、秀、明、越等州全无水军，那么海道要有准备。假使将来王师能收复京东、京西地区，那么应当派什么军队驻守？派哪一位将领驻守？金人来援救，凭什么待敌？万一不能保，那么两路的生灵就会徒然遭到杀戮，而两河的百姓就会对本朝绝望。战胜后还是这种情况，应当多加考虑善后的计策。"

李纲又上言："今日之事，没有比营田更有利的。然而淮南因战争之祸，江湖在旱灾之余,民力必然不能负担。臣以为应命令淮南、襄、汉宣抚诸使,各设置招纳司,以招纳京东、京西、河北流散的百姓,公开发布文榜,厚加安抚晓谕,拨给田土,发放牛具,借贷种粮,让他们开垦耕种。准许江、湖诸路在地少人多之地自行招诱流民,而军中愿意耕种者听其自便,这样人力就可以发挥作用了。第一年的租课,全部给佃户,正开始耕种时,再给予钱粮,秋收之后,由官府籴买,第二年才开始收租三分之一,二年之后才收租一半,停给钱粮,这是大概情况。不这样,徒有营田之实,于事何补?"高宗诏令都督行府谋划安排。以后有很多措施得以实行。

辛未(初四),高宗诏令:"去年的旱灾伤害到十分之四以上的州县,所欠的绍兴四年以前的钱帛之税,全部免除。"

壬午(十五日),金国任命太保宗翰、太师宗磐、太傅宗干一同主管三省事务。

丁亥(二十日),高宗诏令:"江东宣抚司统制官赵密、巨师古军,一起暂由殿前司节制。"

当时都督张浚在淮南,谋划渡淮北伐,唯独依仗韩世忠。韩世忠以兵少推辞,想得到张俊的部将赵密作为协助。张浚以行府名义传檄张俊,张俊拒绝,说韩世忠有吞并其部属之意。张浚上奏请求降旨,而张俊也奏禀朝廷。赵鼎启奏高宗说:"张浚以宰相身份督导诸军,如果号令不行,怎能举事!张俊也不可拒绝。"于是责令张俊应听从行府命令,不应上奏禀告朝廷;又下令张浚独当一面负责专行,不必向朝廷申明,以免有丧失机事之虑;当时议论者认为处置得体。到这时张浚终以张俊不分军而忧虑,赵鼎对张浚说:"韩世忠所想得到的是赵密,现在杨沂中武略勇敢不下于赵密,而所统领的就是御前军,谁敢有非分之奢望?应当命令杨沂中协助韩世忠,却调赵密入朝任殿前护卫,张俊还敢推辞吗?"张浚说:"这是上策,我张浚比不上您。"

辛巳(二十四日),高宗下诏说:"天章阁、万寿观祖宗帝后神御,现在温州,命令干办官黄彦节迎奉赴行在,只留圣祖像在温州如故。"

检校少师、奉宁保静军节度使、川陕宣抚副使吴玠换防保平、静难,在兴州设置使司。

枢密副都承旨马扩被任命为兼沿海制置副使。马扩从镇江率领殿前司策选锋军赴行在,于是有这道命令。

庚寅(二十三日),江西制置大使李纲开始在金溪县主管本职事务。

这年春季,伪齐刘豫再开贡举,选得邵世以下六十九人。在明堂旧址上改建成讲武殿,在此地制造战船。

夏季,四月,庚子(初三),殿中侍御使周秘上言:"国家每年以十五件事来考核比较监司,以四善、四最考核比较县令,而五六年来仅有成都潼川路曾有一次奏报朝廷,至于其他各路的考课政绩,并无申奏。法令废弛,是非不辨,为政最好的没有奖赏,有过错恶行的不受惩罚,吏治的不良,也就不足为怪了。臣希望责令诸路监司、州县,从今往后各按期限奏明,那些多年不申奏的,也请求问清原因,听从朝廷的审察处置,每年选取最劣最优的各一二人,根据他的行为赏罚。这样或许监司、守令,都知道自己应竭力办事,以不负陛下责令委任之意。"高宗诏令吏部申明严格执行,有违令者御史台纠察弹劾。

高宗亲临筵。

甲辰(初七),伪齐将王威进攻唐州,攻陷唐州城,宋团练判官扈举臣、推官张从之均战死。高宗诏令各赠官一级,录用扈举臣的儿子为初品文阶,张从之的儿子为进义校尉。

乙巳(初八),高宗下诏:"湖北、京西宣抚使岳飞母亲去世,已择日降诏起复,因为现在正筹措进兵渡江,不可等待,命令岳飞现在主管军马,处理边事,不得推辞告免。"先前岳飞母亲庆国夫人姚氏在军中去世,岳飞不等报朝廷解官就离去,高宗闻知后,就下诏起复视事。

辛巳(疑误),已故朝请大夫赵君锡,被赠予徽猷阁直学士。

癸丑(十六日),已故奉直大夫韩璆,被赠予右朝议大夫,录用他家中一人为官。

甲寅(十七日),京东淮东宣抚处置司统制官、果州团练使呼延通,特晋升为永州防御使,诸将王权、刘宝、岳超、许世安、刘锐、崔德明、单德忠、杜琳等十八人,都分别升官,奖赏诸将取得淮阳大捷。

乙卯(十八日),已故中大夫赵瞻,被赠予资政殿大学士。

戊午(二十一日),翰林学士兼侍读胡交修被任命为试刑部尚书。

辛酉(二十四日),高宗诏令四川制置大使司:"禁止采伐禁山林木。"四川三面连接边疆,绵延四百里,山溪阻隔,林木屏障,起初封禁很完备。前一天,太常博士李弼直面对高宗时论说:"近几年来,一切废弛,加上战事兴起,而制作器械,运粮造船,由近到远,砍伐殆尽,从前林木屏障之地,已经四通八达。"高宗说:"如河东黑松林,祖宗时所以严禁采伐,正是为了借林木为阻隔,用来抵拒外敌。以前的营建修缮,为了一时的游览观光之美,于是使边境林木荡然无存,再也没有阻隔了。"折彦质说:"这都是臣下没有上言此事的罪过。"

癸亥(二十六日),左谏议大夫赵霈被任命为试尚书工部侍郎。

甲子(二十七日),少保,武宁安化军节度使、京东淮南东路宣抚处置使韩世忠,赐号扬武翊运功臣,加官横海、武宁、安化军节度使,以奖赏他取得淮阳之捷。

丙寅(二十九日),高宗诏令岳飞仍旧兼节制蕲、黄二州。

伪齐刘豫修筑刘龙城以窥取淮西,刘光世派遣本司副都统王师晟攻破刘龙城。

五月,戊辰朔(初一),徽猷阁直学士胡世将被任命为试尚书兵部侍郎。胡世将从江西被召回朝,于是有这道命令。

癸酉(初六),左通议大夫、新知鄂州、荆湖北路安抚使王庶恢复显谟阁待制,赐给银帛二百匹两。王庶已老,更加通晓天下大事,二天前入朝奏对,首先说到今日的祸患,莫大于士风的萎靡不振,希望举擢名节之士以激励正气。又论说安危在于自我修养,治乱在于推行政事,成败在于任用人才。高宗同意他的说法。王庶于是请求说:"臣还没有尽吐肝胆之言,希望陛下赐给时间,使得臣时时能在陛下面前一一列举陈述。"高宗于是设宴召见王庶,王庶言语更加深刻,曾跪问说:"陛下要保守江南,就没有什么事要做;如果想恢复大业,迁都荆州才可以。荆州左有吴右有蜀,尽得南海之利,前面临长江、汉水,可以出三川、过黄河,以图取中原,这是曹操所以畏惧关羽的原因。"高宗非常惊异。

高宗下诏:"自今以后臣僚未曾上殿的,命令三省审察完毕后,再令阁门引进奏对。"这是恢复旧的典制。

乙亥(初八),高宗下诏:"除现任知州以上及曾任侍从官依旧由政事赏差遣为宫观官外,其余的均令吏部按律法拟定差遣。"

当时上言的人议论:"自从朝廷南渡艰难以来,士人有的没有取得官职。陛下怜悯他们失去官职,授给宫观官,有六等宫观之格,五项岳庙之法。但其中有以前已得到官名俸禄的人,论他的家境则富裕有余,而仍与丧失官职的寒士一样享受国家俸禄,徒然使州郡之间,财用不支。臣乞求今后申请宫观官的人,除贫乏廉洁为朝廷所知的人外,其余的一切按制度授官。如果察知其人富裕而贪财,胆敢在制度规定之外妄行索取的,惩治一二人以告诫众官。"因此有这道诏旨。

高宗诏令广西经略使胡舜陟与邕州守臣同提举买马刘远处置买战马的事宜。当时都督行府上言说去年所买的马弱不堪用,于是提举官李预被再次贬官,而将买马事宜换交帅臣。

命令沿海制置副使马扩检阅训练水军战舰。当时右司谏王缙上言:"舟师实是吴、越的长技。将帅的选任已很慎重,然而舟船数百艘,多搁置在岸边,士卒超过一万,却未曾训练。臣乞请公开下诏令将帅视察,舟船有损漏的进行修缮,士卒有疲弱的就淘汰掉。船不必多,选取可乘的用作战斗。人不必众,选取可用的以战胜敌人。分部进行教习,周而复始,出入风涛,如履平地,这样长技就可以施展,威声就可远震,可以制敌于千里之外。"高宗表示同意。

丙子(初九),高宗诏令刘挚特赠予太师,这是因为刘挚的曾孙登士郎刘芮上言,说刘挚是元祐年间六位宰相之一,而唯独未获朝廷的恩典的缘故。

庚寅(二十三日),少保、宁武、宁国节度使、淮南西路兼太平州宣抚使刘光世被任命为保静、宁武、宁国军节度使,奖赏他取得龙城之捷。

壬辰(二十五日),定江、昭庆军节度使、开府仪同三司、江南东路宣抚使张俊加官崇信、奉宁军节度使,进驻盱眙。右仆射张浚命令依山筑城,左仆射赵鼎说:"德远错了,虽然修筑此城不会成为资助敌人的工具,然而应当念及修筑者的辛劳。"这一工役,兴于盛夏,从下往上运土的,都有每天的定额,看到青色之处就采伐,数十里之间,竹木全被砍光。挖掘新旧坟墓,不知其数,人们深受其苦。城修成后,没有水可守,也没有柴可采。筑城的时候,伪齐派遣三百骑兵到泗州境上,临淮伫立观望很久才走。

乙未(二十八日),尚书祠部员外郎、都督府主管机宜文字杨晨调任礼部员外郎,尚书工部员外郎、都督府主管机宜文字熊彦诗调任祠部员外郎。

续资治通鉴卷第一百一十七

【原文】

宋纪一百十七　起柔兆执徐【丙辰】六月,尽十二月,凡七月。

高宗受命中兴全功至德　圣神武文昭仁宪孝皇帝

绍兴六年　金天会十四年【丙辰,1136】　六月,己亥,兵部侍郎胡世将兼权吏部侍郎。

庚子,大理少卿张汇等言狱空,诏嘉奖,仍免表贺。

甲辰,给事中吕祉试尚书刑部侍郎,充都督行府参(谋)〔议〕军事。

显谟阁待制、新知鄂州王庶知荆南府,兼荆湖北路经略安抚使。

荆南屡为盗残,庶与士卒披荆棘,致财用,治城隍,缮府库,廨舍毕修,陶瓦为民室庐,辟市区如承平时。流庸四集,喜曰:"公可恃,我其安于此矣!"庶曰:"府库未充也。"乃下令:"有欲吾田者,肆耕其中,吾不汝赋;有能持吾钱出而得息者,视其息与去之日多少,授其职有差。"武吏争出应令。未几,还输其息,府库大充,得以养兵,遂成军,隐然为雄藩。

乙巳夜,地震。

戊申,权户部侍郎王俣兼权(□□□□)〔礼部侍郎〕。

己酉,诏曰:"朕以菲德,奉承大统,遭时艰厄,敌伪相挺,军旅方兴,赋役重困,瘝瘵恫矜,未知攸济。乃六月乙巳地震,朕甚惧焉。政之失中,吏之无良,怨仇滋彰,乖气致沴,坤厚之载,摇动靡宁。变不虚生,缘类而应,永思厥咎,在予一人。凡内外臣庶,有可以应变,辅朕之不逮者,其各悉意以言,毋讳朕躬,毋悼后害。州郡守长近民之官,宜为朕惠养凋瘵,安辑流亡,察冤系,禁苛扰,毋倚法以削,毋纵吏为奸。惟兹卿士,小大惕恭,各祗乃事,以副朕寅畏天地,侧身销变之意。"

遣内侍往淮南抚问右仆射张浚,仍赐银合茶药,以浚将渡江巡按故也。

浚以为"东南形势,莫重建康,实为中兴根本,且使人主居此,则北望中原,常怀愤惕,不敢自暇自逸。而临安僻居一隅,内则易生安肆,外则不足以召远近,系中原之心。"遂奏请圣驾以秋冬临建康,抚三军而图恢复。

浚又渡江抚淮上诸屯,属方盛暑,浚不惮劳,人皆感悦。时防秋不远,浚以方略谕诸帅,大抵先图自守以致其师,而后乘机击之。遂命淮西宣抚使刘光世自当涂进屯庐州,与韩世忠、张俊鼎立,又遣权主管殿前司公事杨沂中进屯泗州。军声大振。

壬子,帝御正殿,疏放临安府等见禁轻刑,以大暑故也。

戊午,诏:"两淮沿江守臣,并以三年为任。"

癸亥,张浚加食邑一千户,食实封四百户。浚出按淮甸,故降旨加恩焉。

时浚密遣人至燕山回,知道君不豫,渊圣遗书金帅求绢。浚遂奏:"臣近得此信,不胜痛愤。愿陛下刚健有为,成败利害,在所不恤。况孝弟可以格天,推此心行之,臣见其福,不见其祸也。"

故太子中舍、知封州曹觐,赐谥忠肃。故右赞善大夫、知康州赵师旦,赐谥庄愍。

皇祐中,依智高入寇,二人皆身捍贼而死。曾开在广东,援五年十一月诏书为之请,至是赐之。

〔甲子〕,诏:"自今诸州(寓流)〔流寓〕举人,每十五名解一名;不及十五人,令本路漕司聚类附试,仍不拘路分。召文臣二员结除名罪委,所保不得过三人。"用国子监请也。

秋,七月,壬申,太常少卿何悫权尚书礼部侍郎。

癸酉,尚书吏部尚书兼侍讲刘大中试兵部尚书。

甲戌,试尚书刑部尚书吕祉,给事中晏敦复,并试吏部侍郎;祉仍兼都督行府参议军事。

庚辰,行营前护副军都统制王彦发荆南,以所部八字军万人赴行在,统制官焦文通、备将赵搏等皆从焉。

是月,淮南宣抚使刘光世克寿春府。

八月,己亥,吉州万安县丞司马光族曾孙宗,召添差两浙路转运司干办公事,主光祠祀。

庚子,集英殿修撰、权都督行府参议军事刘子羽,祠部员外郎、都督行府主管机宜文字熊彦诗,抚谕川、陕还,至行在,新除权礼部侍郎何悫亦自行府归,帝皆召见之。

(癸卯)〔甲辰〕,张浚自江上入朝,力陈建康之行为不可缓,朝论不同,帝独从其计。

先是三大帅既移屯,而湖北、京西宣抚副使岳飞亦遣兵入伪齐地。伪知镇汝军薛亨,素号骁勇,飞命统制官牛皋击之,擒亨以献,引兵至蔡州,焚其积聚。

眉州布衣帅维藩,治《春秋》学,累举不第,至是赴行在上《中兴十策》,请车驾视师。帝下其议于朝,浚以为可用。会牒报刘豫有南窥之意,赵鼎乃议进幸平江。

诏:"百司随从人比四年三分减一;应军旅非泛支降钱谷差出,并随从行在所处分。其馀百司常程事务,留临安府,听行宫留守司予决;内有不可予决者,即申奏行在所。"

丙午,显谟阁直学士、知临安府梁汝嘉为巡幸随驾都转运使。

丁未,观文殿学士、新知绍兴府秦桧充醴泉观使,兼侍读、行宫留守;观文殿学士、提举临安府洞霄宫孟庾提举万寿观,兼侍读、行宫同留守,权许赴尚书省治事。

诏:"景灵宫神御,令温州四孟行礼,俟还临安日如旧。"

戊申,诏赐沿江诸帅曰:"天地之大义,莫重于君臣;尧、舜之至仁,无先于孝悌,一自衣冠南渡,敌马北侵,五品弗明,两宫未返。念有国有家之道,必在正名;尽事父事君之诚,讵宜安处! 将时巡于郡国,以周视于军师。尔其慎守封圻,严戒侵扰,虔共乃职,谨俟朕行。"

湖北、京西安抚司第四副将、武经郎杨再兴,引兵复西京之长水县。

诏侍从官更互赴行在所供职。

时户部侍郎王俣先往平江措置,于是兵部尚书刘大中、工部侍郎赵霈从,仍以大中兼权吏、礼部尚书,赵霈兼权户、刑部侍郎。又命殿前司统制官赵密弹压舟船,带御器械刘(琦)

〔锜〕与管军解潜同总禁卫。时吏部侍郎吕祉,户部侍郎刘宁止,皆为行府属,近臣留行宫者,惟吏部尚书孙近、侍郎晏敦复、刑部尚书胡交修、中书舍人傅崧卿、左司员外郎楼炤、殿中侍御史石公揆、监察御史萧振、李谊而已。

尚书兵部侍郎胡世将充徽猷阁直学士、知镇江府。

庚戌,吏部尚书兼权翰林学士兼侍读孙近充龙图阁学士,复知绍兴府。

辛亥,太庙神主发临安。

诏:"今者车驾巡幸,措置约束,务从简省,如陈设之具,已有仪鸾,舟船牵挽,已有兵梢,膳羞之奉,不过随宜。切恐所过州县,帟幕供帐,极于侈靡,舟船人夫,烦于调发,饮食膳羞,过求珍异,以至应副百司,极其所须以为己功,不恤民力,皆非恭俭爱民之意。戒饬州县,勿为侈费;若排办太过,有苦于百姓者,令监司按劾。"

癸丑,徽猷阁待制、枢密都承旨兼都督行府参议军事郭执中卒。帝览遗表叹息,特赠徽猷阁直学士,赐其家银帛二百匹两。

丙辰,金追尊九代祖以下曰皇帝、皇后,定始祖、景祖、世祖、太祖、太宗庙皆不祧。

丁巳,诏权罢讲筵,俟过防秋日如旧。

己未,户部乞依四年例,预借江、浙民户来年夏税绸绢之半,尽令折纳米斛,约可得二百馀万,庶几储蓄稍丰,诏本部勘当。于是两浙绸绢各折七千,江南六千有半,以米斛价例纽折,每匹折米二石。

壬戌,中书舍人(传)〔傅〕崧卿兼权户部侍郎,吏部侍郎晏敦复兼权工部侍郎。

癸亥,左司谏陈公辅请奏荫无出身人并令铨试,经义或诗赋、论策三场,以十分为率,取五分合格。虽累试不中,不许参选,亦不许用恩泽陈乞差遣,诏吏部措置。其后吏部请试律外止益以经义或诗赋一场,年三十五以上累试不中之人,许注残零差遣,馀如公辅所奏,从之。

(癸亥)金主诏曰:"齐国与本朝军民诉讼相关者,文移署年,止用天会。"

甲子,废白州为博白县,隶琼州;龚州为平南县,隶浔州。

九月,丙寅朔,帝发临安府。

先诣上天竺寺焚香,道遇执黄旗报捷,乃湖北、京西宣抚〔副〕使岳飞所遣武翼郎李遇。先是飞遣统制官王贵、郝晸、董先引兵攻虢州卢氏县,下之,获粮十五万斛。

帝已登舟,召守臣李谟即舟中奏事,遂宿北郭之税亭。

丁卯,御舟宿临平镇。

戊辰,帝次崇德县,县令赵涣之入对。帝问以民间疾苦,涣之言无之;又问户口几何,涣之不能对。乃削涣之二秩,仍令张汇治罪。赵鼎曰:"陛下所以延见守令者,正欲知民间疾苦耳。"帝曰:"朕犹恨累日风雨,不能乘马,亲往田间问劳父老。"

己巳,次皂林,帝谓宰执曰:"岳飞之捷,兵家不无缘饰,宜通书细问;非吝赏典,欲知措置之方尔。"张浚曰:"飞措置甚大,今已至伊、洛,则太行一带山寨,必有通谋者。自梁青之来,彼意甚坚。"赵鼎曰:"河东山寨如韦铨辈,虽力屈就金人招,而据险自保如旧,亦无如之何,羁縻而已。一旦王师渡河,此辈必为我用。"帝曰:"斯民不忘祖宗之德,吾料之,必非金人所能有。"鼎等曰:"愿陛下修德,孜孜经营,常如今日也。"

庚午，帝次秀州。

辛未，御舟次平望。

壬申，帝次吴江县。

伪齐故相张孝纯遣其客薛筇间道走行在，上书言利害。先是刘麟尝养侠士蒯挺等二十馀人，待以殊礼，孝纯自言得其阴谋。又言："金人于沿海州县置通货场，以市金漆、皮革、羽毛之可为戎器者，以厚直偿之，所积甚众。孝纯言于豫曰：'闻南人治舟久矣，旦暮乘风北济，而所在岸口视之恬然，悦利于吾，彼宁不为之禁！'豫大惧，遽罢通货场。"又请分兵守京西诸州，断贝勒之粮道，捣刘豫之巢穴，则淮南、关陕之兵不攻自解。又言："山东长吏皆本朝旧人，日望王师之来，争为内应以赎前罪。惟李邺有异志，不复心怀本朝。"孝纯尝与邺论及朝廷，邺曰："死无所惮，但恐如陆渐之祸，恶名终不可免。"故孝纯及之。

癸酉，帝次平江府。

乙亥，韩世忠自楚州来朝。

癸未，诏："太庙神主权奉安于平江府能仁寺，遇朔享日，令太常寺焚香。"

丁亥，吏部侍郎晏敦复权户部侍郎。

戊子，诏："江东转运使向子谭，应副刘光世军钱粮。副使俞俟，应副张俊军钱粮。"子谭与俊不协，俊数有论奏；而光世，向氏婿也，故改命之。

命户部员外郎霍蠡就鄂州置司，专总领岳飞一军钱粮。

庚寅，张浚复往镇江视师。

初，伪齐刘豫，因金领三省事晋国王宗翰、尚书左丞、参知政事高庆裔在兵间而得立，故每岁皆有厚赂，而蔑视其它诸帅。左副元帅鲁王昌，初在山东，回易屯田，遍于诸郡，每认山东为己有。及宗翰以封豫，昌不能平，屡言于太宗，以为割膏腴之地以予人，非计，太宗不从。

及是豫闻帝将亲征，遣人告急于金主，求兵为援，且乞先侵江上。金主使诸将相议之，领三省事宋国王宗磐曰："先帝所以立豫者，欲豫辟疆保境，我得安民息兵也。今豫进不能取，又不能守，兵连祸结，愈无休息，从之则豫受其利，败则我受其弊。况前年因豫乞兵，尝不利于江上矣，奈何许之！"金主乃听豫自行，遣右副元帅沈王宗弼提兵黎阳以观衅。

于是豫以其子伪尚书左丞相梁国公麟领东南道行台尚书令，改封淮西王，又以主管殿前司公事兼开封尹许清臣权诸路兵马大总管，尚书右丞李邺为行台右丞、讲议军事，户部侍郎冯长宁为行台户部侍郎兼行军参议，又以故叛将李成、孔彦舟、关师古为将，签乡兵三十万，号七十万，分三路入寇：中路由寿春犯合肥，麟统之；东路由紫〔荆〕山出涡口，犯定远县以趋宣、徽，俋猊统之；西路由光州犯六安，彦舟统之。伪诏榜示，指斥銮舆，尤甚于五年淮、泗之役。

谍报豫挟金兵来侵，主管殿前司公事杨沂中在淮壖，先以二百骑驰至盱眙观形势，还奏事，留宿内殿三日，条上御寇之策，于是分遣诸将以备要害。时江东宣抚使张俊军盱眙，沂中军泗上，京东、淮东宣抚处置使韩世忠在楚州，湖北宣抚副使岳飞在鄂州，声势不相及。独淮西宣抚使刘光世在当涂，光世遣轻骑据庐，而沿江一带皆无军马，左仆射赵鼎甚忧之。浚乞先往江上视师，至是发行在。

癸巳，翰林学士朱震言："按大理国本唐南诏，大中、咸通间，入成都，犯邕管，召兵东方，天下骚动。艺祖皇帝鉴唐之祸,乃弃越嶲诸郡,以大渡河为界,欲寇不能,欲臣不得,最得御戎之上策。今国家南市战马,通道远夷,其王和誉遣清平官入献方物。陛下诏还其直,却驯象,赐敕书,即桂林遣之,是亦艺祖之意也。然臣有私忧,不可不为陛下言之。今日干戈未息,战马为急,桂林招买,势不可辍。然而所可虑者,蛮人熟知险易,商(买)〔贾〕囊橐为奸,审我之利害,伺我之虚实,安知无大中、咸通之事!愿密谕广西帅臣,凡市马之所,皆用谨信可任之上,勿任轻狷生事之人,务使羁縻而已。异时西北路通,渐减广马,庶几消患未然。"诏札与广西帅臣。

冬,十月,乙未朔,帝率百官遥拜二帝。

丁酉,吏部侍郎、都督府参议军事吕祉还行府供职。

先是刘麟等令乡兵伪为金人服,于河南诸处千百为群,人皆疑之,以金、伪合兵而至。淮西宣抚使刘光世奏御贼事宜,谓庐州难守,且密干左仆射赵鼎,欲还太平州,又江东宣抚使张俊方驻军泗州。都督张浚奏:"敌方疲于奔命,决不能悉大众复来,此必皆豫兵。"而边报不一,俊、光世皆请益兵,众情恟惧,议欲移盱眙之屯,退合肥之戍,召岳飞尽以兵东下。浚独以为不然,乃以书戒俊及光世曰:"贼众之兵,以逆犯顺,若不剿除,何以立国,平日亦安用养兵为!今日之事,有进击,无退保。"而鼎及签书枢密院事折彦质,皆移书抵浚,欲飞军速下。且拟条画项目,请帝亲书付浚,大略欲令张俊、杨沂中合兵扫荡,然后退师还南,为保江之计,(必不)〔不必〕守前议。于是江东宣抚使韩世忠统兵过淮,遇敌骑,与阿里雅贝勒等力战,既而亦还楚州。或请帝回临安,且追诸将守江防海,浚奏:"若(谓)〔诸〕将渡江,则无淮南,而江之险与敌共。淮南之屯,正所以屏蔽大江。使贼得淮南,因粮就运以为家计,江南岂可保乎!今淮西之寇,正当合兵掩击,况士气甚振,可保必胜。若一有退意,则大事去矣。又,岳飞一动,则襄、汉有警,复何所制!愿朝廷勿专制于中,使诸将不敢观望。"帝乃手书报浚:"近以边防所疑事咨卿,今览所奏甚明,俾朕释然无忧。非卿识高虑远,出(入)〔人〕意表,何以臻此!"祉亦言士气当振,贼锋可挫,榻前力争,至于再四。彦质密奏:"异时误国,虽斩晁错以谢天下,亦将何及!"帝不听。乃命祉驰往光世军中督师。

时刘猊将东路兵至淮东,阻世忠承、楚之兵不敢进,复还顺昌,麟乃从淮西系三浮桥而渡。于是贼众十万,已次于濠、寿之间。江东宣抚使张俊拒之,即诏并以淮西属俊。主管殿前司杨沂中,为浚统制官,浚遣沂中至泗州与俊合,且使谓之曰:"上待统制厚,宜及时立大功,取节钺,或有差跌,浚不敢私。"诸将皆听命。

戊戌,杨沂中至濠州,会刘光世已舍庐州而退。浚甚怪之,即星驰至采石,遣人喻光世之众曰:"若有一人渡江,即斩以徇!"且督光世复还庐州。右司谏王缙,亦言主帅有慢令不赴期会者,请奋周世宗、我太祖之英断以励其馀。帝亲笔付沂中:"若不进兵,当行军法。"光世不得已,乃驻兵与沂中相应,遣统制官王德、郦琼将精卒自安丰出谢步,遇贼将崔皋于霍丘,贾泽于正阳,王遇于前羊寺,皆败之。是日,贼攻寿春府寄治芍陂水寨,守臣阁门祗候孙晖夜劫其寨,又败之。初,光世言粮乏,诏转运使向子諲济其军。子諲昼夜并行,至庐州而光世兵已出东门。子諲直入见光世,具其纲船至岸次,光世乃止。

壬寅,显谟阁直学士、巡幸随军都(督)〔转〕运使梁汝嘉为浙西、淮东沿海制置使,带御器械刘锜副之。翼日,更命行营前护副军都统制王彦为制置使,以所部屯通州之料角。汝嘉等乞以右通直郎、新知濠州蔡延世等二人充参议官,量赐激赏钱,仍令浙西漕臣、淮南提点官应副军食,皆从之。

刘猊以众数万过定远县,欲趋宣化以犯建康,权主管殿前司公事杨沂中,与猊前锋遇于越家坊,败之。猊孤军深入,恐南师掩其后,欲会麟于合肥。

癸卯,赵鼎进呈刘光世所奏事宜,帝曰:"光世之意,似欲退保采石。"鼎曰:"据诸处探报,殊无金人,如此则自当麾击。若官军与豫贼战而不能胜,或更退挠,则他时何以立国! 但光世分兵随处御捍,已见失策。今贼兵既已渡淮,唯当亟遣张俊合光世之军,尽扫淮南之寇,然后议去留,兹为得计。万一使贼得志于光世,则大事去矣。"帝顾鼎曰:"卿此策颇合朕意。"

甲辰,杨沂中至藕塘,与刘猊遇。贼据山险,列陈外向,矢下如雨,沂中曰:"吾兵少,情见则力屈,击之不可不急。"乃遣(催)〔摧〕锋军统制吴锡以劲骑五千突其军,贼兵乱。沂中纵大军乘之,自将精骑绕出其胁;短兵方接,即大呼曰:"破贼矣!"贼方愕视,会江东宣抚司前军统制张宗颜等自泗州南来,率兵俱进,贼众大败。猊以首抵谋主李谔曰:"适见一髯将军,锐不可当,果杨殿前也。"即以数骑遁去。馀兵犹万计,皆僵立骇顾,沂中跃马前叱之曰:"尔曹皆赵氏民,何不速降!"皆怖伏请命。南军获李谔与其大将李亨等数十人。

麟在顺昌,闻猊败,拔寨遁去,光世遣王德击之。先是帝赐德亲札,谕令竭力协济事功,以副平日眷待之意。德奉诏,与沂中追麟至南寿春还。

是役也,通两路所得贼舟数百艘,车数千两,器甲、金帛、钱米、伪交钞、诰敕、军需之物不可胜计。于时孔彦舟围光州,守臣敦武郎王荙拒之,彦舟闻猊败,亦引去。北方大恐。

辛亥,杨沂中捷奏至,俘馘甚众,帝愀然曰:"此皆朕之赤子,迫于凶虐,勉强南来,既犯兵锋,又不得不杀,念之心痛。"顾赵鼎曰:"可更戒敕诸将,尔后务先招降。其陈殁之人,亟为埋瘗,仍置道场三昼夜,以示矜恻。"

乙卯,侍御史周秘奏贷遣所得之俘,帝曰:"秘此意甚善。朕方痛念西北之民皆吾赤子,进为王师所戮,退为刘麟所残,不幸如此。今当给与钱米,然后遣之使归。"

乙未,赵鼎奏:"比见探报,刘麟所起山东、京畿人夫,有自书乡贯姓名于身而就缢者。"帝曰:"何故如此?"鼎曰:"苦其力役耳。昔臣在陕西,亲见调夫,而民间大不聊生,号哭之声,所不忍闻,是以圣人常以用兵为戒。仁宗皇帝勤俭积累四十二年,府库盈溢,下无贫民。"帝曰:"它时事定,愿不复更用兵革。"

壬戌,废梅州为程乡县,隶潮州;又废长乐县为镇。

癸亥,张浚遣左承议郎、行府书写机宜文字计有功来奏事;后二日,除直秘阁,遣还。

初,赵鼎得政,首引浚共事,其后二人稍有异议,宾客往来其间,不协。及杨沂中奏捷,鼎即求去位,帝不许。鼎因曰:"臣始初与张浚如兄弟,近因吕祉辈离间,遂尔暌异,今同相位,势不两立。陛下志在迎二圣,复故疆,当以兵事为重。今浚成功淮上,其气甚锐,当使展尽底蕴,以副陛下之志,如臣但奉行诏令经理庶务而已。浚当留,臣当去,其势然也。浚朝夕还,俾臣奉身而退,则同列之好,俱无所伤;它日或因物议有所去留,则俱失之矣。"帝曰:"朕自有所处,卿勿为虑。"鼎曰:"万一议论纷纷,曲直淆乱,是时陛下必不秘今日之言,臣(狼)〔狼〕狈无疑矣。陛下即位以来,命相多矣,未有一人脱者,岂不累陛下考慎之明乎!"帝徐曰:"俟浚归议之。”浚奏车驾宜乘时早幸建康;鼎与折彦质并议回跸临安以为守计,帝许之。

丙寅,故中大夫范纯礼,再赠资政殿学士,其合得恩泽,依数贴还,以其家有请也。后谥恭献。

庚午,诏张浚还行在所。

初,刘麟等既败归,金人遣使问刘豫之罪。豫惧,废猊为庶人以谢之。于是金人始有废豫之意矣。

十二月,甲午朔,德音降庐、光、濠州、寿春府杂犯死罪已下囚,释流已下。制曰:“朕以眇质,获承至尊,念国家积累之基,遭外侮侵陵之患,诚不足以感移天意,德不足以绥靖乱原,致被叛臣,乘予厄运,频挟敌势,来犯边隅,直渡淮渍,将窥江、浙。所赖诸将协力,六师争先,虽逆雏暂逭于天诛,而匹马莫还于贼境。载循不道,深恻于心,俾执干戈,皆朕中原之赤子;重为驱役,亦有本朝之旧臣;迫彼暴虐之威,陷兹锋镝之苦,繇予不德,使至于斯。申戒官司,务优存没,知朕兴怀于兼爱,本非得已而用兵,宜锡茂恩,以苏罢俗。”

诏行宫留守秦桧即赴行在所奏事。张浚以桧在靖康中建议立赵氏,不畏死,有力量,可与共天下事,一时仁贤荐桧尤力,遂推引之。

赵鼎既与浚不协,左司谏陈公辅因奏劾鼎。鼎屡求去,帝愀然不乐曰:“卿只在绍兴,朕它日有用卿处。”

戊戌,右司谏王缙入对,论签书枢密院事折彦质之罪,大略谓:“彦质于敌马南向之时,倡为抽军退保之计,上则几误国事,下则离间君臣,乞赐罢黜。”

先是张浚自帝还平江,随班入见,帝曰:“却敌之功,尽出右相之力。”于是赵鼎惶惧,复乞去。浚入见之,次日,具奏曰:“获闻圣训,惟是车驾进止一事,利害至大。天下之事,不倡则不起,不为则不成。今四海之心,孰不想恋王室!金、豫相结,胁之以威,虽有智勇,无所展竭。三岁之间,赖陛下一再进抚,士气从之而稍振,民心因之而稍回,正当示之以形势,庶几乎激忠起懦,而三四大帅者,亦不敢怀偷安苟且之心。夫天下者,陛下之天下也,陛下不自致力以为之先,则被坚执锐,履危犯险者,皆有解体之意。今日之事,存亡安危所自以分。六飞倘还,则有识解体,内外离心,日复一日,终以削弱,异日复欲巡幸,诏书谁为深信而不疑者!何则?彼已知朝廷以为避地之计,实无意图回天下故也。论者不过曰‘万一有警,难于远避’,夫将士用命,扼淮而战,破敌有馀,苟人有离心,则何地容足!又不过曰‘当秋而战,及春而还’,此但可以纾一时之急,年年为之,人皆习熟,难立国矣。又不过曰‘贼占上流,顺舟可下’,今襄、汉非彼有,舟何自来?使贼有馀力,水路偕进,陛下深处临安,亦能安乎?”

浚因独对,乞乘胜取河南地,擒刘豫父子;又言刘光世骄惰不战,不可为大将,请罢之。帝问:“常与鼎议否?”浚曰:“未也。”浚见鼎,具道其故,鼎曰:“不可。豫机上肉耳,然豫倚金人为重,不知擒灭刘豫,得河南地,可遂使金不内侵乎?光世将家子,士卒多出其门下,若无故罢之,恐人心不可。”浚不悦。鼎复言强弱不敌,宜且自守,未可以进,由是与彦质俱罢去。

京东、淮东宣抚处置使韩世忠引兵攻淮阳军,败之。

己亥,赐刘光世、岳飞诏曰:“国家以叛逆不道,狂狡乱常,遂至行师,本非得已,并用威怀之略,不专诛伐之图。盖念中原之民,皆吾赤子,迫于暴虐之故,来犯王师,自非交锋,何忍诛戮!庶几广列圣好生之德,开皇天悔祸之衷。卿其明体朕怀,深戒将士,务恢远驭,不专尚威,凡有俘擒,悉加存抚。将使戴商之旧,益坚思汉之心,蚤致中兴,是为伟绩。毋致贪杀,负朕训言。"枢密院奏光世之将马钦、飞之将寇成等,捕获各五百人,并斩讫,故有是诏。

辛丑,诏筑南寿春城。

壬寅,尚书左仆射、同中书门下平章事兼知枢密院事、都督诸路军马兼监修国史赵鼎,充观文殿大学士、两浙东路安抚制置大使,兼知绍兴府。

龙图阁学士、知绍兴府孙近试吏部尚书。

命吏部侍郎、都督行府参议军事吕祉,往建康措置移跸事务。

乙巳,帝与宰执语唐开元之治曰:"姚崇为相,尝选除郎吏,明皇仰视屋椽,崇惊愕久之,后因力士请问,知帝有专委之意。人主任相当如此。"张浚曰:"明皇以此得之,亦以此失之。杨、李持柄,事无巨细,一切倚仗,驯致大乱。吁,可戒也!"帝曰:"然卿知所以失否? 在于相非其人,非专委之过也。"浚曰:"明皇方其忧勤,贤者获进,逮其逸乐,小人遂用,此治乱之所以分。陛下灼见本末,天下幸甚!"

赵鼎入辞。鼎在越,惟以束吏恤民为务,每言:"不束吏,虽善政不能行,盖除害然后可以兴利。《易》之《豫》,利建侯行师,乃所以致豫。《解》,公用射隼于高墉之上,谓射隼而去小人,乃所以致解也。"至是奸猾屏息。又,场务利入之源,不令侵耗,财赋遂足。

甲午,崇信、奉宁军节度使、开府仪同三司、江南东路宣抚使张俊,加少保、镇洮、崇信、奉宁军节度使,仍旧宣抚使。龙神卫四厢都指挥使、密州观察使、权主管殿前司公事杨沂中为保成军节度使、殿前都虞候、主管殿前司公事。

先是右司谏陈公辅言:"前日贼犯淮西,诸将用命,捷音屡上,边土稍宁,盖庙社之灵,陛下威德所至。然行赏当不逾时,庙堂必有定议。臣闻濠梁之急,(浚)〔俊〕遣杨沂中往援,遂破贼兵,此功固不可掩。刘光世不守庐州,而濠梁戍兵辄便抽回,如涡口要地,更无人防守,若非沂中兵至,淮西焉可保哉! 光世岂得无罪! 此昭然无可疑者。又,沂中之胜,以吴锡先登;光世追贼,王德尤为有力;是二人当有崇奖,以为诸军之劝。若韩世忠屯淮东,贼不敢犯;岳飞进破商、虢,扰贼腹胁;二人虽无淮之功,宜特优宠,使有功见知,则终能为陛下建中兴之业。"朝廷以(浚)〔俊〕、沂中功尤著,遂优赏之。沂中时年三十五岁。

丁未,诏曰:"朝廷设官分职,本以为民。比年以来,重内轻外,殊失治道之本,朕甚不取。可自今监司、郡守,秩满考其善状,量与迁推,治效著闻,即除行在差遣。其郎官未历民事者,效职通及二年,复加铨择,使之承流于外。仍令中书、御史台籍记名姓,俟到阙日,检举引对,参考善否,取旨升黜。庶几天下百姓蒙被实惠,以称朕意。"

戊申,诏曰:"朕惟养兵之费,皆取于民。吾民甚苦而吏莫之恤,夤缘军须,掊敛无益,朕甚悼之! 监司、郡守,朕所委寄以惠养元元者也,今慢不加省,复何赖焉! 其各任乃职,察吏之侵渔纳贿者,劾按以闻。已戒敕三省官,间遣信使周行诸路,苟庇覆弗治,流毒百姓,朕不汝贷。自今军事所须,并令州县揭榜晓谕,馀依绍兴元年五月二十四日诏旨施行,无或违戾。"

观文殿学士、醴泉观使兼侍读秦桧行在所讲筵供职,观文殿学士、行宫同留守孟庾充行宫留守。

庚戌,诏:"官职如在职二年已上知县资序人,与除大郡通判;通判资序人,与除知州军。

任满到阙,令阁门引见上殿,当参考治状善否,取旨升黜;仍令中书省、御史台籍记姓名。"

辛亥,资政殿大学士、提举洞霄宫张守自常州入见,即日除参知政事。

壬子,诏张守兼权枢密院事。

丙辰,镇南军节度使、开府仪同三司、荆湖南路安抚制置大使兼知潭州吕颐浩为两浙西路安抚制置大使,兼知临安府,仍赴行在奏事。

宝文阁学士、新知襄阳府刘洪道知潭州,充荆湖南路安抚使,仍兼都督府参谋军事。

戊午,诏:"自今吏部注拟知、通、守、令,并选择非老病及不曾犯赃与不缘民事被罪之人,仍申中书省审察。其注拟人脚色,关御史台;如非其人,许本台弹奏。"用中书请也。既而行宫吏部请曰:"民事犯徒已上罪人,如(令)〔今〕诏。"自开国以来,以公私赃三等定天下之罪,至是始增民事律焉。

己未,兵部尚书兼权吏、礼部尚书刘大中充龙图阁直学士、知处州。

左司谏陈公辅言:"朝廷所尚,士大夫因之,士大夫所尚,风俗因之,不可不慎也。国家嘉祐以前,朝廷尚大公之道,不营私意,不植私党,故士大夫以气节相高,以议论相可否,未尝互为朋比,至于雷同苟合。自熙、丰以后,王安石之学,著为定论,自成一家,蔡京引之,挟绍述之说,于是士大夫靡然而同,风俗坏矣。仰惟陛下天资聪明,圣学高妙,将以痛革积弊,变天下党同之俗。然在朝廷之臣,不能上体圣明,又复辄以私意取程颐之说,谓之伊川学,相率而从之,是以趋时竞进,饰诈沽名之徒,翕然胥效,倡为大言,转相传授。伏望圣慈特加睿断,察群臣中有为此学鼓扇士类者,皆屏绝之。明诏天下以圣人之道著在方册,学者但能参考众说,研穷至理,各以己之所长而折中焉,则道术自明,性理自得矣。"辅臣进呈张浚批旨曰:"士大夫之学,宜以孔、孟为师,庶几言行相称,可济时用。览臣僚所奏,深用怃然!可布告中外,使知朕意。"

先是范冲既去位,公辅以冲所荐,不自安。会耿镃等伏阙上书,或者因指公辅靖康鼓喝之谤,公辅惧,见帝求去,因此上疏。诏:"公辅,朕所亲擢,非由荐引,可令安职,毋得再请。"时朱震在经筵,不能诤,论者非之。

湖北经略安抚使王庶,乞令澧、辰、沅、靖四州,以闲田共招刀弩手三千五百人,沅州千五百,辰州千人,澧、靖州各五百馀,田召人承佃,从之。四郡刀弩手旧额万人,靖康末,调赴河东,少还者,至是命相度招填,故有是请。

伪齐刘豫密知金人有废己之谋,是冬,遣皇子府参谋冯长宁请于金,欲立淮西王麟为太子以尝其意,金主谓之曰:"先帝所以立尔者,以尔有德于河南之民也。尔子有德耶?我未之闻也,徐当遣人咨访河南百姓以定之。"

先是河北军前通问使魏行可为金所拘,至是九年。或谓行可尝上金帅书,戒以不戢自焚之祸,以谓:"大国举中原与刘豫,刘氏何德,赵氏何罪哉?若亟以还赵氏,贤于奉刘氏万万也。"是岁,行可卒。未几,其副右武大夫、果州团练使郭元迈亦卒于金地。

【译文】

宋纪一百十七　起丙辰年(公元1136年)六月,止十二月,共七月。

绍兴六年　金天会十四年(公元1136年)

六月,己亥(初三),兵部侍郎胡世将被任命为兼权吏部侍郎。

庚子(初四),大理少卿张汇等人上言监狱没有罪犯,高宗诏令嘉奖,仍免表贺。

甲辰(初八),给事中吕祉被任命为试尚书刑部侍郎,充任都督行府参议军事。

显谟阁待制、新知鄂州王庶被任命为知荆南府,兼任荆湖北路经略安抚使。

荆南屡受盗贼残害,王庶与士卒披荆斩棘,收致财用,治理城隍,修缮府库,官舍全修,烧制陶瓦为百姓建造房屋,开辟贸易街市如同太平年间。流外受雇的人从四方聚集,高兴地说:"您可以依靠,我们就安心在此了!"王庶说:"府库还不充实。"于是下令:"有想在这里耕种田地的,可以尽力在其中耕种,我不收你们的赋税;有能拿官府的钱外出而得利息的,根据利息和离去之日的多少,授给不同的职官。"武吏争先出来应令。不久,归还利息,府库大为充实,得以用来养兵,于是组成军队,威重如雄大的藩镇。

乙巳(初九)夜晚,发生地震。

戊申(十二日),权户部侍郎王俣兼任权礼部侍郎。

己酉(十三日),高宗下诏说:"朕以菲薄之德,继承了王位,遭遇艰难时刻,敌伪相继争夺,军旅刚刚兴起,赋役重重困苦,醒时睡时都很痛苦,不知如何解决。六月乙巳(初九)的地震,朕很恐惧。政事处理失当,官吏的不良,怨仇滋生昭彰,邪气泛滥成灾,承载万物的大地,摇动不宁。灾变不会凭空而生,由类因果互相应和,常常思其过错,在于朕一人。凡内外的臣民,有可以应付事变,辅助朕的不足者,都可以各自尽情表达,不要顾忌朕,不要恐惧日后的祸害。外郡守臣是接近百姓的官吏,应当为朕抚慰凋敝的百姓,安抚流民,察看冤狱,禁止苛刻扰民,不要依仗法律削夺百姓,不要放纵官吏为非作歹。希望尔等卿士,大事小事警惕恭敬,各尽职守,以不负朕敬畏天地,戒慎恐惧消弭实变的心意。"

派遣内侍前往淮南安抚慰问右仆射张浚,仍赏赐银合茶药,这是由于张浚将渡江巡视按察的缘故。

张浚认为:"东南形势,没有比建康更为重要的,实在是中兴的根本,而且皇上居住在此,则可北望中原,常怀悲愤警惕,不敢自我悠闲逸乐。而临安僻居一隅,对内则容易产生安逸纵恣,对外则不足以召唤远近百姓,维系中原的民心。"于是奏请皇帝在秋冬季节亲临建康,安抚三军而谋划恢复中原。

张浚又渡江安抚慰问驻扎淮河边的各军,当时正当盛暑,张浚不怕劳苦,人们都感动欢悦。当时离防秋不远,张浚以方略晓谕诸帅,大致是先谋划自守以招致军队,然后乘机攻击敌人。于是命令淮西宣抚使刘光世自当涂进驻庐州,与韩世忠、张俊成鼎立之势,又派遣权主管殿前司公事杨沂中进驻泗州。军队声势大振。

壬子(十六日),高宗亲临正殿,释放临安府等现在被监禁的轻刑罪犯,这是因为天气太热的缘故。

戊午(二十二日),高宗诏令:"两淮沿江守臣,都以三年为任期。"

癸亥(二十七日),张浚增加食邑一千户,食实封四百户。张浚出外巡视淮甸,所以降旨加恩。

当时张浚秘密派人到燕山后回来,知道徽宗有病,钦宗送书金帅索求绢帛。张浚于是上奏:"臣最近得到这些消息,不胜悲愤。希望陛下刚健有为,成败利害,在所不恤。何况孝悌可以感通上天,尊崇孝悌之心并付诸行动,臣认为只有福,没有祸。"

已故太子中舍、知封州曹觐,赐授谥号忠肃。已故右赞善大夫、知康州赵师旦,赐授谥号庄愍。

皇祐年间,侬智高进犯,曹、赵二人均亲自抗拒敌贼而死。曾开在广东,援引绍兴五年十一月的诏书为他们请求赐予谥号,到这时赐授谥号。

甲子(二十八日),高宗诏令:"从现在起,各州流亡居外的举人,每十五名解送一名;不到十五人的,令本路漕司聚类附试,仍然不限路分。召文臣二员写好以除名罪保荐的证书,每员文臣所保荐的不得超过三人。"这是采用国子监的请求。

秋季,七月,壬申(初六),太常少卿何悫被任命为权侍尚书部侍郎。

癸酉(初七),尚书吏部侍郎兼侍讲刘大中任试兵部尚书。

甲戌(初八),试尚书刑部侍郎吕祉,给事中晏敦复,一同任试吏部侍郎;吕祉仍兼任都督行府参议军事。

庚辰(十四日),行营前护副军都统制王彦从荆南出发,率领所部八字军一万人赶赴行在,统制官焦文通、备将赵樽等也随从前往。

这个月,淮南宣抚使刘光世攻克寿春府。

八月,己亥(初四),吉州万安县丞司马光

加彩文官俑　金

同族曾孙司马宗,被任命为添差两浙路转运司干办公事,掌管司马光祠的祭祀。

庚子(初五),集英殿修撰、权都督行府参议军事刘子羽,祠部员外郎、都督行府主管机宜文字熊彦诗,到川、陕安抚宣谕后回朝,到了行在,新任权礼部侍郎何悫也从行府回来,高宗都召见了他们。

甲辰(初九),张浚从长江回朝,极力主张高宗建康之行不可再缓,朝廷有不同的议论,而高宗独自采纳张浚的建议。

先前三大帅已经转移驻扎,而湖北、京西宣抚副使岳飞也派兵进入伪齐地境。伪知镇汝军薛亨,一向号称骁勇,岳飞命令统制官牛皋攻打薛亨,活捉薛亨献给朝廷,并带兵到蔡州,焚烧了薛亨积聚的财物。

眉州布衣帅维藩,研究《春秋》之学,多次参加考试都没有考中,到这时前往行在献上

《中兴十策》，请求高宗视察军队。高宗将他的建议交给朝廷，张浚认为可以采用。适逢谍报刘豫有南窥之意，赵鼎于是建议高宗亲临平江府。

高宗诏令："百司随从出巡的人数比绍兴四年减少三分之一；凡军队非常支出钱谷和调发，都听从行在所的处置。其余百司的日常事务，留在临安府，听行宫留守司予以解决；其中不能予以解决的，就向行在所申报。"

丙午（十一日），显谟阁直学士、知临安府梁汝嘉被任命为巡幸随驾都转运使。

丁未（十二日），观文殿学士、新知绍兴府秦桧充任醴泉观使，兼侍读、行宫留守；观文殿学士、提举临安府洞霄宫孟庾任提举万寿观，兼侍读、行宫同留守，暂时准许到尚书省办理政事。

高宗下诏："景灵宫神御，令温州在四季的第一个月行礼，等回到临安时再同往常一样。"

戊申（十三日），高宗赐诏书给沿江各帅说："天地间的大义，没有比君臣还重要的；尧、舜的至仁，没有先于孝悌的。自从礼义文明南渡以来，敌人的兵马侵扰北方，五伦不明，二帝不能回返。朕念及作为国家之道，一定在于辨正知存；尽事奉父君的诚心，怎样能安全居处！将要时常巡视郡国各地，以便视察军队。你们要谨慎守卫京都附近之地，严密防备敌军侵扰，忠于职守，恭候朕的巡幸。"

湖北、京西安抚司第四副将、武经郎杨再兴，带兵收复西京的长水县。

高宗诏令侍从官轮流到行在所供职。

当时户部侍郎王俣先到平江府处置事务，于是兵部尚书刘大中、工部侍郎赵霈随从高宗，仍以刘大中兼任权吏部、礼部尚书，赵霈兼任权户部、刑部侍郎。又命令殿前司统制官赵密弹压舟船，带御器械刘锜与管军解潜一同总领行在的警戒保卫。当时吏部侍郎吕祉，户部侍郎刘宁止，都是行府属官，近臣留在行宫的，只有吏部尚书孙近、侍郎晏敦复、刑部尚书胡交修、中书舍人傅崧卿、左司员外郎楼炤，殿中侍御史石公揆、监察御史萧振、李谊而已。

尚书兵部侍郎胡世将充任徽猷阁直学士、知镇江府。

庚戌（十五日），吏部尚书兼权翰林学士兼侍读孙近充任龙图阁学士，再任知绍兴府。

辛亥（十六日），太庙神主牌位从临安发往平江府。

高宗诏令："现在车驾巡幸，处置约定，务必依从简省，如陈设的器具，已有仪仗鸾驾，舟船的牵拉，已有士兵艄公，膳食的供奉，不过随其所宜。朕深恐巡幸所过州县，幕帐的供设，过于奢侈浪费，舟船所用人夫，为调发而烦恼，饮食膳用，过于追求珍贵奇异，以至于负责供应的百司，以极尽所需作为自己的功劳，而不体恤民力，这都不是恭敬节俭爱护百姓的心意。告诫州县，不要奢侈浪费；如果安排准备太过分，有给百姓带来痛苦的，命令监司审查弹劾。"

癸丑（十八日），徽猷阁待制、枢密都承旨兼都督行府参议军事郭执中去世。高宗阅看遗表叹息，特赠予他徽猷阁直学士，赐给他家银帛二百匹两。

丙辰（二十一日），金国追尊九代祖先以下称皇帝、皇后，决定始祖、景祖、世祖、太祖、太宗均永不从太庙中迁出。

丁巳（二十二日），高宗下诏令暂时停止讲筵，等到过了防秋后依照旧例开讲。

2716

己未（二十四日），户部请求依照绍兴四年旧例，预借江、浙民户来年夏税绸绢的一半，都令他们折合成米缴纳，大约可得到二百余万，或许储蓄稍有富足，高宗诏令本部审核议定。

于是两浙绸绢各折七千,江南六千五百,以米价折合,每匹折米二石。

壬戌(二十七日),中书舍人傅崧卿兼任权户部侍郎,吏部侍郎晏敦复兼任权工部侍郎。

癸亥(二十八日),左司谏陈公辅奏请荫补没有出身的人都让参加铨试,分经义或诗赋、论策三场,以十分为率,录取五分为合格。即使屡次铨试不中,不许参加铨选,也不许利用恩泽上奏乞求差遣,诏令吏部处置。其后吏部请求考试法律外只增加考试经义或诗赋一场,年龄三十五岁以上累次考试不中的人,准许拟定授予残剩零散差遣的职管,其余的依照陈公辅的奏请,高宗同意了吏部的意见。

癸亥(二十八日),金主完颜亶下诏说:"齐国与本朝军民诉讼相关者,公文署年,只用天会。"

甲子(二十九日),撤销白州改为博白县,隶属于琼州;龚州改为平南县,隶属于浔州。

九月,丙寅朔(初一),高宗从临安府出发。先到上天竺寺烧香,路上遇到有人手执黄旗报捷,原来是湖北、京西宣抚副使岳飞所派遣的武翼郎李遇。先前岳飞派遣统制官王贵、郝晸、董先率领军队进攻虢州卢氏县,攻下后,获得粮食十五万斛。

高宗已上船,召见守臣李谟到船中奏事,于是住宿在城北的税亭。

丁卯(初二),高宗的船在临平镇停宿。

戊辰(初三),高宗到崇德县,县令赵涣之入见奏对。高宗询问民间疾苦,赵涣之说没有;高宗又问户口有多少,赵涣之不能回答。于是削减赵涣之官秩二级,并命令张汇惩治他的罪行。赵鼎说:"陛下之所以召见郡守县令,正是想知道民间的疾苦。"高宗说:"朕还恨连日的风雨,不能乘马,亲自去田间问劳父老乡亲。"

己巳(初四),高宗到皂林停留,对宰执大臣说:"岳飞的捷报,兵家不无粉饰,应该写信细问;不是吝惜赏赐,而是想知道他处置的方略罢了。"张浚说:"岳飞处置规划很大,现在已经到达伊水、洛水,而太行一带山寨,必定有互通计谋的人。自从梁青南归以来,他的意志更为坚定。"赵鼎说:"河东山寨如韦铨等人,虽然力尽屈受金人招抚,但仍像过去一样据险自保,也不能把他们怎么样,不过是笼络罢了。一旦大宋军队渡过黄河,他们一定会为我所用。"高宗说:"这是百姓不忘祖宗的恩德,朕料想,他们一定不会是金人所能拥有的。"赵鼎等人说:"希望陛下修养德性,孜孜不懈地经营,经常像今天这样。"

庚午(初五),高宗停留季州。

辛未(初六),高宗的船停留平望。

壬申(初七),高宗停留吴江县。

伪齐旧相张孝纯派遣他的门客薛笫抄小道跑赴行在,上书陈述利害。在这之前,刘麟曾豢养侠士蒯挺等二十余人,以殊礼相待,张孝纯自称得知他们的阴谋。又说:"金人在沿海州县设置贸易市场,以便购买金漆、皮革、羽毛等可以制作军队器械的东西,用高价抵偿,所积聚的已很多了。我对刘豫说:'听说南方的人制造舟船已久,很快就会乘风北渡,而对所在贸易口岸淡然视之,倘若对我有利,他们怎能不予禁止!'刘豫很害怕,仓促废除了通货场。"又请分兵据守京西各州,切断贝勒的粮道,直捣刘豫的巢穴,那么淮南、关陕的军队不攻自破。又说:"山东高官都是本朝旧人,天天盼望王师到来,争做内应以赎前罪。只有李邺有二心,不复心怀朝廷。"张孝纯曾与李邺议论到宋朝,李邺说:"死不可怕,只恐怕招致像陆渐那样的

2717

实祸,恶名最终也不能免去。"所以张孝纯说到了他。

癸酉(初八),高宗停留平江府。

乙亥(初十),韩世忠从楚州来朝。

癸未(十八日),高宗诏令:"太庙神主牌位暂时奉安在平江府能仁寺,遇到初一上供之日,令太常寺烧香。"

丁亥(二十二日),吏部侍郎晏敦复、权户部侍郎王俣等奏上《绍兴重修禄秩新书》五十八卷,《看详》一百四十七卷,请求雕版施行。

戊子(二十三日),高宗下诏:"江东转运使向子湮,供应刘光世军队的钱粮。副使俞俟,供应张俊军队的钱粮。"向子湮与张俊不和,张俊几次上奏朝廷弹劾;而刘光世,是向子湮的女婿,所以改换任命。

命令户部员外郎霍蠡在鄂州设置官署,专门总领岳飞一军的钱粮。

庚寅(二十五日),张浚又去镇江视察军队。

起初,伪齐刘豫,依靠金国领三省事晋国王完颜宗翰、尚书左丞、参知政事高庆裔在战乱中得以立足,所以每年都有丰厚贿赂给完颜宗翰和高庆裔,而蔑视其他各帅。左副元帅鲁王完颜昌,起初在山东,贸易屯田遍于各郡,常将山东视为己有。到完颜宗翰将山东作为刘豫的封地,完颜昌不能心服,多次上言金太宗,认为割肥沃的土地给别人,不是良策,金太宗没有依从。

到现在刘豫听说高宗将亲征,派人向金主完颜宣告急,请求派兵支援,而且乞求先侵扰长江。金主让各相商议此事,领三省事宋国王完颜宗磐上言说:"先帝之所以立刘豫为齐国皇帝,是想让刘豫为金国开疆拓土保卫边境,而我得以安抚百姓停止战事。现在刘豫进不能攻取,又不能防守,战祸结连不断,更加不能休养生息,如果答应派兵则刘豫从中得利,失败的话则我受其害。况且前年因刘豫乞求援兵,曾经在长江作战失利,怎么能够准许他的请求!"金主于是听任刘豫自己行动,派遣右副元帅沈王完颜宗弼率军驻扎黎阳以观动向。

于是刘豫以他的儿子伪齐尚书左丞相梁国公刘麟任东南道行台尚书令,改封淮西王,又以主管殿前司公事兼开封尹许清臣任权诸路兵马大总管,尚书右丞李邺为行台右丞、讲议军事,户部侍郎冯长宁为行台户部侍郎兼行军参议,又以以前的叛将李成、孔彦舟、关师古为将,征发军队三十万,号称七十万,分三路入侵:中路由寿春进犯合肥,由刘麟统率;东路由紫荆山出涡口,进犯定远县以奔袭宣州、徽州,由刘豫的侄子刘猊统率;西路由光州进犯六安,由孔彦舟统率。伪诏书榜文,指责高宗,比绍兴五年淮、泗之役更为嚣张。

谍报刘豫挟带金兵南侵,主管殿前司公事杨沂中时在淮壖,先派遣二百骑兵速去盱眙观察形势,自己回朝奏事,在内殿留宿三天,分条呈上御敌的计策,于是朝廷分别派遣各将守备要害之地。当时江东宣抚使张俊驻军盱眙,杨沂中驻军泗上,京东、淮东宣抚处置使韩世忠在楚州,湖北宣抚副使岳飞在鄂州,声势不能互相连接。只有淮西宣抚使刘光世在当涂,刘光世派遣轻骑进据庐州,而沿江一带均无军马,左仆射赵鼎对此深为担忧。张浚请求先到长江视察军队,至此从行在出发。

癸巳(二十八日),翰林学士朱震上言:"据查大理国原本是唐朝的南诏,大中、咸通年间,进入成都,进犯邕管,召兵东方,天下骚动。艺祖鉴于唐朝的灾祸,于是放弃越巂诸郡,以大渡河为界,使大理国想侵犯不能,想臣服也不得,这最得防御西戎的上策。现在国家从南方购买战马,开辟道路远到夷族,他们的王和誉派遣清平官入朝献上土特物产。陛下下诏按值偿还,退还驯象,赐予敕书,就在桂林遣送他们,这也是艺祖皇帝的意思。然而臣私下有忧虑,不能不向陛下陈说。今日战事没有停止,战马为急需,在桂林招引购买,势必不可停止。然而所应忧虑的是,蛮人熟知道路险易,商人窝藏为奸,审察我之利害,窥伺我之虚实,怎么能知道不会发生大中、咸通年间的事情!希望秘密告谕广西帅臣,凡买马的地方,都任用谨慎可靠之士,不要任用轻浮生事之人,务必让他们笼络罢了。以后西北道路畅通后,逐渐减少在广西买马,或许能消除祸患于未然。"高宗下诏将奏札交给广西帅臣。

冬季,十月,乙未朔(初一),高宗率领百官遥拜徽钦二帝。

丁酉(初三),吏部侍郎、都督府参议军事吕祉回到行府供职。

在这之前刘麟等让乡兵伪装穿上金人服装,在河南各处千人百人为一群,人们对此很疑惑,认为金国、伪齐将合兵而来。淮西宣抚使刘光世上奏抵御敌贼事宜,认为庐州难以防守,并且秘密请求左仆射赵鼎,想回到太平州。另外,江东宣抚使张俊正驻军泗州。都督张浚奏言:"金兵疲于奔命,决不会派出大批兵力再来,这些必定都是刘豫的军队。"然而边境的报告不一致,张俊、刘光世都请求增兵,群众恐惧不安,议论要转移在盱眙驻扎的军队,退到合肥戍守,召岳飞率领全部军队东下。张浚独自不以为然,于是写信告诫张俊和刘光世说:"伪齐贼兵,以逆犯顺,若不剿除,凭什么立国,平时养兵又干什么!今日之事,只有前进攻击。没有后退自保。"而赵鼎和签书枢密院事折彦质,都传递文书给张浚,要岳飞军急速东下。而且拟写了分条计划项目,请求高宗亲自写信给张浚,大致是想让张俊、杨沂中会合兵力扫荡,然后班师回朝,作为保卫长江的计策,不必遵守以前的商议。于是江东宣抚使韩世忠率领军队渡过淮河,遭遇敌人的骑兵,与阿里雅贝勤等拼死力战,不久也回到了楚州。有人请求高宗回到临安,并且追召诸将防守江海,张浚上奏说:"如果诸将渡江,就会丧失淮南,而长江天险将与敌共有。淮南驻扎军队,正是为了屏障保护长江。假使敌人得到淮南,利用当地的粮草运输作为生计,江南怎么能够保守住呢!如今淮西的敌寇,正应该对它合兵袭击,况且我军士气很盛,可以保证必胜。如果一有退意,那么大事就完了。另外,岳飞一动,则襄、汉有紧急,又凭什么去抵挡!希望朝廷不要从中专制,使诸将不敢观望。"高宗于是亲笔写信告知张浚:"近来以边防的疑惑事情征求爱卿的意见,现在看到爱卿所奏之事非常明白,使朕如释重负没有忧虑。如果不是爱卿识高虑远,出人意表,怎能到达如此地步!"吕祉也说士气应当振奋,可以挫败敌人的前锋,在高宗面前力争,以至于有好几次。折彦质密奏:"将来误国,即使斩杀晁错以谢天下,又能有什么用呢!"高宗不听。于是命令吕祉速去刘光世军中督促军队。

当时刘猊率领东路军到达淮东,受到韩世忠承州、楚州的军队的阻止不敢前进,又回到顺昌,刘麟于是从淮西架设三座浮桥而渡河。于是伪齐兵众十万人,已经驻扎在濠州、寿州之间,江东宣抚使张俊予以抵抗,高宗立即下诏将淮西全部交给张俊。主管殿前司杨沂中,任张浚的统制官,张浚派遣杨沂中到泗州与张俊会合,并且派人对他说:"皇上对待统制你很优厚,应该到时建立大功,取得节符斧钺,如有差错,张浚不敢徇私。"诸将全都听命。

戊戌(初四),杨沂中到达濠州,正逢刘光世已舍弃庐州而退回。张浚很惊讶,马上连夜赶到采石,派人告诉刘光世的部众说:"如有一人渡江,立即斩首示从!"并且督促刘光世回到庐州。右司谏王缙，也说主帅有违抗命令不赴约聚会的，请求发扬周世宗、宋太祖的英明果断以激励其余的人。高宗亲笔付信杨沂中："如不进兵，当按军法论处。"刘光世不得已，于是驻扎军队与杨沂中互相呼应，派遣统制官王德、郦琼率领精兵从安丰出谢步，遇到伪齐敌将崔皋于霍丘，贾泽于正阳，王遇于前羊寺，均将他们击败。这天，敌人进攻寿春府委托治理的芍陂水寨，守臣阁门祗候孙晖夜劫敌寨，又打败了敌人。起初，刘先世说缺乏粮食，高宗下诏命令转运使向子湮接济刘先世军。向子湮日夜兼程，到达庐州时刘光世军已出东门。向子湮直接入见刘先世，将他的运粮纲船排列在岸边，刘光世这才停止撤退。

壬寅(初八)，显谟阁直学士、巡幸随军都转运使梁汝嘉被任命为浙西、淮东沿海制置使，带御器械刘锜为副使。第二天，改命行营前军副军都统制王彦为制置使，率领所部驻扎通州的料角。梁汝嘉等乞求任命右通直郎、新知濠州蔡延世等二人充任参议官，酌情赐给激赏钱，仍命令浙西漕臣、淮南提点官供应军粮。高宗都表示同意。

刘猊率领部众数万经过定远县，企图奔赴宣化以进犯建康，权主管殿前司公事杨沂中，与刘猊的前锋在越家坊遭遇，并打败他们。刘猊孤军深入，担心宋军袭击他的背后，企图与刘麟在合肥会合。

癸卯(初九)，赵鼎进呈刘光世所奏事宜，高宗说："刘光世的意图，似想退保采石。"赵鼎说："据各处探报，根本没有金人，这样的话就自然应当激战攻击。如果官军与刘豫逆贼作战却不能取胜，或者甚至于退败屈服，那么以后凭什么立国！但刘光世分兵随处抵抗，已见失策。今天贼兵已渡过淮河，只应速派张俊会合刘光世的军队，全部扫除淮南的敌寇，然后商议去留，这才是上策。万一让敌人从刘光世那儿得志，那么大事就完了。"高宗看着赵鼎说："爱卿的这些计策很合朕的意思。"

甲辰(初十)，杨沂中到藕塘，与刘猊遭遇。敌贼占据山险，向外布阵，矢如雨下。杨沂中说："我军兵少，情形暴露就会力量受挫，攻击敌人不能不急。"于是派遣摧锋军统制吴锡率领精锐骑兵五千突击贼兵，贼兵大乱。杨沂中发动大军乘机攻击，自己亲率精锐骑兵绕到敌兵的侧面；双方短兵正相接，就大声呼喊："攻破贼兵了！"贼兵正惊愕相视，恰逢江东宣抚司前军统制张宗颜等从泗州南来，率兵俱进，贼众大败。刘猊头顶谋主李谞说："刚才看见一个胡须将军，锐不可当，果然是杨殿前。"立即带领数骑逃去。其余的士兵还有上万人，都站立不动惊恐而视，杨沂中跃马上前对他大声呵斥："你们都是赵氏的百姓，为何不快快投降！"于是都惊恐伏地请求活命。宋军俘获李谞及其大将李亨等数十人。

刘麟在顺昌，听到刘猊失败，拔起军寨逃去。刘光世派遣王德去追击。在这之前，高宗赐给王德亲笔御札，告谕他要竭力协助取得成功，以报答平时的厚待之意。王德奉诏，与杨沂中追击刘麟到南寿春后返回。

这次战役，总计两路所得敌贼舟船数百艘，车数千辆，器甲、金帛、钱米、伪交钞、诰敕、军需等物资不可胜计。在这时，孔彦舟包围光州，守臣敦武郎王莘进行抵抗，孔彦舟听说刘猊失败，也带兵而去。北方非常恐惧。

辛亥(十七日)，杨沂中的捷报奏到朝廷，俘虏杀敌很多，高宗忧虑地说："这些都是朕的百姓，被凶恶的逆贼逼迫，勉强南来，既然兵锋相交，又不得不杀，想到这些令人心痛。"回顾赵鼎说："可以再次告诫诸将，以后务必先招降。那些阵亡的人，要尽快埋葬，另外设置道场三昼夜,以表示怜悯同情。"

乙卯(二十一日),侍御史周秘奏请宽免遣返所俘获的人,高宗说:"周秘此意很好。朕正痛念西北的百姓都是朕的赤子,前进则被王师所杀,后退则为刘麟所残,不幸如此。现在应当给予钱米,然后遣送他们回去。"

己未(二十五日),赵鼎上奏:"近来看到探报,称刘麟所起用的山东、京畿的民夫,有在自己身上写上籍贯姓名而上吊致死的。"高宗说:"为何这样?"赵鼎说:"苦于刘豫的劳役罢了。以前臣在陕西时,亲眼看到征调民夫,然而民间无法生存,哭号之声,不忍听到,所以圣人常以用兵为戒。仁宗皇帝勤俭积累四十二年,府库充溢,下无贫民。"高宗说:"将来事情平定了,希望不再有战争。"

壬戌(二十八日),撤销梅州改为程乡县,隶属于潮州;又撤销长乐县改为镇。

癸亥(二十九日),张浚派遣左承议郎、行府书写机宜文字计有功来奏事;二天后,任命计有功为直秘阁,遣还行府。

起初,赵鼎掌权,首先引荐张浚共事,以后二人渐渐有不同意见,宾客往来其间,也还是不和。到杨沂中奏上捷报,赵鼎就请求辞去职位,高宗不同意。赵鼎于是说:"臣起初与张浚如兄弟一般,近来由于吕祉等人离间,于是意见这样不和,如今同为宰相,势不两立。陛下志在迎回二圣,收复故土,应当以军事为重。现在张浚在淮河获得成功,他的气势很锐,应当让他充分施展深藏的才华,以符合陛下的心志,为臣只是奉行诏令处理事务而已。张浚应当留下,臣应当离去,这是势所必然。张浚不久就要回朝,让臣奉身而退,那么同事友好,都无损伤;以后或许因为众人非议有所去留,就会都受损伤了。"高宗说:"朕自有处置,爱卿不要忧虑。"赵鼎说:"万一议论纷纷,曲直混淆,那时陛下一定不会隐秘今日之言,臣一定狼狈不堪了。陛下即位以来,任命宰相很多,没有一个逃脱废黜的,难道不累及陛下审慎考察之明吗!"高宗慢慢地说:"等张浚回来后再商议此事。"张浚上奏高宗应乘机早日巡幸建康;赵鼎与折彦质一同建议回驻临安作为防守之计,高宗赞同他俩的建议。

十一月,丙寅(初二),已故中大夫范纯礼,被再赠资政殿学士,他应得的恩惠,按照原数补还,这是因为他家有请求的缘故。后来赐他谥号恭献。

庚午(初六),高宗诏令张浚回到行在所。

起初,刘麟等已败回,金人派遣使者向刘豫问罪。刘豫害怕,将刘猊废为庶人以谢罪。于是金人开始有废黜刘豫的意思。

十二月,甲午朔(初一),高宗颁降德音,庐、光、濠州、寿春府各种罪犯死罪以下的减罪,流罪以下的释放。制书说:"朕以细末之身,继承至尊之位,念及国家积累的基础,遭到外敌侵犯的祸患,诚心不足以感动天意,德行不足以绥靖乱源,以致被叛臣刘豫,趁我厄运之际,多次依仗金国势力,进犯边境,径直渡过淮河,将要窥视江、浙。依靠各将同心协力,全军奋勇争先,虽然逆臣暂时逃脱了上天的诛灭,但一匹马也没能回到贼境。逆臣遵循无道,令人十分痛心,他所征用的兵士,都是朕的中原百姓;被驱使的官吏,也有些是本朝的旧臣;迫于刘豫暴虐的淫威,陷入这场战争的苦难,是由于朕的不德,使他们到了这种境地。告诫官司,务必优抚生死,使他们知道朕胸怀兼爱,本是不得已而用兵,应当赐予厚恩,以解救疲惫和穷困。"

高宗下诏令行宫留守秦桧立即赴行在所奏事。张浚认为秦桧在靖康年间建议立赵氏，不怕死，有力量，可以与他共同治理天下大事，一时仁人贤士极力推荐秦桧，于是就推举引荐了秦桧。

赵鼎既已与张浚不和，左司谏陈公辅于是上奏弹劾赵鼎。赵鼎屡次请求辞职，高宗忧虑不乐地说："爱卿就留在绍兴，朕以后还有用爱卿的地方。"

戊戌(初五)，右司谏王缙入殿奏对，议论签书枢密院事折彦质的罪过，大致是说："折彦质在敌人南侵的时候，提出撤军退保的计策，上则几乎误了国家大事，下则离间君臣，请求给予罢黜。"

先前张浚从长江边回平江，随朝班入见，高宗说："退敌之功，尽出于右相之力。"于是赵鼎惶恐不安，又乞求辞职。张浚入见的第二天，上奏章说："所到圣训，只有车驾进止一事，利害最大。天下的事，不倡导就不会兴起，不行动就不会成功。如今四海的心意，谁不思恋王室！金国、刘豫互相勾结，用淫威胁迫人们，人们虽有智慧勇敢，也不能充分施展。三年之间，依赖陛下一再北进安抚，士气随之而渐渐振作，民心也因此而稍有收回，正应当向他们展示形势，或许会激励忠义唤起懦弱，而三四位大帅，也不敢怀有偷安苟且之心。所谓天下，是陛下的天下，陛下不自己致力以为先导，那么披坚执锐，临危冒险的人，就会都有懈倦离散之心。今日之事，存亡安危由此而分。皇上车驾若回到临安，那么有识之士就会懈倦离散，内外离心，日复一日，最终会被削弱，以后再想巡幸诏书，谁能深信而不疑呢！为什么呢？因为他们知道朝廷以此作为逃避灾祸移居他处的计策，实际上无意恢复大宋天下。议论的人不过说'万一有警，难于远避'，将士用命，扼淮而战，破敌有余，假若人有离散之心，那么什么地方能容许立足！又不过说'当秋而战，及春而还'，这只可以缓解一时之急，年年这样做，人们都已熟悉，就难以立国了。又不过说'贼占上流，顺舟可下'，如今襄、汉并非他们占有，船从何来？如果叛贼有余力，水陆并进，陛下深居临安，也能安全吗？"

张浚乘单独奏对之机，请求乘胜夺取河南之地，活捉刘豫父子；又上言称刘光世骄惰不战，不可以担任大将，请求将他罢免。高宗问："曾与赵鼎商议没有？"张浚说："没有。"张浚见到赵鼎，全部讲出其中的缘故，赵鼎说："不可。刘豫不过是机案上的肉罢了，然而刘豫依仗金国为重，不知擒灭刘豫，得到河南，能使金国不再来犯吗？刘光世是将门之子，士卒多出自他的门下，如果无故罢免他，恐怕人心不服。"张浚不高兴。赵鼎又说强弱不相当，应该暂且自守，不可前进，因此与折彦质一起罢官而去。

京东、淮东宣抚处置使韩世忠引兵进攻淮阳军，打败了敌军。

己亥(初六)，赐给刘光世、岳飞诏书说："国家因为叛逆无道，狂妄狡诈扰乱纲常，以至于动用军队，本是不得已的，并用威慑怀柔的策略，不是专用诛杀的图谋。想到中原的百姓，都是朕的赤子，受到暴虐胁迫的缘故，来进犯大宋王师，如若不是两军交锋，怎能忍心诛杀！或许可以扩大先辈列圣好生的德行，开启皇天悔祸的衷情。爱卿要明察朕的心怀，深刻告诫将士，务必心胸恢宏长远驾驭，不要专门崇尚威严，凡是俘获的人，都要加以安抚。将使他们尊崇商代的旧礼，更加坚定关羽思汉之心，早日实现中兴，这才是伟大的业绩。不要使他们贪求杀戮，辜负朕的训导。"枢密院奏报刘光世的将领马钦、岳飞的将领寇成等，各捕获五百人，并将他们全部斩杀，所以才有这道诏书。

辛丑（初八），高宗下诏修筑南寿春城。

壬寅（初九），尚书左仆射、同中书门下平章事兼知枢密院事、都督诸路军马兼监修国史赵鼎，充任观文殿大学士、两浙东路安抚制置大使，兼知绍兴府。

龙图阁学士、知绍兴府孙近被任命为试吏部尚书。

命令吏部侍郎、都督行府参议军事吕祉，前往建康筹措高宗移驻的事务。

乙巳（十二日），高宗与宰执大臣谈论唐朝开元之治说："姚崇作为宰相，曾经选拔任命官吏，唐明皇仰视屋椽，姚崇惊愕良久，后来通过高力士请问，才知道唐明皇借此全权委任宰相处置的意图。君主任用宰相应当如此。"张浚说："唐明皇因此有所得，也因此而有所失。杨国忠、李林甫把持权柄，事无巨细，一切依仗，逐渐导致大乱。唉，可以为戒啊！"高宗说："然而爱卿知道为何有所失没有？在于宰相之人任用不当，不是全权委任的过错。"张浚说："唐明皇正当忧虑勤政时，贤人获得进用，到他安于逸乐时，小人于是被任用，这就是治乱有别的原因。陛下洞悉事情的本末，是天下的万幸！"

赵鼎入见辞行。赵鼎在绍兴，只以约束官吏体恤百姓为事务，常说："不约束官吏，虽然有善政也不能施行，因为除害后才可以兴利。《易经》的《豫卦》讲，有利于封建诸侯出师征伐，才所以达到逸豫。《解卦》讲，大臣射隼于高墙之上，是说射隼而除去小人，才所以达到解难。"到这时，奸邪狡猾之徒不敢妄为。另外，场务财利的来源，不准侵夺耗损，财赋于是充足。

丙午（十三日），崇信、奉宁军节度使、开府仪同三司、江南东路宣抚使张俊，被加封为少保，镇洮、崇信、奉宁军节度使，仍旧任宣抚使。龙神卫四厢都指挥使、密州观察使、权主管殿前司公事杨沂中被任命为保成军节度使、殿前都虞候、主管殿前司公事。

先前右司谏陈公辅上言："前些日子叛贼侵犯淮西，诸将效命，捷报频传，边境稍加安宁，大概是由于宗庙社稷的威灵，陛下的威德所致。然而行赏应当不逾时，朝廷必定已有定议。臣听说濠梁紧急，张俊派遣杨沂中前去援助，于是攻破贼军，这一功绩固然不可掩盖。刘光世不守庐州，而濠梁守兵又随便撤回，像涡口要地，更无人防守，如果不是杨沂中的军队到来，淮西怎么能够保住呢！刘光世怎能没有罪！这些都是昭然无疑的。另外，杨沂中的胜利，是因为吴锡捷足先登；刘光世追去贼军，王德特别尽力；这二人应当有所褒扬奖赏，以作为对各军的劝勉。像韩世忠驻扎淮东，贼军不敢侵犯；岳飞进破商、虢，骚扰贼军的腹地侧翼；二人虽然没有在淮河的功劳，也应该特别优宠，使有功的人被人知跷，就能最终为陛下建树中兴的大业。"朝廷因为张俊、杨沂中战功最著，于是给予优厚奖赏。杨沂中时年三十五岁。

丁未（十四日），高宗下诏说："朝廷设官分职，本来是为了百姓。近年以来，重内轻外，很失治国之道的根本，朕以为很不足取。可以从今开始，监司、郡守，任职期满的考核他们的善政情况，酌情给予升迁推荐，治政成效显著的，立即任命行在的差遣。那些郎官未任民官的，任职满二年后，再加以铨择，让他们在外地任职。另外令中书、御史台造册记录姓名，等到回到朝廷时日，选拔推荐引见奏对，参考好坏，听旨升降。或许天下百姓能得到实惠，以称朕的心意。"

戊申（十五日），高宗下诏说："朕想到养兵之责，尽取于民。我百姓很苦而官吏却不予抚恤,往往攀附于军需,搜乱聚敛无度,朕十分痛心! 监司、郡守,是朕委任用以恩惠养育百姓的,如今轻慢而不加省察,又怎能依赖呢! 你们应各尽其职,审察官吏中侵夺财物收取贿赂的人,弹劾上报朝廷。已告诫中书门下尚书三省官员,时常派遣使者遍行各路,如有包庇不加惩治,毒害流及百姓,朕决不宽恕你们。从今日起军事所需,一并让州县公榜晓谕,其余依照绍兴元年五月二十四日诏旨施行,不得违背。"

观文殿学士、醴泉观使兼侍读秦桧在行在所讲筵供职,观文殿学士、行宫同留守孟庾充任行宫留守。

庚戌(十七日),高宗诏令:"官员任职如在职二年以上有知县资序的人,任命为大郡通判;有通判资序的人,任命为知州军。任满后到朝廷,令阁门引见上殿,应当参考治政情况的好坏,取旨升降;另让中书省、御史台造册登记姓名。"

辛亥(十八日),资政殿大学士、提举洞霄宫张守从常州前来朝见,即日被任命为参知政事。

壬子(十九日),高宗诏令张守兼任权枢密院事。

丙辰(二十三日),镇南军节度使、开府仪同三司、荆湖南路安抚制置大使兼知潭州吕颐浩被任命为两浙西路安抚制置大使,兼知临安府,另外赴行在奏事。

宝文阁学士、新知襄阳府刘洪道被任命为知潭州,充任荆湖南路安抚使,另外兼都督府参谋军事。

戊午(二十五日),高宗诏令:"从现在起吏部拟定知州、通判、郡守、县令,并选择非老病和不曾犯赃以及不因民事被治罪的人,另外申报中书省审察。所拟定人选的履历,抄报御史台;如不合格,准许本台弹劾奏报。"这是采纳了中书省的请求。不久行宫吏部奏请说:"民事犯徒刑以上罪的人,按现在的诏书处置。"自从开国以来,以公私赃三等定天下的罪,到这时才开始增加了民事法律。

己未(二十六日),兵部尚书兼权吏、礼部尚书刘大中充任龙图阁直学士、知处州。

左司谏陈公辅上言:"朝廷所崇尚的,士大夫就会因袭,士大夫所崇尚的,风俗就会因袭,不可不谨慎。国家在嘉祐以前,朝廷崇尚大公之道,不营私意,不植私党,所以士大夫以气节相比高下,以议论相定可否,未曾互相结为朋党,以至于雷同苟合。从熙宁、元丰以后,王安石的学问,显著而成定论,自成一家,蔡京因袭王安石之学,倚仗绍述之说,于是士大夫顺从苟同,风俗就败坏了。仰赖陛下天资聪明,圣学高妙,将要痛除积弊,改变天下结党求同的习俗。然而在朝廷的臣僚,不能体察圣明,又总是以私意取程颐之说,称之为伊川学,相继而追随他们,因此随时势为转移争逐进取,矫饰行诈沽名钓誉之徒,都来追随仿效,提倡讲大话,辗转互相传授。臣希望陛下特加睿断,察出群臣中有被此学说煽动的士人,一概加以摒除。明诏天下将圣人之道写在典籍之中,学者只能参考众说,研究穷尽至理,各以自己的所长而取其中正,那么就会道术自明,性理自得了。"辅臣进呈,张浚批旨说:"士大夫之学,应该以孔、孟为师,或许能言行相称,可以利于时用。阅览臣僚的奏章,深为茫然! 可以布告中外,使之都知晓朕的意思。"

在这之前,范冲已离开职位,陈公辅因是范冲所举荐的,不能自安。适逢耿镃等到朝廷上书,有人因而指责陈公辅在靖康时鼓动士人上书,陈公辅很害怕,朝见高宗请求去职,所以才上疏。高宗诏令："陈公辅,是朕亲自选拔的,而不是由人举荐引进的,可让他安心职位,不得再请去位。"当时朱震在经筵,未能争辩,议论的人对他有所非议。

湖北经略安抚使王庶,请求命令澧、辰、沅、靖四州,用闲田共招募刀弩手三千五百人,沅州有一千五百人,辰州有一千人,澧州、靖州各有五百人,其余的闲田召人承佃,高宗同意他的请求。四郡刀弩手旧额一万人,靖康年末,调赴河东,很少有回来的,到这时命令谋划召人填充,因此有这一请求。

伪齐刘豫暗中得知金人有废黜自己的图谋,这年冬季,派遣皇子府参谋冯长宁向金国请求,想立淮西王刘麟为太子以试探金国的意图,金主完颜亶对他说:"先帝之所以立你为帝,是因为你对河南的百姓有恩德。你儿子有什么恩德呢? 我还没有听说过,慢慢派人询问河南百姓再决定这件事。"

在此之前,河北军前通问使魏行可被金国拘留,至此已有九年。有人说魏行可曾上书金帅,警告他不加收敛将会有自焚之祸,因而说:"金国把中原交给刘豫,刘豫有什么德行,赵氏有何罪过呢? 如果尽快把中原还给赵氏,则比给刘豫要好万万倍。"这一年,魏行可去世。不久,他的副职右武大夫、果州团练使郭元迈也死在金国。

续资治通鉴卷第一百一十八

【原文】

宋纪一百十八　起强圉大荒落【丁巳】正月，尽七月，凡七月。

高宗受命中兴全功至德　圣神武文昭仁宪孝皇帝

绍兴七年　金天会十五年【丁巳，1137】　春，正月，癸亥朔，帝在平江，诏曰："朕获奉丕图，行将一统，每念多故，惕然于心。将乘春律，往临大江，驻跸建康，以察天意。播告遐迩，俾迪朕怀。"

置御前军器局于建康府，岁造装甲五千，矢百万，以中侍大夫、岷州观察使、行营中护军忠勇军统制杨忠闵充提点，仍隶枢密院及工部。

金主朝大皇太后于明德宫。初用《大明历》。

甲子，命巡幸随军都转运使梁汝嘉先往建康，趣缮行宫及按视程顿。

丙寅，帝谕大臣曰："昨日张浚呈马，因为区别良否、优劣及所产之地，皆不差。"张浚曰："臣闻陛下闻马足声而能知其良否。"帝曰："然。闻步骤之声，虽隔墙垣可辨也。凡物苟得其要，亦不难辨。"浚曰："物具形色，犹或易辨，惟知人为难。"帝曰："人诚难知。"浚因奏："人材虽难知，但议论刚正，面目严冷，则其人必不肯为非；阿谀便佞，固宠患失，则其人必不可用。"帝以为然。

己巳，诏江东宣抚使张俊，特赐御筵。时俊自军中来奏事，复还泗州。

癸酉，翰林学士兼侍读朱震，引疾乞在外宫观，不许。

先是董弅免官，震乃白张浚求去。徽猷阁待制胡安国闻之，以书遗其子徽猷阁待制寅曰："子发求去，未免晚矣。当公辅〔之说〕（谗）〔才〕上，若据正论力争，则进退之义明。今不发一言，默然而去，平生读《易》何为也！"于是安国自上奏曰："士以孔、孟为师，不易之至论。然孔、孟之道不传久矣，自程颐始发明之，而后其道可学而至。今使学者师孔、孟，而禁不得从颐之学，是入室而不由户也。夫颐之文，于诸经、《语》《孟》则发其微旨，而知求仁之方，入德之序；鄙言怪语，岂其文哉！颐之行，则孝弟显于家，忠诚动于乡，非其道义，一介不以取予；高视阔步，岂其行哉！自嘉祐以来，颐与兄颢及邵雍、张载，皆以道德名世，如司马光、吕大防，莫不荐之。颐有《易》《春秋传》，雍有《经世》书，载有《正蒙》书，惟颢未及著书。望下礼官，讨论故事，加此四人封爵，载在祀典，比于荀、扬之列。仍诏馆阁裒其遗书以羽翼《六经》，使邪说不得作而道术定矣。"

戊寅,吏部尚书孙近兼史馆修撰,寻又兼侍读。

开州团练使、带御器械、权提举宿卫亲兵刘锜权主管马军司并殿前、步军司公事。

辛巳,韩世忠奏已还军楚州。

帝因谕:"淮阳取之不难,但未易守。"张守曰:"必淮阳未可进,故世忠退师。"张浚曰:"昔西伯戡黎,祖伊恐,奔告于受,以要害之地不可失也。淮阳,今刘豫要害之地,故守之必坚。"帝曰:"取天下须论形势,若先据形势,则馀不劳力而自定矣。正如弈棋,布置大势既当,自有必胜之理。"

癸未,翰林学士兼侍讲陈与义参知政事,资政殿学士、新除提举醴泉观兼侍读沈与求同知枢密院事。

乙酉,诏:"宥密本兵之地,事权宜重,可依祖宗故事,置枢密使、副,宰相仍兼枢密使,其知院以下如旧。"自元丰改官制,而密院不置使名。宣、政间,邓洵武以少保知枢密院,其后童贯以太师,蔡攸以太保,郑居中以少师,皆领院事,中兴因之。至是张浚将引秦桧共政,以其旧弼,不可复除执政官,于是浚自兼知枢密院事改兼枢密使。

丙戌,诏以知州军、诸郡通判各六十一阙归吏部,用左右司奏也。于是堂除郡守之阙一百九,通判之阙八十。

丁亥,阁门祗候充问安使何薛,承节郎、都督行府帐前准备差使范宁之至自金,得右副元帅宗弼书,报道君皇帝、宁德皇后继逝。张浚等入见于内殿之后庑,帝号恸擗踊,终日不食。浚奏:"天子之孝与士庶不同,必也仰思所以承宗庙奉社稷者。今梓宫未返,天下涂炭,至仇深耻,亘古所无,陛下挥涕而起,敛发而趋,一怒以安天下之民,臣犹以为晚也!"帝犹不听。浚伏地固请,乃进少粥。是日,百官诣行宫西廊发丧。故事,沿边不举哀,特诏宣抚使至副将以上即军中成服,将校哭于本营,三日止。时事出非常,礼部长贰俱阙,而新除太常少卿吴表臣未至。一时礼仪皆秘书省正字、权礼部郎官孙道夫草定。

观文殿学士、醴泉观使兼侍读秦桧为枢密使,一应恩数,并依见任宰相条例施行。

命内侍梁邦彦提举钦奉几筵。

戊子,为太上皇帝、宁德皇后立重。

己丑,帝成服于几筵殿,仿景灵宫分前后设幄,宗室各以其服服之,三日除。

诏:"降诸路流以下囚一等,内斗杀情轻者降配,释杖以下。"

辛卯,诏百官禁乐二十七日,庶人三日,行在七日,宗室三日,外间禁嫁娶,用太常请也。

二月,癸巳朔,百官上表请遵易月之制。诏:"外朝勉从所请,其三年之丧,人子所以自尽者,朕悉于宫中行之。"

丙申夜,太平州火。丁酉,镇江府火。

先是伪齐刘豫遣奸细纵火于淮甸及沿江诸州,于是山阳、仪真、广陵、京口、当涂皆被其害。淮西宣抚使刘光世军于当涂郡治,其府被焚,军需帑藏,一夕而尽。太平州录事参军吕应中,当涂丞李致虚,悉以燔死。致虚时摄县事,后求得其尸,尚握县印。事闻,诏镇江府、太平州各给米二千石,赈民之贫乏者。应中、致虚,皆官其家一人。

己亥,小祥,百官五拜表请听政,许之。

庚子,帝始御几筵殿西庑之素幄,召辅臣奏事。张浚见帝,深陈国家祸难,涕泣不能兴,因乞降诏谕中外。诏曰："朕以不敏不明,托于士民之上,勉求治道,思济多艰。而上帝降罚,祸延于我有家,天地崩裂,讳问远至。朕负终身之戚,怀无穷之恨,凡我臣庶,尚忍闻之乎!今朕所赖以宏济大业,在兵与民,惟尔大小文武之臣,早夜孜孜,思所以治。"

诏幸建康,令有司择日进发。

右文殿修撰、主管亳州崇道观王伦为徽猷阁待制,充奉使大金国迎奉梓宫使,武节郎、阁门宣赞舍人高公绘为武经大夫、达州刺史,副之。赐装钱如前数,仍加赐银帛各二百两匹。

起复湖北、京西宣抚副使岳飞,以亲兵赴行在。翼日,内殿引对,飞密奏请正建国公皇子之位,人无知者。及对,帝谕曰:"卿言虽忠,然握重兵于外,此事非卿所当预也。"飞退,参谋官薛弼继进,帝语之故,且曰:"飞意似不悦,卿自以意开谕之。"

辛丑,诏以太阳有异,氛气四合,令中外侍从各举能直言极谏之士一人。自复贤良方正科,久未有应者,至是张浚乞因灾异降诏,上从之。

赐修武郎朱弁家湖州田五顷。弁初副王伦北使,十年未归,伦为之请。

于是诏诸郡存恤奉使未还魏行可、郭元迈、洪皓、龚璹、崔纵、郭元、杜时亮、宁汝为、张邵、杨宪、孙悟、卜世臣家属,各赐钱三百缗。

壬寅,行宫太常寺言:"仲春荐献诸陵,乞依乾兴故事权易吉服;内祀、祭天地及诸大祀,亦乞依时日排办。"从之。先是有旨,未祔庙前,停宗庙祭享及中小祀,故礼官以为请。

丙午,诏:"内中祖宗神御殿,〔俟〕权制毕,遇节序等酌献如旧。"

庚戌,吏部尚书孙近等请谥大行太上皇帝曰圣文仁德显孝,庙号徽宗。于是监察御史已上,先集议而后读谥于南郊,用翰林学士朱震、给事中直学士院胡世将请也。自是遂为故事。

辛亥,大祥。诏:"俟至建康日,奉安太庙神主于天庆观,天章阁神御于法宝寺。"

癸丑,禫祭。先是几筵朝夕上食各五十品,自是减为三十。

甲寅,改谥宁德皇后曰显肃。

乙卯,百官三上表请御殿听政,许之。

直徽猷阁、湖北、京西宣抚副使司参谋官薛弼,请褒建康以来尽节死难之臣,诏州郡于通衢建立庙廷,揭以褒忠之名,朔望致酒脯之奠,春秋修典礼之祀,使忠义之节,血食无穷。诏枢密院、三省赏功房,开具自靖康元年以来,不以大小、文武吏士应缘忠义、死节之人姓名取旨。

丙辰,帝始御便殿。素杖在庭,上服浅黄袍、黑银带,望之若纯素,群臣莫不感动。

丁巳,起复检校少保、武胜、定国军节度使、湖北、京西宣抚副使岳飞为太尉,赏商、虢之功也;翼日,升宣抚使。

飞威名日著,淮西宣抚使张俊益忌之。参谋官薛弼每劝飞调护,而幕中之轻者复教飞勿苦降意,于是飞与俊隙始深矣。飞时留行在未去,遂卫帝如建康。

己未,帝发平江府,以舟载徽宗皇帝、显肃皇后几筵而行。将发,召守臣章谊升舟奏事。上每旦乘辇诣几筵前焚香,宿顿亦如之。

庚申,帝次常州。

淮西宣抚使刘光世乞在外宫观。

先是议者谓光世昨退保当涂,几误大事,后虽有功,可以赎过,不宜仍握兵柄;又言其军律不整,士卒恣横。张浚自淮上归,亦言光世沈酗酒色,不恤国事,语以恢复,意气怫然,请赐罢斥以儆将帅,帝然之。光世闻之,乃引疾乞祠。帝曰:"光世军皆骁锐,但主将不勤,月费钱米不赀,皆出民之膏血,而不能训练,使之赴功,甚可惜也。大抵将帅不可骄惰,若日沉迷于酒色之中,何以率三军之士!"后三日,亲笔答光世曰:"卿忠贯神明,功存社稷,朕方倚赖,以济多艰。俟至建康,召卿奏事,其馀曲折,并俟面言。"

时上赐诸将诏书,往往命浚拟进,未尝易一字。

辛酉,帝发常州;壬戌,次吕城闸。

三月,癸亥朔,帝次丹阳县。京东宣抚处置使韩世忠以亲兵赴行在,遂卫帝如建康。

甲子,帝次镇江府。权主管殿前司公事杨沂中以所部赴行在,诏沂中总领弹压车驾巡幸一行事务。

拱卫大夫、和州防御使、湖北、京西宣抚司都统制王贵落阶官,为棣州防御使、龙神卫四厢都指挥使,赏功也。统制官、中侍大夫、武(奉)〔泰〕军承宣使牛皋亦落阶官,为建州观察使。

乙丑,诏:"驻跸及经由州县,见欠绍兴五年以前税赋,并与除放。"

丁卯,尚书吏部侍郎吕祉试兵部尚书,升兼都督府参谋军事;显谟阁直学士梁汝嘉试户部侍郎,仍兼巡幸都转运使。

权户部侍郎刘宁止权吏部侍郎。

己巳,帝发镇江府,乘马而行,晚,次下蜀镇。

庚午,帝发道中,望几筵羃翠在前,恐趣行顿撼,驻马久之。晚,宿东阳镇。

辛未,帝次建康府,赐百司休沐三日。

时行宫皆因张浚所修之旧,寝殿之后,庖圊皆无。上既驻跸,加葺小屋数间,为宴居及宫人寝处之地。地无砖面,室无丹腹。

壬申,诏:"军旅方兴,庶务日繁,若悉从相臣省决,即于军事相妨。可除中书、门下省依旧外,其尚书省常陈事权从参知政事分治,合行事令张浚条具取旨。"浚奏:"欲张守治吏、礼、兵房,陈与义治户、刑、工房。如已得旨合出告命敕札,与合关内外官司及紧切批状(当副)〔堂札〕,臣依旧书押外,馀令参知政事通书。"从之。

癸酉,秘阁修撰、知建康府叶宗谔,率在府文武官入见。辅臣奏事毕,率百官诣几筵殿焚香。手诏降建康府流罪已下囚及斗杀情轻者,释杖已下。建康府、太平、宣州绍兴五年以前税赋及五等户今年身丁钱并放。又免建康府五等户科(数)〔敷〕一年,太平、宣州半年。

时中原遗民有自汴京来者,言刘豫自猊、麟败后,意沮气丧,其党与携贰,金人谓豫必不能立国,而民心日望王师之来。朝廷因是遂谋北伐。

岳飞谓豫不足平,要当以十万众横截金境,使敌不能援,势孤自败,则中原可复;张浚不以为然。会刘光世乞奉祠,飞乃见帝,请由商、虢取关陕,欲并统淮右之兵,帝问:"何时可毕?"飞曰:"期以三年。"帝曰:"朕驻跸于此,以淮甸为屏蔽。若辍淮甸之兵,便能平定中原,朕亦何惜?第恐中原未复而淮甸失守,则行朝未得奠枕而卧也。"

丙子,召徽猷阁待制、提举江州太平观胡安国〔赴行在〕。

〔时安国〕上所纂《春秋传》。翰林学士朱震乞降诏嘉奖,帝曰:"安国明于《春秋》之学,

2729

向来偶缘留程瑀而出,可召之。"张浚曰:"若安国,乃君子之过于厚耳;小人必须观望求合,岂肯咈旨!"帝曰:"安国岂得为小人?俟其来,当置之讲筵。"故有是命,仍用金字递行。

赐都督府摧锋军统制韩京金束带、战袍、银笴枪。

先是虔寇刘宣犯梅州,京引所部解围,遂至惠州之河源,讨军贼曾衮,衮挺身出降,故有是赐。

丁丑,宰臣率文武百僚遥拜渊圣皇帝毕,诣常御殿门进名奉慰。自是未祔庙皆如之。

同知枢密院事沈与求进知院事。

己卯,尊宣和皇后为皇太后。

先是帝谕辅臣曰:"宣和皇后春秋已高,朕朝夕思之,不遑安处。"翰林学士朱震,乃奏引唐建中故事,乞遥上宝册,且言:"陛下虽从权宜,而退朝有高世之行,谓宜供张别殿,遣三公奉册,以伸臣子之志。册藏有司,恭俟来归。"诏礼官条具。太常少卿吴表臣请依嘉祐、治平故事,俟三年礼毕,检举施行。乃先降御札,播告中外焉。

起复龙神卫四厢都指挥使、降授雄州防御使、行营前护副军都统制王彦复洪州观察使、知邵州。解潜既罢,彦亦不自安,因乞持馀服,故有是命。

彦入辞,帝抚劳甚厚,曰:"以卿能牧民,故付卿便郡,行即召矣。"将行,又锡以金带。诏彦军并隶权主管马军司公事刘锜,于是锜始能成军。

辛巳,镇南军节度使、开府仪同三司、新两浙西路安抚制置大使兼知临安府吕颐浩为少保兼行宫留守。

颐浩比至临安,处事甚有绪,豪右莫敢犯禁。时已命百司渐赴行在,所谓留守司,名存而已。

召观文殿学士、提举万寿观兼侍读、行宫留守孟庾赴行在。

甲申,少保、护国、镇安、保静军节度使、淮南西路兼太平州宣抚使刘光世为少保,仍三镇旧节,充万寿观使、奉朝请,封荣国公。

时光世入见,再乞罢军,且以所管金谷百万献于朝,乃以其兵属都督府而有是命。张浚因分光世所部为六军,令听本府参谋军事吕祉节制。

丁亥,通侍大夫、武康军承宣使、行营左护军前军统制王德落阶官,为相州观察使。

刘光世既罢军,都督府以德提举训练诸将军马,故优擢焉。

乙丑,礼部、(大)〔太〕常寺言:"今岁当行大礼,而郊天法物未备。国朝故事,仁宗皇祐五年南郊,嘉祐元年恭谢,四年祫祭,七年明堂,盖尝逾九年而不再郊。将来大礼,请合祭天地于明堂,祖宗并配,兼祀百神,于礼为便。"诏行明堂大礼,令有司条具以闻。

是春,金右监军完颜昌居祁州,都监宗弼自黎阳归燕山,完颜杲居云中。尚书左丞高庆裔,以赃下大理寺。

夏,四月,壬辰朔,诏筑太庙于建康,以临安府太庙充本府圣祖殿。

甲午,少师、万寿观使刘光世,特许任便居住,从所请也。光世遂居温州。

丙申,权主管侍卫马军司刘锜,奏以前护副军及马军司,见在通为前、后、左、右、中军及游奕,凡六军,每军千人,共为十二将,从之。前护副军,即八字军。

丁酉,徽猷阁待制王伦、右朝请郎高公绘入辞。

伦自平江至建康，凡四召对。帝使伦谓金右副元帅鲁国王昌曰："河南之地，上国既不有，与其付刘豫，曷若见归!"伦奉诏而去。帝因伦行，附进皇太后、渊圣皇帝黄金各二百两。

中书言："宇文虚中、朱弁奉使日久，宜有支赐以慰忠勤。"诏赐虚中黄金五十两，绫、绢各五十匹，龙凤茶十斤;弁黄金绫帛各三十两匹，茶六斤。枢密使秦桧言："孙傅、张叔夜家属在金中甚贫，愿因伦行有所赈给。"诏赐金如虚中之数。

壬寅，太常少卿吴表臣权尚书礼部侍郎。

丁未，太尉、湖北、京西宣抚使岳飞，乞解官持馀服。

张浚尝与飞论淮西事，浚曰："王德，淮西军所服，今欲以为都统制，而命吕祉为督府参议领之，何如?"飞曰："德与琼素不相下，一旦握之在上，势所必争。吕尚书虽通才，然书生不习军事，恐不足以服之。"浚曰："张宣抚何如?"飞曰："暴而寡谋，且琼素所不服。"浚曰："然则杨沂中耳。"飞曰："沂中视德等耳，岂能驭之!"浚艴然曰："固知非太尉不可。"飞曰："都督以正问飞，飞不敢不尽其愚，岂以得兵为念哉!"即日乞解兵柄归庐墓，帝不许。

庚戌，命兵部侍郎张宗元权湖北、京西宣抚判官，往鄂州监岳飞军。

壬子，张浚辞往太平州、淮西视师。

浚因论刘光世以八千金为回易，沈与求曰："臣闻光世之去，尝语人以陶朱公自比，是诚可以致富矣。"浚等论范蠡之贤，人所难及，帝曰："蠡固贤，朕谓于君臣之义犹未尽也。"

先是左司谏陈公辅请对，上因语及岳飞所奏，公辅退，上书言："昨亲奉圣语，说及岳飞前事，采诸人言，皆谓飞忠义可用。然飞本粗人，凡事终少委曲。臣度其心，往往谓大将或以兵为乐，坐延岁月，我必胜之。又以刘豫不足平，要当以十万横截金境，使金不能援，势孤自败，则中原必得。此亦是一说。陛下且当示以不疑，与之反复诘难，俟其无辞，然后令之曰:'朝廷但欲先取河南，今淮东、淮西已有措置，而京西一面，缓急赖卿。'飞岂敢拒命! 前此朝纲不振，诸将皆有易心，如刘光世虽罢，而更宠以少师，坐享富贵，诸将皆谓朝廷赏罚不明。臣乞俟张浚自淮西归，若见得光世怯懦不法，当明著其罪，使天下知之，亦可以警诸将也。"

诏:"群臣俟祔庙毕，纯吉服。卒哭日，建康、临安府禁屠宰三日。大、小祥，诸路州县禁乐七日、屠宰三日。"

初，礼官奏百官卒哭日纯吉服，左司谏陈公辅请令且服黑带以俟梓宫之还，如梓宫未还，须小祥后;又乞百姓禁乐三年。帝曰:"禁乐固当，但念细民以乐为业者，无以衣食耳。"事下礼官讨论，至是条上。礼官言卒哭禁屠、乐无故事，然卒行之二都，盖帝指也。

癸丑，赠直秘阁杨邦乂，加赠徽猷阁待制，增赐田三顷。

于是枢密院奏邦乂忠节显著，宜极褒崇，帝曰:"邦乂忠烈如此。颜真卿异代忠臣，朕昨已官其子孙;邦乂为朕死节，不可不厚褒以为忠义之劝。"故有是命。

五月，乙丑，帝与辅臣论淮西事，因曰:"兵无不可用，在主将得人耳。赵奢用赵兵大破秦军，而赵括将之则大败;乐毅用燕兵破齐，而骑劫代之则为田单所败。岂不在主将得人乎?"秦桧曰:"陛下论兵，可谓得其要矣。"

初，刘光世之罢也，以其兵隶都督府，而桧与知枢密院事沈与求，意以握兵为督府之嫌，乞置武帅，台谏观望，继亦有请，乃以相州观察使、行营左护军前军统制王德为都统制。德，光世爱将，故就用之。

丙寅，诏四川制置大使席益趣遣所募西兵。

初，命益于团集人内选三路少壮人二千，兼家赴行在，专充扈卫。益言已遣统押管颜渐部兵千人出峡，故命趣之。

壬申，诏礼官条具举行文宣、武成王、荧惑、寿星、岳、渎、海、镇、农、蚕、风、雷、雨师之祀，用太常博士黄积厚请也。文宣王以春秋二仲，并从祀凡九十八，武成王及从祀凡六十三，皆用两少牢。荧惑以立夏，其礼与文宣王皆如感生帝。寿星用秋分，岳、渎、镇、海用四立日及夏季之土旺，先农以孟春，先蚕以季春之巳日，风师以立春后丑日，雷师以立夏后申日；自寿星以下，皆用酒脯。

甲戌，殿中侍御史石公揆言：“今以词赋、经义取士，而考校者患不能兼通，升黜安能得实！今岁科场，望令诸路转运司取词赋、经义两等，各差考官。”从之。

己卯，广西进出格马，帝曰：“此几似代北所生。广西亦有此马，则马之良者不必西北可知。”帝因论：“春秋列国不相通，所用之马，皆取于国中而已。申公巫臣使吴，与其射御教吴乘车，则是吴亦自有马。今必于产马之地求之，则马政不修故也。”

诏礼部讨论大火之祀。先是行在多火灾，言者论：“国家实感炎德，用宋建号。康定间，(固)〔因〕古商丘作为坛兆，以阏伯配大火之祭。多事以来，地在敌境，望诏有司即行在所，每建辰戌出纳之月，设位望祭。”从之，用酒脯。

己丑，名徽宗皇帝神御殿曰承元。

诏：“殿前司行营右护军、后护军并许置都、副统制。”

庚寅，尚书右仆射张浚言：“和靖处士尹焞，缘叛臣刘豫父子迫以伪命，焞经涉大河，投身山谷，自长安徒步趋蜀。臣常延请至司，与之晋接，观其所学所养，诚有大过人者。今陛下博采群议，召置经筵，而焞辞免新命，未闻就道。伏望圣慈特降睿旨，令江州守臣疾速津遣。”初，焞行至九江，会谏臣陈公辅请禁伊川学，焞复辞，曰：“学程氏者焞也。”浚乃显言其学行，请趣召之，焞犹不至。

是月，伪齐陷随州。

六月，辛卯朔，改谥惠恭皇后曰显恭。

癸巳，右司谏陈公辅入对，面奏兴复之策，因言众论谓南兵不可用，帝慨然曰：“赤壁之役，曹操败于周瑜，淝水之战，苻坚败于谢玄，北人岂常胜哉！越王勾践卒败吴王，兵强诸国，亦岂北方士马邪！”

乙巳，知枢密院事沈与求卒，特辍视朝二日，赠七官为右银青光禄大夫，即湖州赐田十顷，上将临奠，其家辞而止。与求再执政仅数月，未及有所建明。后谥忠敏。

戊申，兵部尚书兼都督府参谋军事吕祉，往淮西抚慰诸军。

祉初在建康，每有平敌之志，张浚大喜之。浚以刘光世持不战之论，欲罢之，参知政事张守以为不可，浚不从。守曰：“必欲改图，须得有纪律、闻望素高、能服诸兵官之心者一人乃可。”浚曰：“正为有其人，故欲易之也。”时祉亦自谓：“若专总一军，当生擒刘豫父子，然后尽复故疆。”及光世罢，乃命祉先往淮西。

直秘阁詹至闻之，遗浚书曰：“吕尚书之贤，固一时选，然于此军恩威曲折，卵翼成就，恐不得比前人。兼此军今已付王德，德虽有功，而与郦琼辈故等夷，恐其下有不能平者。愿更择偏裨素为军中所亲附者,使为德副,以通下情。"会祉还朝,而琼与其下八人列状讼德于都督府,且乞回避;都督府谓德为直,寝不行。琼等又讼于御史台,德亦言琼之过。乃诏德还建康,以所部一军隶都督府,复命祉往庐州节制之。祉将行,赐以鞍马、犀带、象笏,抚谕甚宠,皆非从官故事。

中书舍人张焘,见浚言:"祉书生,不更军旅,何得轻付!"浚不从。祉又辟都督府准备差遣陈克自随,资政殿学士叶梦得与克厚,谓之曰:"吕安老非驭将之才,子高诗人,非国士也。淮西诸军方互有纷纷之论,是行也,危矣哉!"亦弗听。祉、克皆留其家,以单骑从军。安老,祉字;子高,克字也。

庚戌,金尚书左丞高庆裔,转运使刘思,有罪伏诛。

乙卯,左司谏陈公辅权尚书礼部侍郎。

己未,给事中兼直学士院胡世将权尚书礼部侍郎。

秋,七月,丁卯,起复太尉、湖北、京西宣抚使岳飞,遣属官王敏求来奏事。

初,飞请解官,未报,乃以本军事务〔官〕张宪摄军事。宪在告,而权宣抚判官张宗元命下,军中籍籍曰:"张侍(御)〔郎〕来,我公不复还矣。"直宝文阁、新知襄阳府薛弼在武昌,未上,请宪强出临军,宪谕群校曰:"张侍郎来,由我公请也。公解军政未久,汝辈乃如此,公闻之且不乐。今朝廷已遣敕使起复我公矣,张非久留者。"众遂安。

帝命参议官李若虚、统制官王贵诣江州,敦请飞依旧管军,如违并行军法。若虚等至东林寺见飞,具道朝廷之意,飞乃受诏赴行在。

张浚见飞,具道上之眷遇,且责其不俟报弃军而庐墓。飞具表待罪,帝慰遣之。将行,帝谓飞曰:"卿前日奏陈轻率,朕实不怒卿;若怒卿,则必有行遣,太祖所谓'犯吾法者,惟有剑耳'。所以复令卿典军,任卿以恢复之事者,可以知朕无怒卿之意也。"飞得帝语,意乃安。至是遣敏求来奏事,委曲感恩,云:"非官家保全,何以有今日!"翼日,帝以其语谕辅臣,秦桧不悦。

壬申,张浚以旱乞率从官祷雨,又乞弛役、虑囚等数事,因奏:"如浙西诸郡及宣州、广德军地形未觉旱,如镇江、建康地形高,最觉阙雨。"上曰:"朕患不知四方水旱之实,宫中种两区稻,其一地下,其一地高。昨日亲阅之,地高者,其苗有槁意矣。须精加祈求,庶几数日间得雨也。"

时方盛暑,浚一日坐东阁,参知政事张守突入,执浚手曰:"守向言秦旧德有声,今与同列,徐考其人,似与昔异,晚节不免有患失心,是将为天下深忧。"盖指枢密使秦桧也。浚以为然。

辛巳,张浚等奏祷雨备至,未获休应,帝曰:"应天须以实,如恤刑、弛役之类,当更有实惠可及民者。朕晓夜思之,如积欠一事,为民之害甚大,比因移跸,所过州郡,下蠲除之令,民间极喜。可将绍兴五年以前税赋积欠及其它通负,议蠲之,庶几少苏民力。"浚等退而条具,悉施行焉。

金太保、领三省事晋国王宗翰薨。宗翰决策制胜,有古名将风,薨年五十八。

甲申,蠲诸路民户绍兴五年以前欠租;其坊场净利,五年正月以前所负,亦除之。建康府居民,贫病者畀之药,死者助其葬。

乙酉,权户部侍郎王俣请就建康权正社稷之位,诏从之。

丙戌,夜,金京师地震。

封皇叔宗隽、宗固、叔祖晕皆为王。

丁亥,金汰兵兴滥爵。

戊子,诏:"诸路州县逃亡民户未开垦田亩,通限八年输全税。"

【译文】

宋纪一百十八 起丁巳年(公元1137年)正月,止七月,共七月。

绍兴七年 金天会十五年(公元1137年)

春季,正月,癸亥朔(初一),高宗在平江,下诏说:"朕继承大业以来,即将实现统一大业,每当想到事情多变,心里就很忧惧。现在准备乘着春季,亲赴大江,驻在建康,观察上天的意旨。为此传告远近,使你们知道朕的心意。"

在建康府设立御前军器局,每年制造五千套铠甲,一百万支箭,命中侍大夫、岷州观察使、行营中护军忠勇军统制杨忠闵任提点,仍旧隶属枢密院和工部。

金熙宗在明德宫朝拜太皇太后。开始使用《大明历》。

甲子(初二),命令巡幸随军都转运使梁汝嘉先去建康,催促修缮行宫和查看路途及食宿休止的地方。

丙寅(初四),高宗对大臣们说:"昨天张浚献马,我借机分辨马的好坏和出产地,都没有差错。"张浚说:"我听说您听到马的脚步声就能知晓它的好坏。"高宗说:"对。听马的脚步声,就是隔着墙壁也能分辨出来。无论什么事物只要抓住了要领,也就不难分辨了。"张浚说:"事物都具有形状颜色,也许还容易分辨;唯独认清人就难了。"高宗说:"人确实不容易认清。"张浚因而上奏:"人才虽然不易认清,但是议论刚直不阿,面目庄重严肃,那么这个人肯定不会为非作歹;阿谀奉承、争宠患得患失,那么这个人肯定不能用。"高宗认为对。

己巳(初七),下诏特赐御宴款待江东宣抚使张俊。当时张俊从军营前来奏事,后又返回泗州。

癸酉(十一日)翰林学士兼侍读朱震,推说有病请求去外离宫。高宗皇帝不准许。

在此以前董弅被免官,朱震就告诉张浚请求去官。徽猷阁待制胡安国听说了这件事,写信给他的儿子徽猷阁待制胡寅说:"子发请求去官,未免太迟了。当公辅刚上奏时,如果据理力争,那么进退的意思就明确了。现在一句话不说,沉默地走了,读了一辈子《周易》有什么用呢?"因此胡安国自己上奏说:"读书人以孔孟为导师,这是不可改变的最正确道理。然而孔孟之道已经失传很久了。自从程颐开始启发阐明,以后孔孟的理论才可通过学习而获得。现在让学习的人学习孔、孟,却禁止不让学习程颐的理论,这是进屋不通过门户呀!程颐的文章,对各种经书、《论语》《孟子》阐发其微言大义,使人们知晓追求仁义的方法,培养良好道德的程序;粗话怪话,岂能是他的文章呀!程颐的行为,对家人表现为孝悌,忠诚美名,在乡里流传,不合乎他的道义的,一丝一毫都不做也不接受:高谈阔论、旁若无人岂是他的行为!自从嘉祐年间以来,程颐和兄长程颢及邵雍、张载,都因道德高尚闻名于世,如司马光、吕大防,没有不推荐他们的。程颐有《易传》《春秋传》,邵雍有《皇极经世书》,张载有《正蒙》一书,只有程颢没有来得及写出专著。希望下诏给礼官,讨论过去的做法,给这四个人加上封爵、记载到祀典里,和荀子、扬雄同等对待。并下诏馆阁搜集他们的遗著作为《六经》的辅翼,让邪门歪道不能出现而道术得到肯定。

戊寅(十六日),吏部尚书孙近兼任史馆修撰,不久又兼任侍读。

开州团练使、带御器械、权提举宿卫亲兵刘锜暂且主管军马司并殿前、步军司公事。

辛巳(十九日),韩世忠上奏说已经撤军到楚州。

高宗因此说:"淮阳不难占据,但不容易守住。"张守说:"肯定是淮阳不能进占,所以韩世忠才退军的。"张浚说:"过去西伯(周文王)攻黎,祖伊害怕了,跑着去告知于商王受(又作纣),因为那是要害地区不能丧失。淮阳,现在是刘豫的要害地区,因此防守非常牢固。"高宗说:"夺取天下得看形势。如果先占据了有利地势,那么其余不怎么费力就可以自行平定了。正像下棋,如果大势布置得当,自然有必胜的道理。"

癸未(二十一日),翰林学士兼侍讲陈与义被任命为参知政事,资政殿学士、新任提举醴泉观兼侍读沈与求,任同知枢密院事。

乙酉(二十三日),下诏:"枢密院是统兵机构,权力应该加重,可以按照祖宗过去的做法,设置枢密使、副使,宰相仍然兼任枢密使,知院以下设置照旧。"自从元丰年间改革官制,枢密院不设置枢密使。宣、政年间,邓洵武以少保身份知枢密院,此后童贯以太师的身份、蔡攸以太保的身份、郑居中以少师的身份,都领导过枢密院。中兴后沿用了这种做法。到这时张浚将要联合秦桧共理政事。由于秦桧是旧日辅臣,不能再任执政官,因此张浚从自己兼知枢密院事改兼枢密使。

丙戌(二十四日),下诏把知州军、各郡通判共六十一个空缺划归吏部,这是采用了尚书省左右司的奏请。因此政事堂任郡守官一百零九人补缺,通判八十人补缺。

丁亥(二十五日),阁门祗候充问安使何藓,承节郎、都督行府帐前准备差使范宁之从金国归来,得到金右副元帅宗弼的信,报告说道君皇帝、宁德皇后相继去世。张浚等人进宫到内殿侧房拜见皇帝,高宗号哭顿足,整天不吃饭。张浚上奏说:"皇帝的孝礼和平民不同。必须恭敬思考承继宗庙维持国家的方法。现在道君皇帝皇后的灵柩没有回来,天下百姓受苦受难,如此深仇大恨,从古到今都没有过。陛下擦掉眼泪愤然而起,挽住头发奔向前,愤怒而起安顿天下百姓,我都认为已经晚了。"高宗皇帝还是不听劝说。张浚趴在地上坚决请求,才稍微吃了点粥。这天,官员们到行宫西廊送表。过去的做法,边境不办丧事,特意命令宣抚使到副将以上在军营中穿孝服奠祭。将校在本营中哭祭,三天才结束。当时事情发生太突然,礼部正副长官都空缺,而新任命的太常少卿吴表臣没有到,一切礼仪。都是秘书省正字、权礼部郎官孙道夫起稿制定。

观文殿学士、醴泉观使兼侍读秦桧任枢密使,一切待遇,都按现任宰相条例施行。

任命内侍梁邦彦为提举钦奉几筵。

戊子(二十六日),给太上皇帝、宁德皇后并立暂时的灵位。

己丑(二十七日),高宗皇帝在几筵殿穿上孝服,模仿景灵宫分别从前后设置帏帐,宗室都按制度穿孝,三天后除去丧服。

高宗皇帝下诏说:"各地流放以下的囚徒降罪一等;其中打架杀人罪而情节较轻的降为

发配;释放判处杖刑以下的罪犯。"

辛卯(二十九日),下诏百官停止娱乐二十七天,百姓三天、皇帝临时驻在之处军队七天,宗室三天,姻亲间禁止嫁娶。这是根据太常寺的请求。

二月,癸巳朔(初一),百官上表请求皇帝遵从丧期以日易月的制度。皇帝下诏说:"上朝听政我勉强答应你们的请求。但三年的丧期,是为人子者应该做到的,我要全部在宫中施行。"

丙申(初四)夜间,太平州火灾。

丁酉(初五),镇江府火灾。

在此以前,伪齐刘豫派奸细在淮甸和沿江各州放火,因此山阳、仪真、广陵、京口、当涂都遭受到他的祸害。淮西宣抚使刘光世在当涂郡治驻军,军府被烧,军需库存物资,一个晚上全烧光了。太平州录事参军吕应中,当涂丞李致虚、全被烧死。李致虚当时摄管县衙的事务,后来找到他的尸体,手里还握着县印。高宗皇帝知道这件事后,下诏给镇江府、太平州各两千石米,赈济百姓中穷困的。吕应中、李致虚,各任命其家属一人做官。

己亥(初七),太上皇小祥周年祭礼,百官们五次上表请求皇帝听政,答应了。

庚子(初八),高宗皇帝开始进入几筵殿西侧厅的素幄帐中,召见辅佐大臣上朝奏事。张浚拜见高宗皇帝,深刻地陈说国家的灾难,痛哭流涕站不起身。于是请求发诏书晓谕全国。诏书说:"朕以不聪敏不英明之人,却位于万民之上,尽力寻求治国之术,以期渡过危难的处境。但是上天降罪,灾祸降临到我家,天崩地裂,父母去了远方。我背负终生的悲苦,怀着无穷的怨恨,所有我的臣民们,忍心听到这些!现在我赖以成功大业的,是军队和百姓。希望你们大小文武官吏,早晚孜孜不倦,思虑治国的办法。"

下诏前去建康,让有关官府选择日子出发。

右文殿修撰、主管亳州崇道观王伦被任命为徽猷阁待制,任奉命出使大金国迎接道君皇帝后灵柩的使者,武节郎、阁门宣赞舍人高公绘任武经大夫、达州刺史,作他的副使。按原数赐赏路费,并加赏二百两银子和二百匹帛。

重新起用湖北、京西宣抚副使岳飞,让他率亲兵前来皇帝住所。第二天,在内殿召见岳飞对答,岳飞秘密上奏皇帝,请扶正建国公的皇子地位,没有人知道这件事。等到对答时,皇帝说:"你的话虽然忠诚,然而你在外握有重兵,这事不是你应当参与的。"岳飞退出,参谋官薛弼接着进来,高宗皇帝告诉了这件事的缘故,并且说:"岳飞的表情好像不高兴,你自应以此意开导他。"

辛丑(初九),下诏因为太阳有异象,四周云气聚合,命令朝内外侍从每人推举一名能直言极谏的人。自从恢复贤良方正科,很长时间没人应召。到这时张浚请求趁灾异颁布诏书,高宗皇帝听从了他的意见。

赏给修武郎朱弁家五顷湖州田。朱弁当初作王伦的副使出使金国,十年没有回来。王伦给他家请求田亩。

以高宗皇帝的这道诏书发给各郡。让他们抚恤出使北方没有回来的魏行可、郭元迈、洪晧、龚涛、崔纵、郭元、杜时亮、宋汝为、张邵、杨宪、孙悟、卜世臣的家属,每家赏三百贯钱。

壬寅(初十),行宫太常寺进言:"二月给各陵墓献祭品,请求按乾兴年间的旧作法暂且改穿祭服;宫内祭祀、祭拜天地和各种大祀,也请按时辰日子安排办理。"皇帝批准。在此前,高宗皇帝曾降旨,神主没有迁入于宗庙之前,停止宗庙的祭祀和中小祭祀活动,所以礼官提出这种请求。

丙午(十四日),高宗皇帝下诏:"宫中祖先神主进殿,等办法制订好后,遇节日祭日等照旧献祭品。"

庚戌(十八日),吏部尚书孙近等人请求称去世的太上皇帝为圣文仁德显孝,庙号徽宗。于是监察御史以上官员,先集体讨论然后在南郊读诵谥号。这是根据翰林学士朱震、给事中直学士院胡世将的意见。从此成为定例。

辛亥(十九日),举行宋徽宗大祥祭礼。下诏说:"等到了建康的那一天,在天庆观安置供奉太庙神主,在法宝寺供奉天章阁神位。"

癸丑(二十一日),行除丧服的祭祀。在此以前,供桌上早晚各供五十种祭品,从现在减成三十种。

甲寅(二十二日),改追谥宁德皇后为显肃。

乙卯(二十三日),百官三次上表请求皇帝到正殿处理政务,皇帝答应了。

直徽猷阁、湖北、京西宣抚副使司参谋官薛弼,请求奖励靖康年以来在国难中尽忠尽节而死的大臣,请皇帝下诏各州郡在大路旁建立庙宇,写出所褒扬忠良的名字,月初月中献上酒肉祭奠,春秋两季举行祭祀典礼,使忠义有气节的亡灵,享用贡品无尽头。下诏给枢密院和三省赏功房,详细开列从靖康元年以来,不管官职大小、官吏将士因忠义、守死节之人的姓名领圣旨。

丙辰(二十四日),皇帝开始到便殿处理政事。庭堂上放着丧棒,皇上穿着浅黄色袍子,佩着黑色银带,看起来好像全身素服,在场朝臣没有不受感动的。

丁巳(二十五日),又起用检校少保、武胜、定国军节度使、湖北、京西宣抚副使岳飞为太尉,奖励他夺取商、虢等地的功劳。第二天,升任宣抚使。

岳飞威望名声日益显著,淮西宣抚使张俊越来越忌恨他。参谋官薛弼常劝岳飞调节一下两人关系,但军中轻视张俊的人又让岳飞不要苦心屈就,因此岳飞和张俊的隔阂开始加深了。岳飞当时留在行宫没有离去,于是就保卫皇帝去建康。

己未(二十七日),皇帝从平江府出发,用船载着徽宗皇帝、显肃皇后的供桌前行。快出发时,召见守臣章谊到船上报告情况。皇帝每天早上乘车到供桌前烧香,晚上睡觉前也一样。

庚申(二十八日),皇帝到达常州。

淮西宣抚使刘光世请求任京师以外行宫职务。

在此以前,有人议论刘光世以前退守当涂,差点坏了大事。后来虽然有功,可将功抵过,却不应该让他仍然掌握兵权;又说他的军队纪律不严明,士兵很骄横。张浚从淮地回来,也说刘光世沉湎酒色,不关心国家大事,一对他提到恢复失地,就很忧愁,请求皇帝罢免他来警告别的将帅,皇帝认为很对。刘光世听说后,就推说有病请求任行宫官。皇帝说:"刘光世的军队都是骁勇善战的将士,但是主帅懒惰,每月花费的钱粮供不应求,都要出自民脂民膏,他不训练军队,使军队打仗立功,实在可惜。大概将帅不能骄傲懒惰,如果整天沉迷在酒和女人之中,凭什么率领三军士兵!"过了三天,皇帝亲笔回信给刘光世说:"你的忠心神灵都知道,功劳永存国家,我正依靠你,来渡过众多艰难。等到了建康,招见你报告情况,其他具体细节,都等到时候面谈。"

当时皇帝给各将的诏书,往往命令张浚草拟奉上,不曾改动一个字。

辛酉(二十九日),皇帝从常州出发;壬戌(三十日),到吕城闸。

三月,癸亥朔(初一),皇帝到丹阳县。京东宣抚处置使韩世忠派亲兵到皇帝住处,于是护卫皇帝到建康。

甲子(初二),皇帝到镇江府。权主管殿前司公事杨沂中率部到皇帝住处,皇帝诏命杨沂中总管维护车驾巡幸一切事务。

拱卫大夫、和州防御史、湖北、京西宣抚司都统制王贵被免去阶官,任棣州防御使、龙神卫四厢都指挥使,是为奖励他的军功。统制官、中侍大夫、武泰军承宣使牛皋也免去阶官,任建州观察使。

乙丑(初三),皇帝下诏:"驻跸和经过的州县,现在欠绍兴五年以前的税赋,一概取消。"

丁卯(初五),任命尚书吏部侍郎吕祉试兵部尚书,升兼都督府参谋军事;显谟阁直学士梁汝嘉试户部侍郎,仍然兼任巡幸都转运使。

权户部侍郎刘宁止改任权吏部侍郎。

己巳(初七),皇帝从镇江府出发,乘马行进,晚上,到下蜀镇。

庚午(初八),皇帝走在路上,看见装载灵位的辇车在前,担心走得快震动摇晃了好久。晚上,住在东阳镇。

辛未(初九),皇帝到了建康府,赏官吏休假三天。

当时行宫全沿用张浚旧日修筑的规格,寝殿后边,连厨房厕所都没有。皇帝住下来后,加筑几间小房子,作吃饭和宫女睡觉的地方。地上没有铺砖、屋里没有涂朱红色宫室装饰材料。

壬申(初十),皇帝下诏说:"战事初起,杂事很多,若全听宰相处理,就会妨碍军事要务。除中书、门下省照旧外,尚书省的日常奏告权暂归参知政事执掌,应该去办的让张浚分条款写出领取圣旨。"张浚上奏说:"想让张守管吏、礼、兵三房,陈与义管户、刑、工三房,如果已经得到圣旨应该发出的告命敕札等文件,和应当关照内外官衙的文件及紧急批件公文,由我照旧画押外,其余的让参知政事签名画押。"皇帝批准他的意见。

癸酉(十一日),秘阁修撰、知建康府叶宗谔,率领全府文武官员参见皇帝。宰相上报情况完毕后,带领百官们到几筵殿烧香。皇帝亲写诏书命建康府判流放罪以下及犯斗殴杀人罪情节较轻的囚犯降级处罚,释放判杖刑以下的囚徒。建康府、太平、宣州绍兴五年以前的赋税和五等户今年的身丁钱一概免去。又免去建康府五等户科税一年,太平、宣州半年。

当时有来自汴梁的中原流民,说刘豫自从刘猊、刘麟失败后,精神很沮丧,他的同党对他也怀有二心。金人认为刘豫必定不能建国和治国,因而百姓每天都盼望皇帝的军队到来。朝廷因此打算北伐。

岳飞认为刘豫不难扫平,重要的是应该用十万兵力拦腰横截金国领地,使金国不能互援,刘豫势单力孤必然不战自败,那么中原即可恢复;张浚认为不对。正赶上刘光世请求任行宫官,岳飞就去拜见皇帝,请求从商、虢出发攻取关陕,想一并指挥淮右的兵马。皇帝问他:"什么时候可以成功?"岳飞:"预计需要三年。"皇帝说:"我住在这里,靠淮甸作屏障。如果调走淮甸的兵马,就能平定中原,我又有什么舍不得的? 只怕中原没有收复而淮甸失守,那么我的朝廷连安枕而卧的地方都没有了。"

丙子(十四日),召见徽猷阁待制、提举江州太平观胡安国。

胡安国献上所写的《春秋传》。翰林学士朱震请求发布诏令嘉奖他,皇帝说:"胡安国明了《春秋》的学问,以前偶然因留住程瑀而出来任官,可以召见他。"张浚说:"像胡安国这样的人,实属过于忠厚的君子;小人一定要观望等待时机以求投合,哪肯违背您的旨意!"皇帝说:"胡安国怎么会是小人呢! 等他来了,安置他讲授经史典籍。"因此有这道诏命,仍然用金字传递。

赏给都督府摧锋军统制韩京金腰带、战袍、银杆枪。

在此以前,虔地的寇贼刘宣侵犯梅州,韩京率所部军卒解除了敌人的包围,于是到了惠州的河源,讨伐犯流放罪的强盗曾衮,曾衮只身投降,因此有这次赏赐。

丁丑(十五日),宰相带领文武官员遥遥参拜渊圣皇帝后,到常御殿门递上姓名安慰皇帝。从此对神位没有合祭于宗庙的都这样做。

同知枢密院事沈与求升为知院事。

己卯(十七日),尊宣和皇后为皇太后。

在此以前,皇帝对宰相说:"宣和皇后年经已大了,我早晚想念她,坐卧不安。翰林学士朱震,就上奏援引唐朝建中年间的旧例、请求遥上宝册尊号。并且说:"您登基虽然只是权宜之计,退朝更有高出世人的品行,我认为应该供奉在便殿,让三公进呈典册,以表明为臣子的心意。典册既已收藏在官府,恭待太后归来吧。"皇帝下诏让礼官开列细则。太常寺卿吴表臣请求按嘉祐、治平年间的旧例,等三年丧礼结束,检查措施付诸实施。于是皇帝先降下亲笔札文,传告朝廷内外。

重新起用龙神卫四厢都指挥使、降授雄州防御使、行营前护副军都统制王彦复为洪州观察使、知邵州。解潜罢官以后,王彦也感到自身不安全,因此请求回去继续服丧,因此有这道命令。

王彦来向皇帝辞行,皇帝很深切地安抚他,说:"因为你能管理百姓,所以让你去管便利的州郡,上任后就召你回来。"临行前,皇帝又赏给他金带。下诏王彦的军队并入权主管马军司公事刘锜属下,至此刘锜才能组成一支军队。

辛巳(十九日),镇南军节度使、开府仪同三司、新任两浙西路安抚制置大使兼知临安府吕颐浩被任命为少保兼行宫留守。

吕颐浩回到临安,办事很有条理,豪强不敢冒犯禁令。当时已经命令临安的各衙门陆续去皇帝驻地,所说的留守司,只不过名存罢了。

召观文殿学士、提举万寿观兼侍读、行宫留守孟庾去皇帝住地。

甲申(二十二日),少保、护国、镇安、保静军节度使、淮南西路兼太平州宣抚使刘光世被任命为少保,仍然节制三镇,充万寿观使,奉朝请,封为荣国公。

当时刘光世进见,再次请求免去军权,并且把所管理的数以百万计的钱粮全献给朝廷;

于是皇帝把他的部队划归都督府而发布了这道诏命。张浚于是把刘光世部队划分成六军，命令他们听从本府参谋军事吕祉管辖。

丁亥(二十五日)，通侍大夫、武康军承宣使、行营左护军前军统制王德撤销阶官，任相州观察使。

刘光世免去军权后，都督府派王德训练、管理各将领的军马，因此被特加提升。

己丑(二十七日)，礼部和太常寺进言说："今年应该行祭天的大礼，但祭天所用的法器没有准备好。我朝旧例，仁宗皇祐五年在南郊祭天，嘉祐元年行恭敬感谢礼，四年合祭祖先，七年在明堂祭天，大概超过九年没再进行祭天大礼。将来进行祭天大礼的时候，请求在明堂合祭天地，配祭祖宗、兼祭众神，在礼仪上比较合适。"皇帝下诏举行明堂大礼，命令有关衙门列出细则向他报告。

这年春天，金国右监军完颜昌驻守祁州，都监宗弼从黎阳回到燕山，完颜杲驻守云中。尚书左丞高庆裔，因为贪污交大理寺审理。

夏季，四月，壬辰朔(初一)，下诏在建康修筑太庙，用临安府太庙作为该府的圣祖殿。

甲午(初三)，少师、万寿观使刘光世，被特别允许随便挑地方居住；这是听从了他的请求。于是刘光世在温州定居。

丙申(初五)，权主管侍卫马军司刘锜，上奏将以前的护副军及马军司，现在通统列为前、后、左、右、中军及游奕，共六个军，每军一千人，共设十二名将领。皇帝批准。其中前护副军，就是八字军。

丁酉(初六)，徽猷阁待制王伦、右朝请郎高公绘进宫辞行。

王伦从平江到建康，总共召见策对四次。皇帝让王伦出使，对金国右副元帅鲁国王完颜昌说："河南的地盘，你们国家既然不占有，与其交给刘豫，何如还给我们?"王伦带着诏书去了。皇帝趁王伦前去金国，附带进奉皇太后、渊圣皇帝各二百两黄金。

中书省进言说："宇文虚中、朱弁，奉命出使时间很久，应该有所赏赐来鼓励他们的忠心勤劳。"皇帝下诏赏给宇文虚中五十两黄金，绫和绢各五十匹，十斤龙凤茶；朱弁三十两黄金、绫帛各三十匹，六斤茶。枢密使秦桧进言说："孙傅、张叔夜的家属在金国境内很穷困，希望趁王伦前去带些东西赈济他们。"皇帝下诏按赐宇文虚中的数目赏给黄金。

壬寅(十一日)，太常寺少卿吴表臣被任命为权尚书礼部侍郎。

丁未(十六日)，太尉、湖北、京西宣抚使岳飞，请求解除现任职务回家继续服丧。

张浚曾经和岳飞论及淮西的事，张浚说："王德，是淮西军佩服的人，现在想让他任都统制，而任命吕祉作都府参议领导他，怎么样?"岳飞说："王德和郦琼一向相互攀比，一旦把王德放到上面，势必争斗。吕尚书虽然是全才，但是书生不熟悉军事，恐怕不能够镇服郦琼。"张浚说："张宣抚如何?"岳飞说："张宣抚暴躁而且缺少谋略，并且是郦琼一向不佩服的人。"张浚说："那么只有杨沂中了。"岳飞说："杨沂中认为王德与自己同等，怎么能驾驭他?"张浚很不高兴地说："早知道非太尉你不可。"岳飞说："都督拿正事来问我，我不能不完全表达我的愚见，难道是想获得兵权吗?"当天就请求解除兵权归乡守候祖墓，皇帝不准许。

庚戌(十九日)，任命兵部侍郎张宗元为权湖北、京西宣抚判官，去鄂州作岳飞军的监军。

壬子(二十一日)，张浚告别皇帝去太平州、淮西视察军队。

张浚借机说到刘光世用八千两黄金出使时买土特产馈赠外国及本国君臣。沈与求说："我听说刘光世离去时,曾向别人说自己可比陶朱公,这样是确实可以致富的。"张浚等人议论范蠡的贤良,一般人难以达到。皇帝说："范蠡固然贤良,但我认为他仍然没有尽完君臣的大义。"

在此以前,左司谏陈公辅要求见皇帝去应对,皇帝趁机说到岳飞上奏的事。陈公辅回去后,上书说："昨天亲自听了您的话,说到岳飞以前的事,采纳众人的说法,都说岳飞忠义可以重用。然而岳飞本来是粗人,遇到事情不会变通处理。我猜度他的心意,他往往说大将以领兵打仗为乐趣,等待时机,我肯定能战胜敌人。又认为刘豫不难平定,关键是用十万兵马横截金地,使金不能援救刘豫,势单力孤必然失败,那么中原一定能取得。这也是一种战略。您暂时应该表示不怀疑,对他的说法反复盘诘质难,等到他无话可说,然后命令他说:'朝廷只想先取河南,现在淮东、淮西已做好准备,而京西方面,全依靠你了。'岳飞难道敢抗命吗!在此以前朝廷纪律不严,各将都有轻视之心。例如刘光世虽然被罢免军权,却又宠幸他作少师,坐享富贵,各将领都认为朝廷赏罚不严明。我请求等张浚从淮西回来,如果发现刘光世胆怯而且违法,应该明确给他判罪,使天下人知道,也可以警戒其他将领。"

皇帝下诏说:"官吏们等到太庙合祭完毕,都穿镶边的吉服。百日卒哭那天,建康府、临安禁止屠宰三天。周年及二周年祭日那些天,各路州县禁止鼓乐七天、禁止屠宰三天。"

当初,礼官奏请朝臣们在百日卒哭之日穿吉祥服装,左司谏陈公辅请求暂时佩黑带等待道君皇帝灵柩回来,如果灵柩未到,那就必须等到周年祭日以后;又请求禁止百姓鼓乐三年。皇帝说:"禁止鼓乐本来是应当的,但是想到百姓有把奏乐作为职业的,没有办法生活了。"事情下给礼官讨论,到现在呈上了具体办法。礼官说百日卒哭禁止屠宰和娱乐没有先例,然而终于在建康、临安两都城施行,大概是皇帝的指示。

癸丑(二十二日),对赠直秘阁杨邦义,又加赠徽猷阁待制,增赏三项田地。

在这时枢密院上奏说杨邦义忠义有气节品德显著,应该重重奖励推崇。皇帝说:"杨邦义这样忠烈。颜真卿是唐代忠臣,我昨天已经让他的子孙做了官。杨邦义为我死于忠节,不能不重奖来勉励众人。"因此有这道诏命。

五月,乙丑(初四),皇帝与辅臣讨论淮西的事情,于是说道:"军队没有不能用的,关键在于主将人选是否合适。赵奢利用赵国军队大败秦军,而赵括同样率领赵军则败得很惨;乐毅用燕兵攻破齐国,而骑劫代替他却被田单击败,难道不在于合适的主将人选吗?"秦桧说:"您讨论军事,可以说抓住了要领。"

当初,刘光世罢免,把他的军队隶属于都督府,而秦桧与知枢密院事沈与求,认为掌握重兵对都督府来说很不妥当,请求分置给武将,谏院台官先是观望没有表态,后来也曾上书请求,于是就任命相州观察使、行营左护军前军统制王德为都统制。王德,是刘光世的爱将,所以就任用了他。

丙寅(初五),下诏命令四川制置大使席益催促派出所招募的西面士兵。

当初,皇帝让席益从团练的人中选三路共二千名年轻力壮的,携带家属到皇帝住处,专任护卫。席益说已经派出统押官颜渐带兵一千人出峡,所以皇帝命令催促他们。

壬申(十一日),皇帝下诏司礼仪的官员,逐条开列祭祀文宣王、武成王、荧惑、寿星、岳、渎、海、镇、农、蚕、风、雷、雨师等神的具体事宜。这是根据太常博士黄积厚的请求。文宣王在春秋两季的第二月祭祀，并且共有九十八位陪祭的圣贤，武成王和六十三位陪祭，都献上两头小牛作祭品。荧惑在立夏时祭，具体礼仪和文宣王祭礼一样。都依照祭祀感生帝的仪式。寿星在秋分时祭，岳、渎、镇、海四神在立春、立夏、立秋、立冬日和夏季的土旺日祭祀，先农在春天的第一月祭，先蚕在三月的巳日祭，风师在立春后的丑日祭，雷师在立夏后的申日祭祀。从寿星往下，诸神祭祀都进献酒肉。

甲戌(十三日)，殿中侍御史石公揆说："现在用词赋、经义考试选拔士人，但是主考的官员不能兼通辞赋、经义，高下等第怎能切合实际呢？今年的考试，希望让各路转运司分辞赋、经义两类录取，分别派官员考试。"皇帝批准。

己卯(十八日)，广西献上了出格马，皇帝说："这很像代北出产的。广西也有这种马，那么由此可知好马并不全出自西北。"皇帝因此论述说："春秋时各国不相往来，所用的马，都是从本国选取的。申公巫臣出使吴国，和他的射御官教吴国人驾车，就是说吴国也有本国的马。现在一定要到产马的地方寻求良马，这就是马政治理不善的缘故。"

皇帝下诏礼部讨论祭祀大火星问题。在这以前，皇帝住地多次发生火灾。有人说："国家确实是火德感应，以宋字建号。康定年间，沿用古代的商丘建造祭坛，以尧帝时火正官来配祭火神。自从国家多事以来商丘陷于敌境。希望下诏给有关衙门就皇帝住地，每逢辰戌的月份，设置神位遥拜祭祀。"皇帝批准用酒肉祭祀大火星。

己丑(二十八日)，命名徽宗皇帝处理政务的宫殿为承元殿。

下诏说："殿前司行营右护军、后护军都允许设置都统制和副统制。"

庚寅(二十九日)，尚书右仆射张浚说："和靖读书人尹焞，因刘豫父子逼迫他接受伪命，渡过大河，进入深山，从长安步行到了蜀地。我经常请他到衙门，和他见面交谈，看他的学问修养，实在有大大超过别人的地方。现在您广泛采纳众人的意见，要召他讲经，但尹焞请求免去新任命，至今没听说他要上路。请求皇帝特别降旨，让江州守臣迅速催促上路。"当初，尹焞走到九江，正好谏官陈公辅请求禁止学习程颐的学问，尹焞又推辞说："我学的就是程颐的学问。"张浚就格外赞扬他的学问品行，请求皇帝催促他来；尹焞还是不来。

这月，伪齐攻陷了随州。

六月，辛卯朔(初一)，改追封惠恭皇后为显恭皇后。

癸巳(初三)，右司谏陈公辅进宫应对，当面陈述复兴的策略。因而说到众人认为南方兵马不能用，皇帝很愤慨地说："赤壁之战，曹操被周瑜击败；淝水之战，苻坚被谢玄击败，北方军队难道是常胜军吗？越王勾践终于击败吴王，兵力比其他国家都强，难道也是北方的兵马吗？"

乙巳(十五日)，知枢密院事沈与求去世，特别停止两天朝政，追赠七种官职并任右银青光禄大夫，就近在湖州赏赐十顷田。皇帝要亲自去祭奠，他的家属辞谢才没去。沈与求再次执政仅几个月，没有来得及有所建树。后来追封谥号"忠敏"。

戊申(十八日)，兵部尚书兼都督府参谋军事吕祉，到淮西慰劳各军。

吕祉当初在建康，每每有扫平敌寇的大志，张浚非常喜欢他。张浚因为刘光世坚持不与敌人作战的论点，想罢免他，参知政事张守认为不行，张浚不听。张守说："一定要安排别人，必须有一个严于律己、德高望重、能让各官兵心服口服的人才行。"张浚说："正因为有这个人，我才想撤换他。"当时吕祉也说自己："如果我能总领一支军队，一定会生擒刘豫父子，然后全部收复旧地。"等到刘光世罢官，就让他先去淮西。

直秘阁詹至听说这件事，致信给张浚说："吕尚书的贤良，确实是一时的合适人选，然而对该军的恩威的反复变故，已形成的亲信羽翼，恐怕不会比前任有利。加上该军现在已经交给王德，王德虽然有功劳，但和郦琼等人原来是平等的，恐怕下边有人不心服。希望再选择一名一向被军中官兵亲近的人，让他作王德的副将，来勾通下情。"正好吕祉还朝，郦琼和他的部下八个人列出罪状到都督府告王德的状，并且请求回避王德，都督府认为王德是正确的，终于没有结果。郦琼等人又去御史台告状，王德也诉说郦琼过失，皇帝就下诏让王德回建康，把他的部下一部分划归都督府管辖，又命令吕祉去庐州节制王德军。吕祉临行时，皇帝赐给马和马鞍、犀牛皮带、象牙笏，安抚叮嘱非常亲切，超过了一般对随从官的旧例。

中书舍人张焘，会见张浚说："吕祉是读书人，不了解军事，怎么能把军队轻易交给他？"张浚不听。吕祉又招都督府准备差遣陈克跟随自己，资政殿学士叶梦得和陈克有交情，对他说："吕安老不是驾驭将领的人才，子高是诗人，也不是国家的武士。淮西各军不团结正彼此纷纷议论，这次去，很危险呀！"也不听。吕祉、陈克都留下家属，单人匹马去军队。安老是吕祉的字；子高，是陈克的字。

庚戌（二十日），金国尚书左丞高庆裔、转运使刘思，犯罪被杀。

乙卯（二十五日），左司谏陈公辅权尚书礼部侍郎。

己未（二十九日），给事中兼直学士院胡世将权尚书礼部侍郎。

秋季，七月，丁卯（初七）重新起用太尉、湖北、京西宣抚使岳飞，岳飞派属官王敏求前来向皇帝报告情况。

当初，岳飞请求解除官职，没有得到批诏，就让本军事务官张宪暂理军事。张宪正在请求，而权宣抚判官张宗元的任命已经下来，军中议论纷杂说："张侍郎来了，我们的岳公不会再回来了。"正值宝文阁、新任知襄阳府薛弼当时在武昌，没有上奏皇帝，请求张宪勉强出来视察安抚军队。张宪对众将领说："张侍郎之所以来，是我们岳公请求的。岳公除去军权没有多久，你们就这样，岳公听说了肯定不会高兴。现在朝廷已经派使者重新起用我们岳公，张宗元是不会久留的。"众人才安定了下来。

皇帝让参议官李若虚、统制官王贵到江州，敦请岳飞照旧率领军队，如不服从就按军法处置。李若虚等人到东林寺会见岳飞，具体说明了朝廷的意思。岳飞就遵从诏命到皇帝住驻地去。

张浚见了岳飞，详细地说明了皇帝对他的知遇眷爱之意，并且指责他不等批准就离开军队回家守护陵墓。岳飞写出表章请求处罚，皇帝抚慰后让他回军中去。临走时，皇帝对岳飞说："你日前奏章里说到自己的轻率，我实在不责怪你；如责怪你，肯定会有所惩罚。太祖说过'违犯我的法令的，只有用剑杀掉他'从我又让你统率军队、加于你恢复失地的重任来看，可知我没有怪罪你的意思。"岳飞得到皇帝这句话，心里才安定。到这时派王敏求来报告情况，委婉地感谢皇帝的恩德，说："如果不是皇帝保全，我怎么会有今天？"第二天，皇帝把他的话说给宰相听，秦桧不高兴。

壬申(十二日),张浚因为天旱请求率领朝臣求雨,又请求减轻徭役、检录囚犯等几件事,因此上奏说:"像浙西各郡及宣州、广德军那样的地势还未发觉干旱;像镇江、建康因为地势高,缺雨最严重。"皇帝说:"我忧虑不了解各地水旱的实际情况。于是在宫中种了两块稻田,其中一块地势低,一块地势高。昨天亲自去看,地势高的,稻苗已有枯槁的迹象了。必须虔诚认真地求,没准几天内就会下雨了。"

当时正是盛暑,张浚有一天坐在东阁,参知政事张守突然进来,拉住张浚的手说:"我一直说姓秦的人过去的品德声誉不错;现在和他同事,慢慢观察这个人,似乎和过去不一样,到了晚年不免有患得患失的心事,这将成为国家的大忧患。"大概是指枢密使秦桧。张浚认为对。

辛巳(二十一日),张浚等上奏说求雨的事已做得十分周全,没有求到雨,皇帝说:"让上天感知得靠实际的事,如体恤被判刑的囚徒、减轻徭役等事,更应该让老百姓得到实惠。我早晚考虑这件事,像积欠税赋的事,对百姓害处很大。以前因为朝廷迁移,所经过的州郡,下令免除赋税,老百姓高兴极了。可以把绍兴五年以前积欠的税赋和其他拖欠的债务,讨论免除,也许多少能恢复些民力。"张浚等退朝后逐条开列,全部都实行了。

金国太保、领三省事晋国王宗翰去世。宗翰决定的策略都能获胜,有古代名将的风度,终年五十八岁。

甲申(二十四日),免除各地百姓绍兴五年以前的欠租。作坊和市场的赢利,五年正月以前所欠的,也免除。建康府老百姓,贫困有病的发给药;死了帮助安葬。

乙酉(二十五日),权户部侍郎王俣请求在建康暂时正社稷之位。皇帝下诏采纳了他的意见。

丙戌(二十六日),夜晚,金国都城发生地震。

金主封皇叔宗隽、宗固、叔祖父晕都为王。

丁亥(二十七日),金国淘汰战争以来的滥立爵位。

戊子(二十八日),下诏说:"各路州县逃亡百姓没有开垦的田地,都到八年以后再交纳全税。"

续资治通鉴卷第一百一十九

【原文】

宋纪一百十九　起强圉大荒落【丁巳】八月,尽十二月,凡五月。

高宗受命中兴全功至德　圣神武文昭仁宪孝皇帝

绍兴七年　金天会十五年【丁巳,1137】　八月,壬辰,张浚奏:"探报,伪齐签军自六十以上则减之,五十以上则增之,科条之烦,民不堪命。出军之际,自经于沟渎者不可胜计。"帝蹙额叹息曰:"朕之赤子至于如此,当思有以拯救之。可谕江、淮诸郡,凡归附者,加意抚纳,厚与赒恤,勿令失所。"

癸巳,帝与执政论漕臣能否,因及向子諲。帝曰:"元帅旧僚,往往沦谢,汪伯彦实同艰难。朕之故人,所存无几,伯彦宜与优叙。"张浚奏曰:"臣等已商量,俟因大礼取旨。更得亲笔数字为明帅府旧劳,庶几内外孚信。"帝曰:"俟到九月,当复与郡。"伯彦之未第也,尝受馆于王氏,秦桧从之学,而浚亦伯彦所荐,故共赞焉。

乙未,少保、江南路宣抚使张俊为淮南西路宣抚使,盱眙军置司;保成军节度使、主管殿前司公事杨沂中为淮南西路(置制)〔制置〕使,开州团练使、权主管侍卫马军司公事刘锜为淮南西路制置副使,庐州置司。

时吕祉至庐州,而郦琼等复讼王德于祉,祉谕之曰:"若以君等为是,则大相诳。然张丞相但喜人向前,倘能立功,虽有大过,彼亦能阔略,况此小嫌疑乎!"于是密奏,乞罢琼及统制官靳赛兵权,乃命二帅往淮西召琼等还行在。

权尚书兵部侍郎兼都督府参议军事、权湖北、京西路宣抚判官张宗元为徽猷阁待制、枢密都承旨。岳飞复任,宗元乃还,既对,遂有是命。

丙申,尚书户部员外郎霍蠡转一官,用权湖北、京西宣抚判官张宗元奏也。蠡在鄂州,应副岳飞军钱粮,宗元言其奉公守正,故特迁焉。

先是飞数言军中粮乏,乃命蠡按视。至是蠡言:"飞军中每岁统制、统领、将官、使臣三百五十馀员,多请过钱十四万馀缗,军兵八千馀人,多请过一千三百馀缗,总计一十五万馀缗。"于是右正言李谊言:"蠡职在出纳,理当究心。然虑检点苛细,若行改正,却合支券钱六万馀贯,才省九万缗而已。望令依旧勘支,务存大体,以副陛下优恤将士之意。"

戊戌,张浚进呈显谟阁待制、知荆南府王庶复徽猷阁直学士,帝曰:"庶尝云:'今天下不专用姑息,要当以诛杀为先。'谓朕太慈。闻仁宗皇帝尝云:'宁失之太慈,不可失之太察。'

此祖宗之明训也。今百姓犯罪，自有常法，何以诛杀为先乎？"浚等曰："圣人三宝，一曰慈，未闻以慈为戒也。庶学识浅陋，不知大体。"

浚因奏伪齐尚用本朝军器，帝曰："祖宗有内军器库，在谼门几百所，〔藏〕弓弩器甲，不可胜计，及军器库在酸枣门外，数亦称此。原祖宗置库，有内外之异，及弓弩弦箭亦各异藏，分官主之，皆有深意。"陈与义因奏："顷为澶渊教官，尝见甲仗甚盛，日久不用，往往朽败。"帝曰："此等物得不用，亦美事也。"

郦琼叛，执兵部尚书吕祉。

祉简倨自处，将士之情不达。淮西转运判官韩珫，旧在刘光世幕中，光世待之不以礼，至是诸校或以罪去。祉闻琼等反侧，奏乞殿前司摧锋军统制吴锡一军屯庐州以备缓急，又遣珫诣建康趣之，琼闻，颇有异志。统制官康渊曰："朝廷素轻武臣，多受屈辱，闻齐皇帝折节下士，士皆为之用。"众皆不应，相视以目。先是统制官王师晟于寿春挈营妓去，其家讼于祉；时将士方不安祉之政，师晟乃与琼及统领官王世忠、张全等谋作乱。

祉之乞罢琼与靳赛也，其书吏朱照漏语于琼，琼令人遮祉所遣置邮，尽得祉所言军官之罪，琼等大怒。会被旨易置分屯，渊乃曰："归事中原，则安矣。"诘朝，诸将（将）晨谒祉，坐定，琼袖出文书，示中军统制官张景曰："诸兵官有何罪，张统制乃以如许事闻之朝廷邪？"祉见之，大惊，欲走不及，为琼所执。有黄衣卒者，以刀斫琼，中背，琼大呼曰："何敢尔？"顾见有执铁树者，琼取以击卒，毙于阶下。琼亲校已杀景于厅事，又杀都督府同提举一行事务乔仲福及其子武略大夫嗣古、统制官刘永衡，遂执阁门祗候刘光时，率全军长驱以行。至州东楼下，祉谓琼曰："若祉有过失，当任其咎，奈何如此负朝廷！"军士纵掠城中而去。时直徽猷阁、前知庐州赵康直，秘阁修撰、知庐州赵不群，皆为所执，既而释不群归，盖不群至官未旬日，无怨憾于军中故也。琼遂以所部四万人渡淮降刘豫。

辛丑，帝闻淮西失守，手诏赐郦琼等曰："朕躬抚将士，今逾十年，汝等力殄仇雠，殆将百战，比令入卫于王室，盖念久（戊）〔戍〕于边陲。当思召汝还归，方加亲信，岂可辄怀反侧，遂欲奔亡！傥朕之处分，或未尽于事宜，汝之诚心，或未达于上听，或以营垒方就而不乐于迁徙，或以形便既得而愿奋于征战，其悉以闻，当从所便。一应庐州屯驻行营（在）〔左〕护军出城副都统制以下将佐军兵，诏书到日，以前犯罪，不以大小，一切不问，并与赦。"

壬寅，兵部尚书、都督府参谋军事吕祉，为郦琼所杀。

先一日，琼与其众拥祉次三塔，距淮仅三十里。祉下马立枣林下，谓曰："刘豫逆臣，我岂可见之！"众逼祉上马，祉曰："死则死此！尔等过去，亦岂可保我也？"军士闻之，有伤感咨嗟者。琼恐摇众心，乃急策马先渡淮，至霍丘县，命统领官尚世元杀祉。世元以刀刺祉，且顾统领官王师晟，师晟不肯。祉骂琼不已，遂碎首折齿死，年四十六。于是直徽猷阁赵康〔直〕亦为所害。世元斩祉首示琼，琼标之木末，从者江涣，取而埋之。

主管马军司公事刘锜、殿前司摧锋军统制吴锡，寻至庐州，以兵追之，不及。帝遣枢密都承旨张宗元往招叛卒。制置使杨沂中闻琼已渡淮，乃遣人持羊酒相劳苦，于是锜复还濠州。

甲辰，手诏："观文殿大学士、两浙东路安抚制置大使兼知绍兴府赵鼎充万寿观使兼侍读，疾速赴行在。"

是日，张浚留身，求去位，帝问可代者，浚不对。帝曰："秦桧何如？"浚曰："近与共事，始

2746

知其阉。"帝曰："然则用赵鼎?"遂令浚拟批召鼎。桧谓必荐己,退至都堂,就浚语良久。帝遣人趋进所拟文字,桧错愕而出。浚始引桧共政,既同朝,乃觉其包藏顾望,故因帝问及之。

乙巳,伪齐刘豫得郦琼降报,大喜。先是豫闻南师移屯,遣伪户部员外郎韩元英乞师于金主,以南师进临长淮为词,欲并力南侵,金主不许。至是颍昌驰报喜旗至,言淮西百姓十馀万来归附,已交收器甲接纳矣。豫乃命粉饰门墙,增饰仗卫,以待其至,又命伪户部侍郎冯长宁为接纳使,伪皇子府选锋统制李师雄副之。

戊申,权礼部侍郎吴表臣言:"科举校艺,诗赋取其文,策论取其用,二者诚不可偏也。然比年科举,或诗赋稍优,不复计策论之精粗,以致老成实学之士,不能无遗落之叹。欲望特降谕旨,今年秋试及将来省闱,其程文并须三场参考,若诗赋虽平而策论精博,亦不可遗。庶几四方学者知所向慕,不徒事于空文,皆有可用之实。"辅臣进呈,帝曰:"文学、政事自是两科,诗赋止是文词,策论则须通知古今。所贵于学者,修身、齐家、治国以治天下,专取文词,亦复何用!"

乙卯,诏:"来年礼部奏名进士,依祖宗故事,更不临轩策试。"权吏部侍郎陈公辅入见,请罢经筵、策士等事,以为三年之内,凡涉吉礼者,皆未宜讲,故有是诏。

己未,刑部尚书胡交修等奏以故尚书左仆射韩忠彦配享徽宗皇帝庙庭。

诏:"自今当讲日,只令讲读官供进口义,更不亲临讲筵。"以权礼部侍郎陈公辅言,恐日临讲筵有妨退朝居丧之制故也。

九月,辛酉,申命吏部审量崇、观以来滥赏。

初,范宗尹既免相,遂罢讨论。及是复开坐二十四项,凡调官、迁秩、任子,皆令吏部审量以闻,自是追夺者众矣。

起复太尉、湖北、京西宣抚使岳飞,初效用,张所为河北招抚使,见而奇之,用为中军将。所以斥死,飞欲厚报之,至是请以明堂任子恩官其子宗本,仍依近例改补文资,从之。

甲子,摄太傅张浚,率百官上徽宗皇帝、显肃皇后谥册于几筵殿。

丁卯,京东、淮东宣抚处置使韩世忠、淮西宣抚使张俊皆入见,议移屯,命俊将所部自盱眙移屯庐州。时俊军士皆以家属行,而官舟少,参知政事陈与义请赐僦舟钱万缗。帝曰:"万缗可惜,其令杨沂中以殿前司官船假之。"

诏泗州并盱眙县仍旧隶京东,以张俊移屯故也。

庚午,张浚言已具奏解罢机政,所有都督府职事,别无次官交割,诏交与枢密院。

辛未,百官受誓戒于尚书省,帝易吉服。先是权礼部侍郎陈公辅,请先朝一日尽哀致奠,奏于太上皇帝,以将有事于明堂,暂假吉服;既奏,然后即斋宫,入太庙行明堂事毕,服丧如初。

龙图阁学士、知平江府章谊试户部尚书兼提领榷货务都茶场。

壬申,特进、守尚书右仆射、同中书门下平章事兼枢密使、都督诸路军马、监修国史张浚罢,为观文殿大学士、提举江州太平观。

给事中胡世将试尚书兵部侍郎。

先是赵鼎言:"臣蒙恩召还经帷,方再辞,而复遣使宣押,臣感深且泣。至西兴,又奉宸翰促行,且谕以图治之意,臣无地措足。然进退人才,乃其职分,今之清议所与,如刘大中、胡寅、吕本中、常同、林季仲之徒，陛下能用之乎？妒贤党恶，如赵霈、胡世将、周秘、陈公辅，陛下能去之乎？陛下于此或难，则臣何敢措其手也！昔姚崇以十事献之明皇，终致开元之盛，臣何敢望崇，而中心所怀，不敢自隐，惟陛下择之。"疏入，上为徙世将，于是公辅等相继补外。

是日，郦琼至汴，刘豫御文德殿见之，伪授琼靖难军节度使、知拱州；阁门祗候刘光时为大名府副总管，统制官赵(四)〔买〕臣为归德府副总管，统制王世忠为皇子府前军统制，靳赛为左军统制；以次诸将为诸州副钤辖，馀授准备、使唤之类。正军廪给，皆不及朝廷之数，人人悔恨。独琼以为得策，具言南师必欲北征，(具)〔且〕告以诸军虚实。豫入其言，复遣伪户部侍郎冯长宁乞师于金。

癸酉，诏："三省事权从参知政事轮日当笔，俟除相日如旧，更不分治常程事。"

湖北、京西宣抚使岳飞言："伏睹陛下移跸建康，将遂恢图之计。近忽传淮西军马溃叛，郦琼等迫胁军民，事出仓卒，实非士众本心，亦闻半道逃归人数不少，于国计未有所损，不足上轸渊衷。然度今日事势，恐未能便有举动。襄阳上流，即日未有戎马侵攻，臣愿提全军进屯淮甸。万一番、伪窥伺，臣当竭力奋击，期于破灭。"诏奖之。

罢诸路军事，都督府合行事并拨隶三省，其钱物令三省、枢密院同共桩管，遂并入激赏库。

甲戌，张浚落观文殿大学士，依旧宫观。

丙子，观文殿大学士、左正奉大夫、万寿观使兼侍读赵鼎为〔左金紫光禄大夫〕、守尚书左仆射、同中书门下平章事，兼枢密使。鼎再相，进四官，异礼也。

前一日，鼎至行在，帝召对于内殿，首论淮西事，鼎曰："方得报时，臣在远，不得效所见，少补万分，今固无及。然臣愚虑不在淮西，恐诸将浸议，谓因罢刘光世不当，遂有斯变，自此骄纵，益难号令。朝廷不可自沮，为人所窥。"帝以为然。

特进张浚言："臣荷陛下知遇，出入总兵，将近十年，其所施为，不无仇怨。臣今奉亲偕行，去家万里，泛然舟寄，未有定居，望许臣〔于〕都督府借差使臣四员，存留亲兵五十人，以备缓急。如蒙俞允，令所在州于上供钱米内应副。"许之。

自赵鼎召归，浚每以回銮为念，洎罢政登舟，诸人往饯，犹以此言之。秦桧起曰："桧当身任，果有此议，即以死争之。"其后(桧)〔浚〕卒为异论。

戊寅，帝致斋于射殿。

左朝散郎魏良臣知漳州。

诏："庐州、寿春府居民遭郦琼掳掠者，皆蠲其税一年。"

己卯，帝酌献圣祖于常朝殿，特诏尚书左仆射赵鼎侍祠。

庚辰，朝飨太庙，上显恭皇后改谥册宝。

辛巳，合祀天地于明堂，太祖、太宗并配，受胙用乐。赦天下。

故事，当丧无飨庙之礼，而近岁景灵宫神御在温州，率遣官分诣，至是礼官吴表臣奏行之。

召少师、万寿观使、荣国公刘光世、感德军节度使、万寿观使高世则赴行在。

甲申，故武德郎、行营左护军中军准备差使薛抃，特赠二官，禄其家二人，以都统制王德言其不从叛而死也。

乙酉，静海军节度使、安南都护交趾郡王李阳焕薨，子天祚立。阳焕在位九年。

丁亥，徽猷阁待制、枢密都承旨张宗元落职，提举江州太平观。

殿中侍御史石公揆言："宗元本一富人，初无才能；张浚喜其便佞，奖借提挈，亟跻从班。今当深引不能赞佐之咎，自为去计可也，而乃随众诟骂，力诋其非。"故绌之。

中书言："川陕宣抚使吴玠，于梁、洋劝诱军民营田，今夏二麦并约秋成所收，近二十万石，可省馈饷。"诏奖之。

戊子，开州团练使、权主管侍卫马军司公事兼淮西制置〔副〕使刘锜知〔庐州〕，（淮西宣抚使）主管淮南西路安抚司公事，仍兼制置副使。

张俊既还行在，朝议复遣之，俊欲毋往。台谏交章以为淮西无备可忧，赵鼎独显言于众曰："今行朝握精兵十馀万，使敌骑直临江岸，吾无所惧。惟是安静不动，使人罔测，渠未必辄敢窥伺，何至自扰扰如此！倘有它虞，吾当身任其责。俊军久在泗上，劳役良苦，还未阅月，居处种种未定，乃遽使之复出，不保其无溃乱也。"于是议者即欲还临安。起居舍人勾涛直前奏事，言："今江、淮列戍，犹十馀万，若委任得人，尚可用力。当此危疑，讵宜轻退示弱，以生敌心？"因荐锜以所部守合肥，帝从之。时主管殿前司公事、淮西制置使杨沂中亦已还行在，在淮西者，锜一军而已。帝以马步二帅并阙，乃命沂中兼之。

是月，伪齐户部侍郎冯长宁，以刘豫之命乞兵于金主，且言郦琼过江自效，请用为乡导，并力南下。金主虑其兵多难制，阳许之，遣使驰传诣汴京，以防琼诈降为名，立散其众。

先是徽猷阁待制王伦，奉使至归德府，豫授馆鸿庆宫，迟之不遣，檄取国书及问所使何命，伦答以国书非大金皇帝不授，而所命则祈请梓宫。留弥旬，金迓使至，伦始渡河，见金帅完颜昌、宗弼于涿州，具言刘齐营私民怨之状，且其忍负本朝厚恩，若得志，宁不负上国？时金人已定议废豫，颇纳其言。

冬，十月，庚寅朔，诏："依旧间一日开讲筵。"

丁酉，徽猷阁待制、新知永州胡安国提举江州太平观，从所请也。

赵鼎进呈，因言："安国昨进《春秋解》，必尝经圣览。"帝曰："安国所解，朕置之座右，虽间用传注，能明经旨。朕喜《春秋》之学，率二十四日读一过。居禁中亦自有日课，早朝退，省阅臣僚上殿章疏，食后，读《春秋》《史记》；晚食后阅内外章奏，夜读《尚书》，率以二鼓。"鼎曰："今寒素之士，岂能穷日力以观书？陛下圣学如此，非异代帝王所及！"帝曰："顷陈公辅尝谏朕学书，谓字画不必甚留意。朕以谓人之常情，必有所好，或喜田猎，或嗜酒色，以至它玩好，皆足以蛊惑性情，废时乱政。朕自以学书贤于它好，然亦不至废事也。"

戊戌，特进、提举江州太平观张浚，责授秘书少监、分司南京，永州居住。

先是帝谓赵鼎曰："浚误朕极多，理宜远窜。"鼎曰："浚母老，且有勤王大功。"帝曰："勤王，固已赏之为相也，功过自不相掩。"鼎又曰："浚之罪不过失策耳。凡人计谋欲施之际，岂不思虑，亦安能保其万全！傥因其一失，便置之死地，后虽有奇谋妙算，谁敢献之！此事利害自关朝廷，非独私浚也。"帝意解，翼日，乃有是命。

赵鼎之初相也，帝谓曰："卿既还相位，见任执政，去留惟卿。"鼎曰："秦桧不可令去。"张守、陈与义乞罢，帝许之。桧亦留身求解机务，帝曰："赵与卿相知，可以必安。"桧至殿庐，起身向鼎，谓曰："桧得相公如此，更不敢言去。"

户部员外郎霍蠡自鄂州赴行在,诏引对。

是日,伪齐遣兵侵泗州,守臣、起复阁门宣赞舍人刘纲率官军拒退之。寻诏纲领文州刺史。

庚子,都官员外郎冯康国乞补外。

赵鼎奏:"自张浚罢黜,蜀中士大夫皆不自安。今留行在所几十馀人,往往一时遴选。臣恐台谏以浚里党,或有论列,望陛下垂察。"帝曰:"朝廷用人,止当论才不才。顷台谏好以朋党罪士大夫,如罢一宰相,则凡所荐引,不问才否,一时罢黜。此乃朝廷使之为朋党,非所以爱惜人才而厚风俗也。"鼎等顿首谢。

文州团练使、京东、淮东宣抚处置使司右军第一将高杰,除名勒停,本军自效。杰醉击队官,统制巨振答之,杰怒,自断其指。韩世忠以闻,故有是命。

是日,有星殒于伪齐平康镇,壕寨官贲百祥见之,谓人曰:"祸在百日之内。"刘豫问:"可禳否?"曰:"惟在修德。"豫怒,以为诳,斩于市。

辛亥,权管殿前司公事杨沂中,请以诸路所起禁军弓弩手拣刺上四军。赵鼎等因论及南兵可教,张守曰:"止是格尺不及耳。"帝曰:"人,犹马也。人之有力,马之能行,皆不在(驱)〔躯〕干之大小。故兵无南北,顾所以用之如何耳。自春秋之时,申公巫臣通吴于上国,遂霸诸侯,项羽以江东子弟八千,横行天下,以至周瑜之败曹操,谢玄之破苻坚,皆南兵也。"

正议大夫、提举临安府洞霄宫汪伯彦复资政殿大学士,用中书检举也。

甲寅,武翼郎、行营左护军部将张世安为郫琼所杀,特赠武节郎,官其家二人。

乙卯,金以左监军昌为左副元帅,封鲁王;以宗弼为右副元帅,封沈王。

先是知枢密院事时立爱屡以年老请解职,至是致仕。

丁巳,以中书舍人傅崧卿权尚书礼部侍郎,常同试礼部侍郎。

闰月,癸亥,赵鼎奏张俊措置河道事。帝曰:"俊每事必亲临,所以有济。"帝因言:"朕每论将帅,须责其挽弓骑马,人未知朕意,必谓古有文能附众,武能威敌,不在弓马之间。抑不知不能弓马,何以亲临行陈而率三军使之赴难?况今时艰,将帅宜先士卒,此朕之深意也。"

时俊以全军还行在,帝欲令俊尽以舟师分布控扼,然后引兵渡江。鼎曰:"淮西寂然无惊,似不必尔。外间便谓朝廷弃淮西矣。当一向勿问,不发一兵,彼未必敢动。"帝以为然。

甲戌,户部尚书章谊等请用礼官议,为徽宗皇帝作主祔庙,诏恭依。

己卯,龙图阁待制、知处州刘大中试礼部尚书,徽猷阁直学士、知荆南府王庶试兵部侍郎。

辛巳,观文殿大学士、江南西路安抚制置大使兼知洪州李纲提举临安府洞霄宫。

时赵鼎、秦桧已叶议回跸临安,纲闻知,上疏,三省乃检会纲累乞宫观奏章行下。时未有代者,纲惩靖康之谤,乃具以本司积蓄财谷之数闻于朝廷,自是不复出矣。

壬午,诏:"临安太庙,且令留存。"

初以行在建康,故以太庙为本府圣祖殿,是时将回跸,宗庙祀典不可久旷,遂依明德皇后故事,行(理)〔埋〕重虞祭、祔庙之礼。

癸未,复汉阳县〔为〕军,用湖北、京西宣抚使岳飞奏也。寻以右奉议郎、通判鄂州孔戌知军事。

乙酉，赵鼎言："比得旨，复置茶马官，旧有主管至提举官，凡三等。"帝曰："俟择得人，当考其资历命之。"寻以左中奉大夫、直秘阁张深主管成都等路茶马监牧公事。

自赵开后，茶马无专官者近十年，先是知熙州吴璘常取茶至军前博马，因以易珠玉诸无用之物，帝闻之，数加戒饬，故复置官领其事。

戊子，诏："应淮西脱归使臣，不候整会去失，并先次支破本等请给，如有冒滥，即坐以法。"

初，淮军中诸使臣为郦琼劫去，至是复归者甚众，有司以文券不明，例降所给。赵鼎与执政议不合，乃密白于帝曰："此曹去伪归正，当优假之。今乃降其所请，反使栖栖有不足之叹。"帝即批出，各还其本，于是人心欣然，来者相继。鼎因奏事（人）〔又〕言："来春去留之计，望更留圣虑，恐回跸之后，中外谓朝廷无意恢复。"帝曰："张浚措置三年，竭民力，耗国用，何尝得尺寸之地，而坏事多矣。此等议论，不足恤也。"

十一月，甲午，用户部尚书章谊请，初置赡军酒库于行在，命司农寺丞盖谅主之，赐浙东总制钱五万缗为酿本，其后岁收息钱五十万缗。

乙巳，金右副元帅沈王宗弼执伪齐尚书左丞相刘麟于武城。

先是金主已定议废豫，会豫乞师不已，左副元帅鲁王昌谓之曰："吾非不欲出兵也，顾以用兵以来，无往不捷；而自立齐国之后，动辄不利，恐蹈覆车，挫威武耳。"豫请不已，乃以女真万户萨巴为元帅府左都监，屯太原，渤海万户大托卜嘉为右都监，屯河间，令齐国兵权听元帅府节制，遂分戍于陈、蔡、汝、亳、许、颍之间。于是尚书省上豫治国无状，金主下诏责数之，略曰："建尔一邦，逮兹八稔，尚勤吾戍，安用国为？"遂令昌等以侵江南为名，抵汴京，先约麟单骑渡河计事。麟以二百骑至武城，与宗弼遇，金人张翼围之数匝，悉擒而囚之。

丙午，金人废刘豫为蜀王。

初，宗弼既执刘麟，遂与左副元帅昌、三路都统葛王褒同驰赴汴城下，以骑守宣德、东华、左、右掖门。宗弼将褒等三骑突入东华门，问齐王何在，伪皇城使等错愕失对。宗弼以鞭击之，径趋垂拱殿，入后宫门，又问，有美人揭帘曰："在讲武殿阅射。"宗弼等驰往，直升殿，豫遽起，欲更衣，宗弼下马执其手曰："不须尔，有急公事，欲登门同议。"于是偕行出宣德门，就东阙亭少立。宗弼乃麾小卒持羸马，强豫乘之，约令偕至寨中计事。豫拊手大笑上马，从卫犹数十人。宗弼露两刃夹之，囚于金明池。

丁未，故朝请大夫陈师锡，加赠谏议大夫。其子右朝奉郎显，言党籍徐官任台谏者凡七人，其五人皆已赠谏议大夫，故有此命。

是日，金右副元帅鲁王昌复入汴京，召伪齐文武百官、军、民、僧、道、耆寿，拜金诏于宣德门下。宣诏已，昌与宗弼、张紫盖，从素队数十人，立西朵楼下。伪尚书左丞相张昂，（右）〔左〕丞范恭、右丞李邺，趋前欲拜，昌敛身，令通事传言慰劳，昂等次第进揖。次见宗弼，宗弼不为礼。昂等退，二帅入居东府，遣铁骑数千巡绕大内，又遣小卒巡行坊巷，扬言曰："自今不用汝为签军，不取汝免行钱，不取汝五厘钱，为汝敲杀貌事人，请汝旧主人少帝来此住坐。"于是人心稍定。尚书省行下："齐国自来创立重法，一切削去，应食粮军，愿归农者许自便。齐国宫人，检刘豫所留外，听出嫁。内侍除看守宫禁人外，随处住坐。自来齐国非理废罢大小官职，并与叙用。见任官及军员，各不得夺侵民利。自来逃亡在江南人，却来归投者，并免本罪,优加存恤。一应州县见勘诸公事,不得脱漏。"

始,豫僭位,作褚币,自一千至百千,皆题其末日"过八年不在行用",其兆已见矣。逮豫之废也,汴京有钱九千八百七十馀万缗,绢二百七十馀万匹,金一百二十馀万两,银一千六十万两,粮九十万斛,而方州不在此数。

豫拘于琼林苑,尝蹙额无聊,谓鲁王昌曰:"父子尽心竭力,无负上国,惟元帅哀怜之。"昌曰:"蜀王,汝不见赵氏少帝出京日,万姓然顶炼臂,号泣之声闻十馀里。今汝废,在京无一人怜汝者,汝何不自知罪也!"豫语塞。昌逼之北行,问以所欲,豫乞居相州韩琦宅,昌许之。先是进士邢希载、毛澄上书,请豫密通朝廷,为所杀。自是留钱五万,命道士追荐诸直言者而去。

豫弟京兆留守益,轻财好施,礼贤下士,与士卒同甘苦,颇有远略,金人亦忌之。将废豫,先遣左监军完颜杲、右都监萨巴以侵蜀为名伐京兆,袭益以归。

金人以伪齐银青光禄大夫、太子太傅张孝纯权行台尚书左丞相,契丹萧保寿弩为右丞相,金人温敦师中为左丞,燕人张通古为右丞,伪齐户部侍郎冯长宁为户部尚书,燕人张钧为礼部侍郎,又以杜崇为兵部郎中,张仲熊为光禄寺丞,皆在行台供职。崇,充子;仲熊,叔夜子也。钧始事辽,为鸿胪寺少卿、辽(京)〔兴〕军节度掌书记,奉张觉归顺表来朝,除徽猷阁待制,至是复用。罢伪齐尚书右丞相张昂知孟州,左丞范恭知淄州,右丞李邺知代州,殿前都指挥使许青臣同知怀州,伪皇子府左军统制靳赛同知相州,户部员外郎韩元英为忠武军节度副使,南路留守翟纶为横海军节度副使,又以完颜呼沙呼为汴京留守,伪齐河南监酒李俦同知副留守,知代州刘陶为都城警巡使,宗室赵子涤为汴京总制,伪皇子府选锋军统制李师雄为马步军都虞候,前军统制王世忠为步军都虞候,伪知莱州徐文为汴京总管府水军都统制,伪镇海军节度使、山东路留守李成为殿前都指挥使兼知许州,孔彦舟为步军都指挥使兼知东平府,泾原路经略使张中孚为陕西诸路节制使、权知永兴军,秦凤路经略使张中彦权知平凉府;麟府路经略使折可求,环庆路经略使赵彬,熙河路经略使慕容洧,资政殿学士、知开封府郑亿年,知河南府关师古,知拱州郦琼,知亳州王彦先,知宿州赵荣,大名府副总管刘光时,并依旧职。

时金晋国王宗翰已亡,全主以太师、领三省事宋国王宗磐为太宗长子,豪猾难驭,而京东留守宗隽乃亲叔父,有才望,乃拜宗隽太保、领三省事,封兖国王以制之。

初,金制,自祖宗以来,优恤臣下,乐则同享,财则共用。自金主初时,词臣韩昉教之,稍学赋诗染翰。及嗣位,左右日进谄谀,导之以宫室之壮,侍卫之严,入则端居九重,出则警跸清道,视旧功大臣寝疏,且非时莫得见,尽改开国之故制。由是宗戚思乱。

初,修武郎朱弁,既为金人所拘,至是遣使臣李发归,报宗翰等相继殁亡。秦桧曰:"金国多事,势须有变。"帝曰:"金人暴虐,不亡何待!"桧曰:"陛下但积德,中兴固自有时。"帝曰:"亦须有所施为而后可以得志。但今政犹病人误服药,气力尚羸,来春当极力经理中原。"

乙卯,为徽宗皇帝、显肃皇后立虞主,不视朝。故事,山陵埋重于皇堂之外,及将祔徽宗主,翰林学士朱震言不当虞祭,又请埋重于庙门之外。帝命礼官议,太常以为不可,乃埋重于报恩观,立虞主。昭慈之丧也,工部侍郎韩肖胄题虞主,至是震引汉、唐及昭陵故事为言,乃不题。

十二月,乙丑,帝亲行卒哭之祭,用酒币。先是虞主还几筵殿,帝服袍履奉迎,遂行安神礼。自埋重至于癸亥,皆太常代行九虞,及是又亲祭焉。

丁卯,祔徽宗皇帝、显肃皇后神主于太庙第十一室。初议祔庙毕纯吉服,及太常以为请,上诏曰:"情有不安,可并如旧,其俟过小祥取旨。"

戊辰,中书门下省奏:"勘会已降指挥,来春复幸浙西,所有太庙神主,合先次进发。"诏恭依。

庚午,枢密院进呈:"先得旨,令京东宣抚处置使韩世忠移司镇江府,留兵以守楚州。"秦桧奏曰:"诸军老小既处置得宜,万一警急,诸帅当尽力捍卫。"时已命张俊、岳飞皆留屯江内,故桧奏及之。

世忠上奏,极论:"敌情叵测,其将以计缓我师,乞独留此军,蔽遮江、淮,誓与敌人决于一战。"帝赐札曰:"朕迫于强敌,越在海隅,每慨然有恢复中原之志。顾以频年事力未振,姑郁居于此。前日恐有未便,委卿相度,今得所奏,益见忠诚,虽古名将何以过。使朕悚然兴叹,以谓有臣如此,祸难不足平也。古人有言,'阃外之事,将军制之,'今既营屯安便,控制得宜,卿当施置自便,勿复拘执。至于军饷等事,已令三省施行。"

辛巳,尚书礼部侍郎常同试御史中丞。

癸未,有司奉九庙神主还浙西,百官辞于城外。

徽猷阁待制王伦、右朝请郎高公绘还自金。

初,刘豫既废,左副元帅鲁王昌乃送伦等归,曰:"好报江南,既道涂无壅,和议自此平达。"

前七日,知泗州刘纲奏伦归耗,帝颦蹙曰:"朕以梓宫及皇太后、渊圣皇帝未还,晓夜忧惧,未尝去心。若敌人能从朕所求,其馀一切非所较也。"赵鼎曰:"仰见陛下孝心焦劳。"帝曰:"国家但能自治以存天心,岂无复强之日!"及见,伦〔言〕金人许还梓宫及皇太后,又许还河南诸州,帝大喜,赐与特异。时通问副使朱弁以表附伦归进,帝览之感怆,厚恤其家。

金主诏改明年为天眷元年,大赦。命韩昉、耶律绍文等编修国史,以完颜勖为尚书左丞、同中书门下平章事。

是日,金徙刘豫于临潢府。

丁亥,以王伦为徽猷阁直学士、提举醴泉观,充大金国奉迎梓宫使;高公绘为右朝奉大夫,充副使。

是冬,川陕宣抚副使吴玠遣裨将马希仲攻熙州。希仲素妄庸,得檄即气索,不得已进营熙州城外数十里。熙州父老闻官军来,有欲率众归附者,金将宣言曰:"北军今日大至,当共劫营。"希仲闻之,昏时拔寨遁去。希仲还,玠斩之以徇。

【译文】

宋纪一百十九　起丁巳年(公元1137年)八月,止十二月,共五月。

绍兴七年　金天会十五年(公元1137年)

八月,壬辰(初二),张浚上奏:"据侦察报告说,伪齐让人民抽签当兵,六十岁以上者削减,五十岁以上增加,法令条文的繁杂,百姓活不下去。军队开拔的时候,自杀于河沟里的不可胜数。"皇帝皱眉叹息说:"我的子民可怜到这种地步,应当想办法拯救他们。可以告诉江、淮等郡,凡是前来归附的,要格外安抚接纳,多给赈济,不要让他们流离失所。"

癸巳(初三),高宗皇帝和执政大臣议论漕运官是否能干,因而说到了向子諲。高宗皇帝说:"朝廷元帅昔日共事的人,往往都去世了。汪伯彦实在是共患难的人。我的旧人,存活的已没有几个。汪伯彦应该从优叙功。"张浚上奏说:"臣等已经商量过。想等到行大赦礼时领旨施行。如果再能得到陛下亲笔题几个字明确肯定元帅府过去的功劳,那么宫廷内外都会信服。"皇帝说:"等到了九月,应当再交给郡里。"汪伯彦未及第时,曾任教于王氏私塾,秦桧也跟从学习,而张浚也是汪伯彦推荐的,所以一致赞同此事。

乙未(初五),少保、江南路宣抚使张俊任淮南西路宣抚使,在盱眙军设置帅府;保成军节度使、主管殿前司公事杨沂中任淮南西路制置使;开州团练使、权主管侍卫马军司公事刘锜任淮南西路制置副使,在庐州设衙门。

守墓武官像　金

当吕祉到庐州时,郦琼等人又在吕祉面前告王德的状。吕祉劝告他们说:"如果我认为你们对的话,那就与事实大相径庭了。但是张丞相只喜欢军人奋勇向前,倘若能建立功勋,虽然有大过失,他也能原谅,更何况这点小纠纷!"因此秘密上奏,请求罢免郦琼和统制官靳赛的兵权;皇帝就命岳飞和张宗元这两位元帅去淮西召郦琼等回到皇帝住处。

权尚书兵部侍郎兼都督府参议军事、权湖北、京西宣抚判官张宗元任徽猷阁待制、枢密使都承旨。岳飞复任原职。张宗元就回来了,应对之后,就有了这道任命。

丙申(初六),尚书户部员外郎霍蠡转升一级官,这是采纳权湖北、京西宣抚判官张宗元的奏请。霍蠡在鄂州,为岳飞军筹措钱粮,张宗元说他正直奉公,所以特意提升。

原先岳飞多次说军中缺粮,皇帝就命令霍蠡前去视察。到这时霍蠡说:"岳飞军中每年统制、统领、将官、使臣三百五十余人,多申请钱饷十四万多缗,军队八千多人,多申请钱饷一千三百多缗,总共十五万多缗。"因此右正言李谊说:"霍蠡职责就是出纳,按理应当用心。然而担心检查得太苛刻仔细,如果要改正的话,除去应支给的六万多缗钱,也才节省九万缗而已。希望让他照旧检核支发,务必保存大体,来体现皇上优抚将士的心意。"

戊戌(初八),张浚呈文推荐显谟阁待制、知荆南府王庶重任徽猷阁直学士,皇帝说:"王庶曾说:'现在治天下不能一味姑息,应当首先进行诛杀。'说我太慈悲。听说仁宗皇帝曾说:

2754

'宁可错在过分心慈上,也不能错在太苛刻上。'这是祖宗的英明训示。现在百姓犯了罪,自然有通常法律制裁,为什么要先行诛杀呢?"张浚等人说:"圣人有三样宝贝,首先就是仁慈,没有听说戒仁慈的。王庶学识粗浅,不懂得大局。"

张浚因而说到伪齐还在使用宋朝的军器,皇帝说:"祖先有内军器库,在诇门有几百所,收藏弓箭铠甲兵器,不可胜数,还有酸枣门外的军器库,数量也和上述差不多。原先祖上设置军器库,有内外库不同,弓箭武器也分类收藏,分派官员主管,都有深刻的含意。"陈与义趁机说:"不久前作澶渊教官,曾经看见盔甲武器很多;长久不用,往往腐朽了。"皇帝说:"这样的东西能不用,也是美事。"

郦琼叛乱,捉住了兵部尚书吕祉。

吕祉为人轻傲,与将士们感情不沟通。淮西转运判官韩玭,以前在刘光世幕府中,刘光世对他不以礼相待,到这时将校有的因获罪离去。吕祉听说郦琼等人怀有二心,上奏皇帝请求派殿前司撞锋军统制吴锡一军队驻扎庐州加强防备,又派韩玭到建康催促他,郦琼听说后,更加强了反意。统制官康渊说:"朝廷一向轻视武官,让他们多受屈辱。听说齐国皇帝礼贤下士,武士都受到他的重用。"众人都没有应声,只拿眼睛互相看。在此以前统制官王师晟在寿春带着军中妓女离去,他的家属到吕祉那里告状;当时将士正不安心于吕祉的管辖,王师晟就和郦琼以及统制官王世忠、张全等人阴谋作乱。

吕祉请求罢免郦琼和靳赛的事,他的书吏朱照泄漏给了郦琼。郦琼派人拦住了吕祉派出的送信人,全部知道了吕祉所说的军官的罪行,郦琼等人非常气愤。正好受命交换屯驻地,康渊就说:"投靠中原,就安全了。"第二天早上,各将早晨拜见吕祉,坐下来后,郦琼从衣袖中拿出文书,给中军统制官张景看,说:"各将领有什么罪,张统制就把这样的事报告给朝廷?"吕祉看见书信,非常惊讶,想逃已来不及了,被郦琼捉住。有一个穿黄衣的士兵,用刀砍郦琼,砍中后背,郦琼大喊道:"你怎么敢?"回头看见有人拿着铁锤,郦琼夺过来打那个士兵,打死在台阶下。郦琼的亲兵已经在大厅上杀死了张景,又杀了都督府同提举一行事务乔仲福和他的儿子武略大夫乔嗣古、统制官刘永衡,于是捉住阁门祗候刘光时,率领全军长驱直进。到了州府东边的城楼下,吕祉对郦琼说:"如果我有过失,应当任由你处治,为什么这样背叛朝廷?"士兵在城中大肆抢掠后离去。当时直徽猷阁、前知庐州赵康直,秘阁修撰、知庐州赵不群,都被他们逮住,不久释放赵不群。大概是因为他到任不到十天,跟将士没有什么仇怨的缘故,郦琼就带其部下四万人渡过淮河投降了刘豫。

辛丑(十一日),皇帝听说淮西失守,亲笔下诏给郦琼等人说:"我亲自安抚将士,至今已超过十年,你们力杀仇敌,身经百战,不久前让你们来保卫王室,是念及你们长期在边疆戍守。应该想到让你们回来,正想进一步亲近信任,怎么能有二心,竟想叛变逃跑!假如我的处理,或许有不全合乎事实,你们的诚心,或许没有传达上来让我知道,或者因为营寨刚筑成不想迁移,或者因为占据了有利形势而愿意奋勇征战;都让我知道,我一定会同意你们的意愿。所有庐州屯驻左护军出城副都统制以下的将领士兵,以诏书所到之日为准,以前所犯的罪,不论大小,一概不究,全部赦免。"

壬寅(十二日),兵部尚书、都督府参谋军事吕祉,被郦琼杀害。

先一天,郦琼和他的部下挟持着吕祉驻扎三塔,距离淮河仅三十里地。吕祉下马站在枣林下,对那些人说:"刘豫是叛臣,我怎么能去见他!"众人逼迫吕祉上马,吕祉说:"死就死在这里,你们过去自己都难保,又怎么能保住我?"士兵听了这句话,有人伤感叹息。郦琼害怕动摇大家心意,就急忙驱马首先渡过淮河,到了霍丘县,命令统制官尚世元杀死吕祉。尚世元用刀刺吕祉,并且回头让统领官王师晟帮忙,王师晟不肯。吕祉大骂郦琼不停,就被打破脑袋打掉牙齿而死,终年四十六岁。这时直徽猷阁赵康直也被害死。尚世元砍下吕祉的脑袋给郦琼看,郦琼把它挂在树梢上,有个名叫江涣的侍从,把它取下来埋掉了。

主管马军司公事刘锜、殿前司摧锋军统制吴锡,不久到了庐州,派兵追赶叛军,已赶不上了。皇帝派枢密都承旨张宗元去招纳叛军士卒。制置使杨沂中听说郦琼已经渡过淮河,就派人拿着羊肉和酒去慰劳官军。于是刘锜又返回濠州。

甲辰(十四日),皇帝自书诏令说:"观文殿大学士、两浙东路安抚制置大使兼知绍兴府赵鼎任万寿观使兼侍读,迅速到皇帝住处来。"

这天,张浚退朝后单独留下来,请求免去他的职位。皇帝问可以代替他的人,张浚不回答。皇帝说:"秦桧怎么样?"张浚说:"最近和他共同处理事务,才知道他很糊涂。"皇帝说:"那么就启用赵鼎?"就让张浚拟文召赵鼎来见。秦桧认为张浚一定会推荐自己,退朝后到尚书省都堂,找张浚交谈了好长时间。皇帝派人催促交上所拟的文字,秦桧才惊愕地退了出去。张浚起初引见秦桧共理政务,同朝共事以后,才知道他存有观望之心,因此趁皇帝问时谈到。

乙巳(十五日),伪齐刘豫得到郦琼来降的报告,高兴极了。在这以前刘豫听说宋军移调,派伪户部员外郎韩元英到金主那里搬兵,以南边宋军进逼长淮作借口,想合力南侵,金主不答应。到这时颍昌府报喜旗帜飞驰而至,说淮西百姓十多万人前来归附,已经收缴了武器接纳了他们。刘豫就命令粉刷门窗墙壁,增加仪仗和卫兵,等待他们到来,又命伪户部侍郎冯长宁任接纳使,伪皇子府选锋统制李师雄为副使。

戊申(十八日),权礼部侍郎吴表臣说:"按科考试较量技艺,考诗赋用以选取文才,策论用以选取实际工作能力,两者实在不可偏废。然而近年科举,有的诗赋较好,就不再考虑策论的水平高低,以至于老成有务实能力的人,不能没有落第的叹息。希望特下圣旨,今年秋试和将来的省试,考生三场内所作的文章须相互参考。如果诗赋虽然平常但策论精深博大,也不能漏取。这就使各地学者知道应该倾慕追求的是什么,不单独从事空洞的文辞,都有可用的实际学识。"辅政大臣呈上了他的意见,皇帝说:"文学、政事本来就是两科,诗赋只是文辞,策论就必须通古知今。学问中重要的是,修养自身、整顿好家庭、治理国家以至于治理天下。专取文辞好的,又有什么用!"

乙卯(二十五日),皇帝下诏:"明年礼部上奏进士名单,按祖先的成例,不再临场进行策试。"权吏部侍郎陈公辅进见,请求皇帝免去为皇帝讲解经史等特设的讲席和皇帝亲自以策论考试进士等事,认为三年之内,凡是涉及吉礼的事,都不宜宣讲。因此皇帝下了这道诏书。

己未(二十九日),刑部尚书胡交修等人奏请用已故尚书左仆射韩忠彦陪祀徽宗皇帝庙庭。

皇帝下诏:"从此后讲经的日子,只让讲读官进宫口述,不再亲临讲经筵。"因为权礼部侍郎陈公辅说,恐怕每天亲临讲经筵会妨碍皇帝退朝服丧礼的制度。

九月,辛酉(初二),重申命令吏部审查计算。徽宗崇宁、大观年以来滥发赏赐的官员。

当初,范宗尹免去宰相职务后,就不再讨论这件事。到现在又开列他所犯的二十四项罪责,凡是官吏已调动,升迁降职、推荐亲属做官,都命吏部审查统计报告上来,从此被追夺回官职的人很多。

恢复起用太尉、湖北、京西宣抚使岳飞。岳飞当初参军效命国家的时候,张所任河北招抚使,见岳飞后认为他是个奇才,用他作中军将。张所因被排斥而死,岳飞想好好报答他,到现在请求朝廷按由父任官而其子得官的制度恩赏张所的儿子张宗本为官,还要按照近来的做法改为文职,皇帝答应了。

甲子(初五),摄太傅张浚,带领百官到几筵殿献上了徽宗皇帝、显肃皇后的追封谥号文册。

丁卯(初八),京东、淮东宣抚处置使韩世忠、淮西宣抚使张俊都进宫拜见皇帝,商议调动军队的事。皇帝命令张俊率其部队从盱眙移驻庐州。当时张俊的将士都带家属随行,但是官船少,参知政事陈与义请求赏赐雇船钱一万缗,皇帝说:"一万缗太可惜了,让杨沂中把殿前司的官船借给他们。"

皇帝下诏将泗州并入盱眙县仍然隶属京东,这是因为张俊移军的缘故。

庚午(十一日),张浚说,已经上奏解除机要政务,都督府的所有职权事务,由于没有副职可交代。皇帝诏令交给枢密院。

辛未(十二日),百官们在尚书省接受誓戒,皇帝改穿吉服。在此以前,权礼部侍郎陈公辅,请求提前一天致哀奠祭,奏于太上皇帝说,因为朝廷将在朝堂举行典礼,暂时改穿吉祥服装;奏毕,然后到斋宫,进太庙举行朝堂大典之后,照常服丧。

龙图阁学士、知平江府章谊试任户部尚书兼提领榷货务都茶场。

壬申(十三日),特进、守尚书右仆射、同中书门下平章事兼枢密使、都督诸路军马、监修国史张浚罢官,改任观文殿大学士、提举江州太平观。

给事中胡世将试尚书兵部侍郎。

在此以前赵鼎进言:"臣蒙皇帝的大恩召回朝廷,正想再次推辞,而您又派使者宣诏传见,我深受感动泪流满面。到了西兴,又奉命急促前行,并且告诉了我您励精图治的心意。我手足无措。然而选拔人才,是我的职责;现在公平的舆论所赞扬的人,如刘大中、胡寅、吕本中、常同、林季仲等一类人,陛下能起用他们吗?嫉妒贤良结党营私,像赵沔、胡世将、周秘、陈公辅,陛下能免去他们吗?陛下对这些或许为难,那么我怎么敢放手做事呢?过去姚崇给唐明皇提出了十件事,终于导致了开元盛世;我哪里敢期望自己像姚崇一样,但是心中所向往的,不敢自己隐瞒,只希望您选择。"奏折送上去后,皇帝为此将胡世将调离职位。在这时陈公辅等人也相继补任外官。

这天,郦琼到了汴梁,刘豫到文德殿接见他,伪授郦琼靖难军节度使、知拱州;阁门祇候刘光时任大名府副总管,统制官赵买臣为归德府副总管,统制王世忠为皇子府前军统制、靳赛为左军统制;下面的各位将领都依次做各州副铃辖,其余人授给准备、使唤之类。军队的钱粮供给,都比不上宋朝发给的数目。人人后悔。只有郦琼认为计策成功,说宋军一定要北伐,并且详告各军的具体情况。刘豫接受了他的话;又派伪户部侍郎冯长宁去金国搬兵。

癸酉(十四日),皇帝下诏说:"三省的事务暂且由参知政事按天轮流批阅处理,等到任命宰相后再恢复旧制,不再分管日常事务。"

湖北、京西宣抚使岳飞说:"我看陛下移驻建康,将要实现收复失地的计划。最近忽然传来淮西军马叛变,郦琼等胁迫军民的消息,事情发生得太突然,实在绝不是众军民的本意。也听说半路逃回来的人数不少,对国家大计没什么损害,不值得皇上伤心。但是估计现在的形势,恐怕不会立即就有举动。襄阳往上流的地方,这几天没有敌人进攻,我愿率领全军进驻淮甸。万一蕃夷、伪齐偷偷摸摸地图谋我们的疆土,我一定全力反击,并希望消灭他们。"皇帝下诏奖励了他。

撤去诸路军事机构,都督府应该办理的事务全拨属三省,钱物让三省、枢密院共同管理。于是全藏入激赏库。

甲戌(十五日),张浚免除观文殿大学士,仍旧提举宫观。

丙子(十七日),观文殿大学士、左正奉大夫、万寿观使兼侍读赵鼎为左金紫光禄大夫、守尚书左仆射、同中书门下平章事、兼枢密使。赵鼎再任宰相,升任四种官职,不同常礼。

前一天,赵鼎到了皇帝住所,皇帝在内殿召他应对。首先谈论淮西的事,赵鼎说:"刚得到报告的时候,我离得远,不能献上我的意见,以补救万分之一,现在就更加来不及了。但是我愚笨的忧虑不在淮西,而是害怕各将领私下议论,说因为不正确地罢免了刘光世,才有这次事变,从此骄傲放纵,更难指挥。朝廷不能自己泄气,而被别人窥视。"皇帝认为对。

特进张浚进言说:"我蒙陛下知遇之恩,出入带兵打仗,将近十年,所作所为,没有不结下仇怨的。我现在带老人同行,离家万里,漂泊于舟楫之上,没有固定的住所,希望允许我从都督府差借四名将领,保留五十名亲兵,以防备突然事件。如果蒙您允许,让途经各州从上供的钱粮中支付。"皇帝答应了他。

自从赵鼎召回朝廷后,张浚每每念及皇帝车驾返回京师之事,直到退职上船,众人前去饯行,还提起这事。秦桧站起来说:"我应身负重任,如果研究这事,我就拿命来争取实现它。"此后秦桧终于发表了与众不同看法。

戊寅(十九日),皇帝在射殿吃素斋戒。

任左朝散郎魏良臣知漳州。

皇帝下诏:"庐州、寿春府居民遭受郦琼掳掠的,都免一年赋税。"

己卯(二十日),皇帝在常朝殿酌酒献祭圣祖,特命尚书左仆射赵鼎侍祭。

庚辰(二十一日),早上皇帝在太庙供献祭品,献上改谥显恭皇后的册宝。

辛巳(二十二日),在朝堂合祭天地,太祖、太宗都陪祀,奏乐献肉,大赦天下。

按旧例,在居丧的时候没有给太庙献祭品的礼制,但是近几年景灵宫神位在温州,都是派官分别去祭。到这时根据礼官吴表臣的请求行此礼仪。

召令少师、万寿观使、荣国公刘光世,感德军节度使、万寿观使高世则来皇帝住处。

甲申(二十五日),已故武德郎、行营左护军中军准备差使薛抃,特追赠二个官职,给他的两个家属发放俸禄。由于都统制王德进言说他是不随同叛逆而死的缘故。

乙酉(二十六日),静海军节度使、安南都护交趾郡王李阳焕死,他的儿子李天祚继立。李阳焕在位九年。

丁亥(二十八日),徽猷阁待制、枢密都承旨张宗元免职,任提举江州太平观。

殿中侍御史石公揆进言说:"张宗元本是一个富翁,并无什么才能;是张浚喜欢他会奉承,奖励提携他,至今跻身于辅臣的行列。现在应当大加追究自己不能辅佐的过失,也该自谋离职了,但他却随着众人一起漫骂,极力诋毁张浚的错处。"所以皇帝免了他的官。

中书省进言说:"川陕宣抚使吴玠,在梁、洋等地劝说引导军民种田。今年夏天大麦小麦的收成及估计秋收所得,将近二十万石,可以省去好多军饷。"皇帝下诏奖励他。

戊子(二十九日),开州团练使、权主管侍卫马军司公事兼淮西制置副使刘锜知庐州,主管淮南西路安抚司公事,仍然兼任制置副使。

张俊回到皇帝驻处后,朝官议论再派他去淮西,张俊不想去。台谏官员交替上奏说淮西没有防备值得忧虑。唯独赵鼎一个人在众人中高声说:"现在战时朝廷握有十余万精兵,假使敌兵直逼江岸,我们也不害怕。只有安静不动,使敌人莫测深浅,他们未必敢私下里轻举妄动,何至于这样自扰!如果有其他不测,我一定亲自承担这个责任。张俊的军队久驻泗上,劳苦得很,回来还不到一个月,住所等事都没有解决,就马上让他们再次出征,不能保证他们不会溃乱。"于是就有人议论想还都临安。起居舍人勾涛直走到前边上奏说:"现在江、淮一带布防的军队,犹有十余万,如果任命的人合适,还是有一定力量的。在这危难关头,怎么能轻易地退却显出力量薄弱,助长敌人好战之心呢?"因此推荐刘锜带其部下守合肥,皇帝听从了。当时主管殿前司公事、淮西制置使杨沂中也已回到皇帝住处,在淮西军队,只有刘锜一军而已。皇帝因为马军和步军的统帅都没有人选,就命杨沂中兼任。

这月,伪齐户部侍郎冯长宁,受刘豫的命令向金主乞求发兵,并且说郦琼过江自愿效命,请用他做向导,合力南进。金主顾虑郦琼兵多不好控制,表面上答应了他,迅速派使到汴京,以防止郦琼诈降为借口,立即解散他的部队。

在此以前徽猷阁待制王伦,奉命出使到达归德府,刘豫安排他住在鸿庆宫,迟迟不让走,发文索取国书并询问出使的使命是什么。王伦回答说国书不是大金皇帝不交,所奉使命是请回先帝的棺材。留了足足十天,金国迎接的使者到了,王伦才渡河,在涿州会见了金国元帅完颜昌和宗弼,详尽地陈说了刘豫谋求私利百姓怨声载道情况,况且他忍心背叛宋朝的深厚恩情,如果得志,难道不会背叛金国?当时金人已商量好废除刘豫,很能接受王伦的话。

冬季,十月,庚寅朔(初一),皇帝下诏说:"照旧隔一天开讲筵。"

丁酉(初八),徽猷阁待制、新知永州胡安国为提举江州太平观,这是听从他的请求。

赵鼎献上呈文,因而进言说:"胡安国昨天献上《春秋解》,您肯定曾经读过。"皇帝说:"胡安国所解的《春秋》,我放在座右,虽然间或采用旧有注释,但能明达经书的意旨。我喜欢《春秋》的学问,大概二十四天读一遍。住在宫中也订有每日课程,早朝退后,批阅臣僚上殿时的奏章,吃饭后,读《春秋》《史记》;晚饭后阅读内外章奏,夜里读《尚书》,大概用两更的时间。"赵鼎说:"现在一般穷苦士大夫,那里会整天用心看书?陛下这样好学,不是其他朝代帝王比得上的。"皇帝说:"不久前陈公辅曾劝我学书法,说字画不必过于留心。我认为人之常情,必然有所爱好,有的喜欢打猎,有的喜欢酒色,以及其他的玩物爱好,都足以迷惑人的性情,浪费时光,搞乱政事。我自己认为学写字比其他的爱好要好,但也不能因此荒废政事。"

戊戌（初九），特进、提举江州太平观张浚，责令改授秘书少监，分司南京，在永州居住。

在这以前皇帝对赵鼎说："张浚给我造成极多失误，按理应当远远地发遣。"赵鼎说："张浚的母亲年老，何况他有尽力于王室的大功。"皇帝说："尽力王室的功劳，早已赏他做宰相，功过本来不能互相抵销。"赵鼎又说："张浚的罪过不过是失策罢了。大凡人要施行计谋的时候，怎能不仔细考虑，但又怎能保证万无一失呢！假若因为他的一次失误，就置之死地，后来的人虽然有奇谋妙计，谁还敢献出来呢！这件事处理好坏关系到朝廷的大事，不单是偏袒张浚一个人的事。"皇帝理解了，第二天，才有这道任命。

赵鼎初任宰相的时候，皇帝对他说："你既然回到相位上，现任的执政官，留任和去职都听你的。"赵鼎说："不能让秦桧去职。"张守、陈与义要求免官，皇帝允许了。秦桧在退朝后留下来请求解除机要事务，皇帝说："赵鼎和你是知交，肯定可以相安无事。"秦桧到了殿庐，起身面对赵鼎，说："秦桧能得先生这样相待，不敢再说离职的话了。"

户部员外郎霍蠡从鄂州到皇帝驻处，皇帝下诏召见他应对。

这天，伪齐派兵侵扰泗州，守臣、起复阁门宣赞舍人刘纲带领官军击退了敌军。不久皇帝下诏命刘纲领文州刺史职。

庚子（十一日），都官员外郎冯康国请求到外地补职。

赵鼎上奏说："自从张浚被罢免，蜀地的士大夫人人自危。现在留在皇帝驻处的差不多有十几个人，大多是一时挑选出来的人才。我怕谏官会因为他们是张浚的同乡，在弹劾张浚时有所涉及，请您明察。"皇帝说："朝廷任用人，只应当看有没有才能。以前御史台谏官喜欢给士大夫扣上结党拉帮的罪名。如果罢免一个宰相，就把凡是他推荐的人，不论是否有才能，一下子全罢免。这恰恰是朝廷让他们结成帮派，而不是爱惜人才和使风气淳厚。"赵鼎等人叩头谢恩。

文州团练使、京东、淮东宣抚处置使司右军第一将高杰，勒令停职开除军籍，在本军效力。高杰醉酒后拳打队官。统制官臣振鞭打他，高杰很气愤，自己砍断了手指。韩世忠将此报告给了皇帝，所以有这道命令。

这天，有一颗星在伪齐平康镇坠落，壕寨官贾百祥发现后，对人说："百天之内定有灾祸。"刘豫问他："可以消灾吗？"他说："只有修养好德性。"刘豫很生气，认为是胡说骗人，在街市上杀了他。

辛亥（二十二日），权管殿前司公事杨沂中，请求用各路派上来的禁军弓箭手中拣选教练禁军的上四军。赵鼎等人趁机议论到南方的军队也可以教练，张守说："只是身高不够罢了。"皇帝说："人，跟马一样。人所以有力气，马所以能行走，都不在于身躯的大小。因此军士不分南北，只是看如何使用罢了。自从春秋时起，申公巫臣使吴国和中原国家交流，终于称霸诸侯；项羽凭借八千江东子弟，横行天下，说到周瑜的击败曹操，谢玄的击败苻坚，都是南方军士干的。"

正议大夫、提举临安府洞霄宫汪伯彦重任资政殿大学士，是采用了中书省的推举。

甲寅（二十五日），武翼郎、行营左护军部将张世安被鄜琼杀死，特别追赠为武节郎，给他家属二人授官。

2760

乙卯（二十六日），金任左监军完颜昌为左副元帅、封为鲁王；任宗弼作右副元帅，封为沈王。

在此之前知枢密院事时立爱多次因为年老请求解除职务,到这时才辞官。

丁巳(二十八日),任命中书舍人傅崧卿为权尚书礼部侍郎,常同为试礼部侍郎。

闰十月,癸亥(初五),赵鼎报告张俊修整河道的情况,皇帝说:"张俊每件事必须亲自处理,因此会成功。"皇帝因此说:"我每次议论将帅,一定要求他们骑马射箭。他人不明白我的意思,强调说古代将领有文才能安抚军众,武略能威慑敌人,不在骑马射箭的技能。却不知道不能骑马射箭,凭什么亲临军阵率领军队奋勇杀敌?何况现在时局艰难,将帅应该身先士卒,这是我的深意呀。"

当时张俊率主军回到皇帝驻处。皇帝想让张俊将全部水军分布各处控制各处要塞,然后领兵渡江。赵鼎说:"淮西静悄悄的没有警报,似乎没必要。这样外边就会认为朝廷放弃了淮西。应当一直不理,不派一兵一卒,对方未必敢轻举妄动。"皇帝认为对。

甲戌(十六日),户部尚书章谊等人请求采用礼官的意见,给徽宗皇帝建筑主祭和祔祭的庙宇,皇帝下诏恭敬地听从了。

己卯(二十一日),任命龙图阁待制、知处州刘大中试礼部尚书,徽猷阁直学士、知荆南府王庶试兵部侍郎。

辛巳(二十三日),观文殿大学士、江南西路安抚制置大使兼知洪州李纲被任命为提举临安府洞霄宫。

当时赵鼎、秦桧已经决定朝廷迁返临安,李纲听说后,呈上奏章,三省就查出李纲多次请求任职宫观的奏章已批下来。当时没有代替李纲的人,李纲鉴于靖康年间所受的谴责,于是就把本处积蓄的钱粮数目具体报告给朝廷,从此不再有任何行动。

壬午(二十四日),皇帝下诏说:"临安的太庙,暂且保存。"

当初因为行宫在建康,就用太庙作了皇家圣祖殿堂,这时皇帝将要返回,宗庙祭祀典礼不能长期不行,就照明德皇后旧例,举行埋重虞祭及祔庙的典礼。

癸未(二十五日),恢复汉阳县为汉阳军,采用湖北、京西宣抚使岳飞的奏议。很快派右奉议郎、通判鄂州孔茂知军事。

乙酉(二十七日),赵鼎进言说:"近日得到圣旨,要重新设置茶马官,过去设有从主管到提举官,共三个等级。"皇帝说:"等到选择到了合适人选,应当考查他的资历再任命。"很快任命左中奉大夫、直秘阁张深为主管成都等路茶马监牧公事。

自从赵开以后,茶马事项没有专职官员将近十年,在这以前知熙州吴璘经常拿茶到军队里换马,进而用它来换取珠宝玉石等没用的东西。皇帝知道后,多次加以告诫禁止,因此,又任命官员主管这件事。

戊子(三十日),皇帝下诏说:"所有淮西从敌人那里逃回的使臣,不必等候查明损失,都可先行领取本级的供给,如果有冒领乱领的,立刻以法治罪。"

当初,淮西军队中被郦琼掳去的使臣们,到现在重新返回的很多;有关衙门因为文书证明不明确,照例降等给发。赵鼎和执政官员讨论时意见不一致,就秘密地对皇帝说:"这些人从刘豫那里回归朝廷,应当从优接济。现在却降等给发,反倒让他们不安地叹息不足。"皇帝就发出批示,都恢复了原有的等级,因此人人高兴,来归的接连不断。赵鼎趁上奏事务时又进言说："明年是去留建康的打算，希望皇帝多加考虑。恐怕回去之后，认为朝廷没有恢复失地的意图。"皇帝说："张浚办理政事三年，用尽了民力，花光了国家的钱，何尝收复到一尺一寸的土地，反倒坏了不少事。这样的议论，不值得顾虑。"

十一月，甲午(初六)，采纳户部尚书章谊的建议，开始在皇帝住处设置赡养军队的酒库，命司农寺丞盖谅主管，赐给浙东总财赋和杂税总收入的五万缗作为资本，此后每年收利息五十万缗。

乙巳(十七日)，金国右副元帅沈王宗弼在武城逮捕了伪齐的尚书左丞相刘麟。

在此以前，金主已决定废除刘豫。正好刘豫不停地求兵，左副元帅鲁王完颜昌对他说："我不是不想出兵，只是回想出兵征战以来，无往不胜；但是自从立了齐国之后，动不动就失利，害怕重蹈覆辙，挫伤军队的锐气罢了。"刘豫仍不停地请求，就用女真万户萨巴作元帅府左都监，屯兵太原，渤海万户大托卜嘉作右都监，屯兵河间，命令齐国兵且听从元帅府约束管辖，就分别在陈、蔡、汝、亳、许、颍等地区驻扎。在这时，尚书省上书反映刘豫把国家治理得很不像样，金主下诏斥责刘豫，大致是说："建立你这一个国家，到现在已经八年了，到现在还要劳动我的士兵去守卫、要你这国家做什么呢？"就命令完颜昌等人拿侵犯江南作借口，进驻汴京。先约刘麟单人匹马渡过黄河研究军事。刘麟率二百名骑兵到武城，和宗弼的军队相遇，金军展开队伍围了他们好几层，全都将他们擒获并囚禁起来。

丙午(十八日)，金人将刘豫废为蜀王。

起初，宗弼逮捕刘麟后，就和左副元帅完颜昌、三路都统葛王完颜褒一起骑马到汴城下，派骑兵把守宣德、东华、左、右掖门。宗弼带着葛王完颜褒等三人骑马冲进了东华门，问齐王在哪里，伪皇城使等张着嘴不知该怎样回答。宗弼用马鞭抽打他。直奔垂拱殿，进入后宫门，再问，有一个宫妃揭起竹帘说"在讲武殿检阅射箭。"宗弼等人赶到那里，正值刘豫进入殿中。刘豫马上站起来，想去换衣服。宗弼下马握住他的手说："不用了，有紧急公事，想登门共同商量。"于是一同走出宣德门，在东阙亭稍微站了一会儿。宗弼就指派一个小兵拉过一匹瘦马，强迫刘豫骑上去，令他一同到营寨中商量事情。刘豫拍手大笑骑上了马，跟从他的卫兵还有几十人。宗弼出示两把刀夹住刘豫，把他囚禁在金明池。

丁未(十九日)，已故朝请大夫陈师锡，追赠谏议大夫。这是由于他的儿子右朝奉郎陈显，说元祐党籍余官中任谏官的共有七人，其中五人都已经追赠为谏议大夫。因此皇帝发出这道命令。

这天，金国右副元帅鲁王完颜昌等人又进入汴京，召见伪齐文武百官、军人、百姓、僧人、道士和老年人，在宣德门下拜读金主诏书。诏书宣读完毕，完颜昌和宗弼，张开紫色伞盖，让穿白衣服的侍卫队伍数十人跟着，站在西朵楼下。伪齐尚书左丞相张昂，左丞范恭、右丞李邺，走到前边想参拜。完颜昌退身，让通事传话慰劳。张昂等人按次序上前作揖。接着拜见宗弼，宗弼不还礼拜。张昂等人退了下去。两位元帅进驻东府，派遣铁甲骑兵数千人围绕皇宫巡逻，又让士兵到街巷巡逻，传话说："从此不让你们抽签当兵，不收你们免行役钱，不收你们的五厘钱，给你们击杀敷衍事务的人，请你们过去的主人小皇帝赵构到这里坐镇住持。"因此人心稍安。尚书省发下公文："齐国自建立以来设下的严刑峻法，全部取消，所有吃公粮的军士，愿意回家务农的可以自己走。齐国皇宫里的人，除挑选一些刘豫留下的以外，听任她们去嫁人。宫内侍从除去看守皇宫的以外，可到任何地方谋生。齐国建立以来无理免除的大小官员，都将采用。现任官员和军将，都不能侵夺老百姓的利益。自建立齐国以来逃亡到江南的人，有回来投奔的，都免去原来的罪过，给予优厚的抚恤。所有州县应办理的公事，不许推脱遗漏。"

开始的时候，刘豫僭越皇位，制作褚币，自一千缗到十万缗，都在末尾写上"过了八年不再使用。"他灭亡的征兆已经呈现出来了。到刘豫被废除的时候，汴京有九千八百七十余万缗钱，二百七十余万匹绢，一百二十余万两黄金；一千六十万两银，九十万斛粮，而各州的积存不包括在内。

刘豫被拘留在琼林苑，皱着眉头感到很无聊，对鲁王完颜昌说："我父子竭尽心力，没有辜负金国的地方，只求元帅可怜我们！"完颜昌说："蜀王，你没看见赵姓小皇帝离开京城那天，千万百姓点火自焚，号啕的哭声远达十几里。现在你被废除，京城没有一个可怜你的人，你怎么还不反省你的罪过呢？"刘豫说不出话。完颜昌逼他往北方去，问他有什么愿望，刘豫请求住到相州韩琦家，完颜昌答应了。在这以前进士邢希载、毛澄上奏章，请刘豫秘密和宋朝廷联络，被刘豫杀死。到这时留下五万钱，让道士超度因直谏而死的官员的亡灵。而后走了。

刘豫的弟弟京兆留守刘益，轻视钱财慷慨好施，礼贤下士，和士兵同甘共苦，很有远见方略，金人也对他有所顾忌。将要废除刘豫的时候，先派左监军完颜杲、右都监萨巴以侵犯蜀地为名，攻伐京兆，袭击逮捕刘益并带了回来。

金人任命伪齐银青光禄大夫、太子太傅张孝纯为权行台尚书左丞相，契丹族萧保寿弩为右丞相，金国人温敦师中为左丞，燕地人张通古作右丞，伪齐户部侍郎冯长宁任户部尚书，燕地人张钧任礼部侍郎，又任命杜崇作兵部郎中，张仲熊任光禄寺丞，都留在汴京行台任职。杜崇，是杜充的儿子；张仲熊，是张叔夜的儿子，张钧先在辽国做官，任鸿胪寺少卿，辽兴军节度掌书记，曾奉命持张觉归降书来宋朝，授给徽猷阁待制，到这时金人重新启用。罢免伪齐尚书右丞相张昂改为知孟州，左丞范恭为知淄州，右丞李邺为知代州，殿前都指挥使许青臣为同知怀州，伪皇子府左军统制靳赛为同知相州，户部员外郎韩元英为忠武军节度副使，南路留守翟纶为横海军节度副使。又任命完颜呼沙呼为汴京留守，伪齐河南监酒李俦为同知副留守，知代州刘陶为都城警巡使，宗室赵子潨为汴京总制，伪皇子府选锋军统制李师雄任马步军都虞候，前军统制王世忠为步军都虞候，伪知莱州徐文任汴京总管府水军都统制，伪镇海军节度使、山东路留守李成为殿前都指挥使兼知许州，孔彦舟为步军都指挥使兼知东平府，泾原路经略使张中孚为陕西诸路节制使、权知永兴军、秦凤路经略使张中彦权知平凉府；麟府路经略使折可求，环庆路经略使赵彬，熙河路经略使慕容洧，资政殿学士、知开封府郑亿年，知河南府吴师古，知拱州郦琼，知亳州王彦先，知宿州赵荣，大名府副总管刘光时，都仍任旧职。

当时金国晋国王宗翰已死，金主认为太师、领三省事宋国王宗磐是太宗长子，强横狡猾不好驾驭，而京东留守宗隽是金主亲叔父，有才能威望，于是拜任宗隽为太保、领三省事，封兖国王，以便于制约宗磐。

原来，金国的制度，从祖先到现在，特别体恤臣子，有乐同享，有财共用。金主年少的时候,文臣韩昉作他的教师,多少学了些赋诗作词稍习文墨。等到继位后,身边的人天天阿谀奉承,用壮丽的宫室、威严的侍卫引导他,进宫就端坐在九重宫殿之上,出门就要预行警戒清扫道路;对有功的旧臣渐渐疏远,而且不是朝会时候难以见面,完全改变了建国时的传统。从这时起宗室亲戚就图谋作乱。

起初,修武郎朱弁,被金人拘留后,到这时金派使者李发回来,报告金国宗翰等人相继死去。秦桧说:"金国形势多变,势必有变乱。"皇帝说:"金人残暴,此时不灭亡它更待何时?"秦桧说:"只要您广积恩德,中兴事业自会有成功之时。"皇帝说:"也必须有所作为然后才能成功。但是现在的政事就像病人服错了药,精力还弱,来年春天应当全力从事恢复中原之事。"

乙卯(二十七日),给徽宗皇帝、显肃皇后设立安葬后祭祀的灵位,不上朝。按旧制,帝王陵墓埋重式要在皇堂以外,等到要将显肃皇后的牌位附祭于徽宗时,翰林学士朱震进言说不应当进行葬后祭礼,又请求埋重于庙门外边。皇帝让礼官研究此事,太常寺认为不行,就埋重在报恩观,设立葬后祭祀的灵位。举行昭慈皇后丧礼的时候,工部侍郎韩肖胄题写葬后祭祀灵位,这里朱震援引汉代、唐代和昭陵时旧事为据,就不题写灵位。

十二月,乙丑(初八),皇帝亲自进行百日卒哭的祭礼,献上了酒和钱币。在这以前灵位奉回几筵殿,皇帝穿着特制的祭祀服恭敬地迎接,于是施行安置神位的礼仪,自从埋重到癸亥(初六),多次由太常寺代行葬后祭祀。到现在皇帝又亲自去祭祀了。

丁卯(初十),在太庙第十一室附祭徽宗皇帝、显肃皇后灵位。起初商议在太庙合祭后全穿襈边的吉祥服装,等到太常寺拿这事请示皇帝时,皇帝下诏说:"我心里过意不去,可以全依旧制,等过了周年祭再听我的答复。"

戊辰(十一日),中书门下省上奏说:"根据圣旨已发下指令,明年春天皇帝再去浙西,太庙的所有灵位,应该先行出发。"皇帝下诏恭敬批准。

庚午(十三日),枢密院献上呈文说:"原先得到圣旨,让京东宣抚处置使韩世忠移驻镇江府,留下兵力防守楚州。"秦桧上奏说:"各军的家属已安置好。万一有了紧急情况,各路元帅会尽力保卫。"当时已命张俊、岳飞都屯驻长江以内,所以秦桧上奏提到了这件事。

韩世忠上奏,极力坚持说:"敌人的情况很难推测,他们将对我军用缓兵之计。请求留下这支军队,护卫长江、淮河,誓死和敌人决战到底。"皇帝赐给他信札说:"我在强敌的压力下,远在海角,常是心中愤慨满怀恢复中原的壮志。但考虑到这些年国力不振兴,暂且忧郁地居住在这里。前些天怕有不方便的地方,委托你考虑,现在得到你的奏章,更可见你的忠诚之心,就是古代的著名将领又怎么能超过你?让我惊叹,认为有这样的臣子,灾难怎有不平息的啊。古人曾说过:'宫门以外的事,由将军处理。'现在既然驻扎在那里安全方便,控制形势得当,你应当做主处理,不要再拘于小节。至于军饷等事,我已令三省办理。"

辛巳(二十四日),尚书礼部侍郎常同被任命为试御史中丞。

癸未(二十六日),有关衙门奉送九庙神位回浙西,百官们到城外送行。

徽猷阁待制王伦、右朝请郎高公绘从金国返回。

当初,刘豫被废黜后,左副元帅鲁王完颜昌就送王伦等人回归,说:"好好地报告江南宋朝,既然道路上没有了阻碍,和议从此可以顺利达成。"

七天前，知泗州刘纲报告王伦回来的消息，皇帝皱眉说："我因为道君皇帝灵柩和皇太后、渊圣皇帝没有回来，昼夜忧虑担心，未曾一日忘怀。如果敌人能接受我的要求，其他的事我都不计较。"赵鼎说："可见您的孝心和焦虑。"皇帝说："国家只要能治理得好顺应上天的心意，难道没有重新强盛的日子！"等到召见王伦时，王伦说金王答应送回道君皇帝灵柩和皇太后，又答应退还河南各州，皇帝非常高兴，优厚地赏赐了他。当时通问副使朱弁携带书表跟随王伦回来献上，皇帝读后很伤感，优厚地抚恤他的家属。

　　金主下诏改明年为天眷元年，实行大赦，命韩昉、耶律绍文等人编修国史，任命完颜勖为尚书左丞、同中书门下平章事。

　　这天，金国把刘豫转移到临潢府。

　　丁亥（三十日），皇帝任命王伦为徽猷阁直学士、提举醴泉观，任赴大金国迎接梓宫使；高公绘为右朝奉大夫，为副使。

　　这年冬天，川陕宣抚副使吴玠派副将马希仲攻打熙州。马希仲一向狂妄昏庸，接到出征文书就脸色冷淡，不得已勉强扎营在熙州城外数十里的地方。熙州父老们听说官军到来，有人打算领大家去投奔他。金军将领扬言道："今天很多北军到达，应该合在一起去劫宋军营寨了"。马希仲听说，黄昏时就拔营逃跑了。马希仲回来后，吴玠将他斩首示众。

续资治通鉴卷第一百二十

【原文】

宋纪一百二十　起著雍敦牂【戊午】正月,尽九月,凡九月。

高宗受命中兴全功至德　圣神武文昭仁宪孝皇帝

绍兴八年　金天眷元年【戊午,1138】　春,正月,戊子朔,帝在建康。尚书左仆射赵鼎率百官遥拜渊圣皇帝于南宫门外,退,诣常御殿门,进名奉慰,以帝在谅闇故也。

金主朝太皇太后于明德宫。

颁行女真小字。

封大司空完颜昱为王。

辛卯,金宣议郎、总管府议事官杨克弼、迪功郎杨凭,献书于左副元帅鲁王昌、右副元帅沈王宗弼,论和议三策:"上策,还宋梓宫,归亲族,以全宋之地,责其岁贡而封之;中策,守两河,还梓宫;下策,以议和款兵,邀岁币,出其不意,举兵攻之,侥幸一旦之胜。"又言:"今宋使以梓宫为请,万一不许,大军缟素遮道。当此之时,曲在大金而不在宋。"昌后颇用其言。

戊戌,诏复幸浙西,以二月七日起发。帝因谕赵鼎曰:"建康诸官司及百官廨舍,皆令照管,它时复来,幸免更营造,以伤民力。"鼎等奏已令建康府拘收,且言若金人遂以大河之南来归,当驻跸建康以俟经营。

己亥,伪齐武显大夫、知寿州宋超,率军民来归,阁门宣赞舍人、知寿春府孙晖以闻,帝曰:"此事于朝廷无毫发之益,但如人子来归,为父者岂可却而不受!然已遣使人与金议事,可下沿淮,不得擅遣人过淮招纳,引惹事端。"乃命淮西帅臣刘锜入朝处超等,俟毕复还合肥。

是日,金知蔡州刘永寿杀乌噜贝勒,率城中遗民来降。

永寿为淮西安抚使,乌噜副之,永寿以小隙劾其罪,金人移乌噜同知德州。未几,忽报乌噜以女直兵三千来蔡者,提辖白安时请永寿南归,永寿不从,曰:"朝廷若赐我死,当死之。"安时恐其谋泄,即拘永寿,勒兵以待之。乌噜引众入城,不为备,安时乘势尽杀之,遂驱城中军民来归。湖北、京西宣抚使岳飞,遣统制官张宪等往纳之。

乙巳,赵鼎言:"士大夫多谓中原有可复之势,宜便进兵,恐它时不免议论,谓朝廷失此机会,请召诸大将问计。"帝曰:"不须恤此。今日梓宫、太后、渊圣皇帝皆未还,不和则无可还之理。"参知政事陈与义曰:"用兵须杀人。若因和议得遂我所欲,岂不贤于用兵?万一和议无可成之望,则用兵所不免。"帝以为然。

丙午，宝文阁待制、知镇江府曾开试尚书礼部侍郎。

戊申，尚书兵部侍郎兼直学士院兼侍讲胡世将为枢密直学士、四川安抚制置使，兼知成都府。

帝闻席益已去，因问刑部尚书胡交修："孰可守蜀者？"交修曰："臣从子世将可用。"遂有是除。时赵鼎亦不欲世将居中故也。

自重兵（如）〔聚〕关外以守蜀，而饷道险阻，漕舟出嘉陵江，春夏涨而多覆，秋冬涸而多胶。绍兴初，创行陆运，调成都、潼川、利州三路夫十二万，县官部送，激赏争先，倍道而驰，昼夜不息，十毙三四。至是交修言："养兵，所以保蜀也；民不堪命，则腹心先溃，尚何保蜀之云！臣愚欲三月以后，九月以前，第存守关正兵，馀悉就粮它州。如此则给守关者水运有馀，分戍者陆运可免。"帝乃命学士院述交修意，诏宣抚副使（景璪）〔吴玠〕行之。

乙卯，金改燕京枢密院为行台尚书省，以三司使杜充签书枢密院事，刘筈并签书省事。时左副元帅鲁王昌、右副元帅沈王宗弼皆在军中，监军呆屯长安，右副监萨巴屯凤翔，以新取河南、陕州故也。

二月，丁巳朔，尚书兵部侍郎王庶试兵部尚书。

庶自荆南入对，奏曰："今十年而恢复之功未立，臣请言其失，盖在偏听，在欲速，在轻爵赏，是非邪正混淆。诚能有功则赏，有罪则罚，其谁不服！苟委其权（令）于大臣而非其人，则未有不身受其欺而国罹其祸者。昔汉光武以兵取天下，不以不急夺其费。不知兵者，不可使轻言兵。"它日，又见，口陈手画秦、蜀利害。帝大喜之，即日迁尚书。

戊午，开州团练使、知庐州、主管淮西安抚司公事刘锜对于内殿，锜言淮北兵归正者不绝，今岁合肥度可得四五万众。翼日，上谓赵鼎等曰："朕每虑江上诸将控扼之势未备，若上流有警，岳飞不可下，则江、淮数百里边面空虚，得锜一军，遂可补此阙矣。"

壬戌，湖北、京西宣抚使岳飞请增兵，帝曰："上流地分诚阔远，宁与减地分，不可添兵。今日诸将之兵，已患难于分合。末大必折，尾大不掉，古人所戒。今之事势虽未至此，然与其添与大将，不若别置数项军马，庶几缓急之际易为分合也。"

是日，六宫先发。帝召淮西宣抚使张俊至宫中，从容与论边事，俊曰："臣当与岳飞、杨沂中大合军势，期于破敌以报国家。"帝谕之曰："卿能如此，甚副朕意。然此乃卿之所识，朕更有一二事戒卿：朕来日东去，慎无与民争利，勿兴土木之工。"俊悚息承命。俊见地无砖面，再三叹息，帝曰："艰难之际，一切从俭，庶几少纾民力。朕为人主，虽以金玉为饰，亦无不可；若如此，非特一时士大夫之论不以为然，后世以朕为何如主也！"

全主如约罗春水。

癸亥，帝发建康府，殿前都虞候杨沂中，主管侍卫步军兼权马军司公事解潜，以其军从。是日，次东阳镇。

甲子，帝次下蜀镇。殿中侍御史张绚请车驾所过州县量免租税，帝曰："自古人主所过，皆有蠲复，当议使实惠及人也。"绚又乞疏决，帝曰："此事则不须。父老望幸之意，不可不有以慰之；若罪人有罪，无可恤也。"

乙丑，帝次镇江府。

是日，金主幸天开殿。

丙寅，徽猷阁待制、提举江州太平观胡安国充宝文阁直学士，赐银帛三百匹两。

安国以衰老乞致仕，帝将许之，乃诏以安国解释《春秋》成书，进职加赐。翼日，诏安国进一官，致仕，命未下而安国卒矣。

安国风度凝远，言必有教，动必有法，燕居独处，未尝有怠慢，而与人谈论，气怡词简，若中无所有。性本刚急，晚更冲澹。在官不登六载，虽数以罪去，其爱君之心，远而逾笃。

戊辰，帝次吕城镇。己巳，帝次常州。庚午，帝次无锡县。辛未，帝次平江。甲戌，帝次吴江县。丙子，帝次崇德县。丁丑，帝次临平镇。戊寅，帝至临安府。

户部尚书、权知建康府章谊充端明殿学士、江南东路安抚大使兼知建康府，兼行宫留守司公事。

甲申，中书舍人李弥逊试尚书户部侍郎。

是月，金以拉林水、混同江护逻地与民耕牧。

三月，丙戌朔，广西经略司奏：“得安南都护府谍，当道郡王麑谢，今有遗进表章及纲运。”诏使人免到阙，就命直龙图阁、本路转运副使朱芾充吊祭使，赐绢布各五百匹，羊五十口，面五十硕，酒五十瓶，仍以敕书谕其嗣子天祚。

安南与广西诸司通问讯，其王不列衔而列将佐数人，有称中书侍郎同判都护府者，印文曰“南越国印”。

己丑，济州防御使、知南外宗正事仲偃嗣濮王。

庚寅，礼部尚书刘大中参知政事，兵部尚书王庶充枢密副使。

金以禁苑隙地分给百姓。

辛卯，故静海军节度使、特进、检校太尉兼御史大夫、安南都护、上柱国、交趾郡王李阳焕，赠开(封)〔府〕仪同三司，追封南平王。

壬辰，枢密使秦桧守尚书右仆射、同中书门下平章事，兼枢密使。

前一日，赵鼎留身奏事，帝曰：“堂中必无异议者。”又曰：“秦桧久在枢密，得无怨望否？”鼎曰：“桧大臣，必不尔。然用之在陛下尔，况自有阙。”是夕，锁院制下，朝士皆相贺，惟吏部侍郎晏敦复退而有忧色。

己亥，制授故南平王李阳焕嗣子天祚静海军节度使、安南都护，封交趾郡王，其阶、勋及检校官、宪衔、食邑、功号，皆如阳焕初封故事。

辛丑，太常少卿苏符言：“景灵宫神御见在温州，将来四孟朝献，请比附国朝谅阴故事，行在设位，分命大臣行礼。”从之。

壬寅，诏：“故相韩忠彦，配飨徽宗皇帝庙庭。”

甲辰，徽猷阁待制、两浙都转运使向子諲试尚书户部侍郎。

丁未，诏：“江、浙州县，回跸所尝过者，民间欠绍兴六年岁终税赋皆除之。”

戊申，左正言李谊言：“金人入居汴都，西北之民，感恩戴旧，襁负而归，相属于路，此殆天所以兴吾宋也。臣愿于淮南、荆、襄侨建西北诸州郡，分处归正之民，给以闲田，贷以牛具，使各遂其耕种之业；而又亲戚故旧同为一所，相爱相恤，不异于闾里。将见中原之人，同心效顺，敌人之谋，当不攻而自屈矣。”诏诸路宣抚司依累得旨措置。

金以韩昉为翰林学士。

夏，四月，己未，太常少卿苏符言：“徽宗皇帝，显肃皇后，至今未闻讳日，请权于闻哀日，以祖宗忌(神)〔辰〕礼例建置道场行香。”从之。

壬戌，命枢密副使王庶暂往沿江及淮南等处措置边防。诏曰：“朕临遣枢臣，协济军务，按行营垒，周视山川，乘斯闲暇之时，经画久长之利。凡尔(见)〔监〕司、群帅、郡县之官，各尽乃心，以康庶事。傥或弛慢失职，已令王庶密具以闻。”先是御史中丞常同言：“今去淮益远，边民多不自安，宜遣重臣出按两淮荒田，纵民耕之，勿收租税，数年之后，百姓足而国用足矣。”至是帝命庶行视东关，且调诸路兵预为防秋计，并以同奏付庶行之。

时保成军节度使、殿前都虞候杨沂中，怒其统制吴锡，收系之狱。户部侍郎向子諲力言于庶，谓锡可用，庶奏释之，使统兵屯淮西。

丙寅，王庶辞，帝戒以张浚待诸将多用术数，且狎昵，自取轻侮，吕祉以傲肆自大取败，皆可为戒。帝因论：“王伯之道，不可兼行，当以三王为法。今之诸将，不能恢复疆宇，它日朕须亲行，不杀一人，庶几天下可定。”庶奏以大理少卿周聿、尚书金部员外郎晁谦之，并主管机宜文字，军器监丞李若虚、枢密院计议官方滋、左承奉郎、通判临安府朱敦儒，并为枢密行府咨议参军。谦之，任城人也。

自郦琼叛，张(浚)〔俊〕擅弃盱眙而归，诸将稍肆。庶素有威严，临发，劳师于都教场，军容严整。庶便服坐坛上，自杨沂中而下，悉以戎服，步由辕门，庭趋受命，拜赐而出，莫敢仰视。

丁卯，金以静江节度使卢彦伦行少府监兼都水使者，充提点京城大内所。命其营建宫室，止从俭素。

己巳，尚书刑部侍郎曾开试礼部侍郎。

壬申，秘书少监兼崇政殿说书尹焞留身求去。

时已诏焞免兼史事，帝曰：“待与卿在京宫观。”焞力辞，且云：“士人若不理会进退，安用所学！”翼日，上以谕辅臣。参知政事刘大中曰：“焞所学渊源，足为后进矜式。班列中若得老成人为之领袖，亦是朝廷气象。”乃以焞直徽猷阁、主管万寿观，留侍经筵。

癸酉，徽猷阁待制、新知承州胡寅试尚书礼部侍郎。

辛巳，太常少卿苏符言：“今岁当行祫享，而在谅阴内，请用熙宁故事，移就来年孟冬。”从之。

壬午，金主朝享于天元殿，立费摩氏为贵妃。

是月，徽猷阁直学士王伦，见金左副元帅鲁王昌于祁州。

时韩世忠、岳飞、吴玠军各遣间招诱中原民，金得其蜡弹旗榜，出以语伦曰：“议和之使继来，而暗遣奸谍如此，何故？”伦言：“所议靖民，乃主上之意。边臣见久而无成，或乘时希尺寸为己劳，则不可保，主上决不之知。若上国孚其诚意，确许之平，则朝廷一言戒之，谁敢尔者！”诸帅相视无语。

五月，乙未，秘阁修撰、知建州魏矼权尚书吏部侍郎。

初，金制，以辽、宋取士之法不同，命南北之士各以素所习之业应试，号为南北选。己亥，金主诏南北选各以经义、词赋两科取士。

壬寅，集英殿修撰、提举亳州崇道观张焘试尚书兵部侍郎。

丁未，命吏部员外郎范同假太常少卿，接伴金国人使；武功大夫、高州刺史、带御器械刘光远假吉州团练使，副之。

先是徽猷阁直学士王伦既见鲁王昌，昌遣使偕伦至京师。伦见金主，首谢废豫，然后致帝旨议和。时昌及太师宗磐密议许和，至是遣伦还，且命太原少尹乌陵阿思谋、太常少卿石庆充来议事。思谋为宣和时通好海上所遣之人，今再遣来，示有许和意。

枢密副使王庶条上淮南耕种等事，帝曰："淮南利源甚博，平时一路上供内藏绸绢九十馀万，其它可知。"

辛亥，改命徽猷阁直学士王伦充馆伴使。

初，命权吏部侍郎魏矼馆伴，右武大夫荣州防御使、知阁门事蓝公佐假庆远军承宣使副之。矼言："顷任御史，尝论和议之非，今难以专对。"秦桧召矼至都堂，问其所以不主和议之意。矼具陈敌情难保，桧谓之曰："公以智料敌，桧以诚待敌。"矼曰："相公固以诚待敌，第恐敌人不以诚待相公耳。"桧不能屈，乃改命焉。既而伦又辞，遂命给事中吴表臣往来馆中议事。

癸丑，召利州观察使、知鼎州马扩赴行在。金使乌陵〔阿〕思谋初入境，数问扩所在，王伦奏："思谋乃海上结约之人，与扩相熟，宜召赴行在，恐须使令。"故有是命。

六月，乙卯朔，礼部贡院奏试博学宏词合格，中等，左迪功郎、鄂州武昌县尉詹叔义，右迪功郎、前建康府司法参军陈岩肖；下等，左迪功郎、饶州鄱阳县东尉王大方。诏叔义、大方并与堂除，仍减年磨勘，岩肖赐同进士出身。

戊午，金主至自天开殿。

壬戌，宗正少卿张九成权尚书礼部侍郎。

衍圣公孔玠避乱寓衢州，诏即赐田五顷。

戊辰，接伴官范同言金使已至常州，帝愀然曰："太后春秋已高，朕朝夕思念，欲早相见，故不惮屈己以冀和议之成。然有备无患，纵使和议已成，亦不可弛兵备。"参知政事刘大(忠)〔中〕曰："和与战守自不相妨，若专事和而忘战守，则堕敌计中耳。"

枢密副使王庶时在合肥，上疏曰："臣闻无故请和者，谋也。究观金国，侵轶已逾一纪，前此乘战胜之势以至江、淮，而我未尝有一日之捷。逮至绍兴甲寅冬，蕃部深入，驻兵淮南，陛下亲征，至使奔逸而去。又丙辰冬，敌人倾国南侵，陛下再统六师，至于江、淮之间，皇威大振，蕃部皆有所却，于是遣使告我以徽宗皇帝、显肃皇后讣音。彼若果敦邻好，则所报讣音，不应在累年之后；必因〔畏〕长驱而往，故以此谋沮师。陛下天资圣孝，哀毁之中，即遣使往以求梓宫，往返之间，一年半矣，尚未闻梓宫之至，固已落彼之计。又闻去年金国以欺诈废豫，伪庭用事之人，奔散四走，莫能自保，百姓上下，日望我兵之至。诸帅之在中都者，如居积薪之上而火未然，势之倾危，未有易于此者。若我一摇足，则中原非彼所有，所以阴谋秘计，不得不遣使也。从违之间，可不深思而熟计之！臣中夜以思，使人之来，其甘言咻我，不过出于二策：一则以淮为界，一则以河为界。以淮为界，乃我今日所有之地，而淮之外亦有见今州县所治，如泗州、涟水军是也，既为我有，安用以和为请。若以河为界，则东西四千里，兵火之馀，白骨未敛，几无人迹，彼若诚实与我，既得其故地，非若伪豫之不恤，尚当十年无征役，以苏其凋瘵。财赋既无所从出，所责岁赂无虑数百万，若欲重敛诸路，困弊已极，安可取以充溪壑之欲！利害晓然，而不先为之虑，则三十万兵宿于无用之地，假以岁月，是彼不必征伐，而我数年之间，终于自毙。彼之为计可谓尽善，而我之为国未有若斯之疏也。臣愿陛下先与在廷之臣，立为一定之论，若以淮为界，其所请之赂必少，以河为界，其所请之赂必多。或多或少，未系国之利害，以凋弊之极为言。彼若以生灵为念，当告之以河南之地，伪豫暴敛之甚，必使之苏息，然后可渐责税赋，其岁赂须五年之后方能津遣。若或见从，则彼之和议，方见诚实。如或不然，则彼以计困我，即使我不敢用兵，而又于困穷之际重取岁赂，是彼无所施为而坐收成功，其为谋深矣。"疏入，不报。

直秘阁、奉迎梓宫副使高公绘先归至临安。

壬申，帝特御射殿，引见礼部合格举人黄公度已下，遂以南省及四川类试合格举人黄贡等共三百九十五人参定为五等，赐及第、出身、同出身，奏名林格以下，出身至助教。

癸酉，枢密副使王庶自淮西还行在。

先是庶将还朝，未至，复上疏言："宴安鸩毒，古人戒之。国家不靖，疆场患生，敌人变诈百出，自渝海上之盟。至于今日，其欺我者何所不至，陛下所自知也，岂待臣言！夫商之高宗，三年不言。其在谅阴，言犹不出，其可以见外国之使乎！先帝北征而不复，天地鬼神，为之愤怒，能言之类，孰不痛心！陛下抱负无穷之悲，将见不共戴天之仇，其将何以为心，又何以为容，亦何以为说？愿陛下以宗社之重，宜自兢畏，思高宗不言之意，无见异域之臣，止令赵鼎而下熟与计事，足以彰陛下孝思之诚，而与国体为宜。"又言："金使入境，经过州郡，傲慢自尊，略无平日礼数，接伴使欲一见而不可得。官司供帐，至(行)〔打〕造金酿，轻侮肆志，略无忌惮。臣闻自古谋人之国者，必有一定之论，越之取吴，在骄其志而已，秦之取六国，在散其从而已，其间虽或出或入，而一定之论未尝易也。金人所以谋人之国者，曰和而已。观其既以是谋契丹，又以是谋中国。方突骑赴阙，初以和议为辞，暨大兵围城，又以和议为辞。二圣播迁，中原板荡，十馀年间，衣冠之俗，蹂践几遍，血人于牙，吞噬靡厌，而和议未之或废也。今王伦迎奉梓宫尔，而受金人和议以归，且与其使俱来，此其可信不可信乎？刘豫虽然僭窃，正名号者七八年，一旦见逐。金人虑中原百姓或有反侧，陕西叛将或生顾望，吾一日出师必有应者，以此设为讲和之说，仍遣使焉，所以款我，昭然无疑矣。臣蒙陛下亲擢，备位本兵，国之大事，不敢隐默，故重为陛下陈其三策：上策，莫如拘其使者，彼怒必加兵，我则应之，所谓善战者致人而不致于人是也。金之强大自居，一旦或拘其使，出其意表，气先夺矣，其败可立而待。其次，愿陛下念不共戴天之仇，坚谢使人，勿与相见，一切使指令对大臣商议，然后徐观所向，随事酬应。最其次，姑示怯弱，待以厚礼，俟其出界，精兵蹑之，所谓掩其不备，破之必矣。臣顷与边将大臣议论，皆云若失今日机会，它日劳师费财，决无补于事功，至有云今年不用兵乞纳节致仕者。观此，则人情思奋，皆愿为陛下一战，望陛下英断而力行之。"

乙亥，起复武信军承宣使、行营中护军统制军马张宗颜知庐州、主管淮南西路安抚司公事，右武大夫、开州团练使、知庐州兼淮西制置副使刘锜以所部屯镇江府。

初，王庶自淮上归，命宗颜以所部七千人屯庐州，命中护军统制官巨师古以三千人屯太平州，又分京东、淮东宣抚处置使韩世忠二军屯天长及泗州，使缓急互为声援。徙锜屯镇江，为江左根本。

时朝廷以诸将权重，欲抚循偏裨以分其势，张俊觉之，谓行府钱粮官、右通直郎、新监行在榷货务刘时曰："君为我言于子尚：易置偏裨,似未宜遽;先处己可也,不知身在朝廷之上能几日。"庶闻之曰："为我言于张十:不论安与未安,但一日行一日事耳。"俊不悦。

丙子,帝谕大臣曰："昨日王伦对云:'金使乌陵阿思谋说,国书中须是再三言武元帝海上通好事,庶得国中感动。'朕因记当时如尼玛哈辈不肯交燕、云,皆欲用兵。惟阿古达以谓'我与大宋海上信誓已定,不可失约,待我死后由汝辈',卒如约。阿古达乃所谓武元者也。以此知创业之人,设心处虑,必有过人者。"

初,行朝闻思谋之来,物议大讻,群臣登对,率以不可深信为言。帝意坚甚,往往峻拒之,或至于震怒。赵鼎因请间密启于帝曰："陛下与金人有不共戴天之仇,今乃屈体请和,诚非美事。然陛下不惮为之者,凡以为梓宫及母、兄耳。群臣愤懑之辞,出于爱君,非有它意,不必以为深罪。陛下宜好谓之曰:'讲和诚非美事,以梓宫及母、兄之故,不得已为之。议者不过以敌人不可深信,苟得梓宫及母、兄,今日还阙,明日渝盟,所得多矣,意不在讲和也。'群臣以陛下孝诚如此,必能相亮。"帝以为然,群议遂息。

诏："今后除六曹尚书未应资格人,依元祐例带权字,俸赐如正侍郎,满二年取旨。"

丁丑,金使福州管内观察使、太原府少尹、河东北路制置都总管乌陵阿思谋、太常少卿、骑都尉石庆充入见。

思谋初至行在,帝命与宰执议事于都堂,思谋难之,欲宰相就馆中计议,赵鼎持不可。思谋不得已,始诣都堂,然犹欲以客礼见辅臣,鼎抑之如见从官之礼。鼎步骤雍容,思谋一见,服其有宰相体。鼎问思谋所以来之意,曰："王伦恳之。"问:"所议云何?"云:"有好公事商议。"鼎曰:"道君皇帝讳日尚不得闻,有何好公事?"又问:"地界何如?"曰:"地不可求,听大金所与。"时(知)〔执〕政聚听,惟王庶不顾。鼎因与思谋议定出国书之仪,思谋气稍夺。

将对,鼎奏曰:"金使入见,恐语及梓宫事,望少抑圣情,不须哀恸。"帝问何故,鼎曰:"使人之来,非为吊祭,恐不须如此。"及见,鼎与诸大臣泊管军杨沂中、解潜皆立侍殿上,阁门引思谋等升殿。帝遣王伦传旨,谕曰:"上皇梓宫,荷上国照管。"又问:"太后及渊圣圣体安否?"因哽咽,举袖拭泪,左右皆饮泣。思谋曰:"三十年旧人,无以上报,但望和议早成。"帝又谕曰:"记旧人,必能记上皇,切望留意。"思谋退,遣伦就驿燕之。

翰林学士兼侍读兼资善堂翊善朱震疾亟,上奏乞致仕,且荐尹焞代为翊善。夜,震卒,年六十七。中夕奏至,帝达旦不寐。戊寅,辅臣奏事,帝惨然曰:"杨时既物故,胡安国与震又亡,同学之人,今无存者,朕痛惜之!"赵鼎曰:"尹焞学问渊源,可以继震。"帝指奏牍曰:"震亦荐焞代资善之职,但焞微(瞆)〔聩〕,恐教儿童费力,俟国公稍长则用之。"乃诏国公往奠,赐其家银、帛二百匹、两,例外官子孙一人,又命户部侍郎向子諲治其丧事。

癸未,给事中兼侍讲吴表臣试尚书兵部侍郎。

是夏,金左监军完颜杲自长安归云中。

元帅府下令:"诸公私债负无可偿者,没身及妻女为奴婢以偿之。"先是诸帅回易贷缗,遍于诸路,岁久不能偿;会改元诏下,凡债负皆释去。诸帅怒,故违赦;复下此令。百姓怨愤,往往杀债主,啸聚山谷焉。

秋,七月,乙酉朔,诏徽猷阁直学士、提举万寿观王伦假端明殿学士,为奉迎梓宫使;大理寺丞陈括为尚书金部员外郎,假徽猷阁待制,副之。

殿中侍御史张戒复上疏,请外则姑示通和之名,内则不忘决战之意,而实则严兵据险以守。又曰:"自古能守而能和者有矣,未有不能战、不能守而能和者也。使真宗无达兰之捷,仁宗非庆历之盛,虽有百曹利用,百富弼,岂能和哉!"又曰:"苟不能战,不能守,区区信誓,岂足恃也!"

诏以司马光族曾孙伋为右承务郎,嗣光后。

戊子,枢密副使王庶留身言:"臣前日在都堂,与赵鼎等同见金使再询,访得乌陵阿思谋在宣、政间尝来东京,金人任以腹心,二圣北狩,尽出此人。今日天其或者遣使送死,虽葅醢之,不足以快陛下无穷之冤。今陛下反加礼意,大臣温颜承顺,臣于是日心酸气噎,如醉如痴,口未尝交一谈,目未尝少觇其面。君辱臣死,臣之不死,岂有所爱惜也!臣又窃听其说,诡秘谲诈,无一可信。问其来则曰王伦恳之,论其事则曰地不可求。且金人不遣使已数年矣,王伦何者能邀其来乎?'地不可求,听我与汝',若无金主之意,思谋敢擅出此语乎?臣晓夜寻绎此语,彼必以用兵之久,人马消耗,又老师宿将,死亡略尽,敌人互有观望,故设此策以休我兵,俟稍平定,必寻干戈。今欲苟且目前以从其请,后来祸患,有不可胜言者!设如金人未有动作,损陛下威武,离天下人心,蠹耗财赋,怠惰兵将,岁月易失,凶丰不常,所坏者国家之事力,所忧者陛下之宗祐。臣下无所不可,今走道路、号奉使者,朝在泥涂,暮升侍从;居庙堂、任经纶者,窃弄威柄,专任私昵,岂止可为流涕、恸哭而已哉!臣忠愤所激,肆口所言,冒渎天听,请赐诛责,臣不胜愿幸。"

己丑,故贵州刺史狄流,特赠贵州防御使,官其家五人。流,青孙也,靖康间为并、代、云中等路廉访使,太原之破,死焉。其家诉于朝,乃有是命。

王伦言兵部侍郎司马朴,见(其)〔在〕军前,守节不屈,请优恤其家以为忠义之劝,许之。伪豫之废也,金人欲以朴为汴京行台尚书右丞,朴力辞而免,金人重其节。

右正言李谊试右谏议大夫。

辛卯,金左副元帅昌朝于京师,议以废齐旧地与宋,金主命群臣议。会东京留守宗隽入朝,议与昌合,太傅宗干等争之不能得。宗隽曰:"我以地与宋,宋必德我。"宗宪折之曰:"我俘宋人父兄,怨非一日。若复资以土地,是助仇也,何德之有!勿与便。"宗宪,宗干之弟也。昌之弟勖亦以为不可,既退,昌责勖曰:"它人尚有从我者,汝乃异议乎?"勖曰:"苟利国家,岂敢私耶!"时太师宗磐位在宗干上,昌及宗隽附之,竟定议,以地与宋。

丁酉,金使乌陵阿思谋以北还入辞。帝每及梓宫必掩泣,群臣莫不感动。

王伦偕金使行,赵鼎告以"上登极既久,四见上帝,君臣之分已定,岂可更议!"伦问议割地远近,鼎答以大河为界,乃渊圣旧约,非出今日,宜以旧河为大河,若近者新河,即清河,非大河也。伦受之而去。

金安春河溢,坏庐舍,民多溺死。

壬寅,金左丞相希尹罢。

丁未,右武大夫、开州团练使刘锜充枢密院都统制,依旧镇江府驻劄。

辛亥,诏:"殿前司选锋军统制吴锡还行在,令本司别遣一军往庐州,权听帅臣张宗颜节制。"

先是宗颜请令锡更戍,帝曰:"锡有胆勇心计,然不可独用,可趣归,令杨沂中别遣军代之。"赵鼎曰："沂中已尝有此请矣。"鼎等退而语,咸服帝知人。

近制,三衙管军更日内宿,至是殿前都虞候杨沂中已免直,惟权马军司公事解潜与殿步二司统制官互轮。潜又言今来无事,请依东京旧例。乃诏潜权免,只分轮统制官。癸丑,右谏议大夫李谊引晋、唐故事奏言:"今万骑时巡,宫阙非曩之壮大,禁卫非曩之众多,内外之患,可备非一;而管军夜居于外,是潜等之寝则安,为社稷之虑则未安也。宜令沂中与潜依旧轮宿。"从之。寻命带御器械韩世良权主管侍卫步军司公事。

是月,四川制置使胡世将至遂宁府,遂会川陕宣抚副(司)〔使〕吴玠于利州。

时军阙见粮,玠颇以家财给之。玠行至大安军,妇人、小儿千百饥饿者,拥马首而噪,玠大怒曰:"吾当先斩勾光祖,然后自(效)〔劾〕以谕汝辈。"光祖时以直秘阁为利州路转运副使故也。异时宣抚副使皆文臣,而玠起行伍,不十年为大帅,故不肯相下。及是世将开怀与语,玠欢甚,语人曰:"宿见胡公开怀晓事,使我忧懑豁然。"世将行之明日,玠乃械诸路漕司吏斩于市。先是水运溯江千馀里,半年始达,陆运则率以七十五斗而致一斛,世将与玠反复共论,玠晓然知利害所在。世将又以恩义开谕,且贷阆州守将孙渥回易米数万石给之,诸路漕臣相继集利州,各有所饷馈,军赖以给。乃复前大帅席益转般摺运之法,粮储稍充,公私便之。

八月,甲寅朔,金颁行官制。

戊午,诏曰:"日者复遣使人报聘邻国,申问讳日,期还梓宫。尚虞疆场之臣,未谕朝廷之意,遂弛边备以疑众心,忽于远图,安于无事,所以遏奔冲、为守备者,或至阙略,练甲兵、训士卒者,因废讲求,保围乏善后之谋,临敌无决胜之策。方秋多警,实轸予衷。尔〔其〕严饬属城,明告都〔部〕曲,临事必戒,无忘捍御之方,持志愈坚,更念久长之计,以永无穷之闻,以成不拔之基。凡尔有官,咸体朕意。"

癸亥,回鹘贡于金。

己卯,金以京师为上京,府曰会宁,旧上京为北京。

癸未,权礼部侍郎兼侍讲张九成兼权刑部侍郎。

九月,甲申朔,金以完颜奭为会宁牧,封邓王。乙未,金主诏:"百官诰命,女直、契丹、汉人各用本字,渤海同汉人。"

丁酉,金改燕京枢密院为行台尚书省。

戊戌,金主朝明德宫。

辛丑,温州州学教授叶琳,上书请兴太学,其说颇以为:"今驻跸东南,百司备具,何独于太学而迟?且养士五百人,不过费一观察使之月俸。"又言:"汉光武起于河朔,五年而兴太学,晋元兴于江左,一年而兴太学,皆未尝以恢复为辞,以馈饷为解。诚以国家之大体在此,虽甚倥偬,不可缓也。"事下礼部。既而右谏议大夫李谊言:"今若尽如元丰养士之数,则军食方急,固所未暇;若止以十分之一二为率,则规模稍弱,又非天子建学之体。况宗庙、社稷俱未营建,而遽议三雍之事,岂不失先后之序!望俟回跸汴京,或定都它所,然后推行。"从之。

甲辰,金以完颜奕为平章政事。

丁未,尚书左仆射、同中书门下平章事、监修国史赵鼎迁特进,以《哲宗实录》成书也。中书舍人兼直学士院吕本中草制,有曰:"谓合晋、楚之成,不若尊王而贱霸;谓散牛、李之党,未如明是而去非。惟尔一心,与予同德。"右仆射秦桧深恨之。

是秋,金人徙知许州李成知翼州,徙知拱州郦琼知博州,悉起京畿、陕右在官金银钱谷,转易北去,盖将有割地之意也。

刘豫之未废也,伪麟府路经略折可求因事至云中,左监军完颜杲密谕以废豫立可求之意。及是副元帅鲁王昌有割地南归之议,完颜杲恐可求失望生变,因其来见,置酒鸩之。可求归,卒于路。

【译文】

宋纪一百二十　起戊午年(公元 1138 年)正月,止九月,共九月。

绍兴八年　金天眷元年(公元 1138 年)

春季,正月,戊子朔(初一),高宗在建康。尚书左仆射赵鼎率领百官在南宫门外遥拜渊圣皇帝,回到常御殿门,报名拜慰,这是因为高宗正居丧期的缘故。

金主在明德宫朝见太皇太后。

颁行女真小字。

封大司空完颜昱为王。

辛卯(初四),金国宣议郎、总管府议事官杨克弼、迪功郎杨凭,向左副元帅鲁王完颜昌、右副元帅沈王完颜宗弼上书,陈述和议三策:"上策,送还宋徽宗的灵柩,归还宋朝王室亲族,以保全宋朝国土,责成其每年进贡而划分边界;中策,据守两河,送还宋徽宗的灵柩;下策,以议和作为缓兵之计,要求宋朝每年纳贡,出其不意,举兵进攻,侥幸取得一时的胜利。"又说:"现在宋朝使臣请求归还灵柩,万一不许,宋军披麻戴孝大举北上。到这个时候,理屈的是大金而不是宋朝。"完颜昌后来多采用了他们的意见。

戊戌(十一日),高宗诏令将再次巡幸浙西,以二月七日起程。高宗于是告谕赵鼎说:"建康各官司及百官房舍,都令人照管,以后再来,可幸免再次营造,而伤害民力。"赵鼎等奏称已命令建康府接管验收,而且说如果金人将黄河以南归还宋朝,皇上应当暂住建康以待经营。

己亥(十二日),伪齐武显大夫、知寿州宋超,率领军民来归降,阁门宣赞舍人、知寿春府孙晖将此事奏报朝廷,高宗说:"这件事对于朝廷没有丝毫的益处,但如果做儿子的前来归附,做父亲的怎么能拒绝而不接受!然而已派人与金国议事,可下令沿淮地区,不得擅自派人渡过淮河去招降,招惹事端。"于是命令淮西帅臣刘锜入朝处理宋超等事宜,等处理完毕后再回合肥。

这一天,金国知蔡州刘永寿杀死乌噜贝勒,率领城中遗民前来投降。

刘永寿为淮西安抚使,乌噜贝勒为副使,刘永寿因为小隙怨弹劾他的罪行,金国调乌噜贝勒为同知德州。不久,忽然报知乌噜贝勒率领女真兵三千人来蔡州,提辖白安时请求刘永寿归降宋朝,刘永寿没有同意,说:"朝廷如果赐我死,我就当死。"白安时担心他的计谋泄露,就拘禁了刘永寿,部署军队以等待乌噜贝勒。乌噜贝勒率众入城,未做戒备,白安时乘机全部杀了他们,于是驱使城中军民来归降。湖北、京西宣抚使岳飞,派遣统制官张宪等人前去接纳他们。

乙巳(十八日),赵鼎奏说:"士大夫多认为中原有可以收复的形势,应该立即进兵,恐怕日后不免有人议论,说朝廷丧失这一机会,请求召各大将询问计策。"高宗说:"无须顾虑这些。现在徽宗灵柩、太后、渊圣皇帝都没有回来,不议和就没有能归还的道理。"参知政事陈与义说:"用兵必须杀人。如果由于和议能实现我们的希望,难道不是好于用兵吗!万一和议没有成功的希望,那么用兵就不可避免了。"高宗认为他说的正确。

丙午(十九日),宝文阁待制、知镇江府曾开被任命为试尚书礼部侍郎。

戊申(二十一日),尚书兵部侍郎兼直学士院兼侍讲胡世将被任命为枢密直学士、四川安抚制置使,兼知成都府。

高宗听说席益已离任,就问刑部尚书胡交修:"谁可以守蜀地?"胡交修说:"臣侄胡世将可以任用。"于是有这道任命。也因为当时赵鼎也想让胡世将在朝中任职的缘故。

自从重兵聚集关外守卫蜀地,输送粮饷的道路艰险阻隔,运粮的船出嘉陵江,因春夏涨水多有倾

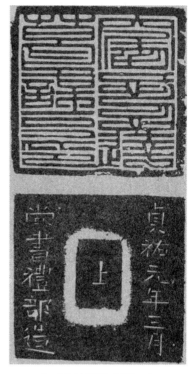

窑忒忽达葛谋克印　金

覆,秋冬干涸而多有搁浅。绍兴初年,创行陆运,抽调成都、潼川、利州三路民夫十二万,县官带队押送,奖励争先,兼程速行,昼夜不停,死去了十分之三四。到这时胡交修上言:"养兵,是用来保卫蜀地的;百姓命不堪负,就会从内部开始溃散,还谈什么保卫蜀地呢!臣无知,想在三月以后,九月以前,只留守关的正规军队,其余的全部从其他州解决粮食。这样就能使守关的部队水运有余,分守他处的部队可免去陆运。"高宗于是命令学士院录述胡交修的建议,诏令宣抚副使吴玠去施行。

乙卯(二十八日),金国改燕京枢密院为行台尚书省,以三司使杜充任签书枢密院事,刘筈同时任签省事。当时左副元帅鲁王完颜昌、右副元帅沈王完颜宗弼都在军中,监军完颜杲驻扎长安,右副监萨巴驻扎凤翔,是因为新近攻取河南、陕西的缘故。

二月,丁巳朔(初一),尚书兵部侍郎王庶被任命为试兵部尚书。

王庶从荆南入朝奏对,上奏说:"十年来收复失地的功业没有建立,臣请求指出其过失,大概在于偏听,在于想快,在于轻易赐爵奖赏,是非邪正混淆。如能真正做到有功就赏,有罪就罚,谁能不服!如果将权力委任给不合适的大臣,那么没有不身受其侮而国遭其祸的。从前汉光武帝依靠军队夺取天下,不以不急的事耗费军费。不懂得军事的,不可让他轻率地谈论军事。"以后的一天,又召见王庶,王庶一边说一边指划秦、蜀的利害得失。高宗非常高兴,即日晋升王庶为尚书。

戊午(初二),开州团练使、知庐州、主管淮西安抚司公事刘锜在内殿奏对,刘锜称淮北金兵南来归顺的接连不断,今年合肥估计可得到四五万之众。第二天,高宗对赵鼎等人说:"朕时常忧虑长江各将控制的形势还不完备,如果上流有紧急军情,岳飞不可能顾及下流,那么

江、淮数百里边境空虚,有刘锜的一支军队,就可以填补这一空缺了。"

壬戌(初六),湖北、京西宣抚使岳飞请求增加兵员,高宗说:"上流地区确实宽阔辽远,宁可减少防御地域,不可增添兵员。今日各将的军队,已经忧虑难以分合。末大必折,尾大不掉,这是古人的告诫。如今的势态虽然未到这种程度,然而与其给大将增添兵员,不如另外设置几支军队,或许缓急之际容易分合。"

这一天,六宫先出发。高宗召淮西宣抚使张俊到宫中,与他从容谈论边境事情,张俊说:"臣应当与岳飞、杨沂中集合军事力量,希望打败敌人以报效国家。"高宗晓谕他说:"爱卿能够这样,很合朕意。然而这是爱卿的认识,朕还有一二件事告诫爱卿;朕来日东去,千万不要与百姓争利,不要兴土木之工。"张俊诚惶诚恐屏住呼吸接受训诫。张俊看到地面没有铺砖,再三叹息,高宗说:"艰难之际,一切从俭,或许能稍微缓解百姓财力。朕为君主,即使用金玉作为装饰,也无不可;如果这样,不仅一时士大夫议论不以为然,后世认为朕是什么样的君主呢!"

金主到约罗举行春水游猎。

癸亥(初七),高宗从建康府出发,殿前都虞候杨沂中,主管侍卫步军兼权马军司公事解潜,率领军队随从。这一天,到达东阳镇。

甲子(初八),高宗到达下蜀镇。殿中侍御史张绚请求高宗车驾所经过的州县酌情免去租税,高宗说:"自古君主所经过的地方,都有免去租税的做法,应当计议让百姓得到实惠。"张绚又请求清理积滞的罪犯,高宗说:"此事就没有必要了。父老盼望朕巡幸的心意,不能不有所慰问;如果罪人有罪,没有什么可怜悯的。"

乙丑(初九),高宗到达镇江府。

这一天,金主驾临天开殿。

丙寅(初十),徽猷阁待制、提举江州太平观胡安国充任宝文阁直学士,赐给银帛三百匹两。

胡安国因为衰老乞求退休,高宗准备同意,于是诏令以胡安国解释《春秋》并写成书为由,给他晋升官职和赏赐。第二天,诏令胡安国升迁一级官阶,然后退休,但诏命还未颁下而胡安国就去世了。

胡安国风度凝重深远,言语必定具有教育训诲,行动必定符合法度规范,闲居独处,未曾有懈怠散漫,而与人谈论,语气怡和言词简略,好像心中没有什么。性情本来刚烈急躁,晚年转而平和淡泊。担任官职不到六年,虽然几次因罪过免去职位,但其爱君之心,离君愈远愈深笃。

戊辰(十二日),高宗到达吕城镇。己巳(十三日),高宗到达常州。庚午(十四日),高宗到达吴锡县。辛未(十五日),高宗到达平江府。甲戌(十八日),高宗到达吴江县。丙子(二十日),高宗到达崇德县。丁丑(二十一日),高宗到达临平镇。戊寅(二十二日),高宗到达临安府。

户部尚书、权知建康府章谊充任端明殿学士、江南东路安抚大使兼知建康府,兼任行宫留守司公事。

甲申(二十八日),中书舍人李弥逊被任命为试尚书户部侍郎。

这个月，金国将拉林水、混同江护逻地交给百姓耕种放牧。

三月，丙戌朔（初一），广西经略司上奏："得到安南都护府谍报，安南在任郡王去世，现有留下的上奏表章及分批转运的大宗货物。"高宗诏令使者不必到京，马上任命直龙图阁、本路转运副使朱芾充任吊祭使，赐绢布各五百匹，羊五十只，面五十石，酒五十瓶，另外下敕书晓谕郡王嗣子李天祚。

安南与广西诸司互通问讯，安南王不署官衔而署将佐数人，有称中书侍郎同判都护府的，印文叫"南越国印"。

己丑（初四），济州防御使、知南外宗正事赵仲儡为嗣濮王。

庚寅（初五），礼部尚书刘大中被任命为参知政事，兵部尚书王庶充任枢密副使。

金国将禁苑中空闲土地分给百姓。

辛卯（初六），已故静海军节度使、特进、检校太尉兼御史大夫、安南都护、上柱国、交趾郡王李阳焕，被赠予开府仪同三司，追封南平王。

壬辰（初七），枢密使秦桧守尚书右仆射、同中书门下平章事，兼枢密使。

前一天，赵鼎退朝后独自留下奏事，高宗说："政事堂中一定没有不同意见的人。"又说："秦桧久在枢密院供职，是不是没有怨恨？"赵鼎说："秦桧是大臣，必定不会这样。然而任用他在于陛下，何况宰相位本来就有空缺。"这天晚上，锁院颁下制书，朝中官员都相庆贺，只有吏部侍郎晏敦复退朝后面有忧虑之色。

己亥（十四日），制书授予已故南平王李阳焕嗣子李天祚为静海军节度使、安南都护，封交趾郡王，他的阶官、勋爵及检校官、宪衔、食邑、功号，都依照李阳焕当初受封时的旧例。

辛丑（十六日），太常少卿苏符上言："景灵宫神御现在温州，将来在四季第一个月朝献，请求按照本朝居表旧例，在行在设置神位，分别命令大臣举行祭礼。"高宗同意他的请求。

壬寅（十七日），高宗诏令："已故宰相韩忠彦，附祭于徽宗皇帝庙。"

甲辰（十九日），徽猷阁待制、两浙都转运使向子谭被任命为试尚书户部侍郎。

丁未（二十二日），高宗诏令："江、浙州县，凡车驾所经过的地方，民间所欠绍兴六年全年的税赋全部免除。"

戊申（二十三日），左正言李谊上言："金人占据汴都，西北的百姓，感激恩德拥戴旧主，襁抱幼儿前来归顺，在路上络绎不绝，这大概是上天要振兴我宋朝。臣希望在淮南、荆、襄用西北原名建立西北各州郡，分别安置归顺的百姓，给予闲田，贷给牛具，使他们各自完成耕种农事；而且亲戚朋友同在一处，相爱相助，如同在家乡一样。将会出现中原的百姓，同心效顺，敌人的阴谋，当不攻自破了。"高宗诏令各路宣抚司依照屡次收到的诏旨筹措。

金国任命韩昉为翰林学士。

夏季，四月，己未（初四），太常少卿苏符奏言："徽宗皇帝，显肃皇后，至今还不知道其讳日，请求暂时在听说去世的日子，按祖宗的忌辰礼仪旧例设置道场烧香祭祀。"高宗同意他的请求。

壬戌（初七），命令枢密副使王庶暂去沿江及淮南等处处置边防事务。高宗下诏说："朕亲自派遣枢密大臣，协助军务，巡察营垒，遗看山川，乘此闲暇之时，谋划长久之利。凡监司、各位将帅、郡县的官员，要各尽其心，以安宁事务。假若有人懈怠散漫失职，已令王庶秘密奏报朝廷。"在这之前御史中丞常同说:"如今距离淮河越远的地方,边民大都不能安居乐业,应当派遣重臣巡察两淮荒田,鼓励百姓耕种,不收租税,几年之后,百姓富裕而国家财用就充足了。"到这时高宗命令王庶巡视东关,而且调集各路军队预先做好防秋计策,并将常同的奏章一同交给王庶施行。

当时保成军节度使、殿前都虞候杨沂中,恼怒他的统制官吴锡,将他收捕下狱。户部侍郎向子諲向王庶极力申诉,说吴锡是可用之人,王庶奏请朝廷释放了吴锡,让他统领军队驻扎淮西。

丙寅(十一日),王庶辞行,高宗告诫他张浚对待诸将多用权术,而且轻佻亲昵,自己招致轻视侮辱,吕祉因为傲慢放肆自我尊大招致失败,都应引以为戒。高宗因此论说:"成就王业与成就霸业,不可同时实行,应当以三王为效法。今日的各将,不能恢复疆域,日后朕要亲自行动,不杀一人,或许天下可以安定。"王庶奏请任命大理少卿周事、尚书金部员外郎晁谦之,一并主管机宜文字,军器监丞李若虚、枢密院计议官方滋、左承奉郎、通判临安府朱敦儒,同为枢密行府咨议参军。晁谦之,是任城人。

自从郦琼反叛,张俊擅自放弃盱眙而撤退,各将逐渐放纵。王庶一向有威严,临近出发,在都教场慰劳军队,军容严整。王庶穿便服坐在台上,从杨沂中以下,都穿戎装,从辕门步入,趋庭参拜接受任命,拜谢赐赠后走出,不敢仰视。

丁卯(十二日),金国任命静江节度使卢彦伦为行少府监兼都水使者,充任提点京城大内所。命令他营建宫室,只求俭省朴素。

己巳(十三日),尚书刑部侍郎曾开被任命为试礼部侍郎。

壬申(十六日),秘书少监兼崇政殿说书尹焞退朝后独自留下请求辞职。

当时已下诏令尹焞免去兼职史事,高宗说:"等待授予爱卿在京宫观的官职。"尹焞极力推辞,而且说:"士大夫如果不理会进退,怎么实行所学的东西!"第二天,高宗将此事告谕辅臣。参知政事刘大中说:"尹焞所学本源深厚,足以成为后进者的楷模。朝臣行列中如有年高有德之人作为领袖,也是朝廷气象。"于是任命尹焞为直徽猷阁、主管万寿观,留下侍讲经筵。

癸酉(十七日),徽猷阁待制、新知承州胡寅被任命为试尚书礼部侍郎。

辛巳(二十六日),太常寺少卿苏符奏言:"今年应当举行祫享礼,但在居丧期间,请求依照熙宁旧例,改在来年的冬季第一个月。"高宗采纳了他的意见。

壬午(二十七日),金主在天元殿举行祭祀祖先的朝享礼,立费摩氏为贵妃。

这个月,徽猷阁直学士王伦,在祁州会见金国左副元帅鲁王完颜昌。

当时韩世忠、岳飞、吴玠的军队各派遣间谍招引中原百姓,金人得到间谍的蜡丸旗子和榜文,出示给王伦看:"议和的使节不断到来,却暗中派遣间谍这样做,为什么?"王伦说:"和议安民,是皇上的意思。边防大臣看到议和久而无成,有的乘机谋取尺寸之利作为自己的功劳,则不能保证没有这种事,皇上一定不知道这种事。如果贵国信守诚意,明确许诺和平,那么朝廷一句话告诫他们,谁还敢这样!"各帅相视无语。

五月,乙未(十一日),秘阁修撰、知建州魏矼被任命为权尚书吏部侍郎。

起初,金国制度,因与辽、宋科举取士之法不同,命令南北读书人各以平时所学的知识应试,号称南北选。己亥(十五日),金主诏令南北选各以经义、辞赋两科取士。

壬寅(十八日),集英殿修撰、提举亳州崇道观张焘被任命为试尚书兵部侍郎。

丁未(二十三日),任命吏部员外郎范同借太常少卿名义,为接伴金国人使;武功大夫、高州刺史、带御器械刘光远借吉州团练使名义,作为副使。

在这之前徽猷阁直学士王伦已会见鲁王完颜昌,完颜昌派遣使者陪同王伦到京师。王伦见到金主,首先感谢废掉刘豫,然而申述皇上的议和旨意。当时完颜昌及太师完颜宗磐秘密商议许诺和解,到这时让王伦回来,并且命令太原少尹乌陵阿思谋、太常少卿石庆充前来议事。思谋是宣和年间在海上互相通好时所派遣的人,如今再次派遣他来,表示有同意和解的意思。

枢密副使王庶分条上奏淮南耕种等事情,高宗说:"淮南财利之源丰富,平时这一路上供宫内仓库的绸绢九十余万,其他的可想而知。"

辛亥(二十七日),改命徽猷阁直学士王伦充任馆伴使。

起初,任命权吏部侍郎魏矼为馆伴使,右武大夫荣州防御使、知阁门事蓝公佐借庆远军承宣使名义为副使。魏矼上言:"近来担任御史,曾经谈论和议的不是,现在难以专心应对。"秦桧召魏矼到都堂,询问他之所以不主张和议的意思。魏矼详述敌情难测,秦桧对他说:"公用智慧判断敌情,我用诚心对待敌人。"魏矼说:"相公固然以诚心对待敌人,只恐怕敌人不以诚心对待相公。"秦桧不能使他屈服,于是改变了任命。不久王伦又推辞不受,于是命令给事中吴表臣往来馆舍商议事宜。

癸丑(二十九日),召利州观察使、知鼎州马扩到行在。金国使臣乌陵阿思谋刚入境,几次问马扩在哪里,王伦上奏:"思谋是海上与我缔结和约的人,与马扩彼此熟识,应当召马扩到行在,恐怕要有所差遣。"所以有这道诏命。

六月,乙卯朔(初一),礼部贡院上奏考试博学宏词科合格,中等是左迪功郎、鄂州武昌县尉詹叔义,右迪功郎、前建康府司法参军陈岩肖;下等是左迪功郎、饶州鄱阳县东尉王大方。高宗诏令詹叔义、王大方一并由宰相任命,仍旧减少磨勘年限,赐予陈岩肖同进士出身。

戊午(初四),金主从天开殿回京。

壬戌(初八),宗正少卿张九成被任命为权尚书礼部侍郎。

衍圣公孔玠避乱居住衢州,高宗诏令就地赐田五顷。

戊辰(十四日),接伴官范同奏言金国使臣已到常州,高宗忧愁地说:"太后年事已高,朕朝夕思念,希望早日相见,所以不怕委屈自己而希望和议成功。然而有备无患,纵使和议已经成功,也不可放松军备。"参知政事刘大中说:"和议与战守本来互不妨碍,如果一心求和而忘记战守,就会中敌人的诡计了。"

枢密副使王庶当时在合肥,上疏说:"臣听说无故请求和议的,是阴谋。深入考察金国,侵犯我朝已超过十二年,在这之前乘战胜之势而到江、淮,而我们不曾有一天的胜利。到了绍兴四年冬季,金国、刘豫深入国境,驻军淮南,陛下亲征,使得他们奔逃而去。还有绍兴六年冬季,敌人倾国南侵,陛下再次统率大军,到达江、淮之间,皇威大振,金国和伪齐军队都有所退却,于是派遣使臣将徽宗皇帝、显肃皇后的去世消息告诉我朝。他们如果真的笃信与邻国友好,那么所通报的死讯,不应在多年之后;一定是由于怕我长驱进军,所以以此阴谋阻挠我进军。陛下天资圣明孝顺，在万分悲哀之中，就派遣使臣去索求灵柩，往返之间，已经一年半了，还没有听说灵柩到来，本来已经落入对方的诡计之中。又听说去年金国以欺诈手段废除刘豫，伪齐供职的人，四处奔逃，不能自保，所有百姓，日夜盼望我军的到来。在中都的各位将帅，如同坐在柴薪之上而火没有点燃一样，形势的倾覆危险，没有比这更容易的。如果我们一动，那么中原就不是对方所有了，所以他们阴谋诡计，不得不派遣使者。同意与否之间，怎能不深思熟虑呢！臣半夜思虑此事，使臣的到来，将用美言诱我，不过是出于两种计策：一是以淮河为界，一是以黄河为界。以淮河为界，是我今日所拥有的地方，而淮河以外也有现今州县的治所，如泗州、涟水军就是，既已为我所有，怎能用得着靠议和来请求呢。如果以黄河为界，那么东西四千里地，在战火之余，白骨无人收敛，几乎没有人迹，对方如果是真的给我们，我们既然得到了原来的国土，也不能像伪齐刘豫那样不予怜惜，还得十年不征收赋税徭役，以恢复那里的凋敝贫困。财赋既然无法得到，而每年所要缴纳的财物无疑有数百万，如果要加重向各路征收赋税，然而那里已贫穷至极，怎能用以充填沟壑一般的欲望！利害非常明白，而如果不事先将这些考虑清楚，那么三十万军队驻扎在无用之地，岁月长久，这样对方不必征伐，而我们在数年之间，终于自取灭亡。对方的计谋可谓尽善尽美，而我们为国家的谋划还没有像这样的粗疏。臣希望陛下先与在朝廷的大臣，确立一定的方针，如果以淮河为界，对方所请求的财物必然少，以黄河为界，对方所请求的财物必然多。或多或少，还未关系到国家的利害，就拿凋敝至极与对方谈判。如果对方顾念百姓生灵，就应当告诉他们河南之地，伪齐刘豫横征暴敛极为严重，一定要让百姓休养生息，然后才可以逐渐征收赋税，每年缴纳的财物须在五年之后方可由水路遣送。如果或许被接受，那么对方的和议，才可表现出诚意。如果不是这样，那么对方是在用计谋困扰我们，既使我不敢用兵，而又在穷困之际重收每年缴纳的财物，这样，对方没做什么却坐收成功，对方的计谋实在是深远啊。"奏疏呈进，没有批复。

直秘阁、奉迎梓宫副使高公绘先回到临安。

壬申（十八日），高宗特御射殿，引见礼部合格举人黄公度以下，于是将尚书省及四川类试合格举人黄贡等共三百九十五人核定为五等，赐予及第、出身、同出身，礼部上奏姓名的林格以下，赐予出身至助教。

癸酉（十九日），枢密副使王庶从淮西回到行在。

在这之前，王庶将要还朝，没有到，又上疏说："贪图逸乐如同服毒自杀，古人引以为戒。国家没有安宁，疆场出现祸患，敌人百般欺诈，自己违背海上盟约。到了今日，敌人欺骗我们无所不至，陛下自己是知道的，哪里还用臣说！商代的高宗，三年不说话。他因在居丧期间，话还不说，难道能够接见外国的使臣吗！先帝北伐而没有回来，天地鬼神，为之愤怒，能说话的人，谁不痛心！陛下怀着无限的悲痛，将要见到不共戴天之仇，将要作何种心情，又作何种表现，而且又说什么言词？希望陛下以宗庙社稷为重，应该自己谨慎严肃，思考高宗不说话的用意，不要接见外国的使臣，只让赵鼎以下仔细与他们商议事宜，就足以彰明陛下孝敬哀思的至诚，而与国体相适宜。"又说："金国使臣入境，经过州郡，傲慢自尊，全无平日礼节，接伴使想见一面都不能够。官府供设帷帐，甚至打造金盏，他们却轻慢放肆，毫无忌惮。臣听说自古图谋别国的人，必有确定的策略，越国谋取吴国，在于使其心志骄傲，秦国谋取六国，在于离散其合纵而已,其中虽然有所不同,但确定的策略未曾改变。金人用来图谋别国的,叫作和而已。考察金国已用这种策略谋取了契丹,又想以此谋取中国。突击的骑兵奔赴京城,开始谈判和议,到大军包围京城,又要谈判和议。二圣流离迁徙,中原动荡不安,十余年间,礼仪文明风俗,屡遭蹂躏践踏,杀人茹血,吞噬无厌,而和议从未放弃。如今王伦只是迎奉灵柩,却接受金国的和议而回,并且与金国使臣一同前来,这能可信不可信呢?刘豫虽然是僭位窃国,确立名号有七八年,却在一日之间被逐除。金人担心中原百姓或许反复无常,陕西叛将或许踌躇观望,我们一旦出兵必有内应,因此提出讲话的主张,仍旧派遣使臣,用来欺骗我朝,已昭然无疑。臣承蒙陛下亲自选拔,徒占其位执掌兵权,国家大事,不敢沉默,所以再为陛下陈述三条计策:上策,不如拘禁金国使臣,使其愤怒必然兴兵,我们就应战,所谓善战者致人而不致于人。金国以强大自居,一旦拘禁它的使臣,出其不意,气势先被挫伤,其失败指日可待。其次,希望陛下记住不共戴天之仇,坚决谢绝使臣,不与他相见,一切使命令他与大臣商议,然后慢慢观察动向,随事应酬。再其次,暂且表示怯弱,以厚礼相待,等他们出界后,派精兵尾随其后,所谓攻其不备,必定破敌。臣近来与边将大臣议论,都说如果丧失今日的机会,将来劳师费财,一定于功业无补,甚至有人说今年不用兵就请求交还旌节而退休。由此可见,则是人情思奋,都愿为陛下一战,希望陛下英明果断而竭力实行。”

乙亥(二十一日),起复武信军承宣使、行营中护军统制军马张宗颜任知庐州、主管淮南西路安抚司公事,右武大夫、开州团练使、知庐州兼淮西制置副使刘锜率领所部驻扎镇江府。

起初,王庶从淮上回来,命令张宗颜率领所部七千人驻扎庐州,命令中护军统制官巨师古率领三千人驻扎太平州,又分京东、淮东宣抚处置使韩世忠二军驻扎天长及泗州,使他们在紧急情况下互为声援。将刘锜移驻镇江,作为江南的根本。

当时朝廷认为诸将权重,想安抚偏将裨将以分散诸将的势力,张俊觉察此意,对行府钱粮官、右通直郎、新监行在榷货务刘时说:“您替我对子尚(王庶)讲:调换偏裨诸将,似乎不应过急;先安排好自己就可以了,不知自己在朝廷供职还能有几天。”王庶听后说:“替我对张十(张俊)讲:不论职位安稳与否,但愿在任一天就办一天的事情。”张俊不高兴。

丙子(二十二日),高宗告谕大臣:“昨天王伦奏对说:‘金国使臣乌陵阿思谋说,国书中需要再三申明武元帝与我海上通好一事,或许会得到国内的感动。’朕由此记起当时如尼玛哈等人不肯交还燕、云,都想用兵。只有阿骨打认为‘我们与大宋海上盟誓已定,不可失约,等我死后任由你们怎么做’,终于履行了条约。阿骨打就是所谓武元帝。由此可知创业的人,处心积虑,必定有过人之处。”

起初,朝廷听说乌陵阿思谋要来,众议愤慨,群臣奏对,都说不要深信。高宗意志甚为坚定,往往严峻拒绝,有时竟至大怒。赵鼎因此请求独自密奏高宗说:“陛下与金人有不共戴天之仇,如今却委屈圣体求和,实在不是好事。然而陛下不顾一切这样做,都是为了灵柩及母亲、兄长。群臣愤懑的言辞,是出于爱戴君上,没有别的意思,不必为此过于怪罪。陛下应该好好地对他们说:‘讲和确实不是好事,但因为灵柩及母亲、兄长的缘故,不得已这样做。议论的人不过认为敌人不可深信,假如灵柩及母亲、兄长今日得以回朝,明日又违背盟约,所得到的就多了,用意并不在于讲和。’群臣因为陛下如此孝顺诚挚,一定能够体谅。”高宗认为是这样,众人的议论才平息。

高宗诏令："今后授予不合资格的人六曹尚书官,依照元祐年旧例带'权字',俸禄赏赐如同正侍郎,满二年后听旨改授。"

丁丑(二十三日),金国使臣福州管内观察使、太原府少尹、河东北路制置都总管乌陵阿思谋、太常少卿、骑都尉石庆充入朝拜见高宗。

乌陵阿思谋初到行在,高宗命令他与宰执大臣在都堂议事,思谋感到为难,想要宰相到馆中议事,赵鼎坚持不可以。思谋不得已,才到都堂,然而还想以宾客之礼会见辅臣,赵鼎压低规格如同会见侍从官之礼。赵鼎举止大方仪态文雅,思谋一见,佩服他有宰相风度。赵鼎问思谋这次来的用意,他说:"王伦恳求。"又问:"商议什么?"回答说:"有好的公事商议。"赵鼎说:"道君皇帝的讳日尚且没有告知,有什么好公事?"又问:"地界怎么办?"回答说:"土地不可索求,听任大金的给予。"当时执政大臣聚在一起听,只有王庶不予理会。赵鼎于是与思谋商议订立国书的仪式,思谋的气势稍有收敛。

将要入对,赵鼎上奏说:"金国使臣入见,恐怕谈及灵柩一事,希望陛下稍微克制感情,不要哀恸。"高宗询问为什么,赵鼎说:"金国使臣的到来,不是为了吊祭,恐怕不需要这样。"等到入见,赵鼎与各位大臣以及管军杨沂中、解潜都在殿上站立侍奉,阁门官引导思谋等人上殿。高宗派王伦传旨,告谕说:"上皇灵柩,承蒙贵国照管。"又问:"太后及渊圣圣体安康否?"于是哽咽,举袖擦泪,左右均泣不成声。思谋说:"我是三十年前相识的故人,没有什么报答主上,只希望和议早日成功。"高宗又告谕说:"记得旧人,必能记得上皇,殷切希望你留意此事。"思谋退出,派王伦在宾馆设宴款待。

翰林学士兼侍读兼资善堂翊善朱震病危,上奏请求退休,并推荐尹焞替代他为翊善。夜里,朱震去世,年六十七岁。半夜奏章送到宫中,高宗一夜未睡。

戊寅(二十四日),辅臣奏事,高宗悲伤地说:"杨时已去世,胡安国和朱震又死了,同学的人,如今都不在了,朕十分痛惜!"赵鼎说:"尹焞学问渊博,可以接替朱震。"高宗指着奏章说:"朱震也推荐尹焞替代资善之职,但尹焞有些耳聋,恐怕教育儿童费力,等国公再大一些就用他。"于是诏令国公前去祭奠,赐朱震家银、帛二百匹、两,破例录用他子孙一人为官,又命令户部侍郎向子諲治理他的丧事。

癸未(二十九日),给事中兼侍讲吴表臣被任命为试尚书兵部侍郎。

这年夏季,金国左监军完颜昌从长安回到云中。

元帅府下令:"各种公私债务不能偿还的,将自身及妻女没入官府为奴婢以偿还债务。"在这之前,各帅交易借贷缗钱,遍及各路,年久日长不能偿还;恰逢改元诏书颁下,凡负债的都免除。各帅愤怒,故意违犯赦令;再次颁布此令,百姓怨恨,往往杀掉债主,聚集山谷成为盗贼。

秋季,七月,乙酉朔(初一),高宗诏命徽猷阁直学士、提举万寿观王伦借端明殿学士名义,任奉迎梓宫使;大理寺丞陈括为尚书金部员外郎,借徽猷阁待制的身份,作为副使。

殿中侍御史张戒又上奏疏,请求对外姑且表示和议通好的名义,对内则不忘决战的意志,而实际上则部署军队据险防守。又说:"自古就有能守而能和的,还没有不能战、不能守而能和的。假使真宗没有达兰一战的胜利,仁宗没有庆历的强盛,即使有一百个曹利用,一百个富弼,难道能和吗!"又说:"如果不能战,不能守,一点点表示诚信的誓言,哪里可以依恃!"

高宗诏令任命司马光同宗曾孙司马伋为右承务郎,作为司马光的后嗣。

戊子(初四),枢密副使王庶退朝后独自留下奏言:"臣前天在都堂,与赵鼎等人一同会见金国使臣再次询问,探听到乌陵阿思谋在宣和、政和年间曾来东京,金人将他作为亲信任用,二圣北去,都出自此人。今日上天或许派他来送死,即使将他粉身碎骨剁为肉酱,也不足以解除陛下无穷的冤仇。如今陛下反而以礼待他,大臣和颜奉承,臣在这一天心酸气塞,如醉如痴,口不曾与他交谈一句,眼不曾稍微窥视他的面容。君受辱则臣死,臣的不死,难道是有所爱惜不舍吗!臣又私下听到此人的说法,诡秘谲诈,无一可信。问他的来意则说是王伦恳求他,谈到事情却说土地不可索求。况且金国不派遣使臣已有几年了,王伦怎么能邀请他来呢?'土地不可索求,听任我朝给你',如果没有金主的旨意,思谋怎敢擅自说出这种话?臣日夜寻思这句话的意思,对方一定是因为用兵太久,人马消耗,加上老兵宿将,死亡殆尽,敌人互相观望,所以设计这种策略以使我朝休兵,等待稍许平定,必然寻衅挑起战事。现在企图眼下得过且过答应他们的请求,以后的祸患,将不可胜言!假如金人没有行动,损伤陛下的威武,离散天下的人心,耗费财物赋税,使将士懈怠懒惰,岁月容易流逝,吉凶丰歉没有常规,所败坏的是国家的实力,所忧虑的是陛下的宗庙。臣下一切都无所谓,今日奔走于路上,号称奉命出使之人,早上还在泥泞的路上,晚上就升任侍从之职;身居朝廷,担任筹划治理国事的职位,盗用玩弄权势,专门任用亲信,难道只可为之流涕、恸哭而已吗!臣被忠诚愤怒所激励,放肆地说出这种话,冒犯亵渎了陛下的圣聪,请求赐死责罚,臣不胜荣幸。"

己丑(初五)已故贵州刺史狄流,被特赠贵州防御使,录用他家中五人为官。狄流,是狄青的孙子,靖康年间为并、代、云中等路廉访使,太原失陷时身死。他家里向朝廷申诉,于是有这道诏命。

王伦奏言兵部侍郎司马朴,现在金国,坚守气节不屈不挠,请求优抚他的家里作为对忠义的劝勉。高宗同意他的奏请。伪齐刘豫被废掉后,金人想任命司马朴为汴京行台尚书右丞,司马朴极力推辞不受此官,金人敬重他的节义。

右正言李谊被任命为试右谏议大夫。

辛卯(初七),金国左副元帅完颜昌到京师朝拜,商议将废掉的伪齐旧地交给宋朝,金主命令群臣商议。正逢东京留守完颜宗隽入朝,意见与完颜昌相同,太傅完颜宗干等争辩不过他们。完颜宗隽说:"我将土地给予宋朝,宋朝必定感激我们的恩德。"完颜宗宪反驳他说:"我俘虏了宋朝皇帝的父兄,怨仇已不是一天。如果再用土地来资助宋朝,这是帮助仇敌,有什么恩德呢!不给为好。"完颜宗宪是完颜宗干的弟弟。完颜昌的弟弟完颜勖也认为不可,退朝后,完颜昌责备完颜勖说:"其他人还有追随我的,你竟然有不同意见吗?"完颜勖说:"如果有利于国家,怎敢有私心呢!"当时太师完颜宗磐官位在完颜宗干之上,完颜昌及完颜宗隽依附他,终于商定将土地给予宋朝。

丁酉(十三日),金国使臣乌陵阿思谋因为北还入宫辞行。高宗每当提及灵枢必定掩面而泣,群臣莫不感动。

王伦陪同金国使臣北行,赵鼎告诉他"皇上登基已久,四次祭祀天帝,君臣的名分已定,怎么可以改议!"王伦问交割土地的远近,赵鼎回答以黄河为界,是渊圣皇帝时的旧约,不是今天才提出的,应当以旧河作为黄河,如果近来的新河,就是清河,不是黄河。王伦接受任命后北去。

金国安春河洪水泛滥,冲毁房舍,百姓多被淹死。

壬寅(十八日),金国左丞相完颜希尹罢免。

丁未(二十三日),右武大夫、开州团练使刘锜充任枢密院都统制,依旧驻扎镇江府。

辛亥(二十七日),高宗诏令:"殿前司选锋军统制吴锡回行在,令本司另派一支军队前往庐州,暂且听从帅臣张宗颜节制。"

在这之前张宗颜请求命令吴锡换防,高宗说:"吴锡有胆识勇气和谋略,然而不可单独使用,可以令他速回,令杨沂中另派军队接替他。"赵鼎说:"杨沂中也曾有此请求。"赵鼎等人退朝后谈论,都佩服高宗知人善任。

近来的制度,三衙管军隔日在内廷宿卫,到这时殿前都虞候杨沂中已免去值班,只有权马军司公事解潜与殿步二司统制官互相轮换。解潜又奏言近来无事,请求按照东京旧例。于是下诏令解潜暂免值班,只分派轮换统制官。

癸丑(二十九日),右谏议大夫李谊援引晋、唐旧制上奏说:"现在万骑时常出巡,宫殿不如昔日那么壮大,禁卫也没有昔日那样众多,内忧外患,应该戒备的不是一项;而管军夜晚居住在宫外,这样解潜等人睡觉就安稳,为社稷考虑就不安稳了。应当让杨沂中与解潜依旧轮流宿卫。"高宗同意。不久任命带御器械韩世良为权主管侍卫步军司公事。

这个月,四川制置使胡世将到遂宁府,于是在利州与川陕宣抚副使吴玠会面。

当时军中缺乏粮饷,吴玠拿出颇多家财供给军饷。吴玠走到大安军,妇女、儿童饥饿者成百上千,围住马头而喧闹,吴玠大怒说:"我应当先斩勾光祖,然后自己检查过失以告谕你们。"因为勾光祖当时以直秘阁职衔任利州路转运副使,所以这样说。以前,宣抚副使都是文臣,但吴玠是行伍出身,不到十年升任大帅,所以不肯委曲谦让。到这时胡世将与他开怀畅谈,吴玠甚为欢喜,对人说:"昨天看到胡公心胸开阔明白事理,使我心中的忧闷豁然开朗。"胡世将出行的第二天,吴玠竟拘禁各路转运使司的官吏斩首在街市上。在这之前,水运溯江千余里,半年才能到达,陆运则均为七十五斗而运到一斛,胡世将与吴玠反复讨论,吴玠才清楚知道利害的所在。胡世将又以恩义开导吴蚧,而且将阆州守将孙渥交易所得的米数万石借给他,各路转运使司官员相继集聚利州,各有粮饷供给,军队由此得到给养。于是恢复前任大帅席益转搬折运的方法,粮食储备稍为充足,公私都有便利。

八月,甲寅朔(初一),金国颁行官制。

戊午(初五),高宗下诏说:"近日再次派遣使臣回访邻国,一再询问讳日,盼望迎回灵枢,还担心边疆守臣,不明白朝廷的用意,便放松边备疑惑部众心思,忽视远大图谋,安于平静无事,用来阻遏敌人冲击、作为守备的设施,有的到了欠缺不全,训练甲兵、训导士卒的制度,因而不被重视,保卫边境缺乏善后的计谋,面对敌人没有决胜的策略。正当秋季多有危急,实在让朕痛心。你们要严格整治所属城防,明确告诫部属,遇事一定要戒备,不忘捍卫防御的方略,更加坚定所持意志,还要考虑长久的计策,以使无穷的声誉永远传扬,以达到不可动摇的根基。你们各位官员,都应体察朕的旨意。"

癸亥(初十),回鹘向金国朝贡。

己卯（二十六日），金国以京师作为上京，府叫会宁府，旧上京称北京。

癸未（三十日），权礼部侍郎兼侍讲张九成兼任权刑部侍郎。

九月，甲申朔（初一），金国任命完颜奭为会宁牧，封邓王。

乙未（十二日），金主诏令："百官的封赠命令，女真、契丹、汉人各用本字，渤海同汉人。"

丁酉（十四日），金国改燕京枢密院为行台尚书省。

戊戌（十五日），金主在明德宫接受朝见。

辛丑（十八日），温州州学教授叶琳，上书请求兴办太学，他的看法认为："现在陛下暂住东南，百司齐备，为何唯独太学迟迟不能兴办？况且供养读书人五百人，不过花费一名观察使一个月的俸禄。"又说："汉光武帝从河朔兴起，五年后兴办太学，晋元帝从江南兴起，一年后兴办太学，均未曾以恢复失地为托词，以供给粮饷为理由。实在是因为国家的体统在于此，虽然很困苦急迫，也不可以迟缓。"朝廷将此事下达礼部。不久，右谏议大夫李谊奏言："今天如果完全像元丰年间供养读书人的数目，那么军粮正值供应紧迫，本来就无暇顾及；如果只以十分之一二为准，那么规模太小，又不合天子兴建学校的规格。况且宗庙、社稷都没有营建，而突然议论三雍的事，难道不是失去先后次序吗！希望等陛下回到汴京，或定都其他地方，然后推行。"高宗采纳了李谊的意见。

甲辰（二十一日），金国任命完颜奕为平章政事。

丁未（二十四日），尚书左仆射、同中书门下平章事、监修国史赵鼎晋升特进，因为《哲宗实录》编撰成书。中书舍人兼直学士院吕本中起草制书，其中说："所谓促成晋、楚的联合，不如尊崇王室轻视霸主；所谓离散牛、李的党羽，不如申明正确舍弃错误。只有你们万众一心，与我同德。"右仆射秦桧对此十分痛恨。

这年秋季，金人将知许州李成调任知翼州，将知拱州郦琼调任知博州，全部起运京畿、陕右官府的金银钱谷，转移到北方去，大概将有割地的意思。

刘豫没有废掉的时候，伪麟府路经略折可求因为有事到云中，左监军完颜杲将废刘豫立折可求之意告诉他。到现在副元帅鲁王完颜昌有割地给宋朝的意见，完颜杲恐怕折可求失望而生变故，借折可求前来相见之机，设酒宴给毒酒他喝。折可求回去，死在路上。

续资治通鉴卷第一百二十一

【原文】

宋纪一百二十一　起著雍敦牂【戊午】十月,尽屠维协洽【己未】五月,凡八月。

高宗受命中兴全功至德　圣神武文昭仁宪孝皇帝

绍兴八年　金天眷元年【戊午,1138】　冬,十月,甲寅朔,金以御前管句契丹文字〔李〕德固为参知政事。

丙寅,金主封叔宗强为纪王,宗敏为邢王,太宗子和鲁布等十三人皆为王。

金自晋王宗翰殁后,太师宗磐日益跋扈,尝与太傅宗干争论于金主前,即上表求退。完颜勖曰:"陛下富于春秋,而大臣不协,恐非国家之福。"金主因两解之。宗磐愈骄恣,又尝于金主前拔刀向宗干,都点检萧仲恭呵止之。己巳,金主始禁亲王以下佩刀入宫。

辛未,金定封国制。

癸酉,金以东京留守宗隽为尚书左丞相兼侍中,封陈王。宗隽入朝,与宗磐深相结。

甲戌,特进、尚书左仆射、同中书门下平章兼枢密使赵鼎罢,为检校少傅、奉国节度使、两浙东路安抚制置大使兼知绍兴府。

时秦桧党侍御史萧振等,屡以浮言使鼎自去,鼎犹未深觉,其客敕令所删定官方畴以书劝之曰:"见几而作,《大易》格言;当断不断,古人深戒。"鼎乃引疾乞免。殿中侍御史张戒上疏乞留鼎,否则置之经筵。时桧力劝屈己议和,鼎持不可,繇是卒罢。

鼎入辞,从容奏曰:"臣昨罢相半年,蒙恩召还,已见宸衷所向与乡来稍异。臣今再辞之后,人必有以孝悌之说胁制陛下矣。臣谓凡人中无所主而听易惑,故进言者得乘其隙而惑之。陛下圣质英迈,见天下是非善恶,谓宜议论一定,不复二三;然臣甫去国,已稍更改。如修史本出圣意,非群臣敢建言,而未几复罢,此为可惜。臣窃观陛下未尝容心,特既命为相,不复重违其意,故议论取舍之间,有不得已而从者。如此,乃宰相政事,非陛下政事也。"

鼎行,桧奏乞同执政往饯。枢密副使王庶谓鼎曰:"公欲去,早为庶言。"鼎曰:"去就在枢密,鼎岂敢与!"桧至,鼎一揖而去,自是桧益憾之。

丁丑,京东、淮东宣抚处置使韩世忠乞赴行在奏事。

先是徽猷阁直学士王伦既与乌陵阿思谋至金廷,金主复遣签书宣徽院事萧哲等为江南诏谕使,使来计事。世忠闻之,上疏曰:"金人遣使前来,有诏谕之名,事势颇大。深思敌情,继发重兵压境,逼胁陛下别致礼数。今当熟计,不可轻易许诺。其终不过举兵决战,但以兵势最重去处,臣请当之。"因乞赴行在奏事,驰驿以闻,上不许。

戊寅,枢密副使王庶言:"间者金使之来,大臣金议,或和或战,所主不同。臣忠愤所激,辄尔妄发,不量彼己之势,不察时事之宜,屡奏封章,力请谢绝,专图恢复。谓敌情不可以仁恩驯服,王伦之往,必致稽滞。今闻奏报,已还近境,和议可决。臣谋不逮远,智不通方,伏望速赐降黜。或以适补执政阙员,未便斥去,乞即特降处分,遇有和议文字,许免签书,庶逃前后反复,有失立朝之节。"己卯,诏不许。

十一月,甲申,翰林学士承旨孙近参知政事。

丙戌,权尚书礼部侍郎兼侍讲张九成罢。

初,赵鼎之未去也,九成谓鼎曰:"金失信数矣,盟墨未干,以无名之师掩我不备。今实厌兵,而张虚声以撼中国。彼诚能从吾所言十事,则与之和,当使权在朝廷可也。"

鼎既免,桧谓九成曰:"且同桧成此事,如何?"九成曰:"事宜所可,九成胡为异议!特不可轻易以苟安耳。"它日,与吕本中同见秦桧,桧曰:"大抵立朝须优游委曲,乃能有济。"九成曰:"未有枉己而能正人。"桧为之变色。九成从容言于帝曰:"敌情多诈,议者不究异日之害,而欲姑息以求安,不可不察。"会桧闻九成在经筵讲书,因及西汉灾异事,大恶之。九成入见,面奏曰:"外议以臣为赵鼎之党,虽臣亦疑之。"帝问其故,九成曰:"臣每造鼎,见其议论无滞,不觉坐久,则人言臣为鼎党无足怪。"既而九成再章求去,帝命以次对出守。桧必欲废置之,除秘阁修撰、提举江州太平观。

丁亥,诏:"荣州防御使、知阁门事蓝公佐接伴大金人使过境,俟接伴官、右司员外郎范同等到日交割。"

是日,京东、淮东宣抚处置使韩世忠复言:"恐金人诏谕之后,遣使往来不绝,其如礼物以至供馈赐予,蠹耗国用,财计阙乏,赡国不给,则经所谓'不战而屈人之兵'。望宣谕大臣,委曲讲议,贵在得中,以全国体。"

丙申,徽猷阁直学士、提举醴泉观王伦至行在。伦引疾乞在外宫观,不许,仍令赴内殿奏事。

庚子,参知政事孙近兼权同知枢密院事,以枢密副使王庶累章求去故也。

庶奏曰:"臣切详王伦之归,以为和好可成,故地可复,皇族可归,上自一人,下逮百执事,皆有喜色。独臣愚闇,不达事机,早夜以思,揣本齐末,未见其可。臣复有强聒之请,别无它情,止知爱君。和之与否,臣不复论,且以目今金人利害言之,讲和为上,遣使次之,用兵为下。何以言之?金人自破大辽及长驱中原,几十三年矣,所得土地,数倍汉、唐,所得珠玉子女,莫知纪极,地广而无法以经理,财丰而持势以相图。又,老师宿将,死亡殆尽,幼主权分,有患失之虑,此所以讲和为上也。金人灭大辽,荡中原,信使往来,曾无虚日,得志两国,专用此道。矧自废豫之后,阴谋败露,杌陧不安,故重报使人以安反侧,兼可以察我之虚实,耗我之资粮,离我之心腹,怠我之兵势,彼何惮而不为!此所以遣使为便也。金人之兵,内有牵制,外多疑忌,所用之人,非若昔日之勇锐,所签之军,非若昔日之强悍;前出后空,或有覆巢之虞,率众深入,不无倒戈之虑;又,淮上虚荒,地无所掠,大江浩渺,未可易渡,诸将兵势,不同曩时,所以用兵为下也。今彼所行皆上策,至为得计,吾方信之不疑,堕其术中,惟恐不如所欲。臣不敢效子胥出不祥之言,杀身以立后世之名,于国何补?惟陛下深思之,速断之,无使后之视今，亦犹今之视昔，天下幸甚！臣蒙陛下过听，擢置枢庭，言虽忠而不适于时，虑虽深而不明乎变，愚鲁自信，滞固不移，臣亦自厌其迟钝，况他人乎？兼自今冬以来，疾疹交作，精神昏耗，脚膝重腿，若犹贪冒宠荣，不知退避，罪戾之来，所不可逭，陛下虽欲保全，有所不能。伏望矜臣衰惫，保臣始终，俾解职事，除臣一在外宫观差遣，以便医药。"帝乃许之。

辛丑，诏大臣："遣使至境，朕以梓宫未还，母后在远，陵寝宫阙，久稽汛扫，兄弟宗族，未得会聚，南北军民，十馀年间不得休息，欲屈己求和。在庭侍从、台谏之臣，其详思所宜，条奏来上。"

宝文阁直学士、知台州梁汝嘉试尚书户部侍郎。

京东、淮东宣抚处置使韩世忠言："臣伏读宸翰，邻邦许和。臣愚思之，若王伦、蓝公佐所议，讲和割地，休兵息民，事迹有实，别无诬同外国诳赚本朝之意，二人之功，虽国家以王爵处之，未为过当。欲望圣慈各令逐人先次供具委无反覆文状于朝，以为后证。如臣前后累具己见，冒犯天威，日后事成虚文，亦乞将臣重置典宪，以为狂妄之戒。"

先是世忠数上疏，论不当议和。帝赐以手札曰："朕勉从人欲，嗣有大器。而梓宫未还，母后在远，陵寝宫禁，尚尔隔绝，兄弟宗族，未遂会聚，十馀年间，民兵不得休息，早夜念之，何以为心！所以屈己和戎，以图所欲，赖卿同心，其克有济。卿其保护来使，无致疏虞。"世忠既受诏，乃复上此奏，词意剀切，由是秦桧恶之。

甲辰，枢密副使王庶充资政殿学士、知潭州。

庶论金不可和，于道上疏者七，见帝言者六。秦桧方挟金自重以为功，绌其说。庶语桧曰："公不思东都抗节全赵时，而忘此敌耶？"桧大恨。庶又抗章求去，乃有是命。

中书舍人兼侍讲兼学士院句龙如渊试御史中丞。

时秦桧方主和议，力赞屈己之说，以为此事当断自宸衷，不必谋之在廷。帝将从其请，而外论群起，计虽定而未敢毕行。如渊言于桧曰："相公为天下大计，而群说横起，何不择人为台官，使尽击去，则相公之事遂矣。"桧大悟，遂擢如渊中丞，人皆骇愕。

侍御史萧振权尚书工部侍郎。振乞留王庶，故有是命。

丁未，枢密院编修官胡铨上疏曰："臣谨按王伦本一狎邪小人，市井无赖，顷缘宰相无识，遂举以使敌。专务诈诞，欺罔天听，骤得美官，天下之人切齿唾骂。今者无故诱致敌使，以诏谕江南为名，是欲臣妾我也，是欲刘豫我也。刘豫臣事金国，南面称王，自以为子孙帝王万世不拔之业，一旦金人改虑，捽而缚之，父子为虏。商鉴不远，而伦又欲陛下效之。夫天下者，祖宗之天下也；陛下所居之位，祖宗之位也。奈何以祖宗之天下为金人之天下，以祖宗之位为金人藩臣之位乎？且安知异时无厌之求，不加我以无礼如刘豫也！夫三尺童子，至无知也，指仇敌而使之拜，则怫然怒；堂堂大国，相率而拜仇敌，曾无童稚之羞，而陛下忍为之耶？伦之议乃曰：'我一屈膝，则梓宫可还，太后可复，渊圣可归，中原可得。'呜呼！自变故以来，主和议者，谁不以此说啖陛下哉？然而卒无一验，则敌之情伪已可知矣。陛下尚不觉悟，竭民膏血而不恤，忘国大仇而不报，含垢忍耻，举天下而臣之甘心焉。就令敌决可和，尽如伦议，天下后世谓陛下何如主也？况敌人变诈百出，而伦又以奸邪济之，则梓宫决不可还，太后决不可复，渊圣决不可归，中原决不可得；而此膝一屈，不可复伸，国势凌夷，不可复振，可为恸哭流涕长太息者矣！向者陛下间关海道，危如累卵，当时尚不忍北面臣敌；况今国势稍张，诸将尽锐,士卒思奋!只如顷者敌势陆梁,伪豫入寇,固尝败之于襄阳,败之于淮上,败之于涡口,败之于淮阴,较之前日蹈海之危,已万万矣;倘不得已而用兵,则我岂遽出敌人下哉!今无故而反臣之,欲屈万乘之尊,下穹庐之拜,三军之士,不战而气已索,此鲁仲连所以义不帝秦,非惜夫帝秦之虚名,惜夫天下大势有所不可也。今内而百官,外而军民,万口一谈,皆欲食伦之肉,谤议汹汹,陛下不闻,正恐一旦变作,祸且不测。臣窃谓不斩王伦,国之存亡未可知也。”

“虽然,伦不足道也,秦桧以心腹大臣而亦然。陛下有尧、舜之资,桧不能致陛下如唐、虞,而欲导陛下为石晋。近者礼部侍郎曾开等引古谊以折之,桧乃厉声责曰:‘侍郎知故事,我独不知!’则桧之遂非很愎,已自可见。而乃建白,令台谏侍臣签议可否,是盖恐天下议己,而令台谏侍臣共分谤耳。有识之士,皆以为朝无正人,吁,可惜哉!顷者孙近傅会桧议,遂得参知政事。天下望治有如饥渴,而近伴食中书,谩不敢可否一事,桧曰敌可讲和,近亦曰可和,桧曰天子当拜,近亦曰当拜。臣尝至(致)〔政〕事堂,三发问而近不答,但曰已令台谏侍从议之矣。呜呼!参赞大臣,徒取充位如此,有如敌骑长驱,尚能折冲御侮邪?臣窃谓秦桧、孙近亦可斩也。”

“臣备员枢属,义不与桧等共戴天日,区区之心,愿断三人头竿之藁街,然后羁留敌使,责以无礼,徐兴问罪之师,则三军之士,不战而气自倍。不然,臣有赴东海而死,宁能处小朝廷求活耶!”

戊申,接伴使范同,奏金使遣人议过界,帝曰:“若使百姓免于兵革之苦,得安其生,朕亦何爱一己之屈!”时上下汹汹,上手札付同,涂中稍生事,当议编置。既而金使萧哲与其右司侍郎张通古入境,同北向再拜,问金主起居,军民见者,往往流涕。

辛亥,枢密院编修胡铨昭州编管。

铨之上书也,都人喧腾,数日不定。帝语秦桧曰:“朕本无黄屋心,今横议若此,据朕本心,惟有养母耳。”于是桧与参知政事孙近言:“臣等比以金使及境,各进愚计,务欲接纳适中,可以经久。朝廷之体,贵在缜密,不敢漏言。闻铨上章历诋,盖缘臣等识浅望轻,无以取信于人,伏望睿断早赐诛责,以孚众听。”诏答曰:“卿等所陈,初无过论。朕志固定,择其可行。中外或致于忧疑,道路未详其本末。至小吏轻诋柄臣,久将自明,何罪之有!”至是乃议责铨。桧批旨曰:“北使及境,朝廷夙夜讲究,务欲上下安帖,贵得和议久远。铨身为枢属,既有所见,自合就使长建白。乃狂妄上书,语言凶悖,仍多散副本,意在鼓众劫持朝廷。可追毁出身以来文字,除名勒停,送昭州编管,永不收叙。令临安府差使臣兵级押发前去,候到,具日月闻奏。仍令学士院降诏,布告中外,深知朕安民和众之意。”

时铨妾孕临月,遂寓湖上僧舍,欲少迟行,而临安已遣人械送贬所。秘书省正字范如圭,与敕令所删定官方畴见吏部侍郎晏敦复,为铨求援。敦复曰:“顷尝言桧奸,诸公不以为然;今方专国,便敢如此。此人得君,何所不为!”敦复即往见守臣徽猷阁待制张澄,语之曰:“铨论宰相,天下共知。祖宗朝言事官被谪,开封府必不如是。”澄愧谢曰:“即追还矣。”

壬子,改铨监广州都盐仓。

宜兴进士吴师古锓铨疏于木,监登闻院陈刚中以启送行。师古坐流袁州,刚中谪知虔州安远县。

丙辰，金以康宗以上画像工毕，奠献于乾元殿。

张浚在永州，上疏言：“燕、云之举，其监不远。盖自宣和以来，挟诈反覆，倾我国家，非可结以恩信。借令彼中有故，上下分离，天属尽归，河南尽复，我必德其厚赐，谨守信誓，数年之后，人心益懈，士气渐消。彼或内变既平，指瑕造衅，肆无厌之求，发难从之请，其将何词以对？顾事理可忧，又有甚于此者。陛下积意兵政，将士渐孚，一旦北面事仇，听其号令，小大将帅，孰不解体！陛下欲经理河南而有之，臣知其无与赴功而共守者也。”凡五十疏，皆不报。

岳飞在鄂州，上言：“金人不可信，和议不可恃，相臣谋国不臧，恐贻后人讥。”秦桧衔之。

十二月，甲寅，检校少傅、奉国军节度使、知绍兴府赵鼎充醴泉观使，免奉朝请，从所请也。

乙卯，左朝奉大夫、主管洪州玉隆观冯楫守宗正少卿、假徽猷阁待制，为国信计议副使。楫既罢归，行至镇江，复召楫入对，除楫故官，与王伦偕见使人议事。

丙辰，诏曰：“朕以眇躬，抚兹艰运，越自初载，痛二帝之蒙尘，故兹累年，每卑辞而遣使。不难屈己，徒以为亲，虽悉意于经营，终未得其要领。昨者惊传讳问，恭请梓宫，彼方以讲好而来，此固当度宜而应。朕念陵寝在远，梓宫未还，伤宗族之流离，哀军民之重困，深惟所处，务适厥中。既朝虑而夕思，又广询而博访，言或同异，正在兼收，事有从来，固非创议。枢密院编修官胡铨，职在枢机之属，分乖廉陛之仪，遽上封章，肆为凶悖，初投匦而未出，已誊稿而四传，导倡陵犯之风，阴怀劫持之计。倘诚心于体国，但合输忠；惟专意于取名，故兹眩众。闵其浅虑，告尔多方，勿惑胥动之浮言，庶图可久之大计。”时秦桧恐言者不已，故请下此诏以戒谕之。

戊午，秦桧以大金使名未正，乞令人与计议，改江南为宋，诏谕为国信，如不受封册，不遣泛使，皆当先事言之，帝曰：“朕受祖宗二百年基业，为臣民推戴，已逾十年，岂肯受其封册！兼画疆之后，两国各自守境，每事不相关涉，惟正旦、生辰遣使之外，非时不许往来，朕计已定。”

己未，吏部尚书李光参知政事。

秦桧与光初不相知，特以和议初成，将揭榜，欲藉光名以镇压耳。帝意亦不欲用光，桧言：“光有人望，若同押榜，浮议自息。”帝乃许之。

癸亥，金新宫成。

乙丑，诏：“绍兴府南班不带遥郡宗室十八员，岁拨上供米五百斛，令同判大宗正事士㒟均给之。”以士㒟言宗室俸薄者不足于籴故。

庚午，殿中侍御史郑刚中言：“今日之势，尤急于边郡。如楚、泗、通、泰、滁、濠、江、鄂以至荆、襄、关陕之地，不过二十馀郡，愿诏大臣，精选二十馀辈，分而布之，使其招徕牧养，朝廷又时遣使按行，无状者易之，处处得人，则须以持久，增敕赐金之事可行矣。”从之。

甲戌，端明殿学士、提举万寿观韩肖胄以旧职签书枢密院事。

乙亥，以肖胄为大金奉表报谢使，光山军承宣使、枢密副（使）〔都〕承旨钱愐副之。

丙子，金诏谕使、尚书右司侍郎张通古，明威将军、签书宣徽院事萧哲至行在，言先归河南地，徐议事。以左仆射府馆之。

丁丑，金立贵妃费摩氏为皇后。

诏："大金遣使前来,止为尽割陕西、河南故地,与我讲和,许还梓宫、母、兄、亲族,馀无须索。虑士民不知,妄有扇惑,尚书省榜谕。"

台谏官句龙如渊等再诣都堂议国事。秦桧曰："若王伦商量不听,则如之何?"如渊曰："正恐伦未能办此。亦尝率易入文字,请相公、参政亲见使人与议,庶国事早济。"李光曰："此固不可惮;第一至馆中遂有如许礼数。"如渊曰："事固如此。然视人主之屈,则有间矣。"光默然。

遂召国信计议使王伦、副使冯楫至都堂。如渊语伦曰："公为使人,通两国之好,凡事当于敌中反覆论定,安有同敌使到此而后议者!"伦泣且曰："伦涉万死一生,往来敌中者数四。今日中丞乃责伦如此!"桧等共解之曰："中丞无它,亦激公使了取书事耳。"伦曰："此则不敢不勉。"

戊寅,句龙如渊与李谊入对,帝曰："士大夫但为身谋,向使在明州时,朕虽百拜,亦不复问矣。"帝辞色俱厉。如渊曰："今日事势,与在明州时不同。"谊曰："此事莫须召三大将来,与之商议,取其稳当乃可?"帝不答,久之曰："王伦本奉使,至此亦持两端;秦桧素主此议,今亦求去矣。"

翼日,帝召伦入对,责以取书事。是晚,伦见金使商议,以危言动之;金使张通古度不能强,遂许之。

如渊又言："讲和之事,系国利害,礼文之间,所当商全。其如大议盖已素定,初不待道涂之言而决也。沈该轻儇俗子,素无循行,近因上书,亦蒙召对。深虑希进之人,迎合圣意,自此妄有陈献,乘时猎取官职,有紊纪纲,为害不细,望赐寝罢。"先是张焘、晏敦复因论施庭臣、莫将除命,亦言该赃吏,不当由冗散召对,至是遂寝。

己卯,吏部侍郎晏敦复,户部侍郎李(珍)〔弥〕逊、梁汝嘉,兵部侍郎兼史馆修撰兼权吏部尚书张焘,给事中兼直学士院楼(照)〔炤〕,中书舍人兼资善堂翊善苏符,权工部侍郎萧振,起居舍人薛徽言,同班入对,上奏曰："臣闻圣人与众同欲,是以济事。是故人君施设注措,未有不以从众而成,违众而败者。伏见今日屈己之事,陛下以为可,士大夫不以为可,民庶不以为可,军士不以为可,如是而求成,臣等窃惑之。仰惟陛下独以为可者,谓梓宫可归也,渊圣可还也,母后可复也,宗族、土地可得也。国人不以为可者,谓敌人素多变诈,今特虚文以来,而梓宫未归,渊圣未还,母后未复,宗族、土地未得,何可遽为卑辱之事!此公论也。以陛下圣孝,固无所不尽,然天下公论,又不可不从。使天诱其衷,敌人悔祸,惟我之从,而梓宫已归,渊圣已还,母后已复,宗室、土地皆已得之,则两国通好,经久之礼,尚有可议。岂但信其虚辞,一未有所得,而遂欲屈膝以从之乎!一屈之后,将举国以听之,臣等恐彼之所许,未必可得,而我之为国,日朘月削,遂至不可复支矣。臣等窃闻敌使入境,伴使北向再拜,问敌帅起居;此故事也,然军民见者,或至流涕。夫人心戴国如此,虽使者一屈犹为之不平,况肯使陛下不顾群议,断而行之?万一众情不胜其忿,而王云、刘晏之事或见于今日,陛下始有追悔之心,恐已晚矣。传曰:'众怒难犯,专欲难成。'合二难以安国,危之道也。臣等职在论思,窃闻舆议,不敢缄默,伏望圣慈俯同众情,毋遂致屈而缓图之,不胜幸甚!"帝览奏,愀然变色曰："卿言可谓纳忠,朕甚喜士大夫尽忠如此。然朕不必至为敌所绐。方且熟议,若决非诈伪,然后可从。如不然,当拘留其人,再遣使审问虚实。"

庚辰，尚书右仆射秦桧见金使于其馆，受国书以归。初，欲行代受书礼，桧未有以处，因问给事中直学士院楼(照)〔炤〕，(照)〔炤〕举《书》'高宗谅阴，三年不言'之语，桧悟，于是帝不出，桧摄冢宰受书。张通古欲索百官备礼以迎，桧乃命三省、枢密院吏朝服乘马导从。当时以桧首创和议，致亏国体，观者莫不愤叹。

辛巳，御史中丞句龙如渊言："今和议已定，遣使岁必再三，使者冠盖相望于途矣。欲望特诏有司，检照近年体例，参酌中制，将所得恩例，凡使者在铺及至界首者，比旧减三分之二；汴京或燕中者减半；直至金国者全给，庶几久而可行。"

是月，虚恨蛮王历阶犯嘉州忠镇寨，执寨将茹大猷以归。

虚恨，乃乌蛮之别种，所居高山之后，夷人以高为虚，以后为恨，故名焉。其地东接马湖，南抵邛部川，北接中镇，地方三百里，墟落数十。天禧以前，朝廷岁以酒食犒劳。嘉祐间，始入寇，遂徙寨于阳山江北以避之。绍圣间，乞于嘉州博易，不许。至是遣其从人来忠镇寨，为汉人所杀，蛮益仇恨。有判官田二三，本新津县吏也，亡命蛮中，教历阶为边患，遂举族入寇，转掠忠镇。十二村民殆尽。

鄜延既破，第六将李世辅为金右副元帅宗弼所喜，累迁知同州。及金废伪齐，世辅乃与其徒王世忠等，潜谋遣使臣白彦忠持书抵川陕宣抚副使吴玠，使出兵外应。是冬，左监军完颜杲自大同之陕西，见左都监萨巴，议割地事。比过同州，世辅乃佯称坠马折臂，伏兵州廨，因犒其从者，醉而悉杀之。遂缚杲上马，欲挟以南归。穆昆固云方索马于外，闻变，不得入，城已闭，转至东门，遇哈塔雅率骑三十馀，遂相与斩门而出。世辅与亲校崔皋、拓跋忠等数十人自西门出，且战且前。至五丈原，追骑益众，世辅谓曰："追我急，即(急)杀之矣。"固云等一进一退以缀之。世辅度众寡不敌，乃解杲缚，折箭为誓，留之路侧。固云识杲声，与骑而归。时洛水溢，世辅无舟，不得渡，金人又会兵断其归路，世辅遂奔夏州。其父同州观察使永奇及其家百馀人，皆为金人所族。金以固云为安远大将军。固云，洛索子也。

绍兴九年　金天眷二年【己未，1139】　春，正月，壬午朔，诏："大金已遣使通和，割还故地，应官司行移文字，务存两国大体，不得辄加诋斥。布告中外，各令知悉。"

癸未，新除起居郎莫将试司农卿，充伴送使。

乙酉，新监(昭)〔广〕州盐仓胡铨签书威武军节度判官厅公事。

丙戌，以金人来和，大赦天下。"应河南新复路分见任文武官，各安职守，并不易置；山寨土豪等，优与推恩；应陕西掌兵官，昨缘抚驭失宜，致有离散，非其本心，今来既已归还，各仰安职；应进士诸科，曾因刘豫伪命得解者，并与理为举数；应新复州县，放免苗税三年，差徭五年；应两淮、荆襄、川陕新旧宣抚使及三衙管军，并特取旨，优异第赏，统兵官等第推恩，内外诸军并与犒设。张邦昌、刘豫，僭号背国，原其本心，实非得已，其子孙亲属，并令依旧参注，无官者仍许应举。军兴以来，州县失守投降之人，不以存亡，并与叙复，子孙依无过人例。靖康围城伪命及因苗傅、刘正彦名在罪籍，见今拘管编置者，并放逐便；未经叙用者与收叙。绍兴八年特奏名进士试入第五等人，并特依下州文学恩例。江、浙诸路今年和预买绸绢，每匹特免一贯文。江西、湖广等路见有盗贼啸聚去处，并许自新，前罪一切不问。"

龙图阁学士、提举醴泉观王伦，赐同进士出身，除端明殿学士、同签书枢密院事，充迎奉梓宫，奉还两宫、交割地界使；荣州防御使、知阁门事蓝公佐为宣州观察使，副之。许岁贡银绢共五十万匹两。伦、公佐及报谢使副韩肖胄、钱恂,各官其家二人,赐装钱有差。

戊子,帝谓大臣曰:"祖宗陵寝,久沦异域,今故地既归,便当遣宗室使相与近臣偕往修奉。"遂命光山军节度使、开府仪同三司、判大宗正事士㒟与兵部侍郎张焘俱行。

宗正少卿冯楫权尚书礼部侍郎。

己丑,诏以黄金一千两附北使张通古进纳两宫。

时通古与报谢使韩肖胄先行,而京东、淮东宣抚处置使韩世忠伏兵洪泽镇,诈令为红巾,俟通古过则劫之,以坏和议。肖胄至扬州,世将郝抃密以告直秘阁、淮东转运副使胡纺白之,肖胄、通古乃自真、和由淮西以去。世忠怒,追抃,欲杀之,(忻)〔抃〕弃(甲)〔家〕依岳飞军中。

庚寅,以金人归河南地,命官奏告天地宗庙社稷。

少师、万寿观使、荣国公刘光世,赐号和众辅国功臣,进封雍国公;扬武翊运功臣、少保、京东、淮东宣抚处置使韩世忠迁少师;少保、淮西宣抚使张俊,赐安民静难功臣,迁少傅。自刘光世以下,其所领三镇节钺皆如旧,用讲和恩也。

壬辰,太尉、武胜、定国军节度使、湖北、京西宣抚使岳飞,保平、静难军节度使、川陕宣抚副使吴玠,并开府仪同三司;殿前都虞候、保成军节度、主管殿前司公事杨沂中为太尉、殿前副都指挥使、主管都指挥使公事。飞上表有云:"唾手燕、云,终欲复仇而报国;誓心天地,尚令稽首以称藩。"又言:"今日之事,可忧而不可贺,勿宜论功行赏,取笑敌人。"秦桧恶之,遂成仇隙。吴玠在熙州,其幕客请为贺表,玠曰:"玠等不能宣国威灵,亦可愧矣,但当待罪称谢可也。"

癸巳,诏建皇太后宫室于大内,以旧承庆院为之。

龙神卫四厢都指挥使、江州观察使、权主管侍卫马军司公事解潜,以论事不合求罢;为建宁军承宣使、福建路马步军副都总管。

甲午,金人所命知宿州赵荣以城来归。荣不俟割地,首先纳款,由是金人怒之。

是日,金右副元帅沈王宗弼始以割地诏下宿州。金主诏河南吏民,略曰:"顷立齐豫以守南服,累年于兹。天其意者不忍遽泯宋氏社稷,犹留康邸在江之南,以安吾南北之赤子也。倘能偃兵息民,我国家岂贪尺寸之地,而不为惠安元元之计乎!所以去冬特废刘豫,今自河之南,复以赐宋氏。尔等处尔旧土,还尔世主,我国家之恩亦已洪矣。尔能各安其心,无忘我上国之大惠,虽有巨河之隔,犹吾民也。其官吏等,已有誓约,不许辄行废置,各守厥官,以事尔主,无贻悔吝。"又命官吏军民,愿归山东、河北者听。

丁酉,诏:"渊圣皇帝宫殿,令临安府计度修建。"

戊戌,以王伦为东京留守兼权开封府尹,郭仲荀为太尉、东京副留守兼节制军马。

金以左丞相宗隽为太保,领三省事,进封兖国王,复以兴中尹完颜希尹为尚书左丞相兼侍中。

己巳,刘光世为陕西宣抚使,吴玠为四川宣抚使,内陕西路阶、成等州,听玠节制如旧,命内侍赍告以赐。帝因光世除命,谕辅臣曰:"河南新复,境土所命守臣,专在拊循遗民,劝课农桑,各使因地以食,因其人以守,不可移东南之财力,虚内以事外也。"

丙午,徽宗大祥,帝衰服,御几筵殿,易白罗袍,行祭奠之礼,前后不视事十日。宰臣率百官进名奉慰。

熙河经略使慕容洧叛。

洧在熙河十馀年，骁勇得众，屡为边患。及金人归陕西地，洧叹曰："吾何面目见朝廷！"弃熙河去，居西夏、青唐两界之间，有众数千。洧又寇环州，经略使赵彬追及，与战，泾原经略使张中彦率兵援之，洧败走，其众多降。

二月，癸丑，京城副留守郭仲荀乞兵与粮，帝曰："朕今日和议，盖欲消兵，使百姓安业。留司岂容多兵！但得二三千人弹压侵略足矣。至于钱粮，亦只据所入课利，养赡官兵。它日置榷场，不患无钱，岂可虚内而事外邪！朕见前朝开边，如陕西、燕山，曾不得尺帛斗米，而府藏已耗竭矣，此可为戒。"遂命淮西宣抚使遣统领官、右武大夫、文州防御使郑堪，武略大夫唐朴，以本部兵千人从仲荀之任。

丁巳，郭仲荀迁太尉，充东京同留守。

徽猷阁待制刘岑试尚书刑部侍郎。

大理寺少卿周聿权尚书刑部侍郎，仍充陕西宣(抚)〔谕〕使。

戊午，殿中侍御史曾统试左谏议大夫。

己未，尚书右仆射秦桧上徽宗皇帝陵名曰永固。

观文殿大学士、提举洞霄宫李纲知潭州，观文殿大学士、提举临安府洞霄宫朱胜非知湖州，观文殿学士、提举洞霄宫汪伯彦知宣州，提举洞霄宫张浚知福州，建宁军承宣使、新福建路马步军副都总管解潜知邵州。

左承事郎陈晟言："河南之民，自金人蹂践以来，习于战斗，且惩前日之杀戮，欲保乡井，全骨肉。至如依险山寨之民，其备御之计，可谓详矣。适丁此时，因其部分，申以府兵之法，使自为守，民必乐从。"诏东京同留守郭仲荀措置。仲荀请以近城闲田募弓箭手，从之。

壬戌，新知福州张浚，复资政殿大学士、充福建路安抚大使，兼知福州。

(果)〔开〕州团练使刘锜落阶官，为龙神卫四厢都指挥使。锜统所部自镇江还朝，遂代解潜权主管侍卫军马司公事。

己巳，翰林学士楼(照)〔炤〕兼侍读、权尚书工部侍郎。

壬申，检校少傅、奉国军节度使、醴泉观使赵鼎知泉州。鼎寓居会稽，秦桧犹忌其逼，乃以远郡处之。

是日，金主如天开殿。

三月，丙戌，徽猷阁直学士知漳州廖刚试御史中丞。

戊子，尚书吏部侍郎晏敦复，户部侍郎梁汝嘉，皆进权本部尚书；尚书兵部侍郎兼侍讲兼资善堂翊善吴表臣，移礼部侍郎；权工部侍郎兼侍讲萧振，移兵部侍郎；徽猷阁待制、知临安府张诚试工部侍郎。

甲午，命参知政事孙近撰皇太后册文，参知政事李光书册兼篆宝，宝用金，册以珉石。

乙未，少保、镇南军节度使、醴泉观使、成国公吕颐浩乞归台州养疾，许之。

丙申，东京留守王伦始交地界。

先是赵荣既纳款，知寿州王威者亦以城来归。及伦至东京，见金右副元帅沈王宗弼，首问荣、威，且责赦文载割河南事，不归德于金。伦一面改定，谓元降赦文非真，乃已。接伴使乌陵阿思谋至馆,亦以荣、威为问,必欲得之。至是伦始交地界毕,京城父老官吏送宗弼至北郊,宗弼坐坛上,酌酒为别,应交割州军官物,十分留二分,馀八分赴河北送纳。宗弼由沙店渡河之祁州,金遂移行台于大名。

初,金以宗辅子褒为三路都统,知归德府,秋毫无扰,甚得人心。及割地而归,褒悉遣其吏士先行,最后乃出,即下钓桥,极为肃静。

丁酉,徽宗禫祭,帝诣别殿行礼。

己亥,以久雨,放临安府内外公私僦舍钱三日。自是雨雪则如之。

诏分河南为三路,京畿路治东京,河南府路治西京,应天府路治南京,以帅臣兼留守,三路各置漕臣一员兼提刑。

初,河南镇抚使翟兴既死,其将李兴降于刘豫,豫用为鄜延路兵马钤辖,移河南。至是以兴为武翼大夫、阁门宣赞舍人,职如故。

豫之僭也,有郁臻者,以吏职出身,献屯田之议,豫大喜,行其策,且谓人曰:"前朝以虚誉用人,惟尚科举,至宣、靖间,误国者皆进士及第之人。我则不然,惟才是用,不问门阀。"乃以臻为秉义郎、阁门祗候,充白波輓运。及缴还河南,召臻赴行在,秦桧见而不之礼,既而曰:"刘豫国祚不永者,盖由用此辈而不用士人也。"臻恨之。

辛丑,翰林学士兼侍读楼(照)〔炤〕为端明殿学士、签书枢密院事。

癸卯,升衡州茶陵县为军,以知县兼军使。

丙午,金命百官详定仪制。

先是金制多袭辽旧。宗宪曰:"方今奄有辽、宋,当远引前古,因时制宜,成一代之法,何乃近取辽人制度哉!"左丞相希尹曰:"尔意甚与我合。"由是器重之。

丁未,归德府复为应天府,平凉府复旧州名,陈、许、颍、寿、曹、延庆州复旧府名,顺州、临汝镇、颍顺军复旧县名,皆伪齐所改也。先是伪齐建双庙于应天,以祠陈东、欧阳澈,王伦命毁之。

尚书刑部侍郎刘岑移吏部侍郎。

是春,夏人乘折可求之丧,陷府州。可求子彦文挈家依金左副元帅鲁国王昌于大同府。后金人命彦文知代州。

夏,四月,癸丑,环庆经略使赵彬,言已杀叛将慕容洧,其部曲多降。秦桧言:"陕西无事,实为庆幸。"然洧实不死。

丙辰,景灵宫孟夏朝献,上诣行礼殿行礼;翼日,亦行之。自是四孟皆用此例。

壬戌,诏卜永固陵于西京。

诏升胙城县为军,以东京留守王伦言县与北界滑州相连,乞升名额以便文移故也。

癸亥,御史中丞廖刚言:"今先帝已终,而朔望遥拜渊圣皇帝之礼如故,此盛德也。然礼有隆杀,方兄为君,则君事之,及己为君,则兄之而已。望免抑圣心,自此寝罢,岁时自行家人礼于内庭可也。若远在万里之外,每尊之为君,比其反也,则不归政,恐天下有以议我也。况此拳拳之意,于渊圣何益?万一归未有期,尤非所以示远人。"事下礼部、太常寺。侍郎吴表臣、冯楫、少卿周葵等,请遇朔望日,皇帝用家人礼遥拜于禁中,群臣遥拜于北宫门外,从之。

甲子,观文殿学士孟庾为河南府路安抚使兼知河南府、充西京留守,资政殿学士致仕路允迪为应天府路安抚使兼知应天府、南京留守。

甲戌，金百官朝参始用朝服。

五月，庚辰朔，中书门下省检正诸房事间丘昕权尚书吏部侍郎，左司员外郎陈橐权刑部侍郎。

丙戌，名显肃皇后神御殿曰承顺。时原庙未立，承元、承顺殿皆寓行宫天章之西。

戊子，太白昼见。

判大宗正事士㒟、兵部侍郎张焘朝谒永安诸陵。

前二日，士㒟等至河南，民夹道欢迎，皆言久隔王化，不图今日复得为宋民，有感泣者。士㒟等入柏城，披荆履蘖，随宜葺治，成礼而还。陵下石涧水，兵兴以来久涸，三使到，水即日大至，父老惊叹，以为中兴之祥。士㒟等既朝陵，留二日，遂自郑州历汴、宋、宿、泗、淮南，以归行在。

庚寅，奉迎钦先、孝思殿祖宗御容赴行在。

先是刘豫入东京，毁天章阁，迁御容于启圣院。至是王伦遣官辨认以闻，故有是旨。

癸卯，起居舍人程克俊言：“河南故地，复归版图，父老苦刘豫烦苛久矣，赋敛及于絮缕，割剥至于蔬果，宿债未偿，欠牍具在。欲望明诏新疆州县，取刘豫重敛之法，焚于通衢。”诏如所请。

豫之僭也，凡民间蔬圃之田，皆令三季输税，又令民间供赡射士。宣谕官方庭实尝口言其不便，事下诸路漕臣措置，故克俊及之。

乙巳，金主至自天开殿。

金使张通古之北还也，见河南已置戍，谓韩肖胄曰：“天子裂壤地益南国，南国当图报大恩。今辄置守戍，自取嫌疑，若兴师问罪，将何以为辞？”肖胄即遣人驰告，遽命罢戍。通古至上京，具以白太傅宗干，且曰：“及其部署未定，当议收复。”宗干喜曰：“是吾志也。”即除通古参知行台尚书省事。

【译文】

宋纪一百二十一　起戊午年(公元 1138 年)十月，止己未年(公元 1139 年)五月，共八月。

绍兴八年　金天眷元年(公元 1138 年)

冬季，十月，甲寅朔(初一)，金国任命御前管勾契丹文字李德固为参知政事。

丙寅(十三日)，金主完颜亶封叔父完颜宗强为纪王，完颜宗敏为邢王，金太宗的儿子和鲁布等十三人都被封王。

金国自从晋王宗翰死后，太师宗磐日益跋扈，曾与太傅宗干在金主面前争论，随即上表请求退休。完颜勖说：“陛下正值年轻，而大臣不和，恐怕不是国家的福气。”金主于是对二人进行劝解。宗磐更加骄横放肆，又曾在金主面前拔刀指向宗干，都点检萧仲恭呵斥制止了他，已巳(十六日)，金主开始禁止亲王以下佩刀入宫。

辛未(十八日)，金国确定封国制度。

癸酉(二十日)，金国任命东京留守宗隽为尚书左丞相兼侍中，封陈王。宗隽入朝任职，与宗磐深相交结。

甲戌(二十一日),特进、尚书左仆射、同中书门下平章事兼枢密使赵鼎被免职,任检校少傅、奉国节度使、两浙东路安抚制置大使兼知绍兴府。

当时秦桧的党羽侍御史萧振等人,屡次散布流言想让赵鼎自己辞职。赵鼎尚未有深刻的觉察,他的门客救令所删定官方畴写信劝他说:"见机行事、随机应变,是《大易》的格言;当断不断,古人深以为戒。"赵鼎于是称病请求免职。殿中侍御史张戒上疏请求留任赵鼎,否则安置他到经筵。当时秦桧极力劝高宗委屈自己议和,赵鼎坚持认为不可,因而最终被免职。

赵鼎入宫辞谢,从容奏说:"臣以前被罢免宰相职务半年,承蒙皇恩被召回复职,已看见陛下的意向与以往有所不同。臣今天再次辞职之后,必定有人以孝悌之说胁迫陛下。臣以为,凡是人心中没有主见就容易被别人的意见迷惑,所以进言的人得以乘隙而迷惑他。陛下识见才智出众,能看出天下的是非善恶,认为应当议论一旦确定下来,不再变更;然而臣刚刚离开朝廷,就已有稍微地改变。如修史本是出自陛下的旨意,不是群臣所敢奏议的,可是不久又搁置下来,这是很可惜的。臣私下观察陛下未曾留意,已特意任命某人为宰相后,又不再过于违背他的意见,所以在议论取舍时,有时不得已而依从他的意见。这样,就成了宰相的政事,而不是陛下的政事。"

赵鼎启程,秦桧奏请和执政同去饯行。枢密副使王庶对赵鼎说:"您要走了,早点替我说话。"赵鼎说:"去留由枢密院决定,赵鼎怎敢参与!"秦桧到,赵鼎仅拱手行礼就离去了,从此,秦桧更加怨恨赵鼎。

丁丑(二十四日),京东、淮东宣抚处置使韩世忠请求到行在奏事。

在这之前,徽猷阁直学士王伦已与乌陵阿思谋到达金国朝廷,金主又派遣签书宣徽院事萧哲等人为江南诏谕使,让他们前来宋朝商议和议事宜。韩世忠听到后,就上奏疏说:"金国派遣使臣前来,有诏谕之名,声势很大。深刻考虑敌情,他们将会接着征发重兵逼迫边境,胁迫陛下称臣纳贡。如今应当深思熟虑,不可轻易许诺。最终不过是举兵决战,请求将军势最重的地方,交给臣去抵挡。"于是请求去行在奏事,通过驿站将奏疏飞马送到宫中报知,高宗没有同意。

戊寅(二十五日),枢密副使王庶上言:"先前金国使臣前来,大臣商议对策,有的主和有的主战,意见不相一致。臣为忠愤所激,当时妄发议论,没有估量敌我的势力,没有考察是否合乎时宜,屡次上奏密章,极力请求谢绝和议,一心谋划收复大业。臣以为对敌情不可以用仁义恩德来驯服,王伦出使,必然导致拖延时日。今天闻知奏报,王伦返回已近边境,和议即可决定。臣谋略并不深远,智慧也不通达,希望陛下速下圣旨将他免除职位。或许认为他适合填补执政大臣的缺位,不便逐斥,请求立即特此降诏处分,遇到有和议的文字,准许不要签发批示,或许能够避免前后反复,有失朝廷君臣的节操。"己卯(二十六日),高宗下诏不许。

十一月,甲申(初二),翰林学士承旨孙近被任命为参知政事。

丙戌(初四),权尚书礼部侍郎兼侍讲张九成被罢免。

起初,赵鼎未被免职时,张九成对赵鼎说:"金国多次失信,盟约的墨迹未干,就出动无名之师乘我无备袭击我军。现在实际上是苦于战事,而虚张声势通过和议来打动我朝。金国如果真的同意我们所提出的十件事情,那就与他们和议,应当将主动权掌握在朝廷手中才可以。”

赵鼎被免职后,秦桧对张九成说:“姑且与我一道完成这件事,怎么样?”张九成说:“只要事情是应该做的,我张九成怎么会持不同意见呢! 只是不可轻易苟且偷安而已。”另一天,张九成与吕本中一同去见秦桧,秦桧说:“大概在朝廷做官须悠闲自得委曲求全,才能成功。”张九成说:“还没有自己委曲求全而能使别人正直的。”秦桧因此变了脸色。张九成从容地向高宗上言:“敌情多有欺诈,议和的人不深究以前议和给我朝带来的危害,却企图姑息敌人以求苟安,不可不明察。”适逢秦桧听说张九成在经筵讲书,顺便讲到西汉的灾异史事,十分憎恨张九成。张九成入见高宗,当面奏说:“外面的议论认为臣是赵鼎的党羽,即使臣本人也疑虑不安。”高宗询问其中的缘故,张九成说:“臣每次造访赵鼎,见他议论不倦,不知不觉就座了很久,因而别人就说臣是赵鼎的党羽,也就不足为怪了。”不久张九成再次上奏章请求辞职,高宗命令他以侍制的身份外出任太守。秦桧一定要废除他的实际职权,因此任命他为秘阁修撰、提举江州太平观。

丁亥(初五),高宗诏令:“荣州防御使、知阁门事蓝公佐接待陪同大金国使臣通过边境,等接伴官、右员外郎范同等人到达时交接。”

这一天,京东、淮东宣抚处置使韩世忠又上言:“恐怕金人宣布议和之后,派遣的使臣往来不绝,所要准备的礼物以及供给赏赐,耗费国家财用,使财政困乏,国家供给不继,这正是通常所说的‘不战而屈人之兵。’希望告谕大臣,和议时委婉周旋,贵在恰如其分,以保全国家体面。”

丙申(十四日),徽猷阁直学士、提举醴泉观王伦到达行在。王伦称病请求出外任宫观官,高宗没有准许,仍令他赴内殿奏事。

庚子(十八日),参知政事孙近被任命为兼权同知枢密院事,是因为枢密副使王庶多次上奏请求辞职的缘故。

王庶上奏说:“臣详细观察王伦回来后,众人多认为和议可以成功,失地可以收复,皇族可以回归,上自陛下,下到百官,都喜形于色。唯独臣愚昧无知,不明事理,日夜思虑,揣度本末,看不出和议可以成功。臣又不厌其烦地上奏请求,别无其他原因,只是知道爱戴陛下罢了。是否与金国议和,臣不再议论,姑且从目前金人的利害而言,讲和为上策,派遣使臣为中策,用兵为下策。为什么这样说呢? 金人自从攻破大辽及长驱中原,将近十三年了,所得到的土地,数倍于汉、唐,所得到的珠宝子女,不计其数,地域广阔却无法治理,财物丰厚却依靠权势互相图谋。另外,老兵宿将,死亡殆尽,君主年幼权力分散,有被篡位的危险,这就是金国以讲和为上策的缘故。金人灭了大辽,扫荡中原,信使往来,不曾有一天间断,在辽、宋两国实现图谋,一直用的就是这种策略。况且自从废掉刘豫之后,阴谋败露,十分不安,所以重新派遣使者以安定人心,同时还可以借机查看我朝的虚实,耗费我朝的物资粮草,离散我朝的心腹大臣,懈怠我朝军队的气势,他们有何惧怕而不这样做呢! 这就是金国派遣使臣对自己有利的缘故。金国的军队,内部互相牵制,外部多有疑虑,所任用的将领,不如昔日那样勇猛精锐,所征派的军队,不如昔日那样强大凶悍;前方出兵后方就空虚,或许有巢穴被倾覆的危险,率部深入我境,不无军队倒戈的忧虑;另外,淮河沿岸人烟稀少田地荒芜,没有什么可以掠取,长江浩渺,不易渡过,各将的军队气势,今非昔比,这是金国用兵为下策的缘故。现在金国所实行的都是上策,是最为正确的计策。我方却正是深信不疑,落入人家的圈套之中,唯恐不能满足人家的欲望。臣不敢效法伍子胥口出不祥之言,舍弃生命以树立后世的名声,这对国家有什么好处? 只希望陛下对此深思,迅速决断,不要让后人看待今天,也像今天看待过去一样,天下就万幸了! 臣承蒙陛下错爱,提拔到枢密院供职,言语虽然忠诚却不合时宜,思虑虽然深刻却不明权谋,愚昧鲁莽自信,拘泥固执不化。臣也厌烦自己的迟钝,何况他人呢? 加上从今年冬季以来,疾病交加,精神迷乱,腿脚肿大,如果还贪恋宠爱荣华,不知退避,罪名一旦下来,就无法逃脱,即使陛下想保全为臣,也是不能够的。希望陛下怜悯臣的衰老疲惫,保全臣的名节,解除臣的职务,任命臣一个外宫观的差遣,以便于医治。”于是高宗同意了他的请求。

辛丑(十九日),高宗诏令大臣:“金国派遣的使臣到达边境,朕因为徽宗灵柩尚未归还,母后还在远方,陵墓宫阙,久未祭扫,兄弟宗族,不能聚合,南北军民,十余年间不能休养生息,想委屈自己求得和平。在朝廷的侍从、台谏臣僚,希望仔细考虑所应采取的对策,分条上奏。”

宝文阁直学士、知台州梁汝嘉被任命为试尚书户部侍郎。

京东、淮东宣抚处置使韩世忠上言:“臣拜读陛下手札,得知邻国许诺和谈。臣愚昧深思,如果王伦、蓝公佐所议定的,讲和割地,休兵息民,事情属实,别无有人诬陷的那样同外国一起诳骗我朝的意思,二人的功劳,即使国家授予王爵,也不为过分。希望陛下分别命令他们先后写下不会有反复的文字保证呈上朝廷,作为以后的证据。如果臣先后多次上书陈述自己的见解,冒犯了陛下的天威,以后事成证明都是空话,也请求将臣依法从重处置,以作为狂妄的警戒。”

在这之前韩世忠多次上疏,议论不应当议和。高宗赐给他手札说:“朕屈从群臣的请求,继任帝位。但灵柩尚未归还,母后还在远方,陵墓宫殿,尚被阻隔,兄弟宗族,不能团聚,十余年间,军民得不到休息,日夜思念,怎能安心! 所以委屈自己与金人和谈,以便实现自己的希望,依靠爱卿同心协力,最终获得成功。爱卿要保护来使,不要疏忽。”韩世忠接到诏书后,于是再次上此奏疏,词意恳切,因此秦桧憎恶他。

甲辰(二十二日),枢密副使王庶充任资政殿学士、知潭州。

王庶议论不能与金国议和,在赴任路上七上奏疏,面见高宗六次上言。秦桧正是依恃金国的势力得到重用并将和议的功劳持为己有,贬斥王庶的意见。王庶对秦桧说:“您不想想在东都坚守气节保全赵宋的时候,而忘记了这个敌人吗?”秦桧非常愤恨。王庶又上书直言请求辞职,于是有这道诏命。

中书舍人兼侍讲兼学士院句龙如渊被任命为试御史中丞。

当时秦桧正主张和议,极力赞成委屈自己的说法,认为此事应当由皇上决断,不必在朝廷商议。高宗准备采纳秦桧的请求,但外面议论纷纷而起,计策虽然确立下来但不敢立刻实行。句龙如渊对秦桧说:“相公您为了天下的大计,而众人议论纷纷而起,为何不选择合适的人担任御史台官,让他将议论者弹劾逐出朝廷,这样相公您的事业就能成功了。”秦桧恍然大悟,于是提拔句龙如渊担任中丞,人们都惊骇恐惧。

侍御史萧振被任命为权尚书工部侍郎。萧振请求留任王庶，所以有这道任命。

丁未（二十五日），枢密院编修官胡铨上疏说："臣考查认为，王伦本来是一个轻佻奸邪的小人，市井无赖之徒，不久前由于宰相缺乏见识，于是被推举出使敌国。他先行欺诈，欺骗皇上，突然得到美职，天下的人对他都切齿唾骂。如今他无缘无故地引诱敌人的使者前来，以诏谕江南为名，这是想使我朝成为奴隶，是想让我朝成为刘豫。刘豫向金国称臣屈服，南面称王，自以为能成就子孙万代帝王永固的功业，一旦金人改变主意，将他揪住捆绑，父子都成为俘虏。刘豫的下场可做鉴戒，离今天还不很远，而王伦又想让陛下效法。天下，是祖宗的天下；陛下所居的皇位，是祖宗的皇位。为什么要把祖宗的天下变成金人的天下，把祖宗的皇位变成金人藩臣的皇位呢？况且又怎能知道将来金人不会贪得无厌，不会像对待刘豫那样强加给我无礼呢！三尺童子，是最无知的，指着仇敌而让他下拜，他都会勃然大怒；堂堂大国，一齐向仇敌下拜，竟不曾有童稚的羞耻，而陛下能容忍这样做吗？王伦的主张竟说：'我朝一旦屈膝称臣，那么灵柩就可以回归，太后可以复返，渊圣皇帝可以还朝，中原可以收复。'呜呼！自从靖康之变以来，主张和议的人，谁不是用这种言论来引诱陛下呢？然而终无一事应验，那么敌人的真假已可想而知了。陛下尚不觉察醒悟，竭尽百姓的血汗而不加怜惜，忘却国家的大仇而不思雪恨，忍受耻辱，举天下而甘心臣服。即使一定要与敌人议和，全如王伦所议论的那样，天下后世会说陛下是个什么样的皇上呢？况且敌人百般狡变欺诈，而王伦又以奸邪帮助敌人，那么灵柩决不能归还，太后决不能复返，渊圣皇帝决不能回朝，中原决不能收复；而这次一旦屈膝臣服，不可能再伸直，国势一旦衰败，不可能再振兴，真是让人恸哭流涕长久叹息啊！从前陛下在崎岖难行的海路躲避追兵，危如累卵，当时尚不忍北面向敌称臣；何况如今国势逐渐振作，诸将都是精锐，士卒思奋杀敌！就在前不久敌人来势嚣张，伪齐刘豫入侵，我军已在襄阳、淮上、涡口、淮阴打败敌人，这同以前蹈海躲避时相比，已强过万倍了；倘若不得已而用兵，那么我军难道就会出于敌人之下吗！如今无缘无故却反而臣服敌人，企图委屈陛下的尊严，向帐篷之国下拜，三军将士，不战而士气丧尽。这就是鲁仲连之所以义坚守节义不尊奉秦王为帝的原因，而不是珍惜尊奉秦王为帝的虚名，而是珍惜天下大势而不可尊奉。现在朝廷内的百官，朝廷外的军民，众口一词，都想吃王伦的肉，非议沸腾，陛下不听，正恐怕一旦发生变故，灾祸将会是意想不到的。臣私下认为不斩王伦，国家的存亡也未可知了。

"即使这样，王伦也是微不足道的，秦桧作为心腹大臣亦是如此。陛下有尧、舜的天资，秦桧不能辅佐陛下像尧、舜那样成就功业，却想诱使陛下成为后晋的石敬瑭。近来礼部侍郎曾开等人援引古代礼仪之君批驳秦桧，秦桧竟厉声斥责他们说：'侍郎知晓过去的事，难道我唯独不懂！'秦桧的专横非难刚愎自用，已由此可见，而秦桧竟建议陛下，让台谏侍臣署名奏议可否议和，这是恐怕天下议论自己，而让台谏侍臣共同分担非议。有识之士，都认为朝廷没有正直之人，啊，真是可怜啊！最近孙近附和秦桧的意见，于是得以担任参知政事。天下盼望治平之世如饥似渴，而孙近在中书省无所作为，欺诈狡猾不敢肯定或否定一件事情。秦桧说对敌人可以讲和，孙近也说可以讲和；秦桧说天子应当下拜称臣，孙近也说可以下拜称臣。臣曾经到政事堂，多次询问而孙近不答，只是说已令台谏侍从商议了。呜呼！参政大臣，尸位素餐到如此地步，如有敌人的骑兵长驱而入，还能打败敌人抵御外侮吗？臣私下认为秦桧、孙近都应斩首。

"臣充数供职于枢密院,决心坚持大义,与秦桧等人不共戴天,我的心愿,是希望割下这三个人的头挂在竹竿上在薰街示众,然后拘留敌人的使臣,斥责他们的无理,从容出动问罪之师,那么三军将士,不战而士气倍增。不这样,臣只有赴东海而死,怎能在小朝廷苟且活命呢!"

戊申(二十六日),接伴使范同上奏,称金国使臣派人来商议通过边界之事,高宗说:"如果能让百姓免于战争的苦难,得以平安生活,朕也就何必爱惜自己而不委屈一下呢!"当时朝廷上下议论纷纷,高宗将手札交给范同,如有人在途中稍有惹是生非,应当考虑给予编管处置。不久金国使臣萧哲与右司侍郎张通古入境,范同向北方两次下拜,问安金主起居,宋朝军民看见后,往往流涕。

辛亥(二十九日),枢密院编修胡铨被给予昭州编管的处分。

胡铨上书时,京都人声沸腾,数日不能安定。高宗对秦桧说:"朕本来就没有当皇帝的意思,如今恣意议论到了这种程度,按照朕的本意,只是有侍养母亲罢了。"于是秦桧跟参知政事孙近上言:"臣等近来因为金国使臣到达边境,各自进呈拙计,务求接待适中,使两国长久友好。朝廷的制度,贵在缜密,不敢泄露。听说胡铨上奏分条诋毁,这大概是因为臣等见识浅威望轻,不能取信于人。臣等希望陛下英明决断早日赐臣死罪,以附和众人视听。"高宗下诏回答说:"爱卿等人所奏,起初并无过分的言论。朕意志坚定,只是选择其可行之处。朝廷内外有人忧虑,道听途说不能详知其来龙去脉。至于下级官吏轻妄诋毁执政大臣,时间久长就会自然明了,有什么罪过!"到这时才议论罪责胡铨。秦桧批旨说:"北方使臣到达边境,朝廷日夜商议研究,务必使上下安定,贵在使得和议长久。胡铨身为枢密院官属,既然有所见解,自应向枢密院使建议。他却狂妄上书,语言凶横荒谬,还多次散发副本,意在鼓动众人威胁朝廷。应追毁任命他为进士出身以来的公文案卷,除名停职,押送昭州编管处分,永不叙用。命令临安府差遣官员兵士押送前往,到达之后,注明日期上奏。并命令学士院颁降诏书,公告全国,让天下深知朕安定民心迎合众意的心意。"

当时胡铨的小妾怀孕临产,于是住在西湖边寺院里,想推迟些时上路,而临安府已派人给胡铨上枷锁押送他到贬谪的地方。秘书省正字范如圭,与敕令所删定官方畴拜见吏部侍郎晏敦复,替胡铨求援。晏敦复说:"近来我曾说过秦桧奸邪,各位都不以为然;如今秦桧正专擅朝政,便敢如此。此人得到君主信任,有什么事不敢做!"晏敦复立即前去拜见守臣徽猷阁待制张澄,对他说:"胡铨议论宰相,天下都知道。祖宗朝时上书言事的官员被贬谪,开封府一定不会这样做。"张澄惭愧谢罪说:"立即追他回来。"

壬子(三十日),高宗改贬胡铨为监广州都盐仓。

宜兴进士吴师古将胡铨的奏疏刻在木版上,监登闻院陈刚中写信为胡铨送行。吴师古因此获罪被流放袁州,陈刚中被贬谪为知虔州安远县。

丙辰(疑误),金国因康宗以上的画像完工,在乾元殿奠献。

张浚在永州上疏说:"燕、云旧事,作为前鉴还不远。自从宣和年以来,金国心怀欺诈反复无常,倾覆我国家,不可用恩德信义与它结交。假如其国中发生变故,君臣上下离心不和,皇上的亲族全部归来,黄河以南失地全部收复,我朝必定对他们的优厚赐给感恩戴德,谨慎地遵守诚信誓言。几年以后,人心更加懈怠,士气逐渐低落。金国或许在内部变故平息之后,指摘挑衅,放纵贪得无厌的欲望,提出难以服从的要求,那将用什么言词来答复呢?所以此事值得忧虑,还有比这更严重的后果。陛下注重军政,将士逐渐顺服,一旦面向北方事奉仇敌,服从他们的号令,大小将帅,谁不灰心离散!陛下希望治理河南而占有它,臣预想不会有人跟随您去立功并共同守卫的。"一共上疏五十次,都没有答复。

岳飞在鄂州,上言:"金人不可相信,和议不可依恃,宰相为国家谋划不当,恐怕会留给后人讥笑。"秦桧因而憎恨岳飞。

十二月,甲寅(初二),检校少傅、奉国军节度使、知绍兴府赵鼎充任醴泉观使,免奉朝请,这是依从了他的请求。

乙卯(初三),左朝奉大夫、主管洪州玉隆观冯楫被任命为守宗正少卿、假徽猷阁待制,为国信计议副使。冯楫本来已被罢免回乡,走到镇江,高宗又召冯楫入朝奏对,授予冯楫原任官职,与王伦一道会见金国使臣商议事情。

丙辰(初四),高宗下诏说:"朕以低微的身份登上皇位,承担如此艰难的国运。远自即位初平,痛心二帝的流亡,因此多年以来,常常言词谦卑地派遣使臣。勉为其难委屈自己,只是为了亲人,虽然悉心规划创业,却始终不得其中的要领。前些时惊悉徽宗皇帝驾崩,恭请金国归还灵柩,对方则以讲和通好的名义而来,此事本应做出适宜的反应。朕念及陵墓还在远方,灵柩没有归还,痛惜宗族的流离,哀怜军民的重困,深思对策,务求适中。既朝思暮想,又广询博访。主张有所异同,只在于兼收并蓄;事情由来已久,本来就不是初提。枢密院编修官胡铨,供职于枢密机要官署,却违背朝廷尊卑的礼仪,骤然上奏密疏,肆意凶横违逆。开始时投书于封匣还未取出,接着就誊抄成稿四处传发。倡导以下犯上的风气,暗中威胁朝廷的诡计。倘若诚心诚意于治理国家,就只应该对朝廷表达忠诚;但却一心求取功名,因而哗众取宠。朕怜恤他见识浅薄,告诫你们各位,不要被互相传播的流言所迷惑,或许能图谋长治久安的大计。"当时秦桧担心进言的人不断,所以请求高宗颁降此诏以告诫众人。

戊午(初六),秦桧因为大金国使臣的名号不当,请求高宗派人与金国使臣商议,改称江南为宋,改诏谕为国信,如果不接受金国的封册,不向金国派遣泛使,都应当事先说明。高宗说:"朕承受祖宗二百年基业,被臣民推举拥戴,已超过十年,怎么肯接受金国的封册!而且划定疆界之后,两国各自守卫边境,各种事情不相干涉,除了正月初一、皇帝生日派遣使臣之外,其他时候不许往来,朕主意已定。"

己未(初七),吏部尚书李光被任命为参知政事。

秦桧与李光起初不相熟悉,只是因为和议刚刚达成,即将公布,想借李光的名声来压制众议罢了。高宗的意思也不想任用李光,秦桧说:"李光有声望,如果与我一起在和约上签字,流言非议自然平息。"高宗于是同意。

癸亥(十一日),金国的新宫落成。

乙丑(十三日),高宗诏令:"绍兴府不兼领外地州郡官的南班官十八人,每年拨给供米五百斛,命令同伴大宗正事赵士㒟平均给付。"这是由于赵士㒟上言宗室俸禄少的人不够买粮的缘故。

庚午(十八日),殿中侍御史郑刚中上言:"今日的形势,最为紧急的是边防州郡。如楚、泗、通、泰、滁、濠、江、鄂以至荆、襄、关陕等地,不过二十余郡,希望诏令大臣,精选二十余人,分别部署,让他们招徕百姓治理,朝廷另外经常派遣使者巡察,没有政绩的予以撤换。处处用人得当,就要持之久远,因而增救赐金的事就能实行了。"高宗同意。

甲戌(二十二日),端明殿学士、提举万寿观韩肖胄以旧职被任命为签书枢密院事。

乙亥(二十三日),任命韩肖胄为大金奉表报谢使,光山军承宣使、枢密副都承旨钱愐任副使。

丙子(二十四日),金国诏谕使、尚书右司侍郎张通古,明威将军、签书宣徽院事萧哲到达行在,声称先归还河南地区,然后慢慢商议事宜。高宗将左仆射府作为接待馆舍。

丁丑(二十五日),金国册立贵妃费摩氏为皇后。

高忠诏令:"大金国派遣使者前来,只为全部割还陕西、河南故地,与我讲和,答应归还灵柩、母亲、兄长、亲族,别无所求。考虑士大夫及百姓有所不知,妄加煽动蛊惑人心,由尚书省公榜晓谕。"

台谏官句龙如渊等再次到都堂商议国事。秦桧说:"如果王伦去商量而金使不听,那怎么办?"句龙如渊说:"正是担心王伦不能办好此事。也曾经轻率简易地写进文书,请相公、参知政事亲自会见金使与之商议,或许和议之事早日成功。"李光说:"这固然并不可怕;只是第一个到馆舍会见金使的就有一些屈辱的礼节。"句龙如渊说:"事情本来就是如此。然而跟皇上的屈辱相比,就有差异了。"李光默然无语。

于是召国信计议使王伦、副使冯楫到都堂。句龙如渊对王伦说:"您作为使臣,为两国通好,凡事应当在敌国那边反复商定,怎么能有同敌国使者来到这里之后商议的!"王伦流泪并且说:"王伦冒着万死一生的危险,出使敌国四次。今天中丞竟如此责备王伦!"秦桧等一同劝解王伦说:"中丞没有别的意思,也只是激您完成接受国书的事情而已。"王伦说:"此事不敢不尽力而为。"

戊寅(二十六日),句龙如渊和李谊入朝奏对,高宗说:"士大夫只为自身考虑,假使在明州时,朕虽然下拜一百次,也不再问了。"高宗言语神色十分严厉。句龙如渊说:"今日的形势,与明州时不同。"李谊说:"此事或许要召三位大将来,与他们商议,采取稳妥的办法才可以?"高宗不答,很久才说:"王伦本是奉命出使的人,到这时也模棱两可;秦桧一向主张和议,现在也请求辞职了。"

第二天,高宗召王伦入见奏对,以接受国书的事斥责王伦。这天晚上,王伦会见金使商议,以危言耸听打动金使;金使张通古估计不能勉强,于是答应了他。

句龙如渊又上言:"讲和的事情,关系到国家的利害,礼仪公文,都应当商议周全。如大政方针早已确定,当初并非因为道听途说而决定。沈该是轻浮俗子,一向不循规蹈矩,最近由于上书言事,也被召见。十分担心希求荣禄之人,迎合陛下的旨意,从此妄加陈奏,乘机猎取官职,紊乱纲纪,为害不浅,希望陛下下诏制止。"先前张焘、晏敦复因议论施庭臣、莫将的任命,也说沈该是赃官,不应当由冗散官而召见,到这时才停止。

己卯(二十七日),吏部侍郎晏敦复,户部侍郎李弥逊、梁汝嘉,兵部侍郎兼史馆修撰兼权吏部尚书张焘,给事中兼直学士院楼炤,中书舍人兼资善堂翊善苏符,权工部侍郎萧振,起居舍人薛徽言,一同入见高宗奏对,上奏说:"臣听说圣人与众人同心同德,因此能够成就事业。

所以君主制定制度措施，没有不因为顺从众意而成功。违背众意而失败的。看到今日屈己求和之事，陛下认为可行，而士大夫不认为可行，民众不认为可行，军士不认为可行，如此情形而陛下谋求成功，臣等私下对此感到迷惑。猜想陛下独自认为可行的原因，是认为如此则灵柩可以归还，渊圣皇帝可以回朝，母后可以返回，宗族、土地可以得到。国人认为不可行的原因，是指敌人一向多有变故狡诈，现在只带来一纸空文，而灵柩不能归返，渊圣皇帝不能回朝，母后不能返回，宗族、土地不能得到，怎么可以仓促而做卑躬受辱之事呢！这是公论。因为陛下圣明孝慈，本来无所不周，然而天下公论，又不可不顺从。假使上天诱导金国的衷心，使敌人追悔自己造成的灾祸，只服从我的主张，而灵柩已归还，渊圣皇帝已还朝，母后已返回，宗室、土地都已得到，那么两国通好，礼节往来长久，尚可商议。哪有只相信其虚言假意，自己一无所得，而就打算屈膝服从敌人的呢！一旦屈服之后，将会使全国听命于敌人，臣等恐怕金国的许诺，未必能够得到，而我们的国家，却日削月减，最终到了不能再支撑下去的地步。臣等私下听说敌人的使臣进入国境，我国陪伴使向着北方两次下拜，问候敌帅的起居平安；这虽然是以前的惯例，然而军民看见的，有的甚至流涕哭泣。人心如此爱戴国家，即使使者对敌人一次屈服还为此愤愤不平，何况肯让陛下不顾众议，断然而行呢！万一众情不胜其怒，而王云、刘晏主张割地被百姓怒杀的事情或许会在今日出现，陛下到时才有追悔之心，恐怕已经晚了。《左传》说：'众怒难犯，专欲难成。'迎合二难以安定国家，是危险的策略。臣等的职责在为国家议论思考，私下听到舆论，不敢缄默，希望陛下俯身体察民情，不要仓促屈服敌人而是慢慢计议，将不胜幸甚！"高宗阅览奏折，忧伤变色说："爱卿所言可谓进献忠心，朕十分高兴士大夫如此尽忠。然而朕不一定到了被敌人欺骗的程度。尚且朝廷正在仔细地商议，如果敌人绝不是欺诈伪装，然后就可以同意。如果不这样，就应当拘留敌人的使臣，再派遣使者审问虚实。"

庚辰（二十八日），尚书右仆射秦桧在宾馆会见金使，接受国书后返回。起初，秦桧想代替高宗主持接受国书的礼仪，但未找到理由，于是询问给事中直学士院楼炤，楼炤举出《尚书》中"高宗居丧，三年不语"的话，秦桧醒悟，于是高宗不出宫门，秦桧代行宰相职权接受国书。张通古想要百官举行仪式欢迎，秦桧于是命令三省、枢密院官员身穿朝服乘马前驱后随。当时因为秦桧首创和议，有损国家体面，观看的人无不愤然叹息。

辛巳（二十九日），御史中丞句龙如渊上言："现在和议已定，每年必定派遣使者多次，使者的车马冠盖在路上彼此相望。希望特此诏令有关部门，核查比照近年的惯例，参酌常法，将使者所应得的赏赐，凡是使者在邮递驿站及到达边界的，比以前减少三分之二，到达汴京或燕中的减半；直到抵达金国的全给，或许这样能长期实行下去。"

这个月，虚恨蛮王历阶进犯嘉州忠镇寨，擒获寨将茹大猷后返回。

虚恨，是乌蛮的分支，居住在高山的背后，夷人将高称为虚，将后称作恨，因此得名。它的地方东接马湖，南抵邛部川，北接中镇，方圆三百里，部落几十个。天禧年间以前，朝廷每年用酒食犒劳他们。嘉祐年间，开始进犯，朝廷于是将山寨迁徙到阳山江北以躲避他们。绍圣年间，虚恨请求在嘉州通货交易，未被允许。到这时王历阶派遣他的随从来到忠镇寨，被汉人所杀，虚恨蛮更加仇恨。有叫田二三的判官，本来是新津县的县吏，逃亡到蛮人地方，教唆王历阶为患边界，于是王历阶率全族人进犯，转而掠夺忠镇寨。十二村的民众被杀殆尽。

鄜延被攻破后,第六将李世辅受到金国右副元帅宗弼的喜爱,多次升迁任知同州。到金国废掉伪齐刘豫后,李世辅才与他的部下王世忠等人,暗中派遣使臣白彦忠携带书信抵达川陕宣抚副使吴玠处,让他出兵外应。这年冬季,左监军完颜杲从大同到陕西,会见左都监萨巴,商议割地给宋朝的事宜。等到完颜杲路过同州时,李世辅于是佯称从马上坠下折断胳臂,在州府埋伏军队,接着犒劳完颜杲的随从,将他们灌醉后全部杀掉。于是捆绑完颜杲上马,想带着他南归。穆昆固云正在外面找马,听到变故,不能进入州府,城门已经关闭,固云转到东门,遇到哈塔雅率领的骑兵三十余人,于是一起夺门而出。李世辅与亲信军校崔皋、拓跋忠等数十人从西门而出,边战边前进。到了五丈原,追赶的敌骑越来越多,李世辅对他们说:"如果追逼我太急,就杀掉完颜杲。"固云等人一会儿进一会儿退跟在后面。李世辅估计寡不敌众,于是解开完颜杲的绳索,折箭发誓,留他在路边。固云熟悉完颜杲的声音,让他骑马而回。当时洛水涨水,李世辅没有船,不能渡河,金人又会合兵力切断他的归路,李世辅于是投奔夏州。他的父亲同州观察使李永奇及其家人一百余人,都被金人所杀。金国任命固云为安远大将军。固云,是洛索的儿子。

绍兴九年 金天眷二年(公元1139年)

春季,正月,壬午朔(初一),高宗诏令:"大金国已派遣使者与我朝通好,割还旧地,凡官司往来的公文,务必保全两国的原则,不得动辄施加诋毁斥责。公告中外,令各为知悉。"

癸未(初二),新任起居郎莫将被任命为试司农卿,充任伴送使。

乙酉(初四),新任监广州盐仓胡铨被任命为签书威武军节度判官厅公事。

丙戌(初五),由于金人前来议和,朝廷大赦天下。"凡河南新收复各路的现任文武官员,各自安心职守,均不予改换;山寨土豪等,从优给予赏赐;凡陕西执掌兵权的官员,先前由于朝廷安抚控制失当,以致有所离散,这不是他们的本意,现在陕西已归还,希望各自安心职守;凡进士各科,曾经因为刘豫的伪命而得以参加乡试的,一并予以承认;凡新收复的州县,免去三年苗税,五年差徭;凡两淮、荆襄、川陕新旧宣抚使及三衙管军,均特另听旨,按次序予以优异的赏赐,统兵官按等级施加恩惠,内外各军一并予以犒赏。张邦昌、刘豫,僭越名分背叛国家,追究其本意,实在是出自不得已,其子孙亲属,都令按照旧例参与铨选,无官职者仍准许参加科举考试。战事开始以来,州县失守投降的人,不论死活,一并官复原职,子孙按照无过失人的旧例予以录用。靖康年间汴京被围时接受伪命及苗傅、刘正彦牵连列入罪人名籍,现仍被拘留编管的,一并放还听便;未被叙用的予以收用。绍兴八年特准奏名进士科考进入第五等的人,一并特此按下州文学待遇推恩授官。江、浙各路今年和预买䌷绢,每匹特此免去一贯钱。江西、湖广等路现有盗贼聚集的地方,一并准许改过自新,以前的罪行一概不予追究。"

龙图阁学士、提举醴泉观王伦,被赐予同进士出身,任命为端明殿学士、同签书枢密院事,充任迎奉梓宫、奉还两宫、交割地界使;荣州防御使、知阁门事蓝公佐被任命为宣州观察使,充任王伦的副使。准许每年贡奉金国银绢共五十万匹两。王伦、蓝公佐及报谢使韩肖胄、副使钱愐,各自家中二人被授予官职,赐予装钱不等。

戊子(初七),高宗对大臣说:"祖宗的陵墓,沦陷异域很久,如今故地已经归还,就应当派遣宗室使相和近臣一同前往修复祭奉。"于是命令光山军节度使、开府仪同三司、判大宗正事赵士佼与兵部侍郎张寿同行。

宗正少卿冯楫被任命为权尚书礼部侍郎。

己丑（初八），高宗诏令以黄金一千两交由金国使臣张通古进献两宫皇太后。

当时张通古与报谢使韩肖胄先行，而京东、淮东宣抚处置使韩世忠在洪泽镇埋下伏兵，诈称为红巾，等待张通古经过就劫持他，以便破坏和议。韩肖胄到扬州，韩世忠的部将郝抃将此事密告直秘阁、淮东转运副使胡纺，胡纺又告诉韩肖胄。于是韩肖胄、张通古从真州、和州经淮西而去。韩世忠大怒，追拿郝抃，想杀掉他，郝抃抛弃家人投奔岳飞军中。

庚寅（初九），因金人归还河南失地，命令官员奏告天地宗庙社稷。

少师、万寿观使、荣国公刘光世，被授予和众辅国功臣名号，进封雍国公；扬武翊运功臣、少保、京东、淮东宣抚处置使韩世忠升迁为少师；少保、淮西宣抚使张俊，被赐予安民静难功臣，升迁为少傅。自刘光世收下，依旧领有三镇宣抚使，这是由于与金国讲和而给予恩赐的缘故。

壬辰（十一日），太尉、武胜、定国军节度使、湖北、京西宣抚使岳飞，保平、静难军节度使、川陕宣抚副使吴玠，一并被授予开府仪同三司；殿前都虞候、保成军节度使、主管殿前司公事杨沂中被任命为太尉、殿前副都指挥使、主管都指挥使公事。岳飞在上表中说："燕、云唾手可得，终将复仇而报效国家；对天地立下誓言，还要让敌人俯首而称臣。"又说："今天的事情，只可忧虑而不可庆贺，不宜论功行赏，被敌人取笑。"秦桧憎恨岳飞，于是成为仇敌。吴玠在熙州，他的幕客请求向朝廷致表庆贺，吴玠说："吴玠等不能宣扬国家的声威，也应当惭愧了，只应当待罪称谢就行了。"

癸巳（十二日），高宗诏令在皇宫中建立皇太后的宫室，以原承庆院为地址。

龙神卫四厢都指挥使、江州观察使、权主管侍卫马军司公事解潜，因议论朝政不当请求去职；被任命为建宁军承宣使、福建路马步军副都总管。

甲午（十三日），金人所任命的知宿州赵荣献城归降。赵荣不待割地，首先归降，因此金人痛恨他。

这一天，金国右副元帅沈王宗弼才将割地诏书下达宿州。金主诏令河南官民，大略说："先前册立刘豫以守卫南方，至今已有多年。天意不忍心立刻灭亡宋朝社稷，仍在江南保留康王的府邸，以便安抚我南北的百姓。倘若能偃兵息民，我国家怎能贪图尺寸之地，而不为恩惠安抚百姓着想呢！所以，去年冬季特地废除刘豫，现在从黄河以南，又赐还宋朝。你们住在故土，还给你们的国主，我国家的恩德也已经很宏大了。你们能各安其心，不忘我上国的大恩大德，即使有巨河之隔，也仍然是我的臣民。各位官吏等，已有誓言和约，不许动辄废除，应各守其职，以事奉你们的国主，不要心存悔恨。"又命令官吏军民，愿意回到山东、河北的听便。

丁酉（十六日），高宗诏令："渊圣皇帝的宫殿，令临安府规划修建。"

戊戌（十七日），任命王伦为东京留守兼权开封府尹、郭仲荀为太尉、东京副留守兼节制军马。

金国任命左丞相宗隽为太保，领三省事，进封衮国王，仍以兴中尹完颜希尹任尚书左丞相兼侍中。

己巳(疑误),任命刘光世为陕西宣抚使、吴玠为四川宣抚使,内附陕西路阶、成等州,依旧听从吴玠节制,命令内侍持任命书赐给二人。高宗借刘光世的任命,告谕辅臣说:"河南新近收复,境内所任命的守臣,应专心安抚遗民,劝勉农桑,各自使他们依靠那里的土地以足食,依靠那里的百姓以防守,不可挪用东南的财力,使内地空虚以应付边防。"

丙午(二十五日),徽宗驾崩二周年,高宗身着丧服,亲临几筵殿,改着白罗袍,举行祭奠礼仪,前后有十天没有上朝理事。宰相大臣率领百官具名进呈奏章慰问。

熙河经略使慕容洧反叛。

慕容洧在熙河的十余年间,骁勇而得人心,屡次为患边防。到金国归还陕西地区时,慕容洧感叹道:"我有何面目见朝廷!"放弃熙河而去,居留西夏、青唐两地边界之间,有部众数千人。慕容洧又进犯环州,经略使赵彬追赶上他,与他作战,泾原经略使张中彦率军支援赵彬,慕容洧败走,他的部下大多投降。

二月,癸丑(初二),京城副留守郭仲荀请求增派军队和粮食,高宗说:"朕现在与金国和议,正是想消除战事,让百姓安居乐业。留守司怎么能容许增加兵员!只要有二三千人弹压侵掠就足够了。至于钱粮,也只能根据征收的赋税,赡养官兵。以后设置榷场,就不用担心没有钱,怎么能够使国内空虚而加强边疆呢!朕看到前朝开拓边疆,如陕西、燕山,不曾得到一尺帛一斗米,而府库已消耗殆尽,这可引以为戒。"于是命令淮西宣抚使派遣统领官、右武大夫、文州防御使郑堪,武略大夫唐朴,率领本部军队一千人随从郭仲荀赴任。

丁巳(初六),郭仲荀升迁为太尉,充任东京同留守。

徽猷阁待制刘岑被任命为试尚书刑部侍郎。

大理寺少卿周聿被任命为权尚书刑部侍郎,仍充任陕西宣谕使。

戊午(初七),殿中侍御史曾统被任命为试左谏议大夫。

己未(初八),尚书右仆射秦桧上奏徽宗皇帝陵的名号称永固。

观文殿大学士、提举洞霄宫李纲被任命为知潭州,观文殿大学士、提举临安府洞霄宫朱胜非被任命为知湖州,观文殿学士、提举洞霄宫汪伯彦被任命为知宣州,提举洞霄宫张浚被任命为知福州,建宁军承宣使、新任福建路马步军副都总管解潜被任命为知邵州。

左承事郎陈晟上言:"河南的百姓,自从遭受金人蹂躏践踏以来,已习惯于战斗,而且苦于从前的杀戮,希望保卫乡里,保全亲人。至于依险自守山寨的百姓,他们的防御计策,可以说很完备。正当目前时机,应根据他们的部署,用府兵法加以整顿,使他们自我守卫,百姓必然乐于听从。"高宗诏命东京留守郭仲荀负责处理。郭仲荀请求以临近城市的闲田招募弓箭手,高宗同意他的请求。

壬戌(十一日),新任知福州张浚,重新被任命为资政殿大学士、充福建路安抚大使,兼知福州。

开州团练使刘锜被削除阶官,任命为龙神卫四厢都指挥使。刘锜统领所部从镇江还朝,于是代替解潜任权主管侍卫军马司公事。

己巳(十八日),翰林学士楼炤被任命为兼侍读、权尚书工部侍郎。

壬申(二十一日),检校少傅、奉国军节度使、醴泉观使赵鼎被任命为知泉州。赵鼎居住会稽,秦桧仍顾虑他靠近京城,于是任命他到遥远的州郡任职。

这一天,金主到天开殿。

三月,丙戌(初六),徽猷阁直学士知漳州廖刚被任命为试御史中丞。

戊子(初八),尚书吏部侍郎晏敦复,户部侍郎梁汝嘉,一同晋升为本部尚书;尚书兵部侍郎兼侍讲兼资善堂翊善吴表臣,调任礼部侍郎;权工部侍郎兼侍讲萧振,调任兵部侍郎;徽猷阁待制、知临安府张诚被任命为试工部侍郎。

甲午(十四日),命令参知政事孙近撰写皇太后册文,参知政事李光书写册文并篆写宝印,宝印用金制作,册书用珉石制作。

乙未(十五日),少保、镇南军节度使、醴泉观使、成国公吕颐浩请求回到台州养病,高宗准许。

丙申、(十六日),东京留守王伦开始与金国交接地界。

在这之前,赵荣已投降,知寿州王威也举城归顺。到王伦抵达东京时,会见金国右副元帅沈王宗弼,宗弼首先问起赵荣、王威的事情,并且斥责宋朝赦文记载交割河南一事时,没有将恩德归于金国。王伦一面改定赦文,一面说原来颁降的赦文不是真的,宗弼才作罢。接伴使乌陵阿思谋到宾馆,也问及赵荣、王威的事情,一定要得到他们二人。到这时王伦才与金国交接地界完毕。京城的父老官吏送宗弼到北郊,宗弼坐在坛上,酌酒钱别,凡应交割还给宋朝的州军官物,留下十分之二,其余的八分运到河北缴纳。宗弼由沙店渡过黄河到祁州,金国于是将行台移往大名府。

起初,金国任命宗辅的儿子完颜褒为三路都统,知归德府,秋毫无犯,很得人心。到割地返回时,自己最后出城,立即放下吊桥,极为肃静。

丁酉(十七日),为徽宗举行除丧祭礼,高宗亲临别殿行礼。

己亥(十九日),因为久雨,免去临安府内外公私三天的租房钱。从这以后凡雨雪天都依照此例实行。

高宗诏令将河南分为三路,京畿路治所设在东京,河南府路治所设在西京,应天府路治所设在南京,任命各路帅臣兼任留守,三路各设置一名转运使兼任提点刑狱公事。

起初,河南镇抚使翟兴已死,他的部将李兴向刘豫投降,刘豫任用他为鄜延路兵马钤辖,移镇河南。到这时朝廷任命李兴为武翼大夫、阁门宣赞舍人,职务如旧。

刘豫僭越君臣名分称帝时,有一个叫郁臻的人,是吏职出身,献进屯田的建议,刘豫十分高兴,按照他的建议实行,并且对人说:"前朝以虚名用人,只重视科举,到了宣和、靖康年间,误国者都是进士及第的人。我却不这样,而是唯才是举,不问其出身等级。"于是任命郁臻为秉义郎、阁门祗候,充任白波辇运。到河南归还宋朝时,朝廷召郁臻赴行在,秦桧接见郁臻却不加礼遇,不久说:"刘豫之所以国运不长久,就是因为任用这种人而不任用士人。"郁臻因此憎恨秦桧。

辛丑(二十一日),翰林学士兼侍读楼炤被任命为端明殿学士、签书枢密院事。

癸卯(二十三日),将衡州茶陵县升格为军,任命知县兼任军使。

丙午(二十六日),金国命令百官审订仪礼制度。

在这之前,金国的制度多沿袭辽国旧制。宗宪说:"现在我国兼有辽、宋,应当远引古代制度,因时制宜,制成一代的法规,何必就近采取辽人的制度呢!"左丞相希尹说:"你的意思与我十分吻合。"因此希尹器重宗宪。

丁未(二十七日),宋朝将归德府恢复为应天府,平凉府恢复旧州名,陈、许、颍、寿、曹、延庆各州恢复旧府名,顺州、临汝镇、颍顺军恢复旧县名,这些地名都是伪齐所改。在这之前,伪齐在应天府建造双庙,用来作为陈东、欧阳澈的祠堂。王伦下令拆毁。

尚书刑部侍郎刘岑被调任吏部侍郎。

这年春季,夏国乘折可求去世之机,攻陷府州。折可求的儿子折彦文携带家属投奔大同府金国左副元帅鲁国王完颜昌。后来金人任命折彦文为知代州。

夏季,四月,癸丑(初四),环庆经略使赵彬,上言称已杀掉叛将慕容洧,慕容洧的部下大多投降。秦桧说:"陕西无事,实在是庆幸。"然而慕容洧并没有死。

丙辰(初七),景灵宫孟夏朝献,高宗到行礼殿行礼;第二天,又前去行礼。从此四季第一个月都沿用此例。

壬戌(十三日),高宗下诏在西京占卜选定永固陵墓址。

高宗诏令将胙城县升格为军,这是因为东京留守王伦上言称胙城县北界与滑州相连,请求升格以方便对等公文往来的缘故。

癸亥(十四日),御史中丞廖刚上言:"现在先帝徽宗已驾崩,而每月初一和十五遥拜渊圣皇帝的礼仪仍跟以前一样,这是陛下的盛德。然而礼仪有隆重和减省,当兄长为君主时,陛下就以君臣之礼侍奉他,到陛下自己为君主时,陛下就以兄弟之礼侍奉而已。希望陛下克制圣明的心意,从此以后逐渐停止这样的礼仪,每年在宫内举行家人之礼就行了。如果远在万里之外,而总是尊奉他为君主,而等到他返回后,却不把朝政归还给他,恐怕天下人会因此议论我朝。况且这种拳拳之心,对渊圣皇帝又有什么益处呢?万一他归来没有希望,尤其不宜这样视顾远方的人。"高宗将此事交给礼部、太常寺商议。侍郎吴表臣、冯楫、少卿周葵等人,请求在每月初一和十五,皇帝在宫中用家人礼遥拜,群臣在北门外遥拜,高宗表示同意。

甲子(十五日),观文殿学士孟庾被任命为河南府路安抚使兼知河南府、充任西京留守,资政殿学士致仕路允迪被任命为应天府路安抚使兼知应天府、南京留守。

甲戌(二十五日),金国百官上朝参见开始用朝服。

五月,庚辰朔(初一),中书门下省检正诸房事间丘昕被任命为权尚书吏部侍郎,左司员外郎陈橐被任命为权刑部侍郎。

丙戌(初七),命名显肃皇后神御殿为承顺殿。当时原庙尚未修建,承元殿、承顺殿都暂时设在行宫天章殿的西面。

戊子(初九),太白星在白天出现。

判大宗正事赵士㒟、兵部侍郎张焘朝谒永安各陵。

前两天,赵士㒟等人到河南,百姓夹道欢迎,都说很久以来与君主的德化隔绝,没有料想到今日又重新成为宋朝的子民,有的人感激而流泪。赵士㒟等人进入柏城,披荆踏棘,随宜修葺,举行朝谒礼后返回。陵下有一石洞水,战事兴起以来长久干涸,三位使者到来后,洞水即日奔涌而出,父老惊叹,认为这是中兴的祥兆。赵士㒟等人朝谒陵墓之后,逗留二日,接着从郑州经过汴、宋、宿、泗、淮南等地,回到行在。

庚寅(十一日),奉迎钦先殿、孝思殿神宗画像赴行在。

先前刘豫进入东京，拆毁天章阁，将宋朝祖宗画像迁到启圣院。到这时王伦派遣官员前去辨认并奏闻朝廷，所以有这道旨令。

癸卯（二十四日），起居舍人程克俊上言："河南的失地，重新归还于国家版图，百姓父老遭受刘豫烦法苛政的压迫之苦很久了，甚至连棉絮麻线也要征税，连蔬菜水果也要盘剥，旧债尚未还清，欠款文书俱在。希望陛下明文下诏到新收复的州县，取出刘豫重敛法令，在通衢大道上当众焚毁。"高宗诏令按程克俊的请求去实行。

刘豫僭位称帝时，凡是民间的菜圃田地，都下令每年三季交税，还下令民间供养射士。宣谕官方庭实曾口奏那样很不适宜，朝廷将此事下交各路漕臣处置，所以程克俊奏及此事。

乙巳（二十六日），金主到天开殿。

金使张通古北返时，看到河南已布置军队戍守，就对韩肖胄说："我国天子割让土地给贵国，贵国应当图报大恩大德。如今却迅速布置军队戍守，这是自取嫌疑，如果兴师问罪，贵国将以何言回答？"韩肖胄当即派人飞驰上奏，于是朝廷迅速命令撤去防守。张通古到了上京，将以上情况报知太傅宗干，并且说："乘他们部署未定，应当商议收复。"宗干高兴地说："这正是我的志向啊。"随即任命张通古为参知行台尚书省事。

续资治通鉴卷第一百二十二

【原文】

宋纪一百二十二　起屠维协洽【己未】六月,尽上章涒滩【庚申】四月,凡十一月。

高宗受命中兴全功至德　圣神武文昭仁宪孝皇帝

绍兴九年　金天眷二年【己未,1139】　六月,己酉朔,金主初御冠服。

签书枢密院事楼炤,与东京留守王伦同检视修内司。趋入大庆殿,过齐明殿,转而东,入左银台门,屏去从者;入内东门,过会通门,由垂拱殿后稍南至玉虚殿,乃徽宗奉老子之所;殿后有景(明)〔命〕殿。复出至福宁殿,即至尊寝所,简质不华,上有白华石,广一席地,祖宗时,每旦北面拜殿下,遇雨则南面拜石上。稍北,至坤宁殿,屏画墨竹芦雁之属,然无全本矣,它殿画皆类此。自福宁至钦先、孝思二殿,钦先奉诸帝,孝思奉诸后,帐座供具犹在。出肃雍门,至玉春堂,规模宏壮,非它位比,刘豫尝对伪臣于此。左竹径之上,有迎曦轩,对轩有月屏。始至修内司,谓元是宝绘堂。复由延春阁下稍东,即太母之旧阁,过小门曰锦庄,无饰。入睿思殿门,登殿,左曰玉銮,右曰清微,后曰宣和,殿庭下皆修竹,自此列石为山,分左右斜廊,为复道、平台,上过玉华殿,后有轩曰稽古,西庑下曰尚书内省。西出后苑,至太清楼下,壁间有御书《千文》。登瑶津亭,亭在水间,四面楼阁相对。遂趋出拱辰门。时京城外不复有民舍,自保康门至太学道才数家。太学廊庑皆败,屋中惟敦化堂榜尚在,军人杂处其上,而牧羲于堂下。惟国子监以养士,略如学舍。都亭驿牌,犹是伪齐年号。琼林苑,金人尝以为营,后作小城围之。金明池断栋颓壁,望之萧然也。

庚戌,皇后邢氏崩于五国城,年三十四。

乙卯,帝谓秦桧曰:“山陵事务从俭约,金玉之物,断不可以一毫置其中,前世厚葬之害,可以为鉴。”

丙辰,签书枢密院事楼炤至永安军,先谒昭、厚二陵及会圣宫。昭陵因平冈种柏成道,旁不垣,而周以枳橘,四面缺角,所存者半。神门内石羊、马、驼、象之类皆在。神台三层,高二丈,俱植柏。最下约广十五丈,为水道者五。大门外石人对立,其号下宫者,乃酌献之地,已无屋,而遗基历历可见。馀陵规模皆如此。诸陵前控洛水,左少室,右嵩高,山川佳气不改,而室屋皆为伪守窦玠所毁,宫墙内草深不见遗址。旧分水南、水北,水北尚有二千户,水南墟矣。

己未,金主从容谓侍臣曰:“朕每阅《贞观政要》,见其君臣议论,大可规法。”翰林学士韩昉曰："皆由太宗温颜访问，房、杜辈竭忠尽诚，其书虽简，足以为法。"金主曰："太宗固一代贤君，明皇何如？"昉曰："唐自太宗以来，唯明皇、宪宗可数。明皇所谓有始而无终者，初以艰难得位，用姚崇、宋璟，惟正是行，故能成开元之治；末年怠于万机，委政李林甫，奸谀是用，以致天宝之乱。苟能慎终如始，则贞观之风，不难追矣。"金主称善。又曰："周成王何如？"昉曰："古之贤君。"金主曰："成王虽贤，亦周公辅佐之力。后世疑周公杀其兄，以朕观之，为社稷大计，亦不当非也。"

壬戌，观文殿学士、左正议大夫、新知宣州汪伯彦为检校少傅、保信军节度使。时伯彦入见，命坐，甚宠。伯彦上所著《中兴日历》。后三日，遂有是命。

甲子，宝文阁学士、提举江州太平观胡交修试兵部尚书兼翰林学士。

己巳，光山军节度使、开府仪同三司、判大宗正事士㒩，兵部侍郎张焘，自西京朝陵还，入见。帝问："诸陵寝如何？"焘不对，唯言万世不可忘此仇，帝默然。

保平、静难军节度使、开府仪同三司、四川宣抚使吴玠薨于仙人关，年四十七。诏辍朝二日，赠少师，赙帛千匹。

玠御下严而有恩，故士乐为之死。其后制置使胡世将问玠所以胜于其弟右护军都统制璘，曰："敌令酷而下必死，每战非累日不决，然其弓矢不若中国之劲利。吾尝以长技洞重甲于数百步外，又据其行便，争出锐卒，与之为无穷，以阻其坚忍之势。至于决机两陈之间，则璘有不能言。"然玠晚节嗜色，多蓄子女，饵金石，以故得咯血疾死。后谥武安。

初，富平既失律，蜀口屡危，金人必欲以全取胜，独赖玠以为固，蜀人久而思之。

辛未，签书枢密院事、大金报谢使韩肖胄，自金国还至东京。肖胄初入北境，迓者谓当称谢恩使，肖胄以使命所授，不敢辄易。论难三四，金人卒不能夺。

壬申，签书枢密院事楼炤至长安，留十馀日。

初，夏国主乾顺所遣鄜、延、岐、雍经略安抚使李世辅，欲从乾顺借兵，伐延安以复仇，因说乾顺，发兵可以取陕西五路，乾顺信之。时有酋豪号青面夜叉者，恃众扰边，乃属世辅先图之；世辅请精兵三千，昼夜疾驰，掩至其地，擒之以归。乾顺大悦，将妻以女，世辅辞以父丧。乾顺即益以兵众，命招抚使王枢随之，鼓行而东，至延安。已而兵马都监薛昭绁城见世辅曰："始告捕者，苏常、柳仲二人耳。"俄有捕其人以献者，世辅诘之，遽服，因剖心以祭。

时金人已还河南地，炤出朝廷赦书以示世辅，世辅未之信。有耿焕者，与世辅有旧，为言真诏也，世辅即率所部南望拜赦，因遂说夏人南归。夏人多怀土，独与愿从者二千人来，而王枢者反说世辅还夏，世辅遂擒之。枢才入境，即望阙遥拜，言夏国主感圣恩，将遣使入贡。炤闻之，因与宣谕使周聿皆以书招世辅归朝，且命行府备差遣王晞韩护枢赴行在。

乙亥，同签书枢密院事王伦，自京城赴金国议事。

初，右副元帅沈王宗弼既还祁州，密言于金主曰："河南之地，本昌与宗磐主谋割与南朝，二人必阴结彼国。今来使已至汴京，未可令过界。"伦有云中旧吏，隶宗弼帐下，密来谒伦，告以宗弼之谋。伦具言于朝，乞早为之备，而秦桧但奏趣伦过界。会西京留守孟庚至京师，伦始解留钥，将使指北行。时宗磐等谋为变，遂命中山府拘伦，且会本路签军，以复取河南为名，将作乱。

丙子，兵部侍郎兼史馆修撰张焘兼权吏部尚书。

夏国有芝生于后堂,国主乾顺作《灵芝歌》,俾中书相王仁宗和之。(丁)〔辛〕亥,乾顺殂,谥曰圣文皇帝,庙号崇宗,子仁孝嗣立。

是夏,金以李邺为翰林学士承旨,行台户部尚书冯长宁为东京户部使。自大名至其东京,凡五千里。

是时金人置司河间、真定、平阳、太原、显州、(春)〔春〕州曰钱帛,燕京曰三司,大同曰转运,中京曰度支,上京曰盐铁,东京曰户部,皆掌漕计之职。

金主命司马朴试举人于燕京,得中山石琚为首。

金人科举之制,先于诸州分县赴试,县令为考试〔官〕,号乡试,惟杂犯者黜,榜首曰乡元。次年春,分三路类试,自河以北至女真皆就燕,关西及河东就云中,河以南就汴,皆取旨选官知举,号府试,凡二人取一,榜首曰府元。至秋,尽集诸举于燕,号会试,凡六人取一,榜首曰状元。分三甲,上甲皆赐绯,虽下甲,率十三年而转奉直大夫。所试分词赋、经义二科,仍兼律义。亲戚不回避,有私者决沙袋。其后又有明经、明法、童子等科,然不擢用,止于簿、尉,后复(制)〔置〕御(史)〔试〕于上京,士人苦之,多不往,则就燕京官之。

秋,七月,己亥朔,金主执其太师、领三省事宋国王宗磐,太保、领三省事、充国王宗隽,滕王宗英、虞王宗伟。

先是郎君和什者谋反,下大理狱,事连宗磐等。会宗磐等以朔日入见,因伏兵执之。辛巳,皆坐诛。

初,宗磐自以太宗长子,尝与金主争位;而左副元帅鲁王昌,实穆宗长子,金主大父行也。宗翰殁后,宗戚大臣多惧祸,故二人有逆谋。宗英、宗伟与宗磐同产,知其情,既被诛,悉除属籍。右副元帅沈王宗弼已平内难,遂驰至燕京,囚燕京留守彬王宗孟及其子禀。宗孟,宗磐弟也。既而咸州详衮沂王晕,亦以通谋伏诛。

金主以左副元帅鲁国王昌,属尊,有大功,释不问,出为行台左丞相,手诏慰遣;以杜充为行台右丞相,以萧宝、耶律晖为行台平章政事。昌怒曰:"我开国元臣也,何罪而与降奴为伍!"降奴,谓充等也。

金主以太傅、领三省事秦国王宗干为太师,进封梁宋国王;拜右副元帅沈王宗弼为都元帅,进封越国王;以尚书左丞萧庆为右丞相;陈王希尹,诏书不名,肩舆升殿。

始,宗弼之杀诸王也,希尹与其谋。希尹子昭武大将军达勒达,有智略,力兼百人。宗隽入见,达勒达自后执其手而杀之,故有是赐。

甲申,诏:"新疆县令,自今并差文臣。"

自建炎间始置武令,刘豫因之,论者以为不学而从政,民间被害甚众,故复用文臣。

丁亥,中书门下省检正诸房公事周纲权尚书吏部侍郎。

是日,同签书枢密院事王伦至中山府,为金人所拘。

壬辰,彰武军承宣使、知金州兼陕西宣谕使郭浩为鄜延路经略安抚使,兼知延安府,同节制陕西诸路军马,趣令以所部之任。武康军承宣使、利州路经略安抚使、〔川陕宣抚使都统制、节制成、凤州杨政为熙河兰巩路经略安抚使〕,兼知熙州。定国军承宣使、熙河兰巩路经略安抚使兼右护军都统制、(节制成凤州杨政为熙河兰巩路经略安抚使兼右护军都统制)节制阶、岷、文、龙州吴璘为秦凤路经略安抚使,兼知秦州。仍诏郭浩、杨政、吴璘,并〔依〕旧听四川宣抚使节制。时陕西新复,永兴、泾原、环庆三路伪官张中孚、赵彬、张中彦为帅。熙河慕容洧叛,鄜延关师古入朝,秦凤无帅,楼炤以便宜命浩等分镇三路。于是炤欲尽移川口诸军于陕西,璘曰:"敌反覆难信,惧有它变。今我移军陕右,蜀口空虚,敌若自南山捣蜀,要我陕右军,则我不战自屈矣。当且依山为屯,控守要害,逮敌情见力疲,(繇)渐可进据。"繇是璘、政二军独屯内地。时已命张中孚节制陕西诸路军马,故以浩副焉。

诏:"新复州军,请佃官田纳租外,免输征税。"

刘豫之僭也,租税并取之,至是有举人上书,请去其一。户部言:"自己之田谓之税,请佃田土谓之租。自来不曾有并纳租税指挥。"乃依旧制。

甲午,尚书兵部侍郎兼史馆修撰张焘权吏部尚书。

乙未,诏临汝军殄寇县复旧县名。县,刘豫所改也。

丙申,诏置司看详刘豫伪命官换给。帝曰:"朕方以天下为度,凡伪命者既已宽贷勿问,使其才可用,亦当抆拭用之。"遂命都(督)〔省〕、察院委官如赏功司例。

乙亥,诏:"金州依旧隶四川宣抚使司,虢州隶京西,商州(隶)〔听〕金州节制。"自五路初复,而商、虢复隶陕西,至是陕西宣谕使周聿、郭浩言:"五路并在秦(州)〔川〕之北,万一盗贼出没,五路便见隔绝,岂能南来为朝廷用!商州旧属川陕,自讲和之后,还隶陕西,而武关、秦关之险并在其北,何以制御!况虢州跨河带山,北临陕郊,最为要害之地,今亦属陕西,非所谓以近致远也。"故有是旨。

庚子,王伦在中山,始闻宗磐等已诛,同行者皆忧,俄金人令赴祁州。

金主捕鱼混同江,纲绳绝,曹国王宗敏乘醉鞭马入江,手引系纲大绳,沈于水。金主呼左右救之,仓卒莫有应者,显武将军完颜思敬跃入水,引宗敏出。金主称叹,赏赉甚厚,擢思敬为右卫将军。

八月,己酉,复淮南诸州学官员。

庚戌,楼炤自凤翔归,白川陕诸军冬衣,已下成都府等路取拨十六万匹,帝曰:"蜀土频年调发,凋弊已甚。今吴玠一军既分屯关陕,馈运十省八九。若更能镌减冗官,四川民力,庶几其少纾乎!"

诏川陕宣抚司便宜补官,限一年陈乞换给。时言者论名器浸轻之弊,以为:"三岁大礼荫补,三年科举,所得之士共止数百人,而便〔宜〕补官,一岁之间乃倍此数。今罢便宜圣旨已五年,其所换给约万计。乞限一年,庶息奸弊。"因有是旨。

金鲁王昌至燕京,愈骄肆不法,与翼王古兰谋反。金主渐知其与宋交通,会有上变者,辛亥,下诏诛之。昌自燕京南走,追及之于祁州。

乙亥,楼炤奏以保安军寇成知环州。

帝曰:"陕西沿边控制夏国,最为要害,当择久在军中,谙练边事,或本土武人,方能保固障塞,民得安业。可札付炤,令谕诸帅。"翼日,秦桧奏:"已行下诸帅,如上旨。"帝曰:"堡(塞)〔寨〕最沿边急事,神宗戒陕西诸帅,悉出手批。然于器械则稍变古法,新法弓稍短,不能及远,又放箭拘以法,不能中的。朕自幼年即习骑射,如拽硬、射视,各是一法。斗力至石以上,箭落不过三五十步,如此,何以御敌耶!"

丙辰,右朝请大夫、淮南西路转运判官李仲孺知庐州。

时武信军承宣使、知庐州张宗颜卒,故以仲孺代之。淮西宣抚使张俊遂命统制官田师中将宗颜之众八千人归建康。后赠宗颜保静军节度使,谥壮敏。

戊午,金都元帅越国王宗弼,杀鲁国王昌于祁州,函其首以献。昌临刑,谓宗弼曰:"我死之后,祸必及尔,宜早图之。"宗弼不答。

己未,帝谕大臣曰:"吴玠军马既移屯熙、秦等路,便当以五百人为一指挥,令诸帅招填,稍足旧额,与弓箭手参用,缓急之际,有足倚仗,庶几渐复祖宗之旧。金人和议虽坚,安能保其终久无衅!况夏人乍臣乍叛,尤难保恃。今日边防,尤不可忽。"

庚申,中书舍人王次翁试尚书工部侍郎。

庚戌,诏东京留守司搜访郊庙礼器来上。时当行大礼,帝以渡江后所作礼器多不合古,故命访之旧都。礼官初议郊与明堂当间行,秦桧欲集议,帝曰:"且依近例行明堂礼可也。"

尚书左司员外郎晁谦之权户部侍郎。

庚午,给事中苏符充贺大金正旦使,知阁门事王公亮充副使。寻命各官其家一人。

乙亥,雄武军承宣使关师古为龙神卫四厢都指挥使、行营中护军前军统制。师古自延安入朝,既对,遂有是命。

诏知晋宁军折可求兼主管本军沿边安抚司公事,措置兴后麟、府州,用楼炤请也。

丁丑,太白昼见。

初,金人欲得王威、赵荣,已遣还之。韩世忠遗秦桧书曰:"荣、威不忘本朝,一身归顺,父母妻子,悉遭屠灭,相公尚忍遣之,无复中原望耶?"桧惭,且虑世忠沮遏,乃令荣、威自六合趋淮西而去。至是桧奏外间颇有异论,于是诏以荣、威屡抗官军及驱掠两州之罪榜谕中外。金越王宗弼得之,复以荣为将。

九月,戊寅朔,龙神卫四厢都指挥使、护国军承宣使李世辅言:"初归朝日,有父母兄弟之仇,臣曾报复,乞待罪。"诏:"世辅有功鄜延,特放罪。"后四日,引对便殿,帝谕曰:"卿竭忠归朝,立功显著。"乃起复故官,赐名忠辅,除枢密院都统制;俄又赐名显忠。

金降封太宗诸子。大司空完颜昱罢。

癸未,给事中苏符试尚书礼部侍郎,仍兼资善堂翊善。

枢密直学士、成都、潼川府、夔州、利州路安抚制置使、知成都府胡世将为宝文阁学士、川陕宣抚副使,置司河池,诸路并听节制。世将精神明悟,闲习吏治,其守成都,甚有政绩,至是就用之。

世将既除宣副,诸将皆贺,世将语之曰:"世将不能骑射,不知敌情,不谙边事。朝廷所以遣来者,袭国朝之故事,以文臣为制将尔。自今以往,军中事务,皆不改吴宣抚之规模。世将有所未达,诸公明以指示;或诸公有所未达者,亦当奏闻。各推诚心,勿相疑忌,共济国事可也。"诸将皆拜谢。

泾原路经略安抚使张中孚,言边隅无警,望许臣入觐阙庭,诏俟春煖起发。

既而秦凤等路提点刑狱公事宋万年遗川陕宣抚副使胡世将书,言:"昨颁降新复河南诏书,张中孚等初不曾拜,却将金国诏书宣读。百姓见诏书上有本朝庙讳、御名,皆不忍闻。万年昨密问吴璘:'万一兵复渡河,如何措画?'璘谓:'中孚等重兵在手,为秦凤腹胁之患,内外相应,必来捣虚。我军既守家计,安能远出接见!'以此见中孚等阴藏奸谋,所系非轻。"世将

2816

即具以闻,且言:"臣昨论奏逐人罪恶,以谓朝廷方守信誓,不欲遽易帅守。然中孚等并已降指挥,许令入觐。欲望因其自请,别与差遣。"于是中孚等皆改命。

甲午,名皇太后宫曰慈宁。

丙申,诏:"汝州郏城县故资政殿学士苏轼坟、寺,以旌贤、广惠为名。"以孙礼部侍郎符援范镇家赐刹例有请故也。

金主初居新宫,立太祖原庙于庆元宫,卢彦伦监造宫室。彦伦性机巧,能迎合皇后意,由是颇见宠。

己亥,太尉、东京同留守郭仲荀,言所带在京人马已至镇江。

先是帝召仲荀赴行在,仲荀因与刘豫之众五千七百馀人南归。帝谓秦桧曰:"仲荀,善人也,但驭众非所长,姑令驻彼,别选人代之。"桧曰:"孰可当者?"帝曰:"极难其人,欲于二三大将统制官中选之。"桧等言董先、牛皋才具,帝曰:"二人诚骁勇,然先好货,皋嗜酒,未可驭众。"时京畿提点刑狱公事辛永宗与仲荀偕来,帝亦以其诞谩不可用,桧曰:"外人不知陛下察其奸状,乃谓最蒙眷宠。"帝曰:"朕何尝喜之! 如道宗更不循理,亦不可用。"既而桧等请以枢密统制官雷仲代将其兵,从之。

辛丑,诏:"东京远来宗室子年及二十者,授承信郎;馀廪给之,俟年及取旨(用)。"

壬寅,金遣温都思忠诸路廉问。

甲辰,权刑部侍郎、陕西宣谕使周聿使还,入见。聿言:"陕西既归,得地数千里,得兵十三万,得马二万,有四塞之固,居天下上游,可谓强盛。然陕西入金十有馀年,城池不修,器甲不备,异时四十万仅支一隅,今才十三万而夏人不敢侵犯者,以金人精兵在内故也。今日金人尽去,土地阔远,虽有要塞,其实甚虚。欲望陕西凡空闲不耕之地,除元业主识认给付外,依本朝沿边制度,并招弓箭手。土田肥美,边人乐耕,不出数年,兵政自成,尽在关中,与唐无异,因谋都邑以建本根。"又言:"陕西诸路既命杨政帅熙河,吴璘帅秦凤,然所屯之众,皆四路忠勇之士,吴玠教习已逾十年,百战之馀,所向无敌。和好既成,即可往来,旧国旧都,不能无念,统兵之官,皆欲诱致。望戒四路帅臣,非元所统,不得招纳。"

是秋,太行义士蜂起,威胜、辽州以来,道不通行。

时金人法苛赋重,加以饥馑,民不聊生。又下令欠债者以人口折还,及藏亡命而被告者皆死。至是将相大臣如昌、宗磐之徒皆被诛,二帅久握重兵,植党滋众,至是悉为亡命,保聚山谷,官司不能制。

冬,十月,辛亥,同签书枢密院事王伦始见金主于御林。伦述帝命,金主悉无所答,使宰相责之曰:"汝但知有元帅,岂知有上国耶!"

癸丑,权尚书刑部侍郎周聿改户部侍郎,太常少卿苏携权刑部侍郎。

权吏部侍郎兼史馆修撰张焘充宝文阁学士、知成都府兼本路安抚使。四川制置司限一月结局。

初,成都乏帅,帝谕秦桧曰:"张焘可付以便宜,使治成都;第道远,恐其惮行。"桧退,召焘谕旨。焘曰:"君命也,焘其敢辞!"帝大喜,遂有是命。帝谕桧曰:"焘虽安抚一路,如四川前日无名横敛,不急冗费,可令蠲减以宽民力。"以成都帅臣而得行四川民事自焘始。

甲寅,枢密行府准备差遣王晞韩,以夏国招抚使王枢至行在。楼炤言:"陕西新复,正与夏国为邻,此等留之无益,还之可使知恩。"乃诏阁门引见,令临安府燕犒,差行在官馆伴。秦桧又召枢至都堂,谕以讲和意,并还近所获夏人之俘百九十人归之,仍命晞韩伴送枢至境上。

己未,尚书礼部侍郎兼侍读兼资善堂翊善吴表臣权吏部尚书,兼职如故。

丙寅,洪州观察使、新知鼎州王彦卒于邵州,年五十。荆南旧部曲闻彦之丧,皆即佛宫为位而哭。

彦事亲孝,居官廉。其为将也,与士卒同甘苦,屡破大盗,子弟从军者,未尝沾赏。及将死,召其弟侄,悉以家财分给之。时号名将。然性刚寡合,虽待士尽礼而黑白太分,此其大略也。

是月,湖北、京西宣抚使岳飞来朝。

金主复遣翰林待制耶律绍文至驿谕奉使王伦,言:"卿留云中无还期;及贷之还,曾无以报,反间贰我君臣。"乃遣副使蓝公佐先归,论岁贡、正朔、誓表、册命等事,而拘伦以俟报。已而迁之河间,遂不复遣。

十一月,戊寅,秘书少监郑刚中权尚书吏部侍郎。

定国军承宣使、知秦州兼节制屯驻行营右护军马军吴璘为龙神卫四厢都指挥使。

帝谕大臣曰:"吴玠久在蜀,备著忠绩,虽已优加恤典,然闻其家颇贫,可赐钱三万缗,仍进其弟军职,令抚其家属。"故有是命。

己卯,帝谕辅臣曰:"前日议移岳飞屯于襄阳,深虑馈运费力。不若先移万人于江西,既省馈运,亦可以弹压盗贼。"

庚辰,言者论:"今舆地复归,宿师百万,隶籍诸将,非屯田何以善后!今荆南、兴、洋、汝、颍、江、淮之间,沃野千里,尚或丘墟,是地有遗利。诸师所统,自农为兵者不少,战士之外,负荷役使之徒,不无可用,是人有馀力。望令诸路宣府帅臣悉意讲行。"从之。

宣州观察使、知阁门事蓝公佐至燕山,俄而越国王宗弼亦至。公佐惧不免,留四日,始听行。

己丑,追复左通直郎、直龙图阁张所,特与一子官,仍赐其家银、绢百匹、两。

先是宣抚使岳飞言所忠义,帝命复旧官。飞又言:"好生恶死,人之常情,所以忠许国,义不顾身,虽斧钺在前,凛然不易其色。乞与旌加褒异,使天下忠义之士皆知所劝。"故有是命。

辛酉,参知政事李光罢。

光与右仆射秦桧议事不合,于帝前纷争,且言桧之短,殿中侍御史何铸因劾光狂悖失礼。光引疾求去,帝命以资政殿学士出守,言者又击之。后三日,以光提举洞霄宫。

金豫国公昺卒。

是冬,金主谕其政省:"自今四时游猎,春水秋山,冬夏刺钵,并循辽人故事。"

元帅府下令沿河置寨,防渡河南归之人,及与人渡者皆死。

海寇张青乘海至辽东,称南师,遂破苏州;辽土大扰,中原之被掠在辽者,多起兵应之。青初无进取意,既而复去。

金主诏郡县,不得从元帅府擅更签军,俟见御画乃听。

时太行义士王忠植已取石州等十一郡,闻于朝,帝嘉之,拜忠植武功大夫、华州观察使、统制河州忠义军马。忠植,步佛山人也。

初，金人之割地也，以新河为界。朔方盛传驾将北征，民间往往私结徒党，市军器，以备缓急，沿河尤甚。每遇阴晦，辄引领南望曰："御营烈火光矣！"太行义士又攻怀州万善镇，破之。守臣乌陵阿思谋率军民城守。思谋自金中内变，每夜被衣而坐，喟然叹曰："可惜！官人备历艰险以取天下，而今为数小子坏之，我未知其死所矣！"官人，谓宗翰也。

知濬州韩常，尝与防御判官宫茵夜饮，论及江、淮、川、陕用兵等事，茵盛言金兵之强，南兵之弱。常曰："君知其昔，未知其今。今之南军，其勇锐乃昔之我军；我军，其怯懦乃昔之南军。所幸者南方未知耳。"

女真万户呼沙呼北攻蒙古，粮尽而还，蒙古追袭之，至上京之西北，大败其众于海岭。

金主以富勒玛为招讨使，提点夏国、达勒达两国市场。达勒达者，在金国之西北，其近汉地谓之熟达勒达，食其粳稻；其远者谓之生达勒达，止以射猎为生，性勇悍，然地不生铁，矢镞但以骨为之。辽人初置市场与之回易，而铁禁甚严，至今始弛其禁。又，刘豫不用铁钱，繇是河东、陕西铁钱率自云中货于达勒达，蒙古得之，遂大作军器焉。

绍兴十年 金天眷三年【庚午，1140】 春，正月，辛巳，右仆射秦桧言："前日外间有匿名书非毁朝廷，当缴进。"帝曰："已见之，无足恤。"

先是金人遣奉使官、宣州观察使、知阁门事蓝公佐南归，议岁贡、表誓、正朔、册命等事，且索河东、北士民之在南者。是日，右正言陈渊入对，言："自公佐之归，闻金人尽诛往日主议之人，且悔前约，以此重有要索。臣谓和战二策，不可偏执。"帝语渊曰："今日之和，不惟不可偏执，自当以战为主。"

既而吏部员外郎许忻出为荆湖南路转运判官，将行，亦上疏言："臣窃见金人为本朝患，十六年于兹矣。昨张通古辈来议和好，陛下以梓宫、母后、渊圣之故，俯从其欲，复命王伦等报聘。今王伦既已拘留，且重有邀索，外议藉藉，谓敌情反复如此，咸以为忧。望陛下采中外之公言，定国家之大计，深察敌人变诈之状，亟安天下忧虑之心。继自今时，严为守备，激将士捐躯效死之气，雪陛下不共戴天之仇。"

金以都元帅宗弼领行台尚书省事，命诸州郡军旅之事决于帅府，民讼钱谷，行台尚书省治之，宗弼兼综其事。金主命宗室子亮赴宗弼军行任使，旋以为行军万户。亮，宗干第二子也，时年十八。

乙酉，以集英殿修撰、京〔畿〕都转运使莫将试工部侍郎，充护梓宫、奉迎两宫使；济州防御使、知阁门事韩恕为宣州观察使，副之。

初，兖人张汇，从其父行正守官保州，留敌不能归，至是闻元帅府主管汉儿文字蔡松年言敌有渝盟意，遂与燕人王晖、开〔府〕〔封〕刘炎谋，夜自新乡渡河赴行在，上疏言敌情利害。大略以为："敌主懦将骄，兵寡而怯，又且离心，民怨而困，咸有异意。邻国延颈以窥隙，臣下侧目以观变，寇盗外起，亲戚内乱，加之昔之名王、良将，如尼玛哈、达兰之徒，非被诛则病死。故子胥戮则吴灭，孔明没则蜀亡，争战之际，古今不易之理。今金人内有羽毛零落之忧，外失刘豫藩篱之援，譬之有人自截其手足而复剖其心腹，欲求生也，不亦难乎？此乃皇天悔祸，眷我圣宋，复假其手以自相诛戮，特以良时付之陛下，周宣、汉光中兴之业也。曩者敌未当殄灭之时，臣虽早归朝廷，亦无补于圣德，故臣隐身敌中，甘处贫贱十五年者，伺今日之隙也。又况当时河北人心未安，河南废齐之后，人心亦且摇动。王师先渡河，则弊归河北而不在中原；

设若乌珠先侵河南,则弊归中原而不在河北。但得先渡河者,则得天下之势,诚当日胜负之机,在于渡河之先后耳。而乌珠已有南侵之意,臣恐朝廷或失此时,反被敌乘而先之。"疏奏,汇等授初品文资。

辛卯,观文殿大学士、提举临安府洞霄宫李纲薨于福州。

纲之弟校书郎经早卒,纲悼恨不已;会上元节,纲临其丧,哭之恸,暴得疾,即日薨,年五十八。帝方遣中使徐徇抚问,讣闻,赠少师,徙其弟两浙东路提点刑狱公事维于闽部,以治其丧,令所居州量给葬事。

甲午,太尉、庆远军节度使、东京同留守兼节制军马、京畿营田大使郭仲荀充醴泉观使,从所请也。

诏作忠烈庙于仙人关,以祠吴玠。

丁酉,左通直郎、充徽猷阁待制、提举江州太平观尹焞迁一官,致仕,以焞引年告老故也。焞遂居绍兴。

癸卯,帝谓大臣曰:"莫将奉使金国,凡所议事,可一一录付,恐将妄有许可,它日必不能守。"时金人所请,朝廷多不从,故有是谕。

是月,夏改元大庆。

二月,辛亥,济州防御使、主管侍卫军马司公事刘锜为东京副留守,仍兼节制(马军)〔军马〕。

癸丑,诏曰:"永惟三岁兴贤之制,肇自承平,爰暨累朝,遵用彝典。顷缘多事,(游)〔洊〕展试期,致取士之年,属当宗祀;宜从革正,用复故常。可除科场于绍兴十年仰诸州依条发解外,将省、殿试更展一年,于绍兴十二年正月锁院省试,三月择日殿试。其向后科场,仍自绍兴十二年省试为准,于绍兴十四年令诸州依条发解。内将来绍兴十二年特奏名,合出官人有年六十一岁者,许出官一次。"

故集贤殿修撰周常追复宝文阁待制。

常,浦城人,元符末尝为礼部侍郎,坐元祐党落职,婺州居住,至是用其家请而命之。

乙卯,殿中侍御史何铸试右谏议大夫。

庚申,御史中丞廖刚试工部尚书。

刚每因奏事,论君子小人朋党之辨,反复切至。又论人君之患,莫大于好人从己。若大臣惟一人之从,群臣惟大臣之从,则天下事可忧。刚本秦桧所荐,至是滋不悦。它日,因对,又请起旧相有人望者,处之近藩重镇,桧闻之曰:"是欲置我何地耶?"既积忤桧,遂出台,而刚之名闻天下。

尚书工部侍郎王次翁试御史中丞。

壬戌,尚书户部侍郎周聿充显谟阁待制、枢密都承旨。

丁卯,观文殿学士、左通奉大夫、西京留守孟庾为左宣奉大夫、东京留守兼权知开封府。

资政殿大学士、左通奉大夫、江西安抚制置大使兼知洪州张守,资政殿学士、左中大夫、知应天府兼南京留守路允迪,资政殿学士、左中大夫、江东安抚制置大使兼知建康府兼行宫留守叶梦得,并进一官。

三月,己卯,中书门下省检正诸房公事范同权尚书吏部侍郎。

丙戌，成都府路安抚使张焘始至成都。

初，焘自京、洛入潼关，已闻金人有败盟意，逮至长安，所闻益急。焘遽行，见川陕宣抚副使胡世将，为言和尚原最为要冲，自原以南，则入川路，若失此原，是无蜀也。世将曰："蜀口旧戍皆精锐，最号严整，自朝旨撤戍之后，关隘撤备，世将虽屡申请，未见行下，公其为我筹之。"焘遂为世将草奏，具言事势危急，其速徙右护军之戍陕右者还屯蜀口，又请赐料外钱五百万缗以备缓急。

辛卯，赐京东、淮东宣抚使韩世忠、淮西宣抚使张俊燕于临安府，以其来朝故也。

初，诸大将入觐，陈兵阅于禁中，谓之内教。至是统制官呼延通因内教，出不逊语，中丞王次翁乞斩通以肃军列，因言："祖宗著令，寸铁入皇城者，皆有常刑。今使武夫悍卒披坚执锐于殿廷之下，非所以严天陛也。"内教遂罢。

丙申，礼部侍郎充大金贺正旦使苏符自东京还行在。

初，徽猷阁待制洪晧既拘冷山，颇为陈王希尹所厚。希尹问以所议十事，晧折之曰："封册，虚名，年号，南朝自有；金三千两，景德所无；东北宜丝蚕，上国有其地矣，绢恐难增也。至于取淮北人，摇民害计，恐必不能。"希尹曰："吾欲取降附人诛之以惩后，何为不可？"晧引梁武帝易侯景事言之。希尹意稍解，曰："汝性直，不诳我，吾与汝入燕，遣汝归议。"遂行。会工部侍郎莫将继来，议不合，囚之涿州，事复变。晧过其戍帐，其戍将闻洪尚书名，争邀饮食。

符至东京，敌人拒不纳。符乃还。

丁酉，诏："川陕宣抚使，自今或警急，其调发军马，措置钱粮，应干军事待报不及，并许胡世将随宜措置。"用世将请也。

时谍报河东、北签军备粮，来戍河中，收复河南州郡。都元帅宗弼又传令："宋国系和议之国，存留桥路往来，已调绛、蒲、解州三万夫过河修叠堤岸，仍差马军编栏，令同州照验。"世将虑其出没不测，即具以奏，且遣兵备之。

己亥，彰武军承宣使、枢密院都统制、知延安府、同节制陕西诸路军马郭浩移知永兴军，兼节制陕西诸路军马。

壬午，奉安徽宗皇帝、显恭皇后、显肃皇后神御于天章阁之西神御殿。

癸卯，故朝散郎邓忠臣，特赠直秘阁。

夏，四月，乙巳朔，金温都思忠廉问诸路，得廉吏杜遵晦以下百二十四人，各进一阶；贪吏张轸以下二十一人，皆罢之。

戊申，诏："三公、三少带节钺者，并序班在宗室开府仪同三司之下。"时以诸大将官高，故裁抑之。

癸丑，显谟阁直学士赵彬为尚书兵部侍郎。

金中书令蜀王尼楚赫薨，年六十八，后谥武襄。

乙丑，宰相率百官启建天申节道场，以梓宫未还，不用乐。

丁卯，金主如上京。

时降将郦琼为金人所用，知金将南伐，语其同列曰："琼向从大军南伐，每见元帅国王亲临陈督战，矢石交集，而王免胄指麾，三军意气自若，用兵制胜，皆与孙、吴合，可谓命世雄材矣。至于亲冒锋镝，进不避难，将士视之，孰敢爱死乎？宜其所向无前，日辟国千里也。江南

2821

将帅,才能不及中人,每当出兵,必身居数百里外,谓之持重;或督召军旅,易置将校,仅以一介之士持虚文谕之,谓之调发;制敌决胜,委之偏裨。是以智者解体,愚者丧师。幸一小捷,则露布飞驰,增加俘级,以为己功,敛怨将士,纵或亲临,亦必远遁。而又国政不纲,才有微功,已加厚赏,或有大罪,乃置而不诛,不即覆亡,已为天幸,何能振耶!"琼所指元帅,谓宗弼也。宗弼闻之,召问江南成败,谁敢相拒者,琼曰:"江南军势怯弱,皆败亡之馀,又无良帅,何以御我!吾以大军临之,彼君臣方且心破胆裂,将哀(鸣)〔鸣〕不暇,盖伤弓之鸟,可以虚弦下也!"宗弼喜,以为知言。

【译文】

宋纪一百二十二　　起己未年(公元1139年)**六月,止庚申年**(公元1140年)**四月,共十一月。**

绍兴九年　　金天眷二年(公元1139年)

六月,己酉朔(初一),金主完颜亶初次穿上皇帝冠服。

签书枢密院事楼炤,与东京留守王伦一同视察修内司。二人快步进入大庆殿,穿过齐明殿,转而向东,进入左银台门,屏去随从人员;进入内东门,穿过会通门,由垂拱殿后稍往南到玉虚殿,就是徽宗供奉老子的地方;殿的后面有景命殿。又退出后到福宁殿,就是皇上的寓所,简朴无华,里面有一块白华石,约有一席地大小,先朝时,皇上每天早晨在殿下向北行拜,遇到下雨天就在石上向南行拜。稍往北,到坤宁殿,屏风上画有墨竹、芦雁之类,然而已没有完整无损的了,其他殿的存画都与此类似。从福宁殿到钦先、孝思二殿,钦先殿供奉各位皇上灵位,孝思殿供奉各位皇后的灵位,帐座供具仍在。出了肃雍门,到玉春堂,建筑规模宏壮,不是其他宫殿所

铜印　金

能媲美,刘豫曾在这里接见伪臣。往左的翠竹小径上,有迎曦轩,对面是月屏。这才到达修内司,原来叫宝绘堂。又由延春阁下面稍往东去,是皇太后当年的阁楼,穿过小门就是锦庄,上面没有装饰。进入睿思殿门,登上大殿,左边叫玉銮殿,右边叫清微殿,后边叫宣和殿,殿庭下面都修美的翠竹。从这里开始垒石为山,分为左右斜廊,建有复道、平台。从斜廊而上经过玉华殿,后面有轩叫稽古轩,西边走廊下面叫尚书内省。由此西出后苑,到太清楼下,壁间有皇帝亲笔书写的《千字文》。登上瑶津亭,亭子在水的中间,四面楼阁相对。于是二人快步而出拱辰门。当时京城外不再有民房,从保康门到太学一路只有几家。太学房舍走廊都已破败,屋中只有敦化堂榜还在,军人在堂中杂乱居住,而在堂下养猪。只有国子监因为供养过士人,还大致像个学舍。都亭驿的牌上,还是伪齐的年号。琼林苑,金人曾经当作军营,后来修建围墙在四周而当作小城。金明池断栋颓壁,看上去一片萧条景象。

庚戌(初二),皇后邢氏驾崩于五国城,时年三十四岁。

乙卯(初七),高宗对秦桧说:"修建朕的陵墓务必俭朴节约,金玉器物,决不可以放入丝

毫,前代厚葬的危害,可引以为鉴。"

丙辰(初八),签书枢密院事楼炤到永安军,首先拜谒昭陵、厚陵及会圣宫。昭陵顺着平缓的山冈栽种柏树成为通道,旁边不修围墙,而四周种植枳橘围绕,四面缺角,所保存下来的只有一半。神门内的石羊、石马、石驼、石象之类都在。神台有三层,高二丈,都植有柏树。最下面一层约宽十五丈,修有五条水道。大门外有石人相向而立。号称下宫的,是酌酒祭献的地方,已没有房屋,而遗存的屋基仍历历可见。其余的陵墓规模都类似这样。各陵墓前临洛水,左边是少室山,右边是嵩高山,山川佳气没有改变,而房屋都被伪齐守臣窦玠所毁坏,宫墙内野草丛深看不见遗址。以前陵园分为水南、水北两处,水北还有二千户居民,水南已成为一片废墟。

己未(十一日),金主从容地对侍臣说:"朕时常阅览《贞观政要》,看到书中的君臣议论,很值得效法。"翰林学士韩昉说:"这都是因为唐太宗和颜悦色地访问臣下,房玄龄、杜如晦等人竭忠尽诚,这书虽然简略,却足以效法。"金主说:"唐太宗固然是一代贤君,唐明皇怎么样?"韩昉说:"唐朝自唐太宗以后,唯有唐明皇、唐宪宗还算得上。唐明皇是所谓有始而无终的皇帝,起初很艰难地取得帝位,任用姚崇、宋璟,只施行正确的朝政,所以能成就开元之治;而他在晚年对朝政处理怠慢,将朝政委任给李林甫,任用奸邪阿谀之人,以致发生了天宝之乱。假如能够像开始那样谨慎小心直到晚年,那么贞观之治的风范,是不难追随的。"金主称赞他说得好。又说:"周成王怎么样?"韩昉说:"是古代的贤君。"金主说:"周成王虽然贤明,也是得力于周公的辅佐。后世人怀疑周公杀死他的兄弟,按照朕的看法,为了国家社稷大计,这样做也不应当非议。"

壬戌(十四日),观文殿学士、左正议大夫、新知宣州汪伯彦被任命为检校少傅、保信军节度使。当时汪伯彦入见高宗,被赐予座位,甚为宠爱。汪伯彦呈上他撰写的《中兴日历》。三天后,于是有了这道诏命。

甲子(十六日),宝文阁学士、提举江州太平观胡交修被任命为试兵部尚书兼翰林学士。

己巳(二十一日),光山军节度使、开府仪同三司、判大宗正事赵士㒟,兵部侍郎张焘,从西京朝拜先皇陵墓后还朝,入见高宗。高宗问:"各陵墓怎样?"张焘没有回答,只说万世不可忘记此仇,高宗默然无语。

保平、静难军节度使、开府仪同三司、四川宣抚使吴玠在仙人关去世,时年四十七岁。高宗诏令停止上朝二天,追赠吴玠为少师,赐予丝帛千匹抚恤丧事。

吴玠管理部下严格而有恩惠,所以士兵乐意为他死战。以后制置使胡世将向他的弟弟右护军都统制吴璘询问吴玠能克敌制胜的原因时,吴璘说:"敌人军令严酷而部下必定死战,每次与敌人作战没有多日不能决出胜负,然而敌人的弓箭不如我军的锋利。我曾经用所擅长的弓箭技艺击穿敌人的重甲于数百步之外,又依托有利的地形,争先派出精锐士兵,与敌人长期反复战斗,以便抵御敌人坚忍的攻势。至于在敌我两军阵地前的决断机要,那么吴璘我就不能表述了。"然而吴玠晚年嗜好女色,蓄养了许多女子,服用金石之药,因此得咯血病而死。后来追赠他武安的谥号。

起初,富平失守后,蜀口屡次危急,金人一定要以攻取全蜀为胜,唯独依靠吴玠才能固守蜀口,所以蜀人长久以来都思念他。

辛未(二十三日),签书枢密院事、大金报谢使韩肖胄,从金国回到东京。韩肖胄当初刚进入金国境内,金国迎接的人认为应当改称谢恩使,韩肖胄认为自己的使命是皇上赦令授予的,不敢轻易改动。争论了多次,金人始终不能强迫他改变。

壬申(二十四日),签书枢密院事楼炤到长安,居留十多天。

起初,夏国主李乾顺所派遣的鄜、延、岐、雍经略安抚使李世辅,企图从李乾顺处借兵,讨伐延安以复仇,于是劝说李乾顺,声称出动军队可以攻取陕西五路之地,李乾顺相信了他的话。当时有一个号称青面夜叉的部族酋长,依仗人马众多而骚扰边境,夏国主嘱咐李世辅首先设计除去此患。李世辅请求拨给他精兵三千人,日夜疾驰,突袭到其地,活捉青面夜叉而回。李乾顺大喜,将要把女儿嫁给他为妻,李世辅借口父亲居丧而推辞。李乾顺随即增拨兵员,命令招抚使王枢随行,击鼓向东进发,到达延安。不久兵马都监薛昭从城上缒下面见李世辅说:“最初告发捕杀您父亲的,不过是苏常、柳仲二人罢了。”一会儿,有人将二人捕捉前来进献,李世辅审问二人,二人立即服罪,于是李世辅将二人剖心以祭奠父亲。

当时金国已将河南地区还给宋朝,楼炤把朝廷的赦书出示给李世辅,李世辅不相信。有个叫耿焕的,与李世辅以前有交情,对李世辅说赦书是真的诏令,李世辅随即率领所部向南遥望拜受赦书,于是劝说夏国人归顺宋朝。夏国人大多怀念故土,李世辅只与愿意归顺的二千人前来,而王枢却反而劝说李世辅返回夏国,于是李世辅擒住王枢。王枢刚进入宋朝境内,就遥望京城下拜,说夏国主感激皇上的恩德,将派遣使者入朝上贡。楼炤听说后,就与宣谕使周聿一同写信召唤李世辅归还宋朝,并且命令行府备差遣王晞韩护送王枢前往行在。

乙亥(二十七日),同签书枢密院事王伦,从京城前往金国商量两国事宜。

起初,右副元师沈王宗弼已回到祁州,私下向金主奏言:“河南地区,本来是完颜昌和完颜宗磐主谋割让给宋朝的,二人必定暗中与宋朝交结。现在宋朝的使者已到汴京,不能让他们通过边界。”王伦有一个以前在云中时的部下,现隶属于宗弼的帐下,秘密前来谒见王伦,将宗弼的阴谋告诉他。王伦将此情况奏报朝廷,请求早做准备,而奏桧却只是上奏高宗催促王伦尽快通过边界。适逢西京留守孟庾到京师,王伦才离开汴京,准备北行出使金国。当时宗磐等人正密谋政变,于是命令中山府拘留王伦,并且打算会合本路签军,以重新攻取河南为名,将要叛乱。

丙子(二十八日),兵部侍郎兼史馆修撰张焘被任命为兼权吏部尚书。

夏国有灵芝生长在后堂,夏国主作《灵芝歌》,让中书相王李仁宗唱和。辛亥(初三),夏崇宗李乾顺驾崩,谥号叫圣文皇帝,庙号为崇宗,他的儿子李仁孝继位。

这年夏季,金国任命李邺为翰林学士承旨,行台户部尚书冯长宁为东京户部使。从大名到金国的东京,共约五千里。

这时,金国在河间、真定、平阳、太原、显州、春州设置名为钱帛的机构,燕京称为三司,大同称为转运,中京称为度支,上京称为盐铁,东京称为户部,都执掌漕计之职。

金主命令司马朴在燕京主持考试举人,录取以中山石琚为首的举人。

金国的科举制度,先在各州分县考试,县令担任考试官,号称乡试,唯有杂犯没有资格,中榜的第一名叫乡元。第二年春季,分三路进行类试,从黄河北到女真的考生都到燕京,关西和河东的考生到云中,黄河以南的考生到汴京,都听取圣旨选择考官主持,号称府试,一般是二人取一人,中榜的第一名叫府元。到了秋季,全部集中各举人到燕京,号称会试,一般是六人取一人,中榜的第一名叫状元。会试合格者分为三甲,上甲一律赐予大红官服,即使是下甲,一般满十三年而升迁为奉直大夫。考试分辞赋、经义二科,同时兼有律义。亲戚无须回避,如有偏袒的考官,就用沙袋惩处。以后还设有明经、明法、童子等科,然而中举的不予提拔选用,只能担任主簿、县尉之类的官职。后来又在上京设置御试,读书人苦于路途遥远,许多人不去应试,于是,就在燕京任命他们官职。

秋季,七月,己亥朔(疑误),金主拘捕太师、领三省事宋国王宗磐,太保、领三省事、充国王宗隽,滕王宗英,虞主宗伟。

在这之前,郎君和什谋反,囚禁于大理狱,此事牵连到宗磐等人。适逢宗磐等人在本月初一入见金主,于是金主埋下伏兵将他们抓获。辛巳(初三),宗磐等人都被诛杀。

当初,宗磐自以为是金太宗的长子,曾经与金主完颜亶争夺皇位;而左副元帅鲁王完颜昌,实际上是金穆宗的长子,是完颜亶长辈的人。宗翰死后,宗族皇亲大臣都很惧怕灾祸,所以二人都有反叛的阴谋。宗英、宗伟与宗磐是同母所生,知道谋反内情,被诛杀后,一律从皇族户籍中除名。右副元帅沈王宗弼已平定内难,于是疾驰前往燕京,拘禁燕京留守彬王宗孟及其儿完颜禀。宗孟,是宗磐的弟弟。不久,咸州详衮沂王完颜晕,也因为通谋的罪名被诛杀。

金主鉴于左副元帅鲁国王完颜昌的辈分高,立有大功,免罪不予追究,将他贬出京师任行台左丞相,下手诏慰问遣发;任命杜充为行台右丞相,萧宝、耶律晖为行台平章政事。完颜昌大怒说:"我是开国元臣,有什么罪而与宋朝的降奴为伍!"所谓降奴,是指杜充等人。

金主任命太傅、领三省事秦国王宗干为太师,进封梁宋国王;任命右副元帅沈王宗弼为都元帅,进封越国王;任命尚书左丞萧庆为右丞相;陈王希尹,诏书不称名讳,并允许乘轿上朝。

当初,宗弼杀掉诸王时,希尹和他同谋。希尹的儿子昭武大将军达勒达,有智谋,力敌百人。宗隽入见金主时,达勒达从后面抓住宗隽的手而杀了他,所以有此赏赐。

甲申(初六),高宗下诏:"新收复地区的县令,从今以后一并差遣文臣。"

自从建炎年间开始任命武臣担任县令,刘豫也沿袭此例。议论的人认为没有学术的人担任县令,民间受害不浅,所以改用文臣担任县令。

丁亥(初九),中书门下省检正诸房公事周纲被任命为权尚书吏部侍郎。

这一天,同签书枢密院事王伦到中山府,被金人拘留。

壬辰(十四日),彰武军承宣使、知金州兼陕西宣谕使郭浩被任命为鄜延路经略安抚使,兼知延安府,同节制陕西诸路军马,速令他率领所部赴任。武康军承宣使、利州路经略安抚使、川陕宣抚使都统制、节制成、凤州杨政被任命为熙河兰巩路经略安抚使,兼知熙州。定国军承宣使、熙河兰巩路经略安抚使兼右护军都统制、节制阶、岷、文、龙州吴璘被任命为秦凤路经略安抚使,兼知秦州。同时诏令郭浩、杨政、吴璘,一并仍旧听从四川宣抚使节制。当时陕西刚刚收复,永兴、泾原、环庆三路伪官张中孚、赵彬、张中彦为帅臣。熙河路慕容洧反叛,鄜延路关师古入京朝见,秦凤路没有帅臣,楼炤以随机处置的权力任命郭浩等人分别镇守三路。于是,楼炤想把川口各军都移到陕西,吴璘说:"敌人反复无常,难以相信,恐怕有其他变故。现在我们转移军队到陕右的话，蜀口就会空虚，如果敌人从南山直捣蜀地，截去我陕右军队，那么我军就不战而自败了。应当暂且依山屯守，控制要害，等到敌人精疲力尽，再可逐渐进军据守。"因此，只有吴璘、杨政二军独自屯守内地。当时已命令张中孚节制陕西诸路军马，所以任命郭浩为他的副职。

高宗诏令："新近收复的州军，租种官田的除缴纳地租外，免征田税。"

刘豫僭位称帝时，租税一并收取，到这时有举人上书朝廷，请求免去其中的一项。户部上言："种自己的田缴纳的称作税，租佃国家的田缴纳的称作租。从来没有同时缴纳租和税的规定。"于是依照以前的制度执行。

甲午(十六日)，尚书兵部侍郎兼史馆修撰张焘被任命为权吏部尚书。

乙未(十七日)，高宗诏令临汝军殄寇县恢复以前的县名。现在的县名，是刘豫更改的。

丙申(十八日)，高宗诏令设置官署审察刘豫任命的伪官吏并重新任命。高宗说："朕正以天下为怀，凡伪齐任命的官吏都已宽免不予问罪，假如他们的才能可以任用，也应当除去他们过去的耻辱然后任命。"于是，命令都省、察院委任官吏按照赏功司旧例执行。

乙亥(疑误)，高宗诏令："金州依旧隶属于四川宣抚使司，虢州隶属于京西，商州听从金州节制。"自从五路刚刚收复，而商州、虢州又重新隶属于陕西，到这时陕西宣谕使周聿、郭浩上言："五路都在秦川之北，万一盗贼出没，五路就会被隔绝，怎么能南来为朝廷所用！商州以前隶属川陕，自从宋金讲和以后，还归陕西，而武关、秦关天险都在它的北面，怎么能控制它呢！况且虢州跨越黄河依靠山地，北面临界陕州，是最为紧要之地，现在也隶属陕西，这并不是人们所说的以近致远啊。"所以有这道诏旨。

庚子(二十二日)，王伦在中山，才听说宗磐等人已被杀死，与他同行的人都很忧虑，不久，金人命令他们前往祁州。

金主在混同江捕鱼，纲绳拽断，曹国王宗敏乘着酒醉策马跳入江中，用手拉系在网纲上的大绳，沉入水中。金主呼唤左右前去营救宗敏，仓猝之中无人应声，显武将军完颜思敬跃入水中，救出了宗敏。金主称赞感叹，赏赐十分优厚，提拔思敬为右卫将军。

八月，己酉(初二)，恢复淮南各州州学教员。

庚戌(初三)，楼诏从凤翔回到朝廷，报告川陕各军的冬衣，已下令成都府等路调拨十六万匹，高宗说："蜀地连年调发，已十分凋敝。现在吴玠一军已分别驻扎关陕，军需运输减省了十分之八九。如果再能削减冗官，四川的民力，或许稍有减轻！"

高宗诏令川陕宣抚司相机处置任命官员，限期一年向朝廷陈述申请换发任命书。当时上言的人议论国家爵制逐渐被轻视的危害，认为："举行三年大礼授予官员后代官爵，三年科举取士，所得到的官员一共只有几百人，而随意任命的官员，一年之中竟几倍于此。现在停止随意授官的圣旨已颁布五年，而所换发的任命书约有一万件。请求以一年为期限，或许能清除奸诈舞弊行为。"于是有了这道旨令。

金国鲁王完颜昌到燕京，更加骄横放肆不守法纪，与翼王古兰谋反。金主渐渐知晓他们与宋朝交往勾结的事，正逢有人上报称完颜昌要谋反，辛亥(初四)，金主下诏诛杀完颜昌。完颜昌从燕京南逃，在祁州被追上擒获。

乙亥(二十八日)，楼诏上奏任命保安军寇成任知环州。

高宗说:"陕西沿边境地区控制夏国,是最重要的要害之地,应当选择长期供职于军中,熟悉边境事务的人,或本地的武人,才能固守边防要塞,使百姓安居乐业。可以将朕的手札支付楼炤,让他晓谕各帅。"第二天,秦桧上奏:"已将皇上的手札下发到各帅,按照皇上的旨意。"高宗说:"城堡山寨是边防最为紧急的事宜,神宗告诫陕西各帅时,都是下达手札批示。然而对于器械却稍微改变了古代的方法,按新法制造的弓稍有缩短,不能射远,另外放箭又拘泥于法令,不能射中目标。朕自幼年起就练习骑马射箭,如拽硬、射视,各是一种方法。现在拉弓臂力达一石以上,箭的落点不过三五十步之遥,这样的话,怎么能抵抗敌人呢!"

丙辰(疑误),右朝请大夫、淮南西路转运判官李仲孺被任命为知庐州。

当时,武信军承宣使、知庐州张宗颜去世,所以任命李仲孺代替他。淮西宣抚使张俊于是命令统制官田师中率领张宗颜的部众八千人回到建康。后来追赠张宗颜保静军节度使,赐给谥号为壮敏。

戊午(疑误),金国都元帅越国王宗弼,在祁州杀掉鲁国王完颜昌,将他的首级装在匣子里进献朝廷。完颜昌临刑时,对宗弼说:"我死了以后,灾祸必将落到你的头上,你应该早做准备。"宗弼没有回答。

己未(疑误),高宗晓谕大臣说:"吴玠的军马已移驻熙河、秦凤等路,应当以五百人设置一个指挥,命令各帅招兵充实,逐渐使兵员额满,与弓箭手掺杂使用,发生紧急情况时,足以互相依靠,或许能逐渐恢复祖宗的旧制。金人和议虽然坚定,怎能保证他们永不挑衅!况且夏国一会儿臣服一会儿反叛,尤其难以保证作为我朝的依靠。今日的边防,尤其不可忽视。"

庚申(疑误),中书舍人王次翁被任命为试尚书工部侍郎。

庚戌(疑误),高宗诏令东京留守司寻访郊祀宗庙的礼器送上朝廷。当时应当举行郊祀大礼,高宗认为渡江后所制作的礼器大多不符古制,所以命令到旧都去寻访。礼官最初奏议郊祀与明堂大礼应当交错举行,秦桧想召集百官商议,高宗说:"暂且按照近来的旧例举行明堂大礼就行了。"

尚书左司员外郎晁谦之被任命为权户部侍郎。

庚午(疑误),给事中苏符充任贺大金正旦使,知阁门事王公亮充任副使。随后朝廷分别录用他们家中一人为官。

乙亥(疑误),雄武军承宣使关师古被任命为龙神卫四厢都指挥使、行营中护军前军统制。关师古从延安回到朝廷,入见高宗答对后,就有了这道任命。

高宗诏令知晋宁军折可求兼任主管本军沿边安抚司公事,筹措收复麟州、府州。这是采纳了楼炤的请求。

丁丑(疑误),太白星在白天出现。

起初,金国想得到王威、赵荣,二人已被朝廷遣还。韩世忠写信对秦桧说:"赵荣、王威不忘本朝,一人归顺我朝,父母妻儿,全遭杀戮,相公还忍心将他们遣还金国,已没有收复中原的愿望了吗?"秦桧惭愧,并且担心韩世忠阻挠遣还二人,于是命令赵荣、王威从六合速向淮西离去。到这时秦桧上奏称外面对此颇有异议,于是高宗诏令将赵荣、王威屡次抵抗官军及驱赶掠夺两州百姓的罪状公榜晓谕朝廷内外。金国越王宗弼得知后,又任命赵荣为将军。

九月,戊寅朔(初一),龙神卫四厢都指挥使、护国军承宣使李世辅上言:"当初归顺朝廷时,因为有父母兄弟被害的仇恨,臣曾经予以报复,请求朝廷治罪。"高宗诏令:"李世辅在鄜延路立有战功,特予免罪。"四天后,李世辅在便殿受到召见,高宗晓谕说:"爱卿竭尽忠心归顺朝廷,立功显著。"于是恢复他原来的官职,赐姓名为李忠辅,任命他为枢密院都统制;不久又赐予姓名叫李显忠。

全国册封金太宗诸子。大司空完颜昱被免职。

癸未(初六),给事中苏符被任命为试尚书礼部侍郎,仍兼资善堂翊善。

枢密直学士、成都、潼川府、夔州、利州路安抚制置使、知成都府胡世将被任命为宝文阁学士、川陕宣抚副使,在河池设置宣抚司,各路都听从他的节制。胡世将精力旺盛,聪明机敏,熟悉吏治,任职成都时,很有政绩,到这时被提拔任用。

胡世将已被任命为宣抚副使,各将都来祝贺,胡世将对他们说:"世将我不能骑马射箭,不知晓敌情,不熟悉边防事务。朝廷之所以派遣我来此任职,只沿袭国家以前的制度,任命文臣管制武将而已。从今以后,军中的事务,一律不改变吴玠任宣抚使时的制度。世将我有不称职的地方,请各位明确指出;或者各位有做得不够的地方,也应当奏闻朝廷。大家都应当推心置腹,不要互相疑忌,共同完成国家的事业。"各将都行礼称谢。

泾原路经略安抚使张中孚,上言称边疆没有警报,希望准许臣子入朝参见皇上,高宗诏令他等到春天暖和后起程。

不久,秦凤等路提点刑狱公事宋万年写信给川陕宣抚副使胡世将,说:"朝廷前不久颁降新近收复河南的诏书,张中孚等人起初不曾拜受,却将金国的诏书宣读。百姓看到诏书上有本朝的庙讳、御名,都不忍听见。万年我不久前私下问吴璘:'万一金国军队再次渡过黄河,将如何筹划安排?'吴璘称:'张中孚等人手握重兵,是秦凤路的心腹之患,如果他们与金兵内外相应,一定会来袭击我军的空虚之处。我军既要以防守为计,又怎么能远出与敌人交战!'由此可见张中孚等人暗藏奸计,事关重大。"胡世将立即将此情报奏报朝廷,而且上言:"臣前不久上奏议论张中孚等人的罪恶,认为朝廷正信守誓言,不想匆忙撤换帅臣守将。然而张中孚等人都已由朝廷下发指令,允许入朝觐见皇帝。希望趁他们自己有所请求的机会,给予另外的差遣。"于是张中孚等人被改任他职。

甲午(十七日),命名皇太后宫为慈宁宫。

丙申(十九日),高宗诏令:"汝州郏城县已故资政殿学士苏轼的坟、寺,命名为旌贤广惠寺。"这是由于苏轼的孙子礼部侍郎苏符援引范镇家被赐予寺院的旧例而有奏请的缘故。

金主开始居住新宫,在庆元宫建立太祖原庙,卢彦伦监造宫室。卢彦伦性情机灵,能迎合皇后的意图,因此颇受宠爱。

己亥(二十二日),太尉、东京同留守郭仲荀,上言称他所率领的原在汴京的人马已到达镇江。

先前高宗召郭仲荀到行在,郭仲荀于是与原来刘豫的部众五千七百余人回到南方。高宗对秦桧说:"郭仲荀是好人,但统辖部众非其所长,暂且令他驻扎镇江,另外选人代替他。"秦桧说:"谁可以担当此任?"高宗说:"挑选合适的人太困难,想在二三位大将统制官中挑选。"秦桧等人上言称董先、牛皋才能具备,高宗说:"二人确实骁勇,然而董先贪财,牛皋嗜酒,都不能统辖众兵。"当时京畿提点刑狱公事辛永宗与郭仲荀一同前来,高宗也认为他放纵轻慢不可信用,秦桧说:"外人不知道陛下明察他们的不法行为,竟认为他们最受宠爱。"高宗说:"朕什么时候曾喜欢过他们!像辛道宗更不循规蹈矩,也不能信用。"不久,秦桧等人请求以枢密院统制官雷仲代替郭仲荀统领军队,高宗同意。

辛丑(二十四日),高宗诏令:"从东京远道而来的宗室子弟年满二十岁的,授予承信郎;其余的朝廷供给衣粮,待年满二十岁时再听旨任命。"

壬寅(二十五日),金国派遣温都思忠到各路查问。

甲辰(二十七日),权刑部侍郎、陕西宣谕使周聿出使金国后返回,入见高宗。周聿上言:"陕西已归还我朝,朝廷得到土地数千里,军队十三万人,马二万匹,拥有可以固守的四面关塞,处于天下的上游,可以说势力强盛。然而陕西并入金国有十多年,城池没有修整,器械盔甲还不齐备,过去布置四十万大军仅仅防守其中一个角落,如今才有十三万人而夏国不敢侵犯,是因为金国的精兵还在那里。现在金国人全都离去,土地辽阔,虽然有要塞,其实十分虚弱。希望陕西所有的空闲未耕之地,除原来主人能够认识的交给他们之外,其余的土地按照本朝的沿边制度,一并用来招募弓箭手。陕西土地肥沃,边民乐于耕种,不出几年,军政自立,都在于关中的繁荣,和唐朝没有什么两样,然而再谋划修建城池建立根基。"又上言:"陕西各路既已任命杨政统帅熙河,吴璘统帅秦凤,然而所驻扎的兵众,都是四路忠勇之士,受吴玠的训练已超过十年,经过上百次的战斗,所向无敌。宋金两国已达成和好,就可以互相往来,对我故国旧都,将士不能没有思念,统领军队的将官,都想招诱那里的士卒。希望告诫四路帅臣,凡不是他们原来统辖的士卒,不得招诱接纳。"

这年秋季,太行山的义士纷纷起兵,自威胜,辽州以南,道路不能通行。

当时金国法律苛刻,赋税繁重,加上发生饥荒,民不聊生。金国又下令欠债者按人口折价抵偿,以及隐藏和逃亡的而被告发者处死。到这时将相大臣如完颜昌、完颜宗磐等人都被诛杀,二人由于久握重兵,培植党羽甚多,此时均已成为亡命之徒,聚集山谷自保,官府不能控制。

冬季,十月,辛亥(初四),同签书枢密院事王伦在御林初次拜见金主。王伦向金主陈述高宗给他的使命,金主都没有答复,让宰相责备王伦说:"你只知道有元帅完颜宗弼,哪里知道还有我大金国!"

癸丑(初六),权尚书刑部侍郎周聿改任户部侍郎,太常少卿苏携被任命为权刑部侍郎。

权吏部侍郎兼史馆修撰张焘充任宝文阁学士、知成都兼本路安抚使。四川制置司限一个月内了结公务。

起初,成都府缺少帅臣,高宗对秦桧说:"张焘可以被授予随机处置军政的权力,让他去治理成都,恐怕他不愿赴任。"秦桧退出后,召见张焘晓谕圣旨。张焘说:"皇上的命令,张焘我怎敢推辞!"高宗非常高兴,于是有此任命,高宗晓谕秦桧说:"张焘虽然去安抚一路,但像四川以前的那些没有名目的横征暴敛,和不很紧急时的冗费,可以让他减免,以便宽缓百姓财力。"以成都帅臣而得以行使管理四川民事的权力是从张焘开始的。

甲寅(初七),枢密行府准备差遣王晞韩,陪同夏国招抚使王枢到行在。楼炤上言:"陕西新近收复,正与夏国为邻。这种人留下来没有什么益处,让他回去可以让他知道朝廷的恩德。"于是高宗诏令在阁门引见王晞韩,命令临安府设宴犒劳,差派行在官在宾馆陪伴。秦桧又召王枢到都堂,将两国讲和的意图告诉他,同时归还近来所俘获的夏国人一百九十人交由王枢负责遣还,仍命令王晞韩陪伴王枢一同到边境。

己未(十二日),尚书礼部侍郎兼侍读兼资善堂翊善吴表臣被任命为权吏部尚书,仍兼任以上官职。

丙寅(十九日),洪州观察使、新任知鼎州王彦在邵州去世,时年五十岁。王彦以前在荆南的部下听说他去世,都到佛寺设灵位为他哭表。

王彦事养父母孝顺,为官廉洁。他作为将领,与士卒同甘共苦,屡次打破大股盗贼,跟随他参军的子弟,未曾因他而沾到朝廷赏赐。王彦临死前,召见自己的弟弟和侄子,把家财全部分给他们。王彦当时号称名将。然而性情刚直很少与人合得来,虽然对待士人礼节周到,但是非黑白过于分明,这是他一生的大概情况。

这个月,湖北、京西宣抚使岳飞来到朝廷。

金主又派遣翰林待制耶律绍文到驿站晓谕奉迎使王伦,说:"以前你被拘留在云中,回国无期;等到放你回去,你不曾有回报,反而离间我君臣的关系。"于是遣送副使蓝公佐先行回国,商议岁贡、正朔、誓表、册命等事,而拘留王伦以候宋朝的答复。不久,将王伦迁往河间,于是不再遣还。

十一月,戊寅(初一),秘书少监郑刚中被任命为权尚书吏部侍郎。

定国军承宣使、知秦州兼节制屯驻行营右护军马军吴璘被任命为龙神卫四厢都指挥使。高宗晓谕大臣说:"吴玠长期在蜀任职,忠心耿耿,战功卓著,虽然已对他优加恩抚,然而听说他家中很贫穷,可以赐予钱三万缗,同时提升他弟弟的军职,命令他安抚吴玠的家属。"所以有这道任命。

已卯(初二),高宗晓谕辅臣说:"前些天商议将岳飞的军队移屯于襄阳,但很忧虑军需转运的费力。不如先迁移一万人到江西,既能节省转运军需的费用,也可用来镇压盗贼。"

庚辰(初三),有人上言议论:"现在失地已重新收复,朝廷驻军百万,隶属于各将领,如果不实行屯田,用什么来善后!如今荆南、兴、洋、汝、颖、江、淮之间,沃野千里,有些地方还是荒山废坡,这些地方还有未被开发的利益。各军将领所统辖的地方,不少人是从农民转为士兵的,除了用于作战的士兵之外,还有负担杂役的人,也不是不可利用,这说明人力还有剩余。希望朝廷命令各路宣府帅臣精心实行屯田。"高宗同意。

宣州观察使、知阁门事蓝公佐到燕山,不久金国越国王宗弼也到燕山。蓝公佐害怕不能免祸,滞留了四天,才被允许放行回国。

己丑(十二日),追认复官的左通直郎、直龙图阁张所,被特授予他的一个儿子官职,并赐给他家银、帛一百匹两。

先前宣抚使岳飞上言称张所忠诚义勇,高宗命令恢复他以前的官职。岳飞又上言:"好生恶死,是人之常情,张所以忠许国,义不顾身,虽然斧钺就在眼前,却大义凛然,面不改色。请求朝廷给予他特别的褒奖,使天下的忠义之士都知道朝廷的倡导。"所以有这道命令。

辛酉(疑误),参知政事李光被免去官职。

李光与右仆射秦桧商议政事意见不合,在高宗面前争辩不休,而且指责秦桧的过失。殿中侍御史何铸于是弹劾李光狂妄失礼。李光称病请求辞职,高宗命令他以资政殿学士的身份出外担任知州,上言的人又攻击他。三天后,高宗任命李光为提举洞霄宫。

金国豫国公完颜昱去世。

这年冬季,金主晓谕其政省:"从今以后,四时游猎,春水秋山,冬夏刺钵,一并遵循辽国的先例。"

金国元帅府下令沿黄河设置营寨,防备渡过黄河南归宋朝的人。渡河南归的人以及帮助别人渡过的人一并处死。

海寇张青渡海抵达辽东,号称宋军,于是攻破苏州;辽东大为惊扰,中原被金兵掳掠到辽东的人,大多起兵响应张青。张青起初并没有进取辽东的意图,不久又撤离而去。

金主诏令郡县,不得听从元帅府命令擅自调动军队,要等到看见皇上亲笔签署的命令才能执行。

当时,太行山义士王忠植已攻取石州等十一郡,奏报朝廷,受到高宗的嘉奖,高宗任命他为武功大夫、华州观察使、统制河州忠义军马。王忠植是步佛山人。

起初,金国割地给宋朝,以新河为界。朔方一带盛传高宗将亲征北伐,民间往往私结党徒,购买兵器,以备紧急时使用,沿黄河一带尤为如此。每当天气阴暗之时,他们就伸长脖子向南遥望,说:"皇上御营的烈火亮了!"太行义士又攻打怀州万善镇,并攻破了万善镇。金国守臣乌陵阿思谋率领军民防守城池。思谋自从金国发生内乱,每夜披衣而坐,喟然长叹:"可惜!官人历尽艰险而夺取天下,而如今却被几个小人破坏大事,我不知道他们会死在什么地方!"官人是指宗翰。

金国知濬州韩常,曾与防御判官宫茵夜饮,谈及江、淮、川、陕用兵等事,宫茵极力声称金兵的强大。韩常说:"您知道宋军的过去,却不知宋军的现在。现在的宋军,其骁勇精锐如同过去的我军;我军的怯懦却如同过去的宋军。所幸的是宋朝并不知道这些。"

女真族万户呼沙呼北攻蒙古,因粮绝而返回。蒙古追踪袭击,直到上京的西北,在海岭大败呼沙呼的军队。

金主任命富勒玛为招讨使,提点夏国、达勒达两国市场。达勒达,在金国的西北,其邻近汉人的地方称为熟达勒达,食用粳稻;其远离汉人的地方称为生达勒达,只依靠射猎为生,性情勇猛剽悍,然而地下不产铁,只能用骨制作箭矢。辽国人起初设置市场与达勒达人贸易,但禁止铁器贸易十分严格,至今才有所松弛。另外,刘豫不用铁钱,因此铁钱都从云中贩运到达勒达,蒙古得到铁钱,于是大量制造兵器。

绍兴十年 金天眷三年(公元1140年)

春季,正月,辛巳(初五),右仆射秦桧上言:"前天外面有人写匿名信诽谤朝廷,应当上缴皇上。"高宗说:"朕已看到,不必担心。"

当初金国派遣奉使官、宣州观察使、知閤门事蓝公佐南归宋朝,商议岁贡、表誓、正朔、册命等事宜,同时索还河东、河北在宋朝的士民。这一天,右正言陈渊入见高宗,说:"自从蓝公佐回国,听说金国将往日主张议和的人全都杀死,而且后悔以前的和约,因此重新又有索取。臣以为和战二策,不可偏废。"高宗对陈渊说:"现在的议和,不仅不能偏废一方,而且应当以战为主。"

不久,吏部员外郎许忻出任荆湖南路转运判官,即将启程时,也上疏说:"臣看到金国人成为本朝的祸患,到现在已有十六年了。以前张通古等人前来商议和好,陛下因为灵柩、母后、渊圣皇帝的缘故,屈尊依从了他们的请求,还命令王伦等人出使金国酬答。现在王伦已被金国拘留,而且又有要求索取,外面为此议论纷纷,认为敌人如此反复无常,都很忧虑。希望陛下采纳朝廷内外的公论,制定国家的大计,深刻体察敌人多变狡诈的情形,尽快安定天下忧虑之心。从今以后,严加守备,激励将士为国捐躯效死的士气,以雪陛下与金国不共戴天之仇。"

金国任命都元帅宗弼领行台尚书省事,命令诸州郡军队的事情由帅府决策,百姓诉讼和钱粮赋税,由行台尚书省治理,宗弼兼管这些事情。金主命令宗室子弟完颜亮前往宗弼军中,担任使命,随即又任命他为行军万户。完颜亮是宗干的第二个儿子,时年十八岁。

乙酉(初九),高宗任命集英殿修撰、京畿都转运使莫将为试工部侍郎,充任护梓宫、奉迎两宫使;济州防御使、知阁门事韩恕为宣州观察使,充任副职。

起初,兖州人张汇,跟随他的父亲张行正在保州做官,滞留金国不能返归宋朝,到这时听元帅府主管汉儿文字蔡松年说敌人有撕毁两国议和盟约的意图,于是与燕京人王晖、开封人刘炎密谋,夜间从新乡渡过黄河赶赴行在,上疏陈述敌情利害。大致是说:"敌人国君懦弱,将领骄横,士兵寡弱而胆怯,而且又离心离德,百姓怨恨而穷困,都有异心。邻国伸长脖子以窥视其国内矛盾,臣下怒目以观察朝廷的变化,贼寇强盗在外蜂起,皇亲国戚在内作乱,加上昔日的名王、良将,如尼玛哈、达兰等人,不是被诛杀,就是因病而死。所以伍子胥被杀吴国就灭亡了,孔明去世蜀国就灭亡了,纷争战乱之际,这是古今不变的道理。如今金国内有众叛亲离的忧虑,外失刘豫作为屏障的声援,譬如有自己截断其手足而又剖其心腹,却想求生,不是很难吗?这是上天后悔所造成的灾祸,眷爱我大宋朝廷,又借敌人之手让他们自相残杀,特此将千载难逢的良机给予陛下,让陛下成就周宣王、汉光武中兴那样的大业。以前敌人还不可能被消灭的时候,臣虽然早已回归朝廷,也对皇上的圣德没有补益,所以臣隐身敌人中间,甘心度过十五年的贫贱生活,以便窥伺今天敌人的矛盾。又何况当时的河北,人心尚未安定,河南的刘豫被金国废弃之后,人心也正在动摇。如果官军先渡过黄河,那么弊害就归于河北而不在中原;如果乌珠先侵犯河南,那么弊害归于中原而不在河北。只要谁先得以渡过黄河,就可以得到天下的有利形势。当今胜负的关键,确实在于渡过黄河的先后。而乌珠已有南侵的意图,臣恐怕朝廷可能失此良机,而反被敌人乘机而先声夺人。"疏文上奏后,张汇等人被授予初品文官。

辛卯(十五日),观文殿大学士、提举临安府洞霄宫李纲在福州去世。

李纲的弟弟校书郎李经早于李纲去世,李纲为此悲伤不已;适逢上元节,李纲亲自去送葬,哭得悲痛至极,突然得病,于当日去世,时年五十八岁。高宗正欲派遣宦官徐恂前往安抚慰问,得到李纲去世的讣告后,高宗命令追赠李纲为少师,将他的弟弟两浙东路提点刑狱公事李维调到福建任职,让他为李纲治丧,命令他所居住的州府酌量给予钱物处理丧事。

甲午(十八日),太尉、庆远军节度使、东京同留守兼节制军马、京畿营田大使郭仲荀充任醴泉观使,这是朝廷采用他的请求而任命的。

高宗诏令在仙人关修建忠烈庙,用来祭祀吴玠。

丁酉(二十一日),左通直郎、充徽猷阁待制、提举江州太平观尹焞升迁一级官职后退休。

这是由于尹焞因年老请求退休的缘故。尹焞于是居住绍兴。

癸卯（二十七日），高宗对大臣说："莫将奉命出使金国，凡所应商议的事情，可一一记录，交给莫将。恐怕莫将对金国的要求妄加许可，以后必定不能遵守。"当时，金国的请求，朝廷大多不同意，所以高宗这样晓谕大臣。

这个月，夏国改年号为大庆。

二月，辛亥（初六），济州防御使、主管侍卫军马司公事刘锜被任命为东京副留守，仍兼任节制军马。

癸丑（初八）高宗下诏说："朕很久以来就考虑，每隔三年科举考试选拔人才的制度，始于太平时期，历朝历代，遵循常典。近来由于国家多事，一再推迟考试日期，以致录取考生的年份，正当祭祀宗庙的时候。应当改革政令，恢复过去的制度。可除在绍兴十年设科场让各州按照条规向朝廷发送考生外，将省试、殿试再推迟一年，在绍兴十二年正月锁院举行省试，三月份选择日期举行殿试。以后的科举考试，仍以绍兴十二年省试为准，于绍兴十四年令各州按照条规向朝廷发送考生。其中将来绍兴十二年由礼部特奏名而录取的，应授予官职的人中，有年龄六十一岁者，准许出任官职一次。"

已故集贤殿修撰周常被追认恢复宝文阁待制官衔。

周常，是浦城人，元符末年曾任礼部侍郎，因元祐党名获罪去职，居住婺州，到这时是采纳他家人的请求而任命的。

乙卯（初十），殿中侍御史何铸被任命为试右谏议大夫。

庚申（十五日），御史中丞廖刚被任命为试工部尚书。

廖刚每次借上奏政事的机会，议论君子小人朋党的辨别处，反复多次，切中要害。又议论君主的祸患，没有比喜欢别人顺从自己更大的。如果群臣只听从一人的意见，那么天下的事情就值得忧虑了。廖刚本是秦桧推荐的，到这时秦桧对他越来越不高兴。另一天，廖刚借入见高宗之机，又请求起用以前有声望的宰相，将他安排在靠近京师的重镇。秦桧闻讯后说："这是想把我置于何地？"廖刚既已不断触犯秦桧，于是离开了御史台，廖刚因此而名闻天下。

尚书工部侍郎王次翁被任命为试御史中丞。

壬戌（十七日），尚书户部侍郎周聿充任显谟阁待制、枢密都承旨。

丁卯（二十二日），观文殿学士、左通奉大夫、西京留守孟庾被任命为左宣奉大夫、东京留守兼权知开封府。

资政殿大学士、左通奉大夫、江西安抚制置大使兼知洪州张守，资政殿学士、左中大夫、知应天府兼南京留守路允迪，资政殿学士、左中大夫、江东安抚制置大使兼知建康府兼行宫留守叶梦得，一并晋升一级官阶。

三月，己卯（初四），中书门下省检正诸房公事范同被任命为权尚书吏部侍郎。

丙戌（十一日），成都府路安抚使张焘才到达成都。

起初，张焘从东京、洛阳进入潼关，已听说金国有撕毁两国盟约的意图，等到抵达长安后，所听到的情况更加紧急。张焘急忙前行，见到川陕宣抚副使胡世将，对他说和尚原最为要冲，从和尚原以南，就是进入四川的通路，如果和尚原失守，那么四川就没有了。胡世将说:"蜀口过去的守军都很精锐,号称最为严整,自从朝廷降旨撤除防守之后,关隘解除了守备,胡世将我虽然屡次向朝廷请求,但未见命令下达,请您为我筹划此事。"张焘于是替胡世将草拟奏章,陈述形势危急,请求速调在陕右戍守的右护军回来驻扎蜀口,又请求赐予料外钱五百万缗以防备紧急。

辛卯(十六日),在临安府赐宴款待京东、淮东宣抚使韩世忠、淮西宣抚使张俊,这是因为二人前来朝见的缘故。

起初,各大将入朝觐见,在宫中陈列军队检阅,称之为内教。这时,统制官呼延通在内教时,出言不逊,中丞王次翁请求斩杀呼延通以整肃军纪,并借机上言:"祖宗的法令规定,携带一寸铁进入皇城的,都有固定的刑罚。现在让武夫悍卒披坚执锐于宫殿大廷之下,不是用来严肃宫殿的办法。"于是停止了内教。

丙申(二十一日),礼部侍郎充大金贺正旦使苏符自东京回到行在。

起初,徽猷阁待制洪晧已被金国拘留在冷山,颇受陈王完颜希尹的厚待。希尹向他询问两国议和的十件事情,洪晧责备他说:"封册,徒有虚名;年号,宋朝自己就有;黄金三千两,景德年间的澶渊之盟中没有提及;东北地区宜于种植桑蚕,金国已占有其地,增加贡奉丝绢恐怕很难;至于索取淮北人,这是扰害民生的计策,恐怕必定不能实现。"希尹说:"我想索取投降归附的人并处死他们,以惩戒后人,为什么不可以?"洪晧援引梁武帝为与东魏和好用其降将侯景做交易而导致侯景之乱的事劝说希尹。希尹怒气稍解,说:"你性情直率,不诳骗我,我与你一起去燕京,遣送你回国商议。"于是启程出发。适逢工部侍郎莫将继黄晧之后来到金国,因商议与金人不合,被囚禁于涿州,事情又有变化。洪晧经过囚禁莫将的营帐,金国的戍将闻知洪尚书的大名,争相邀请他吃喝。

苏符到达东京,敌人拒不接纳。苏符于是回国。

丁酉(二十二日),高宗诏令:"川陕宣抚使,从今以后如有紧急敌情警报,调动军队,筹措钱粮,凡有关军事而等不及报告朝廷的,一并准许胡世将酌情随机处理。"这是采纳胡世将的请求的缘故。

当时谍报称金国在河东、河北征集签军准备军粮,前来戍守河中,收复河南州郡。金国都元帅宗弼又传令:"宋国是与我和议之国,应保留桥梁道路以便往来。已调发绛州、蒲州、解州的三万役夫过黄河修筑堤岸,另外差遣马军编结栅栏,命令同州依照军令检察。"胡世将担心金军出没不定,随即将上述情况奏报朝廷,并派兵防备。

己亥(二十四日),彰武军承宣使、枢密院都统制、知延安府、同节制陕西诸路军马郭浩调任知永兴军,兼节制陕西诸路军马。

壬午(疑误),安放徽宗皇帝、显恭皇后、显肃皇后的遗像在天章阁的西神御殿。

癸卯(二十八日),已故朝散郎邓忠臣,被特别赠授直秘阁。

夏季,四月,乙巳朔(初一),金国温都思忠察访各路,访得廉正官吏杜遵晦以下一百二十四人,各升迁一级官阶;访得贪官张轸以下二十一人,都被罢免。

戊申(初四),高宗诏令:"三公、三少带节度使官衔的,上朝班列一并排在宗室开府仪同三司之下。"当时由于各位大将的官位很高,因而抑止他们。

癸丑(初九),显谟阁直学士赵彬被任命为尚书兵部侍郎。

金国中书令蜀王尼楚赫去世,时年六十八岁,后来赠给谥号为武襄。

乙丑(二十一日),宰相率领百官启建天申节道场,因为灵枢未还,不用乐器。

丁卯(二十三日),金主到达上京。

当时宋朝的降将郦琼被金人信用,知晓金国将要南伐,对他的同事说:"郦琼我以前随从大军南伐,每每见到元帅国王亲临前线督战,虽然箭石交加,而国王不戴头盔进行指挥,三军将士意志镇定自若,用兵制胜,都与孙子、吴子的兵法一致,可以说是闻名于世的雄才。甚至亲自冒着锋镝作战,不避艰难勇敢直前,将士看到后,谁还敢贪生怕死呢?因而军队所向无敌,一日开辟千里疆土。江南的将帅,才能不及一般人,每当出兵,必定身居数百里之外,说这是持重;而且督召军队,调换将校,仅派一人拿着一纸空文前去晓谕,说这是调发;与敌人决战决胜时,委派偏师之将去指挥。因此,有智谋的却人心离散,没有智谋的丧命战场。侥幸取得一次小胜,就不等缄封文书而飞马报捷,增报俘获首级的数量,作为自己的功劳,招致将士的怨恨,即使他们亲临战场,也必定远逃。而且加上国家政事没有法纪,只有微小的功劳,已给予优厚的赏赐,偶尔犯了大罪,却置而不杀。宋朝没有立即灭亡,已是上天的侥幸,怎么能够振兴呢!"郦琼所指的元帅,就是宗弼。宗弼闻知后,召见郦琼询问宋朝的成败得失,有谁敢于抵抗金国,郦琼说:"宋朝军势怯弱,都是些残兵败将,又没有优秀的将帅,怎么能抵抗我军!我们将大军摆在他们的面前,宋朝的君臣已心破胆裂,必将连哀叹都来不及,这就像是伤弓之鸟,可以拉一下空弦它就会落下来。"宗弼十分高兴,认为郦琼的话很有见地。

续资治通鉴卷第一百二十三

中华传世藏书

續資治通鑒

【原文】

宋纪一百二十三　起上章涒滩【庚申】五月,尽十二月,凡七月。

高宗受命中兴全功至德　圣神武文昭仁宪孝皇帝

绍兴十年　金天眷三年【庚申,1140】　五月,丙子,金主诏元帅府复取河南、陕西地。

先是完颜昌议割地与宋,宗弼力争之;昌既死,宗弼复言割地非计。宗干以下皆曰:"赵构蒙再造之恩,不思报德,妄自鸱张,所求无厌,今若不取,后恐难图。"金主曰:"彼将谓我不能奄有河南之地;且都元帅久在方面,深究利害,宜即举兵攻之。"乃集举国之兵于祁州元帅府,大阅,遂分四道并进:命镊呵贝勒出山东,右副元帅完颜杲入陕右,骠骑大将军、知冀州李成人河南,而宗弼自将精兵十馀万人与知东平府孔彦舟、知博州郦琼、前知宿州赵荣抵汴。

丙(午)〔戌〕,宗弼入东京,观文殿学士、留守孟庾,不知所措,统制官王滋请以兵护庾,夺门走行在。庾以敌骑多,不能遽去,遂率官属迎拜宗弼入城,住旧龙德宫。于是金主诏谕诸州县以完颜昌擅割河南,且言宋人多所邀求之故。诏辞略曰:"非朕一人与夺有食言。恩威弛张之间,盖不得已。"遂命使持诏遍抵诸郡,又分兵随之。知兴仁府李师雄,徽猷阁待制、知淮宁府李正民,皆束身归命。自是河南诸郡望风纳款矣。

金人破拱州,守臣左奉议郎王愭死之。

金右副元帅完颜杲自河中渡河,入同州界,疾驰二百五十里,趋永兴军。陕西州县多旧时金、齐官,所至迎降,远近震恐。

丁亥,金人破南京。

初,金人既背盟,复以葛王褒知归德府。褒以数千骑至宋王台,遣人谕都人、官吏、学生,告以不杀、不掠之意,请路留守出门相见。资政殿学士、南京留守路允迪,不得已朝服出城见之,会于宋王台。允迪为主,褒为客,允迪奉觞为寿,褒与酬饮,遂送允迪于汴京。褒鼓吹入城,秋毫不犯。

金主谓尚书左丞宗宪曰:"向以河南、陕西地与宋人,卿以为不当与;今复取之,是犹用卿言也。卿识虑深远,自今以往,其尽言无隐。"宗宪拜谢,遂摄门下侍郎。

2836

戊子,四川宣抚副使胡世将在河池,知同州张恂遣人告急。时右护军之戍陕西者五万人,始渐至所屯州县,而蜀一带正兵不过三万人,朝廷所除诸帅皆未至本镇,得报骇愕。永兴军路经略使郭浩,时在延安,本路副都总管、权知永兴军郝远,开长安城门纳金人。长安破,关中震动,钤辖傅忠信、卢士闵不从,斩关以出。知陕州吴琦,城守以御金人。郝远遣人持金国檄书至宣抚司,语不逊,不可闻,世将焚檄,斩其使。

己丑,金人破西京。

初,金人有渝盟意,河外豪杰以告河南府兵马钤辖李兴,兴告于转运判官、权留守李利用、副总管孙晖,谓:"洛阳实冲要重地,东接王畿,南通巴蜀,北控大河,可以屏卫襄、汉;况陵寝所在,不可不注意也。"利用然之,令兴招集忠义民兵,密为防御计,不数月,得万馀人,晖大惧,欲杀之。会报敌已渡河,利用闻之,即弃城遁走。李成以铁骑数千据天津桥,兴令七骑逆击之,成罔测,遂退。晖弃城走,兴转战至定鼎门,伤重,仆于地,夜半复苏,乃走外邑聚兵。敌引兵入城,以成知河南府。时朝廷以利用有治最,除直秘阁以宠之,而利用已遁矣。

庚寅,龙图阁直学士、知顺昌府陈规,得报敌骑入东京,时新东京副留守刘锜方送客,规以报示锜,锜曰:"吾军有万八千,而辎重居半,且远来,力不可支。"乃见规,问曰:"事急矣,城中有粮,则能与君共守?"规曰:"有米数万斛。"锜曰:"可矣。"规亦力留锜共守。锜又见刘豫时所蓄毒药犹在,足以待敌。会其所部选锋、游奕二军及老幼辎重相去甚远,锜遣骑趋之,夜四鼓,才至城下。旦,得报,敌骑入陈,距顺昌三百里,阖城惶惑。锜遣兵属与规议,敛兵入城,为捍御计,人心稍定。

辛卯,四川宣抚副使胡世将,自河池遣泾原经略使田晟以兵三千人迎敌。

始,金人之渡河也,利路经略使杨政尚在巩州,永兴经略使郭浩尚在鄜延,环庆经略使范(宗)〔综〕尚在金州,而主管鄜延经略司公事王彦亦未至其地,惟熙河经略使兼宣抚司参谋官孙渥、右护军都统制兼秦凤经略使吴璘,随世将在河池。世将仓皇召诸帅议出师,政、晟先至,渥进曰:"河池地平无险阻,敌骑已迫凤翔,自大散关疾驱,一二日可至帐下。顷吴公宣抚,偶阅兵至河池,几为敌擒,其事不远。愿公去此,治兵仙人原,原去河池才五六十里,而杀金坪、家计寨天险足恃,元戎身处危地,而欲号令将帅,使用命赴敌,渥不识也。"璘独抗声言曰:"和尚原、杀金坪之战,方璘兄弟出万死破敌时,承宣在何许?今出此懦语沮军,可斩也!右护军强半隔限在陕西,未易呼集。敌来,日夜思战,今闻宣抚舍河池,去保山寨,失战士心,不可!璘请以百口保破敌!"世将壮之,指所坐帐曰:"世将誓死于此矣!"官属韩诏等进曰:"渥实失言,不宜居幕下。"遂先遣晟还泾原,渥赴熙河。渥恐惧汗落,单马趋出,顾谓世将所亲曰:"渥为公忠谋,乃反得罪。吴家小帅勇而锐,未见其胜之之道也。它日无忘渥言。"

统领忠义军马李宝,与金人战于兴仁府境上,杀数百人,获其马甚众。宝,岳飞所遣也。

壬辰,刘锜召诸将计事,皆曰:"吾军远来,未及息肩,敌人邀我归路,其败必矣。莫若守城,其徐为计。"锜曰:"锜本赴官留司,今东京既破,幸全军至此,有城可守,机不可失,当同心力,以死报国家。"众议始定,即凿舟沈之,示无去意。通判府事汪若海,方奉府檄至行在,锜以奏附若海,即与官属等登城区处。城外有居民数千家,恐为贼巢,悉焚之。分命诸统制官,许青守东门,贺辉守西门,钟彦守南门,杜杞守北门,且明斥堠,及募土人作乡导间探。于是人皆奋曰:"早时人欺我八字军,今日当为国家立功!"锜亲于城上督工,设战具,修壁垒。时守备全阙,锜取伪齐所作蚩〔尤〕车,以轮辕埋城上,又撤民家扉,以代笓篱笆。凡六日粗毕,而金人游骑已渡河至城外矣。

癸巳，武经大夫、潍州团练使王彦先以亳州叛，附于金，金以郦琼守之。

是日，边报至行在。

丙申，胡世将命右护都统制吴璘将二万人自河池赴宝鸡河南以捍敌，遣本司都统知兴元府杨政、枢密院都统制知永兴军郭浩为之声援。

戊戌，帝谓秦桧曰："敌人不知信义，无足怪者。但士大夫不能守节，至于投拜，风俗如此，极可为忧。"秦桧曰："自靖康以来，卖国之人，皆蒙宽恩，故习熟见闻。若惩革之，当自今日。"遂下令曰："昨者金国许归河南诸路，及还梓宫、母、兄，朕念为人子弟，当申孝悌之义，为民父母，当兴振救之思，是以不惮屈己，连遣信使，奉表称臣，礼意备厚。不谓设为诡计，方接信使，便复兴兵，河南百姓，休息未久，又遭侵扰。朕蠲然痛伤，何以为怀！仰各路大帅各竭忠力，以图国家大计。"又诏罪状乌珠，募有能生擒乌珠者，除节度使，赐银帛五万，田千顷，第一区。

先是桧荐王次翁为御史中丞，凡可为桧地者，次翁无不力为之。及金人渝盟，次翁惧桧得罪，因奏曰："前日国是，初无主议。事有小变，更用它相，后来者未必贤，而排黜异党，纷纷累月不能定，愿陛下以为戒。"帝深然之，桧位遂安，公论不能摇矣。

己亥，少师、护国、镇安、保静军节度使、万寿观使、雍国公刘光世为三京招抚处置使，以援刘锜，以统制官李贵、步谅之军隶之，赐钱二十万缗，银绢三万匹两为军费。于是光世驻军太平州，请枢院都统制李显忠同行，至（徐）〔宿〕、泗间，其军多溃。

庚子，诏右护军都统制吴璘同节制陕西诸路军马。又诏川陕宣抚副使胡世将军前合行黜陟，许以昨张浚所得指挥。

辛丑，金人攻凤翔府之石壁寨，吴璘遣统制官姚仲等拒之。仲自奋身督战，珠赫贝勒中伤，退屯武功。时杨政母病方死，亦不顾家，径至河南，与璘协力捍敌。已而诸军家属悉归内地，人心既定，踊跃自奋，不复惧敌矣。

先是金人之别将又围耀州，节制陕西军马郭浩遣兵救之，敌解去。

壬寅，金人围顺昌府。

先是刘锜于城下设伏，敌游骑至，擒其千户阿克顺杀等二人，诘之，云："韩将军在白龙涡下寨，距城三十里。"锜夜遣千馀兵击之，颇杀敌众。既而三路都统葛王褒及龙虎大王军并至城下，凡三万馀人。锜以神臂弓及强弩射之，稍引去；复以步兵邀击，溺于河甚众，夺其器甲。又获女真、汉儿，皆谓敌已遣银牌使驰诣东京，告急于都元帅宗弼矣。

时锜见陈、蔡以西，皆望风投拜；又有王山者，旧为宗弼所用，尝知顺昌府，至是复来城下，宗弼欲再令守顺昌；锜虑有苟全性命者卖己于外，故顺昌官吏军民皆不许登城，以己所部兵守之。

时鄜延路副总管刘光远，以道梗不能赴，武功大夫、温州刺史、新知石泉军柳倪，为锜所辟，皆在军中。倪适至东门，敌射中其左足，倪拔矢反射之，敌应声而倒。

是月，金册李仁孝为夏国王。

六月，甲辰朔，少师、京东、淮东宣抚处置使韩世忠（封）〔为〕太保，〔封〕英国公；少傅、淮

2838

西宣抚使张俊(封)〔为〕少师,〔封〕济国公;武胜、定国军节度使、开府仪同三司、湖北、京西宣抚使岳飞为少保,兼河南、北诸路招讨使。

徽猷阁直学士、知临安府张澄试尚书户部侍郎。

枢密院降檄书下诸路宣抚司,罪状宗弼、完颜昊,令颁之河南、陕西诸路。

檄书曰:"盖闻好生恶杀,天道之常;厌乱喜安,人心惟一。顺天从众者昌,逆天违众者亡,亘古迄今,理有不易。金人自靖康以来,称兵南下,荡覆我京都,邀留我二圣,长驱深入,所至焚灭,残忍不道,载籍靡闻。前岁忽遣人割还河南故地,皇帝深念一纪之间,兵挐怨结,祸极凶殚,南北生灵,肝脑涂地,许其修睦,因以罢兵,庶几休养生息,各正性命,仰合于天心。既遣行人,往议事因,使方入境,兵已济河,托为捕贼之名,绐我守疆之吏,掩其不备,复取旧都。信义俱亡,计同寇贼。惟彼乌珠,号四太子,好兵忍杀,乐祸贪残,阴蓄无君之心,复为倡乱之首,戕杀叔父,擅夺兵权,既不恤壮士健马之丧亡,又岂念群黎百姓之疾苦!虽外以遗毒于中国,实内欲窥图乎厥家。天理靡容,是将假手;人心携贰,必识所归。如彼骨肉至亲,一旦自相鱼肉,维尔腹心勋旧,岂能自保始终!如生、熟女真、契丹、奚、霫、渤海、汉儿等,离去父母、妻、男,捐弃乡土养种,衣不解甲,二十馀年,死于行陈者,首领不保,毙于暴露者,魂魄不归。爰自谋和,始图休息,炎方盛夏,驱迫复来,兵端一开,何时而已!河东、河北、京东三路,皆吾本朝赤子,偶留敌中,皇帝宵旰不忘,日思拯救。今者既困暴敛,复遭签发,室家田里,不得保聚,身犯锋镝,就死何辜!三京、五路之人,方脱囚奴,初沾恩泽,既未终大赐,且复忧永沦,罪在一夫谋己之私,毒被寰宇兆民之众。皇帝若曰:'朕为人父母,代天君师,兼爱生灵,不分彼此,坐视焚溺,痛切在躬。况彼兵出无名,神人共怒,而我师直为壮,将士一心,所向无前,何往不克!本欲为民而吊伐,岂忍多杀以示威。誓与华夷,蠲除首恶,期使南北,共享太平。'幕府遵奉指挥,应南北官员、军民,如能识运乘机,奋谋倡义,生擒乌珠,或斩首来归者,大则命以使相,次则授以节钺,各赐银绢五万匹两,良田百顷,第宅一区。至如萨里干,资性贪愚,同恶相济,昨在同州,已为李世辅擒缚,搏颡求哀,仅脱微命;尚敢驱率其众,复侵关陕,有能并杀擒献者,推赏一如前约。其有乡党豪杰,忠义旧臣,虽遭敌人迫胁之凶威,岂忘国家涵养之大德!纠合戮力,建立奇功,高爵厚禄,上所不吝,前愆往咎,一切涤除。此意不渝,有如皎日,天地鬼神,实鉴临之。檄书到日,上下僚采,远近兵民,递相告谕,共赴师期。富贵之报,泽及子孙,忠义之名,光于史册,悉乃心力,其克有勋。"

戊申,龙神卫四厢都指挥使、济州防御使、东京副留守刘锜为鼎州观察使、枢院副都承旨、沿淮制置使。

时金兵围顺昌已四日,乃移寨于城东(号)〔拐〕李村,距城二十里。锜遣骁将阎充,以锐卒五百,募土人前导,夜劫其寨。至军中,毡帐数重,朱漆奚车,有一帅遽被甲呼曰:"留得我即太平。"不听,竟杀之。

既而报都元帅宗弼亲拥兵至。先是宗弼在龙德宫,得告急之报,即索靴上马,麾其众出军,顷刻而集。过淮宁,留一宿,治战具,备糗粮,自东京往复千二百里,不七日而至。

锜闻宗弼至近境,乃登城会诸将于东门,问曰:"策将安出?"或谓今已屡捷,宜乘此势,具舟全军而归,锜曰:"朝廷养兵十五年,正欲为缓急之用。况已挫敌锋,军威稍振,虽多寡不侔,然有进无退。兼敌营近三十里,而四太子又来援,吾军一动,被敌追及,老小先乱,必至狼狈,不惟前功尽废,致敌遂侵两淮,震惊江、浙,则平生报国之志,反为误国之罪。不如背城一战,于死中求生可也。"众以为然,欲求效命。

锜呼帐下曹成等二人,谕之曰:"吾遣尔为间,事捷,有厚赏;第如我言,敌必不杀。我今遣骑探路,置汝队中,汝遇敌,必坠马,使为所得。敌帅问我何人,则曰:'边帅子,喜声色,朝廷以两国讲好,使守东京,图逸乐耳。'"已而遣探骑果遇敌,二人被执,宗弼问,对如言,宗弼喜曰:"可蹴此城耳!"遂下令,不用负鹅车炮具行。翼日,锜行城上,见二人远来,心知其归,即縋上。敌械二人,以文书一卷系于械,锜取焚之。

己酉,四川宣抚副使胡世将,命都统制吴璘、杨政以书遗金右副元帅完颜杲,约日合战,略曰:"璘等闻之,师出无名,古之所戒。大金皇帝与本朝和好,复归河南之地,朝廷戒饬诸路,安静边界,不得生事,丁宁恻怛,无所不至,诸路遵禀朝廷约束,不敢毫发有违。今监军忽举偏师,侵暴疆场,人神共愤,莫知其故。璘等身任将帅,义当竭诚报国,保捍生灵,已集大军,约日与监军一战。兵法,敌加于己,不得已应之,谓之应兵。兵应者胜,璘等不为无辞。"完颜杲遣古延以三千骑直冲南军,都统制李师颜等以骁骑击走之。古延入扶风县城守,杲别遣军策应,不能胜而退。师颜等攻扶风,拔之,擒金兵一百十七人,首领三人。别遣裨将击凤翔西城外敌寨,杲怒,自战于百通坊,列陈二十馀里,统领姚仲等力战,破之,杀获尤多。

先是帝闻敌兵渡河,以御札赐世将,令率厉将士,保捍关隘,有能建立奇效,卓然出众,虽王爵节钺,亦所不吝。又赐吴璘、杨政、郭浩、田晟诏书谕旨,仍命世将给付焉。

金都元帅越国王宗弼入泰和县,壬子,攻顺昌府。

先是宗弼至顺昌,责诸将用兵之失。众曰:"今者南兵非昔之比,国王临城自见。"宗弼至城下,见其城陋,谓诸将曰:"彼可以靴尖趯倒耳!"即下令:"来早府治会食,诸军所得玉帛子女,听其自留,男子长成者皆杀。"且折箭为誓以激其众。

平明,敌兵攻城十馀万,府城惟东西两门受敌。锜所部不满二万,而可出战者仅五千。金兵先攻东门,锜出兵应之,金兵退。宗弼自带牙兵三千,往来为援,皆带重甲,三人为伍,贯韦索,号"铁浮屠",每进一步,即用拒马子遮蔽,示无反顾。复以铁骑为左右翼,号"拐子马",悉以女真充之;前此攻所难下之城,并用此兵,故又名"长胜军"。时金诸帅各居一部,众欲击韩常军,锜曰:"击韩虽退,宗弼雄兵尚不可当也。法当先击宗弼,宗弼一动,则馀军无能为矣。"

时天大暑,敌远来疲敝,昼夜不解甲。锜先遣毒颍水上流及草中,戒军士虽渴死,毋饮于颍。金士马饥渴,食水草者辄病,往往困乏。锜士气闲暇,军皆番休更食羊马垣下。方早凉,锜按兵不动;未申间,忽遣数百人出西门;金兵方接战,俄以数千人出南门,戒令勿喊,但以短兵极力与战。统制官赵撙、韩直皆被数矢,战不肯已,锜急令扶归。士殊死斗,入敌陈中,斫以刀斧,至有奋手摔之,与俱坠于濠者,金兵大败,杀其众五千,横尸盈野。宗弼乃移寨于城西,掘堑以自卫,欲为困官军之计。是日大雨,平地水深尺馀,锜遣兵劫之,上下皆不宁处。

乙卯,顺昌围解。

宗弼之未败也,秦桧奏令刘锜择利班师,锜得诏不动。至是宗弼不能支,乃作筏系桥而去。宗弼至泰和县,卧两日,至陈州,数诸将之罪,自韩常已下皆鞭之。于是复以葛王褒守归德府,常守许州,翟某守陈州,宗弼自拥其众还汴京。

丙辰,湖北、京西宣抚司统制官牛皋及金人战于京西,败之。

己未,枢密院都统制郭浩遣统制官郑建充等集鄜延、环庆之兵,攻金人于醴州,败之,复醴州。

三京招抚处置使刘光世进军和州。

壬戌,诏:"敌人侵攻河南,已决策用兵,所宜经理财用以赡军旅。帅守诸司,自当体国协济大计,可将应见管钱物量留经费外,尽数起发。有能率先应办,当加褒擢;如隐占不实,必置于法。"并谓在官钱物,不得因缘扰民。

甲子,权主管鄜延经略司公事王彦,拒金人于青溪岭,却之。

初,右副元帅完颜杲既破凤翔,与都统制吴璘、杨政夹渭水而陈。璘驻兵大虫岭,杲自登西平原觇之,曰:"善战者立于不败之地,此难与争。"乃引去,自泾原路欲趋邠州。于是枢密院都统制郭浩,统右护军及鄜环之师在邠州三水县,泾原经略使田晟,遣统制官曲汲、秦弼拒敌于青溪岭。宣抚副使胡世将,谓浩非素临行陈之人,难以责成,即遣彦及统制官杨从仪、程俊、向起、郑师正、曹成等分道而出,与金人战蒿谷、吴头、麻务屯之间。金人屡败,留千户五人守凤翔,杲自将锐兵攻青溪。汲、弼不能当,战败,弃青溪走,世将命晟召汲,斩于军前以徇。彦率兵迎金人,战盘堠、兔耳,败之。金人去,复还屯凤翔。

初,命司农少卿李若虚往湖北、京西宣抚使岳飞军计事,至是若虚见飞于德安府,谕以面得帝旨,兵不可轻动,宜班师,飞不听。若虚曰:"事既尔,势不可还,矫诏之罪,若虚当任之。"飞许诺,遂进兵。

左从政郎张阐为秘书省正字。

阐因转对,论三事:其一,"请广求人才,任将相,练士卒,则徽宗梓宫可还,母后、渊圣可归;毋专屈己许和,使权不在我。"二曰:"臣比自温历处、婺、浃旬再值雨雹,麦秀者偃,桑萌者落;宜恐惧修省,以召和气。"其三论官冗曰:"兵火后,县不满千户,设官乃十馀员;州不满万户,而官至百馀人,场务及兵官率十员。无学校而置教官,无军士而置将领,驻泊钤辖之属及员外置署者不在焉。昔光武并省四百馀县,吏员十置其一;唐宪宗用李吉甫言,省冗员八百,吏千四百。汉、唐中兴,宜以为法。"帝奖谕曰:"非卿不闻此。"

湖北宣抚司统领官孙显及金人战于陈、蔡间,败之。

丁卯,帝谓大臣曰:"朕躬履艰难,久于兵事,至于器械,亦精思熟讲。昨造大镞箭,诸军皆谓头太重,不可及远,又造锐首小枪,初亦未以为然,其后用以破敌,始服其精利。今刘锜军于顺昌城下破敌,正用此枪也。"

戊辰,川陕宣抚司〔都统制〕杨政所遣左部统领官曹成,自沔阳袭金人于天兴县,败之。

京东宣抚使韩世忠,遣统制官王胜率背嵬将成闵北伐,遇金人于淮阳军南二十里,水陆转战,掩金人入沂水,死者甚众,夺其舟二百。

资政殿大学士、福建路安抚大使张浚言:"臣切念自群下决回銮之计,国势不振,事机之会,失者再三。向使敌出上策,还梓宫,归两殿,供须一无所请,宗族尽返而南,则我德敌必

2841

深,和议不拔,人心懈怠,国势(寝)〔浸〕微,异时衅端卒发,何以支持?臣知天下非陛下之有矣。今幸上天警悟,敌怀反覆,士气尚可作,人心尚可回。愿因权制变,转祸为福,用天下之英才,据天下之要势,夺敌之心,振我之气,措置一定,大勋可集。"继闻淮上有警,连以边计奏知,又条画海道舟船利害。帝嘉浚之忠,遣中使奖谕。浚时大治海舟至千艘,为直指山东之计,以俟朝命。

闰六月,癸酉朔,尚书户部侍郎晁谦之移工部侍郎。

辛巳,泾原经略使田晟,与金人战于泾州,败之。初,完颜杲既为王彦所却,遂自凤翔悉兵攻泾州。晟据山为陈,乘敌壁垒未定,奋兵掩杀,自巳至申,连战皆捷,夺其战马兵械甚众,金人败走。

甲申,晟及金人再战于泾州,败绩。初,金人为晟所破,会降将引金兵取间道绕出晟所据之山后,大呼击晟,而晟所领兵将有旧尝从敌者,望风惊溃;惟右护军万人与敌鏖战,中伤死敌者十一,然无一人遁者。宣抚副使胡世将具以实闻,且待罪。

先是世将以敌锋甚锐,晟不能独当,檄两都统,令吴璘守河南,杨政知泾州策应。政遣统制樊彦率兵以往,统制王喜继之,未至而晟败。政自劾失律,世将不之罪。诸军请斩彦、喜以徇,世将下令:"彦贷命,追夺在身官爵;喜降十官,押赴本军自效。"

金人虽幸胜晟,亦杀伤过当而还,自是归凤翔,不复战,以兵攻陕西诸县城守未下者。河南粮食垂尽,世将亦离河池,登仙人原山寨,为防守之计,保险以自固矣。

丙戌,宝文阁学士、川陕宣抚使胡世将升端明殿学士。

定国承宣使、知秦州兼行营右护军都统制、同节制陕西诸路军马吴璘,武康军承宣使、知兴元府兼枢密院都统制杨政,彰武军承宣使、知永兴军兼枢密院都统制、节〔制〕本路屯驻右护军兵马兼〔节〕制陕西诸路军马郭浩,并为节度使,璘镇西军,政武当军,浩奉国军,三(军)〔人〕皆自龙神卫四厢都指挥使升充侍卫亲军步军都虞候。

淮西宣抚司都统制王德复宿州。

初,张俊既至合肥,闻金兵在宿、亳间,命统制官赵密出西路。密引众径苏村,时水涨三尺,涉六昼夜,乃达宿城,与金兵遇,(敌)〔败〕之。而德率众自寿春趋宿州,夜半,破金营,降其守武翼大夫、阁门宣赞舍人马秦。

己丑,金人遣兵袭永兴军兵马钤辖傅忠信于华州之山寨,忠信率将官卢士闵、张(保)〔宝〕拒破之。

壬辰,湖北、京西宣抚司统制官张宪、傅选及金将韩常战于颍昌府,败之。

丙申,张宪复淮宁府。

先是韩常既败走,宣抚使岳飞遣统制官牛皋、徐庆等与宪会。宪等适与常战于淮宁府,败之,常引去。飞以胜捷军统制赵秉渊知府事。

丁酉,京东、淮东宣抚司都统制王胜克海州。

先是韩世忠命胜率统制官王升、〔王〕权等攻海州,守将王山以兵逆战,去城六十里,与官军遇,败走。夜二鼓,以舟师傅城北。山乘城守,而胜命诸军随地而攻,火其北门,军士周成先入,〔生执山〕。父老赍金帛以犒军,胜不受。

世忠每出军,秋毫无犯,军之所过,耕夫皆荷锄而观。

戊戌,淮西宣抚使张俊克亳州。

初,三京招讨使刘光世,闻郦琼在亳州,遣使臣赵立同南京进士〔蔡辅世〕往招之。及门,守者问故,立鄙人无谋,乃言刘相公遣我持书来招郦太尉。守者以白,琼不启书而焚之,械送狱,既而纵之。

至是光世引军还太平,而俊以大军至城下,都统制王德已下宿州,即乘胜趋亳州,与俊会。琼闻之,谓葛王褒曰:"夜叉又来矣!其锋未易当,请避之。"遂率众遁去。俊军至城下,父老列香花迎之,俊引兵入城。

时俊兵威甚盛,而知谋勇敢,赖德为多。德亦先计后战,故未尝败。

己亥,枢密直学士、知顺昌府陈规知庐州,武泰军节度使、沿淮制置使刘锜兼权知顺昌府。时秦桧将班师,故命规易镇淮右。

先是帝赐锜空名告身千五百,命书填将佐之有功者。锜复檄上,谓不若自朝廷给之为荣,至是始具功状以闻,凡统兵官之立功者,皆以上所赐碗带予之;其有过者,则杖责之,斥为士伍。金人之始至也,游奕军统领田守忠、正将李忠恃勇深入,皆手杀数十人而后死。锜厚加优恤,遂以犒军银帛十四万匹两均给将士,军无私焉。

于是锜方欲进兵乘敌虚,而桧召锜还。徽猷阁待制洪晧,时在燕山,密奏:"顺昌之役,敌震惧丧魄,燕之珍宝,悉取而北,意欲捐燕以南弃之;王师亟还,自失机会,可惜也!"

庚子,责授左中大夫、秘书少监、兴化军居住赵鼎,再责清远军节度副使、潮州安置,以右谏议〔大夫〕何铸再疏论之也。

张俊既破亳州,遇大雨,士皆坐于水中,俊遂引军还寿春,留雄胜军统制宋超守亳州,以兵千人与之,民皆失望。

是月,金主次凉陉。

大旱,使萧彦让、田(彀)〔毂〕决西京囚。

秋,七月,癸卯朔,日有食之。

湖北、京西宣抚使司将官张应、韩清入西京。

初,河南府兵马钤辖李兴既聚兵,先复伊阳等八县,又复汝州,〔金〕河南尹李成弃城遁走。河阳宣抚使岳飞遣应、清与之会,遂复永(兴)〔安〕军。

丙午,御史中丞王次翁为参知政事。

武节大夫、阁门宣赞舍人、河南府兵马钤辖李兴为右武大夫、忠州团练使、知河南府,右承奉郎、知汝州刘全咨为右承事郎。

兴既得西京,言于朝,乞命帅守,遂就除之,仍给真俸,许便宜行事。全咨亦以驿报屡通,故特迁之。

〔己酉〕,岳飞留大军于颍昌,命诸将分道出战,自以轻骑驻郾城,兵势甚锐。金宗弼患之,会诸将,欲并力一战,飞闻之曰:"金人技穷矣。"乃日出挑战,且詈之。宗弼怒,戊申,合诸将逼郾城。飞遣子云与金人战,数十合,金兵尸布地。宗弼以拐子马万五千来,飞戒步卒,以麻扎刀入陈,勿仰视,第斫马足。拐子马相连,一马仆,二马不能行。飞军奋击,统制官杨再

2843

兴单骑入敌陈,欲擒宗弼,不获,身被数创,犹杀敌数百人,遂大破之。宗弼大恸曰:"自海上起兵,皆以此马胜,今已矣!"因复益兵而前,飞步将王刚以五十骑觇敌,遇之,奋斩其裨将。飞出视战,望见尘起,自以四十骑突战,败之。

永兴军路经略副使王俊,遣统领官辛镇与金人战于长安城下,败之。

初,诏胡世将遣兵千人,具舟百艘,载(紫)〔柴〕草膏油自丹州顺流而下,至河中府,焚毁金人所系浮桥,及选万人由斜谷出潼关,皆以绝敌归路。世将奏:"已差统领官阎兴以五百人往会知丹州傅师禹、知陕州吴琦、知华州潘道及忠义统制官傅起同措置,断毁河桥。又,臣前遣永兴副帅王俊领选锋三十人,已复兴平、醴泉二县,永兴之属邑也。今正与大敌相拒,且当盛暑,中伤者多,未容更遣兵。兼俊在彼,可乘间断其归路。"其后阎兴结河东忠义秦海等十馀人,皆补以官。

岳飞奏:"金人锐气已沮,将弃辎重渡河,豪杰向风,士卒用命,时不再来,机难轻失。"

秦桧欲画淮以北弃之,讽台臣请班师。知飞志锐不可回,乃先召诸将。癸丑,太尉、保成军节度使、殿前副都指挥使杨沂中为淮北宣抚副使,武泰军节度使、沿淮制置使兼权知顺昌府刘锜为淮北宣抚判官,为退守计也。

金都元帅宗弼既败于郾城,愤甚,以师十二万次临颍。甲寅,岳飞遣统制杨再兴、王兰、高林以三百骑击之于小商桥,杀二千馀人,再兴、兰、林俱战死,获再兴之尸,焚之,得箭镞二百。飞痛惜之。张宪继至,复战,宗弼夜遁,追奔十五里。飞谓子云曰:"敌屡败,必还攻颍昌,汝宜急援王贵。"既而宗弼果至。乙卯,贵将游奕军,云将背嵬军,战于城西。云以骑兵八百挺前决战,步军将左右翼继之,杀其副统军。飞进军朱仙镇,距汴京四十五里,与宗弼对垒而陈,遣背嵬骑五百奋力破之,宗弼还汴京。飞檄陵台令行视诸陵,葺治之。

壬戌,岳飞奉召班师。

先是飞遣将梁兴渡河趋绛州,结两河豪杰,所至响应,父老潜输糇粮以饷义军,金部曲亦有密受飞旗榜者。飞大喜,语其下曰:"直抵黄龙府,与诸君痛饮耳!"

秦桧既令杨沂中等还屯,乃言:"飞孤军,不可久留,请令班师。"一日奉十二金字牌,飞愤惋泣下曰:"十年之功,废于一旦!"乃自郾城引兵还,民遮马哭曰:"我等顶香盆,运粮草,以迎官兵,金人皆知之,今去,我等无噍类矣!"飞亦悲泣,取诏示之曰:"吾不得擅留。"哭声振野。

方宗弼败于朱仙镇,欲弃汴京,有书生叩马曰:"岳少保且退矣。"宗弼曰:"谓何?"书生曰:"自古未有权臣在内,大将能立功于外者。岳少保且不免矣。"宗弼悟,乃留汴。

飞遣诸将还武昌,于是颍昌、淮宁、蔡、郑诸州复为金人所取,中原豪杰皆绝望矣。

甲子,复释奠文宣王为大祀,用太常博士王普请也。于是祀前受誓戒,加笾豆十有二,其礼如社稷。

乙丑,金人围赵秉渊于淮宁府,李山、史贵及刘锜统制官韩直共击退之。秉渊闻岳飞已退,遂弃城南归。

丁卯,右谏议大夫何铸为御史中丞。

金主命文武官五品以上致仕者,给俸禄之半,职三品者仍给僎人。

庚午，右承议郎、通判顺昌府汪若海特迁一官，以陈规言围城之初若海毅然请援于朝也。

若海移书辅臣，具言刘锜之胜，且谓："锜所统不过二万人，其中又止用五千人出战。今诸大将所统甚众，使乘锜战胜之后，士气百倍之际，诸路并进，乌珠可一举而破，甚无难者。今诸大帅惟淮西最务持重，不肯轻举。宜以淮西之兵塞其南归之路，俾京西之兵道河阳，渡孟津，淮东之兵卷淮阳，渡彭城，俾陕西之兵下长安，渡蒲坂。则河朔之民必响应，冠带而共降，乌珠可不战而破也。闻淮西之帅得亳便还，义士莫不叹息，甚为朝廷惜之。"

武功大夫、忠州团练使兼阁门宣赞舍人、新知辰州柴斌移知唐州。

辛未，金将古延引兵攻盩厔县，永兴军路经略副使王俊逆战于东骆谷，却之。

时帝以亲札赐川陕宣抚副使胡世将，言："今日事势，以力保关隘为先。又，陕西将士与右护军不同，正当兼容，有仗义自奋者，优奖之以励其馀。"于是世将奏："川口诸隘及梁、洋一带，先已修毕。见分遣吴璘在白石至秦州以来，遏熙、秦州之冲；杨政在宝鸡，遏永兴、凤翔之冲；及永兴副帅王俊亦在盩厔作寨，牵制敌势。兼自金人再侵陕西，诸〔将〕曾受伪命，并许收使，如能立功，就上超转。缘从伪既久，率望风拜降，臣亦开其自新之路，多方慰谕，已招到一万一千五百馀人。总管傅忠信，安抚朱勇，将官梁柄及统制、统领官，各给袍带。其老幼居于近里，又有总管魏价等十四员，带城寨兵一千五百，亦加劝奖，官各授差遣，卒各支请给，与右护军相参为用矣。

时政在宝鸡，完颜杲阴遣客刺政，诈为降卒，政觉而诛之。

是月，金都元帅宗弼奏河南、陕西捷，金主遣使劳问。宗弼以下将士，凡有功军士三千，并加忠承校尉。

八月，乙亥，韩世忠围淮阳军，命诸将齐攻之。帐前亲随武翼郎成闵从统制官许世安夺门而入，大战于门之内，闵身被三十馀枪，世安亦胫中四矢，力战，夺门复出。闵气绝而复苏屡矣，世忠大赏之。别将解元掩击金人于沂州郯城县，敌溺死者甚众。及班师，世安以箭疮不能骑，遂肩舆而归；世忠怒，命世安马前步行。世忠奏闵之功，授武德大夫、遥郡刺史。

闵，卫州人，世为农，建炎初，避乱抵京口，日者赵常见而奇之。黄天荡之役，闵投世忠军中，至是有功。既而世忠乞重赏以劝将士，遂除涿州团练使。

戊寅，知陕州吴琦遣统制官侯信渡河，劫金人中条山寨，败之，获马二十匹。翼日，又战于解州境上，败之，杀其将茂海。

己卯，宰执奏徽宗随龙人乞恩例，帝曰："若旧人尤当优恤。凡事干徽庙，非唯朕奉先之孝所当自致，亦欲风励四方，使人知有君亲之恩也。"

庚辰，金人自滕阳来救淮阳军，韩世忠逆击于泇口镇，败之。

是日，韩世忠所遣统制官刘宝、郭宗仪、许世安，以舟师至千秋湖陵，遇金人所遣郦琼叛卒数千人，宝等与战，大捷，获战船二百。

辛巳，金主诏抚谕陕西五路。

壬午，李成自河阳以五千骑攻西京，知河南府李兴命开城门以待之。成疑不进，兴遣锐士自它门出击之，成败走。

金初定公主、郡、县主及驸马品级。

丁亥,淮北宣抚副使杨沂中军溃于宿州。

初,沂中至宿州,而以步军退屯于泗。金人诡令来告以有边骑数百屯柳子镇,沂中欲击之。或谏以为不可轻出,沂中不听,留统领官王滋、萧保以骑兵千人守宿州。夜,沂中自将骑兵五千袭柳子镇,至明,不见敌而退。金人以重兵伏其归路,沂中知之,遂横奔而溃。沂中至寿春府,渡淮而归,与保、滋相隔。参议官曹勋不知沂中所在,表闻于〔朝〕,朝廷大恐,令淮南州县权宜退保。金人劫沂中不得志,遂攻宿州,滋、保与战,不利。金人入城,怒州人之降也,乃纵屠戮。自是溃兵由淮水上下数百里间四散而归,其死亡者甚众。既而沂中自淮西复还泗州,人心始定。

壬辰,永兴军路经略副使王俊击金人于鏊屋县东,败之。

甲午,川陕宣抚(使)〔司〕同统制军马邵俊,统领王喜,遇金人于陇州汧阳县牧(阳)〔羊〕岭,败之。喜以功复为协忠大夫、荣州防御使、右游奕都统制。

九月,壬寅朔,遣起居舍人李易赴韩世忠军前议事。秦桧主罢兵,召湖北、京西宣抚使岳飞赴行在,遂命易见世忠谕旨。时淮西宣抚副使杨沂中还师镇江府,三京招抚处置使刘光世还池州,淮北宣抚判官刘锜还太平州,自是不复出师矣。

丁未,杨政军同统制杨从仪劫金人凤翔府城南寨,败之,获战马数百。

戊申,金主如燕京,都元帅宗弼入见于行在。浃旬,还军,金主起立,酌酒饮之,赐以甲胄、弓矢。

先是李成数为知河南府李兴所败,乞师于宗弼,得蕃、汉军数万。兴闻之,度众寡不敌,弃城去,寓治于永(兴)〔宁〕之白马山。

丁酉,金主亲飨太祖庙。

庚戌,合祀天地于明堂,太祖、太宗并配,赦天下。

癸丑,杨政军统制官杨从仪、邵俊,统领王喜,败金人于汧阳。

辛未,尚书右仆射秦桧,以明堂恩封华国公。

癸亥,金杀尚书左丞相陈王希尹、右丞萧庆。先是客星守陈,太史以告宇文虚中,虚中以告,希尹不以为怪,及是坐诛。

初,希尹尝为晋国王宗翰监军,为群臣所忌,而常以智得免,论者称其通变如神。金主尤忌之,诏曰:"师臣密奏,奸状已萌,心在无君,言宣不道。逮燕居而窃议,谓神器以何归。稔于听闻,遂致章败。"时金主未有子,故嫉希尹者以此言谮之。金主又诏曰:"庆迷国罔悛,欺天相济,既致于理,咸伏厥辜,赖天之灵,诛于两观。"盖以庆为希尹之党也。并杀希尹子昭武大将军达勒达、符宝郎曼岱。

冬,十月,戊戌,秦桧以修书恩,进左银青光禄大夫,封卫国公。

是月,淮北宣抚判官刘锜来朝。

十一月,戊申,金将喀齐喀自潼关出侵陕州,守臣吴琦击却之。

凤翔府同统制军马杨从仪,败金人于宝鸡。

癸丑,金以孔子四十九代孙璠袭封衍圣公。

乙卯,胡世将奏,已遣兵解庆阳之围,请诏湖北、京西宣抚使岳飞出兵牵制,帝曰:"此未易轻议。凡事有缓急先后,必思而后动,乃可以成功也。"

先是庆阳围急,帅臣宋万年乘城拒守。会世将以檄书召建宁军承宣使、河东经略使王忠植以所部赴陕西,行至延安,叛将赵惟清假诏书执之。忠植曰:"若本朝诏书则受,若金国诏书则不拜也。"惟清械之,以诣右监军完颜昊。昊使甲士引诣庆阳城下,谕使出降。忠植大呼曰:"我河东步佛山忠义人也,为金所执,使来招降,愿将士勿负朝廷,坚守城壁,忠植即死城下。"昊怒,诘之。忠植披襟大呼曰:"速杀我!"遂遇害。

癸亥,金以都点检萧仲恭为尚书左丞,前西京留守完颜昂为平章政事。

甲子,金行台尚书左丞相杜充卒。

是月,宜章洞民骆科〔文〕〔叛〕,遂犯桂阳、郴、道、连、贺州诸县,诏发大军往讨之。

十二月,壬午,命尚书右仆射秦桧上皇太后册宝于慈宁殿,宝用金,册以珉石;上遥贺于宫中,群臣遥贺宫门外。

丙戌,尚书礼部侍郎苏符擢礼部尚书仍兼资善堂翊善。

起居舍人郭孝友权尚书工部侍郎。

丁丑,金地震。

己亥,诏:"太庙时享以少牢,祫享以太牢,如旧典。"用太常少卿陈桷请也。

金以阿里布为左副元帅。

是月,淮北宣抚副使杨沂中引兵还行在。

永州防御使呼延通自杀。初,通以私忿欲杀韩世忠,不果。世忠知之,通与淮阴统制官崔德明不叶,世忠即召通,斥为士伍,使隶德明军中。世忠生日,诸将皆入为寿,通自淮阴驰至,世忠见之,即走入,不复出。通伏地泣,众共遣之,通乃去。德明还淮阴,数通擅离军之罪,杖之数十。通怏怏,赴运河死,人皆惜其勇,世忠后亦悔之。

初,知河南府李兴既屯白马山寨,李成以蕃、汉数万众围之。时兴妻周氏与其子居襄阳,惟幼子在侧。敌围益急,士心颇摇。兴闻,谓诸将曰:"兴与诸君尚当以死守,毋有二志。苟或不敌,吾岂为敌污者!当抱是儿南向投崖,以谢天子。"诸将皆感泣,由是守益坚。敌遣使赍黄榜召兴以奉国上将军、河南尹,兴得檄不启,立斩其使,以檄闻于朝。白马受围久,方冬泉涸,军民乏绝,兴焚香默祷,一夕大雪,泉源皆溢。成知兴志不可屈,乃即山下屯兵积粮,为久居之计,兴潜遣将士夜焚之。成大挫,径归西京。

金既复取河南地,犹虑中原士民怀二意,始创屯田军。凡女真、奚、契丹之人,皆自本部徙居中州,与百姓杂处,计其户口,授以官田,使自播种,春秋量给衣马。若遇出军,使给其钱米。凡屯田之所,自燕之南,淮、陇之北,俱有之,多至五六万人,皆筑垒于村落间。

【译文】

绍兴十年　金天眷三年(公元 1140 年)

五月,丙子(初三),金主完颜亶诏令元帅府再次攻取河南、陕西地区。

在这之前,完颜昌建议割地给宋朝,完颜宗弼与他极力争辩;完颜昌死后,完颜宗弼又上言称割地并非良策。完颜宗干以下大臣都说："赵构承蒙皇上的再生恩德，不思报德，却妄自嚣张，贪求无厌。现在如果不去攻取，以后恐怕难以图谋。"金主说："宋将以为我国不能突袭占据河南地区;况且都元帅长期统辖一方的军政事务，深知利害所在，应当立即出兵进攻宋朝。"于是聚集全国的军队于祁州元帅府，进行检阅，接着兵分四路齐头并进。命令镘呼贝勒出兵山东，右副元帅完颜杲进入陕右，骠骑大将军、知冀州李成进入河南，而宗弼亲自率领精兵十余万人与知东平府孔彦舟、知博州郦琼、前知宿州赵荣抵达汴州。

丙戌(十三日)，宗弼进入东京。宋朝观文殿学士、留守孟庾，不知所措，统制官王滋请求率兵护卫孟庾，夺门逃奔行在。孟庾认为敌人骑兵众多，不能迅速离去，于是率领官属迎拜宗弼入城，住在旧龙德宫。于是金主下诏晓谕各州县，称此次出兵是因为完颜昌擅自割让河南，并且说宋朝对金国又有过多的要求的缘故。诏辞的大意是说："并非朕一人主张剥夺而有所失言。恩威宽严之间，实在是不得已做出的选择。"于是命令使者携带诏书，到各州宣谕，又分兵随后跟进。宋朝知兴仁府李师雄，徽猷阁待制、知淮宁府李正民，都自缚其身归顺金国。从此，河南各郡都望风而降。

金兵攻破拱州，宋朝守臣左奉议郎王憺战死。

金国右副元帅完颜杲从河中度过黄河，进入同州境内，疾驰二百五十里，直奔永兴军。陕西州县的官员以前大多是金国、伪齐的官员，完颜杲所到之处，他们都出来迎降，远近震恐。

丁亥(十四日)，金兵攻破南京。

起初，金国已背弃盟约，又任命葛王完颜褒为知归德府。完颜褒率领数千骑兵到达宋王台，派人晓谕城中百姓、官吏、学生，告知不烧杀抢掠之意，请宋朝南京留守路允迪出门相见。资政殿学士、南京留守路允迪，不得已身着朝服出城去见完颜褒，二人在宋王台相会。路允迪为主，完颜褒为客，路允迪举杯为完颜褒祝寿，完颜褒饮酒酬谢路允迪，于是派人将路允迪送到汴京。完颜褒率军击鼓奏乐进入城中，秋毫无犯。

金主对尚书左丞完颜宗宪说："以前把河南、陕西两地割还宋朝，爱卿认为不应当给他们;如今又出兵攻取，这是采纳了爱卿的建议。爱卿深谋远虑，从今以后，请将见解全部说出，无须保留。"宗宪拜谢，于是被任命为摄门下侍郎。

戊子(十五日)，四川宣抚副使胡世将在河池，知同州张恂派人向他告急。当时戍守陕西的右护军五万人，才逐渐到达所驻扎的州县，而四川一带的正规军队不过三万人，朝廷所任命的各将帅尚未抵达所应驻守的州县，得到警报后惊愕不已。永兴军路经略使郭浩，当时在延安，本路副都总管、权知永兴军郝远，打开长安城门，迎接金兵入城。长安被攻破，关中震动，钤辖傅忠信、卢士闵拒不投降，夺门而出。知陕州吴琦，守城抵御金兵。郝远派人手持金国的檄书来到四川宣抚司，出言不逊，不堪入耳。胡世将烧掉檄书，斩杀使者。

己丑(十六日)，金兵攻破西京。

起初，金国有撕毁盟约的意图，河北的豪杰将此情况告诉河南府兵马钤辖李兴，李兴又转告转运判官、权留守李利用、副总管孙晖，说："洛阳实在是要冲重地，东接京畿，南通巴蜀，北控黄河，可以屏障襄、汉;况且又是本朝皇陵所在之地，不能不注意。"李利用认为他的意见正确,命令李兴招集忠义民兵,秘密防御,不到数月,得到一万余人。孙晖非常恐惧,企图杀死李兴。适逢报知敌人已渡过黄河,李利用听说后,随即弃城逃走。金将李成率领铁骑数千占据天津桥,李兴命令出动七名骑兵迎击敌人。李成不知虚实,于是退走。孙晖弃城而逃,李兴转战到定鼎门,身受重伤,仆倒在地,半夜才苏醒,于是逃到其他县召集军队。敌人率兵入城,任命李成为知河南府。当时,朝廷认为李利用政绩显著,任命他为直秘阁以表示恩赐,而李利用却已逃走了。

庚寅(十七日),龙图阁直学士、知顺昌府陈规,得到报告,称敌人的骑兵已进入东京。当时,新任东京副留守刘锜正在送客,陈规将报告给刘锜看,刘锜说:"我军有一万八千人,而辎重占了一半,而且远道而来,力不能支。"于是会见陈规,问:"事情紧急,如果城中有粮,我就能与您共同守卫。"陈规说:"有米数万斛。"刘锜说:"可以了。"陈规也极力留下刘锜共同守城。刘锜又看到刘豫时所储存的毒药还在,足以用来抵抗敌人。这时,刘锜所统辖的选锋、游奕二军及老幼辎重离城很远。刘锜派遣骑兵前去督促,夜间四鼓时,才到达城下。天亮里,刘锜得到报告,敌人的铁骑已进入陈州,距离顺昌三百里,全城惶恐不安。刘锜派部属与陈规商议,收兵入城,谋划防御计策,人心稍微安定。

辛卯(十八日),四川宣抚副使胡世将,从河池派遣泾原经略使田晟率领军队三千人迎敌。

开始,金兵南渡黄河时,宋朝利路经略使杨政尚在巩州,永兴经略使郭浩尚在鄜延,环庆经略使范综尚在金州,而主管鄜延经略司公事王彦也未到鄜延,只有熙河经略使兼宣抚司参谋官孙渥、右护军都统制兼秦凤经略使吴璘,随从胡世将在河池。胡世将仓皇召集各帅商议出兵,杨政、田晟先到河池。孙渥对胡世将进言:"河池地势平坦没有险阻,敌人的骑兵已逼近凤翔,从大散关疾驱而来,一两天就可到达河池。前不久宣抚使吴公,偶尔来到河池阅兵,差点被敌人擒获,这件事离现在还不远。希望您离开这里,到仙人原去主持军务。仙人原离河池才五六十里,而杀金坪、家计寨天险足以依恃。元帅身处危险之地,却要号令将帅,让他们效命赴敌,孙渥我还未见识过。"吴璘独自大声反对说:"当年和尚原、杀金坪之战,正是我兄弟出生入死打败敌人之时,你在何处?如今说出如此懦弱之言来沮丧我军,应当斩首!右护军大半被阻隔在陕西,难以召集。敌人来了,我军日夜思战,现在听说宣抚使要舍弃河池,去退守山寨,这样会丧失军心,不可如此!吴璘我请求以家属百口人担保击破敌人!"胡世将认为他是壮士,指着自己的坐帐说:"世将誓死于此!"他的部属韩诏等人进言:"孙渥确实失言,不宜居此幕帐之下。"于是先派遣田晟回到泾原,孙渥前往熙河。孙渥因恐惧而出汗,匹马而出,回头对胡世将的亲信说:"孙渥我为您忠心谋划,竟反而有罪。吴家的一个小小军帅,虽然勇猛而坚决,但看不出他有制胜的方略。以后你们不要忘了我说的话。"

统领忠义军马李宝,与金兵在兴仁府边境交战,杀敌数百人,缴获马匹甚众。李宝,是岳飞所派遣的一员将领。

壬辰(十九日),刘锜召集各将商议事情,各将都说:"我军远道而来,来不及休整,如果敌人截击我军的归路,我军必败。不如坚守城池,再慢慢商议计策。"刘锜说:"我本来赴任留守,现在东京已被攻破,所幸我军全都到此,有城可守,机不可失,应当同心协力,以死报效国家。"众人商议刚定,立即凿沉船只,以表示决不退却之意。通判府事汪若海,正带着顺昌府檄文要去行在。刘锜将奏章托付给汪若海,立即与部下官属登城到各处部署防守。城外有民房数千家,恐怕被敌人占领当作巢穴,刘锜下令全部烧毁。命令各位统制官:许青守东门,贺辉守西门,钟彦守南门,杜杞守北门,同时明确哨所,并招募当地人作为向导和密探。于是人们都兴奋地说:"过去有人欺侮我八字军,今日当为国家立功!"刘锜亲自到城上督促工匠,设置战具,修筑壁垒。当时守备器具全缺,刘锜就收取伪齐所造的蚩尤车,将车轮车辕埋在城上,又拆除民房的门板,以代替笓篱笆。共用六天时间才大致完成,而金兵的游骑这时已渡过黄河到达城外。

癸巳(二十日),武经大夫、潍州团练使王彦先在亳州叛变,投降金国,金国派郦琼镇守亳州。

这一天,边防奏章报到行在。

丙申(二十三日),胡世将命令右护都统制吴璘率领二万人从河池前往宝鸡渭河以南抵御敌人,派遣本司都统知兴元府杨政、枢密院都统制知永兴军郭浩声援吴璘。

戊戌(二十五日),高宗对秦桧说:"敌人不知信义,不足为怪。但士大夫不能保持节义,甚至于投降敌人,风俗如此,令人极其忧虑。"秦桧说:"自靖康年以来,卖国之人,都承蒙宽大之恩,所以对此事已司空见惯习以为常。如果要惩治革除这种人,应当从现在开始。"于是下令说:"前不久金国许诺归还河南各路,并归还灵柩、母后、兄长。朕念及作为人之子弟,应当申明孝悌大义;作为百姓的父母,应当奋发救援的情思,因此不惜委屈自己,接连派遣使者,对金国奉表称臣,礼意十分厚重。不料金国设下诡计,刚接待使者,就再次出兵,河南百姓,休养生息不久,又遭到侵扰。朕为此痛心不已,将怎样来安抚呢! 希望各路大帅各自尽忠尽力,以谋划国家大计。"又下诏历数乌珠(兀术)罪状,招募能够生擒乌珠(兀术)的人,任命他为节度使,赐予银帛五万,田千顷,住宅一处。

在这之前,秦桧推荐王次翁任御史中丞,凡属秦桧的亲信者,王次翁无不极力保护。等到金国撕毁盟约,王次翁惧怕秦桧得罪朝廷,于是上奏说:"前不久两国和议之事,当初无人主张议和。事情小有变动,如果改用他人为相,后来者未必贤能,而且排斥异党,以致长年累月不能安定,希望陛下引以为戒。"高宗深感他说的对。于是秦桧的地位安稳下来,朝廷上下的议论也无法动摇他。

己亥(二十六日),少师、护国、镇安、保静军节度使,万寿观使、雍国公刘光世被任命为三京招抚处置使,前去支援刘锜,将统制官李贵、步谅的军队隶属于刘光世,赐钱二十万缗,银绢三万匹两为军费。于是,刘光世驻扎军队于太平州,请求枢密院都统制李显一同前往,到达宿州、泗州时,军队多有溃逃。

庚子(二十七日),高宗下诏任命右护军都统制吴璘为同节制陕西诸路军马。又诏令川陕宣抚副使胡世将在军前可以自行升降任命官员,准许他行使以前张浚所得到的指挥权力。

辛丑(二十八日),金兵进攻凤翔府的石壁寨,吴璘派遣统制官姚仲等人抵抗金兵。姚仲奋不顾身,亲自督战,金将珠赫贝勒受伤,退守武功。当时,杨政的母亲因病刚刚去世,他也不顾家,径直到达河南,与吴璘一道协力抗击敌人。不久,各军家属全都回到内地,人心既已安定,将士踊跃奋激,不再惧怕敌人。

在这之前,金国的偏将又围攻耀州,节制陕西军马郭浩派兵前去救援,金兵才解围退走。

壬寅(二十九日),金兵围攻顺昌府。

在这之前,刘锜在城下设置伏兵,敌人的游骑来到城下,金国千户阿克顺杀等二人被擒获。刘锜审问阿克顺杀等人,阿克顺杀说:"韩将军在白龙涡安下营寨,离顺昌府三十里。"刘锜连夜派遣一千余名士兵攻打敌寨,杀了不少敌人。不久三路都统葛王完颜褒及龙虎大王军一起来到城下,共有三万余人。刘锜以神臂弓和强弩射杀敌人,敌人逐渐退去;又以步兵截击,敌人落入河中溺死者很多,兵器被宋军缴获。宋军又俘虏了一些女真人和汉人,都说敌人已派遣银牌使飞驰前往东京,向都元帅宗弼告急。

当时,刘锜看见陈州、蔡州以西各州,都对金兵望风而降;同时有个叫王山的,过去曾受到完弼的任用,曾任知顺昌府,这时又来到城下,宗弼打算让他再任知顺昌府。刘锜担心有人为了苟全性命出卖自己投靠金兵,因而顺昌府官吏、军民一律不许登城,派自己所部军队守城。

当时,鄜延路副总管刘光远,因为道路被金兵阻塞不能赴任,武功大夫、温州刺史、新任知石泉军柳倪,被刘锜任用,都在军中。柳倪刚到城东门,被敌人射中左脚,柳倪拔出箭矢反射敌人,敌人应声而倒下。

这个月,金国册封李仁孝为夏国王。

六月,甲辰朔(初一),少师、京东、淮东宣抚处置使韩世忠被任命为太保,封英国公;少傅、淮西宣抚使张俊被任命为少师,封济国公;武胜、定国军节度使、开府仪同三司、湖北、京西宣抚使岳飞被任命为少保,兼河南、北诸路招讨使。

徽猷阁直学士、知临安府张澄被任命为试尚书户部侍郎。

枢密院颁降檄书下达各路宣抚司,列数宗弼、完颜杲罪名,命令将檄书颁发到河南、陕西各路。

檄书说:"好生恶杀,是天道之常理;厌乱喜安,是人心之所向。顺从天意民心者昌,违背天意民心者亡,从古到今,这是不变的道理。金国自从靖康年以来,兴兵南下,焚毁我京都,扣留我二帝,长驱深入,所到之处烧杀抢掠,残忍无道,有史以来闻所未闻。前年突然派遣使者割还我河南故地。皇上深深念及这十二年间,两国结怨交兵战乱频仍,灾祸凶险至于极点,南北百姓,肝脑涂地,同意两国和好,借以罢兵,或许能让百姓休养生息,各自不仅符合人性,而且顺乎天意。既已派遣使者,前往商议,使者才入金国境内,金兵却已渡过黄河,借口捕捉盗贼,欺骗我边疆守臣,乘人不备,再次攻取东京。信义俱尽,如同寇贼。金国的乌珠(兀术),号称四太子,喜好战争,嗜杀生灵,幸灾乐祸,贪婪残忍,暗藏无君之心,又为倡乱之首,杀害叔父,擅夺兵权,既不怜悯壮士健马的丧亡,又怎能念及黎民百姓的疾苦!虽然表面上将祸害强加给中原,而实际上是企图窥取朝廷大权。天理不容,将会被借他人之手诛杀;人有二心,必然知道其最后的归宿。假如他们的骨肉至亲,一旦自相鱼肉,你等先朝心腹勋臣,怎么能自保始终!如生、熟女真、契丹、奚、霫、渤海、汉儿等,离开父母妻儿,抛弃乡土养种,衣不解甲,二十余年,死于征战的将士,头颅不能保全,尸体暴露荒野的将士,魂魄不能归

2851

返故乡。自从两国谋和,开始盼望休养生息,正值炎热盛夏之际,再次被迫驱使而来,战事一开,何时能休！河东、河北、京东三路,都是我本朝的赤子,偶尔留在敌人手中,皇帝朝夕不忘,日思拯救。如今百姓既苦于横征暴敛,又遭到签发驱使,家庭不能团聚,田地不能保全,身冒锋镝,就死何辜！三京、五路的人们,刚刚逃脱敌人的牢笼,开始承受皇上的恩泽,既没有最终得到朝廷的厚赏,却又担心永远沦为敌人的奴隶。罪过在于谋取自己私利的一人,而毒害及于天下亿万百姓之众。于是,皇帝诏令:'朕为人父母,替天行道,兼爱生灵,不分彼此,坐视百姓陷入水火,痛切都在朕的身上。况且金国师出无名,天人共怒,而我正义之师威武雄壮,将士一心,所向无前,何往而不克！本想为了百姓而慰问征伐,岂能忍心多杀而显示威严。誓与华夷各族一道,剪除首恶,期望能使南北百姓,共享太平。'枢密院遵奉圣旨指挥,凡南北官员、军民,如有人能乘此时机,奋勇倡义,生擒乌珠,或者将他斩首归顺的,大则任命为使相,次则授予节度使,各赐银绢五万匹两,良田百顷,住宅一处。至于萨里干,性情贪婪愚昧,与恶相助,以前在同州时,已被李世辅擒获,他击脸哀求,才逃脱小命;却还敢驱使部众,再次入侵关陕,有人能将他斩杀或擒获来献的,奖赏如同上次约定的那样。那些乡党豪杰,忠义旧臣,虽然遭到敌人淫威的胁迫,但岂能忘记国家养育的大恩大德！如能纠合力量,努力杀敌,建立奇功,高爵厚禄,朝廷决不吝惜,以前的罪行过失,一律不予追求。此意不变,有如皎日经天,天地鬼神,明鉴在此！檄书到达之日,上下臣僚,远近军民,请互相传告,共同奔赴战场。富贵殷实的奖赏,恩惠传于子孙,尽忠报国的美名,光耀永驻史册。希望大家同心尽力,一定能够建功立业。"

戊申(初五),龙神卫四厢都指挥使、济州防御使、东京副留守刘锜被任命为鼎州观察使、枢密院副都承旨、沿淮制置使。

当时金兵包围顺昌府已有四天,于是将营寨移到城东拐李村,离城二十里。刘锜派遣骁将阎充,率领精锐士兵五百人,招募当地人做向导,乘夜偷袭金兵营寨。阎充进入敌军营寨,发现毡帐数重,朱漆奚车,有一名将帅匆忙披甲呼叫说:"留下我就会太平。"阎充不听,最后杀了他。

不久,刘锜得到报告,金国都元帅宗弼亲自率军前来。先前宗弼在龙德宫,得到告急的文书,立即穿靴上马,指挥部下出兵,顷刻之间集合完毕。宗弼率军经过淮宁,留宿一晚,修治战具,准备干粮,从东京到达顺昌行程一千二百里,不到七天就已到达。

刘锜得知宗弼已逼近顺昌,于是登城与各将在东门会合。刘锜问:"有何计策?"有的说现在已经屡次报捷,应当乘此形势,准备舟船,全军撤回。刘锜说:"朝廷养兵十五年,正是准备在紧急时使用。况且我军已挫败敌人的前锋,军威逐渐振奋,虽然寡不敌众,但是有进无退。另外敌营近距顺昌只有三十里,而四太子宗弼又来支援,我军一旦出动,被敌人追上,老小必先自乱,必定狼狈不堪,不仅前功尽弃,而且会导致敌人随即侵犯两淮,震惊江、浙;那么我等平生报国之志,反而变成误国之罪。不如背城一战,方能在死中求生。"众人认为他说的对,都请求为国效命。

刘锜召呼帐下曹成等二人,告诉他们说:"我派遣你们为间谍,事成之后必有重赏;只要按照我的说法行事,敌人必定不会杀害你们。我现在派遣骑兵探路,将你们安插在队中,你们遇到敌人,一定要坠落马下,让敌人抓获。如果敌帅问我是何人,就说:'是边防将帅子弟,喜好声色,朝廷鉴于两国修好,派他守卫东京,他不过是贪图享乐而已。'"不久派出的探骑果然遇到敌人,曹成二人被捉,宗弼审问,二人按照刘锜所说的回答。宗弼高兴地说:"可以踏平此城了!"于是下令,不用搬运鹅车炮具行进。第二天,刘锜来到城上,看见曹成二人从远处而来,心中知道二人被放回,随即将二人吊上城,敌人已将二人用刑具铐住,将一卷文书系在刑具上,刘锜取下来烧毁。

己酉(初六),四川宣抚副使胡世将,命令都统制吴璘、杨政写信给金国右副元帅完颜杲,约定时日会战,大致是说:"吴璘等人听说,师出无名,古之所戒。大金皇帝与本朝和好,又归还河南之地。朝廷告诫各路,要安定边界,不得生事,叮嘱忧伤,无所不至,各路要遵循朝廷约束,不敢有丝毫违犯。如今监军忽然出动军队,暴掠疆场,人神共愤,不知其故。吴璘等身为将帅,义当竭诚报国,保卫生灵,现已聚集大军,希望约定时日,与监军一战。兵法上说,敌人强加于己,不得已而应战,称之为应兵。兵应者胜,吴璘等不能不事前通报。"完颜杲派遣古延率领三千骑直冲宋军,被都统制李师颜等人率领精骑击退。古延退入扶风县城坚守,完颜杲另外派遣军队策应,不胜而退。李师颜等人进攻扶风,攻克扶风,擒获金兵一百一十七人,首领三人。李师颜另外派遣一名裨将攻击凤翔西城外的敌寨,完颜杲大怒,亲自在百通坊督战,布阵二十余里。宋军统领姚仲等人奋力杀敌,攻破敌阵,斩获敌人尤为众多。

在这之前,高宗听说敌军渡过黄河,将手札赐给胡世将,命令他率领并激励将士,保卫关隘,有能建立奇功,战功卓然出众的,即使是王爵节度使职位,也不吝惜。又赐予吴璘、杨政、郭浩、田晟诏书谕旨,并命令胡世将转交他们。

金国都元帅越国王宗弼进入泰和县,壬子(初九),进攻顺昌府。

在这之前,宗弼到达顺昌,责备各将用兵的过失。众将说:"如今的宋军已非昔日可比,国王您亲临城下就可看见。"宗弼来到城下,看见顺昌城十分简陋,就对各将说:"此城可以用靴尖踢倒!"当即下令:"明天早晨在顺昌府衙会餐,各军所得玉帛子女,听其自留,成年男子一律杀死。"并且折箭立誓以激励部众。

天色已明,攻城的敌军有十万余人,顺昌府城只有东西两门受敌。刘锜所部不满二万人,而能出战者仅五千人。金兵先攻东门,刘锜出兵应战,金兵退却。宗弼亲自带领三千亲兵,往来支援。金兵都穿重甲,三人为伍,用绳索相连,号称"铁浮屠",每进一步,就用拒马子遮蔽,以表示绝无反顾。又以铁骑为左右两翼,号称"拐子马",全由女真人充当。在这之前,凡进攻难以攻克的城池,都用这种骑兵,所以又称为"长胜军"。当时金国各帅各统一部,宋军众将想攻打韩常的军队,刘锜说:"虽然可以击退韩常,但宗弼雄兵尚不可抵挡。按兵法应当先攻打宗弼,宗弼一动,那么其余的敌军就无所作为了。"

当时正是酷暑天气,敌人远道而来,疲惫不堪,昼夜不敢解甲。刘锜先派人在颍水上流及草中放毒。告诫士兵,即使渴死,也不要到颍水喝水。金兵人马饥渴,饮水吃草者立即生病,常常人困马乏。刘锜的军队养精蓄锐,士兵都轮番休息到羊马垣下用餐。早上正是天气凉爽的时候,刘锜却按兵不动;到午后天气正热的时候,忽然派数百人从西门而出;金兵刚刚接战,顷刻间又派数千人从南门而出,告诫士兵不得呼喊,只用短兵器与敌人拼死力战。统制官赵撙、韩直都受中数箭,仍奋力拼杀不肯退下。刘锜急忙下令将二人扶回。将士殊死格斗。突入敌阵当中,刀砍斧劈,甚至有的徒手与敌人搏斗,与敌人一起坠入壕沟。金兵大败,被杀五千人,尸横遍野。宗弼于是将营寨移到城西,挖掘壕沟以便自卫,想以此计来围困官军。这一天,天降大雨,平地水深一尺多。刘锜派兵袭击金兵营寨,使金兵上下不得安宁。

乙卯(十二日),顺昌解围。

宗弼未败时,秦桧上奏请求命令刘锜选择有利时机班师回朝。刘锜得到诏书后仍然不动。到这时宗弼不能支持,于是建造木筏架成浮桥而离去。宗弼到达泰和县,卧床二天,然后到陈州,数落各将的罪过,从韩常以下都被鞭打。于是又派葛王完颜褎守归德府,韩常守许州,翟某守陈州,宗弼自率大军回到汴京。

丙辰(十三日),湖北、京西宣抚司统制官牛皋与金兵在京西交战,击败金兵。

己未(十六日),枢密院都统制郭浩派遣统制官郑建充等人聚集鄜延、环庆的军队,在醴州进攻金兵,打败了金兵,收复醴州。

三京招抚处置使刘光世进军和州。

壬戌(十九日),高宗下诏:"敌人侵犯河南,朝廷已决策用兵,应当精心管理资财,以便供给军队。各路帅守官署,自然应当体谅国家,协助完成大计,可将所有现管钱物,除酌量留用的经费外,全数调发前方。有谁能率先办理,应当加以褒扬提拔;如果隐瞒占用报告不实,必定依法惩治。"并称这些是指官府的钱物,不得借此骚扰百姓。

甲子(二十一日),权主管鄜延经略司公事王彦,在青溪岭抗击金兵,将金兵击退。

当初,金国右副元帅完颜杲攻破凤翔后,与宋朝都统制吴璘、杨政在渭河隔河布下军阵。吴璘驻兵在大虫岭。完颜杲亲自登上西平原察看宋军,说:"善战者立于不败之地,此地难以与他争胜负。"于是率军退去,从泾原路准备奔赴邠州。于是枢密院都统制郭浩,统辖右护军及鄜延、环庆的军队驻扎在邠州三水县。泾原经略使田晟,派遣统制官曲汲、秦弼在青溪岭抗击敌人。宣抚副使胡世将,认为郭浩不是久经沙场的将领,难以负责完成任务,随即派遣王彦及统制官杨从仪、程俊、向起、郑师正、曹成等人分道而出,与金兵交战于蒿谷、吴头、麻务屯之间。金兵屡战屡败,留下千户五人守卫凤翔,完颜杲自率精锐军队攻打青溪岭。曲汲、秦弼不能抵挡金兵,战败后放弃青溪岭退走。胡世将命令田晟召见曲汲,将曲汲于军前斩首示众。王彦率兵迎战金兵,战于盘堠、兔耳,击败金兵。金兵退去,又回凤翔驻守。

当初,命令司农少卿李若虚前往湖北、京西宣抚使岳飞的军中议事,到这时李若虚才在德安府见到岳飞,将自己当面得到的皇帝旨意告知岳飞,不可轻易出动军队,而应当班师回朝。岳飞不听。李若虚说:"事已如此,形势也不容退还,诈称皇帝诏书的罪名,由我承担。"岳飞同意,于是进兵。

左从政郎张阐被任命为秘书省正字。

张阐借轮到自己入对之机,议论三件事:其一,"请求广求人才,信任将相,训练士兵,这样,徽宗的灵柩就可以追回,母后,渊圣皇帝就可以还朝;不要一意屈己许和。使主动权不在我方。"其二,"臣近来从温州历经处州,婺州、十天之中两次遇到大雨冰雹,抽穗的麦子倒伏了,萌生的桑叶都落了;应当对此表示恐惧并修身反省,以便召来和顺之气。"其三,是议论冗官，说："经过战乱之后，一个县不到一千户人家，设置的官吏却只有十余人；一个州不到万户人家，而官吏却达百余人之多，主管场务和军事的官吏一般有十人。没有学校却设置教官，没有军士却设置将领，军队驻屯的钤辖之类及员外所设官署还不计算在内。昔日汉光武帝合并减裁四百余县，官吏十个只设置一个；唐宪宗采纳李吉甫的建议，减省冗员八百人，吏一千四百人。汉、唐中兴，应当效法。"高宗夸奖说："如果不是爱卿，朕听不到这些话。"

湖北宣抚司统领官孙显和金兵在陈州、蔡州之间交战，打败金兵。

丁卯（二十四日），高宗对大臣说："朕亲自经历艰难，长期从事军事，甚至对于军队器械，也能精思熟讲。过去制造的大镞箭，各军都认为头太重，不能射远，又制造尖头小枪，起初也认为不然，其后被用来杀敌，才佩服它的精锐锋利。现在刘锜的军队在顺昌城下大破敌人，用的正是此枪。"

戊辰（二十五日），川陕宣抚司都统制杨政所派遣的左部统领官曹成，从汧阳出发，在天兴县袭击金兵，打败金兵。

京东宣抚使韩世忠，派遣统制官王胜率领背嵬将成闵北伐，在淮阳军以南二十里地遇到金兵，水陆转战，将金兵袭杀落入沂水，死者甚众，并夺取敌船二百艘。

资政殿大学士、福建路安抚大使张浚上言："臣深切以为，自从群臣决计迎回徽宗的灵柩以来，国势不振，事情的有利时机，再三丧失。假使敌人出自上策，归还灵柩，归还两宫皇太后，所有供给无一出自自己的请求，而将宗族家人全部送还南方，这样我国必然深感敌人的恩德。和议的信念不除掉，人心就会懈怠，国势就会逐渐衰微，将来两国突发争端，凭什么来对付？臣知道那时的天下就不是陛下所能拥有了。现在幸得上天的警告，使人醒悟，敌人心怀反复，我军士气尚可振作，人心尚可召回。希望因势利导，转祸为福，任用天下的英才，占据天下的险要，削夺敌人的意志，振兴我军的士气。筹措安排一定，大功即可告成。"接着，又听说淮河紧急，张浚又接连上奏边防计策，并陈述从海道借舟船出兵的利害。高宗嘉奖张浚的忠诚，派遣宦官前去奖励宣示。张浚当时大规模制造海船达一千艘，制定了直指山东的计策，以等待朝廷的命令。

闰六月，癸酉朔（初一），尚书户部侍郎晁谦之调任工部侍郎。

辛巳（初九），泾原经略使田晟，与金兵战于泾州，击败金兵。起初，完颜杲已被王彦所击退，于是从凤翔率领全部人马进攻泾州。田晟据山布阵，乘敌人壁垒未定，奋兵袭杀，从上午到下午，连战皆捷，夺取金兵战马兵器甚多，金兵败退。

甲申（十二日），田晟与金兵在泾州再次交战，被金兵打败。起初，金兵被田晟击败，适逢降将引金兵取小道绕出田晟占据的山后，大声呼喊攻击田晟，而田晟所率领的将领中，有人以前曾投降过敌人，因而宋军望风惊惶逃散；只有右护军一万人与敌人激战，其中死伤敌手的占十分之一，然而没有一人逃跑。宣抚副使胡世将将此情况如实上报，并等待朝廷治罪。

在这之前，胡世将认为敌人兵锋锐利，田晟不能独当一面，将檄书下发吴璘和杨政两位都统制，命令吴璘防守渭河以南，杨政任泾州知州与田晟相策应。杨政派遣统制樊彦率军前往，统制王喜跟进，还未到达而田晟已经失败。杨政自责失利请求处分，胡世将并未怪罪他。各军请求将樊彦、王喜斩首示众，胡世将下令；"樊彦免死，削夺在身官爵；王喜降官阶十级，押送本军效命。"

金兵虽然侥幸战胜田晟，也因被杀伤过多而退回，从此返回风翔，不再出战，派兵攻打陕西各县未被攻下的县城。河南粮食将尽，胡世将也离开了河池，上了仙人原山寨，为了防守之计，保持险要以自我固守。

丙戌（十四日），宝文阁学士、川陕宣抚使胡世将升迁为端明殿学士。

定国承宣使、知秦州兼行营右护军都统制、同节制陕西诸路军马吴璘，武康军承宣使、知兴元府兼枢密院都统制杨政，彰武军承宣使、知永兴军兼枢密院都统制、节制本路屯驻右护军兵马兼节制陕西诸路军马郭浩，一并被任命为节度使，吴璘为镇西军节度使，杨政为武当军节度使、郭浩为奉国军节度使，三人都从龙神卫四厢都指挥使升迁充任侍卫亲军步军都虞候。

淮西宣抚司都统制王德收复宿州。

起初，张俊已到合肥，听说金兵在宿州、亳州之间，命令统制官赵密从西路出兵。赵密率兵直抵苏村，当时淮河水涨三尺，用了六昼夜时间才渡过河，到达宿城，与金兵遭遇，打败了金兵。而王德率兵自寿春奔赴宿州，半夜，攻破金兵营寨，降服金国守将武翼大夫、阁门宣赞舍人马秦。

己丑（十七日），金国派兵袭击永兴军兵马铃辖傅忠信于华州的山寨，傅忠信率领将官卢士闵、张宝抵抗并击破敌人。

壬辰（二十日），湖北、京西宣抚司统制官张宪、傅选与金国将领韩常战于颖昌府，打败金兵。

丙申（二十四日），张宪收复淮宁府。

先前韩常既已败走，宣抚使岳飞派遣统制官牛皋、徐庆等人与张宪会合。张宪等人正与韩常在淮宁府交战，打败韩常，韩常带兵离去。岳飞任命胜捷军统制赵秉渊为知淮宁府。

丁酉（二十五日），京东、淮东宣抚司都统制王胜攻克海州。

在这之前，韩世忠命令王胜率领统制官王升、王权等人进攻海州，金国守将王山派兵迎战，在离城六十里的地方，与官军遭遇，兵败退走。夜里二鼓时分，宋军乘船靠近城北。王山登城固守，而王胜命令各军从地面进攻，火烧北门，军士周成最先入城，生擒王山。城中百姓父老捐集金帛来犒劳宋军，王胜没有接受。

韩世忠每次出兵，秋毫无犯，军队所到之处，农夫都扛锄观看。

戊戌（二十六日），淮西宣抚使张俊攻克亳州。

起初，三京招讨使刘光世，听说郦琼在亳州，就派遣使者赵立同南京进士蔡辅世前去招降。二人来到亳州城门，守门的人问为何入城，赵立鄙陋无谋，竟说刘相公派我送信来招降郦太尉。守门人报告郦琼，郦琼未拆开信就烧了，将二人上枷送入监狱，不久，就释放了。

到这时，刘光世率军回到太平州，而张俊率大军抵达亳州城下，都统制王德已攻下宿州，随即乘胜直奔亳州，与张俊会合。郦琼听说后，对葛王完颜褒说："夜叉又来了！其兵锋不易阻挡，请求避开他们。"于是率领部众逃去。张俊军队到达城下，城中父老陈列香花欢迎宋军，张俊率军进入城中。

当时，张俊兵威强盛，而智谋勇敢则多依赖王德。王德也是先定计划然后作战，因而未曾失败。

己亥(二十七日)，枢密直学士、知顺昌府陈规被任命为知庐州，武泰军节度使、沿淮制置使刘锜兼权知顺昌府。当时秦桧将要命令班师回朝，所以任命陈规移守淮右。

在这之前，高宗赐给刘锜空名委任状一千五百张，命令他填写有功的将领。刘锜又交回空名委任状，称不如由朝廷发给更显得荣耀，到这时才将立功的情况奏报朝廷，凡统兵官立功者，一律用皇上所赐给的银碗腰带给予奖赏；而对那些有过失者，则杖击斥责他们，降为士卒。金兵刚开始进犯时，游奕军统领田守忠、正将李忠恃勇深入敌阵，都亲手杀死数十名敌人后才战死。刘锜对他们给予优厚的抚恤，于是把犒军的银帛十四万匹两全都平均分给将士，军中没有偏袒。

这时，刘锜正准备乘敌人空虚时进军，而秦桧却召刘锜还朝。徽猷阁待制洪皓，当时在燕山，秘密上奏朝廷："顺昌战役，敌人震惊恐惧丧魂落魄，将燕京的珍宝，全部掠夺送往北方，企图放弃燕京以南之地。官军急于撤回是自失良机，真是可惜！"

庚子(二十八日)，已被贬谪的左中大夫、秘书少监、兴化军居住赵鼎，再次被贬，任清远军节度副使、潮州安置。这是由于右谏议大夫何铸再次上疏议论他的缘故。

张俊攻破亳州后，遇到天降大雨，士兵都坐在水中，于是，张俊率军回到寿春，留下雄胜军统制宋超守亳州，给他一千名士兵，百姓都很失望。

这个月，金主到达凉陉。

天气大旱，朝廷派萧彦让、田毅判决西京囚犯。

秋季，七月，癸卯朔(初一)，出现日食。

湖北、京西宣抚使司将官张应、韩清进入西京。

起初，河南府兵马钤辖李兴招集军队后，先收复了伊阳等八县，接着又收州了汝州。金国河南尹李成弃城逃走。河阳宣抚使岳飞派遣张应、韩清与李兴会合，于是收复永安军。

丙午(初四)，御史中丞王次翁被任命为参知政事。

武节大夫、阁门宣赞舍人、河南府兵马钤辖李兴被任命为右武大夫、忠州团练使、知河南府。右承奉郎、知汝州刘全咨被任命为右承事郎。

李兴收复西京后，上奏朝廷，请求任命帅臣防守。于是朝廷任命他为河南知府，并给予全数俸禄，准许他自行处置事情。刘全咨也多次因驿站上报，所以特予升迁。

己酉(初七)，岳飞留大军在颍昌，命令各将分路出战，自己率领轻骑驻扎郾城，军势十分精锐。金国的宗弼为此忧虑，会合各将，准备合力一战。岳飞听说后说："金人黔驴技穷了。"于是每天出兵挑战，并且大骂宗弼。宗弼大怒，戊申(疑误)，会合各将进逼郾城。岳飞派遣儿子岳云与金兵交战，大战几十回合，金兵尸横遍野。宗弼派出拐子马一万五千前来。岳飞告诫步卒，用麻扎刀进入敌阵，不要仰视，只砍马腿。拐子马互相连接，一匹马倒下，另外两匹马不能行走。岳飞军奋力进攻，统制官杨再兴单骑突入敌阵，要活捉宗弼，没有成功，自己身受多处创伤，仍然杀敌数百人。于是，大败金兵。宗弼十分悲痛地说："自从海上起兵以来，都是使用拐子马取胜，现在完了！"于是，又增兵前来岳飞的步兵将领王刚率领五十名骑兵侦察敌人,与敌人遭遇,奋力斩杀敌人的裨将。岳飞出阵观察战况,看见尘土飞扬,自率四十名骑兵突击作战,打败了金兵。

永兴军路经略副使王俊,派遣统领官辛镇与金兵在长安城下会战,打败了金兵。

起初,高宗诏令胡世将派遣一千士兵,准备舟船一百艘,装载柴草膏油从丹州顺流而下,到河中府,焚毁金兵架设的浮桥,并挑选一万人由斜谷出潼关,都是为了切断敌人的归路。胡世将上奏说:"已差遣统领官阎兴率领五百人前去会合知丹州傅师禹、知陕州吴琦、知华州潘道及忠义统制官傅起一同处置,断毁黄河浮桥。另外,臣前次派遣永兴副帅王俊率领选锋三十人,已收复兴平、醴泉二县,它们都是永兴的属县。如今,我军正与大敌相持,并且正当盛夏酷暑,伤兵较多,不容另外派兵。同时,王俊在那里,可以乘机切断金兵的归路。"此后,阎兴与河东忠义人士秦海等十余人结交,都被补受官职。

岳飞上奏说:"金兵的锐气已很沮丧,将要丢弃辎重渡过黄河。各地豪杰归心朝廷,士卒效命,时不再来,机不可失。"

秦桧企图将淮河以北的土地放弃,劝说御史台官员,请求命令各将班师回朝。秦桧知道岳飞意志坚定不肯班师,就首先召各将回朝。癸丑(十一日),太尉、保成军节度使、殿前副都指挥使杨沂中被任命为淮北宣抚副使。武泰军节度使、沿淮制置使兼权知顺昌府刘锜被任命为淮北宣抚判官,作为退守之计。

金国都元帅宗弼在郾城战败后,十分气愤,率领军队十二万人到达临颍。甲寅(十二日),岳飞派遣统制杨再兴、王兰、高林率领三百骑兵在小商桥攻击金兵,杀死金兵二千余人。杨再兴、王兰、高林都战死。收回杨再兴的尸体,火葬后得箭头二百个。岳飞为此十分痛惜。张宪赶来,再次与金兵作战,宗弼乘夜逃走,张宪追击十五里。岳飞对儿子岳云说:"敌人屡遭失败,必定回攻颍昌,你应当速去支援王贵。"不久,宗弼果然到达颍昌。乙卯(十三日),王贵率领游奕军,岳云率领背嵬军,在城西与金兵作战。岳云率领骑兵八百挺前决战,步军将领从左右两翼增援杀金军副统军。岳飞进军朱仙镇,离汴京四十五里,与宗弼对垒布阵。岳飞派遣背嵬军五百人奋力攻破敌阵,宗弼退回汴京。岳飞发檄书命令陵台令巡视先皇各陵墓,并进行修葺。

壬戌(二十日),岳飞奉召班师回朝。

在这之前,岳飞派遣将领梁兴渡过黄河直奔绛州,结交两河豪杰,所到之处纷纷响应,父老百姓暗中运送干粮送给义军,金军部属中也有人暗中接受岳飞的旗帜和告示。岳飞大喜,对部下说:"直抵黄龙府,与各位痛饮!"

秦桧已命令杨沂中等人退兵屯守,于是上言:"岳飞孤军深入,不可久留,请求命令他班师回朝。"一天之内下达了十二道金字牌。岳飞悲愤流泪说:"十年之功,毁于一旦!"于是,从郾城率兵还朝,百姓拦住战马哭道:"我们头顶香盆,运送粮草,迎接官军,这些金人都知道。现在,官军离去,我们没有活路了!"哭声震天动地。

正当宗弼败于朱仙镇,准备放弃汴京时,有一书生在马前叩头说:"岳少保将要退兵了。"

宗弼说:"为什么这样说?"书生说:"自古以来,还没有掌权的大臣在朝廷专横,而大将能在外面立功的。岳少保也将不能避免。"宗弼醒悟,于是留在汴京。

岳飞派遣各将回武昌,于是,颍昌、淮宁、蔡、郑各州又被金兵夺取,中原豪杰都已绝望。

甲子(二十二日),恢复用大祀祭奠文宣王孔子,这是采纳太常博士王普的奏请。于是,在祭祀前先举行誓戒,增加笾豆十二个,其礼仪如同祭祀社稷。

乙丑(二十三日),金兵将赵秉渊包围在淮宁府,李山、史贵及刘锜的统制官韩直共同击退金兵。赵秉渊听说岳飞已经退兵,于是弃城南归。

丁卯(二十五日),右谏议大夫何铸被任命为御史中丞。

金主命令文武官员自五品以上的退休,给予原俸禄的一半,官职三品的仍配给侍从。

庚午(二十八日),右承议郎、通判顺昌府汪若海特予升迁一级官阶。这是由于陈规上言,称最初顺昌府被围时,汪若海毅然向朝廷请求支援的缘故。

汪若海上书辅臣,详细申报刘锜获胜的经过,并且说:"刘锜所统领的军队不过二万人,其中又只用五千人出战。现在各大将所统领的军队很多,假使乘刘锜战胜之后,士气百倍之际,各路并进,乌珠可以一举而击破,没有什么困难的。现在各大帅只有淮西最为持重,不肯轻易出兵。应当以淮西的军队堵塞金兵的南归之路;让京西的军队取道河阳,渡过孟津;命淮东的军队席卷淮阳,渡过彭城;使陕西的军队攻下长安,渡过蒲坂。这样,河朔的百姓必然响应,士族官吏必然一同归降,乌珠可不战而败了。听说淮西的将帅夺取亳州后就退兵,义士莫不叹息,深为朝廷惋惜。"

武功大夫、忠州团练使兼阁门宣赞舍人、新知辰州柴斌调任知唐州。

辛未(二十九日),金将古延率兵进攻盩厔县,宋将永兴军路经略副使王俊在东骆谷迎战,击退金兵。

当时,高宗将手札赐予川陕宣抚副使胡世将,说:"今日的形势,应以力保关隘为先。另外,陕西将士与右护军不同,正应当有所宽容。如有人仗义自行奋起,应优厚奖赏他以激励其他人。"于是,胡世将上奏:"川口各关隘及梁州、洋州一带,先前已经修复完毕。现在,分派吴璘在白石到秦州一线,遏制熙州、秦州的要冲;杨政在宝鸡,遏制永兴、风翔的要冲;以及永兴副帅王俊也在盩厔设置军寨,牵制敌势。加上自金人再次入侵陕西以后,各将曾接受敌人伪命,并且朝廷准允收降驱使,如能立功,就可担任原职或升迁官阶。由于他们降敌已久,现在都望风归降。臣也开放其自新之路,多方慰问安抚,已招集到一万一千五百余人。总管傅忠信、安抚使朱勇、将官梁柄及统制、统领官、各给予袍带。凡老幼家属可就近居住,又有总管魏价等十四人,带来城寨兵一千五百人,亦加以劝勉奖赏,各授予差遣官,士兵也分别支给粮饷,与右护军掺杂在一起使用。"

当时,杨政在宝鸡,完颜杲暗中派遣刺客暗杀杨政,刺客诈作降卒,被杨政发觉并处死。

这个月,金国都元帅宗弼奏报河南、陕西大捷,金主派遣使臣前去慰劳。宗弼以下将士,凡有功的三千军士,一并加授忠承校尉。

八月,乙亥(初四),韩世忠包围淮阳军,命令各将一齐进攻。帐前亲随武翼郎成闵跟从统制官许世安夺门而入,在城门内与敌人大战,成闵身受三十余处枪伤,许世安的腿上也被射中四箭,二人力战,才得以夺门而出。成闵多次气绝而又苏醒,许世安对他大加奖赏。别将解元袭击金兵于沂州郯城县,敌人溺死的很多。到班师还朝时,许世安因为箭疮不能骑马,于是坐轿而回。韩世忠大怒,命令许世安在马前步行。韩世忠奏报成闵的战功,朝廷授予成闵武德大夫、遥郡刺史。

成闵,是卫州人,世代务农,建炎初年,避乱抵达京口,算卦者赵常见到他而认为他是奇人。黄天荡一战,成闵投奔韩世忠军中,到这时建立了战功。随后,韩世忠请求朝廷重赏他以劝勉将士,于是任命他为涿州团练使。

戊寅(初七),知陕州吴琦派遣统制官侯信渡黄河,劫击金兵的中条山营寨,打败金兵,缴获战马二十匹。第二天,又与金兵战于解州境内,击败敌人,杀掉敌将茂海。

己卯(初八),宰相上奏,徽宗继太子之位时的东宫僚佐官吏请求依照旧例推恩提拔。高宗说:"如果是过去的随从尤其应当优恤。凡事关徽宗宗庙的事,不仅朕自己应当遵奉祖先的孝道,也希望使孝道风行四方,使人人知道有君王父母的恩德。"

庚辰(初九),金兵从滕阳前来援救淮阳军,韩世忠在泇口镇迎击,打败金兵。

这一天,韩世忠所派遣的统制官刘宝、郭宗仪、许世安,率领军队乘船到达千秋湖陵,遭遇金兵所派遣的郦琼叛兵数千人,刘宝等人与敌人交战,大胜,缴获战船二百艘。

辛巳(初十),金主下诏安抚宣谕陕西五路。

壬午(十一日),李成从河阳率领五千骑兵进攻西京。知河南府李兴命令打开城门以迎击敌人。李成怀疑,不敢进城。李兴派遣精锐士兵从另外的城门出去,李成败走。

金国初次制定公主、郡主、县主及驸马的品级。

丁亥(十六日),淮北宣抚副使杨沂中的军队在宿州溃败。

起初,杨沂中到宿州,而将步军退屯泗州。金国派人前来诡称有边骑数百驻扎在柳子镇,杨沂中想前去袭击。有人劝他认为不可轻易出击,杨沂中不听,留下统领官王滋、萧保率领一千骑兵守宿州。夜里,杨沂中亲率五千骑兵袭击柳子镇,到天明,不见敌人而撤退。金人派重兵埋伏在杨沂中的退路上,杨沂中知道后,军队就四处溃散了。杨沂中到达寿春府,渡过淮河而回,与萧保、王滋隔绝。参议官曹勋不知道杨沂中在什么地方,上报朝廷。朝廷十分恐慌,命令淮南州县暂时后退自保。金兵袭击杨沂中没有成功,于是进攻宿州,王滋、萧保与敌人交战,失利。金兵入城,恼怒城中百姓投降宋朝,于是纵兵屠杀。自此,溃散的宋军由淮河上下数百里之间四散逃回,死者很多。不久,杨沂中从淮西又回到泗州,人心才安定。

壬辰(二十一日),永兴军路经略副使王俊在螯屋县东袭击金兵,打败金兵。

甲午(二十三日),川陕宣抚司同统制军马邵俊,统领王喜,在陇州汧阳县牧羊岭遭遇金兵,打败了金兵。王喜因功而重新被任命为协忠大夫、荣州防御使、右游奕都统制。

九月,壬寅朔(初一),朝廷派遣起居舍人李易前往韩世忠军前商议军事。秦桧主张罢兵,召湖北、京西宣抚使岳飞到行在,于是命令李易面见韩世忠传达圣旨。当时淮西宣抚副使杨沂中还师镇江府,三京招抚处置使刘光世回到池州,淮北宣抚判官刘锜回到太平州,从此不再出兵。

丁未(初五),杨政军队的同统制杨从仪劫掠金兵凤翔府城南营寨,击败金兵,缴获战马数百匹。

戊申(初六),金主到燕京,都元帅宗弼在此入见金主。十天后,宗弼回到军中,金主起立,亲自酌酒为他饯行,赐给甲胄、弓矢。

在这之前,李成几次被河南府李兴击败,向宗弼请求派增兵,得到蕃、汉军数万人。李兴听到后,估计寡不敌众,弃城而去,在永宁县白马山设置官署。

丁酉(疑误),金主亲自祭奠太祖庙。

庚戌(初九),高宗在明堂合祀天地,配祀太祖、太宗,大赦天下。

癸丑(十二日),杨政军统制官杨从仪、邵俊,统领王喜,在沔阳击败金兵。

辛未(二十九日),尚书右仆射秦桧,由于明堂祭祀天地祖宗的恩惠封为华国公。

癸亥(疑误),金国诛杀尚书左丞相陈王希尹、右丞萧庆。先前,有一颗忽隐忽现的星在陈地出现,太史将此报告宇文虚中,宇文虚中又转告希尹,希尹不认为有什么奇怪,到这时获罪被杀。

起初,希尹曾是晋国王宗翰的监军,被群臣忌恨,而他常常因为机智而避免了别人的暗算,议论的人都称赞他通变如神。金主尤其忌恨他,下诏说:"军中大臣密奏,希尹已经萌生邪念,意在谋反,言语不逊。闲住在家时私下议论朝政,说帝位不知归于何人。他的言行已为众人熟悉,于是导致败露被杀。"当时金主没有儿子,所以忌恨希尹的人就因此而诬告他。金主又下诏说:"萧庆惑乱国家,不知悔改,欺侮上天,勾结他人。既然归结于理,他们都应受到惩治。依赖上天的灵祐,将他们在两观处死。"这是认为萧庆是希尹的党羽。同时诛杀希尹的儿子昭武大将军达勒达、符宝郎曼岱。

冬季,十月,戊戌(二十七日),秦桧因为修纂《重修绍兴在京通用敕令格式》,被推恩晋升为左银青光禄大夫,封卫国公。

这个月,淮北宣抚判官刘锜来到朝廷。

十一月,戊申(初八),金将喀齐喀从潼关出兵进犯陕州,被宋朝守臣吴琦击退。

凤翔府同统制军马杨从仪,在宝鸡击败金兵。

癸丑(十三日),金国任命孔子的四十九代孙孔璠袭封衍圣公。

乙卯(十五日),胡世将上奏,称已经派兵解除庆阳的包围,请求诏令湖北、京西宣抚使岳飞出兵牵制。高宗说:"此事不能轻易议定。凡事都有缓急先后,必须三思而行,才可以成功。"

先前庆阳被围形势危急,守将宋万年登城拒守。适逢胡世将发檄书召建宁军承宣使、河东经略使王忠植率领所部前往陕西,行进到延安,叛将赵惟清假传诏书将他抓获。王忠植说:"如果是本朝诏书我就接受,如果是金国诏书我就不下拜。"赵惟清给他上枷,押送到右监军完颜杲处。完颜杲派士将王忠植押到庆阳城下,让他告诉城中的宋军出来投降。王忠植大声呼喊说:"我是河东步佛山忠义人士,被金兵捉住,他们让我来招降。希望各位将士不要辜负朝廷,坚守城池,忠植我就死在城下。"完颜杲大怒,质问王忠植。王忠植敞开衣襟大声说:"快杀我!"于是遇害。

癸亥(二十三日),金国任命都点检萧仲恭为尚书左丞,前西京留守完颜昂为平章政事。

甲子(二十四日),金国行台尚书左丞相杜充去世。

这个月,宜章洞民骆科反叛,于是进犯桂阳、郴、道、连、贺州各县,高宗诏令出动大军前往讨伐。

十二月,壬午(十二日),高宗命尚书右仆射秦桧在慈宁殿进献上皇太后的册书和宝印,宝印用金制成,册书用珉石制成;高宗在宫中遥贺,群臣在宫门外遥贺。

丙戌(十六日),尚书礼部侍郎苏符升迁为礼部尚书,仍兼资善堂翊善。

起居舍人郭孝友被任命为权尚书工部侍郎。

丁丑(疑误),金国发生地震。

己亥(二十九日),高宗诏令:"太庙的日常祭献用羊、猪供奉,祫享用牛、羊和猪,按照旧典。"这是采用太常少卿陈桷的请求。

金国任命阿里布为左副元帅。

这个月,淮北宣抚副使杨沂中率兵回到行在。

永州防御使呼延通自杀。起初,呼延通因为私愤企图杀掉韩世忠,没有成功。韩世忠得知后,呼延通又与淮阴统制官崔德明不合,韩世忠随即召呼延通,将他贬为士卒,隶属于崔德明的军中。韩世忠过生日,各将都前来入见祝寿,呼延通从淮阴骑马赶来,韩世忠看到他后,立即走入屋内,不再出来。呼延通伏地流泪,众人都劝他回去,呼延通才离去。崔德明回到淮阴,列数呼延通擅自离开军队的罪行,杖击他数十次。呼延通怏怏不乐,跳到运河而死。人们都痛惜他的勇敢,韩世忠事后也很后悔。

起初,知河南府李兴已驻屯白马山寨,李成率领蕃、汉数万之众包围白马山寨。当时,李兴的妻子周氏和儿子居住襄阳,只有幼子在身边。敌人的包围更加紧急,宋军军心颇有动摇。李兴知道后,对各将说:"李兴与各位尚应当拼命坚守,不要有二心。假如抵挡不住,我岂能被敌人污辱!应当抱着儿子向南投崖,以向天子谢罪。"各将都感慨流泪,因此守卫更加坚强。敌人派使者携带黄榜前来,用奉国上将军、河南尹职位来招降李兴。李兴得到檄书后并不开启,立即斩杀敌人的使者,将檄书奏报朝廷。白马山寨被围日久,正逢严冬泉水干涸,军民饮水缺绝,李兴焚香默默祈祷,晚上下了一夜大雪,泉水奔涌而出。李成知道李兴志不可屈,于是立即在山下屯兵积粮,做长期包围之计。李兴秘密派遣将士乘夜焚烧敌营。李成大败,径直逃回西京。

金国重新攻取河南后,还担心中原的士大夫和百姓心怀二意,开始创设屯田军。凡女真、奚、契丹人,都从本部迁居中州,与百姓杂居,统计户口,授给官田,让他们自己播种,春秋季节酌量给予衣物马匹。如果遇到出兵,就让他们供给钱米。凡屯田的地区,从燕京以南,到淮、陇以北,都有,最多的达五六万人,都在村落之间修筑营垒。

续资治通鉴卷第一百二十四

【原文】

宋纪一百二十四 起重光作噩【辛酉】正月,尽十二月,凡一年。

高宗受命中兴全功至德　圣神武文昭仁宪孝皇帝

绍兴十一年　金皇统元年【辛酉,1141】　春,正月,壬寅,右文殿修撰、提举江州太平观赵开卒,年七十六。

自金人侵陕、蜀,开职馈饷者十年,军用得以毋乏,一时赖之。开既黜,主计之臣率三四易,于开条画,毫发无敢变更者,人伟其能。然议者咎开竭泽而渔,使后来者无所施其智巧。凡茶、盐、榷酤、激赏、零畸绢布之征,遂为西蜀常赋,故虽累经减放,而害终不去焉。

癸卯,凤翔府同统制军马杨从仪,败金人于渭南。

庚戌,淮西宣抚使张俊入见。帝问曾读《郭子仪传》否,俊对以未晓,帝谕云:"子仪方时多虞,虽总重兵处外,而心尊朝廷,或有诏至,即日就道,无纤介(快)〔顾〕望,故身享厚福,子孙庆流无穷。今卿所管兵,乃朝廷兵也,若知尊朝廷如子仪,则非特一身飨福,子孙昌盛亦如之。若恃兵权之重而轻视朝廷,有命不即禀,非特子孙不飨福,身亦有不测之祸,卿宜戒之。"

先是金都元帅宗弼自顺昌战败而归,遂保汴京,留屯宋、亳,出入许、郑之间,复签两河军与蕃部凡十馀万,欲谋再举。上亦逆知敌情必不一挫便已,乃诏大合兵于淮西以待之。俊自建康来朝,故有是谕。

是日,金群臣上金主尊号曰崇天体道钦明文武圣德皇帝。金主初服衮冕。命太师宗干辇舆上殿,制诏不名。

辛亥,帝谕大臣曰:"李左车言:'千里馈粮,士有饥色。'敌若侵淮,其势粮必在后。但戒诸将持重以待之,至粮尽欲归,因其怠击之,则无不胜矣。"

癸丑,金主谢太庙,大赦,改元皇统。

乙卯,金人攻寿春府,守将孙晖、枢密院统制雷仲合兵拒之。

己未,淮北宣抚判官刘锜,自太平州渡江以援淮西。锜有兵二万,马数百,朝廷闻报,亟令张俊还建康拒敌。时孙晖、雷仲皆弃城而出,金人破寿春,杀守兵千馀人,系桥淮岸以济其众。

金初定命妇封号。

2863

西夏请置榷场,金主许之。

乙丑,刘锜至庐州,驻兵城外。时枢密直学士、知庐州陈规病卒,城中无守臣,备御之具皆阙,官吏军民散出逃遁,惟有宣抚司统制官关师古兵二千馀人。锜巡其城一匝,曰:“城不足守也。”乃冒雨与师古率众而南。

丙寅,金以大军入庐州,遣轻骑追刘锜,及于西山口。锜自以精兵为殿,西向列陈以待。追骑望见锜旌旗,逡巡不敢逼,日暮,各解去。

丁卯,刘锜结陈徐行,号令诸军,占择地利,共趋东关,依水据山,以遏金人之冲。自金人渡淮,淮南之人皆避过江南,为迁徙之计,惟视锜兵以为安危。锜既得东关之险,稍休士卒,兵力复振。金人据庐州,虽时遣兵入无为军、和州境内剽掠,不敢举兵逼江,惧锜之乘其后也。江南由是少安。

戊辰,金人破商州。

先是右副元帅完颜杲遣珠赫贝勒以数千骑入侵,守臣邵隆知不可守,乃焚仓库,毁庐舍而遁。金人入城,据之。

己巳,淮北宣抚副使杨沂中,以殿前司兵马三万人发行在。

金封平章政事完颜昂为漆水郡王。

二月,癸酉,淮西宣抚司都统制王德渡江屯和州。

初,金都元帅宗弼既入合肥,谍者报金人已入含山县,渐入历阳。时张俊诸军已趣装,犹未发,江东制置大使叶梦得见俊,请速出军,俊犹迟之,曰:“更俟探报。”梦得曰:“敌已过含山县,万一和州为金人所得,长江不可保矣。”俊遂令诸军进发,谕诸统制曰:“先得和州者胜。”德曰:“德当身先士卒,为诸军前锋。”俊壮之,将士皆鼓舞,欢噪而行。有报已失和州者,德乃率所部兵渡采石,约俊明日入城会食。至中流,闻敌势甚众,莫敢前,德驱之进棹,首先登舟。俊宿于江中,德率众径至城下,敌退屯昭关。

武功大夫、忠州团练使、知商州邵隆复入商州。

初,隆既遁去,乃屯兵山岭间,道出州西芍药口,谓避地者曰:“汝皆王民,毋忘本朝。”众感泣,携老幼来归。隆遣其子继春出商州之北以张其势,而移军洪门。金人以精骑来攻,隆设三伏以待,鏖战两时许,大破之,擒其将。隆始持十日粮,过期,食不继,士卒裔腐尸,啮草木食之,疲困日甚。及战,隆亲鼓之,呼声动山谷,无不一当百,遂大捷。继春亦破之于洛南县,金人乃去。隆以功迁右武大夫、荣州防御使。

丙子,帝谓大臣曰:“中外议论纷然,以敌逼江为忧,殊不知今日之势,与建炎不同。建炎之间,我军皆退保江南,杜充书生,遣偏将轻与敌战,得乘间猖獗。今韩世忠屯淮东,刘锜屯淮西,岳飞屯上流,张俊方自建康进兵前渡,敌窥江,则我兵皆乘其后。今虚镇江一路,以檄呼敌渡江,亦不敢来。”其后卒如帝所料。

故朝散大夫鲜于伋,追复(进)集贤殿修撰。

淮东宣抚(使)〔司〕都统制王德,遇金镇国大将军韩常于含山县东,击败之。

戊寅,金主诏:“诸致仕官职俱至三品者,俸禄、人力各给其半。”

己卯,淮西宣抚司统制官关师古、李横复取巢县。

辛巳，直秘阁、知泰州王唤兼通泰制置使，措置水寨乡兵，控守二州。

〔壬午〕，淮西宣抚司将官张守忠，遇金人于全椒县，败之。

先是金人分兵侵滁州、濠州，起复武功大夫、英州刺史、知滁州赵时遁去。张俊遣左军统制赵密追金人，击之，密令守忠以五百骑出全椒，偃诱篁竹间，敌疑不动，迫暮，引去。密乃引兵出六丈河以分敌势，将断其归路。

癸未，刘锜自东关引兵出清溪，邀击金人。张俊、杨沂中亦遣统制官王德、张子盖等会兵取含山县，复夺昭关。

乙酉，金改封海滨王耶律延禧为豫王，昏德公赵佶为天水郡王，重昏侯赵桓为天水郡公。

丁亥，淮北宣抚副使杨沂中、判官刘锜，淮西宣抚司都统制王德，统制官田师中、张子盖，及金人战于柘皋镇，败之。

前一日，锜行至柘皋，与金人遇，夹水而军。初，金人之退兵也，日行甚缓，至尉子桥，天大雨，次石梁河，河湍（瀑）〔暴〕，敌断桥以自固，列营柘皋。柘皋地平，金人以为骑兵之利，且见锜步军，意甚易之。河通巢湖，阔二丈馀，镝命军士曳薪叠桥，须臾而成，遣甲军数队过桥，皆卧枪而坐。会沂中、德、师中、子盖之军俱至。翌日，敌将邢王与镇国大将军韩常等，以铁骑十馀万分为两（隅）〔队〕，夹道而陈。沂中自上流涉浅径进，官军不利，统制官辅逵中目，骑兵有稍却者。德曰："敌右（隅）〔队〕皆劲骑，吾当先破之。"乃与师中麾兵渡桥，薄其右（隅）〔队〕。敌军动，有一帅被甲跃马，指画陈队，德引弓一发，帅应弦坠马，德乘势大呼驰击，诸军皆鼓噪。金人以拐子马两翼而进，德率众麾战。沂中曰："敌便习在弓矢，当有以屈其技。"乃令万兵各持长斧，堵而前，奋锐击之。金人大败，退屯紫金山，德等尾击之，捕敌百人，马驮数百，而锜以步兵甲重，不能奔驰，下令无所取，故无俘获焉。是役也，将官拱卫大夫、武胜军承宣使姚端以下，死敌者九百三人，而敌之死者甚众。锜谓德曰："昔闻公威略如神，今果见之，请以兄礼事公。"

己丑，我军复庐州。

金人之侵淮也，资政殿大学士、江东安抚制置大使、知建康府叶梦得，团结沿江军民数万，分据江津，遣其子书写安抚司机宜文字模将千人守马家渡。及是宗弼、郦琼以轻兵来攻，不得渡而还。

丙申，江东制置大使叶梦得上奏称贺，诏嘉奖。

初，建康屯重兵，岁费钱八百万缗，米八百万斛，榷货务所入不足以赡。至是禁旅与诸道之师皆至，梦得被命，兼总四路漕计以给馈饷，军用不乏，故诸将得悉力以战，由是朝廷益嘉之。

三月，庚子朔，金人围濠州。

初，金人自柘皋退军于紫金山，濠州守臣王进发书告急，日已再四，而通判州事张纲以边机事请赴行朝，遂泛舟而去。

一日，赵荣以数百骑至城下，进登城望之。荣语进曰："大金以精兵三十万旦暮临城，势不可敌，公宜开门，纵民出城为避地计。且淮岸舟船颇多，水陆从便，倾城而去，不三两日，可以获安。方今满城生灵性命在足下，宜念之。"进怒曰："赵荣，汝不能全节于朝廷，乃为北军游说邪？"使劲弩射之。荣大怒，少退，骂进良久而去。州人闻之，以避地之谋力请于进，进不从。至是金兵自延陵浮梁渡淮，翌日，以兵数万列于东门之外，旌旗蔽野。是时进有兵千馀，又有宣抚司兵数百在城中。金人谓楼橹皆腐烂，攻之必破，乃使人至城下招降，守陴者怒骂之。

甲辰，淮西宣抚使张俊，淮北宣抚使杨沂中，判官刘锜，会议班师。

时俊、沂中、锜俱在庐州，俊与沂中为腹心，而与锜有隙。诸军进退多出于俊，而锜以顺昌之功骤贵，于诸将亦颇相节制。然柘皋之战，奏赏诸军，锜独不预。方金人之初退，虚实未明，三军相视，犹豫无决，但闻俊、沂中议，欲弃寿春而移庐州于巢县，复以庐州为合肥。而濠州自金人侵略，围城闭守，日夜遣人至军前求援。至是有被略人民自淮上窜归者，皆言金人渡淮去已远，而濠路亦通。翌日，俊因会饮，谓锜曰："公步兵久战，可自此先回，径取采石归太平，吾欲与杨太尉至濠州，耀兵淮上，安抚濠梁之民，而吾军取宣化以归金陵，杨太尉渡瓜州以归临安，庶道路次舍、樵爨不相妨。"军之始行也，有诏，淮东、西漕臣胡纺、李仲孺，江东漕臣陈敏识，随军馈运，又遣两浙漕臣张汇继至，会集于军前。俊命诸漕备十日粮，诸漕以水路止于庐州，陆路无夫搬运，遂给军士钱人一千，使之附带，又令敏识拨水路纲运入滁州以接济二军。夜，二军调发，迟明，军马尽去，独俊留兵数百未行。

乙巳，平旦，杨沂中赴张俊帐会食已，二帅俱去。行数里，谍报敌攻濠州甚急，俊茫然失色，复驰骑邀刘锜。锜遂命军中持十日粮，继二军而行。

丙午，京东、淮东宣抚处置使韩世忠舟师至昭信县，夜，世忠以骑兵遇金人于闻贤驿，败之。

丁未，金人破濠州，武功大夫、忠州刺史、知州事王进为所执，兵马钤辖、武功郎、阁门宣赞舍人邵青巷战，死之。前一日，金兵薄城下，以云车、冲梯之属攻城，城土与屋瓦皆震，矢石如雨。进所部皆闽人，未尝经战守，或告以州之民兵，皆百战之馀，可以捍敌，进不从。翌旦，兵马钤辖邵宏缒城投拜，告以城中虚实。金益兵东南隅，乘风纵火，焚其楼橹皆尽。敌乘势登城，进奔马入郡舍，朝服坐于厅事，遂就执。金人纵兵焚掠，夷其城而去。

戊申，张俊、杨沂中、刘锜至黄连埠，去濠州六十里而闻城破，俊乃召沂中、锜谋之。锜谓沂中曰："两府何以处？"沂中曰："惟有战耳。相公与太尉在后，沂中当居前，有进无退。"锜曰："有制之兵，无能之将可御；无制之兵，有能之将不可御也。今我军虽锐，未为有制。且军士被甲荷粮而趋，今已数日，本救援濠州，濠州既失，进无所投，人怀归心，胜气已索，又粮食将尽，散处迥野，此危道也。不若据险下寨，堑地栽木，使根本可恃，然后出兵袭人。若其引去，徐为后图，乃全师保胜之道。"诸将皆曰："善！"于是鼎足以为营，仍约逐军选募精锐，旦日人濠州。

俊遣斥堠数辈，还，俱言濠州无金人，或谓："金人破城之后无所藉，又畏大军之来，寻已去矣。"乃再遣骑数百往探，皆无所见。俊遣将官王(禁)〔某〕谓锜曰："已不须太尉前进矣。"锜乃不行，惟沂中与王德领二千馀骑往，以两军所选精锐策应之。四更，起黄连埠。午时，骑兵先至濠州城西岭上，列陈未定，有金人伏甲骑万馀于城两边，须臾，烟举城上，伏骑分两翼而出。沂中谓德曰："如何？"德知其势不可，乃曰："德，统制官也，安敢预事！太尉为宣抚，利害当处之。"沂中皇遽以策麾其军曰："那回！"诸军闻之，以为令其走，散乱南奔，无复纪律。其步军见骑军走，谓其已败，皆散。金人追及，步军多不得脱，杀伤甚众。

己酉，韩世忠引兵至濠州。

庚戌，秦桧奏："近报韩世忠距濠三十里，张俊等亦至濠州五十里，又岳飞已离池州渡江去会师矣。"帝曰："首祸者惟乌珠，戒诸将无务多杀，惟取乌珠可也。澶渊之役，达兰既死，真宗诏诸将按兵纵契丹，勿邀其归路，此朕家法也。朕兼爱南北之民，岂忍以多杀为意乎！"

辛亥，韩世忠与金人战于淮岸，夜，遣游奕军统制刘宝率舟师溯流，欲劫金人于濠州。金人觉之，先遣人于下流赤龙洲伐木以扼其归。有自岸呼曰："赤龙洲水浅可涉，金已遣人伐木，欲塞河扼舟船，请宣抚速归。我赵荣也。"诸军闻之，皆以其言为然，世忠亦命速归。而金人以铁骑追及，沿淮岸且射且行，于是矢著舟如猬毛。至赤龙洲，金人果伐木，渐运至淮岸，未及扼淮而舟师已去。金人复归黄连埠。

杨沂中自宣化渡江归行在。

壬子，金人自涡口渡淮北归。

癸丑，张俊引兵渡江，归建康府。

丁巳，刘锜自和州引兵渡江，归太平州。

戊午，金主亲祭孔子庙，北面再拜，退，谓侍臣曰："朕幼年游佚，不知志学，岁月逾迈，深以为悔。孔子虽无位，其道可尊，使万世景仰。大凡为善，不可不勉。"自是颇读《尚书》《论语》及《五代》《辽史》诸书，或以夜继日。

己未，金主宴群臣于瑶池殿。适宗弼遣使奏捷，近臣多进诗称贺。金主览之曰："太平之世，当尚文物，自古致治，皆由是也。"

甲子，行营右护军前部统制张彦与金人遇于山阳刘坊寨，武节大夫、秦凤路第八将张宏战死。宏以伪命补官，归朝，屡有战绩。事闻，赠右武大夫、忠州刺史。

夏，四月，丙子，金以济南尹韩防参知政事。

辛卯，诏给事中、直学士院范同入对。

初，张浚在相位，以诸大将久握重兵难制，欲渐取其兵属督府，而以儒臣将之。会淮西军叛，浚坐谪去。赵鼎继相，王庶在枢府，复议用偏裨以分其势，张俊觉之，然亦终不能夺其柄。至是同献计于秦桧，请皆除枢府而罢其兵权，桧纳之，乃密奏于帝，以柘皋之捷，召韩世忠、张俊、岳飞并赴行在论功赏。时世忠、俊已至，而飞独后，桧与参知政事王次翁忧之，谋以明日率三大将置酒湖上，欲出，则语直省官吏曰："姑待岳少保来。"益令堂厨丰其燕具。如此展期以待，至六七日。

及是飞乃至。上即召同入，谕令与给事中兼直学士院林待聘分草三制。壬辰，以扬武翊运功臣、太保、京东、淮东宣抚处置使兼河南北诸路招讨使、节制镇江府英国公韩世忠，安民静难功臣、少师、淮南西路宣抚使兼河南北诸路招讨使、济国公张俊并为枢密使，少保、湖北、京西路宣抚使兼河南北诸路招讨使岳飞为枢密副使，并宣押赴本院治事。

世忠既拜，乃制一字巾，入都堂则裹之，出则以亲兵自卫，桧颇不喜。飞被服雍容，桧尤忌之。

乙未，枢密使张俊言："臣已到院治事，见管军马，望拨属御前营内。"时俊与秦桧意合，故力赞议和，且觉朝廷欲罢兵权，即首解所统兵。帝从其请，复召范同入对，命林待聘草诏书奖谕，略曰："李、郭在唐俱称名将，有大功于王室；然光弼负不释位之衅，陷于嫌隙；而子仪闻命就道，以勋名福禄自终。是则功臣去就趋舍之际，是非利害之端，岂不较然著明？"意盖有所指也。

帝谓韩世忠、张俊、岳飞曰："朕昔付卿等以一路宣抚之权尚小，今付卿等以枢府本兵之权甚大，卿等宜(各)〔共〕为一心，勿分彼此，则兵力全而莫之能御，顾如宗弼，何(必)〔足〕扫除乎！"

是日诏："宣抚司并罢，遇出师，临时取旨。逐司统制官已下，各带御前字入衔，且依旧驻劄，将来调发，并三省、枢密院取旨施行。仍令统制官等各以职次高下轮替入见。"

右正言万俟卨试右谏议大夫。

是月，慕容洧破新泉寨，又攻会州，将官朱勇却之。洧愤，将益兵入侵。川陕宣抚副使胡世将遗洧书，勉以忠义，略言："人心积怨，金人咸有归思。太尉诚乘此时料简精锐，保据险阻，储积粮食，缮治甲兵，拒此残敌，为持久计，敌必举兵以攻，太尉据兵以待，世将当出兵岐、陇，共乘其弊。如此，则太尉今日之举，乃吴公和尚原之举也，吴公之勋业宠禄，必再见于太尉矣。比闻金人有疑太尉心，而置重兵于山后，事危矣，计不早定，祸必中发。先发者制人，不易之论也，惟太尉图之！"洧自是不复侵边。勇本洛城人，在会州尝与夏人战，擒其骁将，由是知名。

五月，甲辰，显谟阁待制、枢密都承旨周(津)〔聿〕试尚书刑部侍郎。

丁未，诏韩世忠候御前委使，张俊、岳飞带本职前去按(月)〔阅〕御前军马，专一措置战守。时秦桧将议和，故遣俊、飞往楚州，总率淮东全军，还驻镇江府。

戊申，太常少卿陈桷权尚书礼部侍郎。

先是金主如燕京，太师、领三省事梁宋国王宗干从，有疾，金主亲临问。自燕京还至野狐岭，宗干疾亟，不行。金主亲临问，语及军国事，金主悲泣不已，及后同往视疾，后亲与馈食，至暮而还，因赦罪囚，为宗干禳疾。己酉，宗干薨。庚戌，金主亲临。太史奏戊亥不宜哭泣，金主曰："朕幼冲时，太师有保傅之功，安得不哭！"哭之恸，辍朝七日。金主还上京，幸其第视殡事。及宗干丧至上京，金主临哭，葬之日，复临视之，其优礼如此。

(壬子)〔丙辰〕，汪伯彦卒，年七十三。帝悼之。后九日，除开府仪同三司致仕、赠少师，赐其家田十顷，银帛千匹两，官给葬事，又官其亲属二人于饶州，后谥忠定。

六月，戊辰朔，责授单州团练副使刘子羽复右朝请大夫、知镇江府，兼沿江安抚使。

初，枢密使张俊，尝为子羽之父辂部曲，辂器之，俊荐其才，故复用。

俊晚年主和议，与秦桧意合，帝眷之厚，凡所言，朝廷无不从，荐(入)〔人〕为监司、郡守、带职(名)〔者〕甚众。

(甲戌)〔乙亥〕，诏有司造克敌弩，韩世忠所献也。帝谓宰执曰："世忠宣抚淮东日，与敌战，常以此弩胜。朕取观之，诚工巧，然犹未尽善。朕筹画累日，乃少更之，遂增二石之力而减数斤之重，今方尽善，后有作者，无以加矣。"秦桧曰："百工之事，皆圣人作，非诸将所及也。"

金诏都元帅宗弼与宰执同入奏事。

庚寅，金行台平章政事耶律晖致仕。

（辛巳）〔癸未〕，张俊、岳飞（在镇江）〔至楚州〕，俊居于城外，中军统制王胜引甲军而来。或告俊曰："王胜有害枢使意。"俊亦惧，问之："何故擐甲？"胜曰："枢使来点军，不敢不贯甲耳。"俊乃命卸甲，然后见之。

飞视兵籍，始知韩世忠止有众三万，而在楚州十馀年，金人不敢攻，犹有馀力以侵山东，为之叹服。

时统制河北军马李宝成海州，飞呼至山阳，慰劳甚悉，使下海往山东牵制，宝焚登州及文登县而还。

俊以海州在淮北，恐为金人所得，因命毁其城，迁其民于镇江府。人不乐迁，莫不垂涕。俊遂总世忠之兵还镇江，惟背嵬一军赴行在。

甲申，右武大夫、忠州团练使、知河南府李兴，以所部至鄂州。

兴据白马山，与李成相拒凡数月，朝廷以兴粮饷道梗，孤军难守，乃命班师。兴率军民仅万人南归，至大章谷，遇金人数千要路，兴击退之。至鄂州，都统制王贵言于朝，遂以兴为左军同统制。

壬辰，太保、三京等路招抚处置使雍国公刘光世罢，为万寿观使。

金人始渝盟，光世尝请以舒、蕲等五州为一司，选置将吏，宿兵其中，为藩篱之卫。谏官万俟离言："光世欲以五州为根本，将斥旁近地自广，以袭唐季藩镇之迹，不可许也。"及三大将既罢，光世入朝，因引疾乞祠。帝谓大臣曰："光世勋臣，朕未尝忘。闻其疾中无聊，昨日以玩好物数种赐之，光世大喜，秉烛夜观，几至四更。朕于宫中，凡玩好之物，未尝经目，止须赐勋旧贤劳耳。"光世既罢，遂寓居永嘉。

金有司请举乐，金主以梁宋国王宗干新丧，不允。

甲午，金卫王宗强薨。金主亲临，辍朝，如宗干丧。

是月，徽猷阁待制洪皓，在金境求得皇太后书，是夏，遣布衣李微赍至。帝大喜，因御经筵，谓讲读官曰："不知太后宁否几二十年。虽遣使百辈，不如此一书。"遂命微以官。

秋，七月，丁酉朔，翰林学士兼实录院修撰范同为参知政事。

丙午，金以宗弼为尚书左丞相兼侍中、太保、都元帅，领行台如故。以燕京路隶尚书省，西京及山后诸部族隶元帅府。己酉，宗弼还军中。

辛亥，金参知政事耶律让罢。

壬子，右谏议大夫万俟离疏言："枢密副使岳飞，爵高禄厚，志满意得，平昔功名之念，日以颓坠。今春敌兵大入，趣飞掎角，而乃稽违诏旨，不以时发。久之一至舒、蕲，匆卒复还。幸诸帅兵力自能却敌，不然，则败挠国事，可胜言哉！比与同列按兵淮上，公对将佐谓山阳为不可守，沮丧士气，动摇民心，远近闻之，无不失望。望免飞副枢职事，出之于外，以伸邦宪。"癸丑，帝谓大臣曰："飞倡议不修楚州城，盖将士戍山阳久，欲弃而之他。飞意在附下以要誉，朕何赖焉！"秦桧曰："飞意如此，中外或未知也。"

先是桧逐赵鼎,飞每对客叹息,又以恢复为己任,不肯附和议,读桧奏至"德无常师,主善为师"之语,恶其欺罔,惠曰:"君臣大伦,根于天性,大臣而忍面谩其主耶?"金都元帅宗弼遗桧书曰:"汝朝夕以和请,而岳飞方为河北图,必杀飞,始可和。"桧亦以飞不死,终梗和议,己必及祸。至是飞自楚州归,乃令离论其罪,始定计杀飞矣。

甲寅,侍卫亲军马军都虞候、武泰军节度使刘锜知荆南府,罢其兵,张俊深忌锜与岳飞,每言飞赴援迟而锜战不力也。飞请留锜掌兵,不许。

中书门下省检正诸房公事魏良臣权尚书吏部侍郎。

己未,少师、枢密使、济国公张俊为太傅,进封广国公,赐玉带,以俊首抗封章请归部曲也。

俊请离军将佐并与添差差遣,从之,其后大为州郡之患。

是月,枢密使张俊复往镇江措置事务,副使岳飞留行在,以二人议事不叶故也。

八月,甲戌,少保、枢密副使岳飞复为武胜、定国军节度使,充万寿观使。

右谏议大夫万俟离既劾飞罪,未报。御史中丞何铸、殿中侍御史罗汝楫复交疏论之,大略谓:"飞被旨起兵,则略至龙舒而不进;衔命出使,则欲弃山阳而不守。以飞平日,不应至是,岂非忠衰于君邪!自登枢筦,郁郁不乐,日谋引去。尝对人言:'此官职,数年前执政除某而某不愿为者。'妄自尊大,略无忌惮。近尝倡言山阳之不可守,军民摇惑。使飞言遂行,则几失山阳,后虽斩飞何益!乞速赐处分,俾就闲祠,以为不忠之戒。"离章四上,又录其副示之,飞乃丐免,故有是命。

癸巳,川陕宣抚副使胡世将特起复。

世将方与诸将议出师进讨,而其母康氏卒于晋陵。帝闻之,诏:"军旅事重,不拘常制,日下供职,不许辞避。"翌日,又诏世将弟彦博起复,依旧添差提举两浙市(船)〔舶〕,官给葬事。

时金人统军呼珊、迪布禄,合军五万馀屯刘家圈。右护军都统制吴璘,川陕宣抚司都统制杨政,枢密院都统制郭浩,皆会于仙人原,世将授璘以攻取之策。璘乞精兵三万人,破此两敌,收复秦、陇,事若不捷,誓以必死,世将以二万八千人与之,仍命政出和尚原,浩出商州以为声援。

璘阅兵河池,以新战(军)〔阵〕之法,每战以长枪居前,坐不得起;次最强弓,次强弩,跪膝以俟;次神臂弓。约敌相搏,至百步内,则神臂先发,七十步,强弓并发,次陈如之。凡陈以拒马为限,铁钩相连,俟其伤则更替之。更替以鼓为之节,骑出两翼以蔽于前,陈成而骑兵退,谓之叠陈。诸将窃议曰:"军其歼于此乎!"璘曰:"古之束伍令也。军法有之,诸君不识尔。得车战馀意,无过于此。战士心定,则能持满,敌虽锐,不能当也。房琯知车战之利,可用于平原旷野之间,而不得车战之法,其败固宜。敌骑长于奔冲,不尔,无有能抗之者。"

〔九月〕,癸卯,鄂州前军副都统制王俊,诣都统制王贵,诬告副都统制张宪谋据襄阳为变。先是秦桧欲害宪以及岳飞,乃言宪有异图,佯称金人侵略上流,冀朝廷还岳飞复掌兵,而己为之副。会宪诣枢密行府白事,俊承风旨上变,以统制官傅选为证,贵即日以闻。张俊(行在)〔在行〕府,闻之,遂收宪属吏。俊,东平人,初为雄威卒,后从范琼为右军统制者是也。

甲辰,诏:"宗室缌麻亲任环卫官身亡者,赐钱三百千;祖免减三之一。"

自军兴财匮,宗室近臣,吉凶赐予皆罢之。及是皇叔祖右监门卫大将军、利州刺史仲番卒,至无以敛,判大宗正事齐安郡王(世)〔士〕㒟请于朝,故有是旨。

九月,戊申,泗州言奉使官工部侍郎莫将、知阁门事韩恕归至本州。

帝谕大臣曰:"此殆上天悔祸,敌有休兵之意尔。"秦桧曰:"每恨敌情难保,未能仰副陛下悯乱之意。"先是将、恕至涿州,为金人所执,至是都元帅宗弼将议和,故纵之归报焉。既而宗弼引兵破泗州以胁和,淮南大震。

右护军都统制吴璘,引兵至秦州城下,川陕宣抚司都统制杨政,夜引兵入陇州界,径趋吴山,与金人对垒。

是日,金主至自燕京,朝太皇太后于明德宫,赐鳏寡孤独不能自存者人绢二匹,絮三斤。

乙卯,诏:"左武大夫、忠州团练使刘光远赴行在奏事,仰秀州守臣方滋不移时刻津遣,须管来晚到行在。"

时金国都元帅越国王宗弼以书来,朝议遣光远往聘,而光远方以赃罪为监司所按,故趣召之。翌日,光远至行在,帝面谕以前罪一切不问,遂以为拱卫大夫、利州观察使,而左武大夫、吉州刺史曹勋亦迁拱卫大夫、忠州防御使,令与光远偕行。

丙辰,右护军都统制吴璘,及金统军呼珊战于剡家湾,败之。

初,呼珊与迪布禄合军刘家圈,呼珊善战,迪布禄善谋,二人皆老于兵者,狃其常胜,且据险自固,前临峻岭,后控腊家城,进退有守,谓南军必不敢轻犯。璘揣知其情,先一日,召诸将,问:"何以必胜?"统制官姚仲曰:"战于原上则胜。"璘以为然,诸将议不同,璘曰:"诸将所以不同,惮辞劳苦,不欲攻原上耳。若金人乘势而下,我兵败矣。"卒如仲议。

璘既相视其地,乃遣人告敌曰:"明日请战。"金人闻之皆笑,愈不设备。夜半,璘遣仲与鄜延经略使兼知成州王彦率所部衔枚直进,渡河,涉峻岭,截坡上,出其不意,约与敌对栅,然后发火。又遣将张士廉等取间道以兵控腊家城,戒曰:"敌根本在彼,若败必趋入城。汝等截门,勿纵一骑入。"

二将所部军行,寂无人声,又大阴雾,既上岭,列栅乃发火。金人大骇,仓促备战,我军已毕列。游骑有闻金帅以马捶敲镫者,曰:"吾事败矣!"

我军气益振,璘策迪布禄有谋,必谓我趋战欲速,不肯径出。呼珊恃其百战百胜,与迪布禄异议,宜可挑取。已而遣轻兵尝敌,果见呼珊勒兵而出,与我军合,鏖击数十,更休迭战。敌及三陈,战急,大将有请曰:"敌居高临下,我战地不利,宜少就平旷以致其师,宜可胜。"璘叱曰:"如此,则我走,敌遂胜矣。敌已溃,毋自怯。"璘轻裘驻马陈前,麾军亟战。军皆殊死斗。金人大败,遁去,骑兵追袭,斩首六百三十,生擒七百人。

骑将杨万,膂力过人,生擒一千户诣璘。璘曰:"万可斩也,战方急,岂可得一人而遽返邪!"万投千户于地,仓遽复上马入陈。

骑将马广者,所部号八字军,察敌将溃,越陈挑逐,既而大靡,俘馘人马数千,敌兵降者万馀人。璘悉释之,听其自便。

金残兵果趋城走。张士廉违节制后期,二帅仅以身入城。

翌日,第赏,马广独不及,反将诛之,曰:"此违约束,轻犯令者也。"

呼珊入城,率馀兵拒守。璘围之。

戊午,刘光远、曹勋辞于内殿,遂命持金帅报书以行。

癸亥,言者请令有官人铨试,并兼习两场。故事,铨试有官人分五场:曰经义,曰诗赋,曰时义,曰断案,曰律义;愿试一场者听。议者谓"试之以经义、诗赋、时义者,欲使之通古今;试之以《刑统》义、断案者,欲使之明法令。宜令二者各兼一场,庶使人人明古今,通法令,而无一偏之失。"事下吏部,乃命任子如所请。

右军都统制吴璘自腊家城班师。

初,金统军呼珊在城中,璘急攻之。城且破,朝廷以驿书命璘,遂归。宣抚副使胡世将闻之,叹曰:"何不降金字牌,且来世将处!"

即日,世将以金人之俘三千人献于行(府)〔在〕,命利州路转运判官郭游卿,就俘获中以声音容貌验得女真四百五十人,同日斩于嘉陵江上,敛其尸以为京观;馀皆涅其面,于界上放还。敌气大沮。

泾原经略使秦弼,以策应不及,致失呼珊,遂罢兵柄。

是日,武显大夫、西和州巡检元成,与金人战,死之。

时宣抚司命成以所部牵制(西)〔熙〕河敌兵,行至巩州,与敌遇,自度必死,南向而哭曰:"长于行陈,死于兵戎,竟不得见吾君矣!"遂自刎而死。

商州管内安抚使邵隆,及金知虢州贾泽战,败之,复虢州。

是秋,金境多蝗。

冬,十月,戊辰,川陕宣抚司都统制杨政,及金万户通检战于宝鸡,败之。

时通检屯渭北,政欲攻拔其城。是日,黎明,通检将精兵万众出战,政鼓勇士鏖战县旁,至日晡,五十馀合,势未分。政遣裨将骑突出陈后山上,持帜以招,阳为麾军。金人望见,大呼曰:"伏发矣!"乃惊而溃。政乘势掩杀,通检至城门而桥已绝,乃擒之。

己巳,刘光远等至金军。乙亥,金宗弼遣刘光远等还。

宗弼之入侵也,首破泗、楚二郡,枢密使张俊在镇江,遣其俉统制官子盖以轻兵屯(淮)〔维〕扬、盱眙之间,伺敌进止。俊不以兵渡江,恐妨和议,谓人曰:"南北将和,敌谓吾怠,欲撼柘皋之忿尔。勿与交锋,则敌当自退。"

时右谏议大夫、知镇江府、沿江安抚使刘子羽建议清野,尽徙淮南人于镇江。民兵杂居,子羽抚以恩信,无敢相侵扰者,境内帖然。

既而金兵久不至,俊以问子羽,子羽曰:"此敌异时入侵,飘如风雨,今更迟回,是必有他意。"至是宗弼遣光远等还报,大略言当遣侍官右职、名望夙著者持节而来,盖金欲速和故也。

戊寅,宗正丞邵大受言:"宗正旧有四书:曰《玉牒》,曰《仙源积庆图》,曰《宗藩庆系录》,曰《宗枝属籍》。建炎南渡,寺官失职,举四书而逸于江浒。陛下比命重修《仙源庆系属籍总要》,乃合三者而一之,固无愧于昔。独《玉牒》未修,望诏有司讨论一书,以备中兴之盛典。"从之。

2872　　少保、醴泉观使岳飞,下大理寺。

先是枢密使张俊言张宪谋反,行府已有供到文状,左仆射秦桧乘此欲诛飞,乃送飞父子于大理狱,命御史中丞何铸、大理卿周三畏鞫之。

乙酉,虚恨蛮王历阶诣嘉州乞降。

历阶既犯边,获寨将茹大猷以去。提刑司调兵防扼,所费不赀,连年不能讨,大猷因以利啖之。去年春,历阶款塞求降,不许,至是复申前请。守臣邵博言于宣抚司,以便宜补历阶进武校尉,令还大猷等,且遗以色带、茶、彩,命王士安往促之。历阶遣其子阿帕、蛮将军叶遇等送大猷归,州令右宣校郎、知峨眉县梁端即境上(波)〔恩〕斯神祠折箭歃血,与盟而去。历阶归,其出没钞掠如故。

癸巳,扬武翊运功臣、太保、枢密使、英国公韩世忠罢,为横海、武宁、安化军节度使,充醴泉观使,奉朝请,进封福国公。

世忠不以和议为然,由是为秦桧所抑。至是魏良臣等复行,世忠乃谏,以为:"中原士民,迫不得已沦于域外,其间豪杰,莫不延颈以俟吊伐。若自此与和,日月侵寻,人情销弱,国势委靡,谁复振乎?"又乞俟北使之来,与之面议,优诏不许。世忠再上章,力陈秦桧误国,词意剀切,桧由是深怨世忠。言者因奏其罪,上留章不出。世忠亦惧桧阴谋,乃力求闲退,遂有是命。世忠自此杜门谢客,绝口不言兵,时跨驴携酒,从一二童奴游西湖以自乐,平时将佐罕得见其面云。

是月,金人破濠州。

商州安抚使邵隆及金人所命知陕州郑赋战,克之,复陕州。

起复川陕宣抚使胡世将,图上右护军都统制吴璘剡湾克捷之状,且言:"臣询究众论,皆谓璘此战比和尚原、杀金坪,论以主客之势,险易之形,功力数倍。据(提刑)〔捉到〕蕃人供,金国中称璘有'勇似其兄'之语。臣猥以书生,误膺重寄,上赖朝廷指授,璘等为国宣力,川陕用兵以来,未有如此之胜,望优与迁擢,以为尽忠许国之劝。"又奏:"本司都统制杨政,焚荡敌寨十馀处,亲率胜兵与萨里干迎敌,敌众败去,致不敢并力熙、秦;枢密院都统制郭浩,于陕、虢等处攻却敌寨,并皆获捷,牵制敌军,不致并力秦、凤;并乞优异推恩。"乃赐璘等诏书奖谕,赐世将黄金二百两,茶药有差。

初,三将之并出也,璘复秦州,捷剡湾;政下陇州,破岐下诸屯;浩取华、同二州,入陕府,有破竹之势。世将亦遣要约陕西、河东忠义首领数十,愿为内应。而朝廷与金约和,秦、晋之人殊惜之。三将归,解严,第功,于是统制官姚仲、王彦、向起各落阶官,仲、彦为华、虢两州观察使,起为邠州防御使。

十一月,辛丑,金都元帅宗弼遣魏良臣等还,许以淮水为界,岁币银、帛各二十五万匹、两;又欲割唐、邓二州。因遣其行台户部侍郎萧毅、翰林待制、同知制诰邢具瞻审定可否。

先是有举人献策于宗弼者,宗弼用之,于盱眙、龟山造舟为梁,引兵深入,东过临淮,南至六合,西临(昭)〔招〕信,昼夜不绝。至是军食不继,士皆饥苦,宗弼乃遣毅等与良臣偕来焉。

壬寅,诏以四立日就行在权宜设位,祭五福太乙。

乙巳,诏吏部侍郎魏良臣就充接伴使,以金使萧毅已过界也。

毅等过江,揭旗于舟,大书"江南抚谕"。右朝散大夫、知镇江府刘子羽见之,怒,夜,以他旗易之。翌日,良臣见旗有异,大惧,乃索之,且以胁子羽,子羽曰:"吾为守臣,朝论无所预。

2873

然揭此于吾之境,则吾有死而已。"请不已,出境,乃还之。

丁未,光山军节度使、开府仪同三司、判大宗正事、齐安郡王士㒟,提举西京嵩山崇福宫。

士㒟数言事,秦桧患之。岳飞之下吏也,士㒟草奏欲救之,语泄。桧乃使言者论:"顷岳飞进兵于陈、蔡之间,乃密通书于士㒟,叙其悃愊,踪迹诡秘。范同顷为浙东宪,与士㒟通家往还,或以他故数日不克见,则必遣其属邵大受往传导言语,窥伺国论。士㒟身为近属,在外则结交将帅,在内则结交执政,事有切于圣躬,望罢其宗师职事,庶几助成中兴之业。"故有是命。仍令刑部检会宗室戚里不得出谒接见宾客条法,申严行下。

己酉,金稽古阁火。

壬子,金审议使、行台户部兼工部侍郎萧毅、翰林待制、同知制(诏)〔诰〕邢具瞻等入见。毅等至馆,帝命工部侍郎莫将馆伴。

时殿陛之仪,议犹未决。议者以为兵卫单弱,则非所以隆国体;欲设仗卫,恐骇敌情。秦桧与知閤门事郑藻谋之,藻请设黄麾仗千五百人于殿廊,蔽以帘幕,班定彻帷,桧然之。自是以为定制。

时秦桧议誓书事,以为:"自古盟会,各出意以为之誓,未有意自彼出,而反覆更易,必欲如其所要者。"帝曰:"朕固知之。然朕有天下而养不及亲,徽宗既无及矣,太后年逾六十,日夜痛心。今虽与之立誓,当奏告天地、宗庙、社稷,明言若归我太后,朕不惮屈己与之和。如其不然,则此要誓,神固不听,朕亦不惮用兵也。"

乙卯,御史中丞何铸充端明殿学士、签书枢密院事,充大金报谢使。右谏议大夫万俟卨试御史中丞,起居郎罗汝楫为右谏议大夫。丁巳,拱卫大夫、利州观察使、知閤门事曹勋落阶官,为容州观察使,充报谢副使。

何铸入辞,帝谕铸委曲致词,事在必济。又召勋至内殿,谕之曰:"朕北望庭帏,逾十五年,几于无泪可挥。所以频遣使指,又屈己奉币者,皆以此也。窃计天亦默相之。"言已,泪下,左右皆掩泣。帝曰:"汝见金主,以朕意与之言曰:'惟亲若族,久赖安存,朕知之矣。然阅岁滋久,为人之子,深不自安。且慈亲之在上国,一寻常老人耳,在本国则所系甚重。'往用此意,以天性至诚说之,彼亦当感动也。"

戊午,金国审议使萧毅等辞行。时朝廷许割唐、邓二州,馀以淮水中流为界。毅辞,帝谕曰:"若今岁太后果还,自当谨守誓约;如今岁未也,则誓文为虚设。"

辛酉,〔特〕进观文殿大学士、福建安抚大使兼知福州张浚为检校少傅、崇信军节度使,充万寿观使,免奉朝请。

秦桧将议和,遣工部员外郎盖谅因事至闽中,风浚使附其议,当引为枢密使。浚答书,言敌不可纵,和不可成,桧不悦。会浚以母老乞祠,乃有是命。

是月,诏:"大金已遣使通和,令川陕宣抚司照会保守见存疆界,不得出兵生事,招纳叛亡。"

十二月,癸酉,试尚书工部侍郎莫将权本部尚书,往唐、邓州分画地界。

先是诏刑部侍郎周聿充京西路分画地界官,应干措置,枢密都承旨郑刚中充陕西路分画地界官,应干措置,〔委〕川陕宣抚司照南北誓书文字,子细分画,不得差错生事,至是又遣将焉。

乙亥,签书枢密院事、充大金报谢使何铸等至军前,金都元帅宗弼遣铸往会宁,且以书来索北人之在南者,因趣割陕西馀地。

是日,遣莫将、周聿往割唐、邓,又命郑刚中分画陕西,以刘豫、吴玠元管地界为准。

癸巳,岳飞赐死于大理寺。

飞既属狱,何铸以中执法与大理卿周三畏同鞫之。飞久不伏,因不食,求死,命其子阁门祇候雷视之。至是万俟卨入台月馀,狱遂上。及聚断,大理寺丞李若朴、何彦猷言飞不应死,众不从。于是飞以众证,坐尝自言己与太祖以三十岁除节度使,为指斥乘舆,情理切害,及敌侵淮西,前后受亲札十三次,不即策应,为拥兵逗留,当斩;阆州观察使、御前前军统制权副都统〔制〕张宪,坐收飞、〔云〕书,谋以襄阳叛,当绞;飞长子左武大夫、忠州防御使、提举醴泉观云,坐与宪书,称"可令得心腹兵官商议",为传报朝廷机密事,当追一官,罚金。诏飞赐死,命领殿前都指挥使职事杨沂中莅其刑,诛宪、云于都市。参议官、直秘阁于鹏,除名,送万安军,右朝散郎孙革,送浔州,并编管;仍籍其赀,流家属于岭南。天下冤之。飞死,年三十九。

初,狱之成也,太傅、醴泉观使韩世忠不平,以问秦桧,桧曰:"飞子云与宪书虽不明,其事体莫须有。"世忠怫然曰:"'莫须有'三字,何以使人甘心!"固争之,不听。

飞事亲至孝,家无姬侍。吴玠素服飞,愿与交欢,饰名姝遗之,飞曰:"主上宵旰,宁大将安乐时耶!"却不受。玠大叹服。或问:"天下何时太平?"飞曰:"文臣不爱钱,武臣不惜死,天下太平矣。"师每休舍,课将士注坡跳壕,皆重铠以习之。卒有取民麻一缕以束刍者,立斩以徇。卒夜宿,民开门愿纳,无敢入者。军号"冻死不拆屋,饿死不掳掠"。卒有疾,亲为调药。诸将远戍,飞妻问劳其家,死事者,哭之而育其孤。有颁犒,均给军吏,秋毫无犯。善以少击众。凡有所举,尽召诸统制,谋定而后战,故所向克捷。猝遇敌不动。故敌为之语曰:"撼山易,撼岳家军难。"张俊尝问用兵之术,飞曰:"仁、信、智、勇、严,阙一不可。"每调军食,必蹙额曰:"东南民力竭矣!"好贤礼士,雅歌投壶,恂恂如儒生。每辞官,必曰:"将士效力,飞何功之有!"然忠愤激烈,议论不挫于人,卒以此得祸。

时上下以和议得成为幸,渊圣在金,鲜有厝意者。金主诏以天水郡公赵桓乞本品俸,令有司赒济之。

金尚书左丞完颜勖奉诏访祖宗遗事。勖采摭遗言旧事,自始祖以下十帝,综为三卷,凡部族曰某部,复曰某水之某,又曰某乡、某村以别识之。凡与契丹往来及征伐诸部,其间诈谋诡计,一无所隐,事有详有略,咸得其实。书成,进入,金主焚香立受之,赏赉有差。旋诏左丞勖暨平章政事奕,职俸外别给二品亲王俸慊。旧制,皇兄弟、皇子为亲王,给二品俸。宗室封一字王者,给三品俸。勖等别给亲王俸,皆异数也。

徽猷阁待制洪晧,在燕山密奏:"敌已厌兵,势不能久;异时携妇随军,今不复携矣。朝廷不知虚实,卑词厚币,未有成约,不若乘胜追击,以复故疆,报世仇。张浚名动殊方,〔可惜置之散地。〕"并问李纲、赵鼎安否,又言将帅中唯岳飞为金人所畏;胡铨封事,其地有之,彼亦知中国有人。

【译文】

宋纪一百二十四　起辛酉年(公元1141年)正月,止十二月,共一年。

绍兴十一年　金皇统元年(公元1141年)

春季,正月,壬寅(初二),右文殿修撰、提举江州太平观赵开去世,时年七十六岁。

自从金国入侵陕、蜀以来,赵开掌管军需供应已有十年,军用得以不缺,一时全靠他的主持。赵开被贬黜后,主管的大臣换了三四个,对赵开的规定,竟没有人敢丝毫改变,人们都称赞他的才能出众。然而议论的人却指责他竭泽而渔,使后来的人无所施展聪明才能。凡茶盐、榷酤、激赏、畸零绢布的征收,成为西蜀地区的固定赋税,因此虽然屡次经过减免,而危害始终不能除去。

癸卯(初三),凤翔府同统制军马杨从仪,在渭南击败金兵。

庚戌(初十),淮西宣抚使张俊入见高宗。高宗问他可曾读过《郭子仪传》没有,张俊回答说没有读过。高宗晓谕说:"郭子仪正逢多事之秋,虽然在外总领重兵,而心里尊奉朝廷,一旦有诏书下达,即日就出发上路,没有丝毫的顾虑观望,所以能够身享厚福,子孙后代享福不尽。现在爱卿所掌管的兵马,是朝廷的军队,如果像郭子仪那样知道尊奉朝廷,那么不但自己一人享福,子孙后代也会像他那样昌盛。如果依恃兵权之重而轻视朝廷,朝廷有命却不立即承受执行,不但子孙后代不能享福,自己也会有不测之祸。爱卿应当引以为戒。"

在这之前,金国都元帅宗弼从顺昌战败后退回,于是守卫汴京,留守宋州、亳州,出入许州、郑州之间,再次签发两河军与蕃部共十余万人,企图再次举兵。高宗也料到敌人一定不会一旦受挫就罢休,于是诏令聚集大军在淮西待敌。张俊从建康来到朝廷。所以高宗如此晓谕他。

这一天,金国群臣尊奉金主完颜亶尊号为崇天体道钦明文武圣德皇帝。金主初次穿戴衮衣皇冠。金主命令太师完颜宗干乘辇舆上殿,下达制书诏令时不直呼其名。

辛亥(十一日),高宗告谕大臣说:"李左车说:'千里运送军粮,士兵面有饥色。'敌人如果侵犯淮河一带,那么军粮运输

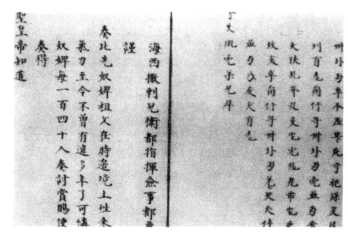

《女真译语》内页

势必滞后。只有告诫各将谨慎地对待来敌,到敌人粮尽将要退却时,就乘其懈怠发起攻击,那就无往而不胜了。"

癸丑(十三日),金主在太庙拜谢祖宗,大赦天下,改年号为皇统。

乙卯(十五日),金兵攻打寿春府,宋朝守将孙晖、枢密院统制雷仲合兵抵抗。

己未(十九日),淮北宣抚判官刘锜,从太平州渡过长江支援淮西。刘锜有军队二万人,战马数百匹。朝廷闻知金兵进攻寿春府,急令张俊回到建康抵抗敌人。当时孙晖、雷仲都弃城而出,金兵攻破寿春,杀守兵一千余人,并在淮河架设浮桥以便军队过河。

金国初次制定命妇封号。

西夏请求设立榷场,金主同意。

乙丑(二十五日),刘锜到庐州,驻扎军队于城外。当时,枢密直学士、知庐州陈规病逝,城中没有守臣,防御器械也都缺乏,官吏军民散出逃亡,只有宣抚司统制官关师古的军队二千余人。刘锜绕城巡视一周,说:"此城不足以防守。"于是冒雨与关师古率众南撤。

丙寅(二十六日),金国派大军进入庐州,派遣轻骑追击刘锜,在西山口追上刘锜。刘锜亲率精兵殿后,向西面布阵待敌。金兵追去的骑兵望见刘锜的旌旗,迟疑不敢进逼,到了傍晚,各自退走。

丁卯(二十七日),刘锜军队结成阵势缓慢行进,号令各军,选择占据有利地形,一同直奔东关,依水据山,以阻止金兵的进攻。自从金兵渡过淮河,淮南的人都逃到江南躲避,为了迁徙之计,只有依靠刘锜的军队以渡安危。刘锜已占据东关的险要,稍微休整士卒,兵力重新振作。金兵占领庐州,虽然不时派兵进入无为军、和州境内抢掠,但不敢举兵逼近长江,担心刘锜乘机断其后路。江南因此而稍有安宁。

戊辰(二十八日),金兵攻破商州。

在这之前,右副元帅完颜杲派遣珠赫贝勒率领数千骑兵入侵,宋朝商州守臣邵隆知道无力防守,于是焚烧仓库,拆毁房屋后逃走。金兵入城,占领商州。

己巳(二十九日),淮北宣抚副使杨沂中,率领殿前司兵马三万人从行在出发。

金国封平章政事完颜昂为漆水郡王。

二月,癸酉(初四),淮西宣抚司都统制王德渡江驻扎和州。

当初,金国都元帅宗弼已进入合肥,宋朝间谍报告,金兵已经进入含山县,即将进入历阳。当时张俊各军已整备行装,还未出发。江东制置大使叶梦得会见张俊,请求迅速出兵。张俊仍迟疑不决,说:"再等一下谍报。"叶梦得说:"敌人已过了含山县,万一和州被金兵攻取,长江就保不住了。"张俊于是命令各军进发,晓谕各位统制说:"先占领和州者为胜。"王德说:"王德当身先士卒,作各军的前锋。"张俊称赞他勇敢,将士们也都受到鼓舞,大声呼叫启程进发。有人报告和州已经失守,王德于是率领所部人马从采石渡江,约定与张俊明日入城会餐。到江中时,听说敌人兵多势众,宋军都不敢前进,王德催促前进,首先登上江岸。张俊在江中夜宿,王德率众径直抵达和州城下,敌人退守昭关。

武功大夫、忠州团练使、知商州邵隆再次进入商州。

起初,邵隆既已逃去,于是在山岭之间驻兵,取道商州西面的芍药口,对躲避在那里的人说:"你们都是大宋的臣民,不要忘记本朝廷。"众人感动流泪,扶老携幼前来归附。邵隆派遣他的儿子邵继春从商州北面而出,以便虚张声势,而把军队转移到洪门。金兵派精锐骑兵前来进攻,邵隆设置三道伏兵等待敌人,两军激战约两个时辰,大破金兵,生擒金兵将领。邵隆开始时带上十天军粮,过了十天,粮食接济不上,士卒就割取腐尸和草木为食,日益疲惫。等到与金兵交战时,邵隆亲自击鼓助威,宋军呼声震动山谷,无不以一当十,于是大胜。邵继春也在洛南县打败金兵,金兵才退去。邵隆因为战功升迁为右武大夫、荣州防御使。

丙子(初七),高宗对大臣说:"朝廷内外议论纷纷,忧虑敌人逼近长江,殊不知今日的形势,与建炎时不同。建炎年间,我军都退保江南。杜充一介书生,派遣偏将轻易出兵与敌人交战,致使敌人乘机猖獗。如今韩世忠驻扎淮东,刘锜驻扎淮西,岳飞驻扎长江上流,张俊正从建康出发进军渡江北上。敌人如果窥视长江,那么我军都可以乘虚出击敌后。现在空虚镇江一路,发檄书呼唤敌人渡江,敌人也不敢前来。"以后的事态正如高宗所料。

已故朝散大夫鲜于伋,被追任为集贤殿修撰。

淮东宣抚司都统制王德,在含山县东遭遇金国镇国大将军韩常,击败了金兵。

戊寅(初九),金主诏令:"凡退休的官员官职均达三品以上者,俸禄、男仆各按原来的规定减半支给。"

己卯(初十),淮西宣抚司统制官关师古、李横重新攻取巢县。

辛巳(十二日)直秘阁、知泰州王唤兼任通泰制置使,部署水寨乡兵,据守二州。

壬午(十三日),淮西宣抚司将官张守忠,在全椒县遭遇金兵,打败了金兵。

先前金兵分兵入侵滁州、濠州。起复武功大夫、英州刺史、知滁州赵时逃走。张俊派遣左军统制赵密追击金兵,发起进攻。赵密命令张守忠率领五百骑兵出击全椒县,在竹林中设伏引诱敌人,敌人疑惑不动,傍晚时退走。赵密于是率兵从六丈河出击,以分散敌人的兵力,并将切断敌人的归路。

癸未(十四日),刘锜从东关率兵出击清溪,截击金兵。张俊、杨沂中也派遣统制官王德、张子盖等人会合兵力攻取含山县,重新夺得昭关。

乙酉(十六日),金主改封海滨王耶律延禧为豫王,昏德公赵佶为天水郡王,重昏侯赵桓为天水郡公。

丁亥(十八日),淮北宣抚副使杨沂中、判官刘锜,淮西宣抚司都统制王德,统制官田师中、张子盖,在柘皋镇与金兵激战,打败了金兵。

前一天,刘锜行到柘皋,与金兵遭遇,双方隔河设下军阵。起初,金人退兵时,每天行军十分缓慢,到尉子桥时,天下大雨,又到石梁河,河水湍急暴涨。于是敌人拆除桥梁自守,在柘皋列营驻扎。柘皋地势平坦,金兵认为这里对骑兵作战有利,而且发现刘锜的步军,认为很容易对付。石梁河与巢湖相通,宽约二丈多。刘锜命令军士拉来木材垒桥,不一会儿就完成,接着派遣几队甲军过桥,都横枪而坐。适逢杨沂中、王德、田师中、张子盖的军队都来到。第二天,敌将邢王及镇国大将军韩常等人,率领铁骑十余万人,分为两队,夹道布阵。杨沂中从石梁河上游涉浅水渡河,径直进军。官军进攻失利,统制官辅逵眼睛受伤,有一些骑兵稍加退却。王德说:"敌人的右队都是精锐骑兵,我应当先打败他们。"于是与田师中指挥军队过桥,直逼金兵的右队。敌人正在行动,有一将帅披甲跃马,指挥阵队。王德拉弓射去一箭,敌帅应声落马。王德乘势大声呼叫飞马进击,各军也都擂鼓喧叫。金兵派出拐子马从两翼进攻,王德率众与敌人激战。杨沂中说:"敌人熟悉的是弓箭,应当用计谋来制服它。"于是命令一万士兵手持长斧,密集向前,奋力去杀敌人。金兵大败,退守紫金山。王德等人率部尾随追击敌人,捕获敌人一百人,马驮数百匹。而刘锜的步兵因为盔甲沉重,不能奔驰,下达的命令没有明确的攻取目标,所以没有俘获敌人。这一战役,将官拱卫大夫、武胜军承宣使姚端以下的将士,战死者九百零三人,而敌人的死亡人数更多。刘锜对王德说:"以前听说您威严谋略如神,现在果然亲眼看见,请允许我以兄长的礼节来对待您。"

己丑(二十日),宋军收复庐州。

金兵侵犯淮河时,资政殿大学士、江东安抚制置大使、知建康府叶梦得,团结沿江军民数万人,分别据守长江渡口,并派遣他的儿子、书写安抚司机宜文字叶模率领一千人守卫马家渡。到这时,宗弼、郦琼率领轻兵前来进攻,无法渡江而撤回。

丙申(二十七日),江东制置大使叶梦得上奏祝贺大捷,高宗诏令嘉奖。

起初,在建康驻扎重兵,每年耗费钱八百万缗,米八百万斛,榷货务所有的收入都不足以供养。这时,禁军和各路军队都来了,叶梦得奉命兼管四路漕运的谋划,以供给军用粮饷,军用因而并不匮乏,所以各将得以全力作战,因此朝廷更加嘉奖他。

三月,庚子朔(初一),金兵包围濠州。

起初,金兵从柘皋退到紫金山,宋朝知濠州王进发信告急,一天发出三四封信,而通判州事张纲却借口有边防事宜要去朝廷请示,于是乘船而去。

一天,赵荣率领数百名骑兵抵达濠州城下,王进登城望见了他。赵荣对王进说:"大金国出动三十万精兵,早晚兵临城下,势不可挡,您应该打开城门,放百姓出城躲避。而且淮河两岸舟船很多,水陆方便,如果倾城而去,不出三两天,可以获得安全。方今全城百姓的生命安危都在您的身上,希望您想到这些。"王进大怒说:"赵荣,你不能对朝廷保全节操,竟为金兵游说!"随即派人用强弩射杀赵荣。赵荣大怒,稍做后退,大骂王进,很久才离去。濠州人闻知后,极力请求王进采取躲避的计策,王进不听。这时,金兵从延陵架浮桥渡过淮河。第二天,金兵数万人陈列在城东门外,旌旗蔽野。这时王进只有军队一千余人,还有宣抚司的数百名士兵在城中。金兵认为城上楼橹都已腐烂,一定能够攻破,于是派人到城下招降,遭到守军的怒骂。

甲辰(初五),淮西宣抚使张俊,淮北宣抚使杨沂中,判官刘锜,会商班师回朝事宜。

当时张俊、杨沂中、刘锜都在庐州。张俊与杨沂中是腹心之交,而与刘锜有嫌隙。各军的进退多出自张俊指挥,而刘锜因为顺昌之战立有战功骤然显贵,对于各将也大多互相节制。然而柘皋之战,上奏奖赏各军时,刘锜唯独没有得到。正当金兵刚刚退却,敌情虚实不明,三军互相观望,犹豫不决,只听说张俊、杨沂中商议,想放弃寿春而把庐州的治所转移到巢县,将庐州恢复为合肥县。而濠州自从金兵侵略以来,就闭门自守,日夜派人到军前求援。到这时有些被金兵掠去的百姓从淮上逃回来,都说金兵渡过淮河已远离而去,而且濠州的道路也已畅通。第二天,张俊借会饮之机,对刘锜说:"您的步军久经战斗,可以从此先回去,径直取道采石回到太平,我想与杨太尉一道去濠州,在淮上对金兵耀武扬威,安抚濠州、梁州的百姓,而我军取道宣化回到金陵,杨太尉从瓜州渡江回到临安,或许道路宿营、打柴烧饭互不妨碍。"军队开始出发时,有诏书下到,令淮东、淮西转运使胡纺、李仲孺,江东转运使陈敏识,

2879

随军运送军粮,又派遣两浙转运使张汇随后赶到,在军前会集。张俊命令各转运使准备十天的粮食,各转运使鉴于水路只能到达庐州,陆路没有力夫搬运,于是,发给每名军士钱一千,让他们随身携带。又命令陈敏识调拨水路的船队运粮到滁州,用来接济二军。夜里,二军调发,将近天明时,军马全已离去,唯独张俊留下数百名士兵没有行动。

乙巳(初六),天大亮时,杨沂中前去张俊帐中会餐完毕,二人一同离去。走了几里路,侦探报告敌人正加紧进攻濠州,张俊茫然失色,又派人驱马去请求刘锜增援。刘锜于是命令军队带上十天的粮食,跟随二军行进。

丙午(初七),京东、淮东宣抚处置使韩世忠的水军到达昭信县。夜里,韩世忠率领骑兵在闻贤驿与金兵遭遇,打败了金兵。

丁未(初八),金兵攻破濠州,武功大夫、忠州刺史、知州事王进被金兵捉住,兵马钤辖、武功郎、阁门宣赞舍人邵青与敌人展开巷战,战死。一天前,金兵逼近城下,用云车、冲梯等器械攻城,城土和屋瓦都被震动,矢石如雨。王进所部都是闽人,未曾经历过战守,有人报告本州的民兵,都历经百战有余,可以抵挡敌人,王进不听。第二天早晨,兵马钤辖邵宏缒城投敌,告知敌人城中虚实。金兵增兵东南角,乘风纵火,将城上楼橹焚烧一空。敌人乘机登城,王进急忙骑马进入州府,穿上朝服坐在大厅,于是被捕。金兵纵兵焚烧抢掠,屠城后离去。

戊申(初九),张俊、杨沂中、刘锜到达黄连埠,离濠州六十里地而听说城池已被攻破。张俊于是召集杨沂中、刘锜谋划对策。刘锜对杨沂中说:"二位准备怎么办?"杨沂中说:"只有战斗。相公与太尉在后,沂中我在前,有进无退。"刘锜说:"有制度的军队,无能之将也能驾驭;没有制度的军队,有能之将也不能驾驭。如今我军虽然精锐,却没有制度约束。况且兵士披甲扛粮而急行,现在已有几天了。本是去救援濠州,但濠州已经失守,前进将不知到达何处,人人怀有归心,求胜的士气索然已尽,加上粮食将尽,将士散处荒野,这是一条危险的道路。不如占据险要设下营寨,挖掘壕沟,栽置栅栏,使营寨成为可以依靠的根本,然后出兵袭击敌人。如果敌人撤退,我们再慢慢考虑以后的计策,这才是保全军队夺取胜利的策略。"各将都说:"好!"于是三军鼎足而立设置营寨,并约定每军选募精兵,次日进入濠州。

张俊派出的几名侦探返回,都说濠州没有金兵,有的认为:"金兵攻破濠州城之后没有什么依托,又害怕大军的到来,随后就离去了。"于是再派数百骑兵前去侦察,都没有看到金兵。张俊派遣将官王某对刘锜说:"已无须太尉前进了。"刘锜于是不再行动,只有杨沂中与王德率领二千余骑兵前往,派两军所选的精兵策应。四更时,从黄连埠起兵,中午,骑兵首先到达濠州城西岭上,布阵未定,金人埋伏的甲骑一万余人在城的两边出现,一会儿,城上升起烟火,伏骑分两翼而出。杨沂中对王德说:"怎么办?"王德知道敌人势不可挡,于是说:"王德,是统制官,怎敢干预大事!太尉是宣抚使,应当权衡利害做出决策。"杨沂中惊慌中用马鞭指挥部下说:"那回!"各军听到这句话后,认为是命令他们撤退,于是散乱南奔,不再有纪律了。步兵看到骑兵已撤退,以为骑兵已败退,都四处逃散。金兵追上后,步兵多未逃脱,死伤很多。

2880

己酉(初十),韩世忠率兵到濠州。

庚戌(十一日),秦桧上奏:"最近报告说韩世忠离濠州三十里,张俊等人也到达离濠州五十里的地方，另外岳飞已离开池州渡江前去会师。"高宗说："祸首只有乌珠一人，告诫各将不要滥杀无辜，只要获取乌珠就行了。澶渊之役，达兰已死，真宗诏令各将按兵不动放了契丹，不要截击他们的归路，这是朕的家法。朕兼爱南北的百姓，怎能忍心以滥杀满足自己的心意呢？"

辛亥（十二日），韩世忠与金兵在淮河岸边交战，夜里，派遣游奕军统制刘宝率领水军溯流而上，准备在濠州袭击金兵。金兵觉察后，先派人在下游赤龙洲伐木以扼制刘宝的归路。有人在岸上呼叫："赤龙洲水浅可以徒步过河，金兵已派人伐木，想要堵塞河水扼制舟船，请宣抚使赶快回去。我是赵荣。"各军听到后，都认为他的说法正确，韩世忠也命令赶快回去。但金兵派铁骑追上，沿淮河岸边且射且行，于是射中水军的箭矢如同刺猬的毛一样密集。到了赤龙洲，看到金兵果然在伐木，并逐渐运到淮河岸边，还来不及扼制淮河而刘宝的水军已离去了。金兵重新回到黄连埠。

杨沂中从宣化渡江返回行在。

壬子（十三日），金兵从涡口渡淮北返。

癸丑（十四日），张俊率兵渡江，返回建康府。

丁巳（十八日），刘锜从和州率兵渡江，返回太平洲。

戊午（十九日），金主亲自祭祀孔子庙，朝北面两次下拜，退出后对侍臣说："朕幼年时游荡没有节制，不知道立志学习，岁月流逝，深为后悔。孔子虽然没有爵位，但他的学说可以尊崇，让人万世景仰。大凡做善事，不可不努力。"从此，金主大量阅读《尚书》《论语》及《五代史》《辽史》等书，有时还夜以继日。

己未（二十日），金主在瑶池殿设宴与群臣会宴，适逢宗弼派来使者奏报大捷，近臣多进诗祝贺。金主看了近臣的诗后说："太平之世，应当崇尚礼乐典章制度。自古天下得到治理，都是因为这个缘故。"

甲子（二十五日），行营右护军前部统制张彦与金兵在山阳刘坊寨遭遇，武节大夫、秦凤路第八将张宏战死。张宏曾被伪齐任命为官，归顺朝廷后，屡立战功。此事奏报朝廷后，朝廷追赠他为右武大夫、忠州刺史。

夏季，四月，丙子（初八），金国任命济南尹韩昉为参知政事。

辛卯（二十三日），高宗诏令给事中、直学士院范同入宫奏对。

起初，张浚任宰相时，认为各大将久握重兵，难以制约，想逐渐夺取他们的兵马隶属于督府，而由文官来统领军队。适逢淮西军反叛，张浚获罪被贬谪。赵鼎继任宰相后，王庶在枢密院，又商议任用偏将以分割大将的势力。张俊觉察到这些，因而始终不能夺取他的兵权。到这时范同向秦桧献计，请求任命大将为枢密使而罢去他们的兵权，秦桧采纳了他的建议，于是向高宗密奏，借口柘皋大捷，召韩世忠、张俊、岳飞一并前来行在论功行赏。当时韩世忠、张俊已到，而唯有岳飞未到。秦桧与参知政事王次翁为此忧虑，商议于明天率三位大将在西湖上置酒饮宴，准备出行时，就对都省值班的官吏说："姑且等待岳少保到来。"又命令政事堂厨师准备好丰盛的酒宴。像这样延期等待，达六七天。

到这时，岳飞才到。高宗随即召范同入宫，命令他与给事中兼直学士院林待聘分别草拟三道制令。壬辰(二十四日),任命扬武翊运功臣、太保、京东、淮东宣抚处置使兼河南北诸路招讨使、节制镇江府英国公韩世忠,安民静难功臣、少师、淮南西路宣抚使兼河南北诸路招讨使、济国公张俊一并为枢密使,少保、湖北、京西路宣抚使兼河南北诸路招讨使岳飞为枢密副使,一并听旨签押后赴枢密院办公。

韩世忠官拜枢密使后,却制作一条一字巾,进入都堂就裹在头上,出去时就以亲兵自卫,秦桧很不高兴。岳飞衣着朝服容仪温文,秦桧尤其忌恨他。

乙未(二十七日),枢密使张俊上言:"臣已到枢密院办公,现在管辖的军队,希望调拨给御前营统辖。"当时张俊与秦桧意见相同,所以极力赞同议和,并且已觉察到朝廷要罢他的兵权,就首先请求解除自己所统领的军队。高宗同意他的请求,又召范同入宫奏对,命令林待聘起草诏书奖谕,大意是说:"李光弼、郭子仪在唐朝都称之为名将,对王室有大功。然而李光弼负有不卸职位的罪责,陷入猜疑仇怨之中;而郭子仪一听到任命就上路,到死都享用功名福禄。因此,功臣在去留进退取舍之际,是非利害权衡之时,其态度行为不是很清楚了吗?"诏书之意是有所指的。

高宗对韩世忠、张俊、岳飞说:"朕过去任命爱卿等为一路宣抚使,其权力尚小;如今任命爱卿等为枢密使统领本朝兵马,其权力很大,爱卿等应该同心协力,不分彼此,这样兵力完备而没有人能够抵御,就是宗弼这样的人,哪里值得去扫除他呢!"

这一天,高宗诏令:"宣抚司一并停止,遇到出兵时,临时听取圣旨决定是否恢复。各宣抚司统制官以下,官衔各加上御前二字,同时依旧在原地驻扎;将来调发,一并由三省、枢密院听取圣旨施行。仍命令统制官等各按职务高低轮流入见皇上。"

右正言万俟卨被任命为试右谏议大夫。

这个月,慕容洧攻破新泉寨,又进攻会州,被宋将朱勇击退。慕容洧愤怒,准备增兵入侵。川陕宣抚副使胡世将写信给慕容洧,用忠义规劝他,大意是说:"人心积怨,金人都有返回之心。太尉如果真能乘此时机选择精锐,据守险要,积储粮食,整治武备,抗拒残敌,作长久坚持之计,敌人必定举兵来攻,太尉凭借精兵严阵以待;我胡世将当出兵岐、陇,乘敌人疲困之际,共同消灭它。如果这样的话,那么太尉今日的举动,就是吴玠在和尚原的举动。吴玠获得的功业荣禄,必定再现于太尉的身上。最近听说金人有对太尉的疑心,而且部署重兵在山后,事态已很危急,如果不早定计策,灾祸必定从中发生。先发制人,这是不变的道理,请太尉三思!"慕容洧从此不再侵犯边境。朱勇本是洛城人,曾与夏国人在会州作战,生擒其骁将,因此知名。

五月,甲辰(初七),显谟阁待制、枢密都承旨周聿被任命为试尚书刑部侍郎。

丁未(初十),高宗诏令韩世忠在御前等候委任,张俊、岳飞带本职官衔前去按察御前军队,专门筹措战守。当时秦桧准备议和,所以派遣张俊、岳飞前往楚州,总领淮东全军,返回驻扎镇江府。

戊申(十一日),太常少卿陈桷被任命为权尚书礼部侍郎。

在这之前,金主到燕京,太师、领三省事梁宋国王宗干随从,得病后,金主亲自去问候他。从燕京回到野狐岭后,宗干病重,不能行走。金主亲临问候,谈及军国大事,金主悲泣不已,接着又和皇后一道前去探望,皇后亲自为宗干喂饭,到傍晚才回去。于是大赦囚犯,为宗干祈祷消灾除病。己酉(十二日),完颜宗干去世。庚戌(十三日),金主亲临吊丧。太史上奏说戊亥(疑误)这天不宜哭泣,金主说:"朕年幼时,太师有辅导的功劳,怎能不哭!"金主哭得非常悲痛,一连七天没有上朝。金主回到上京,亲临宗干的家中视察丧事。等到宗干的遗体送到上京,金主亲临哭泣,举行葬礼之日,再次亲临视察,对宗干的礼遇优厚到如此隆重。

丙辰(十九日),汪伯彦去世,时年七十三岁。高宗对他表示哀悼。九天后,追任他为开府仪同三司致仕,追赠为少师,赐给他家田地十顷,银帛一千匹两,由官府供给丧事费用,另外录用他亲属二人在饶州担任官职,以后,追赠谥号为忠定。

六月,戊辰朔(初一),降职任命的单州团练副刘子羽被重新任命为右朝请大夫、知镇江府,兼任沿江安抚使。

起初,枢密使张俊,曾经是刘子羽的父亲刘韐的部下,刘韐器重张俊,这时张俊推荐刘子羽有才,所以刘子羽被重新起用。

张俊晚年主张和议,与秦桧情投意合,高宗很宠爱他,凡是张俊所上言之事,朝廷无不听从,由他推荐的人担任监司、郡守、带职的很多。

乙亥(初八),高宗诏令有关官吏制造克敌弩,这是韩世忠献上的武器。高宗对宰相说:"韩世忠担任淮东宣抚使时,与敌人作战,常用此弩取胜。朕拿来此弩观看,觉得它确实做工精巧,然而还不是尽善尽美。朕筹划多日,于是对它稍做改动,就增加了二石的力量而减少了几斤的重量,现在才尽善尽美。以后有人再制作,就不能增加什么了。"秦桧说:"各种工匠所制作的东西,都是圣人先制作出来的,这不是各将的能力所能达到的。"

金国诏令都元帅宗弼与宰相一同入朝奏事。

庚寅(二十三日),金国行台平章政事耶律晖退休。

癸未(十六日),张俊、岳飞到达楚州,张俊住在城外,中军统制王胜率领甲军前来。有人报告张俊说:"王胜有谋害枢密使的意思。"张俊也很惧怕,问王胜:"为什么穿着铠甲?"王胜说:"枢密使前来检查军队,不敢不穿铠甲。"张俊于是命令卸去铠甲,然后接见他。

岳飞察看士兵名册,才知道韩世忠只有部队三万人,而在楚州十余年间,金兵不敢进攻,他却还有余力进攻山东,岳飞为之叹服。

当时统制河北军马李宝守卫海州,岳飞召唤他到山阳,倍加慰劳,派他从海路前往山东牵制,李宝焚烧登州及文登县后返回。

张俊认为海州在淮北,恐怕被金兵夺取,于是命令毁掉海州城,迁徙那里的百姓到镇江府。人们不愿迁徙,无不流涕哭泣。张俊于是总领韩世忠的人马返回镇江,只有背嵬军赶赴行在。

甲申(十七日),右武大夫、忠州团练使、知河南府李兴,率领所部到达鄂州。

李兴占据白马山,与李成相持共有几个月。朝廷认为李兴的粮饷道路被阻塞,孤军难守,于是命令他班师还朝。李兴率领军民仅一万人南归,到大章谷,遇到几千金军的拦截,李兴击退了金兵。到鄂州后,都统制王贵奏报朝廷,于是任命李兴为左军同统制。

壬辰(二十五日),太保、三京等路招抚处置使雍国公刘光世被免职,任命为万寿观使。

金国当初撕毁盟约时,刘光世曾请求将舒、蕲等五州并为一司,选派武将文官,在那里驻扎军队,作为屏障防卫。谏官万俟卨上言:"刘光世企图以五州为根本,准备开拓附近地区以扩大自己的地盘,以便沿袭唐朝藩镇的遗风,不能允许。"到三位大将被罢免后,刘光世入朝,于是借口有病请求改任宫观官。高宗对大臣说:"刘光世是功臣,朕未曾忘记。听说他在病中无聊,昨日将几种供玩赏的物品赐给他,刘光世非常高兴,秉烛夜看,几乎到四更。朕在宫中,凡是供玩赏的物品,未曾过目,只需赐给劳苦功高的旧臣。"刘光世被罢免后,便寓居在永嘉。

金国有关官吏请求奏乐,金主因为梁宋国王宗干刚死,没有准许。

甲午(二十七日),金国卫王完颜宗强去世,金主亲临吊丧,停止上朝,如同宗干的丧礼。

这个月,徽猷阁待制洪晧,在金国境内求得皇太后的书信,这年夏季,他派遣平民李微携带书信来到朝廷。高宗非常高兴,在御前经筵上,对讲读官说:"不知太后将近二十年来是否安宁。虽然派遣使者百人,还不如这一封书信。"于是任命李微官职。

秋季,七月,丁酉朔(初一),翰林学士兼实录院修撰范同被任命为参知政事。

丙午(初十),金国任命宗弼为尚书左丞相兼侍中、太保、都元帅,仍兼领行台尚书省。将燕京路隶属于尚书省,西京及山后各部族隶属于元帅府。己酉(十三日),宗弼返回军中。

辛亥(十五日),金国参知政事耶律让被免职。

壬子(十六日),右谏议大夫万俟卨上疏说:"枢密副使岳飞,高爵厚禄,志满意得,昔日求取功名的志向,日渐颓废。今年春季,敌兵大举进犯,朝廷急令岳飞出兵牵制敌人,但岳飞却违背诏令,不能按时出兵。很久以后,刚刚到达舒城、蕲州,就匆匆返回。幸亏各位将帅的兵力能够击退敌人,不然的话,就会败坏国家的大事,哪里还谈得上胜利!最近他和同僚在淮上按兵不动,公然对将佐说山阳不可防守,沮丧士气,动摇民心,远近闻知,无不失望。希望罢免岳飞的枢密副使的职务,将他贬出京城,以申明国家的法令。"癸丑(十七日),高宗对大臣说:"岳飞倡议不修楚州城,大概是因为将士戍守山阳已久,想放弃山阳而到其他地方去。岳飞的意图在于附和下面的将士来博取名誉,朕怎么能信赖他呢!"秦桧说:"岳飞本意如此,朝廷内外或许还不知道。"

在这之前,秦桧贬逐赵鼎,岳飞每每对宾客叹息,又以恢复中原为己任,不肯附和和议,当读到秦桧奏章中"德行没有固定的师法,注重善行就是师法"之语时,就憎恨秦桧欺骗皇上,气愤地说:"君臣之间的伦常大道,根源于人的天性,作为大臣怎能容忍当面欺骗自己的君主?"金国都元帅宗弼写信给秦桧说:"你早晚请求和议,而岳飞正在谋取河北,必须杀掉岳飞,才可以议和。"秦桧也认为岳飞不死,终将阻止和议,自己必定遭受大祸。到这时岳飞从楚州回到朝廷,于是秦桧命令万俟卨议论岳飞的罪责,开始定计杀掉岳飞。

甲寅(十八日),侍卫亲军马军都虞候、武泰军节度使刘锜被任命为知荆南府,罢免他的兵权。张俊深为忌恨刘锜与岳飞,每每上言称岳飞赴援迟缓而刘锜作战不力。岳飞请求留下刘锜掌管兵权,高宗不许。

中书门下省检正诸房公事魏良臣被任命为权尚书吏部侍郎。

己未(二十三日),少师、枢密使、济国公张俊被任命为太傅,进封广国公,赐给玉带。这是由于张俊首先上奏朝廷请求归还军队的缘故。

张俊请求给离开军队的将佐一并委任编外官职,高宗同意。以后他们大多成为州郡的祸患。

这个月,枢密使张俊再次前往镇江处理事务,副使岳飞留在行在。这是由于二人商议事情意见不合的缘故。

八月,甲戌(初九),少保、枢密副使岳飞被重新任命为武胜、定国军节度使,充任万寿观使。

右谏议大夫万俟卨上奏弹劾岳飞后,没有答复。御史中丞何铸、殿中侍御史罗汝楫又接连上奏弹劾,大意是说:"岳飞奉旨起兵,却抵达龙舒而不再前进;受命出使,却要放弃山阳而不防守。以岳飞平时的表现来看,不应当这样,难道不是对皇上的忠心已经衰减了吗!自从岳飞到枢密院任职后,郁郁不乐,每天都在谋划辞职离去。岳飞曾经对人说:'这个官职,几年以前宰相就要任命我担任,而我还不愿意就任。'妄自尊大,肆无忌惮。最近曾首倡称山阳不可防守,致使军民动摇疑惑。假如岳飞的言论得以实行,那么就会失去山阳,事后即使斩杀岳飞又有何用!请求陛下迅速下诏处分岳飞,让他担任宫观闲职,作为对他不忠的警告。"万俟卨四次上疏,并将奏疏写成副本给岳飞看,岳飞才请求罢免,所以有这道任命。

癸巳(二十八日),川陕宣抚副使胡世将被特准在服丧未满时起用担任原职。

胡世将正在与各将商议出兵进讨金军,而他的母亲康氏在晋陵去世。高宗听说后,下诏说:"军队事关重大,不应拘泥常规,在朝廷供职,不许辞职躲避。"第二天,又诏令胡世将的弟弟胡彦博停止服丧,仍旧担任提举两浙市舶,由官府供给丧葬费用。

当时,金兵统军呼珊、迪不禄,会合军队五万余人驻扎刘家圈。右护军都统制吴璘,川陕宣抚司都统制杨政,枢密院都统制郭浩,都在仙人原会合,胡世将授给吴璘攻取计策。吴璘请求拨给精兵三万人,击败两名敌将,收复秦、陇。如果出兵不能告捷,发誓必死。胡世将将二万八千人拨给吴璘,还命令杨政出兵和尚原,郭浩出兵商州,作为声援。

吴璘在河池阅兵,以新的战阵之法进行操练。每一战阵以长枪手居于前阵,坐在地上不得起身;其次是最强弓,接着是强弩,以膝跪地,等待射击;第三是神臂弓。约定与敌人搏斗时,等敌人到达百步之内,就由神臂弓最先发射,七十步时,最强弓和强弩一齐发射。后面的战阵如此。凡阵以拒马为界限,用铁钩相连,等到士兵受伤后就撤换他们。撤换时以击鼓作为号令的节拍,骑兵从两翼出击到前阵去遮挡敌人,布阵完毕后骑兵退回,这叫作叠阵。各将私下议论说:"用这种阵法能歼灭敌人吗?"吴璘说:"这就是古代的束伍令。兵法上有这种战法,只是各位没有见识过罢了。能得到车战真谛的余意的,无过于此阵。战士人心坚定,就能拉满弓,敌人虽然精锐,也不能抵挡。唐代的房琯知道车战的便利,可适用于平原旷野之间,但不得车战的方法,所以他的失败就理所当然了。敌人的骑兵擅长奔驰冲杀,不采用这种战法,就没有能抵抗他们的阵法了。"

九月,癸卯(初八),鄂州前军副都统制王俊,到都统制王贵那里,诬告副都统制张宪图占据襄阳反叛。在这之前,秦桧要杀害张宪以及岳飞,于是上言称张宪有反叛的意图,佯称金兵侵略长江上游,希望朝廷恢复岳飞的职务让他重掌兵权,而自己作为他的副手。适逢张宪到枢密行府报告事情,王俊秉承秦桧的旨意上奏称张宪要反叛,并以统制官傅选为证人。王贵将此情况即日奏闻朝廷。张俊这时正在枢密行府,听说后,随即拘捕张宪及其部下。王俊是东平人,最初是雄威军的士卒,后来跟随范琼升任右军统制。

甲辰(初九),高宗下诏:"宗室中服三个月缌麻丧的亲属担任环卫官去世者,赐给钱三百千;服祖免丧的远亲,赐给的钱减少三分之一。"

自从战事兴起以来,朝廷财政匮乏,宗室近臣因吉凶之事赐给的钱都已免去。到这时皇叔祖右监门卫大将军、利州刺史赵仲番去世,竟至于无钱办理丧事。判大宗正事齐安郡王赵士㒟向朝廷请求,所以有这道诏令。

九月,戊申(十三日),泗州上言称奉使官工部侍郎莫将、知阁门事韩恕回到本州。

高宗晓谕大臣说:"这大概是上天追悔所造成的祸乱,敌人有了休兵停战的意向。"秦桧说:"臣常常怨恨敌人变化多端,难以保证议和,不能符合陛下忧虑战乱的心意。"在这之前,莫将、韩恕到达涿州,被金兵拘捕,到这时,都元帅宗弼将要议和,所以放他们回国报告。不久,宗弼率兵攻破泗州以威胁宋朝议和,淮南大为震动。

右护军都统制吴璘,领兵抵达秦州城下。川陕宣抚司都统制杨政,夜晚领兵进入陇州地界,直奔吴山,与金兵对垒。

这一天,金主到达燕京,在明德宫朝拜太皇太后,赐给鳏寡孤独不能自己养活自己的人,每人绢二匹,絮三斤。

乙卯(二十日),高宗诏令:"左武大夫、忠州团练使刘光远前来行在奏事,望秀州守臣方滋按时由渡口遣送,必须在明天晚上赶赴行在。"

当时,金国都元帅越国王宗弼送来书信,朝廷商议派遣刘光远前往出使金国,而刘光远正由于贪污罪被监司按察,所以高宗紧急召见他。第二天,刘光远到达行在,高宗当面晓谕他,以前的罪一概不予追究,于是任命他为拱卫大夫、利州观察使,而左武大夫、吉州刺史曹勋也升迁为拱卫大夫、忠州防御使,令他与刘光远一同前往。

丙辰(二十一日),右护军都统制吴璘,与金国统军呼珊在剡家湾交战,打败了金兵。

起初,呼珊与迪布禄在刘家圈会合军队。呼珊善于作战,迪布禄善于谋略,二人都久经沙场,常胜不败,而且占据险要,自为固守,前临峻岭,后控腊家城,进退可守,以为宋军一定不敢轻易进犯。吴璘揣知敌情,在前一天,召集各将,问:"怎样才能必胜?"统制官姚仲说:"在原上作战就能获胜。"吴璘同意他的意见,但各将的意见不同,吴璘说:"各将之所以有不同意见,是因为害怕劳苦,不敢进攻原上罢了。如果金兵乘势而下,我军必败。"终于采用了姚仲的意见。

吴璘视察了那里的地形,于是派人去告知敌人说:"明天请求交战。"金兵听说后都一笑了之,更加不设防。半夜,吴璘派遣姚仲与鄜延经略使兼知成州王彦率领所部衔枚挺进,涉水爬山,在山坡上设伏袭击,出其不意,约定与敌人相对设立营栅,然后发火为号。又派遣部将张士廉等人取小路出兵控制腊家城,告诫他们说:"敌人的根基在那里,如果失败必定逃入此城。你们就截住城门,不放一个骑兵入城。"

二位将领率领所部行进,寂无人声,又碰上阴天大雾,爬上山岭,设下营栅后就发火。金兵非常惊恐,仓卒备战,宋军已布阵完毕。游骑中有听到金兵将帅用马槌敲击马镫说:"我们的事情失败了!"

宋军气势更加振兴。吴璘料到迪布禄有谋略,必定认为宋军要速战速决,不肯立即出战。呼珊自恃百战百胜,与迪布禄意见不合,应当前去挑战。随即派遣轻兵试探敌人,果然看见呼珊率兵而出,与宋军交战,双方激战几十回合,休兵再战。敌人攻到宋军第三阵时,战况紧急,有位大将请求说:"敌人居高临下,我军作战地形不利,应当逐渐将敌人引到平坦的地方再战,就能取胜。"吴璘叱责说:"如果这样,那我军就是后退,敌人就会胜利了。敌人已经溃散,不要自我胆怯。"吴璘身着轻便皮衣,勒马立于阵前,指挥军队加紧进攻。将士们都殊死搏斗,金兵大败而逃,宋军骑兵追赶袭杀,斩首金兵六百三十人,生擒七百人。

骑将杨万,膂力过人,生擒一名千户来到吴璘那里。吴璘说:"杨万当斩。战斗正紧急时,怎么能抓住一人而匆忙返回呢!"于是杨万将千户扔在地上,慌忙又上马冲入阵地。

骑将马广,所率领的部队号称八字军,察觉敌人将要溃败,就越过战阵挑斗追杀敌人。不久,敌人大败,八字军斩俘敌兵数千人,敌兵投降的有一万余人。吴璘将俘虏全部释放,听其自便。

金兵的残兵败将果然向腊家城逃去。张士廉违犯军令迟到,敌将二人仅只身逃入城中。

第二天,宋军依次论功行赏,唯独马广没有受赏,反而差点被杀。吴璘说:"这次违犯军令,是较轻的违犯军令。"

呼珊入城后,率领残兵拒守。吴璘率军围城。

戊午(二十三日),刘光远、曹勋在内殿辞行,于是高宗命令二人携带金国元帅的书信出使金国。

癸亥(二十八日),上言的人请求朝廷下令,让有官阶的人铨试,一并同时参加两场考试。按照惯例,参加铨试的有官阶的人分为五场考试:经义、诗赋、时义、断案、律义;愿意参加一场考试的听便。议论的人认为:"考试经义、诗赋、时义,是为了让他们博古通今;考试《刑统》律义、断案,是为了让他们明白法令。应当让他在这二场中各兼考一场,以便使他们人人博古通今,通晓法令,而无一失之偏颇。"此事批给吏部处理,于是命令凡是因父兄的功绩而得保被授予官职的人,都按照上言者的请求进行考试。

右军都统制吴璘从腊家城班师回朝。

起初,金兵统军呼珊在腊家城中,吴璘对他发起急攻。城池将要被攻破时,朝廷通过驿站送信给吴璘,令他班师,于是吴璘返回。宣抚副使胡世将听到此事,叹息说:"何不颁下金字牌,并且送到我胡世将这里!"

当天,胡世将把金兵俘虏三千人进献行在,命令利州路转运判官郭游卿,在俘虏中根据声音容貌查出女真人四百五十人,同一天将他们在嘉陵江上斩首,收敛他们的尸体,聚土垒成高坟;其余的俘虏都被在脸上刺字涂墨,在边界上放还。敌人的士气非常沮丧。

泾原经略使秦弼,因为没有及时策应吴璘,致使呼珊逃脱,于是被免去兵权。

这一天,武显大夫、西和州巡检元成,与金兵交战,战死。

当时宣抚司命令元成率领所部牵制熙河敌兵,行进到巩州时,与敌人遭遇,自己揣度必死,向南面哭泣道:"成长在军队中,战死在兵刃下,竟不得见我的君主!"于是自刎而死。

商州管内安抚使邵隆,与金国知虢州贾泽交战,打败金兵,收复虢州。

这年秋季,金国境内多蝗灾。

冬季,十月,戊辰(初三),川陕宣抚司都统制杨政,与金国万户通检在宝鸡交战,打败了金兵。

当时,通检驻扎在渭北,杨政准备攻取金兵的城池。这一天黎明,通检率领精兵一万人出战,杨政击鼓命令勇士与金兵在县城旁激战,到下午时,双方交战五十余回合,胜负未分。杨政派遣裨将率领骑兵突然出现在阵地背后的山上,手持军旗不停地摇动,假装指挥军队。金兵看见后,大喊:"伏兵出现了!"于是惊恐逃散。杨政率兵乘势袭杀,通检逃到城门时,吊桥已断,于是被宋军擒获。

己巳(初四),刘光远等人抵达金军。乙亥(初十),金国宗弼遣送刘光远等人返回。

宗弼入侵时,首先攻破泗、楚二郡。枢密使张俊正在镇江,派遣他的侄子统制官张子盖率领轻兵驻扎在维扬、盱眙之间,侦察敌人的动向。张俊不派兵渡江,是恐怕妨碍和议,他对人说:"南北即将议和,敌人认为我方怠慢,企图为柘皋之战的失败报仇。不与他们交锋,敌人就会自动撤退。"

当时,右谏议大夫、知镇江府、沿江安抚使刘子羽建议坚壁清野,将淮南人全部迁徙到镇江。在镇江,军民杂居,不敢互相侵扰,境内安定。

随后,金兵久不来犯,张俊因此问刘子羽,刘子羽说:"以前宗弼入侵时,行动迅疾有如风雨,现在却变为迟疑徘徊,这一定是有其他意图。"到这时宗弼让刘光远等人返回报告,大意是说金国准备派遣官尊位高、素有名望的使者持节前来,这是金国想要尽快和议的缘故。

戊寅(十三日),宗正丞邵大受上言:"宗正寺过去有四部书:《玉牒》《仙源积庆图》《宗藩庆系录》《宗枝属籍》。建炎时朝廷南渡,寺官失职,将四部书全部遗失在长江边。陛下最近命令重修《仙源庆系属籍总要》,于是将三部书合为一部书,固然无愧于过去。唯独《玉牒》没有重修,希望陛下降诏有关部门讨论这一部书,以便准备国家的中兴盛典。"高宋同意他的建议。

少保、醴泉观使岳飞,被押送大理寺狱。

先前,枢密使张俊上言称张宪谋反,枢密行府已有口供文状。左仆射秦桧乘此机会要诛杀岳飞,于是将岳飞父子押送到大理寺狱,命令御史中丞何铸、大理卿周三畏审问。

乙酉(二十日),虚恨蛮王历阶到嘉州请求投降。

王历阶侵犯边境后,俘获忠镇寨将茹大猷后离去。提刑司调兵防守,所需费用不计其数,连年不能讨伐。茹大猷乘机以利害关系诱导他。去年春天,王历阶叩塞求降,朝廷不许,这时又再次申明前次的请求。守臣邵博向宣抚司建议,宣抚司应随机行事,授予王历阶进武校尉,命令他交还茹大猷等人,并且送给他色带、茶叶、彩绸,命令王士安前往催促。王历阶派遣他的儿子阿帕、蛮将军叶遇等人送茹大猷返回,嘉州下令右宣校郎、知峨眉县梁端到边境,在恩斯神祠与虚恨蛮折箭歃血为盟,订立盟誓后离去。王历阶返回后,仍像过去一样,经常出没掠夺边境。

癸巳(二十八日),扬武翊运功臣、太保、枢密使、英国公韩世忠被免职,任命为横海、武宁、安化军节度使,充任醴泉观使,奉朝请,进封福国公。

韩世患对和议不以为然,因此受到秦桧的压制。到这时魏良臣等人再次出使金国,韩世忠于是谏阻,认为:"中原的士民,迫不得已沦陷于境外,那里的豪杰之士,无不伸长脖子盼望朝廷来抚问百姓、讨伐敌人。如果从此与金国议和,随着时间的推移,人们的热情会逐渐淡漠,国家的势力会萎靡不振,谁还能再去振兴国家呢!"又请求朝廷,等到金使到来时,跟他们当面商议。高宗下诏婉言拒绝。韩世忠再次呈上奏章,力陈秦桧误国,词意恳切。秦桧因此更加痛恨韩世忠。上言者乘机上奏议论秦桧的罪行,高宗将奏章留在内廷,不予答复。韩世忠也惧怕秦桧的阴谋,于是力求辞职担任闲散官职,于是有了对他的这道任命。韩世忠从此闭门谢客,绝口不谈军事,时常骑着毛驴携带酒壶,由一两个童仆跟随,游览西湖聊以自乐。平时,将领也很少能见到他。

这个月,金兵攻破濠州。

商州安抚使邵隆与金国所任命的知陕州郑赋交战,打败了金兵,收复了陕州。

起复川陕宣抚使胡世将,将右护军都统制吴璘在剡湾克敌获胜的情形画成图呈上,并且说:"臣询问究查众人的议论,他们都说吴璘的这次战役可以和和尚原、杀金坪之战相比,以主客双方的形势、地形的险易而论,所耗费的精力是以前的几倍。据俘获的金兵招供,金国中有称赞吴璘'勇似其兄'的话。臣为一介书生,误受朝廷的重托,尚赖朝廷指点传授。吴璘等人为国效力,自川陕用兵以来,还没有过这样的胜利,希望朝廷对吴璘给予优厚奖赏并提拔,以此作为对尽忠报国的劝勉。"又上奏:"本司都统制杨政,焚毁敌寨十余处,亲自率领得胜之兵迎战萨里干,敌人失败逃去,以致不敢集中兵力进攻熙、秦之地;枢密院都统制郭浩,在陕、虢等地进攻敌寨,连获大捷,并牵制敌军,不让敌人集中力量进攻秦、凤之地;请求一并给予优厚施恩奖赏。"于是赐给吴璘等人诏书予以嘉奖;赐给胡世将黄金二百两,茶药不等。

起初,三位将领一并出兵,吴璘收复秦州,获得剡湾大捷;杨政攻下陇州,击破岐下的守敌;郭浩夺取华、同二州,进入陕府,有破竹之势。胡世将也派人约请陕西、河东忠义首领数十人,他们愿为内应。而朝廷却与金国约定和议,秦、晋一带的人都感到非常可惜。三位将领返回后,解除了严厉的戒备状态,论功行赏,于是统制官姚仲、王彦、向起各落去阶官,姚仲、王彦分别被任命为华、虢两州观察使,向起被任命为邠州防御使。

十一月,辛丑(初七),金国都元帅宗弼遣送魏良臣等人返回,许诺以淮水为界,宋朝每年向金国贡奉银、帛各二十五万匹、两;还想割取宋朝的唐、邓二州。于是,派遣其行台户部侍郎萧毅、翰林待制、同知制诰邢具瞻审定是否可行。

在这之前,有举人向宗弼献计,宗弼采用他的计策,在盱眙、龟山造船作为浮桥,率兵深入宋境,东过临淮,南至六合,西临招信,昼夜不绝。到这时军粮接济不上,士兵都饥饿困苦,宗弼才派遣萧毅等人与魏良臣一同前来。

壬寅(初八),高宗诏令在立春、立夏、立秋、立冬之日,在京城临时设置神位,祭祀五福太乙。

乙巳(十一日),高宗诏令吏部侍郎魏良臣就地充任接伴使,因为金国使者萧毅已过了国界。

萧毅等人过江，在船上竖起旗帜，上面大书"江南抚谕"四字。右朝散大夫、知镇江府刘子羽见到后，大怒，连夜用另外的旗帜把它替换下来。第二天，魏良臣看到旗帜有变化，非常惧怕，于是去向刘子羽索要，并且以此事来威胁刘子羽。刘子羽说："我是朝廷的守臣，朝廷商议大事我未参与。但是在我管辖的境内竖起这种旗帜，那么我只有以死来阻止而已。"魏良臣请求不止，直到出了镇江府境，才把旗帜交还金国使者。

丁未（十三日），光山军节度使、开府仪同三司、判大宗正事、齐安郡王赵士㒟，任提举西京嵩山崇福宫。

赵士㒟几次上言议论朝政，秦桧很疾恨他。岳飞被押到大理寺狱审讯时，赵士㒟草拟奏章想救岳飞，但在谈话时事情泄露。秦桧于是指使上言者议论："前不久岳飞进兵于陈州、蔡州之间，曾秘密写信给赵士㒟，叙说他的至诚之心，形迹诡秘。范同最近担任浙东提点刑狱公事，与赵士㒟有通家之好，互相往来，有时因故几天不能相见，就必定派遣他的属下邵大受前去传话，窥伺国事的计议。赵士㒟身为宗室亲属，在外则结交将帅，在内则结交执政大臣，事情关系到陛下自身，希望罢免他的大宗正事职务，或许有助于成就中兴大业。"所以有这道诏命。同时，命令刑部查核宗室外戚不得出面接见宾客的法规，严格申明颁下。

己酉（十五日），金国稽古阁失火。

壬子（十八日），金国审议使、行台户部兼工部侍郎萧毅、翰林待制、同知制诰邢具瞻等人入见高宗。萧毅等人抵达宾馆，高宗命令工部侍郎莫将到宾馆陪伴。

当时皇上接见金国使者的礼仪，朝廷尚未商定下来。有人认为，仪仗卫队人少力单，那就不能因此显示国家的地位；而要设置仪仗卫队，恐怕惊骇了敌人。秦桧与知阁门事郑藻商量此事，郑藻请求设置黄麾仗一千五百人于殿廊，用帐幕遮蔽，到百官班列排定时再撤除，秦桧同意。从此成为定制。

当时秦桧在商议誓约文书之事时，认为："自古以来的会盟，都是各自按照自己的意愿而写出誓词，而且反复修改，一定要达到他们所要求的目标。"高宗说："朕固然知道这个道理。然而朕拥有天下却不能侍奉父母，徽宗皇帝已经驾崩，太后已年过六十，朕日夜痛心。如今，即使我国与金国立誓，也应当奏告天地、宗庙、社稷，申明如果金国归还我太后，朕不怕委屈自己与金国议和。如果不是这样，那么金国如此要挟我国而立誓议和，天神固然不会听从，朕也不惜用兵了。"

乙卯（二十一日），御史中丞何铸充任端明殿学士、签书枢密院事，充任大金报谢使。右谏议大夫万俟卨被任命为试御史中丞，起居郎罗汝楫被任命为右谏议大夫。丁巳（二十三日），拱卫大夫、利州观察使、知阁门事曹勋落下阶官，任容州观察使，充任报谢副使。

何铸入朝辞行，高宗告诉何铸对金国要委曲致辞，和议之事必须促成。又召曹勋到内殿，晓谕他说："朕北望父母，已超过十五年，几乎已流尽了眼泪。之所以频频派遣使者，又委屈自己每年向金贡奉钱币，都是由于这个缘故。朕私下想，即使是上天也会默默地相助。"说完，流下了眼泪，左右的人也都掩面而泣。高宗说："你见到金主后，将朕的心意转告他说：'亲人宗族，长期幸赖贵国安全保存，朕是知道这些的。然而随着岁月流逝，朕为人之子，深感不安。况且朕的母亲在贵国,不过是一个普通的老人而已,对本国来说则关系重大。'你带着朕的这片心意前往金国,用天性至诚之心来说服他们,他们也应当受到感动的。"

戊午(二十四日),金国审议使萧毅等人辞行。当时朝廷许诺割让唐、邓二州,其余地方以淮河中流为国界。萧毅辞行时,高宗晓谕说:"如果今年太后果能返回,我国自然应当谨守誓约;如果今年太后不能返回,那么誓文就会成为一纸空文。"

辛酉(二十七日),特进观文殿大学士、福建安抚大使兼知福州张浚被任命为检校少傅、崇信军节度使,充任万寿观使,免奉朝请。

秦桧即将与金国议和时,派工部员外郎盖谅借公事前往福建,劝说张浚,让他附合秦桧的主张,如果这样当引荐他担任枢密使。张浚写信答复,指出敌人不可纵容,和议不可达成,秦桧很不高兴。适逢张浚借口母亲年老请求担任宫观官,于是有这道任命。

这个月,高宗诏令:"大金已派遣使者前来通好议和,命令川陕宣抚司照会保守现存疆界,不得出兵生事,招纳叛逃之人。"

十二月,癸酉(初九),试尚书工部侍郎莫将,被任命为权本部尚书,前往唐、邓二州与金国划分地界。

在这之前,高宗诏令刑部侍郎周聿充任京西路分画地界官,处置所有有关事宜,枢密都承旨郑刚中充任陕西路分画地界官,处置所有有关事宜,委托川陕宣抚司按照两国誓书文字,仔细划分,不得出现差错,生出事端。到这时又派遣莫将前往。

乙亥(十一日),签书枢密院事、充大金报谢使何铸等人到达军前,金国都元帅宗弼送何铸前往会宁,并写信索取在宋朝的金国人,于是催促尽快划割陕西的其余地方。

这一天,朝廷派遣莫将、周聿前往唐州、邓州,又命令郑刚中划分陕西地界,以刘豫、吴玠原来所管辖的地界为准。

癸巳(二十九日),岳飞被赐死于大理寺。

岳飞下狱后,何铸以御史中丞执法身份,与大理卿周三畏一同审问岳飞。岳飞一直不服,于是绝食求死。朝廷命令他的儿子阁门祗候岳雷前去探视。到这时万俟卨供职御史台才一个多月,就结案上报。到朝廷商议判决时,大理寺丞李若朴、何彦猷认为岳飞不应当处死,众人不听。于是岳飞由于众人证言,罪名是他曾经自称和太祖一样在三十岁时就被任命为节度使,这是指名诽谤皇帝,情节特别严重。到敌人侵犯淮西时,岳飞前后接受皇帝的手札十三次,却不立即出兵策应淮西,而是拥兵停留不前,应当斩首;阆州观察使、御前前军统制权副都统制张宪,因为接收岳飞、岳云的书信,阴谋据有襄阳反叛而获罪,应当处以绞刑;岳飞的长子左武大夫、忠州防御使、提举醴泉观岳云,因为写信给张宪,称"可与心腹官兵商议",这是传报朝廷机密事宜,应当追夺一级官阶,处以罚金。高宗下诏赐死岳飞,命令殿前都指挥使职事杨沂中莅临行刑,诛杀张宪、岳云于京城街市。参议官、直秘阁于鹏,除去官名,押送到万安军,右朝散郎孙革,押送到浔州,并由当地编管处分;同时,没收岳飞的家财,将其家属流放岭南。天下都认为岳飞等人冤屈。岳飞死时才三十九岁!

起初,岳飞一案审理完毕后,太傅、醴泉观使韩世忠愤愤不平,以岳飞之事询问秦桧,秦桧说:"岳飞的儿子岳云写信给张宪虽然不明了,而其谋反之事莫须有。"韩世忠愤然说:

"'莫须有'三字,怎么可以使人甘心!"韩世忠与秦桧力争,秦桧不听。

岳飞侍奉父母非常孝顺,家中没有侍妾。吴玠一向佩服岳飞,愿意与他交好,打扮一名有名的美女送给岳飞,岳飞说:"皇上宵衣旰食勤于政务,难道是大将安于享乐的时候吗!"岳飞推辞不受。吴玠大为叹服。有人问:"天下何时太平?"岳飞说:"文臣不爱钱,武臣不惜死,天下就太平了。"军队每次休整,岳飞都考核将士上坡跳壕的技能,一律让他们穿上重型铠甲练习。士兵中有一个拿了百姓的一缕麻去捆柴的,岳飞下令立即斩首示众。士兵夜晚睡觉,百姓开门让他们进去,没有敢进去的。岳飞军队号称"冻死不拆屋,饿死不掳掠。"士兵有病,岳飞亲自调药。各将到边远之地戍守,岳飞的妻子就去他们的家中探望慰劳。对阵亡的将士,岳飞总是表示哀悼,并抚养他们的遗孤。凡是颁发犒劳物品,岳飞都平均发给官兵,自己却秋毫无犯。岳飞擅长以少击众。凡有军事行动,岳飞都召集各位统制,商议决定之后才出战,所以能每战必胜。如果突然遭遇到敌人,也能岿然不动。因此敌人称赞岳飞的军队说:"撼山易,撼岳家军难。"张俊曾经向岳飞询问用兵的方略,岳飞说:"仁、信、智、勇、严,缺一不可。"每次调集军粮,岳飞就蹙着额头说:"东南的百姓财力已经竭尽了!"岳飞礼贤下士,与他们吟和赋诗,投壶游戏,恭敬谨慎的样子如同读书人。每次辞谢升迁时,岳飞必定说:"都是因为将士效力,岳飞有何功劳!"然而岳飞忠诚刚正、愤世激俗,议论主张不屈从别人,终于因此而遭受灾祸。

当时朝廷上下都为和议得以成功而庆幸,渊圣皇帝仍在金国,却很少有人注意。金主诏令,因为天水郡公赵桓请求本品级的俸禄,令有关官吏周济他。

金国尚书左丞完颜勖奉诏寻访祖宗的遗事。完颜勖采集的遗言旧事,从始祖以下共十帝,综合成三卷,凡部族称作某部,部族以下称作某水之某,然后称作某乡、某村以示区别。凡与契丹往来及征伐各部,其中的阴谋诡计,无一隐瞒,事情有详有略,都符合史实。此书修成后,进献给金主,金主烧香站着接受,赏赐钱物不等。不久下诏命令左丞完颜勖及平章政事完颜奕,除本职俸禄外另给二品亲王的俸禄和侍从。旧制规定,皇兄弟、皇子为亲王,给予二品俸禄。宗室封一字王的人,给予三品俸禄。完颜勖等人另给亲王俸禄,都是受到特殊的礼遇。

徽猷阁待制洪晧,在燕山密奏:"敌人已厌倦战事,势力不能持久;以前出兵时携带妇女随军,现在已不再携带了。朝廷不知虚实,对金国卑词称臣,贡奉丰厚的钱币,也没有达成誓约,不如乘胜追击,收复故土,以雪世仇。张浚名振异域,可惜置于闲散之地。"同时问李纲、赵鼎是否平安,又说各位将帅中唯有岳飞被金兵所畏惧;胡铨的上奏,金国也有抄本流传,他们已知道中国大有人才。

续资治通鉴卷第一百二十五

【原文】

宋纪一百二十五　　起玄黓掩茂【壬戌】正月,尽十二月,凡一年。

高宗受命中兴全功至德　圣神武文昭仁宪孝皇帝

绍兴十二年　金皇统二年【壬戌,1142】　　春,正月,壬寅,诏建国公瑗出外第,可依亲贤宅。〔差提点官并都监〕。

右承奉郎、赐绯鱼袋张宗元为右宣议郎、直秘阁。宗元,枢密使俊孙也。

俊自镇江还朝,行府结局,乃乞罢机务,章四上,不许。时俊所部在建康,未有所付,俊荐本军统制、清远军节度使王德可典军,乃以德为建康府驻箚御前诸军〔都〕统制。

己亥,金主猎于拉林河。

癸卯,枢密行府奏升天长县为军,割盱眙、(昭)〔招〕信两县隶之,仍于盱眙县置榷场。

乙巳,金命伐高丽。

丁未,金主至自拉林河。

戊申,尚书省乞以岳飞狱案令刑部(缕)〔镂〕板,遍牒诸路。

有进士智浃者,汾州人,知书,通《春秋左氏传》,好直言,飞以宾客待之。飞初下吏,浃上书讼其冤,秦桧怒,并送大理;狱成,浃坐决杖,送袁州编管。

诏升安丰县为安丰军,以寿春、霍邱、六安三县隶之。

壬子,显谟阁学士、知洪州梁扬祖为尚书兵部侍郎。

金衍圣公孔瑶薨,子拯袭。

二月,丁卯,金主如天开阁。

庚午,婉仪张氏薨,辍视朝二日,赠贤妃,葬城外延寿院。

初,建国公瑗之少也,育于妃所;及是吴婉仪收而并视之,与崇国公璩同处,虽一食必均焉。

甲戌,金赈熙河路。

丁丑,保庆军节度使、建国公瑗为检校少保、进封普安郡王,时年十六。

王天性忠孝,自幼育宫闱,起居饮食,未尝离膝下,帝尤所钟爱。

己卯,(赐)〔殿〕前都指挥使杨沂中赐名存中。

川陕宣谕使郑刚中,左中大夫、四川转运判官兼宣抚使参议官李观,与金大使镇国上将军、沁南节度使乌凌阿赞谟、副使奉政大夫、行台尚书吏部郎中孟某相见,置酒于百家村。

先是诏宣抚副使胡世将遣近上参议官从刚中至界首,约(官)〔观〕商议具奏,至是刚中、观与阁门祗候、宣抚司干办公事范之宁偕至凤翔境上,赞谟等亦以檄来,言:"奉都元帅府指挥,可计会江南差来官从长相度交割,今欲自凤州分界。"先二日,之宁至宝鸡县,与赞谟议相见之地,赞谟言欲至凤州相见,之宁曰:"宣谕已过二里矣。二里在和尚原之北。"议不谐而罢。刚中檄赞谟云:"元得指挥,只是商议,仍须取旨,即无便使交割之文。交割与商议,事理不同,未审今于何处分界?"赞谟回牒云:"陕西地界,即未指挥,须先商议,即无便交割之理。何处分界,亦候相见时计议。"

至是赞谟与刚中相见,首谓"阶、成、祐、凤、商、秦六(川)〔州〕当还上国。"刚中与论久之,赞谟曰:"阶、成、祐、凤倘未见还,当先还我商、秦二州,须以大散关为界。"刚中曰:"(原言)〔愿示〕公文当奏取旨。"赞谟出檄,云:"已差交割官矣。"刚中持不可,赞谟曰:"讲和而不退和尚原兵马,何也?"刚中曰:"割地之旨朝下,兵晚退矣。"赞谟又欲遣人于大散关立界堠,刚中、观不从,各上马去。

世将具奏曰:"臣窃观和尚原系商、秦州险地之要,并系川蜀紧要门户,若为金人所占,委有利害。前已具奏,未准回降指挥,宜检会详酌,速降处分。萨里干等前年冬领军马五万攻打和尚原,本司遣兵捍御,萨里干为见有备,不敢入险,复回长安。去年春,珠赫贝勒万众侵略商州地名洪门、芍药等处,本司遣兵击退。去年冬,萨里干欲复秦州,本司遣兵捍御,萨里干相视秦州高险,城守严备,重兵在后,不敢进攻而退。可见和尚原、秦、商州三处,金人屡欲窥伺,终不得志。正系控扼川口必守之地,若为金人所占,利害至重,望赐详酌。"辛卯,世将奉诏,令与刚中照吴玠、刘豫所管地界分画。世将乃言:"秦州元不系吴玠地分,合自秦州南以吴蚧元管界至分画;商州元不系吴玠所管地分,合自商州南以吴玠元管界至分画;和尚原、方山原两处,昨自建炎四年系吴玠创立山寨,原不系刘豫所管地分界至,今来合行保守;已牒郑刚中照应分画去讫。和尚原系川蜀紧要门户,比之秦、商二州,所系利害尤重,臣已屡具论奏,请赐速降处分。"疏入,诏:"世将具两奏,不同因依。"时金人必欲得和尚原,故有是命。

丙戌,龙神卫四厢〔都〕指挥使、保顺军承宣使、镇江府驻箚御前诸军都统制解元,升充侍卫亲军马军都虞候。元,韩世忠部曲也,至是代将世忠之军,故擢之。

戊子,金皇子济安生。金主年二十四,初举子,喜甚,乃告庙,大赦。自来亡命投在江南人,见行理索,候到并行释罪;其职官、百姓、军人,并许复故。

签书枢密院何铸、知阁门事曹勋进誓表于金。

表曰:"臣构言:今来画疆,合以淮水中流为界,西有唐、邓州,割属上国。自邓州西四十里并南四十里为界属邓州,其四十里外并西南尽属光化军,为敝邑沿边州城。既蒙恩造,许备藩方,世世子孙,谨守臣节。每年皇帝生辰并正旦,遣使称贺不绝。岁贡银绢二十五万两匹,自壬戌年为始,每春季差人搬送至泗州交纳。有渝此盟,明神是殛,坠命亡氏,踣其国家。臣今既进誓表,伏望上国蚤降誓诏,庶使敝邑永有凭焉。"

勋等见金主,首以太后为请。金主曰:"先朝业已如此,岂可辄改!"铸伏地不言,勋再三恳请,金主命归馆。是晚,馆伴耶律绍文、杨用修至馆,传金主命来晨上殿。金主乃许归徽宗、郑后之丧及帝母韦氏,遣铸等还。

初，奉使徽猷阁待制洪皓既至燕，金主闻其名，欲用为翰林直学士，皓力辞。至是赦文复令南官换授，皓请于参知政事韩昉，乞于真定或大名养济，作逃归计。昉怒，遂换中京副留守，再降为承德郎、留司判官。趣行者屡矣，皓迄不就职。

己丑，（礼部侍郎）〔吏部尚书〕兼资善堂翊善吴表臣、权（吏）〔礼〕部尚书兼资善堂翊善苏符、权礼部侍郎〔陈桷并罢，坐讨论典礼，并不详具祖宗故事，专任己意，怀奸附丽故也。〕

辛卯，给事中、知贡举程克俊等言："博学宏词科，右承务郎洪遵、敕赐进士出身沈介、右从政郎洪适并合格。"遵，适弟；介，德清人也。秦桧以所试制词题进读，帝曰："是洪皓子邪？父在远，子能自立，可与升擢差遣。"帝又言遵之文于三人中为胜，遂以遵为秘书省正字，介、适并为敕令所删定官。自渡江以来，词科中选即入馆自遵始。

是月，金改封蜀王刘豫为曹王。

三月，甲午朔，诏普安郡王朝朔望。庚子，枢密院编修官赵卫，大理寺直钱周材，并改合入官，为普安郡王府教授。

辛丑，金主还自天开殿。大雪。

壬寅，（延）〔普〕安郡王出阁就外第，命宗室正任已上送之。

丙午，金以都元帅宗弼为太傅。

丁未，龙神卫四厢都指挥使、定江军节度使、御前统制田（思）〔师〕中，升充殿前都虞候、鄂州驻劄御前诸军都统制。

张俊力荐（思）〔师〕中代掌岳飞军。先数日，帝谕辅臣曰："朕欲面委（思）〔师〕中营田之事。倘区处得宜，地无遗利，便可使就粜以充军赋；军赋既足，取不及民，则免催科之扰，输送之费，可以少宽民力。若乃规其入以供公上，非朕所欲也。"既又赐（思）〔师〕中银帛万匹两为犒军之费，至是特降制命之。

武安军承宣使、御前统制、权鄂州都统制王贵添差福建路马步军副都总管，罢从军。

侍卫亲军马军都虞候、〔雄武军〕承宣使、御前统制关师古卒于建康府，赠昭化军节度使，谥毅勇。

庚戌，权工部尚书莫将、刑部侍郎周聿自京西割地还行在。时金人遣李成以兵行境上，边民惊扰。

辛亥，诏齐安郡王士㒟建州居住。

御史中丞万俟卨，再论"士㒟贪残险忍，朋比奸邪。其初罢也，语人曰：'士㒟于后宫有姻娅之契，而于陛下为近属之尊。去阙之日，尝蒙陛下赐银千两，又尝密札慰谕再三。'以示非久复用之意。又语人曰：'士㒟尝荐李纲相矣，尝荐赵鼎相矣，尝荐孙近执政矣。'今居衢州，宾客日盈其门，谈论之间，无不诋讪时政。使陛下不许交通之旨，徒为虚文，望稍加黜责以靖国论。"乃诏："都省检举宗室干谒禁例行下，有犯令，御史台、宗正司、按察官劾奏。"

甲寅，太常少卿施坰兼权礼部侍郎。

乙卯，帝御前殿，引试南省举人何溥以下。是举，两浙转运司秋试举人，凡解二百八人，而温州所得四十有二，宰执子侄皆预焉。

丙辰，起复端明殿学士、川陕宣抚副使胡世将卒于仙人关。

世将疾，命官属会军马、钱粮、铠仗、文书等，召宣谕使郑刚中至卧内，面授之。刚中辞以

2895

使事有指,不敢当。世将曰:"公以近臣出使,苟利国家,以意可否之,请命于朝可也。"

帝初欲擢世将以签书枢密,讣闻,赠资政殿学士,恤典如执政。

金遣左宣徽使刘筈以衮冕、圭宝、佩璲、玉册来致册命。

其册曰:"皇帝若曰:咨尔宋康王赵构,不吊,天降丧于尔邦,亟渎齐盟,自贻颠覆,俾尔越在江表,用勤我师旅,盖十八年于兹。朕用震悼,斯民其何罪! 今天其悔祸,诞诱尔衷,封奏押至,愿身列于藩辅。今遣光禄大夫、左宣徽使刘筈持节册命尔为帝,国号宋,世服臣职,永为屏翰。呜呼! 钦哉,其恭听朕命!"筈,彦宗之子也。

戊午,修武郎、侍卫步军司统领军马田邦直知光州。

金立子济安为皇太子。

辛酉,秦桧等贺帝以皇太后有来期。

先是徽猷阁待制洪晧在燕,先报太后归耗。帝谕桧曰:"晧身陷敌区,乃心王室,忠孝之节,久而不渝,诚可嘉尚。晧之二子并中词科,亦其忠义之报也。"

是月,夏国地震,逾月不止,地裂泉涌,出黑沙。岁大饥,乃立井里以分赈之。

夏,四月,甲子朔,少保、判绍兴府、信安郡王孟忠厚为迎护梓宫礼仪使,保庆军承宣使、知大宗正事士(会)〔褭〕都大主管,两浙转运副使黄敦书提举应办一行事务;参知政事王次翁为奉迎两宫礼仪使,内侍省副都知蓝珪都大主管,江东转运副使王唤提举一行事务。既而忠厚请礼官与俱,乃命大理寺丞吴械。

淮康军承宣使、熙、河、兰巩路经略安抚使、节制利、阆州屯驻行(宫)〔营〕右护军马孙渥卒于兴州。

丙寅,金以臣宋告中外。

丁卯,太常少卿施垌权尚书礼部侍郎。

戊辰,追封皇太后曾祖故郊社斋郎、赠太师、雍国公韦爱臣为惠王,祖赠太师、安康郡王子华为德王。先是后父安礼已追封鲁王,故有是命。

己巳,封婉仪吴氏为贵妃。

庚午,帝御射殿,引正奏名进士,唱名,有司定右通直郎、主管台州崇道观秦熺第一,举人陈诚之次之。秦桧引故事辞,乃降为第二人,特迁左朝奉郎、通判临安府,赐五品服。自诚之以下,赐第者二百五十三人。新科明法,得黄子淳一人而已。

金五凤、重明等殿成。

辛未,帝御射殿,放合格特奏名进士胡鼎才等二百四十八人,武举正奏名陈鄂等五人,特奏名潘璋等二人。是岁,始依在京旧制,分两日唱名,自是以为例。

戊寅,吏部侍郎魏良臣为接伴使,知阁门事蓝公佐副之。

辛巳,知盱眙县宋肇,言得泗州报,邢皇后已上仙。诏礼官讨论合行典礼。

甲申,起居舍人杨愿,请以临安府学增修为太学,从之。

己丑,为大行皇后发表,即显肃皇后故几筵殿成服立重,不视朝。

诏升枣阳、盱眙县为军,废天长军为县,皆以便于沿边关报也。

五月,癸巳朔,金主不视朝。

金主自去年荒于酒,与群臣饮,或继以夜,宰相入谏,或饮以酒,曰:"知卿等意,明日当戒。"因复饮。

乙巳，军器监主簿沈该直秘阁、知盱眙军，措置榷场之法。商人赍百千以下者，十人为保，留其货之半，赴泗州榷场博易，俟得北物，复易其半以往，大商悉拘之，以待北价之来。两边商人各处一廊，以货呈主管官，牙人往来评议，毋得相见。每交易千钱，各收五厘息钱入官。其后又置场于光州枣阳、安丰军花靥镇，而金人亦于蔡、泗、唐、邓、秦、巩、洮州、凤翔府置场，凡枣阳诸场，皆以盱眙为准。

丙午，增筑慈宁殿。

庚戌，权工部尚书莫将等议大行皇后谥曰懿节。

辛亥，权礼部侍郎施垌等请立别庙于太庙之内，从之。殿室三间，其南为棂星门，不立斋舍、神厨，以地隘故也。

徽猷阁待制、提举江州太平观程瑀试尚书兵部侍郎。

乙卯，诏："礼部依旧制试教官，仍先纳所业经义、诗各三首，会刑寺无过，下国子监看详，礼部覆考，然后许试，附省试院分两场，非取士之岁，附吏部铨院，不限人数，以文理优长为合格。"

诏资政殿学士、提举亳州明道观郑亿年赴行在奏事。

时签书枢密院事何铸等使还，宗弼因索亿年及张中孚与杜充、宇文虚中、张孝纯、王进家属，且送前观文殿学士、东京留守孟庾、徽猷阁待制、前知陈州李正文、右迪功郎、前开封府推官毕良使还行在。正文，即正民也，避金主讳，改焉。

己未，言者论夔路有杀人祭鬼之事，请严禁之。帝谓宰执曰："此必有大巫倡之，治巫则自止。"

辛酉，金主宴群臣于五云楼。左丞完颜勖进酒，金主起立，宰臣曰："至尊为臣下屡起，礼未安。"金主曰："朕屈己待臣下，亦何害?"是日，尽醉而罢。

六月，甲子，权工部尚书莫将等言："奉诏，令侍从、台谏、礼官赴尚书集议，梓宫既还，当修奉陵寝，或称攒宫。窃闻朝廷通使，见议陵寝地。兼据太史局称，今岁不宜大葬。欲遵景德故事，权行修奉攒宫，以俟定议。"从之。

戊辰，御史中丞万俟卨为攒宫按行使，入内内侍省副都知宋唐卿为副使。

戊辰，何铸还，金都元帅宗弼复求和尚、方山原地。会都统制吴璘图上形势，帝乃诏川陕宣抚副使郑刚中见发国书计议，不得擅便分画。

辛未，左通议大夫、提举临安洞霄宫王庶，责授向德军节度副使，道州安置。

庶罢政，行至江州，闻再夺职之命，乃买田于敷浅原之上，徙家居焉。至是殿中侍御史胡汝明，论"庶寄居德安，诡占逃田，强市民宅。其讥讪朝政之语，形于诗篇，殆未可悉数。望重行窜逐，以慰一方士民之心而为万世臣子之戒。"故有是命。

己卯，尚书省言金使明威将军、少府少监高居安扈从皇太后一行前来，诏容州观察使、知阁门事曹勋充接伴使。初，金主既许皇太后南归，乃遣居安及内侍二人扈从，又以御前左副都点检完颜宗贤、秘书监刘陶为使。宗贤，太宗子，时封沂王。

甲申，镇西军节度使、步军都虞候、秦凤路经略使、知秦州、兼行营右护军都统制、同节制陕西诸路军马吴璘检校少师，改充阶、秦、岷、凤四(川)〔州〕经略使，仍以汉中田五十顷赐之。

秋,七月,癸巳,右谏议大夫罗汝楫言:"左奉议郎、签书武威军节度判官厅公事胡铨,文过饰非,益唱狂妄之说,横议纷纷,流布遐迩,若不惩艾,殆有甚焉者矣。望陛下重行窜逐,以申邦宪。"诏铨除名,新州编管。

甲午,皇太后回銮,自东平登舟,由清河至楚州境上。

回鹘遣使贡于金。

丙申,直秘阁、四川转运副使井度兼川陕宣抚司参议官,令再任。协忠大夫、郢州防御使、秦凤路马步军副总管、行营右护〔军〕左部同统制、〔知〕凤翔府兼管内安抚司公事、统制忠义军杨从仪,改知凤州。时将割和尚原,故有是命。

丁酉,祔懿节皇后神主于别庙。

金太傅宗弼乞致仕,不许,优诏答之,赐以金券,给人口牛马各千,(駞)〔驼〕百,羊万,仍每岁宋国进贡内给银绢二千两匹。

甲辰,按行使万俟卨等请卜攒宫于昭慈圣献皇后攒宫之西北。

己酉,命有司制常行仪仗。

自南渡,仪物草创;时以皇太后且至,将躬迎于郊,诸王(公)〔宫〕大小学教授石延庆以仪卫为请,乃命工部尚书莫将、户部侍郎张澄与内侍邵谔、董治将等先造玉辂及黄麾仗,用二千二百六十五人,从之。

是月,金北京、广宁府蝗。

八月,辛酉朔,金国都元帅宗弼复以书来求商州及和尚、方山原地。于是川陕宣抚副使郑刚中,亦言和尚原自绍兴四年后便系刘豫管守,不系吴玠地分,合割还金,从之。

乙丑,靖州言盗破丰山寨,军民死者甚众。帝曰:"蛮夷但当绥抚,不可扰之。"乃诏湖北帅臣刘锜毋得生事。

丙寅,皇太后渡淮。时帝遣后弟平乐郡王韦渊往迓,遂扈从以归。

端明殿学士、签书枢密院事何铸,依旧职提举江州太平观。

时御史中丞万俟卨,右谏议大夫罗汝楫,交章论铸之罪,谓:"铸,胥吏之子,无闻望。初以廖刚荐为台属,与孙近、范同缔交;逮近、同之败,自是迹不遑安,乃益合党与,倾摇国是。去春淮甸警报,日与懦薄之徒张皇敌势,以为朝廷自当迁避。岳飞反状败露,铸首董其狱,亦无一言叙陈。偶因报聘乏人,陛下置之枢庭,命之出疆,临行,使亲旧誉播,以为议狱不合,遂致远行,广坐语人,以脱此自幸。飞之负国,天下所同嫉,铸长御史,乃党恶如此,罪将安逃!"章五上;铸亦累章求去,乃有是命。

右朝散大夫宇文师瑗直显谟阁,右奉议郎张汲直秘阁,并主管万寿观,以将北行也。右宣议郎、福建路提点刑狱司干办公事赵恬勒停。

先是宇文虚中因王伦使还附奏:"若金人来取家属,愿以没敌为言。"至是宗弼来索虚中家甚急,帝遣内侍许公彦往闽中迎之。恬,虚中子婿也,与其族谋,欲留师瑗一子为嗣,守臣显谟阁直学士程迈持不可。师瑗乃使恬以海舟夜载其属之温陵而身赴行在,迈遣通判〔州〕事二人入海邀之,言于朝,故有是命。汲先得(贝)〔衢〕州通判,旋罢之,至是复去。已而师瑗至行在,上疏恳留,秦桧不许。虚中妻安定郡夫人黎氏,请以所赐田易钱以行,乃赐黄金百两焉。

庚午,责授向德军节度使王庶卒于道州,许归葬。

辛未,权工部尚书莫将与侍从、两省官十一人,以皇太后回銮,同班上贺。诏吏部侍郎魏良臣就充馆伴使。

金复封太宗子呼鲁为王,镇陕西。

壬辰,命权工部尚书莫将、知阁门事曹勋接伴大金第二番人使。甲戌,御史中丞兼侍读万俟卨为参知政事,充大金报谢使。乙亥,荣州防御使、带御器械邢孝扬充报谢副使。

己卯,帝谓大臣曰:"比闻大金中宫颇恣,权不归其主,今所须者,无非真珠、靰靫之类,此朕所不顾而彼皆欲之,则侈靡之意可见矣。宜令有司悉与,以广其欲,侈心一开,则吾事济矣。"时金人又须白面猢狲及鹦鹉、孔雀、师子、猫儿,帝亦令搜访与之。帝曰:"敌使万里远来,所须如此,朕何忧哉!"帝又曰:"闻金皇后擅政,三省惟承后旨,其主所言,顾未必听。且后性侈靡,其珍珠装被,追集绣妇至数千人,后日更绣衣一袭,直数百缗,其风如此,岂能久耶!"

辛巳,帝奉迎皇太后于临平镇。

初,后既渡淮,帝命秦鲁国大长公主、吴国长公主迎于道。至是亲至临平奉迎,用黄麾半仗二千四百八十三人,普安郡王从。帝初见太后,喜极而泣。军卫欢呼,声振天地。时宰相秦桧、枢密使张俊、大傅、醴泉观使韩世忠及侍从、两省、三衙管军从帝行,皆班幄外。太后自北方闻世忠名,特召至帘前,曰:"此为韩相公邪?"慰问良久。其后饷赐无虚月。

壬午,皇太后还慈宁宫。

太后聪明有远虑,帝因夜侍慈宁,语久,冀以顺太后意。太后令帝早卧,且曰:"冬月宜早起,不然,恐妨万几。"帝不欲遽离左右,太后遂示以倦意,帝乃退。

诏扈从太后官属左武大夫、忠州防御使白谔等十二人皆迁官。癸未,百官诣常御殿门,拜表称贺。丙戌,以皇太后还宫,遣执政官奏告天地。

戊子,帝服黄袍,乘辇,诣临平奉迎梓宫,登舟,易缌服,百官皆如之。

己丑,徽宗皇帝、显肃皇后及懿节皇后梓宫皆至行在,寓于龙德别宫,以故待漏院为之,在行宫南门之东,帝后异殿。始议奉安梓宫之礼,或请姑寓僧坊,太常少卿王赏曰:"孝子之事亲,思其居处。宣和内禅,退居龙德,今宜绵蕝仿行殿以治丧仪。"又议百官制服,赏曰:"讣告始至,已成服矣;复服之,非是。特上与执事者当服,改葬,缌而已。"梓宫既入境,则承之以椁,命有司预置衮冕,翠衣以往。及是纳椁中,不改敛,用安陵故事也。

是日,朝廷答金都元帅宗弼书,许以陕西地界。

川陕宣抚副使郑刚中,遣选锋军统制兼知凤州杨从仪、鄜延经略使兼知成州王彦、阁门祗候、宣抚司干办公事范之宁偕割陕西馀地。金人遣直秘阁、朝奉郎、知彰化军节度使事贺景仁来分画,乃割商、秦之半,存上津、丰阳、天水三邑及陇西成纪馀地,弃和尚、方山原,以大散关为界。于关内得兴赵原,为控扼之所。

先是左武大夫、荣州防御使邵隆,在商州几十年,披荆棘,立官府,招徕离散,各得其心,自金人渝盟之后,与敌战,虽尝暂弃其城,俄即收复,终不肯去。至是割界金人。以隆为陕西节(度统)制司统制。隆怏怏不已,尝密遣兵为盗以劫之。秦桧怒,久之,以隆知辰州。

自议和后，川陕宣抚司及右护军分屯三边与沿流十七郡。兴州，吴璘所部，仅五万人；兴元，杨政所部，仅二万人；金州，郭浩所部，仅万人；惟兴州屯兵最多，至二万有奇。兴元府、利州〔鱼〕关各万，金州六千，洋、阆各五千有奇，西和、剑三千而赢，绵、阶三千而弱，成州、大安军二千而赢，潼川千有奇，文、龙二郡与房州之竹山皆数百。马之籍万五千，计兴州境内为七千而弱，关外四州为二千而赢，此其大概也。自诸将所屯外，凡关外沿边待敌去处，则三都统司每春秋二仲遣兵更戍：成州四千六百三十人，照应秦州道路；凤州界九百二十五人，控扼熙、巩、秦之道路；凤州界三千八百五十人，控扼凤翔府一带道路；兴元府界千二百六十二人，洋州界千一百二十四人，并照应岐、雍一带道路；金州界一千六百人，控扼商州、永兴军一带道路；合兴州界戍卒，共万四千人。又置烽燧四路，凡一百六十二烽，早晚举火，传报平安。此其大略也。

九月，庚戌朔，帝行奠酹梓宫之礼。

壬辰，金主诏给天水郡王子、侄、婿、天水郡公子俸。

癸巳，有司具送金国礼物，常币外有金器，极精巧。帝谓宰执曰：“此上皇时所用，朕不欲飨之，交邻国以息兵养民，朕之志也。”帝又言：“徽宗、显肃之疾，皇太后躬亲伏侍。及启手足，又与渊圣呼当时御〔躬〕葬事之役者，待其毕集，然后启攒。其思虑深远如此。”

乙未，少保、镇潼军节度使、信安郡王孟忠厚为枢密使。时秦桧当为山陵使，而不欲行，故用忠厚。

金使殿前左副都点检完颜宗贤等朝辞，诏参知政事万俟离就驿伴宴。

戊戌，诏奉慈宁宫钱二十万缗，帛二万一千匹，绵五千两，羊千有八十口，酒三十六硕。

辛丑，枢密院言：“昨降旨不得指斥大金，尚虑行移之间，或有违误，理宜饬诏中外官司常切遵守。”时金国都元帅宗弼又遣〔使〕来，言边吏以兵出塞，朝廷亦遣书报之。

壬寅，大赦天下。

乙巳，少保、尚书左仆射、同中书门下平章事兼枢密使、冀国公秦桧为太师，封魏国公。

金银青光禄大夫、中书侍郎刘筈、奉国上将军、礼部尚书完颜宗表来；丙午，入见。

戊申，新玉辂成。

诏金国誓书藏内侍省。

参知政事王次翁充大金报谢使，德庆军节度使、提点皇城司钱愐副之。

太常少卿兼实录院检讨王赏权尚书礼部侍郎。

甲寅，奉国军承宣使、永兴军路经略安抚使、知金州兼枢密院都统制郭浩，改金、房、开、达州经略安抚使。

中书舍人杨愿(兼)〔假〕户部尚书，左武大夫、宣州观察使、知阁门事何彦良假奉国军承宣使，贺金主正旦，器币视生辰之数，自是以为例。

先是金人求真珠、靰靽等物，秦桧以誓书不遣泛使，乃谕盱眙军令录事参军孙守信往泗州，谕守将周企令具奏达，俟遣彦良出使附行。皇太后岁遗金主之后礼物，亦以巨万计。

乙卯，懿节皇后灵驾发引，显肃皇后次之，徽宗皇帝又次之。是日，帝缌服祖奠于龙德宫，吉服还内。

冬，十月，乙丑，诏：“中外臣民，自今月丙寅后，并许用乐。”初以梓宫未还，故辍乐以待迎奉,至是太母还宫,将讲上寿之礼,故举行焉。

丙寅,权攒徽宗皇帝、显肃皇后于会稽永祐陵,懿节皇后祔陵,在昭慈圣献皇后攒宫西北五十步。周地二百二十亩并林木,为钱三千八百缗有奇。其后昭慈、永祐二攒宫,岁用祠祭钱八千四百馀缗,修缮钱五千缗,以绍兴府当输内帑钱供其费。

乙亥,翰林学士兼侍读、资善堂翊善程克俊充端明殿学士、签书枢密院事。

丁丑,太傅、枢密使、广国公张俊,进封益国公。

戊寅,追封皇太后曾祖赠太师、惠王韦顺臣为广王,祖赠太师、德王子华为福王,父赠太师、鲁王安礼为衮王,母秦越国夫人宋氏为陈鲁国夫人。

庚辰,省镇江府沿江安抚司。

壬午,太傅、醴泉观使、福国公韩世忠,进封潭国公;太保、万寿观使、雍国公刘光世,改封扬国公。

癸未,诏车辂院复置官吏。

甲申,皇太后生辰,燕于慈宁宫,始用乐,上寿。

是月,川陕宣抚副使郑刚中自河池移司利州。

旧宣抚司率居绵、阆之间,及胡世将代吴玠,就居河池,然馈饷不继,人以为病。至是已罢兵,刚中乃还居益昌以省费。既而刚中欲移屯一军,都统制杨政不从,刚中呼政语曰:"宣抚欲移军而都统制不肯,刚中虽书生,不畏死也。"声色俱厉。政即日听命。

十一月,己丑朔,检校少傅、崇信军节度使、万寿观使张浚,以赦恩封和国公。

癸巳,太傅、枢密使、益国公张俊为镇洮、宁武、泰宁军节度使,充醴泉观使,奉朝请,进封清河郡王。

初,太师秦桧与俊同主和议,约尽罢诸将,独以兵权归俊,故俊力助其谋。及诸将已罢,而俊居位岁馀,无请去之意,桧乃令殿中侍御史江邈论其罪。邈言:"俊据清河坊以应谶兆,占承天寺以为宅基,大男杨存中握兵于行在,小男田(思)〔师〕中拥兵于上流,他日变生,祸不可测。"帝曰:"俊有复辟功,无谋反之事,皆不可言。"会枢密使孟忠厚竣事还朝,而邈又言俊之过,俊乃求去位,故有是命。

尚书户部侍郎张澄权本部尚书。

乙未,检校少保、保成军节度使、开府仪同三司兼殿前都指挥使职事杨存中为少保,录复土之劳也。宋故事,未有以保傅为管军者,有之自存中始。

侍卫亲军马军都虞候、保顺军承宣使、镇江府驻劄御前诸军都统制解元为保顺军节度使,录迎扈之劳也。元不及拜而卒。

己亥,诏:"太学养士,权于临安府学措置增展。"

庚子,命内侍王晋锡作崇政、垂拱二殿。

时言者请复朔日视朝之礼,而行宫止一殿,故改作焉。崇政以故射殿为之,朔望则权置帐门,以为文德、紫宸殿,校射则以为选德,策士则以为集英、垂拱;以故内诸司地为之,在皇城司北。

和众辅国功臣、太保、护国、镇安、保静军节度使、充万寿观使、扬国公刘光世薨于行在,年五十四。诏赠太师,辍视朝二日,赠银绢二千匹两,子、孙、甥、侄进官者十四人。上临奠,谥武僖。

光世蚤贵,其为大将,御军姑息,无克复志,论者以此咎之。

庚戌,少保、枢密使、信安郡王孟忠厚罢,为少傅、镇潼军节度使、判福州。忠厚使山陵还,言者引故事论列,故有是命。

甲寅,金平章政事、漆水郡王完颜昂薨,追封郓王。

辛酉,言者请复武举,诏送兵部。

庚午,礼部请太学养士权以三百人为额。

太常博士刘煒,请随宜修创祼坛,事下礼部。后筑于临安府城之东南。

壬申,金主出猎,逾旬始还宫。

癸酉,龙神卫四厢都指挥使、护国军承宣使、御前统制兼枢密院都统制李显忠为保信军节度使、两浙东路马步军副都总管。显忠戍池州,引疾求去,故有是命。显忠时年三十二。

庚辰,大理卿周三畏权尚书刑部侍郎。

甲申,金太子济安薨。济安之病也,金主与后幸佛寺焚香,流涕哀祷,曲赦五百里内罪囚。是夜薨,谥英悼。

【译文】

宋纪一百二十五　起壬戌年(公元1142年)正月,止十二月,共一年。

绍兴十二年　金皇统二年(公元1142年)

春季,正月,壬寅(初八),皇帝下诏让建国公赵瑗去宫外居住,可按亲贤的规格建造住宅,委派提点官和都监。

右承奉郎、赐绯鱼袋张宗元任右宣议郎、直秘阁。张宗元,是枢密使张俊的孙子。

张俊从镇江班师回朝,到行署交结完毕,就请求解除军机职务。奏章四次递上,皇帝都不答应。当时张俊的部队驻在建康,没有合适的人可以托付,张俊推荐本军统制、清远军节度使王德可以统率军队,皇帝就委派王德任建康府驻扎御前诸军都统制。

己亥(初五),金主去拉林河打猎。

癸卯(初十),枢密行府呈上奏章把天长县升为军,划出盱眙、招信两县归天长军管辖,仍然在盱眙县设置专卖品贸易市场。

乙巳(十一日),金主下令征伐高丽。

丁未(十三日),金主从拉林河还都。

戊申(十四日),尚书省请求让刑部把岳飞案件刻板印刷,遍告各地。

有个叫智浃的进士,是汾州人,知识渊博,精通《春秋左氏传》,喜欢直言,岳飞以宾客之礼对待他。岳飞刚被关进监狱,智浃就上书给他申冤,秦桧很气愤,把他一同交大理寺审理;案子判决后,智浃被牵连判处杖刑,送往袁州集中管制。

皇帝下诏把安丰县升为安丰军。划出寿春、霍丘、六安三县隶属该军。

壬子(十八日),显谟阁学士、知洪州梁扬祖任尚书兵部侍郎。

金国衍圣公孔璠死去,他的儿子孔拯继承爵位。

二月,丁卯(初三),金主到了天开阁。

庚午(初六),婉仪张氏死去。皇帝停止处理朝政两天,追封为贤妃,在城外延寿院安葬了她。

起初,建国公赵瑗年少时,寄养在贤妃张氏处。至此吴婉仪收养并照看他,和崇国公赵璩住在一起,就是一口饭也要平分给他们。

甲戌(初十),金国赈济熙河路。

丁丑(十三日),保庆军节度使、建国公赵瑗任检校少保、晋封为普安郡王,当时十六岁。

赵瑗生性忠孝,从小在宫廷里养育长大,吃饭睡觉,都没有离开过皇帝,皇帝特别喜欢他。

己卯(十五日),殿前都指挥使杨沂中被赐名为杨存中。

川陕宣谕使郑刚中,左中大夫、四川转运判官兼宣抚使参议官李观,和金国大使镇国上将军、沁南节度使乌凌阿赞谟,副使奉政大夫、行台尚书吏部郎中孟某相见,在百家村设酒宴。

在此之前皇帝下诏给宣抚副使胡世将并派身边的参议官跟随郑刚中到边界,约李观商议并详细报告上来。到这时郑刚中、李观和阁门祗候、宣抚司干办公事范之宁一同到达凤翔边境上,乌凌阿赞谟等人也拿着文书前来,说:"奉都元帅府的指令,可以会合江南派来的官吏从长计议割地的事,现在想从凤州划分边界。"前两天,范之宁到宝鸡县,和乌凌阿赞谟商量见面地点,赞谟说打算在凤州会面,范之宁说:"你宣布的地点已经过了二里了。二里在和尚原的北边。"以意见不一致而告终。郑刚中给赞谟送去照会文件说:"我原来得到的使命、只管商议,还须得到皇帝的圣旨,即不能随意签订割地文件。割地和商量,事情性质不同,不知道贵方现在打算在什么地方划分边界?"赞谟回文说:"陕西地区的边界既然没有指定,就必须先行磋商,更没有立即割让的道理。从什么地方划分边界,也要等相见时再商量。"

到这时赞谟和郑刚中相见,首先说:"阶、成、祐、凤、商、秦六州应当归还给金国。"郑刚中和他争论了很长时间,赞谟说:"阶、成、祐、凤等州如果不能马上归还,应当先归还我们商、秦二州,但必须以大散关为边界。"郑刚中说:"希望能看到你的公文好上奏皇帝领取旨意。"赞谟拿出公文,说:"金国已经派出接收割地的官员了。"郑刚中坚决不同意,赞谟说:"议和却又不撤走和尚原的兵马,什么道理?"郑刚中说:"割地的圣旨早上下达,晚上就可以撤军。"赞谟又打算派人去大散关设立界标,郑刚中、李观不同意,各自上马离去。

胡世将详细上奏说:"我私下观察和尚原是商、秦两州险要地区的要害,又是川蜀的重要门户,若被金人占据,实在关系重大。以前我已经全部上奏,没有得到答复,应该仔细审查考虑,迅速下达解决办法。萨里干等前年冬率领五万人马攻打和尚原,我部派兵抵抗,萨里干因为看见我方有准备,不敢冒险深入,又回到长安。去年春天,珠赫贝勒率万余人马侵犯商州的洪门、芍药等地,我部派兵击退了他们。去年冬天,萨里干想夺取秦州,我部派兵抵抗,萨里干见秦州山高地险,城池守备严密,后边又有重兵,因不敢进攻而撤退。可以看出和尚原、秦州、商州三处,金人屡次想占据,终于没得逞。正说明这里是控制川蜀入口必须坚守之地,如果被金人占据,利害关系重大,希望皇帝仔细斟酌。"辛卯(二十七日),胡世将得到诏书,让他和郑刚中按照吴玠、刘豫管辖的地界进行划分。胡世将就说:"秦州原不是吴玠管辖的地方,应该从秦州南边按吴玠原管辖的界址划分;商州原不属吴玠管辖的地方,应该从商州南边按吴玠原管辖的界址划分;和尚原、方山原两处,过去从建炎四年起吴玠就在那里创立了山寨,本不属刘豫管辖的地界,现在已合起来共同守卫;已经发文给郑刚中按照应划分的办法去办理。和尚原是川蜀的重要门户,比秦、商二州,利害关系更重。我已经多次上奏陈说过,请早日下达解决办法。"奏折送上后,皇帝下诏说:"胡世将所上的两个奏章,要据不同情况处理。"当时金人一定要得到和尚原,所以皇帝有这道命令。

丙戌(二十二日),神龙卫四厢都指挥使、保顺军承宣使、镇江府驻扎御前诸军都统制解元,升任侍卫亲军马军都虞候。解元,是韩世忠的部下,到这时代为统率韩世忠的军队,所以提升了他。

戊子(二十四日),金国皇子济安出生。金主二十四岁,刚得儿子,很高兴,就祭告宗庙,大赦天下。以前流亡投奔江南的人,现在要索回,等他们到后全部免除罪责;官吏、百姓和军人,都可以重操旧业或官复原职。

签书枢密院何铸、知阁门事曹勋向金国进上了宋皇赵构的宣誓信。

信中写道:"臣子赵构说:现在派人来划分疆界,应该以淮水中流为界,西边的唐州、邓州,割给上国。从邓州往西四十里和往南四十里作为界限属邓州管辖,四十里以外的地区及西南地区全属光化军,作为我国的沿边州城。既然蒙贵国恩准创建,允许我们作为藩国存在,世世代代子子孙孙,都将小心地遵守臣子的礼节。每年上国皇帝的生日和正月初一,派使者前去祝贺的礼节不会中断。每年进贡二十五万匹绢和二十五万两白银,从壬戌(公元1142年)年开始,每年春天派人搬运到泗州交纳。违背这个盟誓,神灵将会惩罚,丧命绝种,国家灭亡。我现在已经呈上了誓书,请求上国早早发下盟誓诏书,以使我国永远作为凭证。"

曹勋等人拜见金主时,首先提出了太后回宋的请求。金主说:"前朝就已经这样了,怎么可以随便改变?"何铸趴在地上不说话,曹勋再三请求,金主让他们回归宾馆。这天晚上,陪同他们住宾馆的耶律绍文、杨用修到了宾馆,传达金主的命令让他们第二天早上上殿。金主遂允许归还徽宗、郑后的遗体和高宗的母亲韦氏,让何铸等人回还。

起初,徽猷阁待制洪晧奉使到了燕京之后,金主听说他很有名气,想任用他作翰林直学士,洪晧坚决拒绝。到现在金主又发布文告让南方官员改换官职,洪晧向参知政事韩昉求情,请求在真定或大名休养,作逃回来的打算。韩昉很气愤,就改任他为中京副留守,又降为承德郎、留司判官。催促他赴任的人连续不断,但洪晧至今不去就职。

己丑(二十五日),吏部尚书兼资善堂翊善吴表臣、权礼部尚书兼资善堂翊善苏符、权礼部侍郎陈桷全被罢官,因为他们在讨论典礼时,并不详细列具前代旧例,一味按自己的意图行事,怀有奸心想依附敌国的缘故。

辛卯(二十七日),给事中、知贡举程克俊等人进言说:"博学弘词科考试,右承务郎洪遵、敕赐进士出身沈介、右从政郎洪适都合格。"洪遵,是洪适的弟弟;沈介,是德清人。秦桧把考试的制词题目拿给皇帝阅读,皇帝说:"是洪晧的儿子吗?父亲在远方,儿子却能自立,可给以提升和差遣。"皇帝又说洪遵的文章是三人中最好的,就用洪遵做秘书省正字,沈介、洪适都是皇帝亲自选定任命的官员。自从渡江以来,词科被选中就进秘书省的做法是从洪遵开始的。

这月,金改封蜀王刘豫为曹王。

三月，甲午朔（初一），下诏让普安郡王每月初一和十五日上朝。庚子（初七），枢密院编修官赵卫，大理寺直钱周材，都改掉应任的官职，任普安郡王府教授。

辛丑（初八），金主从天开殿回都。降大雪。

壬寅（初九），普安郡王出宫到外边居住，皇帝让宗室正职以上的官员去给他送行。

丙午（十三日），金国任命都元帅宗弼作太傅。

丁未（十四日），龙神卫四厢都指挥使、定江军节度使、御前统制田师中，升任殿前都虞候、鄂州驻扎御前诸军都统制。

张俊力荐田师中代为统率岳飞的军队。在此以前几天，皇帝对辅佐大臣们说："我想当面委派田师中去经营田地。如果处理得当，充分利用地利，就可以让他们就近买进作为军赋。军赋足够后，不从老百姓那里索取，就可免去催促征收扰民、免去输送粮食的费用，可以稍微宽缓民力。如果仍然无限度地索取老百姓的收入来供奉公家，不是我想要做的。"不久又赐给田师中万两白银，一万匹绢作慰劳军队的费用，到现在特颁发诏令任命他。

武安军承宣使、御前统制、权鄂州都统制王贵添加了福建路马步军副都总管的官职，免于从军。

侍卫亲军马军都虞候、雄武军承宣使、御前统制关师古在建康府去世，追任昭化军节度使，谥号毅勇。

庚戌（十七日），权工部尚书莫将、刑部侍郎周聿从京西割地回到皇帝所在地。当时金人派李成带兵在边境上行动，边疆百姓受到惊扰。

辛亥（十八日），皇帝下诏齐安郡王赵士㒟去建州居住。

御史中丞万俟卨，又议论"赵士㒟残忍阴险贪婪，结党营私奸诈邪恶。他刚被罢职时，对人说：'我和后宫有姻亲，在皇帝那里是尊贵的近亲。离开宫阙那天，曾蒙皇帝赏赐千两白银，又曾写亲笔信给我再三安慰。'以表示他不久就会被重新启用的意思。又曾经对人说：'我曾荐李纲任宰相，曾推荐赵鼎任宰相，曾推荐孙近任执政官。'现在住在衢州，每天宾客盈门，谈论的内容，没有不是诋毁嘲讽时政的。使皇帝不允许他和人们交往的命令，成了虚文。愿对他稍加贬责以平息舆论。"皇帝就下诏说："现将都省检举宗室请托求见的禁例颁发下去。有违犯禁令的，御史台、宗正司、按察官弹劾奏报。"

甲寅（二十一日），太常少卿施垌兼任权礼部侍郎。

乙卯（二十二日），皇帝亲临前殿，尚书省引见了他们考试的举人何溥等人。这次科举考试，两浙转运使秋试考中的举人，总共解送二百零八人，而其中从温州选得的四十二人，宰相执政的儿子侄儿都在其中。

丙辰（二十三日），起复端明殿学士、川陕宣抚副使胡世将在仙人关去世。

胡世将病的时候，让其部属整理统计军马、钱粮、铠甲、兵器、文件等，把宣谕使郑刚中叫到卧室，当面交给他。郑刚中以承担有使命加以推辞，不敢承当。胡世将说："先生以皇帝近臣的身份出使，如果对国家有利，先自己考虑是否可行，然后再请示朝廷是可以的。"

皇帝本来想提升胡世将为签书枢密院事；听到他的死讯后，追赠他为资政殿学士，葬礼仪式和执政规格相同。

金主派左宣徽使刘筈带着礼服、礼用玉器、佩玉、受命册书来宋宣布对赵构的册封任命。

这个册封诏书说："皇帝如此说：你们宋国的康王赵构，不善良，上天给你的国家降下了灾难，你急迫地违背共同的盟誓，自取灭亡，使你远在江表，因此劳动我的军队，为此花费了十八年时间。我因此很震惊哀伤，这些老百姓有什么罪？现在在上天使你后悔招致的灾祸，诱导你从善，求封的奏章送了上来，说你愿意列身在藩邦之中。现在我派光禄大夫、左宣徽使刘筈拿着使臣的杖节代我册封你做皇帝，国号为宋，世代谨守人臣的职分，永远做金国的屏障。啊！如同我亲临，你要恭敬地听我命令！"刘筈，是刘彦宗的儿子。

戊午（二十五日），任命修武郎、侍卫步军司统领军马田邦直知光州。

金主立他的儿子济安为皇太子。

辛酉（二十八日），秦桧等人因为皇太后有回来的日期祝贺皇帝。

在此以前留在燕京的徽猷阁待制洪晧，首先报告了太后要回来的消息。皇帝对秦桧说："洪晧陷身敌占区，仍然心向王室，忠孝之节，长时间不改变，实在应该嘉奖和推崇。洪晧的两个儿子同时考中词科举人，也是他忠义所得的报偿。"

这月，夏国发生地震，过一个月也不停；地表开裂，地下水上涌，流出黑沙。这年发生严重饥荒，就建立井里制度分别赈济灾民。

夏季，四月，甲子朔（初一），任命少保、判绍兴府、信安郡王孟忠厚为迎护徽宗灵枢礼仪使，保庆军承宣使、知大宗正事赵士㒟为都大主管，两浙转运副使黄敦书掌管应办一行事务；参知政事王次翁任奉迎两位太后礼仪使，内侍省副都知蓝珪任都大主管，江东转运副使王唤主管一行事务。接着孟忠厚请礼官和他同去；皇帝就任命大理寺丞吴械同去。

淮康军承宣使、熙、河、兰巩路经略安抚使、节制利州、阆州屯驻行营右护军马孙渥在兴州去世。

金国把宋朝为属国的消息通报各地。

丁卯（初四），任命太常少卿施坰权尚书礼部侍郎。

戊辰（初五），追封皇太后曾祖父故郊社斋郎、赠太师、雍国公韦爱臣为惠王，皇太后祖父赠太师、安康郡王韦子华为德王。在此以前太后的父亲已经追封为鲁王，所以有这道命令。

己巳（初六），皇帝进封婉仪吴氏为贵妃。

庚午（初七），皇帝亲到射殿，接见正奏名进士，逐一点名，有关部门把右通直郎、主管台州崇道观的秦熺定为第一名，举人陈诚之排在其后。秦桧援引惯例推辞，皇帝就把秦熺降为第二名，破格提升为左朝奉郎、通判临安府，赐给五品官服。自陈诚之以下，赐给出身的共二百五十三人。新开设的明法科，只选上了黄子淳一个人。

金国五凤、重明等宫殿建成。

辛未（初八），皇帝来到射殿，把考试合格的特奏名进士胡鼎才等二百四十八人，武举正奏名的陈鄂等五人，特奏名的潘璋等二人任命到外省。这年，开始按在汴京的旧传统，分两天点名，从此成为惯例。

戊寅（十五日），任命吏部侍郎魏良臣为接伴使，知阁门事蓝公佐为副使。

辛巳（十八日），知盱眙县的宋肇，说得到泗州报告，邢皇后已去世。皇帝让礼官讨论应该举行哪些典礼。

甲申（二十一日），起居舍人杨愿，请求把临安府学校扩建成太学，皇帝答应了。

己丑(二十六日),给大行皇后发丧,用过去显肃皇后的供桌、席位、祠庙服丧和暂立神主,皇帝不上朝理政。

皇帝下诏把枣阳、盱眙县升为军,撤天长军改为县,都是为了便利边疆关报的传递。

五月,癸巳朔(初一),金主没有上朝处理政事。

金主从去年起沉湎于饮酒之中,和大臣们一起饮酒,有时日以继夜,宰相进来劝阻,金主有时让他饮酒,说:"知道你们的心意,明天一定戒掉。"就又喝了起来。

乙巳(十三日),任命军器监主薄沈该为直秘阁、知盱眙军,制订建立专卖市场法律。资产在十万以下的商人,十人互相担保,留下他们一半货物,去泗州专卖商场贸易;等交换到北方的货物,再换取他们的另一半货物去专卖市场。大商人全部集中起来,等待北方商人前来洽谈。两边商人各处一廊,把货物交给主管官吏,中介人来回评议,商人不能互相见面。每成交一千钱的生意,各收五厘利息归官。此后又在光州枣阳、安丰军花靥镇设置专卖商场,金国也在蔡、泗、唐、邓、秦、巩、洮等州和凤翔府设置专卖市场。枣阳等地的专卖市场,都以盱眙军为标准。

丙午(十四日),增建慈宁殿。

庚戌(十八日),权工部尚书莫将等人讨论大行皇后的谥号为懿节。

辛亥(十九日),权礼部侍郎施垌等人请求在太庙里边另立庙殿。皇帝同意了。庙殿共三间房子,南边是棂星门,不设斋舍、神厨,因为地方太狭窄的缘故。

徽猷阁待制、提举江州太平观程瑀被任为试尚书兵部侍郎。

乙卯(二十三日),皇帝下诏说:"礼部按惯例考选教官,仍旧先呈上有关本专业的经义、诗各三篇,如果刑法官署没有查出过失,就下发给国子监察看,礼部复查,然后准许考试。由省试院兼考,分两场进行,不是科举的年份,交给吏部铨院兼管考核,不限制人数,以文理优良作为合格的标准。"

下诏给资政殿学士、提举亳州明道观郑亿年前来皇帝所在地报告情况。

当时鉴书枢密院事何铸等人出使回来,宗弼便乘机索要郑亿年和张中孚及杜充、宇文虚中、张孝纯、王进的家属,并且送来了以前的观文殿学士、东京留守孟庾、徽猷阁待制、以前的知陈州李正文,右迪功郎、以前的开封府推官毕良让他们回归皇帝所在地。李正文,就是李正民,因为要避金主的名讳,才改了名。

己未(二十七日),进言的人说夔路有杀人祭鬼的事,请求严厉禁止。皇帝对宰相说:"这事肯定有大巫师倡导,惩治了巫师,这种事就会自动终止。"

辛酉(二十九日),金主在五云楼宴请群臣。左丞完颜勖上前敬酒,金主站了起来,宰相说:"最尊贵的您为我多次站起来,礼仪使我不安。"金主说:"我屈己对待大臣,又有什么不好?"这天,尽醉而散。

六月,甲子(初三),权工部尚书莫将等人进言:"我们奉诏命,让侍从、台谏、礼官去尚书省集体讨论,徽宗等人的灵柩运回来以后,应该修筑陵墓,或者称作攒宫。私下里听说朝廷派出使者,现在正在讨论修筑陵墓的地方。又听太史局说,今年不适合举行大葬。想按景德年间的做法,暂时修筑攒宫,以等待最后议定。"皇帝听从了。

戊辰(初七),任命御史中丞万俟卨为攒宫按行使,入内内侍省副都知宋唐卿为副使。

戊辰(初七),何铸回来了,金国都元帅宗弼又索要和尚原、方山原地盘。正好都统制吴璘呈上所画的形势图,皇帝就下诏给川陕宣抚副使郑刚中按照所发国书商量,不可擅自划分。

辛未(初十),左通议大夫、提举临安洞霄宫王庶,被责授为向德军节度副使,限制在道州居住。

王庶被免去职务,走到江州,听到又一次追夺职务的命令,就在敷浅原上购买田地,把全家搬过去居住。到现在殿中侍御史胡汝明,又批评"王庶寄住德安,谋占逃户的田地,强买百姓住宅。他讥讽朝政的话,表现在诗篇中,几乎不能全部数过来。希望重新对他进行驱逐,以安慰这一地区的士民和惩戒万代的臣子。"因此有这道命令。

己卯(十八日),尚书省进言说金主派明威将军、少府少监高居安护送皇太后一行人前来,皇帝下诏令容州观察使、知阁门事曹勋充任接伴使。当初,金主答应皇太后南归后,就派居安和两名内侍护送,又派御前左副都检点完颜宗贤、秘书监刘陶为使臣。宗贤,是太宗的儿子,当时封沂王。

甲申(二十三日),镇西军节度使、步军都虞候、秦凤路经略使、知秦州、兼行营右护军都统制、同节制陕西诸路军马吴璘加委检校少师,改任阶、秦、岷、凤四州经略使,还把五十顷汉中田赐给他。

秋季,七月,癸巳(初二),右谏议大夫罗汝楫进言说:"左奉议郎、签书武威军节度判官厅公事胡铨,文过饰非,更加宣扬狂妄之说,谬论迭出,流毒很广,如不加惩罚和制止,可能还会更严重。希望陛下再一次驱逐,以伸张国法。"皇帝下诏除去了胡铨的官籍,安排到新州统一管制。

皇太后车驾回来,从东平府登船,经清河到达楚州地界。

回鹘派使者到金国进贡。

丙申(初五),直秘阁、四川转运副使井度兼任川陕宣抚司参议官,让他连任。协忠大夫、郢州防御使、秦凤路马步军副总管、行营右护军左部同统制、知凤翔府兼管内安抚司公事、统制忠义军杨从仪,改任知凤州。当时准备割让和尚原,所以有这道任命。

丁酉(初六),在别庙祔祭懿节皇后之神主。

金国太傅宗弼请求退休,金主不允许,而且下诏优待他,赐给金券,赏赐一千名奴隶和一千头马牛,一百头骆驼,一万只羊,还在每年宋朝的贡赋中拨给他两千两银子和两千匹绢。

甲辰(十三日),按行使万俟卨等人请求在昭慈圣献皇后攒宫的西北为徽宗选择攒宫用地。

己酉(十八日),命令有关部门制造平时行礼所用的仪仗。

自从南渡以来,仪仗之类的东西都是草率制出的;当时因为皇太后就要到来,皇帝将亲自到郊外迎接,诸王宫大小学教授石延庆请求规范仪仗,皇帝就让工部尚书莫将、户部侍郎张澄和内侍邵谔、董治将等人先造玉辂辇卓和黄麾仗,用二千二百六十五人。皇帝同意。

这月,金国北京、广宁府发生蝗灾。

八月,辛酉朔(初一),金国都元帅宗弼又写信来索要商州及和尚原、方山原领土。于是川陕宣抚副使郑刚中,也说和尚原从绍兴四年后就是刘豫管辖守卫,不是吴玠的辖地,应该割归金国,皇上同意了。

　　靖州报告说强盗攻破丰山寨,军人和老百姓死者很多。皇帝说:"野蛮的少数民族只应当安抚,不能骚扰他们。"就下诏给湖北军的元帅刘琦不要惹事。

　　丙寅(初六),皇太后渡过淮河。当时皇帝派太后的弟弟平乐郡王韦渊前去迎接,韦渊就护从太后回来。

　　端明殿学士、签书枢密院事何铸,仍任旧职提举江州太平观。

　　当时御史中丞万俟高,右谏议大夫罗汝楫,交替上奏章评论何铸的罪过,说;"何铸,是文书小吏的儿子,没有名望。最初因为廖刚的推荐做了御史台属官,和孙近、范同交往密切;等到孙近、范同失败后,从此没有安分的迹象,竟进一步联合党羽,动摇国是。去年春天淮甸报警,他天天和轻薄之人张扬敌人势力,认为朝廷应当转移躲避。岳飞谋反的罪状暴露后,何铸第一个督察这个案件,也没有报告一句话。偶然因为缺乏报效的人,陛下把他安排到枢密院,让他出巡边疆,临行时,让他的亲信故友传播扩散,以为是因为对案件的看法跟别人不同,才导致了这次远行,在公开场合告诉别人,为脱离这个事件而感到幸运。岳飞背叛国家,天下人都憎恶,何铸身为御史台主管官员,却这样偏附恶人,罪过怎能逃脱?"奏章五次呈上去。何铸也多次上奏章请求去职,于是有了这道诏命。

　　任命右朝散大夫宇文师瑗为直显谟阁,右奉议郎张汲为直秘阁,并且主管万寿观,因为将要北迁。勒令右宣议郎、福建路提点刑狱司干办公事赵恬停职。

　　在此以前宇文虚中趁王伦出使回国,让他附带奏告皇帝:"如果金人前来索取家属,希望告诉他们我已死在敌人那里。"到现在宗弼派人前来索要宇文虚中的家属很紧,皇帝派内侍许公彦去闽中迎接他们。赵恬,是宇文虚中的女婿,和同族人商量,想留下宇文师瑗的一个儿子作继承人,地方官显谟阁直学士程迈坚持说不行。宇文师瑗就派赵恬用海船乘夜运载他的亲属去温陵而他自己去了皇帝所在地,程迈派通判州事二人到海上截拦他们,并且报告给朝廷,所以皇帝有了这道诏命。张汲先做衢州通判,很快罢职,到现在又离去。不久宇文师瑗来到皇帝所在地,呈上奏折恳切请求留下来,秦桧不允许。宇文虚中的妻子安定郡夫人黎氏,请求把赐给他们的田地卖成钱带走,皇帝就赏赐给她一百两黄金。

　　庚午(初十),责授向德军节度使王庶在道州死去,允许回故乡安葬。

　　辛未(十一日),权工部尚书莫将和侍从、两省官员十一人,因为皇太后回宫,一起上朝祝贺。皇帝下诏让吏部侍郎魏良臣就任馆伴使。

　　金主又封太宗的儿子呼鲁为王,镇守陕西。

　　壬辰(疑误),任命权工部尚书莫将、知阁门事曹勋为接伴大金第二番大使。甲戌(十四日),任命御史中丞兼侍读万俟卨为参知政事,任大金报谢使。乙亥(十五日),任命荣州防御史、带御器械邢孝扬为报谢副使。

　　己卯(十九日),皇帝对大臣说:"最近听说金国皇后很骄横,权力不归属金主。现在来索求的,无非是珍珠和靸戟(仪仗)之类,这些我不屑一顾的东西而他们都想要,那么他们奢侈糜烂的欲望可以想见了。应让有关部门全数给他,以扩大他们的欲望,奢侈心一开,那么我们的事就要成功了。"当时金人又索要白脸猢狲和鹦鹉、孔雀、狮子、猫儿,皇帝也令人寻求送给他们。皇帝说:"敌国之使不远万里来到这里,索要的竟是这类东西,我还有什么可忧虑的呢!"皇帝又说:"听说金国皇后专政,三省只听皇后的旨意,金主所说的话,想来未必听从。况且皇后生性侈靡,她用珍珠装饰衣被,跟在她后面的绣妇达数千人,皇后一天换一件绣衣,价值几百贯钱,他们的风气如此,怎么能够长久呢!"

辛巳(二十一日),皇帝到临平镇迎接皇太后。

起初,太后渡过淮河后,皇帝命令秦鲁国大长公主、吴国长公主去路上迎接。到现在皇帝亲自去临平迎接,动用黄麾半仗二千四百八十三人,普安郡王随行。皇帝刚一见到太后,高兴得流下眼泪。军人卫士们欢呼,声音震天动地。当时宰相秦桧、枢密使张俊、太傅、醴泉观使韩世忠及侍从、两省、三衙管军紧跟皇帝行进,都排列在帐篷外面。太后在北方曾听过韩世忠的威名,特意叫他到帘子前边,说:"这就是韩相公吗?"安慰询问好长时间。从此太后对韩世忠的饷赐没有一个月中断。

壬午(二十二日),皇太后回到慈宁宫。

太后聪明有远见,皇帝利用晚上在慈宁宫侍奉太后,谈话很长时间,希望能顺遂太后心意。太后让皇帝早早休息,并且说:"冬月宜早起,否则,恐怕会妨碍国事。"皇帝不想马上离开太后,太后就表现出疲倦的样子,皇帝才退走。

皇帝下诏护送太后的官吏左武大夫、忠州防御使白谞等十二人都升官。癸未(二十三日),官吏们到皇帝常去的宫殿门口,送上贺表祝贺。丙戌(二十六日),因为太后回宫,派执政官奏告天地。

戊子(二十八日),皇帝穿黄袍,乘坐辇车,到临平迎接徽宗等人的灵柩,登船后,改穿缌麻孝服,官吏都一样。

己丑(二十九日),徽宗皇帝、显肃皇后及懿节皇后的灵柩都到了皇帝行在,暂停在龙德别宫。用过去的待漏院改成,位于行宫南门的东边,皇帝皇后分殿放置。开始讨论安置灵柩的礼仪,有人请求暂停僧庙里,太常少卿王赏说:"孝子侍奉父母,要考虑他们的安身处所。宣和年间徽宗皇帝禅让帝位,退住龙德宫,现在应该根据朝仪典章,仿造住过的宫殿作为治丧的礼仪。"又议论官吏们应穿的服装,王赏说:"讣告刚到的时候,已经穿过丧服;现在再穿,就不对了。只是皇上和执事官员应该穿丧服,因是改葬,穿缌麻孝服就可以了。"灵柩入境以后,就在外面罩上椁,让有关部门预先准备好礼服、翠衣送去。到这时放在椁里,不重新改殓,沿用安陵的旧作法。

这天,朝廷回复金都元帅宗弼的来信,答应了陕西地区的划分方法。

川陕宣抚副使郑刚中,指派选锋军统制兼知凤州杨从仪、鄜延经略使兼知成州王彦、阁门祇候、宣抚司干办公事范之宁一起去割让陕西的剩余地区。金主派直秘阁、朝奉郎、知彰化军节度使事贺景仁前来划分。就割让了商州、秦州的一半,留下上津、丰阳、天水三县和陇西成纪的剩余地区,放弃了和尚原、方山原,以大散关为边界。在关内选出兴赵原,作为控制扼守之处。

在此以前左武大夫、荣州防御使邵隆,在商州任职几十年,披荆斩棘、建立官府,招纳流离失所的百姓,很得人心,自从金人违背盟约之后,和敌人作战,虽然有时暂时放弃过城池,但很快就收复,始终不肯放弃这个地方。到现在这里割给了金国。皇帝用邵隆作陕西节制司统制,邵隆心中郁郁不乐,曾经秘密派兵扮作强盗去抢劫。秦桧很气愤,时间一久,任用邵隆知辰州。

　　自从议和以后,川陕宣抚司及右护军分驻三边和沿河十七郡。兴州,驻有吴璘的部队,仅五万人;兴元,驻有杨政部队,只二万人;金州,郭浩部队驻扎,仅一万人;只有兴州驻兵最多,达二万多人。兴元府、利州鱼关各驻一万人,金州六千人,洋、阆各五千多人,西和州、剑州三千有余,绵州、阶州不到三千,成州、大安军二千有余,潼川一千多人,文、龙两郡和房州的竹山都是几百人。马的总数是一万五千。计兴州境内不到七千匹,关外四州二千有余、这是大概数目。除各将领屯驻以外,凡是关外沿边警备敌人的地方,三都司每年春秋季的第二月派兵轮流守卫:成州四千六百三十人,警戒秦州道路;凤州界内九百二十五人,扼守熙州、巩州、秦州的道路;凤州界内三千八百五十,扼守凤翔府一带的道路;兴元府界内一千二百六十二人,洋州界内一千一百二十四人,并且警戒岐、雍一带道路;金州界内一千六百人,扼守商州、永兴军一带道路;合计兴州界内的守军,共一万四千人。又设置四道烽火传递线,共一百六十二座烽火台,早上和晚上点烽火,传报平安消息。这是当地的大致情况。

　　九月,庚戌朔(疑误),皇帝举行向徽宗等人的灵柩敬酒祭奠礼仪。

　　壬辰(初三),金主下诏给天水郡王的儿子、侄儿、女婿、天水郡公的儿子发放俸禄。

　　癸巳(初四),有关部门备齐送给金国的礼物,除每年都送的岁币外还有金器,极其精巧。皇帝对宰相说:"这是太上皇在位时用的东西,我不想用它,把它交给邻国以平息战端培养民力,这是我的心意。"皇帝又说:"徽宗、显肃皇后生病时,皇太后亲自伺候。等到他们去世时,皇太后又和渊圣皇帝一起叫来当时处理丧事的役者,等他们全部集中起来,然后才出葬。他们考虑问题是如此深远。"

　　乙未(初六),任命少保、镇潼军节度使、信安郡王孟忠厚为枢密使。当时秦桧应当任山陵使,却不想去,所以任用孟忠厚。

　　金国使臣殿前左副都检点完颜宗贤等人上朝辞行,皇帝下诏。让参知政事万俟卨去旅馆里设宴款待他们。

　　戊戌(初九),下诏给慈宁宫供奉二十万贯钱、二万一千匹帛、五千两绵、一千零八十只羊、三十六大坛酒。

　　辛丑(十二日),枢密院进言说:"以前皇帝曾降圣旨说不能指责大金国,还怕在往来的过程中,有人违背,理应诏令中央和地方各部门经常认真遵守。"当时金国都元帅宗弼又派使者前来,说有边疆官吏带兵出塞,宋朝廷又送书信报告了情况。

　　壬寅(十三日),在全国实行大赦。

　　乙巳(十六日),任命少保、尚书左仆射、同中书门下平章事兼枢密使、冀国公秦桧为太师,封魏国公。

　　金国银青光禄大夫、中书侍郎刘筈、奉国上将军、礼部尚书完颜宗表来宋;丙午(十七日),进殿参见皇帝。

　　戊申(十九日),新的玉辂辇车制成。

　　下诏把金国的盟誓书收藏到内侍省。

　　任命参知政事王次翁为大金国报谢使,德庆军节度使、提点皇城司钱愐任副使。

　　任命太常少卿兼实录院检讨王赏为权尚书礼部侍郎。

甲寅(二十五日),奉国军承宣使、永兴军路经略安抚使、知金州兼枢密院都统制郭浩,改任金、房、开、达等州经略安抚使。

中书舍人杨愿任假户部尚书,左武大夫、宣州观察使、知阁门事何彦良任假奉国军承宣使,正月初一去祝贺金主。器物钱币按金主寿辰数目提供,从此成为定例。

在此以前金人索要珍珠、靮戟(仪仗)等东西,秦桧因为盟誓书规定不派遣普通使者,就谕令盱眙军令录事参军孙守信前去泗州,令守将周企负责上报具体情况,等到派彦良出使的时候跟随前去。皇太后每年送给金主皇后的礼物,也数以万计。

乙卯(二十六日),懿节皇后的灵车第一个出发,显肃皇后的灵车跟在后面,再后边是徽宗皇帝的灵车。这天,皇帝穿缌麻孝服在龙德宫祭奠,穿吉服回宫。

冬季,十月,乙丑(初六),皇帝下诏说:"全国各地的官吏百姓,从这月丙寅(初七)以后,都允许娱乐。"最初因为徽宗等人的灵柩没有回来,所以停止娱乐来等待迎接灵柩的日子,到现在皇太后回宫,将要举行祝寿的礼仪,所以有这个动向。

丙寅(初七),暂且把徽宗皇帝、显肃皇后的灵柩停放于会稽永祐陵,懿节皇后祔陵,在昭慈圣献皇后停放灵柩之处西北五十步远的地方。周围加林木共占地二百二十亩,花去三千八百多贯钱。此后昭慈、永祐两处停放灵柩的地方,每年花用祭祀费八千四百多贯,修缮费五千贯。用绍兴府应当送给宫内使用的钱中支付这项经费。

乙亥(十六日),任命翰林学士兼侍读、资善堂翊善程克俊为端明殿学士、签书枢密院事。

丁丑(十八日),太傅、枢密使、广国公张俊,晋封为益国公。

戊寅(十九日),追封皇太后曾祖赠太师、惠王韦顺臣为广王,祖父赠太师、德王韦子华为福王,父亲赠太师、鲁王韦安礼为兖王,母亲秦越国夫人宋氏为陈鲁国夫人。

庚辰(二十一日),裁撤镇江府长江沿岸的安抚司。

壬午(二十三日),太博、醴泉观使、福国公韩世忠晋封为潭国公,太保、万寿观使、雍国公刘光世,改封扬国公。

癸未(二十四日),下诏让车辂院重新设置官吏。

甲申(二十五日),皇太后生日,在慈宁宫设宴,开始奏乐,祝寿。

这月,川陕宣抚副使郑刚中把官衙从河池移到利州。

过去宣抚司全部设在绵、阆之间。等到胡世将代替吴玠后,就住在河池,但是军用物资供应不便,人们都认为这是个弊病。到现在战争结束,郑刚中就还居益昌以节省费用。接着郑刚中想移驻一支军队,都统制杨政不同意。郑刚中叫来杨政对他说:"宣抚想调动军队而都统制却不答应,我郑刚中虽是读书人,也不怕死。"声色俱厉。杨政当天就服从了他的命令。

十一月,己丑朔(初一),检校少傅、崇信军节度使、万寿观使张浚,因遇大赦被皇帝恩封和国公。

癸巳(初五),任命太傅、枢密使、益国公张俊为镇洮、宁武、泰宁军节度使,充当醴泉观使,听朝廷邀请上朝议政,晋封为清河郡王。

起初,太师秦桧和张俊共同主张议和,约好全部罢免众将领,只把兵权交归张俊,所以张俊极力帮助他实现计谋。等到众将领都被免职,而张俊在职一年多,丝毫没有请求去职的意思，秦桧就让殿中侍御史江邈弹劾他的罪过。江邈说："张俊据守清河坊来应验谶兆，占据承天寺作为自己的宅基，大干儿子杨存中在朝廷里掌握兵权，小干儿子田师中在长江上流拥有重兵，他日发生事变，灾祸没法估计。"皇帝说："张俊有恢复帝位的功劳，没有要谋反的事，这些都不准说。"正好枢密使孟忠厚完事回朝，而江邈又批评张俊的过错，张俊就请求离开现在的职位，所以有这道诏命。

命尚书户部侍郎张澄为权户部尚书。

乙未（初七），任命检校少保、保成军节度使、开府仪同三司兼殿前都指挥使职事杨存中任少保，录用他是因其有恢复失地的功劳。宋朝的惯例，没有人以保傅之类官职做军事指挥员，有这种做法是从杨存中开始的。

令侍卫亲军马军都虞候、保顺军承宣使、镇江府驻扎御前诸军都统制解元任保顺军节度使，录用他是因为护送皇太后的功劳。解元没到拜官的时候就死去。

己亥（十一日），皇帝下诏说："太学培养学生，暂在临安府学里设置和扩展。"

庚子（十二日），皇帝让内侍王晋锡建造崇政、垂拱两座宫殿。

当时进言的人请求恢复每月初一处理朝政的礼节，但行宫只有一座宫殿，所以要进行改建。崇政殿用过去的射殿改建，每逢初一、十五就临时设置帐门，作为文德殿、紫宸殿，校射就当作选德殿，策士就当集英殿、垂拱殿；在过去宫内各部门所在地修建，位于皇城司的北方。

和众辅国功臣、太保、护国、镇安、保静军节度使、充万寿观使、扬国公刘光世死于临时都城，终年五十四岁。皇帝下诏追赠他太师，停止处理政务两天，送去两千两银子两千匹绢，儿子、孙子、外甥、侄儿晋封为官的有十四人。皇帝亲去祭奠。谥号武僖。

刘光世很早就显贵，他身为大将，管理军队姑息随便，没有恢复失地的决心，议论的人以此来指责他。

庚戌（二十二日），少保、枢密使、信安郡王孟忠厚免职，任少傅、镇潼军节度使、判福州。孟忠厚是奉迎皇帝灵柩的礼仪使，进言的人援引惯例进行议论，所以有这道命令。

甲寅（二十六日），金国平章政事、漆水郡王完颜昂去世，追封郓王。

辛酉（疑误），进言的人请求恢复武举考试，皇帝下诏将此文送交兵部。

庚午（疑误），礼部请求太学招收的士人暂以三百人为限额。

太常博士刘煤，请求在合适的时候修筑求子神坛，这件事下交给礼部，后来在临安府城东南修建。

壬申（疑误），金主外出打猎，过了十天才回宫。

癸酉（疑误），龙神卫四厢都指挥使、护国军承宣使、御前统制兼枢密院都统制李显忠任保信军节度使、两浙东路马步军副都总管。李显忠驻守池州，托病请求去职，所以有这道命令。李显忠当时年龄三十二岁。

庚辰（疑误），大理卿周三畏任权尚书刑部侍郎。

甲申（疑误），金国太子完颜济安去世。济安生病的时候，金主和金皇后到佛寺烧香，流着泪哀祷，特别赦免方圆500里以内的囚犯。当晚去世，谥号"英悼"。

续资治通鉴卷第一百二十六

【原文】

宋纪一百二十六　　起昭阳大渊献【癸亥】正月,尽阏逢困敦【甲子】十二月,凡二年。

高宗受命中兴全功至德　　圣神武文昭仁宪孝皇帝

绍兴十三年　金皇统三年【癸亥,1143】　　春,正月,己丑朔,帝不受朝,诣慈宁殿贺皇太后。太师秦桧率百官诣文德殿拜表称贺,遥拜渊圣皇帝于行宫北门。

金主以太子丧,不御正殿,群臣诣便殿称贺。

癸巳,太傅、醴泉观使、潭国公韩世忠,请以其私产及上所赐田,统计从来未输之税并归之官,从之。

戊戌,帝蔬食,斋于常御殿,遣太师秦桧册加徽宗谥曰体神合道骏烈逊功圣文仁德宪慈显孝皇帝。

己亥,帝亲飨太庙。秦桧为大礼使,签书枢密院事程克俊为礼仪使,普安郡王亚献,皇叔光州观察使士街为终献。

辛丑,立春节,学士院始进帖子词,百官赐春幡胜。自建炎以来久废,至是始复之。

癸卯,诏以钱塘县西岳飞宅为国子监、太学。旧太学七十七斋,今为斋十有二,曰(视)〔褆〕身,服膺,守约,习是,允蹈,存心,持志,养正,诚意,率履,循理,时中。

时夏人立学校于国中,立小学于禁中,亲为训导。

己酉,殿中侍御史江邈权尚书吏部侍郎。

二月,乙丑,更永祐陵曰永固。

〔丙寅〕,扬武翊运功臣、太傅、横海、武宁、安化军节度使、醴泉观使、潭国公韩世忠,进封咸安郡王。

时刘光世始薨,旧功大臣惟世忠与张俊在。俊勋誉在世忠左,特以主和议为秦桧所厚,故先得王。至是世忠愿输积年租赋于官,乃有此命。时帝又数召世忠等兼家属宴于苑中,赐名马、宝剑等甚渥。

己巳,诏:"清河郡王张俊,咸安郡王韩世忠,平乐郡王韦渊,并五日一朝。"

庚午,诏:"自来年为始,令太史局递赐诸路监司、守臣历日。"

己卯,国子司业高闶言:"太学者,教化之本,而最所当先者,经术是也。自汉以来,多置博士,后世所谓诗赋、论策,皆经术之馀耳。太学旧法,每旬有课,月一周之,每月有试,季一周之,亦皆以经义为主而兼习论策为三场。苟(如)〔加〕一场,则旬课季考之法,遂不可行。自元祐以来,虽臣僚累奏,请加诗赋,通为四场,而终不施行者,盖为此也。自罢诗赋之后,朝廷恐专门之学未足以收实用,乃别设词学一科,试以制诏表章之类,通谓之杂文。臣今参合条具太学课士及科举三场事件:第一场,大经义三道,《论语》《孟子》义各一道;第二场以诗赋;第三场以子史论一首并时务策一道。永为定式。"闳又言:"比岁郡国虽有学,而与选举不相关。今参取祖宗旧制,通以当今之宜,补太学生,以诸路住本贯学满一年,三试中选,不曾犯第三等以上罚;或虽不住学,而曾经发解,委有士行之人,教授保委申州给公据,赴国子监补试。诸路举人以住本贯学半年,或虽不住学而两预释奠及齿于乡饮酒礼者,本学次第委保,教授审实,申州听取应,仍自绍兴十四年为始。"皆从之。

乙酉,诏临安府建景灵宫。先是言者谓:"自元丰始广景灵宫,以奉祖宗衣冠之游,即汉之原庙也。自艰难以来,庶事草创,而原庙神游,犹寄永嘉,四孟荐享,旋即(使)〔便〕朝设位,未副广孝之意。望命有司择地,仿景灵宫旧规以建新庙,迎还列圣粹容,庶几四孟躬行献礼,用慰祖宗在天之灵。"事下礼官。至是权礼部侍郎王赏等,乞体仿温州见今安奉殿宇,令本府同修内司随宜修盖。其后创于新庄桥之西,以刘光世赐第为之,筑三殿,僧人、道士十人,吏卒二百七十六人,上元结灯楼,帘幕岁一易,岁用酌献二百四十羊。凡帝后忌辰,通用僧、道士四十七人作法事。

三月,辛卯朔,国子司业高闳,请在学人依徽宗御笔,复立三年归省之限以彰孝治,帝曰:"旧有九年之法,至徽庙方改作三年。岂有士人九年而不省其亲者乎! 其从之。"

金以尚书左丞完颜勖为平章政事,殿前都点检宗宪为尚书左丞。

丁酉,金太皇太后唐古氏崩,后谥钦仁,葬恭陵。

乙巳,诏临安府建大社、大稷。

丙午,诏临安府同殿前司修筑圜丘于龙华寺之西。坛四成,上成纵广七丈,下成二十有二丈;分十三陛,陛七十有二级;坛及内壝凡九十步,中壝、外壝共二十五步。以龙华寺为望祭殿,不筑斋宫。

己酉,金主封子道济为魏王。

夏,四月,癸酉,右谏议大夫兼侍讲罗汝楫试御史中丞。

癸未,懿节皇后撤几筵,帝素服焚香,以太师秦桧为礼仪使。

是月,蒙古复叛,金主命将讨之。

初,鲁国王昌既诛,其子胜花都郎君者,率其父故部曲以叛,与蒙古通。蒙古由是强,取二十馀团寨,金人不能制。

先是金都元帅越国王宗弼,疑知亳州王彦先至南朝常泄其国中阴事,乃徙彦先知澶州,而调其子保义郎大观从军北讨,实质之也。大观年二十馀,骁猛喜骑射,以事刘麟击鞠得官,宗弼以为保义校尉。

闰四月,己丑,立贵妃吴氏为皇后。

五月,庚申,帝谕大臣曰:"人言南地不宜牧马,昨朕自创行,虽所养不多,方二三年,已得驹数百,此后不患不蕃。与自川、广市来,病不堪乘而沿路所费不少计之,一匹省数百千缗。"秦桧曰:"俭以足用,宽以爱民。《鲁颂》专言牧马。"帝又曰:"国家自有故事,京城门外便有孳生监,每(言)〔年〕所得甚多。祖宗用意可见也。"

甲子,秘书少监秦熺权尚书礼部侍郎。

壬申,诏:"国子监置博士,正、录各一员,学生权以八十人为额。"

丁丑,天申节,宰臣率百官上寿,京官任寺监簿已上及行在升朝官并赴,始用乐。近臣进金酒器、银香合、马,郡县锡宴,皆如承平时。

己卯,大宴集英殿。

甲申,金初立太庙、社稷。

六月,戊戌,吏部员外郎周执羔请戒诸监司巡按检视簿书,凡财用之出入无簿书押者,必按以不职之罪,又乞命帅臣区别条目,下诸路州军广行搜访徽宗御制,皆从之。

己酉,金初置骁毅军。

庚戌,金人遣通问使徽猷阁待制洪晧、直龙图阁张邵、修武郎朱弁还行在。

先是金主大赦,始许晧等南归。渡江后,奉使几三十人,生还者三人而已。

秋,七月,甲子,诏求遗书。

癸未,奉安至圣文宣王于国子监大成殿,命太师秦桧行礼。时学初成,帝自题赐书阁榜曰首善。

八月,丙戌,遣权吏部侍郎江邈奉迎景灵宫万寿观神宗神御于温州,白海道至行在。

辛卯,敷文阁直学士、知临安府王晚守尚书工部侍郎。

金主诏给天水郡王孙及天水〔郡〕公婿俸禄。

丁酉,尚书兵部侍郎兼侍读、资善堂翊善程瑀试兵部尚书。

戊戌,徽猷阁待制洪晧至自金,即日引见内殿。帝谕晧曰:"卿不忘君,虽苏武不能过。"赐内库金币、鞍马、黄金三百两、帛五百匹、象齿、香绵、酒茗甚众。翌日,见于慈宁殿,商人设帘,太后曰:"吾故识尚书矣。"命撤之。退,(退)见秦桧,语连日不止,曰:"张和公敌人所惮,乃不得用。钱塘暂居,而景灵宫、太庙皆极土木之华,岂非示无中原意乎?"桧不悦,谓其子秘书省正字适曰:"尊公信有忠节,得上眷。但官职如读书,速则易终而无味,须如黄钟、大吕乃可。"

起居郎郑朴权尚书兵部侍郎,尚书左司郎中王师心权工部侍郎。己亥,以朴为贺金正旦使,左武大夫、保顺军承宣使、知阁门事何彦良副之;师心为贺金生辰使,武功大夫、解州防御使、干办皇城司康益副之。时出疆必遣近臣,故并迁二人,自是以为例。

庚子,直龙图阁张邵自金还。入见,言:"靖康以来迄于建炎,使金而不反者凡数人,若陈过庭、聂昌、司马朴、滕茂实、崔纵、魏行可,皆执于北荒,殁于王事,而司马朴之节尤为可观。刘豫既废,金人取河南地,金帅达兰使朴为尚书左丞,欲以收南人之心,朴辞以病,坚卧不起,达兰不能夺。陈过庭且死,其卒自割其肋,取肝为羹以献。既死,以北俗焚之,其卒又自剔股肉,投之于火,曰:'此肉与相公同焚。'其感人如此。聂昌割河东,绛州人杀之。滕茂实将死,自为祭文,人怜其忠。崔纵中风,坐废三年,将死,以后事属臣。魏行可之死,臣亦见之。去冬,臣请于金尚书省,乞挈纵、行可之榇以归,朝命下所属发遣。而行可之榇,挈之往中京,乃不果发。纵之榇,金人差丁役舆致,令臣护之以来,臣谨置之临安府城外妙行寺。而臣之随行使臣有吕达者,本婺州人,亦病死于北界。欲望圣慈,以死事之臣如过庭辈七八人,其间恐未有经褒赠者,令有司检举,特推恤典,使纵之亲戚迎护其榇,而官助之葬,下以慰忠义之魂于九原,上以副陛下不忘臣下之心,庶可激励天下仗节死难之义。”

乙巳,修武郎朱弁自金国还行在。

弁奏朱邵、史抗、张忠辅、高景平、孙谷、傅伟文、朱勋、李舟、僧宝真、妇人丁氏、晏氏、卒阎进节义于朝,乞优恤。邵,府谷人,靖康初,以秉义郎知震威城,其死节甚伟。抗,济源人,为代州沿边安抚副使;忠辅为将领,守崞县;景平,崞县人,为隆德府部将;谷,朔宁人,为益府属;皆以宣、靖间死事。宝真,五台山僧,靖康中尝召对,俾聚兵谋敌。金人生执,欲降之,宝真曰:“我既许宋皇帝以死矣,岂妄言邪!”临刑,色不变,北人嗟异。丁氏,度五世孙,尝适人,后为敌所掠,欲妻之,丁氏骂敌不从,绝于梃下。至是弁哀其事上之,疏入,不报。

壬子,礼部言今岁南郊应罢孟冬朝献景灵宫之礼,从之,自是以为例。

九月,戊午,复宁远、万宁、宜伦三县为吉阳、万安、昌化军,并免隶琼州,仍以军使兼知倚郭县事。

甲子,徽猷阁直学士、提举万寿观、权直学士院洪晧出知饶州。

时金人来取赵彬辈三十人家属,诏归之。晧曰:“昔韩起谒环于郑,郑小国也,能引谊不与。金既限淮,官属皆吴人,留不遣,盖虑知其虚实也。彼方困于蒙古,姑恃强以尝中国,若遽从之,彼将谓秦无人而轻我矣。若恐以不与之故致渝盟誓,宜谓之曰:‘俟渊圣皇帝及皇族归乃遣。’”秦桧大怒。晧又言:“王伦辈以身徇国,弃之不取,缓急何以使人?”初,桧在完颜昌军中,昌围楚州久不下,欲桧草檄谕降,有实讷者,在军知状。晧与桧语及金事,因曰:“忆实讷否?别时托寄声。”桧色变而罢。

翌日,侍御史李文会即奏:“晧顷事朱勔之婿,夤缘改官,以该讨论,乃求奉使。比其归也,非能自脱,特以和议既定,例得放归。而贪恋显列,不求省母。若久在朝,必生事端,望与外任。”桧进呈,因及宇文虚中事。帝曰:“人臣之事君,不可以有二心。为人臣而二心,在《春秋》皆所不赦。”乃命黜晧。

丁卯,御史中丞兼侍讲罗汝楫试吏部尚书。

左司谏詹大方论:“秘阁修撰、主管祐神观张邵,奉使无成,尝与其副不协,持刃戕之,其辱命为甚。若置而不问,恐远人闻之,必谓中国无赏罚,望改授外祠。”乃以邵主管台州崇道观。

已而邵又遗秦桧书,言金有归渊圣及宗室诸王意,劝其遣使迎请,于是秦桧益怒之。

庚午,诏:“故兵部侍郎司马朴,忠迹显著,特赠兵部尚书,赐其家银帛三百匹两。”以洪晧言其死节也。

冬,十月,乙未,奉安祖宗帝后及徽宗皇帝、显肃皇后神御于景灵宫。

庚子,帝诣景灵宫,行款谒之礼。辛丑,亦如之。

十一月,戊午,帝服袍履,乘辇,诣景灵宫行朝献之礼;遂赴太庙,宿斋。

己未,朝飨太庙礼毕,帝服通天冠,绛纱袍,乘玉辂,斋于青城。

庚申,日南至,合祀天地于圜丘,太祖、太宗并配。自天地至从祀诸神,凡七百七十有一,设祭器九千二百有五,卤簿万二千二百有二十人,祭器应用铜玉者,权以陶、木,卤簿应有用文绣者,皆以缬代之。初备五辂,惟玉辂并建旗常与各建所载之旗。青城用芦席绞屋为之,饰以青布。不设斋宫,以黑缯为大裘,盖元祐礼也。礼官以行在御街狭,故自宫徂庙,不乘辂,权以辇代之。礼毕,上不御楼,内降制书,赦天下。

庚午,给事中杨愿假礼部尚书,充金贺正旦接伴使,容州观察使、知阁门事兼权枢密副都承旨曹勋副之。及还,就充送伴。自是以为例。

癸酉,太常博士刘燨言:"国之大事在祀。昨自南渡草创,未能备物,凡遇大小祠祭,并权用奏告,一笾一豆,酒脯行事。今时方中兴,容典寝备,如日、月、五帝且不得血食,神州、感生亦削去牲牢,风、雷、蚕、农尽寝其礼,简神渎礼,于是为甚。望明诏有司讲求祀典,凡不可阙者,并先次复旧,其他以次施行。"从之。

十二月,癸未朔,日有食之,诏避殿,减膳。是日,阴雨不见。太师秦桧率百官上表称贺。

癸巳,秘书丞严抑言:"本省藏祖宗国史、历代图籍,有右文殿、秘阁、石渠及三馆、四库。自渡江后,权寓法慧寺,与居民相接。深虑风火不虞,欲望重建,以副右文之意。"于是建省于天井巷之东,以故殿前司寨为之。帝自书右文殿、秘阁二榜,命将作监米友仁书道山堂榜。且令有司〔即〕直秘阁陆宰家录所藏书来上。

己亥,宗正少卿段拂权尚书礼部侍郎。

己酉,金贺正旦使、副左金吾卫上将军、右宣徽使完颜(华)〔晔〕、秘书少监马谔,见于紫宸殿。金主遗帝金酒器六事,色绫罗纱縠三百段,马六匹。自是正旦率如此例。

是岁,金初颁《皇统新律》,其法千馀条,大抵依仿南朝,间有创立者。如殴妻至死,非用器刃者不加刑。他率类此。徒自一年至五年,杖自百二十至二百,皆以荆决臀,仍拘役之。杂条惟僧尼犯奸及强盗不论得财不得财并处死,与古制异。

金主渐悟左丞相希尹之冤,谓左丞宗宪曰:"希尹有大功于国,而死非其罪,朕将录用其孙,如之何?"宗宪对曰:"陛下深念希尹,录用其孙,幸甚。若不先明死者无罪,生者何由得仕?"金主曰:"卿言是也。"遂复希尹官,赠仪同三司、邢国公,改葬之;并赠萧庆为银青光禄大夫。以希尹孙守道为应奉翰林文字。

绍兴十四年　金皇统四年【甲子,1144】　春,正月,癸丑朔,燕北使于紫宸殿,权侍郎、正刺史已上预焉。

甲寅,金主以去年宋币赐宗室。

戊午,吏部尚书罗汝楫为大金报谢使,瀛海军承宣使、知阁门事郑藻副之。

己未,金国贺正旦使完颜(华)〔晔〕等辞行。

初,太傅、醴泉观〔使韩世忠〕俸赐如宰执。丙寅,韩世忠言:"两国讲和,北使朝正恭顺,此乃陛下沈机独断,庙堂谟谋之力,臣无毫发少裨中兴大计,望将请给截日住支,并将背嵬使臣三十员、官兵七十人拨赴朝廷使用。"诏使臣令殿前司交割,馀不许。

端明殿学士、同签书枢密院事王伦为金人所杀。

伦留居河间六年,至是金人欲用为河间、平、滦三路都转运使。伦曰:"奉使而来,非降也。大宋之臣,岂当大金爵禄耶!"金遣使来趣,伦又不受。金人杖其使,俾缢杀之;伦冠带南向,再拜恸哭,乃就死。未几,其子述使北人访其骨,得之以归。其后帝尝语宰执曰:"伦虽不矜细行,乃能死节,此为难也。"

丁卯,诏上津、丰阳二县隶金州。

辛未，封普安郡王妇郭氏为咸宁郡夫人，给内中俸。

癸酉，侍御史李文会试御史中丞，右司谏詹大方试右谏议大夫。

戊寅，内出镇圭付国子监，以奉文宣王。

左朝奉大夫、秘阁修撰赵子偁卒。诏侍从台谏集议普安郡王当持何服，议者张澄、李文会、秦熺、周三畏、王唤、刘才邵、詹大方、张叔献、段拂、何若、游操奏："检照《国朝会要》，嘉祐四年九月，诏使臣、内殿崇班、太子率府率以上遭父母丧，并听解官行服，宗室解官给俸。所有普安郡王持服，乞依故事。"

瀛海军承宣使、知阁门事、充金报谢副使郑藻，改镇东军承宣使。

二月，癸未，金主如东京。

辛卯，复置教坊，凡乐工四百有十六人，以内侍充钤辖。

丙申，给事中兼权直学士院杨愿等送伴北使还，入对。自是率如之。

金主次春水。

丁酉，回鹘遣使于金。

丙午，左通奉大夫、参知政事万俟卨，依前官提举江州太平观。

先是卨使金还，太师秦桧假金人语，以数十言嘱卨奏于上，卨不可。他日，奏事退，桧坐殿庐中批上旨，辄除所厚官吏钤纸尾进，卨拱手曰："偶不闻圣语。"却不视，桧大怒，自是不交一语。御史中丞李文会，右谏议大夫詹大方，即奏卨黩货营私，窥摇国是，卨再上章求去；帝命以资政殿学士出守。及入谢，问劳甚悉。桧愈怒，给事中杨愿因封还录黄，乃有是命。

同知大宗正事士衎，请宗学生以百员为额，大学生五十，小学生四十，职事人各五人，从之。

己酉，资政殿学士、新知绍兴府楼炤入见，即日除签书枢密院事兼权参知政事。

军器监陈康伯权尚书吏部侍郎，尚书左司郎中李若谷权工部侍郎，以将出使也。

三月，丁卯，改岷州为西和州，与阶、成、凤州皆隶利路。

己巳，帝幸太学，祗谒先圣，止辇于大成殿门外，步趋升降。退，御敦化堂，命礼部侍郎秦熺执经，国子司业高闶讲《易·泰卦》，权侍郎、正刺史已上并与。坐讲毕，赐诸生席于庑下，啜茶而退，遂幸养正、持志二斋，观诸生肄业之所。赐闶三品服，熺与学官皆迁官，诸生授官、免解、赐帛如故事。

壬申，国子司业兼崇政殿说书、资善堂赞读高闶权尚书礼部侍郎。

御史中丞李文会言："建宁军承宣使、提举江州太平观解潜，本赵鼎之客，不从和议；及和议之效既著，居常不乐。明州观察使、浙西马步军总管辛永宗，好撰造言语，变乱是非。二人者，守官寄居，皆在平江冲要之地，倡为异说，恐使命往来，传闻失实，旋致疑惑，诚为未便。"诏永宗移湖南副总管；潜责濠州团练副使，南安军安置。

庚辰，诏："诸军应有刻板书籍，并用黄纸印一帙，送秘书省。"

夏，四月，癸未朔，葬柔福公主。主既死，从梓宫者以其骨归，至是葬之。

丙戌，命太师秦桧提举制造浑仪，诏有司求苏颂遗法来上。帝谓桧曰："宫中已制成小范，可以窥测，日以晷度，夜以枢星为则。盖枢星，中星也。非久降出，用以为式，但广其尺寸尔。"遂命内侍邵谔专主其事。

将作监丞苏籀,请取近世儒臣所著经说,集而成编,以补唐之《正义》阙遗。帝谕秦桧曰:"此论甚当,若取其说之善者颁诸学宫,使学者有所宗师,则为王安石、程颐之说者不致纷纭矣。"

戊戌,权吏部侍郎陈康伯为报金贺生辰接伴使,容州观察使、知阁门事曹勋副之。自是岁为例。

庚子,军器监丞苏策,请远方之民委有孝行者,令州县以闻,乞行旌表,诏申严行下。

五月,辛亥朔,金主如薰风殿。

甲寅,将作监米友仁权尚书兵部侍郎。

甲子,资政殿学士、签书枢密院事兼权参知政事楼炤罢。

御史中丞李文会,右谏议大夫詹大方,论炤素无绳检,交结蔡京,亟改京秩,其帅绍兴,不恤国事,溺爱二倡。诏以本职提举江州太平观。

乙丑,御史中丞兼侍读李文会言:"权尚书礼部侍郎兼侍讲高闶,初为蔡絛之客,媚蔡京以求进;复录程颐之学,徇赵鼎以邀名。权工部侍郎王师心,奉使大金,专务嗜利。起居舍人吴秉信,机巧便利,专结楼炤。此三人者,若久在朝,必害至治。"诏以闶知筠州,师心知袁州,秉信知江州。

先是帝在经筵,常谓闶曰:"向来张九成尝问朕:'《左氏传》载一事或千馀言,《春秋》只一句书之,何也?'朕答之云:'圣言有造化,所以寓无穷之意。若无造化,即容易知,乃常人言耳。'"闶曰:"说《春秋》者虽多,终不能明,正如窥造化矣。"帝因问九成安否。翌日,谓秦桧曰:"张九成今在何处?"秦桧曰:"九成顷以唱异惑众,为台臣所论,既与郡,乃乞祠,观其意终不为陛下用。"帝曰:"九成清贫,不可无禄。"桧疑闶荐之,呼给事中兼侍讲杨愿询其事,文会亦劾闶。

是日拜文会端明殿学士、签书枢密院事兼权参知政事。自是执政免,即以言者代之。

丙寅,太常谥故观文殿大学士张商英曰文忠。

戊辰,权尚书吏部侍郎陈康伯假吏部尚书,充金报谢使,以(来岁)〔金来〕贺生辰故也。上欲用右武大夫、嘉州防御使钱恺为副,方持母丧,乃起复故官,假保信军承宣使、知阁门事。

己巳,金主始遣骠骑大将军、安国军节度使乌延和、通议大夫、行大理少卿孟浩来贺天申节,遗上珠一囊,金带一条,衣七对,色绫罗纱縠五百段,马十匹。自是岁如之。

辛未,天申节,文武百官、金国人使上寿于紫宸殿。故事,北使上寿毕,同百官殿上赐酒三行,次赴筵于尚书省。至是特就驿燕之,仍以执政官押伴。

癸酉,大燕垂拱殿。

丁丑,北使辞行。自是留馆中率不过十日。

己卯,右谏议大夫詹大方为御史中丞兼侍讲。

六月,辛巳朔,日有食之。

乙未,帝谓大臣曰:"浙东、福建被水灾处,可令监司躬往,悉力赈济,务使实惠及民,毋为文具。"

时江、浙、福建同日大水。建州水冒城而入,俄顷深数丈,公私庐舍尽坏,溺死数千人。严州水暴至,城不没者数板,右奉议郎、通判州事洪光祖,集舟以援民,且区处山阜,给之薪粥,卒无溺者。衢、信、处、婺等州,民之死者甚众。

丙申,右武大夫、华州观察使、提举佑神观白锷,特刺面配万安军。

时闻、浙大水,锷乃自北方从太后归者,宣言燮理乖缪,洪皓名闻中外,顾不用! 太师秦桧闻之,奏系锷大理寺。锷馆客张伯麟尝题太学壁曰:"夫差,尔忘越王之杀而父乎!"伯麟亦下狱。狱具,锷坐因伯麟尝问何故不用廉访使,锷答以任内臣作耳目,正是祖宗故事,恐主上不知,因出言指斥,乃有是命。伯麟亦杖脊,刺配吉阳军。

御史中丞詹大方即奏皓与锷为刎颈交,更相称誉,诳惑众听。时皓以徽猷阁直学士知饶州。丁酉,诏皓提举江州太平观。

秋,七月,庚戌朔,知濠州李观民以赴任上殿,帝戒以毋招集流亡,恐金人启衅也。旋以语宰执,俾申谕之。

壬子,秘书省正字吴芾、何逢原并罢。

殿中侍御史汪勃言:"芾与潘良能结为死党,变乱是非;逢原因蓝公佐之回,揣见和议少变,乃公肆异论,求合流俗。二人者不罢黜,缓急之际,必为国家之害。"乃以芾通判处州,逢原通判池州。

丁巳,诏:"与国同姓者不得二名。"

命有司改作祭器,三年乃成。

庚申,复置梅州。

先是诸军请衣赐,所差使臣多以弊朽易取良缣,而诸军所得皆怯薄者。至是诏户部委官封记,仍令总领所差官偕本军使臣同领,以绝其弊。

秘书省旧有提举官,见《麟台故事》。少监游操,言肇建新省,望依故事,旋诏以礼部侍郎秦焞兼之。操,建阳人也。

辛酉,升蜀州为崇庆军,以帝始封之地故也。

庚午,金建原庙于东京。

丙子,帝幸秘书省,太师、尚书左仆射、监修国史秦桧,率百官及实录院〔官〕奉迎。帝遂幸秘阁,召群臣观晋、唐书画,三代古器。还,御右文殿,赐群臣茗饮,从官坐于堂上,省官席于庑下。

八月,癸未,金主杀其子魏王道济。

庚寅,直显谟阁、两浙转运副使李椿年权尚书户部侍郎。

癸巳,召尚书左司郎中林保、国子司业宋之才入对,以保权尚书吏部侍郎,之才权礼部侍郎。后二日,以保为贺金正旦使,知阁门事康益副之;之才为贺生辰使,阁门宣赞舍人赵瑰副之。

九月,己酉,金主如东京;壬子,畋于沙河。

乙卯,金遣使祭辽陵。

辛酉,诏分利州为东、西两路,用端明殿学士、四川宣抚副使郑刚中请也。

时川口屯兵十万人,分隶三大将,检校少师、镇西军节度使、右护军都统制、阶、成、西和、凤州经略使吴璘屯兴州,检校少保、武当军节度使、利州路经略安抚使兼知兴元府、宣抚(使)〔司〕都统制杨政屯兴元府,检校少保,奉国军节度使、金、房、开、达州经略安抚使兼知金州、枢密院都统制郭浩屯金州,皆建帅府,而统制官知成州王彦、知阶州姚仲、知西和州程俊、知凤州杨从仪亦领沿边安抚使。刚中请以兴元府、利、阆、洋、巴、剑、天安军七郡为东路,治兴元府;兴、阶、成、西和、文、龙、凤七州为西路,治兴州;即命政、璘为安抚使,浩为金、房、开、达州安抚使,诸裨将领安抚使命者皆罢,从之。

时和议方坚,而璘独严备,日为敌至之虞,故西路兵为天下最。上览刚中奏,谓桧曰:"川、陕地远,为将尤难得人。如璘统兵有法,肯为朝廷出死力,诸将所不及也。"

政故为璘兄玠裨将,及分道建帅,而执门下之礼益恭,世颇贤之。

金主诏:"薰风殿二十里内及巡幸所过五里内,并复一年。"

辛未,御史中丞詹大方言:"责授清远军节度副使、潮州安置赵鼎,辅政累年,不顾国事,邪谋密计,深不可测;与范(仲)〔冲〕辈咸怀异意,以邀无妄之福;用心如此,不忠孰甚?王文献,一狂士也,鼎方在贬所,尚啗之以利,使之游说。偶然败露者,独文献耳;其诡计所施,人所不知者,又不知几十百人。今文献与守臣龚宽已有行遣,而鼎为诛首,置之不问,则鼎与其党转相惑乱,绝无安静之理,非宗庙社稷之福也。"壬申,秦桧进呈,帝曰:"可迁之远地,使其门生故吏知不复用,庶无窥伺之谋。"于是移吉阳军安置。

癸酉,金行台左丞相张孝纯卒。

冬,十月,庚辰,诏昌化、万安、吉阳依旧为军,置守臣,还属县。

壬辰,金立借贷饥民酬赏格。

庚子,诏:"州县文臣初至官,诣学祗谒先圣,乃许视事。"用左奉议郎罗长源请也。长源言:"士大夫皆学夫子之道以从政,而不知所自。望令先诣学宫,以彰风化之本。"后遂著为令。

长源又言:"朝廷通好息民,兴崇学校,多士潜心经史,而终岁未有升进之望。乞以诸州进士解额,留七分以备科举,馀三分归于学校,稍取大观三舍之法参酌增损之,务从简便。"事下礼部。遂以长源知鄂州。

甲辰,金以河朔诸郡地震,诏复百姓一年,其压毙者,官为敛藏。陕西蒲、解、汝、蔡诸郡县,饥民质为奴婢者,官给绢赎为民,放还其乡。

十一月,戊申朔,御史中丞兼侍读詹大方试工部尚书。

己酉,金主猎于海岛,三日之间,亲射五虎,获之。左丞完颜勖献《东狩射虎赋》,金主悦,厚赐之。勖能以契丹字为诗文,凡游宴有可言者,辄作诗以见意。

癸丑,给事中兼侍讲兼直学士院杨愿试御史中丞。

甲子,帝即宫中阅试殿前马步诸军,将士艺精者锡赉有差。自是岁以冬月行之,号内教场。

乙丑,观文殿大学士、提举临安府洞霄宫朱胜非薨。胜非与秦桧有隙,奉祠八年,寓居湖州僧舍。及薨,赠三官为特进。后谥忠靖。

壬申,秦桧请以军器监赵子厚兼权吏部侍郎。桧言今日宗室不可不崇奖,令聚于朝,帝曰:"宗室中之贤者,如尝中科第及不生是非之人,可收置行在,如寺、监、秘书省,皆可以处之。祖宗以来,不用宗室作宰相,其虑思〔甚〕远,可用至侍从而止。"

桧又奏请依旧置宗学教育宗子,帝可之。

十二月,己卯,诏临安府及诸郡复置漏泽园。

乙酉,端明殿学士、签书枢密院事李文会罢。

御史中丞杨愿,殿中侍御史汪勃,右正言何若,共劾"文会憸邪害政,自登言路,每论一人,必遣家仆密送于门外曰:'此出上意。'及为御史,又与王文献缔交,俾游说于外,私养台吏,伺台中章疏,枭心虺志,无所不为。陛下讲修邻好之时,傥使奸险小人尚在政地,兽穷则搏,必致为国生事。"疏六上。诏文会落职,依前左朝奉郎、提举江州太平观。愿等又攻之,诏文会筠州居住。

自秦桧再居相位,每荐执政,必选世无名誉、柔佞易制者,不使预事,备员书姓名而已。百官不敢谒执政,州县亦不敢通书问。如孙近、刘炜、万俟卨、范同、程克俊及文会等,不一年或半年,必以罪罢。尚疑复用,多使居千里外州军,且使人伺察之。

甲午,金主至自东京。

庚子,御史中丞兼侍讲杨愿充端明殿学士、签书枢密院事。辛丑,复诏愿参知政事。

壬寅,诏:"自今北使在庭,尝借官奉使者,并权立借官班。"自是遂为故事。

癸卯,金贺正旦使金吾卫上将军、殿前右副都点检布萨温、安远大将军、充东上阁门使高庆先,见于紫宸殿。

以右正言何若试谏议大夫。

丙午,秘阁修撰、两浙转运副使王铁权尚书户部侍郎;权尚书户部侍郎李椿年,以忧去官。

金以龙虎卫上将军亮为中京留守。

亮为人僄急,残忍任数。初,金主以太祖嫡孙嗣位,亮意以其父宗干乃太祖长子,而己亦太祖孙,遂怀觊觎。在中京,专务立威以压伏小民,与明安萧裕深相结。

是岁,右宣教郎、直秘阁、主管佑神观朱弁卒于行在。秦桧恶浩晧,故弁亦不得迁,逾年卒。

融州观察使、行营右护军选锋统制、知洋州、节制巴、蓬、洋州屯驻军马王俊卒。

俊行军纪律严明,退者必诛,军中号为"王开山",言其所向无前也。然性强,好犯上,吴玠亦畏其反复而喜其勇,常厚遇之。

【译文】

宋纪一百二十六 起癸亥年(公元 1143 年)正月,止甲子年(公元 1144 年)十二月,共二年。

绍兴十三年 金皇统三年(公元 1143 年)

春季,正月,己丑朔(初一),宋高宗没有接受朝贺,到慈宁殿去向皇太后祝贺新年。太师秦桧率文武百官到文德殿上表祝贺,又到行宫北门遥拜宋钦宗赵恒。

金熙宗因正服太子丧礼,没有驾临正殿,众大臣就到便殿致贺新年。

癸巳(初五),太傅、醴泉观使、潭国公韩世忠,向皇帝请求按照他私有田产以及宋高宗赐给他的土地,统计出历年来没有缴纳的赋税数额,一并向官府缴纳齐全。宋高宗同意。

戊戌(初十),宋高宗吃素食,并在常御殿举行斋祭,派太师秦桧为宋徽宗赵佶册封谥号体神合道骏烈逊功圣文仁德宪慈显孝皇帝。

己亥(十一日),宋高宗亲临太庙祭祀先祖。秦桧为大礼使,签书枢密院事程克俊为礼仪使,普安郡王为第二次献酒的亚献,皇叔光州观察使赵士街为第三次献酒的终献。

辛丑(十三日),立春节,学士院开始呈进帖子词,宋高宗赐给百官春胜幡。自建炎年间以来,这种礼废弃已久,从现在起又开始恢复。

癸卯(十五日),宋高宗下诏以钱塘县西岳飞的宅第作为国子监和太学。以前太学有七十七间学舍,如今则有十二间,分别叫作提身、服膺、守约、习是、允蹈、存心、持志、养正、诚意、率履、循理、时中。

奥屯良弼饯饮碑　金

与此同时,西夏国在国中设立学校,在宫禁中设立小学,西夏皇帝亲自训导学生。

己酉(二十一日),殿中侍御史江邈任职尚书省吏部侍郎。

二月,乙丑(初七),永祐陵更名为永固陵。

丙寅(初八),宋高宗下诏,扬武翊运功臣、太傅、横海、武宁、安化军节度使、醴泉观使、潭国公韩世忠,进封为咸安郡王。

此时刘光世刚去世,在世的功勋大臣中只剩下韩世忠和张俊两人。张俊的功勋声誉都比不上韩世忠,但是因为他主张与金兵和议而受到秦桧的厚待,先封为王。现在韩世忠愿意缴纳累年的租赋给官府,宋高宗才下此诏书封韩世忠为王。不仅如此,宋高宗还多次在宫苑设宴,招待韩世忠及其家属,并且赐给名马、宝剑等优厚的礼物。

己巳(十一日),宋高宗下诏:"清河郡王张俊、咸安郡王韩世忠、平乐郡王韦渊,均每隔五天上朝一次。"

庚午(十二日),宋高宗下诏:"从明年开始,由太史局经过驿站向各路监司和守臣颁发日历。"

己卯(二十一日),国子监司业高闶向宋高宗上言:"太学,是教化的根本,而太学教育的科目中,又以经术为最要。自汉代以来,历朝大多设置经学博士,后世所谓诗赋、论策等科目,都是经术的遗存。太学的旧规矩是,每十天有一次小考,一月轮一遍,每一月有一次大考,一季度轮一遍,也都是以经义为主,兼习论策,共分为三场。如果再增加一场,那么每旬小考每月大考的方法就无法施行。从元祐年间以来,虽然大臣僚属们多次上奏,请求增加诗赋这一科目,共计为四场,但最终未能付诸实施,就是因为这个缘故。自从罢考诗赋之后,朝廷担忧学科太专门不能收到实用之效,便另外增设词学一科,考试的内容是制诏表章之类,通称为杂文。微臣我现在综合参考以往规定及众议,逐条阐明太学考试及科举考试的三场事项:第一场,考大经义三道,《论语》《孟子》各一道;第二场,考诗赋;第三场考子史论一篇及时务策一道。作为永远的考试定式。"高闶又说道:"近年来各郡国虽然设立了学校,但却与科举取士不相关。现在参考前朝旧制,并与现实需要相结合,增补太学生,凡在各郡国原藉学满一年,通过了三次考试,又不曾受第三等以上处罚的人;或者虽没有在学校住学,但曾经解试合格,确有士人操行的人,可由教授保荐,州署出具证明,前往国子监补考。各州郡举人在原籍学校学习半年,或虽然没有住学,但两次参与释奠礼及取得了参与乡饮酒礼资格的人,由原学校依次保举,教授审查属实,申报州署听候录取应试,仍从绍兴十四年开始。"宋高宗都一一采纳。

乙酉(二十七日),宋高宗下诏命临安府修建景灵宫。在此之前,有人进言说:"从元丰年间开始扩建景灵宫,以供奉祖宗衣冠神像,这就类似于汉代的原庙。自从国难南迁以来,百事初创,而原庙神像,还寄放在永嘉,一年四季第一个月的荐飨祭祀,只是在便朝供奉神位,不能符合广为行孝的意义。希望明主下令有司选择理想的地点,仿照景灵宫原有规模建立新庙,迎回各位先帝神像,于是可以在四季的第一个月由陛下亲自进行祭祀,以告慰先帝在天之灵。"这件事就下达给了礼部的官员。此时,权礼部侍郎王赏等人,向宋高宗请求仿照温州现在安奉神位的殿宇,责令临安府与修内司酌情修盖。此后,在新庄桥的西边动工兴建,用赐给刘光世的宅第建造,筑成三座殿,里面住僧人、道士十人,吏卒二百七十六人,元宵节搭建灯楼,帝幕每年更换一次,每年用二百四十头羊作贡品。凡是已故皇帝、皇后的忌日,都用僧人、道士共四十七人作法事。

三月,辛卯朔(初一),国子司业高闶,向宋高宗请求在校的学生,依照宋徽宗御笔制定的规矩,再确立三年回家探亲的期限,以表彰孝道。宋高宗说:"以前有九年回家探亲的规矩,至徽宗时改为三年,怎么有读书人九年不回家探亲的道理呢!就按徽宗规定的三年为期。"

金国任命尚书左丞完颜勖为平章政事,任命殿前都点检宗宪为尚书左丞。

丁酉(初七),金国太皇太后唐古氏去世,后来定谥号为钦仁,安葬在恭陵。

乙巳(十五日),宋高宗下诏令临安府建造大社、大稷。

丙午(十六日),宋高宗下诏令临安府与殿前司在龙华寺西边修筑祭坛。祭坛共四层,上层长宽各七丈,下层长宽各二十二丈;分十三个台阶,每阶有七十二级;从祭坛到内墙共九十步,中墙、外墙共二十五步。以龙华寺作为望祭殿,不另外修筑斋宫。

己酉(十九日),金熙宗册封皇子道济为魏王。

夏季,四月,癸酉(十六日),右谏议大夫兼侍讲罗汝楫出任御史中丞。

行懿节皇后祭祀几宴撤除礼,宋高宗身着素服烧香,以太师秦桧为礼仪使。

该月,蒙古再次发动叛乱,金熙宗命将领讨伐蒙古军。

起初,鲁国王完颜昌被杀以后,他的儿子胜花都都君,率领他父亲原来的部下发动叛乱,与蒙古军勾结。蒙古因此而强大起来,夺取金国二十余座团寨,金人无法控制。

在此之前金国都帅、越国王完颜宗弼怀疑知亳州王彦先到南朝时常泄露金国秘事,于是将王彦先调知澶州,调他的儿子保义郎王大观随军北伐蒙古军,实际上是将其作为人质。王大观年方二十余岁,骁勇凶猛并喜好骑马射箭,因侍奉刘麟打鞠球而得官,完颜宗弼让他做了保义校尉。

闰四月,己丑(初二),宋高宗册封贵妃吴氏为皇后。

五月,庚申(初四),宋高宗告诉大臣们说:"有人说南方不适合养马,前不久我亲自做了试验,虽然养的马匹不多,才二三年时间,就已养得马驹数百匹,以后不愁不能繁衍。与从四川、广东买马相比较,这两地买的马不仅病弱不堪乘骑,而且沿途耗费也不计其数,自己养马,则一匹马可节省几百至一千缗钱。"秦桧说:"节俭可以使财用充足,宽厚可以爱护百姓。《鲁颂》专门讲养马。"宋高宗又说:"国家本有先例,京城门外就有孳生监,每年收获很多。祖宗的用意可见一斑。"

甲子(初八),秘书少监秦熺任权尚书礼部侍郎。

壬申(十六日),宋高宗下诏:"国子监设置博士,正、录各一名,学生暂定为八十人。"

丁丑(二十一日),天申节,宰相大臣率领文武百官为宋高宗祝寿,京官任寺、监、主簿以上及行在有资格上朝的官员都参加,初次使用音乐。近臣进呈金酒器、银香合、马,赏赐郡县官员宴席,一切都如太平盛世的样子。

己卯(二十三日),宋高宗在集英殿大摆宴席。

甲申(二十八日),金国开始修建太庙、社稷祭坛。

六月,戊戌(十三日),吏部员外郎周执羔,请求告诫各监司巡按查看账簿,凡是财政的支出与收入没有在账簿上签字画押的,必须按不称职的罪名予以追究,又请求命令帅臣区分条目,下令各路、州军广泛寻访徽宗亲笔文字,高宗一一予以批准。

己酉(二十四日),金国开始设置骁毅军。

庚戌(二十五日),金人送遣通问使徽猷阁待制洪晧、直龙图阁张邵、修武郎朱弁返回行在。

在此之前,金熙崇宣布大赦天下,才允许洪晧等人南归宋朝。宋朝渡江南迁之后,派往金国的使者大约三十人,但活着回来的只有这三人。

秋季,七月,甲子(初九),宋高宗下诏在全国搜寻散佚书籍。

癸未(二十八日),安置至圣文宣王孔子神位于国子监大成殿。命太师秦桧行礼。当时太学刚刚建成,宋高宗为赐书阁题书"首善"二字。

八月,丙戌(初二),派遣权吏部侍郎江邈到温州奉迎景灵宫万寿观的宋神宗神像,从海路运至行在。

辛卯(初七),敷文阁直学士、知临安府王晚任守尚书工部侍郎。

金熙宗下诏发给天水郡王的孙子和天水郡公的女婿俸禄。

丁酉(十三日),尚书兵部侍郎兼侍读、资善堂翊善程瑀任试兵部尚书。

戊戌(十四日),徽猷阁待制洪晧从金国回来,当日在内殿被宋高宗召见,宋高宗告诉洪晧说:"洪爱卿不忘君主,即使苏武也不能超过你。"赏赐给洪晧内库金币、鞍马、黄金三百两,帛五百匹,象牙、香绵、酒、茶颇多。第二天,太后在慈宁殿召见洪晧,掌管帘幕的人设置帘帐,太后发话道:"我以前就认识尚书了。"下令撤掉了帐帘。洪晧退下后去见秦桧,连续几日两人谈论不休,洪晧说:"张和公张浚是敌人所畏惧的人,却得不到重用。钱塘只不过是朝廷暂居之地,而景灵宫、太庙的建筑却极尽铺张奢华,这难道不是向世人显示无意中原吗?"秦桧听后不高兴,对洪晧之子秘书省正字洪适说:"你的父亲确有忠义气节,得到皇上的厚爱。但当官如同读书,读得太快容易一下子看完而索然无味,须如黄钟、大吕才好。"

起居郎郑朴任权尚书兵部侍郎,尚书左司郎中王师心任权工部侍郎。己亥(十五日),以郑朴为贺金正旦使,左武大夫、保顺军承宣使、知阁门事何彦良为副使;王师心为贺金生辰使，武功大夫、解州防御使、干办皇城司康益为副使。当时出国一定派遣亲信大臣，所以一同晋升两人官职，从此成为惯例。

庚子（十六日），直龙图阁张邵从金国回来。张邵入朝拜见宋高宗，说："从靖康年间以来一直到建炎年间，出使金国而没有回国的大概有数人，如陈过庭、聂昌、司马朴、腾茂实、崔纵、魏行可，均被拘禁于北方荒原，为朝廷殉职，而司马朴的气节尤为出色。刘豫被废黜后，金国攻取了河南之地，金国将帅达兰让司马朴做尚书左丞，想以此收买南方人心，司马朴以病相推辞，坚决卧床不起，达兰也无可奈何。陈过庭快要死了，他的士兵割下自己大腿上的肉，取出肝脏做成肉汤献给他。陈过庭死了之后，按照北方习俗将尸体焚烧，他的士兵又割下自己的大腿肉，投入火中，并说：'让这块肉与相公的尸体一同焚烧。'这些事感人至深。聂昌割让河东，绛州人杀死了他。腾茂实临死前，为自己起草祭文，人们怜爱他的忠诚。崔纵患中风病，三年如同废人，临死时，将后事托付给我。魏行可之死，我也亲眼目睹了。去年冬季，我向金国尚书省请求，要求携带崔纵、魏行可的棺木回国，金朝下令有关机构遣送。然而魏行可的棺木，被金人带往中京，终究未能送回。崔纵的棺木，金人派丁役装在车上，让我护送回来，我小心地将棺木安置在临安府城外的妙行寺。我的随行大臣中有一个叫吕达的人，是婺州人，也病死在金国。恳求圣上慈悲为怀，将为朝廷殉职的大臣如陈过庭等七八个人中，尚未有经褒奖追赠的，下令有关部门查实报告，特加恩典，让崔纵的亲属迎还其棺木，由官府资助安葬，这样，对下可以告慰九泉之下的忠义之魂，对上可以显示陛下不忘忠义之士的仁慈之心。由此可以激励天下仗义死节的英雄举动。"

乙巳（二十一日），修武郎朱弁从金国返回行在。

朱弁向朝廷禀奏朱邵、史抗、张忠辅、高景平、孙谷、傅传文、朱勋、李舟、僧人宝真、妇女丁氏、晏氏、兵士阎进都为朝廷尽操守节，请求优厚抚恤。朱邵是府谷人，靖康初年，以秉义郎任知震威城，为节义而死十分壮烈英勇；史抗是济源人，任代州沿边安抚副使；张忠辅为将领，守卫崞县；高景平是崞县人，为隆德府部将；孙谷是朔宁人，为益王府属官。他们均在宣和、靖康年间为国献身。宝真是五台山僧人，靖康年间曾被召入朝中对策，让他带兵迎战敌人，被金人捉住，金人想逼他投降，宝真对敌人说："我已答应为大宋皇帝而献身了，难道是胡乱说的吗？"临刑之际，面不改色，金人也为之惊叹。丁氏是丁度的五世孙女，曾经嫁人，后来被金人掠走，金人想娶她为妻，丁氏痛骂敌人不肯屈从，最后死于梃杖之下。至此，朱弁将这些人的事迹收集起来，上报朝廷，奏疏进呈后，没有回音。

壬子（二十八日），礼部上奏宋高宗，今年在南郊祭天应当免去初冬祭祀景灵宫的礼仪，宋高宗同意，从此以为惯例。

九月，戊午（初五），恢复宁远、万宁、宜伦三县为吉阳、万安、昌化军，并免属琼州管辖，仍旧以军使兼任所驻县的知县事。

甲子（十一日），徽猷阁直学士，提举万寿观、权直学士院洪晧出知饶州。

当时金人来索取赵彬等三十人的家属，宋高宗下诏送还这些人。洪晧说："从前韩起向郑国索要玉环，郑国虽是个小国，却能说出理由不给他。金人既然以淮河为界，这些官员家属都是吴地人，将他扣留下来不予遣还，是担心这些人了解吴地的虚实。金人现在正被蒙古所困扰，暂且依仗其强大而试探我国，如果仓促同意他们的要求，他们将以为我无人才而轻视我国。如果担心因为不给他们这些人而导致背弃盟约,可以这样对他们说:"等渊圣皇帝和皇族返回大宋,才能遣返这三十人回去。"秦桧听后大怒。

洪晧又说:"王伦等人以身殉国,将他弃置一旁而不重用,一旦遇到紧急情况又如何来用人呢?"当初,秦桧在完颜昌的军队里,完颜昌围攻楚州,久攻不克,想让秦桧起草檄文劝降,有一个叫实讷的人,当时在军中了解这一情况的始末。洪晧与秦桧谈及金国之事,便提道:"记得实讷这个人吗?分别时他特地托付我问候你。"秦桧听后脸色大变,不再作声。

第二天,侍御史李文会便写了一道奏折说:"洪晧过去追随朱勔的女婿,趋附权贵而被改为京官,因为要追究罪责,便请求出使金国。他之所以能回来,不是因为他自己逃脱,而是因为宋金两国议和已定,按惯例得以放回。然而他却贪恋官位,不肯回家探望母亲。这种人如果长久留在朝中,必定会滋生事端,请求放他到外地去做官。"秦桧将李文会的奏折进呈给宋高宗,又谈起宇文虚中这件事。宋高宗说:"人臣侍奉君主,不可以有二心。做人臣有二心,在《春秋》里都列为不赦之罪。"于是下令贬黜洪晧。

丁卯(十四日),御史中丞兼侍讲罗汝楫,出任吏部尚书。

左司谏詹大方议论说:"秘阁修撰、主管右神观张邵,奉命出使没有成效,曾与他的副手不和,持刀杀他的副手,特别有辱使命。如果搁置一边不予追究,恐怕外国人听说此事后,必定会议论我国没有赏罚,请求改派他为外祠官职。"宋高宗于是下令张邵主管台州崇道观。

不久,张邵又给秦桧写信,信中谈到金人有归还渊圣皇帝和宗室诸王之意,劝秦桧派使臣去迎请,于是秦桧对张邵更加恼怒。

庚午(十七日),宋高宗下诏:"已故兵部侍郎司马朴,忠心耿耿,业绩显著,特赠予兵部尚书,赏赐其家人白银三百两、绢帛三百匹。"这是因为洪晧上言司马朴高尚气节的缘故。

冬季,十月,乙未(初二),将祖宗帝后及徽宗皇帝、显肃皇后神像供奉于景灵宫。

庚子(初七),宋高宗前往景灵宫行款谒之礼。辛丑(初八),再如此。

十一月,戊午(初六),宋高宗穿袍登鞋,乘坐辇车,前往景灵宫行朝献之礼;然后赴太庙,住宿、斋戒。

己未(初七),在太庙祭祀完毕,宋高宗头戴通天冠,身穿绛纱袍,乘坐玉辂马车,前往青城斋戒。

庚申(初八),冬至,宋高宗在圜丘合祀天地,宋太祖、宋太宗配享。从天地至从祭的诸神,共七百七十一个,设置祭器九千二百零五件,用卤簿仪仗一万二千二百二十人。祭器本应用铜器、玉器,权且以陶器、木器代替。卤簿本应服用彩色绣品的,都临时以花纹丝织品代替。最初准备了五辆车,只有玉辂插的旗子和往常一样,其他各车树立起所载的旗帜。所谓青城是用芦席搭建而成,再用青布装饰。不设置斋宫,用黑色丝织品做成大裘,这些都是元祐年间的礼仪。礼仪官认为行在的御街狭窄,所以从皇宫到太庙,不乘辂车,临时以辇车代替。施礼完毕,宋高宗没有上楼,在内宫发布诏书,大赦天下。

庚午(十八日),给事中杨愿借任礼部尚书,充任金国贺正旦接伴使,容州观察使、知阁门事兼权枢密副都承旨曹勋任副使。待到出使回国,就充任送伴使。自此作为惯例。

癸酉(二十一日),太常博士向高宗敬言:"国家大事在于祭祀。过去因朝廷南渡,百事待兴,没有准备齐全的物品,凡遇大小祭祀,均暂用奏告的方式,祭品是一笾一豆,酒和干肉。

如今正值中兴之耐,法度典制日趋完备,如祭祀日、月、五帝尚不能用血食祭品,神州、感生神祭祀也取消了用牲畜作祭品,如此怠慢神祇、亵渎礼仪,相当严重。请求陛下明令有关部门讲求祀祭之礼,凡是不可缺少的祭祀礼节,可先恢复旧制,其他依次施行。"高宗同意。

十二月,癸未朔(初一),日食,宋高宗下令不上朝,减少进食。这天,因有阴雨而没有见到日食,太师秦桧率领文武百官上表称贺。

癸巳(十一日,),秘书丞严抑上言说:"本省收藏有先朝国史、历代图书典籍,有右文殿、秘阁、石渠及三馆、四库。自朝廷南渡以来,暂且寄放在法慧寺,与老百姓住宅相邻。十分担心发生风火之灾,恳请重新修建藏书楼,以符合圣上重视文物教化的旨意。"因此在天井巷的东边修建秘书省,用的是殿前司的军营旧址。宋高宗亲自书写右文殿、秘阁两块匾额,命令将作监米友仁书写道山堂匾额。并令官员到直秘阁陆宰家中著录他家藏书的书目呈上。

己亥(十七日),宗正少卿段拂任权尚书礼部侍郎。

己酉(二十七日),宋高宗在紫宸殿召见金国贺正旦使、副左金吾卫上将军、右宣徽使完颜晔和秘书少监马谞。金熙宗赠送给宋高宗六件金酒器,三百段彩色绫罗纱縠、六匹马。以后每年春节都依此规。

这年,金国首次颁布《皇统新律》,有法规一千余条,大多仿照宋朝的法律,其中也有金人自己创立的条款。如殴打妻子致死,只要不是用刀剑利器的可以不加刑。其他有关条款与此类似。判刑者从一年到五年,杖刑从一百二十到二百,都是用荆条抽打臀部,另外拘留服役。杂条中只有僧人尼姑犯奸和强盗不论得到财物与否都处以死刑,这与古代法律不同。

金熙宗逐渐醒悟到左丞相完颜希尹蒙受了冤屈,他对左丞相宗宪说:"希尹对国家有大功,不该判他死罪,我将录用他的孙子,你觉得怎么样?"宗宪回答说:"陛下念念不忘希尹,录用他的孙子,实在是希尹的幸运。但如果不事先说明死者无罪,那么活着的人怎么能做官呢?"金熙宗说:"爱卿的话很有道理。"于是恢复了希尹的官位,赠授他仪同三司、邢国公,重新安葬了他。并赠予萧庆为银青光禄大夫。任命希尹的孙子完颜守道为应奉翰林文字。

在此之前虔州有个叫程师回的统兵官,接到朝廷诏令要他返回金国。而程师回手下有数百名新兵,因害怕而不敢前行。知州薛弼对程师回说:"您的随从士兵太多,无法加以庇护,如果您能把这些士兵遣散,朝廷必定赏识您,不会再遣送您去金国。"程师回当即答应执行这一命令。不久朝廷下令催促程师回上路,他便离去。程师回作战十分勇猛,人们感到很可惜。

绍兴十四年　金皇统四年(公元 1144 年)

春季,正月,癸丑朔(初一),宋高宗在紫宸殿设宴招待北方使者,权侍郎、正刺史以上官员赴宴陪客。

甲寅(初二),金熙宗将去年宋朝贡献的岁币赏赐给宗室成员。

戊午(初六),宋高宗诏令吏部尚书罗汝楫为大金报谢使,任命瀛海军承宣使、知阁门事郑藻为副使。

己未(初七),金国贺正旦使完颜晔等辞行回国。

当初,太傅,醴泉观使韩世忠的俸禄和赏赐与宰执大臣一样。丙寅(十四日),韩世忠说:"宋金两国讲和,金国使臣恭顺朝见,这是陛下当机独断,朝廷大臣谋划策略所致,微臣对中兴大计未尽毫发之力,希望将赏赐给我的俸禄立即停止支付,并将随身使臣三十人、官兵七十人拨付朝廷使用。"宋高宗下诏,使臣之事由殿前司去交割,韩世忠提出的其余几件事均未同意。

端明殿学士、同签书枢密院事王伦被金人杀害。

王伦在河间居住六年,此时,金人想要他担任河间、平、滦三路都转运使。王伦回答金人说:"我是奉宋朝使命而来,不是来投降的。大宋的朝臣,怎么能接受大金国的爵禄呢!"金国派使臣前来催促他上任,王伦又没有接受。金人棒打使臣,要他勒死王伦;王伦整理好衣冠,向着南面再三叩拜,放声大哭,然后从容就义。不久,王伦的儿子王述托北方人寻找他父亲的尸骨,找到后送归了故乡。以后宋高宗经常对宰执大臣说:"王伦虽然不拘小节,但他能为节操而死,却也难能可贵。"

丁卯(十五日),宋高宗下诏,上津、丰阳二县隶属于金州管辖。

辛未(十九日),册封普安郡王夫人郭氏为咸宁郡夫人,发给宫中俸禄。

癸酉(二十一日),侍御史李文会任试御史中丞,右司谏詹大方任试右谏议大夫。

戊寅(二十六日),内宫将镇圭交付国子监,以供奉文宣王。

左朝奉大夫、秘阁修撰赵子俦去世。宋高宗下令侍从人员与台谏官员共同商讨普安郡王如何服丧事?参加商讨的大臣张澄、李文会、秦熺、周三畏、王唤、刘才邵、詹大方、张叔献、段拂、何若、游操上奏说:"查询《国朝会要》,嘉祐四年九月,宋仁宗(赵祯)下诏,凡使臣、内殿崇班、太子率府率以上官员的父母去世后,都准许停职服丧,宗室官员停职后,仍发给俸禄。普安郡王服丧,请求依照旧例。"

瀛海军承宣使、知阁门事、充金报谢副使郑藻改任镇东军承宣使。

二月,癸未(初二),金熙宗前往东京。

辛卯(初十),重新设立教坊,共有四百一十六名乐工,以内侍省宦官充任铃辖掌管。

丙申(十五日),给事中兼权代理直学士院杨愿等人陪送金国使者后回来,入宫觐见宋高宗。以后大率如此。

金熙宗驻春水。

丁酉(十六日),回鹘向金国派遣使节。

丙午(二十五日),左通奉大夫、参知政事万俟卨,依以前官阶提举江州太平观。

在此之前,万俟卨出使金国回来,太师秦桧假借金人之言,以数十句话叮嘱万俟卨上奏宋高宗,万俟卨不同意。有一天,万俟卨奏完事退下来,秦桧坐在殿堂中批阅皇上圣旨,就把与他私交好的官吏名字附在文后予以升迁,万俟卨拱手说道:"我正巧没有听到皇上说起这事。"退下不看。秦桧大怒,以后再不与万俟卨说一句话。御史中丞李文会、右谏议大夫詹大方,马上奏劾万俟卨贪污钱财、营私舞弊,损害国家利益,万俟卨再次上奏请求离职;宋高宗下令万俟卨以资政殿学士出任地方官。待到万俟卨入朝辞谢,宋高宗对他慰劳劝勉相当周全。秦桧更加恼怒,因为给事中杨愿密封退还录送黄纸,所以宋高宗才有这一命令。

同知大宗正事赵士稯,向皇上上言请求宗学生以一百名为限额,大学生五十名,小学生四十名,办事人员各五人,宋高宗应允。

己酉(二十八日),资政殿学士、新任知绍兴府楼炤入宫拜见宋高宗,当日被任命为签书枢密院事兼权参知政事。

军器监陈康伯任权尚书吏部侍郎,尚书左司郎中李若谷任权工部侍郎,因为他们即将出使外国。

三月,丁卯(十六日),改岷州为西和州,与阶州、成州、凤州均隶属于利路。

己巳(十八日),宋高宗驾临太学,恭敬拜谒先圣,将车停在大成殿门外,徒步上下台阶。退下后,又亲临敦化堂,命礼部侍郎秦熺手持经书,国子监司业高闶讲解《易·泰卦》,权侍郎、正刺史以上官员一并听讲。讲经完毕,在廊房下赐给诸生座席,饮茶后退去,于是又去养正、持志二斋,察看诸生修学的场所。赏赐给高闶三品官服,秦熺和学官均晋升官职,诸生授予官职、免予解试、赐给丝帛均依旧例。

壬申(二十一日),国子司业兼崇政殿说书、资善堂赞读高闶任权尚书礼部侍郎。

御史中丞李文会向宋高宗上言说:"建宁军承宣使、提举江州太平观解潜,原是赵鼎食客,不同意议和;当议和的效果已经很显著,他就常常郁郁不乐。明州观察使、浙西马步军总管辛永宗,喜欢编造谣言、拨弄是非。这两个人,做官与居住之地均在战略要地平江,他们倡导异说,恐怕使臣往来经过,听到失实传闻,以致产生疑惑,实在是不方便。"宋高宗下诏令辛永宗调任湖南副总管;解潜责授濠州团练副使,到南安军安置。

庚辰(二十八日),宋高宗下诏:"各军所有刻板书籍,一律用黄纸印成一帙,送交秘书省。"

夏季,四月,癸未朔(初一),安葬柔福公主。公主去世之后,护送宋徽宗灵枢的人将她的遗骨一同带回来,至此将她安葬。

丙戌(初四),宋高宗下令太师秦桧负责管理制造浑天仪,诏令有关部门寻求苏颂遗留下来的制法,将其上奏朝廷。宋高宗对秦桧说:"宫中已制成小模型,可以窥测天象,白天以日晷刻度,夜晚则以枢星位置为基准。枢星就是中星。不久将要把模型送出宫外,采用它的模式,只需加大尺寸就可以了。"于是下令内侍邵谔专门负责此事。

将作监丞苏籀,向高宗请求把近世儒家撰写的经书学说,汇集成编,用以补正唐代《五经正义》中的缺损遗漏之处。宋高宗对秦桧说:"这个提议很得当,如果选取儒学大臣学说中优秀的著作颁发给各学宫,使学习的人学有宗师,那么,对王安石、程颐学说的理解就不至于这么众说纷纭了。"

戊戌(十六日),宋高宗任命权吏部侍郎陈康伯为报金贺生辰接伴使,任命容州观察使、知阁门事曹勋为副使。从今年起成为惯例。

庚子(十八日),军器监丞苏策,向宋高宗上言请求将边远地方百姓中确有孝行的人,令各州县上报朝廷,予以表彰。宋高宗下诏各地严格执行。

五月,辛亥朔(初一),金熙宗到薰风殿。

甲寅(初四),宋高宗任命将作监米友仁任权尚书兵部侍郎。

甲子(十四日),资政殿学士、签书枢密院事兼权参知政事楼炤被罢免。

御史中丞李文会、右谏议大夫詹大方,奏劾楼炤平素行为不检点,结交蔡京,被迅速改任京官,统帅绍兴期间,不体恤国事,溺爱二名娟妓。宋高宗下诏以原职提举江州太平观。

乙丑(十五日),御史中丞兼侍读李文会向高宗上言:"权尚书礼部侍郎兼侍讲高闶,起初是蔡絛的门客,巴结蔡京以求升官;后来读程颐的学说,附会赵鼎以抬高自己的名声。权工部侍郎王师心,出使大金国,专营私利。起居舍人吴秉信,投机营利,专门勾结楼炤。这三个人,如果长期留任朝廷,必定会危害国家的长治久安。"宋高宗于是下诏命高闶知筠州,王师心知袁州,吴秉信知江州。

在此之前,宋高宗在讲经席上,经常对高闶说:"从前张九成曾问我:'《左氏传》记载一件事有时用千余字,而《春秋》只用一句话就概括一件事,这是为什么?'我回答他说:'圣哲的言行有造化的功能,能包含无穷无尽的意义。如果没有造化,即使容易明白、理解,那只不过是平常人的口头禅了。'"高闶说:"解说《春秋》的人虽然很多,最终不能明白其微言大义,就如窥探造化一样。"宋高宗顺便询问张九成是否平安。第二天,宋高宗对秦桧说:"张九成现在在什么地方?"秦桧回答说:"张九成近来以倡导异端学说迷惑众人,被御史台官员所弹劾,给了他一个州官职务,而他请求去做宫观官,观察他的意图,最终是不想为陛下尽力。"宋高宗说:"张九成清贫,不能没有俸禄。"秦桧怀疑是高闶在皇上面前举荐了张九成,叫来给事中兼侍讲杨愿询问这件事,李文会也弹劾高闶。

这天,宋高宗下诏授李文会为端明殿学士、签书枢密院事兼权参知政事。从此,执政官吏被免职,就以弹劾的人顶替。

丙寅(十六日),太常寺为已故观文殿大学士张商英追加谥号为文忠。

戊辰(十八日),权尚书吏部侍郎陈康伯任假吏部尚书,充当赴金国的报谢使臣,这是因为金国要派使臣来祝贺宋高宗生辰的缘故。宋高宗本想用右武大夫、嘉州防御使钱恺为副使,钱恺正为其母服丧,于是起用恢复原职,任假保信军承宣使、知阁门事。

己巳(十九日),金熙宗初次派遣骠骑大将军、安国军节度使乌延和、通议大夫、行大理少卿孟浩束祝贺宋高宗的生日,赠送给宋高宗珍珠一袋、金带一条、衣服七套、彩色绫罗绸缎五百段,马十匹。以后每年如此。

辛未(二十一日),是宋高宗的生日,文武百官、金国的使臣在紫宸殿给宋高宗祝寿。按惯例,金国使臣祝寿完毕,与百官在殿上一起赠酒三巡,接着到尚书省赴宴。至此特命在驿馆款待,仍然由执政官陪伴。

癸酉(二十三日),宋高宗在垂拱殿大宴群臣。

丁丑(二十七日),北方使臣辞别回国。从此,北方使臣留住馆中的时间不超过十天。

己卯(二十九日),任命右谏议大夫詹大方为御史中丞兼侍讲。

六月,辛巳朔(初一),日食。

乙未(十五日),宋高宗晓谕大臣们说:"浙东、福建遭受水灾的地方,可令监司亲自前往视察,全力赈救,务必给受灾百姓以实际好处,不要变成一纸空文。"

当时江、浙、福建同一天遭受大水。建州大水越过城墙进入城区,不一会儿洪水就深达数丈,公私房舍全部毁坏,淹死数千人。严州洪水暴至,城墙没有被淹没的只有几板(八尺为一板)地方。右奉议郎、通判州事洪光祖集合船只以救援灾民,并将他们安置在山坡高处,供给柴火米粥,最终没有淹死一人。衢州、信州、处州、婺州等地,被淹死的民众很多。

丙申(十六日),右武大夫、华州观察使、提举佑神观白锷,被特命刺面发配万安军。

当时闽、浙发大水,白锷是跟随太后从北方返回的人,他叫喊辅佐大臣荒谬悖理,洪晧名闻中外,却不被重用!太师秦桧听到这话,就上言将白锷拘禁于大理寺。白锷门客张伯麟曾经在太学房屋的墙壁上题写过一句话:"夫差,你忘记越王杀掉了你的父亲!"张伯麟也被下狱。这桩案子审理完毕,白锷被拘禁的理由是,张伯麟曾经问他为何不用廉访使,白锷回答,用宦官作耳目,正是祖宗的先例,恐怕皇上不了解这一情况,因为说话指责皇上,于是高宗才下达了将白锷拘禁的命令。张伯麟受到杖脊的处罚,刺配吉阳军。

御史中丞詹大方随即上奏,说洪皓与白锷是刎颈之交,相互赞誉,迷惑众人视听。当时洪皓以徽猷阁直学士知饶州。丁酉(十七日),宋高宗下诏令洪皓提举江州太平观。

秋季,七月,庚戌朔(初一),知濠州李观民因即将赴任特上殿向宋高宗辞行,高宗告诫他不要招募聚集流浪逃亡之人,恐怕金人挑起事端。随后又吩咐宰执大臣,叫他们通知各地。

壬子(初三),秘书省正字吴芾、何逢原一并被罢免官职。

殿中侍御史汪勃,说吴芾与潘良结为死党搅乱是非。何逢原由蓝公佐归来,猜测和议没有什么变化,便公开散布异端之说,来迎合流俗。如果不罢黜二人,遇到形势危急的时候,必将成为国家的祸害。于是以吴芾为处州通判,何逢原为池州通判。

丁巳(初八),宋高宗下诏:"凡是与皇帝同姓的人不能有两个名字。"

宋高宗下诏命官府改制祭器,三年才完成。

庚申(十一日),重新设置梅州。

在此之前,各军请领赐衣,所差遣的使臣大多用朽坏破烂的换取优质细绢,而各军所领取的都是些虚薄的绢。至此,宋高宗下诏令户部委任官员做好封记,仍叫总领派遣的官员偕同本军使臣共同领取,以杜绝这种弊端。

秘书省原有提举官,见于《麟台故事》。少监游操上言兴建新秘书省,请依照旧例,接着宋高宗下诏令礼部侍郎秦熺兼任此职。游操是建阳人。

辛酉(十二日),晋升蜀州为崇庆军,因为它是宋高宗的最初受封之地。

庚午(二十一日),金国在东京辽阳府建立原庙。

丙子(二十八日),宋高宗驾临秘书省,太师、尚书左仆射、监修国史秦桧率领百官与实录院官员迎接。宋高宗于是亲临秘阁,召唤众大臣观赏晋唐书籍图画和三代古器。返回,亲临右文殿,赐给群臣茶喝,随从官员坐在大堂上,省官坐在堂下走廊的席上。

八月,癸未(初四),金熙宗杀死他的儿子魏王完颜道济。

庚寅(十一日),直显谟阁、两浙转运副使李椿年任权尚书户部侍郎。

癸巳(十四日),宋高宗在宫中召见尚书左司郎中林保、国子司业宋之才,并进行面谈,任命林保为权尚书吏部侍郎,宋之才为权礼部侍郎。过了两天,任命林保为贺金正旦使,知阁门事康益为副使;宋之才为贺生辰使,阁门宣赞舍人赵环为副使。

九月,己酉(初一),金熙宗到东京辽阳府;壬子(初四),在沙河狩猎。

乙卯(初七),金国派遣使节祭祀辽国皇陵。

辛酉(十三日),宋高宗下诏,将利州分为东、西两路,采纳端明殿学士、四川宣抚副使郑刚中的建议。

当时,四川北部屯兵十万,分别隶属于三员大将、检校少师、镇西军节度使、右护军都统制、阶、成、西和、凤州经略使吴璘驻扎在兴州,检校少保、武当军节度使、利州路经略安抚使兼知兴元府、宣抚司都统制杨政驻扎在兴元府,检校少保、奉国军节度使及金、房、开、达州经略安抚使兼知金州、枢密院都统制郭浩驻扎在金州,三将领均建有帅府,而统制官知成州王彦、知阶州姚仲、知西和州程俊、知凤州杨从仪也兼任沿边安抚使。郑刚中请求将兴元府、利、阆、洋、巴、剑、天安军七郡合为东路,治所在兴元府;将兴、阶、成、西和、文、龙、凤七州合为西路,治所在兴州;随即任命杨政、吴璘为安抚使,郭浩为金、房、开、达州安抚使,将其他辅佐将领的安抚使职务全部免去,宋高宗同意。

当时朝廷议和的意图正坚定,而唯有吴璘所部的防守最为严备,每天都考虑对付敌人来犯,所以西路兵是全国最强的部队。宋高宗看了郑刚中的奏文后,对秦桧说:“川、陕地处偏远,尤其难以觅得合适的将帅。吴璘统兵很有法度,愿意为朝廷拼死效力,这是其他将领所比不上的。”

杨政过去做过吴璘兄长吴玠的副将,待分离出来建立帅府,对吴玠执门下之礼更加恭敬,世人都很赞赏他的贤良。

金熙宗诏令:“薰风殿二十里内以及巡幸所过五里内,一律减免一年租赋。”

辛未(二十三日),御史中丞詹大方上书道:“被贬任职清远军节度副使、潮州安置赵鼎,辅佐朝政多年,不顾国家大事,专搞阴谋诡计,深不可测;与范仲之辈都别有用心,企图得到意外的福佑;他如此用心,还有比他更不忠于皇上的吗?王文献,是一个狂妄之士,赵鼎正在被贬之地,尚且以私利来引诱他,使他游说。偶然败露的,只有王文献。他阴谋加以利用,而人们所不知道的,又不知有几十上百人。现在王文献与守臣龚宽已经发配,而赵鼎为罪魁祸首,却置之不问,那么,赵鼎与其党徒就会转而再生祸乱,决无安静之理,这可不是国家的福分啊!”壬申(二十四日),秦桧向宋高宗进呈詹大方的奏折,高宗阅后说:“可以将赵鼎迁到偏远的地方,使他的门生故吏晓得朝廷不会再起用他,使他们再无窥伺朝廷的阴谋。”于是将赵鼎迁到吉阳军安置。

癸酉(二十五日),金国行台左丞相张孝纯去世。

冬季,十月,庚辰(初三),宋高宗诏令昌化、万安、吉阳仍旧为军,设置守臣,还归其原属县。

壬辰(十五日),金国确立借贷钱粮给饥民的酬赏等级。

庚子(二十三日),宋高宗诏令:“凡初次赴任的各州县文官,须先到学校拜谒先圣孔子,才允许处理公务。”这是采用了左奉议郎罗长源的请求。罗长源上言说:“士大夫都是学习了孔夫子的学说之后才从政的,但却不知道本源的所在,请求皇上命令他们赴任时先造访学宫,以彰明风俗教化的本源。”此后便以此为令。

罗长源又说道:“朝廷与盟国通好,休养生息,重视教育、兴办学校,众多的士人潜心研究经史,然而一年到头没有升迁的希望。请求以各州进士解送的名额,留下十分之七以准备全国的科举考试,余下的十分之三划分给学校,基本上采取大观年间的三舍法加以斟酌增减,务求简便易行。”此事下达礼部办理。于是任命罗长源知鄂州。

甲辰(二十七日),金国因河朔诸郡发生地震,下诏减免百姓一年租赋,被压死的人,由官府收殓埋葬。陕西蒲、解、汝、蔡等诸郡县,受饥灾民卖身为奴的,由官府出绢赎身为平民,放还家乡。

十一月，戊申朔（初一），御史中丞兼侍读詹大方任试工部尚书。

己酉（初二），金熙宗在海岛狩猎，三天之内，亲自射中五只老虎，并捕获到手。左丞完颜勖敬献《东狩射虎赋》，金熙宗非常高兴，重赏完颜勖。完颜勖能够用契丹文字做诗文，凡遇巡游宴乐有值得陈述的，就用诗来表达其意思。

癸丑（初六），给事中兼侍讲兼直学士院杨愿任试御史中丞。

甲子（十七日），宋高宗到宫中检阅殿前马步诸军，对技艺精湛的将士，给予不同程度的奖赏。从这一年起，在冬季进行检阅，称为内校场。

乙丑（十八日），观文殿大学士、提举临安府洞霄宫朱胜非去世。朱胜非与秦桧有矛盾，任宫观官八年，寄居在湖州的僧人房舍里。待去世，赠授官升三级，为特进。后来又追加谥号为忠靖。

壬申（二十五日），秦桧奏请由军器监赵子厚兼任权吏部侍郎。秦桧说现在宗室不可不推崇奖赏，使他们聚集到朝廷周围。宋高宗说："宗室成员中的贤能之辈，如果曾经通过科举考试又不生是非的人，可安置在行在，如寺、监、秘书省等机构，都可以安置。祖宗以来，不任用宗室成员做宰相，考虑得很深远，可任用到侍从官而止。"

秦桧又上奏请求依照旧法设置宗学以教育宗室子弟，宋高宗同意。

十二月，己卯（初三），宋高宗诏命临安府和各郡重新设置漏泽园。

乙酉（初九），端明殿学士、签书枢密院事李文会被罢官。

御史中丞杨愿、殿中侍御史汪勃、右正言何若，共同弹劾道："李文会奸诈狡猾，败坏朝政，自从任言官以来，每弹劾一人，必须派遣家仆密送被弹劾的人到门外说：'这是出自圣上的旨意。'做了御史后，又与王文献结好，使他游说于外朝，他则私自养了一批御史台吏，窥探御史台奏章文书的内容，居心毒恶，无所不为。陛下您在与邻国讲修友好之时，如果让阴险小人仍然留任重要官职，禽兽穷困时就要拼死搏斗，必定使国家生出事端来。"奏疏六次呈上。宋高宗下诏李文会降职，仍保留左朝奉郎官阶，改任提举江州太平观。杨愿等人又抨击李文会，宋高宗下诏命李文会到筠州居住。

自从秦桧第二次取得宰相职位，每次推荐执政人选，一定选取那些在社会上没有什么名誉、柔顺、谄媚、容易被控制的人，不让他参与事务，只不过占一位置、列上姓名而已。文武百官不敢谒见执政官，州县也不敢与他们通信问候。如孙近、刘焯、万俟卨、范同、程克俊与李文会等人，任官不到一年或半年，必定会因罪而免职。并且还担心他们被重新起用，大多使他们居住在千里以外的州军，并且派人暗中监视。

甲午（十八日），金熙宗从东京返回中都。

庚子（二十四日），宋高宗下诏令御史中丞兼侍讲杨愿充任端明殿学士、签书枢密院事。

辛丑（二十五日），宋高宗又下诏令杨愿为参知政事。

壬寅（二十六日），宋高宗下诏："从现在开始，北方使节在朝廷，以往借官奉命出使的，暂时按原借官职在队列中处于相应位置上。"从此成为成例。

癸卯（二十七日），金国贺正旦使、金吾卫上将军、殿前右副都点检布萨温、安远大将军、充东上阁门使高庆先，在紫宸殿拜见宋高宗。

右正言何若任试谏议大夫。

丙午(三十日),秘阁修撰、两浙转运副使王铢任权尚书户部侍郎;权尚书户部侍郎李椿年,因回家服丧而离职。

金国以龙虎卫上将军完颜亮为中京留守。

完颜亮为人剽悍急躁,残忍任性。当初,金熙宗以金太祖嫡孙继承皇位,完颜亮认为他的父亲是金太祖的长子,而自己也是太祖的孙子,于是心怀非分之想。在中京任职期间,专门建立自己的权威来欺压百姓,与明安萧裕深相勾结。

这年,右宣教郎、直秘阁、主管佑神观朱弁在行在去世。由于秦桧讨厌洪皓,所以朱弁也得不到升迁,过了一年便去世了。

融州观察使、行营右护军选锋统制、知洋州、节制巴、蓬、洋州屯驻军马王俊去世。

王俊行军打仗纪律严明,作战时后退者必定要诛杀,在军中的绰号为"王开山",是赞誉他所向无敌。然而他个性太强,爱冒犯上级,吴玠也惧怕他的反复无常,而喜欢他的勇猛,经常厚待他。

续资治通鉴卷第一百二十七

【原文】

宋纪一百二十七　起旃蒙赤奋若【乙丑】正月,尽强圉单阏【丁卯】十二月,凡三年。

高宗受命中兴全功至德　圣神武文昭仁宪孝皇帝

绍兴十五年　金皇统五年【乙丑,1145】　春,正月,丁未朔,初行大朝会礼于大庆殿,黄麾仗三千三百五十人,视东都旧仪损三之一。辇出房,不鸣鞭,以殿狭也。建炎以来,正、至不受朝,但宰臣率百官拜表称贺而已。及太后还宫,言者以为请,乃讲行焉。

己未,分经义、诗赋为二科以取士。

辛酉,初籍千亩。

戊辰,命权户部侍郎王铢措置两浙经界。

李椿年既以忧去,秦桧请用铢。帝因言经界之法,细民多以为便,桧曰:"不如此,则差役不行,赋税不均。积弊之久,今已尽革。去年陛下放免积欠,天下便觉少苏。"铢言:"本部员外郎李朝正,尝知溧水县,均税不扰,请与共事。"又言:"今当革诡名(狭)〔挟〕户,侵耕冒佃,使差有常籍,田有定税,则差役无争诉之烦,催科免代纳之弊。然须不扰而速办,则实利及民。欲更不画图,又造砧基簿,止令逐保排定,十户为一甲,令递相纠合,从实供帐二本,积年所隐,一切不问。如有不实,致人陈告,即将所隐田给以充赏。"从之。

辛未,初命诸路僧道士纳免丁钱。时言者论今官尹皆纳役钱,而僧道坐享安闲,显为侥幸,乃诏:"律僧岁输五千,禅僧、道士各二千,其住持、长老、法师、紫衣、知事皆递增之,至十五千,凡九等。"

二月,戊寅,帝谓大臣曰:"朕观史册,见古之养士有至二三千人,亦朝廷一盛事。"于是增国学弟子员百人,通旧以七百人为额。寻命置上舍三十人,内舍百人。

乙未,全主次济州春水。

己亥,保大军节度使、崇国公璩,加检校少保,进封恩平郡王,以将出阁故也。其官属礼仪,并依普安郡王体例。

〔三月〕,辛酉,武信军承宣使、添差江南西路兵马钤辖兼安抚司统制程师回,升本路马步军副都总管,洪州驻劄。

时师回统兵戍赣上,会诏归北境人,师回有亲兵数百,惮不欲行。守臣秘阁修撰薛弼谕之曰:"公从卒多,不可庇,公能遣此属,朝廷必多公。"师回承命。既而省符趣师回就道。师回舟行过大孤山,舟人告毋作乐,恐龙怒,师回故命奏乐。少顷,黑云四合,有物涌波间,师回射中其目,即还入水,风亦息。人皆服其勇。

(三月)甲子,帝谓大臣曰:"交邻国之道,当以守信为主。"秦桧曰:"臣观真宗皇帝时,虽远蕃小国如溪峒之类,亦必委曲调护,不欲起兵端,可谓至仁矣。"时金人来索北客之在南者,桧因遣敷文阁待制周襈、马观国、史愿北还。

戊辰,金主次天开殿。

己巳,帝策试南省举头林机等于射殿。

四月,戊寅夜,彗出东方。

癸未,赐正奏名进士刘章等三百人及第、出身、同出身,正奏名张镒新科明法及第。甲申,特奏名林洵美等二百四十七人,武举正奏名应褒然等二人,特奏名三人,授官有差。

丁亥,赦天下。前四日,帝谓秦桧:"彗星见,朕甚惧焉。卿等可图所以消弭之道。"桧奏太宗、真宗朝尝缘彗星疏决狱囚等事,帝曰:"且降诏以四事为主,避殿,减膳,宽民力,出滞狱。"于是手诏监司、郡守条具便民事目;宪臣巡行,亲决狱事。至是肆赦。"勘会数十年来边臣邀功生事,今当兼爱内外,期于并生;勘会数十年来学者党同伐异,今当崇雅黜浮,抑其专门私己;勘会累年以来兵革不息,近者讲和罢战,正以保全生灵,爱惜民力。已降手诏,委诸路监司、郡守措置裕民事目,务要必行,以施实德"。

庚寅,成州团练使、知叙州邵隆卒。

隆在金州,数以兵出敌境,秦桧恨之。至是因饮酒暴卒,年五十一,或谓桧密使人鸩杀之。叙人皆悲哭,为之罢市。

五月,戊午,正侍大夫、忠州防御使、添差荆湖南路马步军副都总管白常,移潭州驻劄。

时金人来索在南将士,常亦在遣中。同行者悉为敌效力,常独不肯往,曰:"丈夫死则死耳,不能为反覆士。"每自书头衔曰"前熙河经略使白常",右副元帅完颜杲见之,不悦也。后欲强官之,竟托疾以免。常有产在德顺,熙河守将恶之,大詈曰:"白常既臣我家,而尚宋官乎!"械系久之,常不屈而止。

金初用御制小字。

甲子,金国贺生辰使、龙虎卫上将军、殿前左副都点检完颜宗永,副使通议大夫、充翰林待制程案,见于紫宸殿。初燕垂拱殿,辞,亦如之。

丙寅,天申节,百官用乐上寿于紫宸殿。

丁卯,赐宗永等燕射于教场,自是遂为故事。

初,宗永等将至,秦桧言于帝曰:"使人如期而来,盖由待之以礼,示之以信故也。"帝曰:"大抵为国之道,既不能强,又不能弱,则兵连祸结,无有已时。朕何惜为天下生灵少屈耶!"

于是遣吏部侍郎陈康伯接伴,而和州防御使、知阁门事钱恺副之。宗永甫入疆,帝以端午,遣中使赐扇帕于洪泽,宗永言:"上国是日例贺,当北面再拜,且接伴使副同之,乃敢受。"康伯以旧制却之。或谓康伯:"此细故,朝廷必不惜。"康伯曰:"今曲从之,后为例,不复可改,且辱命自我始。况所求无厌,宁能尽从之乎!"宗永卒受赐,因自辨,数曰"接伴慢我"。

朝廷闻之,惧生事,侍御史汪勃即劾康伯酬对辱国,请罢之以副惇信睦邻之意,乃出康伯知泉州,而恺亦降为舒州团练使。

金主日与近臣酣饮,或继以夜。壬申,平章政事完颜勖上疏谏,金主为止酒,仍布告廷臣。

六月,乙亥朔,日有食之。

丁丑,帝幸秦桧新第。后八日,降制,加恩封桧妻魏国夫人王氏为韩国夫人,熺妻淑人曹氏为和义郡夫人,孙右承事郎埙、堪、坦并〔直〕秘阁,赐三品服。时埙年九岁。

乙未,命给事中李若谷权户部侍郎。

丙申,刑部侍郎周三畏,进权本部尚书。

七月,戊午,诏庐、光州上供钱米展一年,用转运司请也。帝曰:"人皆知取之为取,而不知予之为取。若稍与展免,俟其家给人足,税敛自然易办。"淮南平时一路上供内藏绸绢九十万匹有奇,至绍兴末年,才八千匹尔。

八月,丙子,尚书右司郎中林乂权吏部侍郎,右司郎中钱时敏权工部侍郎。

己卯,诏:"自今太学及州县释奠先圣,并令宗子侍祠。"

丙戌,左朝散大夫、知南康军张元礼,乞免牛税一年。帝曰:"天下之物,不当税者甚众,如牛、米、柴、面之类是也。"秦桧曰:"去岁浙中艰食,陛下令不收米税,故江西客贩俱来,所全活者不可胜计。"

戊戌,金主发天开殿。

辛丑,增太学弟子员二百人。

时夏人重建太学,亲释奠,弟子员赐予有差。

自建炎初,省诸路提举常平官,并其职于提刑司。次年,朝议复置,且讨论其得失,书成未颁,而帝南渡。继而言者谓常平之法不可行,遂寝。中间常平之职,常隶发运司,亦隶经制司,已而复隶提刑司。至是王铁言:"常平一司,钱谷敛散,宜专使领之,请复置诸路提举官。"九月,诏以诸路提举茶盐官为提举茶盐常平公事,川、广以宪臣兼领。

知和州刘将乞展免夏税一年。帝谓宰执曰:"言事与行事不同,若此行事,便有实利及民。"秦桧曰:"儒者所陈王道,不过爱民。"帝曰:"然。"

帝亲书"一德格天之阁"赐太师、左仆射秦桧,又金镀银洗锣、唾壶、照匣等物赐之。

甲寅,起居舍人钱周材权尚书刑部侍郎,国子司业严抑权工部侍郎。时将遣二人出疆,乃有是命。

庚申,金主至自东京。

辛酉,以钱周材为贺金国正旦使,阁门祗候俞似副之;严抑为贺生辰使,阁门祗候曹(湲)〔浸〕副之。

时虔、梅及福建剧盗有号管天下者,其徒日众,攻掠县镇,乡民多结砦自保。先是福建帅臣莫将上言:"漳、泉、汀、剑四州接江西、广东之境,游手从贼,熟识山路,引其直冲山路,如入无人之境。官军不习山险,多染瘴疠,艰于掩捕。乞委四州守臣,募强壮游手每州一千人为效用。"时统制官张渊措置本路盗贼,请逐州先招五百人。既而将改帅广东,以知虔州、集贤殿修撰〔薛弼〕为福建帅。是月,弼入福建,沿途盗贼。弼令迤兵列队伍,扬金鼓,声言"新帅以虔兵至矣",贼不敢犯。

冬,十月,癸未,敷文阁直学士、枢密院都承旨兼侍读李若谷为端明殿学士、签书枢密院事，寻兼参知政事。

戊子，宝文阁直学士、提举亳州明道宫晏敦复卒于明州。

方议和之始，敦复力抵屈己之非。秦桧使人唊以利曰："公若曲从，两地旦夕可至。"敦复曰："吾终不以身计而误国家；况姜桂之性，到老愈辣，请勿复言。"桧卒不能屈。帝尝面谕曰："卿鲠峭直言，无所回辟，可谓无忝尔祖矣。"

辛卯，金追赠太祖谥曰应乾兴运昭德定功睿神庄孝仁明大圣武元皇帝。

己亥，命中书舍人段拂权户部侍郎。

十一月，甲辰，右朝散大夫、主管台州崇道观滕膂卒。

方腊之反也，膂为台州司户参军。贼徒吕师囊以万众围城，膂率军民捍之，数月不能拔。台人为立祠祀之，后名其庙曰义灵。

丙辰，检校少保、奉国军节度使、侍卫步军都虞候、金、房、开、达州安抚使、知金州兼枢密院都统制郭浩薨，谥恭毅。

戊午，右谏议大夫何若试御史中丞，侍御史汪勃试右谏议大夫。

丙寅，右司员外郎王循友权礼部侍郎。

闰十一月，己卯，诏罢新科明法。

丙戌，诏提举秘书省月给公使钱三百缗。

丁酉，太学博士王之望，请仿端拱、咸平故事，悉取近郡所开《经典释文》，令国子监印千百帙，俾郡县各市一本，置之于学，帝曰："古人读书，须亲师友，虽未必尽得圣经妙旨，然亦自有渊源。今士大夫未有自得处，便为注说，以为人师，此何理也？"

宁国军节度使、权主奉益王祭祀安时薨。辍朝一日，赠少师，追封清化郡王。

十二月，戊申，金增谥始祖以下十帝，增太宗谥曰体元应运世德昭功哲惠仁圣文烈皇帝。

丁卯，金骠骑上将军、殿前右副都点检蒲察说，正议大夫、尚书刑部侍郎吴磐福，来贺来年正旦。

是月，郭仲荀卒于台州。

初，建康府御前都统制王德，以清河郡王张俊之侄子盖及俊亲将马立、顾晖并为统制官。至是俊解兵柄已久，德寖不礼子盖等而罢之。俊怒，每诉诸朝，左仆射秦桧亦忌其勇，诏乃罢德为浙东总管，以统制官王权代之。

时福建土寇未平，本路钤辖李贵，领兵讨管天下失利，为贼所执。转运司申枢密院，言闽人勇于私斗，怯于公战，莫将所招游手，易聚难散，于事不便，诏下安抚司共议。薛弼以为广东总管韩京，每出必捷，正以所部多土人，故所向克捷。今本部素无土兵，故连年受弊。弼又谓前守赣上，有武翼郎周虎臣、成（德）〔忠〕郎陈敏，各有家丁数百人，皆能战，比之官军，一可当十，遂辟虎臣为本路将官，敏为汀、漳巡检。又请拣取二人家丁，日给钱米，责以捕贼，期于必灭，与漕司合奏，号奇兵。自此岁费三万六千缗，米九千石，而土寇遂平。虎臣，开封人；敏，石城人也。

时监司、郡守多献羡馀以希进。袁州帑廪充溢，或谓知州事王师心，盍献诸朝。师心不听，以诸县民有逋租，悉为代输之。

福建措置盗贼张渊所部统领官邵宏渊，性质直而喜功，渊恶不用，且衔其尝对众相折，杖之百,斥入卒伍。宏渊之客钟鼎,走行在上书,为辨曲直,左仆射秦桧怒,始创听读之名,羁鼎于福之郡学。鼎求于帅臣薛弼,乞依所亲于永福,弼许之。鼎复诣阙上书,弼自劾,降一秩。

绍兴十六年 金皇统六年【丙寅,1146】 春,正月,壬申,金主封太祖诸孙为王;以褒为葛王,寻授兵部尚书。

乙亥,金主畋于磨棱。甲申,金主还京师。

戊子,太学外舍生以千人为额。

庚寅,金以边地与夏国。

辛卯,帝致斋于内殿。壬辰,亲飨先农于东郊,牲用少牢,配以后稷。帝御通天冠,绛纱袍,诣亲耕位亲耕,九推乃止。遂登观耕坛,命宰执、使相、侍从、两省、台谏行五推之礼,庶人终千亩焉。

金主如春水,出猎,误入大泽中,金主马陷,因步出,亦不罪导骑。

二月,壬寅,诏:"诸路淫祠非在祀典者,并日下毁去。"以左司郎中李椿请也。

丙寅,金右丞相濮王韩企先薨。

企先为相,每欲为官择人,专以培植奖励后进为己任,推毂士类,甄别人物。一时台省多君子,弥缝阙失,议论必归于正,时称贤相。后谥简懿。

三月,庚子朔,诏有司建武学。先是士人上书者多以为言,帝数谕大臣以文武之道不可偏废,祖宗自有故事,至是乃考卜焉。

壬申,金以谭国公阿里布为行台右丞相。

阿里布,宗室子也,屡从征伐有功,尝以左监军随宗弼复河南,故有是擢。

壬午,复桂阳监临武洞为县。

乙未,增建太庙。

时新祭器将成,而太庙殿室狭,至不能陈列。给事中段拂请正殿从西增六间,通旧为十三间,其中十有一间为十一室,东西二间为夹室,又作西神门,册宝殿,祭器库。

己亥,工部奏立淮东、江东、两浙、湖北诸县岁较营田赏罚格。其法以绍兴七年至十三年所收(稞)〔课〕利最多,酌中者为额。每县令以十分为率,取二分赏之。岁收增三分至一分以上,并减磨勘年;仍以最亏一县为罚。

金主以上京宫室太狭,是月,始役五路工匠撤而新之。规模虽仿汴京,然仅得十之一二而已。

夏,四月,庚子朔,金主至自春水。以同判大宗正事宗固为太保、右丞相兼中书令。

戊午,兵部上武士弓马及选试去留格。初补入学,步射弓一石。若公私试步骑射不中,即不许试程文。其射格,自一石五斗以下至九斗,凡五等。帝可其奏,因谕辅臣曰:"国家武选,所系非轻,今诸将子弟皆耻习弓马,求换文资,数年之后,将无人习武矣,岂可不劝诱之!"

金行台右丞相阿里布薨。

五月,辛巳,命权吏部王循友、权户部侍郎。〔李朝正编类诸路监司郡守条上裕民事件。〕

丙戌,诏作景钟。钟高九尺,天子亲祠上帝则用之,以皇祐黍尺为准。既成,命秦桧铭之。

丁亥,金主使金吾卫上将军、彰德军节度使乌古论海、昭武大将军、同知宣徽院事赵兴祥辛卯，金以左宣徽使刘筈为行台右丞相。

筈以能得皇后意，故擢为相，仍兼判左宣徽使。留京师时，河南官吏滥杂，或请厘革之，筈曰："废齐用兵江表，求一切近效，其所用人不必皆以章程，故有不由科目而为大吏，不试弓马而握兵柄者。今抚定未久，姑收人心，奈何为是纷更也？"遂仍其旧。

宇文虚中既留金，累官礼部尚书兼承旨。虚中恃才轻肆，好讥讪，贵人达官，往往积不能平。虚中尝撰宫殿榜署，恶虚中者摘其字以为谤讪。会有告虚中谋反者，诏有司鞫治，无状，乃罗织虚中家图籍为反具。虚中曰："死自吾分。至于图籍，南来士大夫家家有之。高士谈图书尤多于我家，岂亦反耶？"有司承风旨，并逮士谈。六月，乙巳，杀虚中及士谈，金人冤之。士谈，琼之孙，尝为忻州户曹参军，降金，官至翰林学士。

丁未，秦桧奏淮东盐课增羡，乞推赏，帝曰："推赏之典，尤所当慎。今年有羡，次年必亏，盖民之食盐，止如是也。"

癸丑，监察御史巫伋请申严有司，所在刑狱，不得为非法之具，如仁和、钱塘所用浮匣、命绳之类，违者抵罪，诏刑部禁止。

己未，分遣医官循行临安，疗病者，至秋乃止。后以为例。

监察御史陈积中论监司州县淹留词诉之弊，请令诸部每季检举，劾其尤者，从之。

是月，安南献驯象十。

秋，七月，壬申，检校少傅、保信军节度使、和国公张浚，落节钺职名，依旧特进、提举江州太平观，连州居住。

先是浚因星变，欲力论时事以悟帝意，以其母计氏年高，言之必被祸，恐不能堪。计氏见其形瘠，浚具言所以，计氏诵其父咸绍(兴)〔圣〕初举制科策曰："臣宁言而死于斧钺，不忍不言而负陛下。"浚意遂决，即上疏言："当今事势，如养大疽于头目心腹之间，不决不止；决迟则祸大而难测，决疾则祸轻而易治。惟陛下谋之于心，断之以独，谨察情伪，预备仓卒，庶几社稷有安全之理。不然，日复一日，后将噬脐，此臣所以食不下咽而一夕不能安也。"秦桧见之，大怒。御史中丞何若即奏："浚建造大第，强占民田，殊失大夫省愆念咎之礼。居常怨恨，以和议非便，惟欲四方多事，侥幸再进，包藏祸心，为害实大。望赐降黜，以为臣子喜乱徇私之戒。"故有是命。

戊子，言者乞禁福建民间私藏军器，帝曰："此自有法，宜令民通知。若绝其源，则盗自不作矣。"

壬辰，提举秘书省秦熺奉诏立定献书赏格，诏镂板行下；应有官人献秘阁阙书善本及二千卷，与转官，士人免解，馀比类增减推赏，愿给直者听。诸路监司守臣访求晋、唐真迹及善本书籍准此。

八月，辛丑，筑高禖坛。

初，监察御史王镃，以上继嗣未立，请行亲祠高禖之礼。礼官言："自祖宗以来，惟两制侍祠，虽《大唐月令》《政和新礼》有天子亲享之仪，而未尝举，乞命执政侍祠。"乃改筑于圜丘之东，高咫而广五倍。

诏访(遣)〔遗〕书于西蜀，仍委逐路帅臣。

壬子,将作监边知白权尚书户部侍郎,右司员外郎周执羔权礼部侍郎。甲寅,以边知白为贺金国正旦使,武节郎兼阁门宣赞舍人孟思恭副之;周执羔为贺生辰使,左武大夫、知阁门使宋钱孙副之。先是奉使者得自辟十人以行,赏典既厚,愿行者多纳金以请,执羔始拒绝之。

金以所教神臂弓弩手八万人讨蒙古,连年不能克。是月,令汴京行台尚书省事萧保寿努与蒙古议和,割西平河以北二十七团寨与之,岁遗牛羊米豆,且册其长为蒙古国王,蒙古不受。

九月,甲戌,端明殿学士、提举万寿观兼侍读何铸为大金国信使,宾德军节度使、提举万寿观邢孝扬副之,以迎请宗族故也。

丙申,诏:"武成王庙从祀诸将,升赵充国于堂,降韩信于庑下。"用祠部员外郎、权国子司业陈诚之请也。

是月,刘豫死于金临潢府。

冬,十月,丁酉朔,新礼器成。戊戌,帝观于射殿,宰执、侍从、台谏、南班宗室、礼官、正刺史以上皆与观,撞景钟,奏新乐,用皇祐故事也。

徽猷阁待制、提举江州太平观刘子羽卒,年五十。

子羽在泉州,尝献时宜八事:论淮甸郡县不必尽守故城,各随所在,据险置寨,守以偏将;敌长驱深入,则我缀其后,二三大将浮江上下为之声援。论荆、襄宜合为一路,置帅公安,益兵聚粮,为战守计。论三衙寡弱未振,宜益增禁卫。论守江宜轻戍江北,重戍江南。论舟船当讲求训练,使大舰利于控扼,小舟利于走集。论南兵剽悍可用,请别立统帅。论江、淮、陕、蜀之兵当互为声援。论募兵,请于荆、粤收集诸盗。后皆不行。

十一月,庚午,言者论:"近来诗赋、经术,各以旧试人数分取,其间不无轻重。大抵习诗赋者多,故取人常广;治经术者鲜,故取人常少。今若专以就试之人立定所取分数,则诗赋人常占十之七八,而治经术者止得十之一二,但恐寖废经术之学矣。望命有司再加讨论,如通经之人有馀,听参以策论,圆融通取,明立分数,庶几主司各有遵守。"。帝曰:"当日行诗赋,为士人不读史;今若专用诗赋,士人不读经。大抵读书当以经义为先,所论宜令礼部看详以闻。"

癸酉,帝斋于文德殿。

丙子,合祀天地于南郊,始命普安郡王亚献,恩平郡王璩终献。是岁,备祭器,设八宝,如政和之仪。太史局令胡平言三台星见。礼毕,帝御行宫,赦天下。

庚辰,复置荆门军当阳县。

自建炎渡江,始废御书院;癸未,诏复之。

癸巳,权尚书工部侍郎钱时敏移兵部侍郎,军器监徐琛权工部侍郎。

十二月,己亥,彗出西南方。诏避殿,减膳。

辛酉,金使龙虎卫上将军、会宁尹卢彦论,定远大将军、四方馆伴使张仙寿,来贺来年正旦。

是岁,西夏尊孔子为文宣帝。

绍兴十七年　金皇统七年【丁卯,1147】　春,正月,己卯,诏曰:"朕惟军兴二十馀年,黎元骚动,故力图罢兵以冀休息。今疆场无虞,流徙有归,四境之内,举获安堵,朕心庶几焉。

尚虑监司、郡守不能深体朕意,致或刻削苛细,进献羡馀,失朕爱民本旨。自今敢有违庆,仰御史台弹劾,监司各许互察;部内犯而失按,必与并坐。布告中外,咸体朕意。"

左朝议大夫李椿年权尚书户部侍郎。

癸未,金以西京鹿囿为民田。

己丑,诏:"近免税米,而所过尚收力胜钱,其除之,其馀税则并与裁减。"帝因言:"薪面亦宜免税。商旅既通,更平物价,则小民不致失所矣。"

辛卯,左迪功郎陈介言:"国家颁降乡饮酒仪式,而诸郡所行,疏数不同。请令三岁科举之行,行之于庠序,即古者三年大比饮酒于序之意也。"国子监言:"唐人亦止行于贡士之岁,宜依介所请。如愿每岁举行者,听从其便。"从之。

壬辰,端明殿学士、签书枢密院事李若谷参知政事,御史中丞何若为端明殿学士、签书枢密院事。

二月,乙未朔,右谏议大夫兼侍讲汪勃试御史中丞。

甲辰,帝斋于内殿。时将祀高禖,乃以太师、尚书左仆射秦桧为亲祠使。

乙巳,帝亲祠青帝于东郊,以伏羲、高辛配,普安郡王终献。又祀简狄、姜嫄于坛下,牲用太牢,玉用青,币仿其玉之色,乐舞如南郊之制。礼毕,御端诚殿受贺。

己酉,封才人刘氏为婕妤。

辛亥,改造殿前司寨为瓦屋,用领都指挥使职事杨存中奏也。南渡初,诸营皆覆茅,燠火屡惊,故存中以为请。

三月,丁卯,捧日天武四厢都指挥使、宁国军承宣使、鄂州驻劄御前左军统制牛皋卒。前一日,都统制田师中大会诸将,皋遇毒而归,知其必毙,乃呼亲吏及家人嘱以后事,至是卒。或谓秦桧密令师中毒之,闻者莫不叹恨。

乙酉,太师、尚书左仆射、魏国公秦桧,以郊恩徙封益国公,自是建旆、封国之在北者皆改命。时有请置益国公官属者,桧虽不行,亦不加罪焉。

戊子,安民靖难功臣、太傅、醴泉观使、清河郡王张俊,移节静江、宁武、靖海军;扬武翊运功臣、太傅、醴泉观使、咸安郡王韩世忠,移节镇南、武安、宁国军。

权尚书户部侍郎边知白,移吏部侍郎。

是月,金人与蒙古始和,岁遗牛、羊、米、豆、绵、绢之属甚厚。于是蒙古长鄂罗贝勒自称祖元皇(叔)〔帝〕,改元天兴。金人用兵连年,卒不能讨,但遣精兵分据要害而还。

夏,四月,己亥,御史中丞兼侍讲汪勃为端明殿学士、签书枢密院事。

甲寅,皇太后朝景灵宫。

戊午,金主宴群臣于便殿。金主醉,以剑逼其弟元,使强饮,元惧而出,命左丞宗宪追之,宗宪与俱去;乃命户部宗礼跪于前,手杀之。

己未,诏责授清远军节度副使、吉阳军安置赵鼎,遇赦永不检举。右修职郎石恮,追毁出身以来文字,除名勒停,特免真决,送浔州编管。

初,鼎贬潮州,守臣徐璋为之治第,且馈饷之。恮时为录事参军,数与鼎相见。及是恮代归,而璋已卒,守臣左朝散大夫翁子礼发其事,下大理,鞫实。鼎坐不自省循,请托州郡借人抄书,因令干官顾湜嘱恮供给书写人,于是恮大收人户盐钱,节次应副使用,又受璋馈送八百馀缗,璋又盗官钱为鼎盖造第宅,通计一万馀缗,绸绢三千六百馀匹,故有是命。

五月,己巳,徽猷阁直学士、提举江州太平观洪皓,责授濠州团练副使、英州安置。

皓丁内艰,既终丧,复遂祠请。于是直徽猷阁王洋知饶州,而左奉议郎陈之渊添差通判,二人与右承议郎、通判州事李勤积不相能。勤幸以讦进,告皓有欺世飞语,洋、之渊皆与闻之。殿中侍御史余尧弼,即奏皓造为不根之言,簧鼓众听,几以动摇国是,请窜殛,洋、之渊亦宜置之典宪,诏罢洋、之渊,而皓有是命。

金中京留守亮,召还京师,同判大宗正事,加特进。

辛巳,金主使龙虎卫上将军、殿前右副都点检完颜卞、宁远大将军、东上阁门使大(蛙)〔珪〕,来贺天申节。

六月,癸巳朔,帝谕宰执曰:“临安居民皆汲西湖,近来为人扑买作田,种菱藕之类,沃以粪秽,岂得为便? 况诸库引以造酒,用于祭祀,尤非所宜,可禁止之。”又曰:“沿江石岸,令速修之,迟则冲损害民,费工必倍。”

丁酉,金主杀横海军节度使田彀,左司郎中奚毅,翰林待制邢具瞻及王植、高凤廷、王敬、赵益兴、龚寻鉴等。

秋,七月,金以太白经天,曲赦畿内。

壬申,武泰军节度使、知荆南府事刘锜提举江州太平观,从所请也。锜镇江陵凡六年。

癸酉,敕令所奏:“诸遭丧应解官,而临时窜名军中,规免执丧者,徒三年;所属知情而为申请起复者,减二等。”先是帝数论大臣以为有伤风教者,至是立法。

甲申,提举太平观张阐请老。帝曰:“此吾初年词命之臣。”命以敷文阁待制致仕。

戊子,行(宫)〔营〕右护军都统制吴璘,改充御前诸军统制兼知兴州。

八月,乙未,帝谓宰执曰:“朝廷于临安不免时有所需,如御膳米,初以日供,今则月一取之,庶不缘此扰民也。”

癸卯,责授清远军节度副使赵鼎卒。

鼎在吉阳三年,故吏门人皆不敢通问。广西经略使张宗元时遣使渡海,以醪米馈之。秦桧令本军月具鼎存亡申尚书省,鼎知之,遣人呼其子汾,谓之曰:“桧必欲杀我,我死,汝曹无患,不尔,诛及一家矣。”乃不食而卒,年六十三。四方闻之,有泣下者。

乙巳,直秘阁、知临安府沈该为尚书礼部侍郎,权工部侍郎赵不弃充敷文阁待制、知临安府。丙午,召龙图阁学士、知绍兴府詹大方为工部尚书。戊申,以该为贺大金正旦使,阁门宣赞舍人苏晔副之;大方为贺生辰使,阁门宣赞舍人容肃副之。

己未,宝文阁学士王唤提举万寿观。

唤知平江府,以疾请奉祠,而两浙转运判官汤鹏举奏其应办国信,每事丰腆,并无遗阙,乃有是命。唤至行在数日卒,赠右银青光禄大夫,赐银绢五百匹两,例外官子孙一人,官给葬事。

九月,乙丑,户部具到诸路月(椿)〔桩〕钱数。帝曰:“科敛之烦,富者犹不能堪,下户何所从出! 若计诸州羡馀以减月桩钱,诚宽民力。”

甲戌,右朝散郎、直秘阁吕摭,除名,梧州编管。

秦桧追恨颐浩不已,使台州守臣曹悖求其家阴事。会摭妻姜氏告摭烝其庶弟之母,送狱

2945

穷治,摭惧罪阳瘄,乃以众证定罪,于是一家破矣。

丙子,资政殿学士、四川宣抚副使郑刚中罢。

先是殿中侍御史余尧弼,劾"刚中天资凶险,敢为不义,专与异意之徒合为死党。妄用官钱,纵使游士摇唇鼓舌,变乱黑白。四川都转运司,盖总四路财计以赡军(颁)〔须〕也,俾乘间上书,并归宣司,则是制军、制食通而为一,虽密院、户部不得如此,祖宗维持诸路之计,于此扫地。不知刚中封靡自植,欲以何为?总领司建置之意,盖与诸路一体,刚中怒形于色,不欲总司举(置)〔职〕,朝廷不得已为之易置,则又扬言以为己能。自古跋扈藩镇敢如此否?"章未报,尧弼又奏刚中奢僭、贪饕、妄作威福、罔上不忠、败坏军政五罪,乃有是命,仍令刚中于鄂州听旨,其随行军实,令湖广总领所交割,具数申省,军兵令都统制田师古拘收,押还本司。

是月,金主出猎至阴山之北,遂至西京。

太保、右丞相宗固薨,以都元帅宗弼为太师、领三省事,都元帅、领行台尚书省事如故。以平章政事完颜勖为左丞相兼侍中,都点检宗贤为右丞相兼中书令,行台右丞相刘筈、左丞萧仲恭为平章政事,李德固为尚书右丞,秘书监萧肄为参知政事。

冬,十月,辛卯朔,日有食之。

癸卯,诏建太一宫于行在。自驻跸以来,岁祀十神太一于惠照僧舍。言者以为未称钦崇之意,乃作宫焉。

甲辰,秦桧进呈殿前、马、步三司管军扈卫十年,取旨推恩。帝曰:"往日将帅出战立功,时有迁转。今休兵日久,如已建节者,固不较计,其它岂无升进之望! 当有以系其心,且使后来者知劝。"

丁未,诏:"太常少卿岁以春秋二仲荐献绍兴府园陵攒宫,季秋令监察御史按视。"

己酉,少保、宁远军节度使、领殿前都指挥使职事杨存中为少傅,以扈卫十年推恩也。

壬子,金平章行台尚书省事奚宝卒。

十一月,丁卯,权礼部侍郎周执羔,请复赐新及第进士闻喜宴于礼部贡院,从之。

癸酉,金以工部侍郎布萨达蔓为御史大夫。

乙亥,左奉议郎洪适、右朝散郎、通判濠州曾恬并罢。

适通判台州,与守臣(曾)〔曹〕惇〔恬〕不相能。恬,公亮孙也,为大宗正丞。秦桧专政,士方求媚以取要官,而恬自守无所诎。殿中侍御史余尧弼,论适奸险强暴,得自家传,在台州贪墨逾滥;恬纵脱不检,自谓赵鼎门人,常怀怨望,遂绌之。既而恬又坐擅兴工役贬秩。

己卯,金主命减常膳羊豕五之二。

癸未,金以尚书左丞宗宪为行台平章政事,以同判大宗正事亮为尚书左丞。

是月,金主复归上京。

时右丞亮务揽权柄,用其心腹为省台要职,引萧裕为兵部侍郎。一日,因召对,语及太祖创业艰难,亮呜咽流涕,金主以为忠。

十二月,丁未,郭武郎、阁门祗候张昂充东南第十四将。

甲寅,资政殿学士郑刚中落职,提举江州太平兴国宫,桂阳监居住。

先是殿中侍御史余尧弼,再论:"刚中抗命偃蹇,迟留不行。四川自建炎之后,惟知宣抚之尊,盖以去朝廷远,能自立威福故也。方今中兴总揽权纲之时,而刚中乃尔怙权傲慢,请亟赐窜责,以为臣子不忠之戒。"右正言巫伋复论刚中四罪,以为:"驲导儗于乘舆,贿赂溢于私帑,暴无名之敛以重困吾民,告不根之谤以恐动远俗。既被召命,不即引道,而密遣爪牙,窥伺朝政。"故有是命。

丙辰,金主使金吾卫上将军、殿前左副都点检完颜宗藩,安远大将军、充东上阁门使吴前范,来贺来年正旦。

戊午,金参知政事韩昉罢,以兵部尚书秉德为参知政事。

金主未有子嗣,而皇后妒忌,群臣莫敢言。右丞相宗贤劝金主选后宫以广继嗣,金主乃遣使挟相士,下两河诸路选民间室女,得四千馀人,皆令入宫。宗贤于皇后为母党,后专政,宗贤未尝依附,论事无顾忌,后以此怨之。

是岁,夏改元天盛。策举人,始立唱名法。

【译文】

宋纪一百二十七　起乙丑年(公元 1145 年)正月,止丁卯年(公元 1147 年)十二月,共三年。

绍兴十五年　金皇统五年(公元 1145 年)

春季,正月,丁未朔(初一),初次在大庆殿举行大朝会礼,用黄麾仗仪仗三千三百五十人,与东都时的规模比少了三分之一。宋高宗的辇车出殿时,没有鸣放鞭炮,因殿内狭窄。建炎年间以来,凡正月、夏至、冬至,皇上不接受朝贺,只由宰相率领文武百官上表祝贺罢了。待太后回宫,言官提出请求,于是又开始举行。

己未(十三日),把经义、诗赋划分为二科进行科举取士。

辛酉(十五日),宋高宗初次行籍田之礼。

戊辰(二十二日),宋高宗命权户部侍郎王铁处理两浙经界划分之事。

李椿年因服丧去职,秦桧向宋高宗请求启用王铁。宋高宗就此谈起经界法,百姓大多以为便利,秦桧说:"如果不这样,差役就无法摊派,赋税无法均平。长久以来的积弊,现已全部革除。去年陛下下令免去百姓积欠的赋税,天下百姓便感到了少许的宽松。"王铁上言:"本部员外郎李朝正,曾经做过溧水县知县,赋税公平,不骚扰百姓,请求让他与我一起共事。"王铁又说:"现在应当革除那些虚立户名、挟持民户和侵占耕地、假冒出佃的现象,使摊派差役有固定的户籍,田产有固定的赋税,那么在差役问题上就没有争持诉讼的麻烦,催收租赋就避免了他人代纳的弊病。然而如果不扰百姓就必须从速办理,那么百姓就会得到实利。想不再绘制地形图和造作砧基簿,只是下令百姓按保排定,十户作为一甲,让老百姓相互监督,根据实际情况提供两本账簿,以前累年所隐瞒的田地,一律不过问。如果有不属实的情况,招致有人来举报,便将其所隐瞒的田产作为给举报人的嘉赏。"宋高宗予以同意。

辛未(二十五日),宋高宗初次下令各路僧侣、道士缴纳免丁钱。当时有人议论道,现在官吏都缴纳役钱,但僧人道士却坐享清闲,显然是侥幸。宋高宗于是下诏:"律宗僧人每年纳钱五千,禅宗僧人、道士每年纳钱二千,其中的主持、长老、法师、紫衣、知事都依次递增到一万五千,共分为九等。"

二月，戊寅（初二），宋高宗对大臣们说："朕读史书，发现古代养士达二三千人的，也是朝廷的一大盛事。"便又增加国学弟子员一百人，加上原有的以七百人为限额。不久又下令设置上舍三十人，内舍一百人。

乙未（十九日），金熙宗驻于济州春水。

己亥（二十三日），保大军节度使、崇国公赵璩，加授检校少保职，晋封为恩平郡王，因为他将离开皇宫到自己的封地居住。他的下属官员及礼仪，一律依照普安郡王的规格。

三月，辛酉（初六），武信军承宣使，添差江南西路兵马钤辖兼安抚司都统制程师回，提升为本路马步军副都总管，驻扎在洪州。

当时程师回统帅军队戍守赣上，正碰上宋高宗下诏放回北方人，程师回有亲兵数百，因害怕而不想回去。守臣秘阁修撰薛弼告诉他说："您的随从士兵多，不能加以庇护。您如能遣返这些人，朝廷一定赞赏您。"程师回接受了这一建议。不久省府仍催促程师回启程。程师回乘船经过大孤山，船夫告诉他不要奏乐，害怕龙发怒，程师回却故意下令奏乐。不一会，黑云从四面合拢上来，有一怪物在波浪之间腾涌，程师回搭箭射中它的眼睛，怪物便沉入水中，风也息了。人们都称赞他的勇敢。

甲子（十九日），宋高宗对大臣们说："与邻国交往，主要应该讲求信誉。"秦桧说："我观察真宗皇帝时，虽然像溪洞之类地处偏远的小国，也必须委曲求全，调解保护，不想引发战争，可称得上是最仁慈的了。"当时金国前来索要客居南方的北方人，秦桧因此遣返敷文阁待制周襟、马观国、史愿回金国。

戊辰（二十三日），金熙宗驻于天开殿。

己巳（二十四日），宋高宗在射殿策试南省省试的头名举人林机等人。

四月，戊寅（初三）夜，彗星出现在东方。

癸未（初八），宋高宗赐予正奏名进士刘章等三百人以进士及第、进士出身、同进士出身，赐予正奏名张镃新科明法及第。甲申（初九），对特奏名林洵美二百四十七人，武举正奏名应褒然等二人，特奏名三人，分别授予不同官职。

丁亥（十二日），大赦天下。此前四日，宋高宗对秦桧说："天上出现彗星，朕深感恐惧。众爱卿可以考虑如何消弭灾祸的办法。"秦桧上奏谈到太宗、真宗时期，曾经有彗星出现而清理判决监狱囚犯的旧事，宋高宗说："朕姑且下诏，主要做这四件事：回避正殿、减少膳食、宽松民力、清理久拖不决的案件。"于是高宗亲自手书诏令，命各监司、各郡守逐条上报能便利百姓的各种事项；提点刑狱前往各地巡行，亲自处理狱事。"勘查数十年来边疆守臣为邀功请赏而制造事端之事，现在对海内外的百姓应当一律慈爱，以期共同生存；勘查数十年来学者们党同伐异的情况，现在应当推崇儒雅，废黜浮华，抑制他们的门户之见和自私自利行为；勘查数十年以来战争不断的原因，近年来议和罢战，正是为了保全生灵、爱惜民力。朕已下诏，委托各路监司、郡守安排使百姓富足的事项，重要事项，一定要执行，以施行实际的德政。"

庚寅（十五日），成州团练使、知叙州邵隆去世。

邵隆在金州的时候，多次派兵深入敌境，秦桧对他很恼火。此次因为饮酒暴死，时年五十一岁。有人认为秦桧派人用毒酒杀死了他。叙州人对邵隆的死都悲恸痛哭，罢市致哀。

五月,戊午(十三日),正侍大夫、忠州防御史、添差荆湖南路马步军副都总管白常,移至潭州驻扎。

当时金人来索要他们在南方的将士,白常也在被遣返的人之列。同行的人都为敌方效力,唯独白常不肯前往,他说:"大丈夫要死就死,不能做反复无常的人。"他常常为自己书写头衔"前熙河经略使白常",右副元帅完颜杲看见后,不高兴。后来想强迫他接受官职,他竟然托病得以避免。白常在德顺有田产,熙河守将讨厌他,大骂他说:"白常既然已是我国的臣民,还能继续是宋朝的官员吗?"带着刑具被拘禁了很长时间,白常不屈服,不得不停止了拘禁。

金国开始使用金熙宗亲自制作的小字。

甲子(十九日),金国贺生辰使、龙虎卫上将军、殿前左副都点检完颜宗永,副使通议大夫、充翰林待制程寀,在紫宸殿拜见宋高宗。在垂拱殿举行初宴,辞别宴会也设在垂拱殿。

丙寅(二十一日),宋高宗生日,文武百官在紫宸殿为宋高宗奏乐、上表祝寿。

丁卯(二十二日),宋高宗恩赐完颜宗永等人在教场宴饮骑射,从此便成为成例。

起初,完颜宗永等人将要到来,秦桧对宋高宗说:"金国的使臣按期到来,是由于我国对他们礼遇,表示出守信用的缘故。"宋高宗说:"大概而论,治国之道,既不能太强暴,也不能太柔弱,否则兵连祸结,没完没了。为了天下百姓,朕受点委屈又有什么可惜的呢!"

于是便委派吏部侍郎陈康伯为接伴使,以和州防御使、知阁门事钱恺为副使。完颜宗永刚刚入境,宋高宗因为端午节,派遣中使到洪泽赏赐给他扇子、帕巾等物品,完颜宗永说:"我国今天照例祝贺节日,我应当面向北方拜两次,并且接伴使和副使与我一同行礼,我才敢接受赏赐。"陈康伯依照旧规拒绝了。有人对陈康伯说:"这是小事,朝廷必定不在意。"陈康伯说:"今天屈从他,以后就成为成例,再不能更改,而辱没使命则从我开始。况且金人的要求不会有满足,难道都能屈从他们吗?"完颜宗永最后还是接受了赏赐,因而自我辩解,多次提道:"接伴使怠慢我。"朝廷听到后,害怕生出事端,侍御史汪勃当即奏劾陈康伯应酬中有辱国家,请求罢免陈康伯的官职以向金国显示重信誉、结睦邻的好意,于是派陈康伯出任泉州知府,钱恺也被降职为舒州团练使。

金熙宗每日与亲近大臣们畅饮美酒,有时直到深夜。壬申(二十七日),平章政事完颜勗上疏劝谏,金熙宗因此戒酒,并且布告朝廷大臣。

六月,乙亥朔(初一),出现日食。

丁丑(初三),宋高宗驾临秦桧的新宅。过了八天,降旨,加恩封秦桧妻子魏国夫人王氏为韩国夫人,封秦熺的妻子淑人曹氏为和义郡夫人,秦桧的孙子右承事郎秦埙、秦堪、秦坦同为直秘阁,赏赐三品官服。秦埙时年九岁。

乙未(二十一日),宋高宗下诏任命李若谷任权户部侍郎。

丙申(二十二日),刑部侍郎周三畏升职权本部尚书。

七月,戊午(十四日),宋高宗下诏令,庐州、光州本年应上供的钱米宽延一年,这是采纳了转运司的建议。宋高宗说:"人们都知道掠取是为了取得,但不知道给予也是取得。如果稍微给予宽延减免,待老百姓家给人足,征收赋税自然很容易办到。"淮南路平时一路上供给朝廷的绸绢有九十多万匹,到绍兴末年,才不过八千匹。

八月，丙子(初三)，尚书右司郎中林乂任权吏部侍郎，右司郎中钱时敏任权工部侍郎。

己卯(初六)，宋高宗下诏："从现在起太学及各州县祭祀先圣的释奠礼仪，一律让皇族子弟陪祭。"

丙戌(十三日)，左朝散大夫、知南康军张元礼请求减免一年牛税。宋高宗说："天下的东西，有很多不应当收税，比如牛、米、柴、面之类的东西就是。"秦桧说："去年浙中粮食紧张，陛下下诏不收米税，所以江西的粮食商人都把粮食贩来，救活的百姓数不胜数。"

戊戌(二十五日)，金熙宗从天开殿出发。

辛丑(二十八日)，太学增加弟子员名额二百人。

当时夏国人重新建立太学，夏国皇帝亲自行释奠礼，给弟子员不同的赏赐。

自建炎初年，裁减各路提举常平官，将他们的职务合并到提刑司。第二年，朝廷议决恢复提举常平官，并讨论它的得失，写成文书尚未颁布，宋高宗便渡江南下了。接着，言论官认为常平之法不可行，于是作罢。在这一期间常平官的职责，曾隶属于发运司，也曾隶属于经制司，不久又隶属于提刑司。到这时王铁上言说："常平这一职能部门，掌管钱粮的征收分发，应当派专门的官吏来主管，请求重新设置诸路提举官。"九月，宋高宗下诏，令诸路提举茶盐官改为提举茶盐常平公事，川、广由提点刑狱兼任此职。

知和州刘将请求减免一年夏税。宋高宗对宰执大臣说："谈事与做事不同，如果这样行事，对百姓便有实际利益。"秦桧说："儒家所说的王道，不过就是爱护百姓。"宋高宗说："对。"

宋高宗亲自书写"一德格天之阁"条幅赐给太师、左仆射秦桧，又赏赐给他金镀银洗锣、唾壶、照匣等物。

甲寅(十一日)，起居舍人钱周材任权尚书刑部侍郎，国子司业严抑任权工部侍郎。当时是准备派遣他们二人出国，于是便有这一命令。

庚申(十七日)，金熙宗从东京辽阳府返回。

辛酉(十八日)，宋高宗下诏令钱周材为贺金国正旦使，阁门祗候俞似为副使；任命严抑为贺生辰使，阁门祗候曹浸为副使。

当时虔州、梅州和福建一带有一号称管天下的江洋大盗，其门徒日益增多，攻掠县城市镇，乡民大多结寨自保。在此之前福建帅臣莫将向朝廷进言："漳州、泉州、汀州、剑州四州连接江西、广东边境，游手好闲的人追随盗贼，熟悉山路，他们引导盗贼直插山路，如入无人之境。官军对高山险要不熟悉，很多人感染上瘴疠疾病，追捕盗贼相当艰难。请求委令四州守臣，每州招募强壮游民一千名以备使用。"当时统制官张渊负责收拾本路盗贼，请求让各州先招募五百人。不久莫将改任广东帅臣，任命知虔州、集贤殿修撰薛弼为福建帅臣。这月，薛弼进入福建赴任，沿途都有盗贼出没。薛弼命令前来迎接的军队排列开队伍，擂响金鼓，呼喊"新帅率领虔州兵马到了"，盗贼不敢冒犯。

冬季，十月，癸未(十一日)，敷文阁直学士、枢密院都承旨兼侍读李若谷任端明殿学士、签书枢密院事，不久又兼任参知政事。

戊子(十六日)，宝文阁直学士、提举亳州明道宫晏敦复在明州去世。

当议和刚开始时，晏敦复极力抨击当局者委曲求全的错误。秦桧派人引诱他说："您如能委曲服从,尚书省和枢密院的要职马上就可到手。"晏敦复回答说:我始终不会因个人的得失而损害国家的利益;况且姜与桂的特性是越老越辣,请不要再说了。"秦桧最终不能使晏敦复屈服。宋高宗曾经当面对晏敦复说:"爱卿为人刚正不阿,敢于直言,不拐弯抹角,可以称得上无愧于你的祖先。"

辛卯(十九日),金国追赠金太祖完颜旻谥号为应乾兴运昭德定功睿神庄孝仁明大圣武元皇帝。

己亥(二十七日),宋高宗任命中书舍人段拂任权户部侍郎。

十一月,甲辰(初三),右朝散大夫、主管台州崇道观滕膺去世。

方腊造反的时候,滕膺是台州司户参军。盗贼门徒吕师囊率领一万多徒众包围台州城,滕膺率领军民捍卫城池,敌人攻打数月也不能拿下。台州百姓修建祠堂祭祀他,后来,他的庙被命名为义灵庙。

丙辰(十五日),检校少保、奉国军节度使、侍卫步军都虞候、金、房、开、达州安抚使、知金州兼枢密院都统制郭浩去世,谥号恭毅。

戊午(十七日),右谏议大夫何若任试御史中丞,侍御史汪勃任试右谏议大夫。

丙寅(二十五日),右司员外郎王循友任权礼部侍郎。

闰十一月,己卯(初八),宋高宗下诏,废除新科明法。

丙戌(十五日),宋高宗下诏每月供给提举秘书省公使钱三百缗。

丁酉(二十六日),太学博士王之望请求仿照端拱年间和咸平年间的旧例,将附近各郡刻的《经典释文》全部取来,下令由国子监印制千百帙,让各郡县都购置一本,放置在学校。宋高宗说:"古人读书,必须依靠亲人、师长、朋友的教诲,虽然未必能完全领会圣贤经典的精义,然而却学有渊源。现在士大夫没有自己的心得,就为经书做注解,以此充当别人的老师。这是什么道理?"

宁国军节度使、权主奉益王祭祀赵安时去世。宋高宗下令罢朝一天,赠予少师头衔、追封为清化郡王。

十二月,戊申(初八),金国为始祖以下的十位皇帝增加谥号,追增金太宗谥号为体元应运世德昭功哲惠仁圣文烈皇帝。

丁卯(二十七日),金国骠骑上将军,殿前右副都点检蒲察说、正议大夫、尚书刑部侍郎吴磐福,前来庆贺明年春节。

当月,郭仲荀在台州去世。

起初,建康府御前都统制王德,任命清河郡王张俊的侄子张子盖以及张俊亲信将领马立、顾晖一起为统制官。到此时,张俊解除兵权已很久,王德逐渐对张子盖等人不太礼遇,并最终将他们罢官。张俊很愤怒,常常到朝廷告王德的状,左仆射秦桧也顾忌他的勇敢,宋高宗因此下诏令,罢免王德原职,任浙东总管,由统制官王权代替他原来的职务。

当时福建土著贼寇尚未平息,本路钤辖李贵,率领军队讨伐管天下失利,被盗贼俘虏。转运司上报枢密院,说闽人私斗时很勇敢,为国家作战却很胆怯,莫将招募的游民,容易聚集却难于疏散,不便于战事,宋高宗下诏令安抚司商议此事。薛弼认为,广东总管韩京每次出战必定获胜,原因在于他的部下有很多土著人,因此所向披靡。现在本部从来没有土著士兵,所以连年受挫。薛弼又说,以前驻守赣上,有武翼郎叫周虎臣、成中郎叫陈敏的,各有家丁数百人,都能作战,与官军相比,一人可当十人用,于是任命周虎臣为本路将官,任命陈敏为汀州、漳州巡检。又请求选取他们二人的家丁,每日发给他们钱米,负责捕捉盗贼,以期铲平盗贼。与转运司一同上奏,号称奇兵。从此每年开支钱币三万六千缗,米九千石,本地盗贼终于被讨平。周虎臣是开封人;陈敏是石城人。

当时监司、郡守很多都向朝廷进献赋税后的节余,希求升官。袁州钱粮充足有余,有人对知州王师心说,将这些全部进献给朝廷。王师心不听,由于各县百姓有拖欠租税的,用来代替他们交纳。

福建负责处理盗贼的统制官张渊部下的统领官邵宏渊,性格耿直而好大喜功,张渊讨厌他而不加以重用,并且怀恨他曾经在众人面前顶撞自己,将他打了一百杖,贬为普通的士兵。邵宏渊的门客钟鼎,到行在上书朝廷,为邵宏渊申辩是非,左仆射秦桧很恼火,首创听读的名目,将钟鼎拘押福州郡学听读。钟鼎向帅臣薛弼求救,请求允他到永福去投靠他的亲友,薛弼同意。钟鼎又到朝廷上书,薛弼自己纠劾,检讨失误,降官秩一级。

绍兴十六年　金皇统六年(公元1146年)

春季,正月,壬申(初二),金熙宗将金太祖的诸位孙子封为王;封完颜褒为葛王,不久又授予兵部尚书。

乙亥(初五),金熙宗到磨棱狩猎。甲申(十四日),金熙宗从磨棱返回京师。

戊子(十八日),太学外舍生以一千人为额。

庚寅(二十日),金国把边境地区给予夏国。

辛卯(二十一日),宋高宗在内宫斋戒。壬辰(二十二日),宋高宗亲自到东郊祭祀先农,祭品用的是羊、猪,以后稷配享。宋高宗戴通天冠,穿绛纱袍,到亲耕的地点行亲耕之礼,推了九次犁才停下来。于是登上观耕坛,命令宰执、使相、侍从、两省、台谏行五次推犁之礼,老百姓将剩下的上千亩地全部耕完。

金熙宗来到春水,出去狩猎,误入大沼泽中,金熙宗的马陷入了泥潭,只好步行出来,也没有追究向导的责任。

二月,壬寅(初三),宋高宗下诏:"各路滥设滥建的没有载入祭祀典章中的祠堂,近日内一律拆毁。"这是采纳了左司郎中李椿的提议。

丙寅(二十七日),金国右丞相濮王韩企先去世。

韩企先任宰相期间,常常考虑为国家选拔人才,专门以培养奖励年轻人为自己的责任,推荐读书人,鉴别人物。一时间,御史台和三省集合了大批正人君子,弥补政事的缺失遗漏,议论必定归于公正,世人称他为贤相。死后谥号简懿。

三月,庚子朔(疑误),宋高宗下诏令官府建立武学。此前士大夫上书多谈及此事,宋高宗多次告诫大臣,文治武功,不能偏颇任何一方,这在祖宗那里已有先例,现在便考察选择地址。

壬申(初三),金国任命谭国公阿里布为行台右丞相。

阿里布是皇室子弟,屡次随军作战立有战功,曾经以左监军身份跟随宗弼收复河南,因而得到提拔。

壬午(十三日),恢复桂阳监、临武洞为县。

乙未(二十六日),增建太庙。

此时新的祭祀用礼器将要制成,但太庙的殿堂狭小,以至不能陈列。给事中段拂请求在正殿的西边增建六间,与原有的共为十三间,其中的十一间为十一个房间,东西两间是夹室,又造了西神门、册宝殿、祭器库。

己亥(三十日),工部上奏请求设立淮东、江东、两浙、湖北各县每年考校营田赏罚的标准。其方法是,从绍兴七年到绍兴十三年征收田赋最多的年份中,选一个中等年份的田赋数目作为标准。每县以十分为率,取出二分奖赏各县。每年的田赋收入增加三分到一分以上的,可以减少县官升迁时须考核的年头;对收入最少的县实行惩罚。

金熙宗感到上京宫室太狭窄,当月,开始役使五路工匠撤除后重新建造。宫室的规模虽然是仿照汴京,但仅仅只有汴京的十分之一二罢了。

夏季,四月,庚子朔(初一),金熙宗从春水游猎处返回。任命同判大宗正事宗固为太保、右丞相兼中书令。

戊午(十九日),兵部上奏有关武士骑射及选拔考试去留的标准。初补入武学,需徒步一石弓射箭。如果公试和私试时,徒马和骑马射箭都射不中,就不允许参加文字考试。射箭考试的标准,从一石五斗到九斗,共分五等。宋高宗认可了工部的奏章,因此告诫辅佐大臣说:"国家选拔武士,事关重大,现在众将领的子弟都以学习骑射为耻辱,寻求换取文官,这样数年之后,国家将没有人习武了,怎能不对他们加以规劝和引导呢!"

金国行台右丞相阿里布去世。

五月,辛巳(十三日),宋高宗下诏命权吏部王循友、权户部侍郎李朝正分类编辑各监司、郡守条陈的有关使百姓富裕的各项建议。

丙戌(十八日),宋高宗下诏令制作景钟。景钟高九尺,天子亲自祭祀天帝时就用它,用皇祐年间的黍尺为标准。景钟铸成后,宋高宗令秦桧撰写铭文。

丁亥(十九日),金熙宗派遣金吾卫上将军、彰德军节度使乌古论海、昭武大将军、同知宣徽院事赵兴祥来祝贺宋高宗的生日。

辛卯(二十三日),金国任命左宣徽使刘筈为行台右丞相。

刘筈由于能迎合皇后的心意,所以被提升为丞相,仍然兼判左宣徽使。留守京师的时候,河南的官吏既多又杂,有人请求加以裁减,刘筈说:"废黜的齐国用兵江南时,所有的事都贪求迅速,选用人才不一定按照章法,所以有人不经过科举考试便成为高官大吏,有人不考试射箭骑马而掌握兵权。现在安抚平定没有多久,姑且收拢人心,何必再搞些频繁的变动呢?"于是仍然照旧。

宇文虚中已经留在金国,官职逐级升迁到礼部尚书兼翰林承旨。宇文虚中恃才傲物,轻浮放肆,喜欢讥讽取笑他人。达官贵人往往积愤不平。宇文虚中曾经为宫殿题写匾额和对联,痛恶宇文虚中的人在他的题字中摘出字来诽谤朝廷。恰逢有人告发宇文虚中谋反,金熙宗下诏令有司逮捕问罪,由于得不到证据,于是收罗宇文虚中家中的图书典籍,当作谋反的证据。宇文虚中说:"死,是我的缘分,至于图书典籍,从南面来的士大夫家家都藏的有。高士谈家的图书比我还多,难道也是谋反吗?"有司望风承旨,将高士谈一并逮捕。六月,乙巳

2953

(初七),杀死了宇文虚中及高士谈,金国人觉得他们冤枉。高士谈是高琼的孙子,曾经做过忻州户曹参军,投降金国后,官职升到翰林学士。

丁未(初九),秦桧向宋高宗上奏说淮东盐税课超额完成,请求予以奖赏,高宗说:"推恩奖赏的恩典,尤其应当慎重。今年有剩余,明年必定要亏损,这是因为老百姓吃盐,只有这一额度。"

癸丑(十五日),监察御史巫伋请求严令各官署,处理刑法案件,不得使用非法的刑具,例如仁和、钱塘两地所使用的浮匣、命绳之类,违反者抵罪,宋高宗下诏令刑部禁止使用非法的刑具。

己未(二十一日),分别派遣医官巡视临安一带,为病人治疗,直到秋天才停止。以后成为惯例。

监察御史陈积中议论监司州县滞留诉讼案件的弊病。请求下令各部门每季检查举报,对特严重的要予以参劾,宋高宗同意。

该月,安南进贡十头驯养过的大象。

秋季,七月,壬申(初五),检校少傅、保信军节度使、和国公张浚被撤销节度使职务,仍以原官级任职特进、提举江州太平观,到连州居住。

此前张浚因为天上出现异星,他想借此议论时事来促使宋高宗省悟,但又考虑到自己的母亲计氏已年迈,向高宗进言必定要遭受祸害,担心家母承受不起。计氏看见儿子一天天瘦下去,张浚将原因告诉了母亲,计氏就背诵他的父亲张咸在绍圣初年入选制科时写的策论:"臣宁可把要说的话说出来而死在刀斧之下,不可把要说的话不说出来而负陛下。"张浚于是下定决心,立即上疏说:"现在国家的形势,就好象大疮长在头目心腹之间,不穿破就不会停止;穿破得迟就会大祸临头而前景难测,如果穿破的快则灾祸轻缓并且容易根治。只有陛下用心谋划,自主决断,周密考察事情的真假,准备应付紧急事情的发生,这样国家才有确保平安的可能。否则,日复一日,毒疮将吞噬肚脐,这就是为臣吃不下饭并且一天都不得安宁的原因所在。"秦桧看了张浚的奏章后,不禁大发雷霆。御史中丞何若马上上奏说:"张浚修造庞大的宅第,强行霸占民田,特别有失士大夫反省思过改正错误的礼法。平常他心怀怨恨,认为和议对国家没有好处,唯恐四方边境不生出事端,再次希望升官,包藏险恶用心,为害实在很大。希望陛下降下圣旨废黜他的官职,让那些徇私舞弊、造乱生非的臣子引以为戒。"所以宋高宗下达了上述命令。

戊子(二十一日),有人向宋高宗进言请求禁止福建民间私藏军器,高宗说:"国家本来就有这方面的法规,应该让老百姓都明白。如果能杜绝私藏武器的根源,那么盗贼就不会兴风作浪了。"

壬辰(二十五日),提举秘书省秦熺奉宋高宗诏令制定献书赏格,宋高宗下诏命令刻板发行:凡有官员奉献秘阁所缺书籍的善本达到两千卷的,给予升官,士人免予解试,其余以此例类推,愿意按书价给钱的也可以。各路监司守臣访求到晋、唐书法真迹以及善本书籍的也按照此条例办理。

八月,辛丑(初四),修筑祭祀用的高禖坛。

起初,监察御史王镃,因为宋高宗没有皇位继承人,请求高宗亲自祭祀禖神。礼官说:

"从祖宗以来,祭祀祺神只有内制和外制官员代祭,虽然《大唐月令》《政和新礼》上有天子亲自祭祀的礼仪,但没有实行过,请求令执政官员代祭。"于是改在圜丘东面修筑高祺坛,高一思,广五思。

宋高宗下诏在西蜀寻访遗书,仍将此事委托各路帅臣。

壬子(十五日),将作监边知白任权尚书户部侍郎,右司员外郎周执羔任权礼部侍郎。甲寅(十七日),宋高宗下令以边知白为贺金国正旦使,武节郎兼阁门宣赞舍人孟思恭为副使;周执羔为贺生辰使,左武大夫、知阁门使宋钱孙为副使。按照以前的规矩,奉命出使的官员可以自主挑选十名随行人员,得到的赏赐也很丰厚,希望随行的人大多送钱财给大使官员请求随同出访,从周执羔开始拒绝接受这种钱财。

金国训练出的八万弓弩手讨伐蒙古,连续几年都不能攻克,该月,下令汴京行台尚书省事萧保寿努与蒙古议和,割让西平河以北二十七个团寨给蒙古,每年奉献牛羊米豆,并册封蒙古国的首领为蒙古国国王,蒙古不接受。

九月,甲戌(初七),端明殿学士、提举万寿观兼侍读何铸任大金国信使,宾德军节度使、提举万寿观邢孝扬任副使,这是为了去迎接宫室成员。

丙申(二十九日),宋高宗下诏:"武成王庙陪同祭祀的诸位将领,将赵充国的灵位升到正堂上,将韩信的灵位降到偏室。"这是采纳了祠部员外郎、权国子司业陈诚的请求。

该月,刘豫在金国临潢府去世。

冬季,十月,丁酉朔(初一),新的礼器制成。戊戌,(初二),宋高宗在射殿观看新制成的礼器,宰执、侍从、台谏、南班宗室、礼官、正刺史以上官员都陪同高宗一起观看,撞响景钟,鸣奏新乐,这是采用皇祐年间的旧例。

徽猷阁待制、提举江州太平观刘子羽去世,时年五十岁。

刘子羽在泉州时,曾经就时政问题向朝廷提出八条建议:第一条谈到淮甸的郡县不必一定要固守故城,各自根据情况因地制宜,据险设寨,派偏将把守;敌人如果长驱直入,那么我方部队可紧随其后,派几员大将在长江上下游弋以作声援。第二条谈到荆、襄两地合为一路,在公安设置帅府,增兵屯粮,做好作战和防守的准备。第三条谈到统领禁军的三衙势力弱小难以振作,应该增加禁军的人数。第四条谈到长江防务的问题,对江北宜轻兵把守,对江南则要派重兵防范。第五条谈到对水军战船应加强训练,使大战船便于指挥调度,小战船便于分散集合。第六条谈到南方士兵剽悍勇猛,可以重用,请求单独设立统帅。第七条谈到江、淮、陕、蜀的军队应互为声援。第八条谈到招募士兵,建议在荆、粤地区收罗盗贼。后来这八条建议都没有实行。

十一月,庚午(初四),有人向皇上进言说:"近年来诗赋、经术等科举考试,各自根据以前考试的人数分别录取,其中免不了轻重不分的弊病。大概而言,社会上学习诗赋的人多,所以录取的人常常多;研究经学的人少,所以录取的人也常常少。现在如果专门就考试人数来确立录取的比例,那么报考诗赋的人常常占到十分之七八,而研制经术的人只能占得十分之一二,只怕这样下去,就会渐渐废掉经术这门学问了。请命令官府就这件事再加以讨论,如果精通经术的人有多余,听凭他们参加策论考试,通融录取,明确制定录取的比例,以便有司各自有所遵守。"宋高宗说:"当时考试诗赋,是因为士人不喜欢读史书。现在如果专注诗赋,士人又不读经书。大概而言,读书应当把经义摆在首要位置,所提建议让礼部详细研究后报告给我。"

癸酉(初七),宋高宗在文德殿斋戒。

丙子(初十),宋高宗在南郊合祭天地,开始任命普安郡王为亚献,恩平郡王赵璩为终献。这一年,备办祭祀所用的礼器,设置八宝,如同政和年间的礼仪。太史局令胡平上言说三台星出现。祭祀结束,宋高宗前往行宫,大赦天下。

庚辰(十四日),恢复设置荆门军当阳县。

自建炎年间南渡长江,开始废除御书院;癸未(十七日),宋高宗下诏恢复。

癸巳(二十七日),权尚书工部侍郎钱时敏改任兵部侍郎,军器监徐琛任权工部侍郎。

十二月,己亥(初四),彗星出现在西南方。宋高宗下诏避开正殿,减少膳食。

辛酉(二十六日),金国使节龙虎上将军、会宁尹卢彦论,定远大将军、四方馆伴使张仙寿,前来祝贺明年元旦。

这一年,西夏国尊奉孔子为文宣帝。

绍兴十七年　金皇统七年(公元 1147 年)

春季,正月,己卯(十五日),宋高宗下诏说:"朕考虑到战乱兴起已二十余年,百姓生活动荡不安,所以极力图谋停止战争让百姓休养生息。现在边境没有什么忧患,流民得以回归故乡,国境之内,全部获得安宁。朕的心愿差不多予以实现。尚且担忧监司、郡守不能深刻领会朕的意图,以至于对百姓过于苛刻,将结余的钱财物进献朝廷,这就有失朕爱护百姓的本意。从现在起,敢有违背朕的旨意,望御史台进行弹劾,各监司之间互相督察;本部内部违反而又没有查处,触犯者与主管官员一并治罪。特此布告全国,全都要体察朕的心意。"

左朝议大夫李椿年任权尚书户部侍郎。

癸未(十九日),金国将西京鹿场辟为民田。

己丑(二十五日),宋高宗下诏:"近来免除了卖米税,但沿途仍收商船税,特予免除,其余的税一并裁减。"宋高宗随后说:"柴草、面粉也应该免税。买卖已经畅通,再能够平抑物价,那么老百姓就不至于流离失所了"。

辛卯(二十七日),左迪功郎陈介进言说:"国家已颁布了乡饮酒礼的仪式,然而各郡在执行中,次数却不相同。请求下令每隔三年的科举之年,在学校内举行,这就是古代三年一次的大考在学校举行饮酒礼的意思。"国子监官员说:"唐代也只在乡贡考试之年举行饮酒礼,应该按照陈介的建议来办;如果有愿意每年举行一次的,听从其便。"宋高宗同意。

壬辰(二十八日),端明殿学士、签书枢密院事李若谷任参知政事,御史中丞何若为端明殿学士、签书枢密院事。

二月,乙未朔(初一),右谏议大夫兼侍讲汪勃任试御史中丞。

甲辰(初十),宋高宗在内殿斋戒。因即将要祭祀谋神,便任命太师、尚书左仆射秦桧为亲祠使。

乙巳(十一日),宋高宗亲自在东郊祭祀青帝,以伏羲、高辛配享。命令普安郡王为终献。又在坛下祭祀简狄、姜嫄,祭品用牛、羊、猪,玉器用青色的,乐舞如同南郊的规格。祭礼完毕,宋高宗前往端诚殿接受文武百官的朝贺。

己酉(十五日),册封才人刘氏为婕妤。

辛亥(十七日),把殿前司寨改造为瓦屋,这是采用了领都指挥使职事杨存中的奏议。南渡初年,各营寨都是覆盖茅草,多次遭受火灾,所以杨存中有这一建议。

三月,丁卯(初四),捧日天武四厢都指挥使、宁国军承宣使、鄂州驻扎御前左军统制牛皋去世。前一天,都统制田师中大宴诸将领,牛皋遭毒害而回家,知道自己必死无疑,于是召呼亲朋故吏及家人到身边来嘱咐后事,便死去。有人认为是秦桧私下命田师中下的毒药,听说此事的人无不叹息愤怒。

乙酉(二十二日),太师、尚书左仆射、魏国公秦桧因郊祀天地被宋高宗恩许改封为益国公,以后凡是封藩镇官和封国地属金国境内的都要重新任命。当时有人请求设置益国公属官,秦桧虽然没有实行,但也没有给他加罪。

戊子(二十五日),安民靖难功臣、太傅、醴泉观使、清河郡王张俊,改任静江、宁武、靖海军节度使;扬武翊运功臣、太傅、醴泉观使、咸安郡王韩世忠,改任镇南、武安、宁国军节度使。

权尚书户部侍郎边知白,改任吏部侍郎。

当月,金国与蒙古开始议和,金国每年赠送蒙古牛、羊、米、豆、绢等类物品很丰厚。于是蒙古大首领鄂罗贝勒自称为祖元皇帝,改年号为天兴。金国对蒙古连年用兵,最终也没能征服,只派遣精兵分别占据要害之地,大军就返回了。

夏季,四月,己亥(初六)御史中丞兼侍讲汪勃被任命为端明殿学士、签书枢密院事。

甲寅(二十一日),皇太后朝拜景灵宫。

戊午(二十五日),金熙宗在便殿宴请群臣。金熙宗喝得大醉,用剑威逼他的弟弟完颜元,强迫他饮酒,完颜元害怕逃出便殿,金熙宗就令左丞宗宪去追赶,宗宪与完颜元一起走了;金熙宗于是命令户部宗礼跪在面前,亲手把他杀死。

己未(二十六日),宋高宗下诏令,责授清远军节度副使、吉阳军安置赵鼎,遇到赦免也永不任用。右修职郎石恮,追缴销毁入仕以来的所有文件,取消任官资格,勒令停职。特许免受用刑,发送浔州编管。

当初,赵鼎贬到潮州,知府徐璋为他建造房屋,并且送给他钱物。石恮当时任录事参军,数次与赵鼎相见。等到石恮的职务被人代替回到朝廷,而徐璋也已去世,新上任的知府左朝散大夫翁子礼揭发了这件事,此案交大理寺处理,审查核实。赵鼎的罪状是不自我反省,不遵纪守法,通过关系请州府借人给他抄写书籍,指使干官顾湜托石恮提供书写人员,于是石恮大肆收取民户的盐钱,多次供给赵鼎使用,又接受徐璋赠送的八百多缗钱,徐璋又盗用公款为赵鼎盖房子,总共耗资一万多缗钱,绸绢三千六百余匹,于是宋高宗才有上述命令。

五月,己巳(初七),徽猷阁直学士、提举江州太平观洪晧被贬为濠州团练副使、安置英州。

洪晧为母亲守丧,服丧完毕,又请求担任宫观官。此时直徽猷阁王洋任饶州知府,而左奉议郎陈之渊任添差通判,这两个人与右承议郎、通判州事李勤长期有积怨。李勤图谋以诬蔑他人获得升官,诬告洪晧有欺世盗民的言论,王洋、陈之渊都听说过。殿中侍御史余尧弼,即上奏说洪晧捏造没有根据的谣言,迷惑众人视听,几乎危及国家大事,请求将他发配到边远地方,王洋、陈之渊也要受到刑法制裁。宋高宗于是下诏罢免了王洋、陈之渊的职务,而对洪晧则有了上述的命令。

金国中京留守完颜亮,被召回京师,任同判大宗正事,加特进官衔。

辛巳(十九日),金熙宗派遣龙虎卫上将军、殿前右副都点检完颜卞、宁远大将军、东上阁门使大珪,前来祝贺宋高宗生日。

六月,癸巳朔(初一),宋高宗晓喻宰执大臣:"临安的居民用水都取之于西湖,近来被人包税造田,种植菱角、莲藕之类的水产,用粪便来施肥,居民怎能得到便利?况且各库引西湖的水造酒,用作祭祀,更为不合适,可以禁止这种现象。"宋高宗又说:"沿钱塘江的石头堤岸,命令迅速整修,延误时间就会决口损害百姓利益,并且要花费双倍的工时来修复。"

丁酉(初五),金熙宗杀死横海军节度使田毅,左司郎中奚毅,翰林待制邢具瞻以及王植、高凤廷、王敬、赵益兴、龚寻鉴等人。

秋季,七月,金国因太白星从天空经过,特将京畿之内的罪犯予以赦免。

壬申(十一日),武泰军节度使、知荆南府事刘锜任职提举江州太平观,这是接受了他本人的请求。刘锜镇守江陵共六年。

癸酉(十二日),宋高宗批准大臣上奏并发布赦令:"凡是家中有丧应该解除官职的官员,而临时改名到军队中任职,希望免除守丧的,要判处三年徒刑,明知真实情形而又为其申请停止服丧恢复官职的,要降二级官职。"以前宋高宗曾经多次斥责大臣有伤害风化的事,到此时便立下法规。

甲申(二十三日),提举太平观张阐请求告老退休。宋高宗说:"此人是我当年的文学侍从之臣。"下令给张阐以敷文阁待制的官职退休。

戊子(二十七日),行营右护军都统制吴璘,改任御前诸军统制兼知兴州。

八月,乙未(初四),宋高宗对宰执大臣说:"朝廷在临安免不了时时有所需求,比如御膳用米,起初是每天供给一次,现在是每一月取一次,希望不要因此而惊扰百姓。"

癸卯(十二日),责授清远军节度副使赵鼎去世。

赵鼎在吉阳三年,他的老朋友老部下都不敢前去问候。广西经略使张宗元当时派遣使者渡海,赠送酒和米给赵鼎。秦桧命令吉阳军每月向尚书省汇报赵鼎的生死情况,赵鼎知道了这件事,就派人叫来他的儿子赵汾,嘱咐他说:"秦桧一定要杀掉我,我死了,你们就会免遭祸患,我如果不死,秦桧就会杀害我们全家。"于是绝食而亡,终年六十三岁。各地人士听说后,有的流下了眼泪。

乙巳(十四日),直秘阁、知临安府沈该任职尚书礼部侍郎,权工部侍郎赵不弃充任敷文阁待制、知临安府。丙午(十五日),龙图阁学士、知绍兴府詹大方任职工部尚书。戊申(十七日),沈该被任命为贺大金正旦使,阁门宣赞舍人苏晔为副使;詹大方为贺生辰使,阁门宣赞舍人容肃为副使。

己未(二十八日),宝文阁学士王唤任提举万寿观。

王唤任平江知府,因病请求担任宫观官,而两浙转运判官汤鹏举上奏,说王唤接待国信使,每次都丰盛款待,并没有疏忽和遗漏,宋高宗便有此令。王唤到达行在几天后便去世,被赠予右银青光禄大夫,得到宋高宗赏赐的银绢五百匹两,在成例之外,录用其子孙一人为官,由官府供给丧葬费用。

九月,乙丑(初四),户部列出各路上缴的月桩钱数。宋高宗说:"赋税繁多,富裕人家尚且不堪承受,下等人家从哪里交得出来! 如果将各州的赋税缴后结余用来抵消一部分月桩钱,实可宽缓民力。"

甲戌(十三日),右朝散郎、直秘阁吕摭被除去名籍,交梧州编管。

秦桧对吕颐浩追恨不已,指使台州守臣曹悖访求他家中的阴事。正碰上吕摭的妻子姜氏告发吕摭与其庶弟的母亲私通,于是将他送到牢狱彻底治罪,吕摭畏罪装聋作哑,便用各种证明材料给他定罪,这样,吕摭这一家便破败了。

丙子(十五日),资政殿学士、四川宣抚副使郑刚中被罢免。

在此之前,殿中侍御史余尧弼,弹劾"郑刚中天性凶险,敢做不义之事,专门与异端之徒结为死党。擅自挪用公款,唆使游学之士摇唇鼓舌,混淆黑白。四川都转运司,总管四路财物以供军需,他便借机上书,将四川都转运司并归宣抚使司,这样,军权、粮权便合而为一,即使枢密院、户部也不能如此。祖宗对各路职能的安排,到此被扫地出门。不知道郑刚中聚敛财富、培植个人势力是想干什么? 建置总领司的意图,是为了与各路一致起来,郑刚中怒形于色,不想让总领司行使职权,朝廷因此而不得不改变建置,而他又扬言说这是自己的功劳。自古以来,专横跋扈的藩镇敢如此吗?"奏章还没有得到答复,余尧弼又奏劾郑刚中奢侈、僭越、贪得无厌、妄自作威作福、欺骗圣上、不忠于朝廷、败坏军政事务五条罪状。宋高宗才有这一命令,仍然命令郑刚中在鄂州听旨,随行的军需物资,移交给湖广总领所,以详细数目上报,他手下的士兵令都统制田师古加以收容,押回原属官司。

当月,金熙宗狩猎来到阴山以北,于是去了西京。

太保、右丞相宗固去世,都元帅宗弼任太师,统领三省事,都元帅、领行台尚书省的职务依旧。平章政事完颜勖任左丞相兼侍中,都点检宗贤任右丞相兼中书令,行台右丞相刘筈、左丞萧仲恭任平章政事,李德固任尚书右丞,秘书监萧肄任参知政事。

冬季,十月,辛卯朔(初一),出现日食。

癸卯(十三日),宋高宗下诏在行在修建太一宫。自从高宗到临安以来,每年在惠照僧舍祭祀十神和太一神。有人认为不符合尊崇神灵的意思,于是修建了太一宫。

甲辰(十四日),秦桧向宋高宗进呈殿前、马、步三司管军护驾十年的情况,请求皇上降恩嘉赏。宋高宗说:"已往将士出战立功,时常得到升迁。现在休战很久,如果已经官拜节度使的,固然不会计较,其他的人岂能没有升迁的愿望! 应当有一种奖励来维系人心,并且使后来的人受到激励。"

丁未(十七日),宋高宗诏令:"太常少卿每年在仲春仲秋向绍兴府帝王的墓地荐献贡品,秋季最后一个月由监察御史进行巡视检查。"

己酉(十九日),少保、宁远军节度使、领殿前都指挥使职事杨存中任职少傅,因为他护驾十年,宋高宗特别推恩给他。

壬子(二十二日),金国平章行台尚书省事奚宝去世。

十一月,丁卯(初七),权礼部侍郎周执羔向皇上请求恢复在礼部贡院赐给新及第进士闻喜宴的做法,宋高宗同意。

癸酉(十三日),金国工部侍郎布萨达蔓任御史大夫。

乙亥(十五日),左奉议郎洪适及右朝散郎、通判濠州曾恬一并被罢官。

洪适通判台州,与知州曾惇关系不好。曾恬,是曾公亮的孙子,任大宗正丞。秦桧独揽大权,士人都设法吹牛拍马以求取官职,然而曾恬却自守节操不屈就,殿中侍御史余尧弼参劾洪适阴险暴虐,是家传的遗风,在台州纵情贪财受贿。又说曾恬放荡不羁,毫无检点,自称是赵鼎的弟子,心怀怨恨。于是将他们贬黜。不久,曾恬又因擅自征用役夫而获罪贬官。

己卯(十九日),金熙宗下令减去日常膳食中五分之二的猪羊肉。

癸未(二十三日),金国任命尚书左丞宗宪为行台平章政事,任命同判大宗正事完颜亮为尚书左丞。

该月,金熙宗再次回到上京。

当时右丞完颜亮想独揽大权,用他的心腹担任尚书省和御史台的重要职务,荐引萧裕担任兵部侍郎。一天,金熙宗在殿中召见完颜亮问对,谈到太祖创业的艰难,完颜亮痛哭流涕,金熙宗觉得他很忠诚。

十二月,丁未(十七日),敦武郎、阁门祇候张昂充任东南第十四将。

甲寅(二十四日),资政殿学士郑刚中被免职,降任提举江州太平兴国宫,到桂阳监居住。

在此之前,殿中侍御史余尧弼,再次奏劾说:"郑刚中违抗命令,迟迟不肯启程。四川自建炎年间之后,只知道宣抚使的尊严高贵,这是因为天高皇帝远,宣抚使能独自树立自己的威信。现在是国家中兴需要中央集权的时候,可是郑刚中如此依仗权力,态度傲慢,请求迅速将他贬黜,让那些不忠于朝廷的臣子引以为戒。"右正言巫伋列举四条罪状再次弹劾郑刚中:"出行的仪仗,比照皇帝的规格,收受贿赂,饱食私囊,巧立名目横征暴敛,困扰盘剥百姓,上报谣言谎言使远方的人惊慌骚动。已经被朝廷下令召回,不立即上路,反而秘密派遣亲信,窥探朝廷动静。"宋高宗于是做出上述命令。

丙辰(二十六日),金熙宗派遣金吾卫上将军、殿前左副都点检完颜宗藩,安远大将军、充东上阁门使吴前范,前来祝贺明年春节。

戊午(二十八日),金国参知政事韩昉被罢免官职,任命兵部尚书秉德为参知政事。

金熙宗没有后代,而皇后又生性忌妒,众大臣都不敢谈及此事。右丞相宗贤劝金熙宗选取后宫嫔妃以便多生后代,金熙宗便派遣使者带着相面术士到两河各路挑选百姓人家的未婚女子,得到四千多人,令她们全部进宫。宗贤是皇后的亲族,皇后把持朝政,宗贤并不曾去依附她。谈论时政无所顾忌,皇后因此而怨恨他。

这一年,夏国改国号为天盛。策试举人。开始创立唱名法。

续资治通鉴卷第一百二十八

【原文】

宋纪一百二十八　起著雍执徐【戊辰】正月，尽上章敦牂【庚午】三月，凡二年有奇。

高宗受命中兴全功至德　圣神武文昭仁宪孝皇帝

绍兴十八年　金皇统八年【戊辰，1148】　春，正月，甲子，以永祐陵近在会稽，准先朝故事，春秋二仲以太常少卿荐献，季秋则御史按视。

丁丑，左承议郎张阐添差通判泉州。

自秦桧专国，朝士为所忌者，终身以添倅或帅幕处之，未尝有为郡者。

二月，乙未，参知政事段拂罢，为资政殿学士、提举江州太平兴国宫，以殿中侍御史余尧弼、右正言巫伋奏劾之也。章再上，寻落职，兴国军居住。

签书枢密院事汪勃兼权参知政事。

壬子，右承事郎、监登闻鼓院徐璋面对，言："自昔帝王必有佐命之臣，功铭鼎彝，侑食清庙，以劝万世。国家远稽三代，肇造原庙，凡在佐命辅弼，皆绘像庙廷，以示报功之意。陛下绍开中兴，复崇原庙，如祖宗之制，而累朝配飨辅弼不过十馀人，今其家之子孙，必有绘像存焉，望诏有司访求，摹于景灵宫廷之两壁。"诏礼部讨论。

乙卯，金主如天开殿。

三月，壬申，名行宫之南门曰丽正，北门曰和宁。

时殿前招军，多诱致乡民及负贩者。丁丑，命川中大将吴璘、杨政招流民之失所者，遣发以补其额。

壬午，资政殿大学士、提举万寿观兼侍读秦熺知枢密院事。

秦桧问敕令所删定官胡宁曰："儿子近除，外议如何？"宁曰："外议以为相公不必袭蔡京之迹。"宁，安国子也。

乙酉，诏："私擅渡淮及招纳叛亡之人，并行军法。"后诏："津载及巡防人故纵，与同罪；失察者，减一官。"

夏，四月，戊子朔，日有食之。

庚寅，策试正奏名进士于射殿，王佐以下三百三十人赐及第、出身。

庚子，左中大夫、知枢密院事秦熺罢，为观文殿学士、左通奉大夫、提举万寿观兼侍读、提举秘书省。熺言："父子共政，理当避嫌。"故有是命。仍诏熺应干请给，并依见任宰臣例，立班左右仆射之次。

辛丑，金遣参知政事秉德廉察官吏。

乙巳，特奏名进士俞舜凯等四百五十七人，武举进士柯燕等七人，特奏名一人，赐第、授官有差。

庚戌，金主至自天开殿。

先是金命修《辽史》，甲寅，告成。

五月，辛酉，权礼部侍郎兼直学士院沈该言：“国家秉火德之运以王天下，望用故事，即道宫别立一殿，专奉火德，配以阏伯而祀以夏至。”从之。后建殿于太一宫，名明离。

甲子，绘配飨功臣像于景灵宫廷之壁，皇武殿赵普、曹彬，大定殿薛居正、石熙载、潘美、熙文殿李沆、王旦、李继隆，美成殿王曾、吕夷简、曹玮，治隆殿韩琦、曾公亮，大明殿富弼，重光殿司马光，承元殿韩忠彦，凡十有六人。

丙子，金主使龙虎卫上将军、会宁尹萧秉温、昭武大将军、充东上阁门使申奉颜，来贺天申节。始燕射于玉津园，自是遂为故事。

癸未，保信军节度使、龙神卫四厢都指挥使、添差两浙东路马步军副都总管李显忠，落军职，(除)〔降〕授平海军承宣使、提举台州崇道观，本州居住。

先是金使尝言显忠私遣过界，诏令分析。会显忠上恢复之策于朝，秦桧怒，乃奏显忠不遵禀闻，(正)〔止〕用申状，故有是命。

六月，癸巳，帝谓大臣曰：“每岁决狱，闻宪臣第遣属官代行，徒为文具。可令亲往所部，具所决名申尚书省。”

诏：“自今尝于伪楚明受伪命之人，不得辄至国门。”

时左从事郎廉布入都调官，右正言巫伋言：“布乃张邦昌之婿，覆载所不容，而无忌惮若此，望赐处分。”故有是旨。

庚子，命监司、郡守约束县令，无使非理扰民。

甲辰，用太常寺主簿兼权秘书省校勘书籍林大鼐议，始祀九宫贵神于东郊。坛二成，高三尺，方十有二尺。上为小坛九，纵广皆八尺，高尺有半。岁春秋二仲祀以少牢，礼如感生帝。

乙巳，敷文阁待制、知临安府赵不弃守尚书工部侍郎。

丙午，贤妃潘氏薨。妃，元懿太子母也。

乙卯，金以平章政事萧仲恭为行台左丞相，以左丞亮为平章政事，以都点检唐古辨为尚书左丞。

秋，七月，乙丑，右朝奉大夫、新江西转运判官贾直清，请于县官中以有出身人兼县学教导，帝谓大臣曰：“州县选官教导，乃教化本原，将来三年科场，亦有人材可备采择。”乃令礼部参酌，如所请。

知临安府汤鹏举请修淮、浙沿流皇华使馆，从之。

乙亥，金御史大夫布萨达曼罢，以侍卫亲军都指挥使阿鲁岱为御史大夫。

戊寅，以尚书左丞唐古辨奉职不谨，杖之。

八月，癸巳，权礼部侍郎沈该，乞四川类省试合格不赴殿试人，第一等并赐进士出身，馀人同出身,从之。

丙申,端明殿学士、签书枢密〔院〕事汪勃罢。

勃为言者所攻,以亲老,乞归养。诏依旧职,提举江州太平兴国宫。

丁酉,工部尚书詹大方为端明殿学士、签书枢密院事,寻权参知政事。

戊戌,金监修国史、太师宗弼等进《太祖实录》。

庚子,金以尚书左丞相勖领行台尚书省事,以右丞相宗贤为太保、尚书右丞相。丙午,以行台左丞相萧仲恭为尚书左丞相。

癸丑,刑部尚书兼权吏部尚书周三畏罢。以侍御史余尧弼论其兼领二曹,一切要誉,归怨朝廷也。

甲寅,国子司业陈诚之权尚书吏部侍郎。

大理(寺)〔卿〕韩仲通权刑部侍郎。

闰月,庚申,亲卫大夫、忠州刺史、鄂州驻劄御前选锋军同副统制梁兴卒。

兴自太行山率其徒奔岳飞于江夏,从军凡十年。

金宰臣以西林多鹿,请金主出猎,金主恐害稼,不允。

丙寅,金太庙成。

戊辰,权礼部侍郎陈诚之,请太学生入学五年不与荐及公试不入等者,除其籍,从之。

壬申,命起居舍人王墨卿,武经大夫、惠州刺史、阁门宣赞舍人苏华贺金主正旦;权尚书礼部侍郎陈诚之,武经大夫、吉州刺史、权知阁门事孟思恭贺生辰。

乙酉,诏:"自今奉使下三节人过界,与北人博易者,徒二年;使、副不觉察,与同罪。"

初,福建路自创奇兵,虔、梅草寇不敢复入境,至是悉平。诏以巡检陈敏以所部奇兵四百及汀、漳戍兵之在闽者并为殿前司左翼军,即以敏为统制官,留戍其地。

神武中军,旧止三部,自杨存中职殿前,始增为五军,又置护圣、踏白、选锋、策选锋、游奕、神勇、马步凡十二军。时江海之间,盗贼间作,乃分置诸军以控制之,如泉之左翼,循之摧锋,明之水军,皆隶本司,总七万馀人。由是殿前司兵籍为天下冠。存中又制诸军戎仗,以克敌弓虽劲,而士病蹶张之难,乃增损旧制,造马黄弩,制度精密,彼一矢未竟而此三发矣。

九月,甲辰,侍御史兼崇政殿说书余尧弼试御史中丞。

丙午,端明殿学士、签书枢密院事詹大方薨。

丁未,右司谏兼崇政殿说书巫伋试右谏议大夫。

丙申,金尚书左丞唐古辨罢;以左宣徽使禀为尚书左丞。

冬,十月,丙辰,御史中丞兼侍讲余尧弼为端明殿学士、签书枢密院事兼权参知政事。

辛酉,金太保、领三省事、都元帅、越国王宗弼薨,后谥忠烈。

十一月,乙酉朔,秘书少监张柢,言感生帝之祀,尚寓招提,祭以酒脯,请复用牲、玉,升为上祀,从之。

乙未,金左丞相宗贤、左丞禀等,言州县长吏当并用本国人,金主曰:"四海之内,皆朕臣子,若分别待之,岂能致一!谚不云乎:'疑人勿使,使人勿疑。'自今本国及诸色人,量才通用之。"

己亥,新州编管人胡铨移吉阳军编管。

先是秦桧尝于一德格天阁下书赵鼎、李光、胡铨三人姓名。时鼎、光皆在海南,广东经略使王铁问右承议郎、知新州张棣曰:"胡铨何故未过海?"铨尝赋词云"驾巾车归去,有豺狼当辙。"棣即奏铨不自省循,与见任寄居官往来唱和,怨望朝廷,鼓唱前说,殊无忌惮,于是送过海编管。

棣选使臣游崇部送,封小项筒过海。铨健步赴贬,人皆怜之。至雷州,守臣王趯,廉得崇以私茗自随,械送狱,且厚饷铨。时诸道望风捃摭流人,以为奇货,惟趯能与流人调护,海上无薪粲百物,趯辄津置之,其后卒以此得罪。

辛丑,金以尚书左丞相宗贤为左副元帅,以平章政事亮为尚书左丞相兼侍中,以参知政事秉德为平章政事。

丁未,龙神卫四厢都指挥使、邕州观察使董先,添差两浙西路马步军副都总管,平江府驻劄。

初,岳飞既死,先自武昌召还,为步军司统制。先与管军赵密不协,于是离军,领〔殿〕前都指挥使职事。〔杨存中怜其才,赒遗甚厚。〕

庚戌,金左副元帅宗贤,复太保、左丞相,左副元帅如故。

十二月,乙卯朔,复连州连山镇为县。

金以右丞相萧仲恭为太傅、领三省事,以左丞相亮为尚书右丞相。

丁卯,布衣孙尧佐上书,乞嗣安定郡王与濮王之封,诏大宗正司具名闻奏。

己巳,大理评事莫濛言:"四方之民,云集二浙,百倍常时,而河渠为甚急,宜命守臣因农之隙,浚其堙塞。"庚午,帝谕大臣曰:"可使漕臣募夫浚治,因以济接饥民,则公私两利矣。"

壬申,宰执进呈经界事讫。帝曰:"诸州月桩钱,昨已例减,要当尽行除罢。"秦桧即谕户部侍郎李椿年、宋贶以经总钱措置赡军。

乙亥,金以左丞相宗贤为太师、领三省事、兼都元帅。

庚辰,金遣金吾卫上将军、殿前右副都点检召守忠,昭武大将军、同知宣徽院事刘君诏,来贺来年正旦。

先是金左丞相亮之为中京留守也,与明安萧裕善。裕倾险敢决,亮每与论天下事,裕揣亮有觊觎心,密谓亮曰:"先太师为太祖长子,德望如此,人心天意,宜有所属。公诚有志举大事,愿竭力以从。"亮喜之,数相荐引,由兵部侍郎迁同知南京留守,改北京同知留守事。

时金旧臣宗弼既殁,皇后益揽事权。奚人萧肄,有宠于金主,复谄事皇后,恣行不法。亮内蓄逆谋,无所顾畏。尚书省令史高怀贞素与亮狎昵,亮尝与各言所志,亮曰:"吾志有三:国家大事,皆自我出,一也;帅师伐国,执其君长,问罪于前,二也;得天下绝色而妻之,三也。"由是小夫、佞人皆知其志。

是岁,夏复建内学,选名儒主之。增修律成,赐名曰《新律》。

绍兴十九年　金皇统九年,十二月,改天德元年【己巳,1149】　春,正月,甲申朔,帝以太后年七十,即宫中行庆寿礼。

丁亥,诏信阳军拨隶淮西。

己丑,北使召守忠等辞行,置酒垂拱殿。时在上辛祈谷致斋之内,礼官援治平故事请用乐,从之。自是以为例。

戊戌，金太师、领三省事、都元帅宗贤罢。以领行台尚书省事勖为太师、领三省事，以同判大宗正事充为尚书左丞相，亮兼元帅。

亮生日，金主使近侍大兴国赐物，皇后亦有所附赐，金主知之，不悦，杖兴国百，追还其赐物。亮由此愈不自安。充，宗干长子也，寻薨。

丙午，金以右丞相亮为左丞相，以判大宗正事宗本为尚书右丞相，以左副元帅宗敏为都元帅，以南京留守宗贤为左副元帅兼西京留守。己酉，宗贤复为太保、领三省事。

二月，甲寅，金以会宁牧唐古辨复为尚书左丞，以尚书左丞禀为行台平章政事。

甲子，复置雷州遂溪县。

庚辰，帝谓辅臣曰："每岁市马，悉付镇江王胜军而未见孳生之数。宜分送诸军，仍立赏罚。"于是岁发川马二百匹进御，而以四千匹付江上诸军，镇江、建康、荆、鄂军七百五十，江、池军各五百，又以秦马三千五百付三衙，殿前司千五百，马、步各千。自是岁为定例。

三月，癸未朔，日有食之，阴云不见。帝不视事，百官守职，过时乃罢。

甲申，诏："皇太后庆寿，亲属各进官一等，慈宁殿官推恩有差。"

庚子，帝谕大臣曰："淮甸久平，宜加经理。民复业者，令守令多方恤之，使尽力田亩，数年后方可起税。"

辛丑，金以尚书右丞相宗本兼中书令，以左丞相亮为太保、领三省事。

亮益求名誉，引用势望子孙，结其欢心，金主不悟。

甲辰，诏责授濠州团练副使、复州安置郑刚中，许用议减，特免禁锢，移封州安置。

初，秦桧怒刚中不已，捕其子右承务郎良嗣，与将吏宾客即江州同系，遣大理寺丞汤允恭、太府寺丞宋仲堪往鞫其事，掠治无全肤。狱成，刚中坐任四川宣抚副使日，被旨收捉过界偷马盗贼，全不遵奉，凡事干边界，常是怀奸异议，阴与见罪籍人符合交通，沮害国事；又，辄违朝命，出卖度牒，收钱五十五万余缗；又，专辄起置钱监铸钱，擅便支使；及违法请过供给厨食等钱一万三千余缗入己；刚中欲并都转运司入宣司，遂将钱物赠移士人，令赴行在上书开陈，既并运司，违法私使过钱十二万余缗；及有诏置总领钱粮官，刚中不喜，豫作缘故，收桩隐匿，计四千余万缗；又欲归怨朝廷，乃说谕统兵官，令为总领，尽数交并钱物，无可送遗；及被旨令赴行在，乃忿怒迁延，收匿札子，不即起发，多带官物，在路妄用；法当死，特有是命。良嗣贷死，送柳州。右朝请郎张汉之，尝主管宣抚司机宜文字，坐依随刚中，亦除名，送宾州编管。右奉议郎赵士祸，尝通判荆南府，坐不即拘收刚中随军钱物，特除名。右武大夫、开州刺史、御前中部统领官张仲，亦坐依随刚中，追横行一官，勒停，送本军自劾。即日擢（充）〔允〕恭尚书刑部员外郎，仲堪仓部员外郎。

刚中至贬所，守臣左朝请郎赵成之希桧意，每窘辱之，刚中竟卒于贬所。

夏，四月，乙卯，权礼部陈诚之，权知阁门事孟思恭，贺金主生辰还。秦桧白帝曰："大金书词丁宁，盟好甚切。"帝曰："此番待奉使愈周至，馆舍极宏壮，思恭等所得马亦皆上驷，可知其永好之意也。"

戊辰，日左右生青赤黄珥，太白犯月。金国太史言不利于君，大臣将作乱。壬申，金京师大风雨，雷电震坏寝殿鸱尾。有火入金主寝殿，烧帏幔，金主趋别殿避之。丁丑，有龙斗于利州榆林河水上，大风坏民居、官舍，瓦木人畜皆飘十数里，死伤者数百人。

五月，甲申，创太庙斋殿。

乙酉，户部员外郎周庄仲请复蜡祭之礼。其礼，东西方百神视感生帝，南北方视岳渎，皆以腊前一日祭之。

戊子，金杀翰林学士张钧。

时金主以天变，欲下诏罪己，命钧视草。钧意谓奉答天戒，当深自贬损，其文有曰"惟德弗类，上干天戒"及"顾兹寡昧，眇予小子"等语。参知政事萧肄素恶钧，乃译奏曰："弗类，是大无道。寡者，孤独无亲；昧者，弗晓人事；眇者，目无所见；小子，婴孩之称。此汉人托文字以詈主上也。"金主大怒，命卫士拽钧下殿，搒之百，不死，以手剑(鳌)〔劙〕其口而醢之。赐肄通天犀带。

是日，曲赦上京囚。

金主问群臣曰："张钧谤讪，谁使为之？"左丞相宗贤曰："太保实然。"金主不悦。庚寅，出太保亮领行台尚书省事。

亮道过北京，谓同知留守事萧裕曰："我欲就河南建立位号，先定两河，举兵而北，君为我结诸明安以应我。"定约而去。

庚子，金主使龙虎卫上将军、殿前左副都点检唐括德温，昭武大将军、四方馆使高居安，来贺天申节。

六月，辛亥朔。故事，宗庙时祀，以宗室观察使以上充初献，刺史以上充亚献、终献。其后以宗室数少，乃请初献以防御使以上，亚、终献以遥刺以上。至是正任止三人，壬子，大宗正司请权以遥团以上充初献，将军以上充亚献，许之。

己未，金以都元帅宗敏为太保、领三省事兼左副都元帅，左丞相宗贤兼都元帅。

辛酉，右朝奉郎朱同知南雄州，代还，言岭南无医，凡有疾病，但求巫祝鬼，束手待毙，请取古今名方治瘴气者集为一书，颁下本路，从之。

秋，七月，辛巳，左中奉大夫杨惇知舒州，代还，请戒监司、守臣修水利，诏付户部。帝曰："平江堤堰不修，岁输米比旧亏十万斛。临安西湖，民间灌溉所资，其利不细，岁久亦填污，宜悉令修治。"

八月，庚戌朔，昭信军承宣使、镇江府驻劄御前诸军统制王胜卒，谥毅武。

癸丑，复泰州兴化镇为县。

庚申，金以刘筈为司空，行台右丞相如故。

宰臣议徙辽阳、渤海之民于燕南，从之。侍从高寿星等当迁，诉于皇后，后以白金主。金主怒议者，杖平章政事秉德，杀郎中萨哈。

辛酉，宗正寺丞王葆言："国家设法，应女户、单丁与夫得解举人、太学生并免丁役，盖本先王仁先孤寡，贵肆多士之意。顷议者历陈丁役之弊，遂有募人充役指挥。臣谓进纳杂流之人，物力高强，虽系单丁，自应雇募，至若前项三色亦令雇募，似为矫枉之过。且女户而无子孙，与虽有子孙而年在幼弱，皆穷民之无告者，若遽使当力役之事，则公私所费，必倍于豪强。故昨来指挥，寡妇有男为僧、道成丁者，并许募人充役，正恐奸民旋行规避尔。今州县之间，舞文以虐无告，则或指〔远适之缁黄为某氏之子孙，初不以存亡为别也，因使〕寡妇守志者，不免于执役困悴之患，其势迫而行者，家赀产业或破坏于(役)〔后〕夫之手，是岂朝廷勤恤民隐之本心乎！得解举人名已登于天府，今乃同籍于役人；太学生身已隶于上庠，今乃心累于执役。是二者，其家或有兼丁，则力役自不妨充募，若乃单子一身而奋身庠序者，不得自别于齐民，甚非陛下仁先孤寡、贵肄多士之意。望特诏有司重加省定，庶几孤寡得所而士知爱重。"帝曰："单丁、女户，旧法免差役，后以许免者多，有司遂有雇募之请。宜令户部详其的确利害来上。"葆，昆山人也。既而本部请女户无子及得解举人、太学生单丁，并免身役，即特旨及因恩免解人，听募人充役，官司毋得追正身，从之。

丙寅，太常少卿张杞充大金贺正旦使，武节大夫、和州团练使、知阁门事赵述副之；直秘阁、知临安府汤鹏举守司农卿，充贺生辰使，右武大夫、吉州刺史、带御器械石清副之。通好后，以庶官出疆自此始。

甲戌，诏以景灵宫绘像功臣之副藏于天章及秘阁，复故事也。

九月，辛卯，惠州刺史、知阁门事宋篯充大金贺正旦副使，以赵述疾告也。

丙申，金复以领行台尚书省事亮为平章政事。亮行至良乡，召还，未测金主意，大恐。既至，金主复任之，而亮逆谋益切。

初，左丞唐古辨、右丞相秉德，以被杖怨金主，与大理卿乌达谋废立，乌达以告亮。它日，亮与辨语及废立事，曰："若举大事，谁可立者？"辨曰："其胙王元乎？"问其次，曰："邓王子阿林。"亮曰："阿林属疏，安得立！"辨曰："公岂有意耶？"亮曰："果不得已，舍我其谁！"于是旦夕相与密谋。

（护）〔左〕卫将军特斯疑之，以告皇后曰："辨等每窃窃私议，窃疑之。"后以告金主。金主怒，召辨谓曰："尔与亮谋何事？将如朕何！"杖之，馀释不问。

戊戌，金以右丞相宗本为太保、领三省事，以左副〔元〕帅宗敏领行台尚书省事，以平章政事秉德为尚书左丞相兼中书令，以司空刘筈为平章政事。

庚子，金以御史大夫宗甫参知政事。

金平章政事亮，以胙王元有人望，欲除之。会河南军士孙（胜）〔进〕自称皇弟阿禅大王，金主疑皇弟二字或在元也，使特斯鞫之，无状。亮怨特斯泄其谋，而知金主有疑元心，乃上言："孙进反有端，不称它人，乃称皇弟大王。陛下弟止有元及扎拉耳，特斯鞫不以实，故出之。"金主以为然，使唐古辨、萧肄按问特斯，特斯自诬服故出元罪。十月，金主杀其弟北京留守胙王元、安武军节度使扎拉及左卫将军特斯。亮乘此挤阿林，杀之。阿林弟达兰，金主本无意诛之，亮曰："其兄既已伏诛，其弟安得独存！"又杀之。金主以亮为忠，益信任之。遂降诏大赦。

丙辰，右承议郎、知新州张棣提举荆湖北〔路〕常平茶盐公事，以其再劾胡铨也。至官一日卒。

时责授濠州团练副使洪皓在英州，闽人右承务郎倪誉为守。誉老矣，内无奥主，闻棣以巧中迁客取使节，欲效之，即使兵马都监伺其隙，捕皓家奴置狱中，酿成其罪。未及发而誉死，事乃解。

降授文州刺史辛永宗，勒停，送肇庆府编管。

永宗为湖南马步军副总管，居邵州。永宗以尝立军功，给真俸。守臣右朝散郎石稽中，知永宗为秦桧所恶，劾其冒请全俸，当计以赃，请下守臣阅实。稽中先以计取永宗所受御札送桧矣,永宗由是不能自明,诏稽中依条追理。稽中选郡僚之苛刻者籍其家,一簪不得留。既而稽中语其僚曰:"前赴其家燕集,以一器酹寿,今此器不见,岂隐之耶?"其残刻如此。

己巳,初复诸陵殡宫荐新之礼,用太常博士晋陵丁娄明请也。

癸酉,金以翰林学士完颜京为御史大夫。

金皇后费摩氏专政,性妒忌,挟制金主,故金主多以忿怒杀人。十一月,金主以积忿杀后,召胙王妃萨摩入宫。既而又杀德妃乌库哩氏、瓜勒佳氏、张氏,于是宫中近侍皆惧矣。

辛卯,帝亲飨太庙,至櫺星门,降辇,步趋斋殿,虚小次不入。壬辰,合祀天地于南郊,大赦。

甲辰,诏诸郡行乡饮酒之礼以取士。

先是司农卿汤鹏举言:"举人多冒贯求试,请于未下科诏前,令州县长吏籍定来岁当应举人名,州县学职事覆实,申教授预先引保,委无伪冒,然后许赴乡饮酒。若临时投状射保者,并不收试。"事下礼部。至是颁行焉。

金主出猎。十二月,己酉朔,还京。

壬子,军器监王会权尚书兵部侍郎。

金平章政事亮,与其党既定逆谋,欲得护卫图克坦额埒楚克、布萨思恭、近侍局直长大兴国为内应。亮先以女许字额埒楚克之子,而思恭微贱时为宗干所周恤,擢置宿卫,亮知其怀旧恩,密谓之曰:"我有一言欲告君久矣,恐泄于人,未敢也。"思恭曰:"肌肉之外,皆先太师所赐。苟有补于大王,死不敢辞。"亮曰:"主上失道,吾将行废立,必得君为助乃可。"思恭许之。亮复以告额埒楚克,额埒楚克素凶暴,闻之甚喜,曰:"何不早告我!废立之事,亦男子所为。主上不能保天下,人望所属,惟在阿家。今日之谋,乃我素志也。"

亮既结护卫,而金主所亲信惟大兴国,未尝轻去左右,每逮夜,金主就寝,兴国时从主者取符钥归家,主者即以付之,听其出入以为常。先时兴国尝荐罗卜藏于亮,亮用为令史,乃使罗卜藏结兴国。既而知其可与谋,乃邀至卧内,令解衣,欲与之俱卧,意有所属者。兴国固辞不敢,曰:"即有使,惟大王之命。"亮曰:"主上无故杀胙王元,又杀皇后,乃以元财赐阿兰,既又杀阿兰,遂以赐我,我深以为忧。"兴国曰:"是固可虑也。"亮曰:"朝臣且夕危惧,皆不自保。向者我生日,因皇后附赐物,君遂被杖,我亦见疑,主上尝言会须杀君,我与君皆将不免。宁坐待死,何如举大事?我与大臣数人计已定矣。"兴国曰:"如大王言,事不可缓也。"乃约以初九日起事。

丁巳夜,布萨思恭、图克坦额埒楚克内直,亮及其妹夫图克坦贞及秉德、乌达等会于唐古辨家。辨因置馔,众皆惬惧不能食,辨独饱食自若。二鼓,兴国窃符,矫诏开宫门召唐古辨,守门者以辨为金主之驸马,不疑,内之,亮等怀刃随入。及殿门,卫士觉其异,辨等抽刃劫之,莫敢动。至寝殿,金主闻步履声,咄之。众皆却立。思恭曰:"事至此,不进得乎!"乃相与排闼而入。金主索榻上常所置佩刀,已为兴国先取投榻下矣。额埒楚克先持刃进弑,思恭次之,金主仆,亮复刃之,血溅其面及衣。

秉德意尚未有所属,思恭曰:"始者议立平章,今复何疑!"乃奉亮坐众前,称万岁。诈以金主将立后召诸王、大臣,曹国王宗敏闻召,惧不敢往,葛王褎曰:"叔父今不及往,明日如何相见?"宗敏入宫,亮欲杀之,尚犹豫,以问左右,乌达曰:"彼,太祖子也,不杀之,众人必有异议。"乃使思恭刃击宗敏,左右走避,肤发血肉,狼藉遍地。葛王见宗敏见杀,问曰:"曹王何罪而死?"乌达曰:"天许大事,尚已行之,此虮虱尔,何足道哉!"宗贤闻召,谓人曰:"主上必欲立胙王妻为后,我当力争之。"既至,被执,犹以为立后事,曰:"谁能为我言者?我死固不足惜,独念主上左右无助耳。"

亮既即位,废前主为东昏王,以秉德为左丞相兼侍中,以左副元帅唐古辨为右丞相兼中书令,以乌达为平章政事,布萨思恭为左副点检,以图克坦额埒楚克为右副点检,图克坦贞为左卫将军,大兴国为广宁尹。于是自太师、领三省事完颜勖等二十人,进爵增职各有差。

己未,金大赦,改皇统九年为天德元年。赐秉德等钱、绢、牲畜有差。

金主召参知政事萧肄,诘之曰:"学士张钧何罪被诛?尔何功受赏?"肄不能对。金主曰:"朕杀汝不难,人或以为报私怨也。"于是除名禁锢。

壬戌,帝恭谢景灵宫。

甲子,金主誓太祖庙,召秉德、辨、乌达、思恭、额埒楚克、兴国六人,赐以誓券。

金主将谒庙,以芮王亨为右卫将军,密谕之曰:"朕以太宗诸子过强,以卿材武,备左右耳。"亨,宗弼子也。

丙寅,金以燕京路都转运使刘麟为参知政事。

癸酉,金太傅、领三省事萧仲恭、尚书右丞禀罢,以行台尚书左丞温都思(恭)〔忠〕为右丞。

乙亥,金主追尊其父宗干为皇帝,庙号德宗,名其故居曰兴圣宫。

是月,责授濠州团练副使解潜卒。

潜以不附和议为秦桧所斥,既殁,丧不得归。后桧死,乃得归葬。

绍兴二十年　金天德二年【庚午,1150】　春,正月,辛巳,金以同知中京留守事萧裕为秘书监。

甲申,金贺正旦国信副使西上阁门使刘箴辞行,国信使殿前右副都点检完颜衮以病不能入见,命医官赵琦送至境上,金主亦遣使趣之。

丁亥,军校施全劫秦桧于道,执得,诘之,曰:"举国与金为仇,尔独欲事金,我所以欲杀尔也!"壬辰,磔全于市。由是桧出,列兵五十,持长梃以自卫。

癸巳,金主尊嫡母图克坦氏及母大氏俱为皇太后。

金主之弑东昏也,图克坦闻之愕然,与太祖妃萧氏叹曰:"帝虽失德,人臣岂可如此。"及迎入宫,见金主,不贺,金主衔之。至是并加尊号,图克坦居东宫,号永寿宫;大氏居西(京)〔宫〕,号永宁宫。其后图克坦太后生日,酒酣,大氏起为寿。图克坦太后方与坐客语,大氏踞者久之,金主怒而出。明日,召诸公主、宗妇与太后语者,皆杖之,大氏以为不可,金主曰:"今日之事,岂能尚如前日耶?"

先是金主之父宗干,从其国俗纳齐国公宗雄之妻,而宗雄妻与金主不相能。金主既篡位,囚宗雄妻于府署,旋并其子及宗雄孙七人杀而焚之,弃其骨于濠水。

甲午,以普安郡王第三子惇为右内率府副率。

癸卯,少傅、宁远军节度使、领殿前都指挥使职事杨存中,封恭国公。

乙巳,金主以励官守、务农时、慎刑罚、扬侧陋、恤穷民、节财用、审才实七事诏中外。

丙午，两浙转运判官曹泳，言右承务郎李孟坚省记父光所作《小史》，语涉讥谤，诏送大理寺。光在贬所，常作私史，孟坚间为所亲左奉议郎、新王宫大小学教授陆升之言之。升之讦其事，遂命泳究实。帝曰："光初进用时，以和议为是，及得执政，遂以和议为非，其反覆如此。"

先是金乌达之妻唐古鼎格有淫行，秉德尝显斥之，乌达衔之，未发。金主既篡位，多忌，会有疾，少间，乌达潜之曰："秉德见主上数日不视朝，语臣曰：'若有不讳，谁当继者？'臣曰：'主上有皇子。'秉德曰：'孺子岂能胜任，必也葛王乎！'"金主信之，遂出秉德领行台尚书省事，限十日内发行。

二月，戊申朔，金封皇子宗寿为崇王。

庚戌，军器监丞齐旦请春月禁民采捕，秦桧曰："正为孳育之时。"帝曰："此系利害。"乃下之刑部。既而本部言春月在法不许采捕。

金主命给天水郡公孙女二人月俸。

丙寅，初作玉牒所。

戊辰，金群臣上金主尊号曰应天广运睿武宣文大明圣孝皇帝，诏中外。永寿、〔永宁〕两太后祖父，俱赠官有差。以唐古辨为左丞相，乌达为右丞相。

金主心忌辨，尝与辨观太祖像，指示辨曰："此眼与尔相似。"辨色动，金主由是益忌之。

丁丑，阁门请自今北使在庭，非侍从而尝借官出使，免起居，如见充接伴，即依所借官叙位，从之。

是月，安南进驯象十。

三月，庚辰，金主使龙虎卫上将军、侍卫亲军马步军都指挥使完颜思恭，翰林直学士、通议大夫、知制诰翟永固，来报登位，遗帝金注碗二，绫罗三百，良马六。

癸未，端明殿学士、签书枢密院事余尧弼参知政事，给事中兼侍讲、权直学士院巫伋为端明殿学士、签书枢密院事。

丙戌，参知政事余尧弼为贺大金登位使；镇东军承宣使、知阁门事郑藻假保信节度使，副之。

金主以其弟衮为司徒兼都元帅。

丙申，诏责受建宁军节度副使、昌化军安置李光，永不检举，右承务郎李孟坚，除名，峡州编管。

先是孟坚以《小史》事系狱，至是狱成。光坐主和议反覆，在贬所常出怨言，妄著私史，讥谤朝廷，意在侥幸复用，及与赵子僊于罢政后往来交结；孟坚亦为父被罪责降，怨望朝廷，记念所撰《小史》，对人扬说，故有是命。

于是前从官及朝士连坐者八人：徽猷阁直学士、（提举）致仕胡寅，坐与光通书，朋附交结，讥讪朝政；龙图阁学士、提举江州太平兴国宫程瑀，坐初除兵部侍郎日以缣帛遗光，且贻书云"比来无知愚皆以视前为戒，可为叹息"；徽猷阁待制、提举江州太平兴国宫潘良贵，坐尝以团茶寄光，光遗良贵书，其别纸云："仲晖不敢与书，患难至，能出一只手乎？"仲晖，楼炤字也。良贵答书曰："参政患难至极矣，要以道自处。仲晖别纸已付之，但恐时未可耳。"直秘阁宗颖，坐尝寄光书云："孤寒寡援，方赖钧庇，忽闻远适，本欲追路一见，失于探伺，不果如愿。"

宝文阁学士、提举江州太平兴国宫张焘,左承议郎、新知邵州许忻,左朝奉大夫、新福建路安抚使参议官贺允中,左奉议郎、福建路安抚主管机宜文字吴元美,坐各与光相知密熟,书札往来,委曲存问,意光再用,更相荐引。诏:"寅落职,瑀、良贵、颖并降三官,焘、忻、允中、元美并降二官。"

庚子,余尧弼辞行,诏巫伋兼权参知政事。

壬寅,右正言章厦奏:"右承议郎致仕胡寅,天资凶悖,敢为不义。寅为胡安国之子,不肯为亲母持服,士论沸腾,此其不孝之大罪也。寅初傅会李纲,后又从赵鼎,建明不通邻国之问,其视两宫播迁,如越人视秦人之肥瘠。后来梓宫既还,皇太后获就孝养,寅自知前言狂率,乃阴结异意之人,相与睥睨,作为记文,以为今日仕进之人,将赤族而不悟,此其不忠之大罪也。望特赐威断。"诏:"寅责授果州团练副使,新州安置。"

金主召见贺登极使,出徽宗玉带,使持以赐帝,且曰:"此天水郡王故物,今以赐汝主,俾汝主如见其父。并谕汝主,当不忘朕意也。"使退,秘书郎张仲轲曰:"希世之宝,轻赐可惜。"金主曰:"江南之地,它日当为我有,此置之外府耳。"由是臣下皆知金主有南伐意矣。

仲轲本市井无赖,能说传奇小说,杂以俳优诙谐语为业,金主旧引致左右以资戏笑,及篡位,遂擢用之,俄迁秘书丞,转少监。

金主以良弓赐右卫将军芮王亨。亨性直,材勇绝人,喜自负,辞曰:"所赐弓弱,不可用。"金主遂忌之,出为真定尹,谓亨曰:"太宗诸子方强,多在河朔、山东、真定据冲要,如有变,倚卿为重矣。"其实心忌亨也。

金主欲以勤政为名,召近臣讲论,每至夜分。尝问起居注杨伯雄曰:"人君治天下,其道何贵?"对曰:"贵静。"金主默然。明日,复谓曰:"我迁诸部明安分屯边戍,前夕之对,岂指是为非静耶?"对曰:"徙兵分屯,良策也;所谓静者,乃不扰之耳。"乙夜,复问鬼神事,伯雄进曰:"汉文帝召见贾谊,夜半前席,不问百姓而问鬼神,后世犹讥之。陛下不以臣愚陋,幸及天下大计,鬼神之事,未之学也。"金主曰:"但言之,以释永夜倦思。"伯雄不得已乃曰:"臣家有一卷书,记人死复生。或问:'冥官何以免罪?'答曰:'汝置一册,白日所为,暮夜书之。不可书者,不可为也。'"金主为之改容。

【译文】

宋纪一百二十八　起戊辰年(公元1148年)正月,止庚午年(公元1150年)三月,共两年有余。

绍兴十八　年金皇统八年(公元1148年)

春季,正月,甲子(初五),因永祐陵近临会稽,按照先朝旧规,在每年的春季二月、秋季八月由太常少卿荐献祭祀,秋季九月则派御史巡视检查。

丁丑(十八日),左承议郎张阐任添差通判泉州。

自从秦桧专权,被他所忌恨的朝廷官员,终身只能当上添差通判或安抚使幕僚的职务,不曾有担任郡守一类职务的。

二月,乙未(初六),参知政事段拂被免职,改任资政殿学士、提举江州太平兴国宫,这是由于侍御史余尧弼、右正言巫伋向皇上奏劾的缘故。参劾段拂的奏章再次呈上,段拂不久便被免去资政殿学士、提举江州太平兴国宫,到兴国军居住。

签书枢密院事汪勃兼权参知政事。

壬子(二十三日),右承事郎、监登闻鼓院徐琏被宋高宗召见,徐琏说:"自古以来,帝王身边必有辅佐大臣,他们的功德被铭刻在鼎彝上,在宗庙里设位陪祀,用以劝勉后世。国家上溯三代,创建原庙,凡是辅佐先帝建立功业的大臣,都绘制他们的画像悬挂在庙堂,用以报答他们的功德。陛下您继往开来,自立中兴,重新尊崇原庙,仿照先朝旧制,但是历朝配祀的辅弼大臣不过十余人,现在他们的子孙,必定保存着他们的画像,望陛下下令官府查访寻求,临摹在景灵宫廷的两壁上。"宋高宗诏令礼部讨论此事。

乙卯(十六日),金熙宗到达天开殿。

三月,壬申(十四日),将行宫南门命名为丽正门,将行宫北门命名为和宁门。

当时殿前招收兵员,大多劝诱乡民和小商贩。丁丑(十九日),命令川中大将吴璘、杨政招收无家可归的流亡百姓,发送来殿前司补充兵员。

壬午(二十四日),资政殿大学士、提举万寿观兼侍读秦熺任知枢密院事。

秦桧询问敕令所删定官胡宁说:"我儿子秦熺最近升了官职,外面有什么议论?"胡宁回答:"外面的议论认为相公不必重蹈蔡京的老路。"胡宁,是胡安国的儿子。

乙酉(二十七日),宋高宗诏令:"私自渡过淮河和招降纳叛者,一律以军法论处。"以后又下诏:"渡船载送人员及巡逻人员故意放纵,一律同罪。失于督查的官员,减官一等。"

夏季,四月,戊子朔(初一),日食。

庚寅(初三),宋高宗在射殿策试正奏名进士,赐予王佐以下三百三十人及第、进士出身。

庚子(十三日),左中大夫、知枢密院事秦熺被罢职,改任观文殿学士、左通奉大夫、提举万寿观兼侍读、提举秘书省。秦熺说:"父子一起参政,理当避嫌。"于是有这一命令。宋高宗仍下诏令,秦熺应得俸禄赏给,一律依照宰相的标准,上朝立班的位置在左右仆射之后。

辛丑(十四日),金国派遣参知政事秉德察访官吏是否廉洁。

三彩釉划水草鱼纹盘　金

乙巳(十八日),宋高宗对特奏名进士俞舜凯等四百五十七人、武举进士柯燕等七人、特奏名一人,分别授予进士及第,授予不同官职。

庚戌(二十三日),金熙宗从天开殿返回。

在此之前,金熙宗下令编修《辽史》,甲寅(二十七日),编修完毕。

五月，辛酉（初四），权礼部侍郎兼直学士院沈该说："国家秉承火德的运数统治天下，期望按照旧例，靠近道宫另建一殿，专门奉祀火德，以阏伯配享，在每年夏至举行祭祀。"宋高宗同意。后来将殿建在太一宫，命名为明离殿。

甲子（初七），在景灵宫的墙壁上绘制配祀功臣的画像，皇武殿画的是赵普、曹彬，大定殿画的是薛居正、石熙载、潘美，熙文殿画的是李沆、王旦、李继隆，美成殿画的是王曾、吕夷简、曹玮，治隆殿画的是韩琦、曾公亮，大明殿画的是富弼，重光殿画的是司马光，承元殿画的是韩忠彦，共十六人。

丙子（十九日），金熙宗派遣龙虎卫上将军、会宁尹萧秉温，昭武大将军、充东上阁门使申奉颜，前来祝贺宋高宗生日。初次在玉津园举行宴会和骑射，从此成为成例。

癸未（二十六日），保信军节度使、龙神卫四厢都指挥使、添差两浙东路马步军副都总管李显忠，罢免军职，降任平海军承宣使、提举台州崇道观，在本州居住。

在此之前，金国使臣曾说李显忠私自派兵越过宋、金边界，宋高宗诏令查实。适逢李显忠向朝廷进呈收复国土的方略，秦桧大怒，便奏劾李显忠不遵循禀报的格式，只是用申状文书，所以有此命令。

六月，癸巳（初七），宋高宗对大臣们说："每年的决狱，听说刑法官只派遣下属官员代替自己巡行各地，只成为一纸空文。今后应责令他们亲自到所管辖的监狱，将判决的名目详细列出，申报尚书省。"

宋高宗下诏："从今以后，曾经在伪楚朝中担任伪职的人，不准擅自进入都城。"

当时左从事郎廉布调入都城任官，右正言巫伋进言说："廉布是张邦昌的女婿，是天地所不容的人，竟如此肆无忌惮，期望陛下给予处分。"于是有此圣旨。

庚子（十四日），下令各监司、郡守约束县令，不要使他们无理骚扰百姓。

甲辰（十八日），宋高宗采用太常寺主簿兼任权秘书省校勘书籍林大鼐的建议，开始在东郊祭祀九宫贵神。祭坛分两层，高三尺，长宽各十二尺。上有小祭坛九个，长、宽都是八尺，高一尺半。每年春季二月和秋季八月用少牢祭祀，礼仪如同祭感生帝之礼。

乙巳（十九日），敷文阁待制、知临安府赵不弃任守尚书工部侍郎。

丙午（二十日），贤妃潘氏去世。潘妃是元懿太子的母亲。

乙卯（二十九日），金国以平章政事萧仲恭任行台左丞相，以右丞完颜亮任平章政事，以都点检唐古辨任尚书左丞。

秋季，七月，乙丑（初九），右朝奉大夫、新江西转运判官贾直清，向皇上建议用县官中有科举出身的人兼任县学的教导。宋高宗对大臣们说："各州县选举官员担任县学的教导官职，是教化的根本。将来三年科举考试，也会有人才可供选择。"于是宋高宗下令礼部参考讨论，照贾直清的建议执行。

临安知府汤鹏举上书请求维修淮、浙沿河的皇华使馆，宋高宗同意。

乙亥（十九日），金国罢免御史大夫布萨达曼，任命侍卫亲军都指挥使阿鲁岱为御史大夫。

戊寅（二十二日），尚书左丞唐古辨因任职不恭谨，被处以杖刑。

八月，癸巳（初八），权礼部侍郎沈该，上书请求将四川类试合格但没有参加殿试的人，第一等一律赐给进士出身,其余的赐给同进士出身。宋高宗同意。

丙申(十一日),端明殿学士、签书枢密院事汪勃被免职。

汪勃被言官们攻击,以父母年老为由,请求回归原籍养老。宋高宗下诏,汪勃依照旧职,提举江州太平兴国宫。

丁酉(十二日),任命工部尚书詹大方为端明殿学士、签书枢密院事,不久任权参知政事。

戊戌(十三日),金国监修国史、太师宗弼等进呈《太祖实录》。

庚子(十五日),金国任命尚书左丞相完颜勖领行台尚书省事,任命右丞相宗贤为太保、尚书右丞相。丙午(二十一日),任命行台左丞相萧仲恭为尚书左丞相。

癸丑(二十八日),刑部尚书兼任权吏部尚书周三畏被罢免。这是因为侍御史余尧弼奏劾他兼管二部,一切好处名誉占为己有,过失则归罪于朝廷。

甲寅(二十九日),国子司业陈诚之任权尚书吏部侍郎。

大理寺卿韩仲被任命为代理刑部侍郎。

闰八月,庚申(初五),亲卫大夫、忠州刺史、鄂州驻扎御前选锋军同副统制梁兴去世。

梁兴当年从太行山率领他的部下到江夏投奔岳飞,到现在已从军十年。

金国宰相大臣因西林有很多鹿,就建议金熙宗出猎,金熙宗担心踩坏百姓的庄稼,没有同意。

丙寅(十一日),金国太庙修筑落成。

戊辰(十三日),权礼部侍郎陈诚之,请求将太学生入学五年不被推荐和太学公试不合格的,开除学籍,宋高宗同意。

壬申(十七日),任命起居舍人王墨卿,武经大夫、惠州刺史、阁门宣赞舍人苏华前往金国祝贺春节;权尚书礼部侍郎陈诚之,武经大夫、吉州刺史、权知阁门事孟思恭前去祝贺金熙宗生日。

乙酉(三十日),宋高宗下诏:"从现在起,奉使以下持三节的人过边界,与北方的人进行交易的,判处二年徒刑;正使和副使没觉察出来,要判处同样的徒行。"

当初,福建路自从创设奇兵,虔州,梅州的草寇就不敢再入境,至此已全部荡平。宋高宗下诏,将巡检陈敏统领的四百奇兵和汀州、漳州的守军一同编为殿前司左翼军,让陈敏做统制官,在原地戍守。

神武中军,过去只有三部,自从杨存中任职于殿前司,开始增扩为五军,又设置护圣、踏白、选锋、策选锋、游奕、神勇、马步军,共十二军。当时长江、大海之间,盗贼不断出没,于是分别设置诸军给以控制,如泉州的左翼军、明州的水军,都隶属于本司,共有兵力七万余人。因此,殿前司所拥有兵力为全国首位。杨存中又为各军制造各种兵器,认为原有的克敌弓虽很强劲有力,但士兵却难以张开,于是加以改造,制造出马黄弩,此弩构造十分精密,当敌人的一箭还未发出,而我方已射出三箭。

九月,甲辰(十九日),侍御史兼崇政殿说书余尧弼任试御史中丞。

丙午(二十一日),端明殿学士、签书枢密院事詹大方去世。

丁未(二十二日),右司谏兼崇政殿说书巫伋任试右谏议大夫。

丙申(疑误),金国尚书左丞唐古辨被罢免;任命左宣徽使完颜禀为尚书左丞。

冬季,十月,丙辰(初二),宋高宗任命御史中丞兼侍讲余尧弼为端明殿学士、签书枢密院事兼权参知政事。

辛酉(初七),金国太保,领三省事,都元帅、越国王宗弼去世,后追加谥号忠烈。

十一月,乙酉朔(初一),秘书少监张柂,向皇上上言说感生帝的祭祀活动,尚且在寺院举行,用酒、肉作贡品,请再用牲、玉器祭祀,升格为上祀,宋高宗同意。

乙未(十一日),金国左丞相宗贤、左丞完颜禀等人,一起进言说州县以上官员应全部用本国人,金熙宗说:"四海之内,都是朕的臣子,如果区别对待,怎能使国家归于统一!谚语不是说'疑人不用,用人不疑'。从现在起,本国人和其他种族的人,一起量才录用。"

己亥(十五日),新州编管人胡铨,移往吉阳军编管。

在此之前秦桧曾经于一德格天阁下书写赵鼎、李光、胡铨三人的姓名。当时赵鼎、李光均在海南,广东经略使王铁问右承议郎、知新州张棣说:"胡铨是什么原因没有过海?"胡铨曾赋词说:"想驾巾车归去,但有豺狼当道"。张棣即奏劾胡铨不自我反省,却与现任官、寄居官诗词唱和,相互往来,怨恨朝廷,鼓吹原先的主张,肆无忌惮,于是将胡铨送过海编管。

张棣挑选使臣游崇遣送胡铨,在胡铨的脖颈上封锁具过海,胡铨健步奔赴贬所,人们都很同情他。到了雷州,守臣王趯查获游崇私自携带茶叶,将他逮捕入狱,并给胡铨丰厚的馈饷。当时各道都望风使舵,专门找流放人的毛病,居为奇货,只有王趯能保护流放人,海上没有柴米等生活用品,王趯就派人用船运过去。最终因这些事而获罪。

辛丑(十七日),金国任命尚书左丞相宗贤为左副元帅,任命平章政事完颜亮为尚书左丞相兼侍中,任命参加政事秉德为平章政事。

丁未(二十三日),龙神卫厢都指挥使、邕州观察使董先,任添差两浙西路马步军副都总管,驻扎平江府。

当初,岳飞已死,董先自武昌被召回,任步军司统制。与管军赵密不和,便离开军队,领殿前都指挥使职事。杨存中怜惜他的才干,赠予他很多财物。

庚戌(二十六日),金国左副元帅宗贤,恢复太保、左丞相职务,左副元帅之职照旧。

十二月,乙卯朔(初一),恢复连州连山镇为县。

金国任命右丞相萧仲恭为太傅、领三省事,任命左丞相完颜亮为尚书右丞相。

丁卯(十三日),平民孙尧佐上书,请求为安定郡王和濮王安排继承人,宋高宗下诏令大宗正司列名上奏。

己巳(十五日)。大理评事莫濛上言说:"四方的百姓,云集两浙,人口超过平常的百倍,而河渠的修治甚为紧急,应当下令各守臣在农闲时,疏浚堵塞的河道。"庚午(十六日),宋高宗晓谕大臣们说:"可以让转运使司招募民工修治,就此接济饥民,公私双方都得利。"

壬申(十八日),宰执大臣进呈经界事完毕。宋高宗说:"各州的月桩钱,前些日子已照例减免,应当全部革除。"秦桧马上指示户部侍郎李椿年、宋贶以经总钱供应军需。

乙亥(二十一日),金国任命左丞相宗贤为太师,领三省事,兼任都元帅。

庚辰(二十六日),金熙宗派遣金吾卫上将军、殿前右副都点检召守忠,昭武大将军、同知宣徽院事刘君诏,来祝贺明年春节。

先前是金国左丞相完颜亮担任中京留守的职务,与明安萧裕关系密切。萧裕为人勇于冒险,敢于决断,完颜亮每每与萧裕纵论天下大事,萧裕猜度完颜亮有夺取皇位的野心,他私下里对完颜亮说:"已故太师是金太祖的长子,他的功德威望是如此之高,人心天意,众望所归。您如果真有举事的大志,我愿竭力相从。"完颜亮听罢非常高兴,多次推荐提拔萧裕,由兵部侍郎升任同知南京开封府留守,后又改为北京大定府同知留守事。

当时,金国的旧臣宗弼已去世,皇后更加统揽事权。奚人萧肄,受宠于金熙宗,又去拍皇后的马屁,放荡不羁,不守法规。完颜亮心怀谋反大计,无所畏惧。尚书省令史高怀贞历来与完颜亮私交不错,完颜亮曾经与他谈论各自的志向,完颜亮说:"我的志向有三个:国家大事由我做主,这是其一;统帅军队,攻打敌国,俘虏敌国的君长,向他问罪,这是其二;得到天下的绝色美女做妻子,这是其三。"因此,奸佞小人都知道了完颜亮的志向所在。

这一年,夏国重建内学,挑选著名儒生主持。增修完成新法律,夏国皇帝赐名为《新律》。

绍兴十九年　金皇统九年(公元 1149 年)

春季,正月,甲申朔(初一),宋高宗因皇太后七十岁寿辰,下令在宫中举行庆寿礼。

丁亥(初四),宋高宗下诏令信阳军拨归淮西管辖。

己丑(初六),金国使节召守忠等人辞行,在垂拱殿设置酒宴。此时正值本月上旬辛日祭祀谷神的斋戒期内,礼部官员援引治乎年间的旧例请求奏乐,宋高宗同意。自此成为成例。

戊戌(十五日),金国太师、领三省事、都元帅宗贤被罢免。领行台尚书省事完颜勖为太师,领三省事,同判大宗正事完颜充任尚书左丞相,完颜亮兼任元帅。

完颜亮生日那天,金熙宗派宦官大兴国赏赐礼物给完颜亮,皇后也附带赏赐了一些礼物,金熙宗知道了这件事,很不高兴,打了大兴国一百杖,并追回赐给完颜亮的礼物。完颜亮由此更加心神不宁。完颜充是完颜宗干的长子,不久去世。

丙午(二十三日),金国任命右丞相完颜亮为左丞相,任命判大宗正事宗本为尚书右丞相,任命左副元帅宗敏为都元帅,任命南京留守宗贤为左副元帅兼西京留守。己酉(二十六日),宗贤恢复太保,领三省事。

二月,甲寅(初一),金国任命会宁牧唐古辨再次任尚书左丞,以尚书左丞完颜禀为行台平章政事。

甲子(十一日),恢复设置雷州遂溪县。

庚辰(二十七日),宋高宗对宰辅大臣说:"每年买来的马,全部交给镇江王胜的军队,但却没有见到出生马匹的数目。应把马匹分送各军,并建立赏罚制度。"于是每年从四川征发二百匹马作为宫廷使用,将四千匹马分配给长江沿岸的各军,镇江、建康、荆州、鄂州每军各七百五十匹,江州、池州每军各五百匹,又将秦地的马三千五百匹付给三衙,殿前司一千五百匹,马军、步军各一千匹。从此每年作为定例。

三月,癸未朔(初一),出现日食,因为阴云遮盖看不见。宋高宗没有上朝处理政务,文武百官各守其职,日食过后才作罢。

甲申(初二),宋高宗下诏:"为皇太后庆贺生日,亲属各进官一等,慈宁殿官员赏赐不同恩惠。"

庚子(十八日),宋高宗告诫大臣们说:"淮甸地区太平日久,应该加以经营。百姓重操旧业者,下令各守令要多方体恤帮助,使他们尽力耕作,数年后才可以征税。"

辛丑(十九日),金国任命尚书右丞相宗本兼中书令,任命左丞相完颜亮为太保、领三省事。

完颜亮更加追求功名荣誉,荐引重用有权势名望家的子孙,讨他们的欢心,金熙宗不省悟。

甲辰(二十二日),宋高宗下诏,责贬郑刚中任濠州团练副使,在复州安置,允许按照朝议减轻处罚,特免禁锢,移往封州安置。

当初,秦桧对郑刚中怨恨不已,逮捕了他的儿子右承务郎郑良嗣,与有关将吏宾客一同关押在江州,派遣大理寺丞汤允恭、大府寺丞宋仲堪前往审讯此案。将郑良嗣等人严刑拷打,以致体无完肤。审讯结果,郑刚中的罪名是,他任四川宣抚副使的时候,奉旨捉拿越过边境的盗马贼,他居然全不照办,凡有关界的事务,经常心怀奸诈异议,偷偷地与获罪的人私下交接,危害国家大事;其次,他违背朝廷命令,私自出卖度牒,收钱五十五万余缗;再次,他专门设置钱监铸造钱币,擅自挥霍;违法领取供给厨食等钱一万三千余缗归自己所得;郑刚中企图将都转运司并入宣抚使司,于是用钱物笼络士人,让他们赴行在上书皇帝,陈述此建议,都转运司并入宣抚使司后,他违法私用过钱十二万余缗;宋高宗下诏设置总领钱粮官,郑刚中不高兴,预先设立名目,收藏隐匿钱财,计四千余万缗;他又将怨恨推给朝廷,便告诉统兵官说,朝廷任命他总领钱粮,钱物已全部上交,没有什么东西分送部属;到奉旨赴行在,他对调离四川心怀怨恨,将札子收藏起来,不按时启程,携带大量公物,在路上任意享用;依法应当处以死刑,特有上述命令。郑良嗣免于死刑,发送柳州。右朝请郎张汉之,曾经主管宣抚司的机要文字,他的罪名是追随郑刚中,也被废除吏部名籍,送往宾州编管。右奉议郎赵士祸,曾经任通判荆南府,罪名是不即时拘收郑刚中随军钱物,特废除吏部名籍。右武大夫、开州刺史、御前中部统领官张仲,也因追随郑刚中而获罪,追降横班官一级,勒令停职,遣送本军自行参劾。当日提拔汤允恭为尚书刑部员外郎,提升宋仲堪为仓部员外郎。

郑刚中到达被贬地,守臣左朝请郎赵成之迎合秦桧的意图,时常羞辱郑刚中,郑刚中最后竟死在被贬地。

夏季,四月,乙卯(初四),权礼部陈诚之,权知阁门事孟思恭,祝贺金熙宗生日后回国,秦桧告诉宋高宗说:"大金国的文书反复叮嘱,友好结盟的心愿十分恳切。"宋高宗说:"这次金国对我使臣的接待十分周到,住的馆舍非常豪华富丽,孟思恭等人得到的马匹也都是上等好马,可见其永结友好的心意。"

戊辰(十七日),太阳的左右生出青、红、黄色的晕,太白星犯月亮。金国太史认为这种天象不利于君主,大臣将兴风作乱。壬申(二十一日),金国京师刮起狂风暴雨,雷电震坏了金熙宗寝殿上的鸱尾。有电火进入金熙宗的寝殿,烧着了帏幔,金熙宗跑到其他的殿避火。丁丑(二十六日),在利州榆林河的水面上有巨龙在搏斗,大风毁坏了民居、官舍、瓦砾、树木、人畜都被飘了十多里,死伤的有数百人。

五月,甲申(初三),兴建太庙斋殿。

乙酉(初四),户部员外郎周庄仲请求恢复腊祭的礼仪。蜡祭礼的仪式是:东西方百神依照祭祀感生帝,南北方百神依照祭祀山神河神,都在年终的前一天祭祀。

戊子(初七),金国处死翰林学士张钧。

当时金熙宗以天象发生变化为理由,想下罪己诏,命令张钧草拟文稿,张钧觉得要回答天帝的惩戒,就应当深刻地谴责自己,因而文稿中写道:"因为圣德不善,冒犯了天规",以及"我这昏庸的孤家寡人,我这瞎了一只眼的人"等词语。参知政事萧肄素来厌恶张钧,于是向金熙宗解释说:"弗类,即德性不好,就是大逆不道。昧者即昏庸,就是不晓得人事;眇者,即瞎了一只眼睛,看不见什么东西;小子,就是对不懂事的婴儿的称呼。这是汉人利用文字辱骂皇上啊!"金熙宗听后勃然大怒,命令卫士将张钧拖下殿,抽打一百次,没有死,又用手剑割他的嘴,并把他剁成肉酱。萧肄则由此而获得通天犀带。

这天,金熙宗下令大赦上京囚犯。

金熙宗问众大臣:"张钧诽谤讪笑君主,是谁指使的?"左丞相宗贤回答说:"是太保指使的。"金熙宗很不高兴。庚寅(初九),金熙宗下命太保完颜亮出京任领行台尚书省。

完颜亮路过北京,对同知留守事萧裕说:"我打算在河南建朝称帝,首先平定河南河北,然后举兵北上,你为我联络各明安以响应我。"定下盟约后离去。

庚子(十九日),金熙宗派龙虎卫上将军、殿前左副都点检唐括德温,昭武大将军、四方馆使高居安,来祝贺宋高宗生日。

六月,辛亥朔(初一)。按照旧例,宗庙定期祭祀,以宗室观察使以上的人充任初献官,刺史以上官员充任亚献、终献。后来因宗室人数少,于是建议初献以防御使以上官员担任,亚献和终献用遥郡刺史以上的官员。到这时,正任官员只有三人,壬子(初二),大宗正司建议临时以遥郡团练使以上官职的人充任初献,以担任将军以上官职的人充当亚献,宋高宗同意。

己未(初九),金熙宗任命都元帅宗敏为太保、领三省事兼左副都元帅,左丞相宗贤兼都元帅。

辛酉(十一日),右朝奉郎朱同是南雄州知府,被他人代职后回来,向朝廷上言说,岭南地区缺医少药,凡有疾病,都求助于巫医鬼神,束手等死,建议将古今治疗瘴气的秘方收集起来编成一书,颁发给岭南本路,宋高宗同意。

秋季,七月,辛巳(初二),左中奉大夫杨惇任知舒州,被人代替归来,建议下令各监司、守臣兴修水利,宋高宗诏令户部办理。宋高宗说:"平江堤堰因为没有整修,所少每年上缴的米粮比过去减少十万斛。临安西湖,民户依赖它灌溉农田,获利不小,天长日久也被填塞污染,应一律予以修治。"

八月,庚戌朔(初一),昭信军承宣使、镇江府驻扎御前诸军统制王胜去世,谥号毅武。

癸丑(初四),恢复泰州兴化镇为县。

庚申(十一日),金国任命刘筈为司空,他原来担任的行台右丞相职务照旧。

宰执大臣建议将辽阳、渤海的民户迁移到燕南,金熙宗同意。侍从高寿星等人也在迁移之列,便向皇后诉苦,皇后将此事告诉了金熙宗。金熙宗怒责建议的人,杖责平章政事秉德,处死郎中萨哈。

辛酉(十二日),宗正寺丞王葆上言:"国家设立法律,应当女户、单丁与解试举人、太学生一概免除丁役,这本是先王仁爱孤儿寡妇,推崇士人的旨意。有议论者,历陈丁役的弊病,于是有募人充役的规定。臣以为那些进纳官和杂流官,财力雄厚,虽然是单丁,自然应该雇人代役,至于前面所说的三种人也让他们雇人代役,似乎是矫枉过正。况且女户中没有子孙与虽然有子孙而年纪幼弱的,都属于穷苦又没有能力申诉的人,如果突然让他们承担劳役之事,那么公私花费,必数倍于豪强。所以近来发布的法令规定,寡妇家有男人为僧人、道人且已经成丁的,都允许募人代役,正是担心奸民设法逃避劳役的缘故。现在州县之间,玩弄文辞以虐待没有告发能力的人,或者硬指远处的僧人道士为某人的子孙,不甄别其生死存亡,因而使得孤寡守节的人,不能避免劳役困苦之患,有些被形势所迫而改嫁的,家财产业被后夫所破坏,这哪里是朝廷体恤百姓的本意啊!已解试的举人名字已在朝廷登记备案,现在仍同服役者列为同一名籍;太学生本人已隶属于国学,现在仍要牵挂劳役之事。这两种人,家里或许有其他的男丁,那么则不妨募人代役,如果是单身一人又在国学攻读的,不能与一般的人相区别,这根本不是陛下仁爱孤寡、推崇士人的本意。希望陛下特诏令有司重新加以审理匡定,使孤寡的人得到爱护,士人受到尊爱推崇。"宋高宗说:"单丁、女户,过去的法规是免除差役,后来因为准许免役的人越来越多,有司于是提出雇人代役的建议。应令户部将此事确切利害关系详细考查上奏。"王葆,是昆山人。不久,户部上奏建议无子女的女户以及解试举人、太学生单丁,一律免除本人劳役,有皇上特旨及加恩免予解试的举人,允许募人代役,官府不能追征本人服役,宋高宗同意。

丙寅(十七日),任命太常少卿张杞充任大金国贺正旦使,武节大夫、和州团练使、知阁门事赵述为副使;直秘阁、知临安府汤鹏举任守司农卿,充任贺生辰使,右武大夫、吉州刺史、带御器械石清为副使。大宋朝与金国和好后,用一般官员出使国外自此开始。

甲戌(二十五日),宋高宗下诏令将景灵宫功臣画像的副本藏在天章阁和秘阁,这是恢复过去的旧制。

九月,辛卯(十二日),惠州刺史、知阁门事宋筬充任大金贺正旦副使,这是赵述因病告假的缘故。

丙申(十七日),金国又任命领行台尚书省事完颜亮为平章政事。

完颜亮走到良乡,皇上召他回朝廷,完颜亮猜不出金熙宗的意图,大为恐慌。回到金国都城后,金熙宗再次任命他为平章政事,完颜亮谋反的阴谋更加迫切。

当初,左丞唐古辨,右丞相秉达,因为被处杖刑而怨恨金熙宗,便与大理卿乌达密谋废除金熙宗另立新君,乌达将此事告诉了完颜亮。一天,完颜亮与唐古辨谈到废立的事,完颜亮说,"如果举大事,谁可以当新主?"唐古辩说:"昨王完颜元可不可以?"问其次谁可当立?唐古辩说:"邓王的儿子阿林。"完颜亮说:"阿林家族与皇室关系疏远,怎能立!"唐古辩说:"您好象是有这个意思?"完颜亮说:"如果万不得已,除了我还有谁呢?"于是两人夜以继日进行谋反策划。

他们的密谋引起了左卫将军特斯的怀疑,他告诉皇后说:"唐古辨等人多次窃窃私语,我私下里怀疑他们有谋反行为。"皇后将此事告诉了金熙宗。金熙宗大怒,召来唐古辩说:"你与完颜亮密谋什么事?要把朕怎么处置!"杖击唐古辨,其余的人不予过问。

戊戌(十九日),金国以右丞相宗本为太保、领三省事,以左副元帅宗敏领行台尚书省事,以平章政事秉德为尚书左丞相兼中书令,以司空刘筈为平章政事。

庚子(二十一日)金国任命御史大夫宗甫为参知政事。

金国平章政事完颜亮，因胙王完颜元在众人中威信很高，就想除掉他。恰逢河南军士孙进自称是皇弟阿禅大王，金熙宗怀疑皇弟二字或许是指完颜元，命令特斯审讯他，审不出什么东西。完颜亮怨恨特斯泄露了他的阴谋，并知道金熙宗对完颜元有疑心，于是上书说："孙进谋反已露端倪，不自称他人，只称是皇弟大王。陛下的弟弟只有完颜元和完颜扎拉，特斯不据实审讯此案，是故意为他开脱。"金熙宗相信了完颜亮的话，令唐古辨、萧肄审讯特斯，特斯被迫伪供自己为完颜元开脱的罪行。十月，金熙宗杀死他的弟弟北京留守胙王完颜元、安武军节度使扎拉及左卫将军特斯。完颜亮乘机排挤阿林，将他处死。对阿林的弟弟达兰，金熙宗本无意诛杀他，完颜亮说："他的兄长既然已经处死，弟弟怎么能够独存!"又将达兰处死。金熙宗认为完颜亮忠诚，就更加信任他。于是降诏大赦天下。

丙辰(初八)右承议郎、知新州张棣任提举荆湖北路常平茶盐公事，这是因他再度奏劾胡铨的缘故。上任一天后去世。

当时责授濠州团练副使洪晧住在英州，闽人右承务郎倪誉任知州。倪誉年迈，朝中没有后台，听说张棣因巧妙地中伤被贬官员而获取使节的官职，便想效法他，就派兵马都监司窥探时机，摘获洪晧家奴关入狱中，罗织成罪名。但没有来得及发难，倪誉却去世了，这件事就不了了之。

降授文州刺史辛永宗，被勒令停职，发送肇庆府编管。

辛永宗曾任湖南马步军副总管，居住邵州。辛永宗因曾经立下军功，朝廷发给他实俸。邵州守臣右朝散郎石稽中，知道辛永宗为秦桧所讨厌，便奏劾他冒领全部俸禄，应当算作贪赃，请下令由守臣来查实。石稽中先用计将辛永宗所领受的御札送给秦桧，辛永宗于是不能自辩，宋高宗下诏令石稽中依据律条予以追究。石稽中选派奇刻艰险的官僚前去抄辛永宗的家，一只簪子也不留下，全部抄走。接着石稽中又对其同僚说："上次到他的家赴宴，曾用一器皿酌酒祝寿，现在没有看到这器皿，是不是隐藏起来了?"竟如此残酷刻薄。

己巳(二十一日)，宋高宗下诏开始恢复各皇陵欑宫用新谷祭礼，这是采用了太常博士晋陵人丁娄明的建议。

癸酉(二十五日)，金国任命翰林学士完颜京为御史大夫。

金国皇后费摩氏专权，生性妒忌，挟持金熙宗，所以金熙宗多次因发怒杀人。十一月，金熙宗因积怨杀死皇后，召令胙王妃萨摩入宫。接着又杀死德妃乌库哩氏、瓜勒佳氏、张氏，于是宫中的贴身侍卫都胆战心惊。

辛卯(初三)，宋高宗亲飨太庙，行至棂星门，宋高宗下辇车，步行到斋殿，空出小次室不入。壬辰(初四)，在南郊合祭天地，大赦天下。

甲辰(二十六日)，宋高宗下诏。各州郡举行乡饮酒礼选拔士人。

在此之前，司农卿汤鹏举上言说："举人中很多假冒籍贯来参加科举考试，请下令各州县官吏核定来年应当参加考试的人名，再由各州县学职事进行复核，申请教授预先引荐作保，确实无人假冒然后允许出席乡饮酒礼。如果临时上书求保，不允许参加考试。"此事下达礼部。从而开始颁行。

金熙宗外出打猎。十二月，己酉朔(初一)，返回国都。

壬子(初四)，军器监王会任权尚书兵部侍郎。

金国平章政事完颜亮，与其同党已商定好谋反计划，想得到护卫图克坦额垏楚克、布萨思恭、近侍局直长大兴国作为举事的内应。完颜亮先把女儿许配给额垏楚克的儿子，而思恭在地位卑贱时曾受到宗干的周到爱护，提拔到宿卫的官职，完颜亮知道他怀念旧恩，就秘密地对他说："我有一句话很长时间想告诉你，恐怕泄漏给别人，所以未敢说。"思恭回答说："我的股体之外，全部都由先太师赐给。如果能对大王有所帮助，就是死也不敢推辞。"完颜亮说："主上失道，我想废旧立新，必须得到你的协助才可以。"思恭同意了。完颜亮又将此事告诉额垏楚克，额垏楚克素来凶狠残暴，听说后非常兴奋，说："为何不早告诉我！废立之事，正是男子汉所为。主上不能保全天下，人心所向，正在亲家。今日所谋，正是我素来的志向。"

完颜亮已经与宫廷护卫勾结好，而金熙宗所亲信的只有大兴国，他轻易不离开金熙宗的左右，每到夜晚，金熙宗就寝，大兴国时常从主管那里取印符和钥匙回家，主管就给他，听凭他出入，习以为常。以前大兴国曾把罗卜藏推荐给完颜亮，完颜亮让他做令使，便派罗卜藏结交大兴国。不久便知道大兴国可以共谋大事，于是完颜亮将大兴国邀请到卧室内，让他宽衣解带，想和他一起入卧，像有什么事情要嘱咐。大兴国坚决不肯入睡，说："如果有什么差使，我听大王你的命令。"完颜亮说："主上无故杀死胙王完颜元，又杀死皇后，于是将完颜元的财物赏赐给阿兰，不久又将阿兰杀害，于是将阿兰的钱财赐给我，我感到很忧虑。"大兴国说："这确实值得忧虑。"完颜亮说："朝中大臣日夜惊恐害怕，都不能自保。以前我生日，因皇后附带赐给礼物，你便被杖责，我也被怀疑，主上曾经说必须杀你，我与你都将不免于死。与其坐着等死，为何不举大事？我与几位大臣已商量好了。"大兴国说："照大王您说的来看，事不宜迟。"于是约定初九日举事。

丁巳（初九）夜晚，布萨思恭、图克坦额垏楚克在宫内值班，完颜亮和他的妹夫图克坦贞以及秉德，乌达等在唐古辨家聚会。唐古辨置办了饭菜，众人都因紧张吃不下饭，只有唐古辨若无其事地饱吃一顿。二更时分，大兴国窃得印符，假冒诏书召见唐古辨，守门的人因唐古辨是金熙宗的驸马，没有怀疑，让他进去，完颜亮等人怀揣刀剑跟着进去。到达殿门，卫士发觉情况异常，唐古辨等人抽刀劫持了他们，卫士不敢动。到了寝殿，金熙宗听到了脚步声，大声呵斥，众人都站着不动。布萨思恭说："事情已到这地步，不进去行吗！"于是一起推门而入。金熙宗寻找榻上他常放的佩刀，早已被大兴国取下来投到榻下了。额垏楚克率先举剑刺杀金熙宗，布萨思恭再刺，金熙宗仆倒，完颜亮再用剑刺杀，血水溅到他的脸上和衣服上。

秉德的主意还没有拿定，布萨思恭说："开始就商议立平章为皇帝，现在还有什么迟疑！"于是侍奉完颜亮坐在众人面前，称呼万岁。完颜亮等人诈称金熙宗将立皇后，召见各王爷、大臣，曹国王宗敏听到召唤，害怕而不敢前往，葛王完颜褒说："叔父今日不去，明日怎么相见？"宗敏进入宫廷，完颜亮想杀掉他，犹豫不决，就询问左右的人，乌达说："他是太祖的儿子，不杀掉他，众人必定会有异议。"于是让布萨思恭刺杀宗敏，宗敏左右逃避，血肉横飞，狼藉遍地。葛王看到宗敏被杀，就问到："曹王因何罪而死？"乌达说："上天允许的大事，尚且已经干了，这样的虮虱小事，有什么值得提及！"宗贤听到召唤，对人说："主上必定想立胙王的妻子为皇后，我要极力劝助。"到了宫廷，宗贤就被抓了起来，他还以为是关于立皇后的事，就说："谁能为我说话？我死了本不可惜，唯独担心主上左右没有辅佐的人。"

完颜亮即位以后,就废黜前任皇帝金熙宗为东昏王,任命秉德为左丞相兼侍中,任命左副元帅唐古辨为右丞相兼中书令,任命乌达为平章政事,任命布萨思恭为左副点检,任命图克坦额埒楚克为右副点检,任命图克坦贞为左卫将军,任命大兴国为广宁尹,自太师、领三省事完颜勖等二十人给予不同程度的加官晋爵。

己未(十一日),金国宣布大赦天下,改年号皇统九年为天德元年。赏赐秉德等人钱、绢、牲畜不等。

金主完颜亮召见参知政事萧肄,质问他说:"学士张钧有什么罪被杀?你有什么功劳而受到奖赏?"萧肄回答不上来。完颜亮说:"朕杀你不难,人们或许以为是朕报私仇。"于是除去他的官名并将他禁锢起来。

壬戌(十四日),宋高宗到景灵宫行恭谢礼。

甲子(十六日),金主完颜亮到太祖庙行誓礼,召见秉德、唐古辨、乌达、布萨思恭、额埒楚克、大兴国六人,赐给他们誓券。

完颜亮将拜谒太庙,任命芮王完颜亨为右卫将军,秘密对他说:"朕觉得太宗的几个儿子势力过强,因你有文武才能。可做朕的左右手。"完颜亨是宗弼的儿子。

丙寅(十八日),金国任命燕京路都转运使刘麟为参知政事。

癸酉(二十五日),金国太傅、领三省事萧仲恭、尚书右丞完颜禀被免职。任命行台尚书左丞温都思忠为右丞。

乙亥(二十七日),金主完颜亮追尊他父亲宗干为皇帝,庙号德宗,将故居命名为兴圣宫。

这一月,责授濠州团练副使解潜去世。

解潜因为不附合和议被秦桧排斥,人已死,但不能回乡安葬。后来秦桧死了,解潜才得以安葬故里。

绍兴二十年　金天德二年(公元1150年)

春季,正月,辛巳(初三),金国任命同知中京留守事萧裕为秘书监。

甲申(初六),金国贺正旦国信副使、西上阁门事刘箴辞行,国信使殿前右副都点检完颜衮因病不能入宫拜见。宋高宗命医官赵琦送到边境上,金主完颜亮派使者催促他们回去。

丁亥(初九),军校施全在道上劫杀秦桧,被抓住,秦桧审问他,施全说:"全国都与金国为敌,你独自想侍奉金国,这就是我为什么要杀你!"壬辰(十四日),施全被秦桧碎尸于市。从此,秦桧外出,必列兵五十人,手持长棍来自卫。

癸巳(十五日),金主完颜亮尊奉嫡母图克坦氏和生母大氏共为皇太后。

完颜亮杀死东昏王,图克坦氏听说后很惊愕,与太祖妃萧氏感叹说:"皇帝虽然失德,但臣子怎么可以这样做!"被迎入宫中之后,见完颜亮,图克坦氏不表示祝贺,完颜亮怀恨在心。至此,一并加尊号,图克坦氏居住东宫,号称永寿宫;大氏居住西宫,号称永宁宫。后来,图克坦皇太后过生日,饮酒兴致正浓时,大氏起身为图克坦氏祝寿。而此时图克坦皇太后正与坐着的客人谈话,大氏跪了很长时间,完颜亮大怒离去。第二天,完颜亮召来与图克坦皇太后说话的各公主、嫡长妇,一律给予杖责,大氏认为不能这样,完颜亮说:"今天的事,怎能还像从前呢?"

在此之前,完颜亮的父亲宗干,按金国风俗娶了齐国公宗雄的妻子,但宗雄的妻子与完颜亮不相容。完颜亮篡夺皇位后，下令将宗雄妻囚禁在府署，接着又把宗雄妻、宗雄子、宗雄孙一共七人杀死、焚烧，将他们的骨灰抛在濠水。

甲午(十六日)，宋高宗任命普安郡王第三个儿子赵惇为右内率府副率。

癸卯(二十五日)，少傅、宁远军节度使、领殿前都指挥使职事杨存中，被封为恭国公。

乙巳(二十七日)，完颜亮下诏，将励官守、务农时、慎刑罚、扬侧陋、恤穷民、节财用、审才实七件事布告中外。

丙午(二十八日)，两浙转运判官曹泳上言说，右承务郎李孟坚背诵他父亲李光所做的《小史》，有讥讽诽谤朝政的意思，宋高宗下诏送交大理寺处理。李光在贬谪地常常写作野史，李孟坚偶尔对他所亲密的左奉议郎、新王宫大小学教授陆升之说起过此事。陆升之揭发了此事，宋高宗就命曹泳查实。宋高宗说："李光最裰被起用时，认为和议是对的，等到当了执政，又说和议是错的，他竟然如此反复无常。"

以前金国乌达的妻子唐古鼎格有淫荡行为，秉德曾公开斥责过她，乌达心怀怨恨，但没有发作。完颜亮篡位后，好猜忌，适逢生病，过了几天，乌达就诬陷说："秉德见主上您数日不临朝视事，就对我说：'主上如有不测，谁来当继承人？'臣回答说：'主上有皇子。'秉德说："乳臭未干的小子怎能胜任，必定是葛王吧！'"完颜亮相信了乌达的话，便命令秉德出朝廷领行台尚书省事，限十天之内出发。

二月，戊申朔(初一)，金国封皇子宗寿为崇王。

庚戌(初三)军器监丞齐旦上书请求禁止百姓在春季采获捕猎，秦桧说："春季正是万物繁育的季节。"宋高宗说："这件事利害关系很大。"于是将此事下达刑部处理。接着刑部上言说依据法律春季不允采获捕猎。

完颜亮下令发给天水郡公两个孙女月俸。

丙寅(十九日)，开始兴建玉牒所。

戊辰(二十一日)，金国群臣为金主完颜亮上尊号为：应天广运睿武宣文大明圣孝皇帝，永寿永宁两太后的祖父，一起被赠予不同的官职。任命唐古辨为左丞相，乌达为右丞相。

完颜亮心中疑忌唐古辨，他曾经与唐古辨一起观看太祖画像，完颜亮指着画像对唐古辩说："画像的眼睛与你相似。"唐古辨面色激动，完颜亮因此更加疑忌唐古辨。

丁丑(三十日)，阁门建议从现在开始北方使节在朝廷上，不是侍从官但曾经借官出使的，免予参加行起居礼，如现在充任接伴使，便按照所借官的官职排列位置。

该月，安南进贡十头驯象。

三月，庚辰(初三)，完颜亮派遣龙虎卫上将军、侍卫亲军马步军都指挥使完颜思恭，翰林直学士、通议大夫、知制诰翟永固，前来大宋朝通报新皇帝登位，赠送宋高宗金注碗二只，绫罗三百匹，良马六匹。

癸未(初六)，任命端明殿学士、签书枢密院事余尧弼为参知政事，给事中兼侍讲、权直学士院巫伋为端明殿学士、签书枢密院事。

丙戌(初九)，任命参知政事余尧弼为贺大金登位使；镇东军承宣使、知阁门事郑藻假保信节度使，作为余尧弼的副手。

完颜亮任命他的弟弟完颜衮为司徒兼都元帅。

丙申(十九日),宋高宗下诏,责受建宁军节度副使、昌化军安置李光,永不起用,右承务郎李孟坚除去官吏名籍,交峡州编管。

在此之前,李孟坚因《小史》之事下狱,至此决狱定案。李光的罪名是对议和的态度反复无常,在被贬地常发怨言,妄自写作野史,讥讽诽谤朝廷,意在侥幸重新获得启用,与赵子㒶罢官后往来交结;李孟坚也因为父亲犯罪而降职,怨恨朝廷,记诵他父亲所撰的《小史》,并对他人宣扬,所以有上述命令。

与这件事相关联,以前的侍从官和朝官同罪连坐的共八个人:徽猷阁直学士、致仕胡寅,罪名是与李光通信,相互勾结,讥讽朝政;龙图阁学士、提举江州太平兴国宫程瑀,罪名是任兵部侍郎之初,赠送李光缣绢和丝帛等物品,并写信给李光说:"近来无知之愚人都把前事作为鉴戒,实在令人叹息;"徽猷阁待制、提举江州太平兴国宫潘良贵,罪名是曾经把团茶寄给李光,李光回信给潘良贵,另在一张纸上写道:"不敢与仲辉通书信,患难的时候,能伸出一只手吗?"仲晖,是楼炤的字。潘良贵回信答复说:"参政危难已到极点,要紧的是处之以道义。给仲辉的另外一张纸已交给他,但恐时间来不及;"直秘阁宗颖的罪名是,曾经给李光写信说:"我孤独无援,正期待仰赖您的庇护,突然听说您要到远处去,本来想一路追上去见见您,但因有探视跟踪,不能如愿";宝文阁学士、提举江州太平兴国宫张焘,左承议郎、新知邵州许忻,左朝奉大夫、新任福建路安抚使参议官贺允中,左奉议郎、福建路安抚主管机宜文字吴元美,罪名都是与李光相知、关系密切,书信来往,互吐委曲,意图李光再被起用,互相推举引荐。宋高宗下诏:"胡寅革职,程瑀、潘良贵、宗颖一律降官三级,张焘、许忻、贺允中、吴元美一律降官二级。"

庚子(二十三日),余尧弼辞行起程,宋高宗下诏任命巫伋为兼权参知政事。

壬寅(二十五日),右正言章厦向皇帝上奏:"右承议郎致仕胡寅,天性凶险悖谬,敢做不义之事。胡寅是胡安国的儿子,不肯为亲生母亲服丧,士人议论纷纷,这是不守孝道的大罪。胡寅起初附和李纲,后来又追随赵鼎,建议不与邻国通使,他看待宋徽宗、宋钦宗流离迁徙,就好象古代越人看待秦国的穷富一样,幸灾乐祸,麻木不仁。后来两宫的灵柩归来,皇太后得到奉养,胡寅知道自己以前说的话狂妄草率,于是私下结交有异志的人,相互窥测形势,写成文章,鼓吹现在入仕进宫的,将被满门抄斩却依然不省悟,这是不忠于朝廷的大罪。望皇上特下皇威决断。"宋高宗于是下诏:"胡寅贬官果州团练副使,送新州安置。"

完颜亮召见宋朝派去的贺大金登位使节,拿出徽宗的玉带,让使节带回赐给宋高宗,并且说:"这是天水郡王的遗物,现在赐给你们的主子,让你们的主子见到玉带就好象见到了他的父亲。同时晓谕你们的主子,不要忘记朕的一番好意。"大使退下后,秘书郎张仲轲说:"玉带是稀世之宝,轻易赐人十分可惜。"完颜亮说:"江南的土地,不久将要被我大金国所有,这只不过是放置在外边的仓库罢了。"由此臣下们都知道完颜亮有南下攻打宋朝的意图。

张仲轲本来是一个市井无赖,会说唱传奇小说,并夹杂着俳优艺人的滑稽、诙谐言行,完颜亮原来将他召来身边作为取笑逗乐的玩物,篡夺皇位后,就提拔重用他,很快升任秘书丞,继而转为秘书少监。

完颜亮将良弓赏赐给右卫将军芮王完颜亨。完颜亨性格率直,文、武绝人,喜欢自负,推辞说:"皇上所赐弓太弱,不能用。"完颜亮于是忌恨他,把他调出朝廷去做真定尹,完颜亮对完颜亮说:"太宗的几个儿子势力正强大,多驻防把守在河朔、山东、真定等险要地带,如果发生变故,就要倚仗于你了。"其实他的内心是忌恨完颜亮。

完颜亮想博得勤政的虚名,时常召见左右大臣讲论朝政,每次都到深夜时分。曾问起居注杨伯雄说:"人君统治天下,应崇尚什么道理?"杨伯雄回答说:"崇尚静。"完颜亮沉默不语。第二天,又问杨伯雄说:"我迁徙各部明安分别屯边戍守,依你昨天晚上的回答,难道是说这件事不静吗?"杨伯雄回答说:"移兵屯边,是良策;所谓静,就是不骚扰的意思。"二更时分,完颜亮又问鬼神事,杨伯雄进言说:"从前汉文帝召见贾谊,午夜时移坐到贾谊面前,不问百姓疾苦而问鬼神事,后世人还在讥笑。陛下如不认为臣愚昧无知,有幸谈到天下大计,鬼神之事,我没有学过。"完颜亮说:"但说无妨,以消除我长夜胡思乱想。"杨伯雄不得已便说:"为臣家里有一卷书,记录人死复生的事。有一个问:'阎王为何免除你的罪过?'另一个回答:'你备好一个小册子,白天做了什么事,晚上就写下来。不能记录的事,就不能去做。'"金主完颜亮听后,脸变了颜色。

续资治通鉴卷第一百二十九

【原文】

宋纪一百二十九　起上章敦牂【庚午】四月,尽玄黓涒滩【壬申】十二月,凡二年有奇。

高宗受命中兴全功至德　圣神武文昭仁宪孝皇帝

绍兴二十年　金天德二年【庚午,1150】　夏,四月,戊午,金杀太傅、领三省事宗本及尚书左丞相唐古辨,遣使杀领行台尚书省事秉德。

初,金主为宰相,即患太宗诸子强盛,尝与辨、秉德言之。既篡位,并恶辨、秉德,乃与秘书监萧裕密谋,欲尽杀太宗诸子,而未有以文致其罪,裕曰:"尚书省令史萧玉,素为宗本所厚,人所共知。今托为玉告变状,以取信于人,可按籍诛也。"谋既定,使人召宗本等击鞠,金主先登楼,宗本及判大宗正事宗美至,即杀之。宗本既死,萧裕使人召萧玉。是日,玉送客出城,醉酒,露发披衣,以车载至裕第。逮日暮,玉酒醒,见军士守之,意为人所陷,以头触屋壁,号曰:"臣未尝犯罪,母年七十,幸哀怜之。"裕附耳告之曰:"主上以宗本诸人不可留,今已诛之,欲加以反罪,令汝上告其事,款状已具矣。"其状略曰:"秉德出领行台,与宗本别,因会饮,约内外相应。唐古辨言内侍张彦善相,相太傅有天子分,宗本曰:'我有兄东京留守在,我何能为!'是时宗美言太傅正是太宗主家子,北京留守卞,临行与宗本言,事不可迟。宗本等将以日近围场内,决计行之云。"裕引萧玉见金主,具如款状所言。金主大喜,以款状宣示中外,遂杀东京留守宗懿、北京留守卞等,凡杀太宗子孙七十馀人,太宗后遂绝。

乌达亦言:"秉德饮酒宗本家,相者言其貌类赵太祖,秉德偃仰笑受其言。臣妻言秉德妻尝指斥主上,秉德与宗本别,指斥尤甚,且谓运数有归。其逆状甚明。"金主遂遣人杀秉德于行台。秉德,宗翰孙也。宗翰子孙被杀者三十馀人,宗翰后亦绝。

金主又杀诸宗室五十馀人。

辛酉,金以尚书省令史萧玉为礼部尚书,秘书监萧裕为尚书左丞,右丞相乌达为司空、左丞相兼侍中,赏告变功也。以刘筈为尚书右丞相,宗义、温都思忠为平章政事,以刘麟为尚书右丞,以布萨思恭为殿前都点检。

癸酉,左朝奉大夫、新知庐州吴逵言:"两淮之间,平原沃壤,土皆膏腴,宜谷易垦,稍施夫力,岁则有收,而茅苇翳塞,莫之加功。望置力田之科,募民就耕,赏以官资,辟田以广官庄。宜令江、浙、福建委监司、守臣,劝诱土豪大姓赴淮南从便开垦。田地归官庄者,岁收谷五百石免本户差役一次,七百石补进义副尉,至四千石补进武校尉,并作力田出身。其被赏后再

2986

开垦及元数许参选如法,理名次在武举特奏名出身之上,遇科场并得赴转运司应举。"从之。

五月,戊子,金以平章行台尚书省事、右副元帅大托卜嘉为行台尚书右丞相,元帅如故。壬辰,以左副元帅完颜杲为行台尚书左丞相,元帅如故;同判大宗正事宗安为御史大夫。

时杲自陕西入朝,因从容言曰:"唐建成不道,太宗以义除之,即位之后,力行善政,后世称贤。陛下以前主失德,大义废绝,力行善政,则如唐太宗矣。"金主闻言色变,杲亦自悔其言。金主念杲久握兵在外,颇得士心,忌之,阳尊以殊礼,使系属籍,以玉带玺书赐之。杲至汴,诏谕托卜嘉无使杲豫军事,杲不知,每事辄争之。托卜嘉诡曰:"太师梁王以陕西事属公,以河南事属托卜嘉,今未尝别奉诏命;若陕西之事,托卜嘉固不敢干涉也。"托卜嘉久在河南,将士畏而附之,杲始至势孤,争之不得,白于朝,大臣知金主旨,报曰:"如梁王教。"及诏使至汴,谕旨于托卜嘉,使还,托卜嘉独有附奏,杲不得与闻,人皆知金主使托卜嘉图之矣。

甲午,金国贺生辰使、(副)侍卫马步军都指挥使完颜思恭、翰林直学士翟永固,见于紫宸殿。思恭等来报金主代立,既出境,就遣来贺。

六月,甲寅,徽猷阁待制、知台州萧振始至官。初,海寇聚众连年,其势益炽,至是犯台之临门寨、章安镇,故命振为守。

振抵官,奏乞殿前司水军统制王交同捕,许之。交至,振谓之曰:"滨海之民,数年苦贼,若能剿除,愿悉兵力战以宁一方。倘败事,振当奏劾。"交即具舰入海,大败贼众,馀党散去。振以数千缗犒交士卒,为之奏功,郡境遂宁。

庚申,捧日天武四厢都指挥使、武信军承宣使、(浙江)〔新〕江南西路兵马钤辖李横移东路。

横寓信州,适贵溪魔贼窃发,守臣左朝散大夫季栝檄横统兵以备策应,遂获安堵。栝又遣离军人拱卫大夫、果州团练使、添差东南第五副将孙青统兵出战,旋即扑灭,乃诏青厘务。而帅臣王昫劾栝及知县事、左奉议郎叶(颗)〔颙〕、右朝散大夫、提举常平茶盐公事、权提刑张昌,不能觉察,致贼啸聚,并免官,仍削二秩。

癸亥,特进、观文殿大学士、万寿观使兼侍读秦熺,以进书恩迁少保。

是夏,故相赵鼎之子右承事郎汾,奉鼎丧归葬于衢州常山县。

时李光之狱始竟,而守臣左中奉大夫章杰,与鼎有宿憾,杰知中外士大夫平时与鼎有简牍往来,至是又携酒会葬,意可为奇货。乃遣兵官同邑尉翁蒙之,以搜私酿为名,驰往掩取;复疑蒙之漏言,潜戒左右伺察之。蒙之书片纸,遣仆自后垣出,密以告汾,趣令尽焚箧中书及弓刀之属。比官兵至,一无所得,杰怒,方深治蒙之,而追汾与故侍读范冲之子仲彪,拘于官兵之所。蒙之母诉于朝,秦桧咎杰已甚,诏移蒙之兰溪尉,下其事于浙东安抚司,事遂息。

杰客魏掞之,慨然以书谯杰,长揖而归,杰亦不害。掞之,建阳人,少有大志,师事籍溪胡宪。

秋,七月,癸未,安德军承宣使(司)、知大宗正事士(会)〔褒〕为昭信军节度使。

金左丞相乌达早朝,以阴晦将雨,意金主不视朝,先趋出,百官皆随之去。已而金主御殿,知乌达率百官出朝,恶之,己丑,出为崇义军节度使。以平章政事温都思忠为左丞相,以尚书左丞萧裕为平章政事,以右丞刘麟为左丞,以侍卫亲军步军都指挥使完颜思恭为右丞,参知政事张浩丁忧,起复如故。

八月，甲辰朔，诏特进、提举江州太平兴国宫、连州居住张浚移永州。

辛酉，权尚书礼部侍郎兼侍讲陈诚之，均州观察使、知阁门事钱恺，为大金贺正旦使〔副〕；起居舍人兼权直学士院王严（副之），武节大夫、和州团练使、权知阁门事赵述，为生辰使副。述尝在遣中，以疾免，至是复命之。

初，东昏王之世，皇太后岁遗裴磨申后礼物巨万，及代立，遂削此礼。诚之比入境，预为逊词谕之，金人竟不敢言。及还，帝嘉之。

九月，丙戌，诏："金国人使，自今于淮阴县取接，令本路转运判官沈调如法修盖馆舍。"以金人言，人使合于近便处山东邳州路取接往来故也。

自建炎初，剧盗范汝为窃发于建之瓯宁县，朝廷命大军讨平之。然其民悍而习为暴，小遇岁饥，即群起剽掠。去岁因旱凶，民杜八子者，乘时啸聚，遂破建阳。是夏，民张大一、李大二，复于回源洞中作乱，安抚使仍岁调兵击之。

庚午，参知政事余尧弼，签书枢密院事巫伋，请自今参退，依典故权赴太师秦桧府第聚议，从之。时桧以疾在告故也。

甲午，金立惠妃图克坦氏为皇后。金主喜饰诈，初为宰相，妾媵不过数人，及篡位，图克坦氏以岐国妃进位皇后，妾大氏、萧氏、耶律氏以次进封。其后逞欲无厌，淫肆蛊惑，不能自制矣。

十月，癸卯，金太师、领三省事勖致仕。勖见宗本以无罪见诛，髭须顿白，因上表请老。金主初不许，赐以玉带，优诏谕之，有大事，令宰相就第商议，入朝不拜。勖遂称病笃，表请益切，金主不怿，从之。后与宗室俱迁中都。

辛未，金杀太皇太妃萧氏，太祖妃也。

金主之母大氏既尊为太后，每有宴集，太妃坐上坐，大氏执妇礼，金主积不能平，乃诬太妃以隐恶，杀之，并及其所生子任王。

金主欲杀辽王舍音子孙及平章政事宗义等，元帅令史约索希金主旨，诬左副元帅杲父子谋反。约索先学杲手署及印文，诈为契丹小字家书，与其子宗安；从左都监浑都上变，封题作已经开拆者，书纸隐隐有白字，作曾经水浸致字画分明者，称御史大夫宗安于宫门外遗下，约索拾得之，其书多怨望谋逆语。有司鞫问，宗安不服，曰："使真有此书，我剖肌血藏之犹恐泄漏，安得于朝门下遗之！"掠笞楚毒，宗安神色不变。宗义不胜搒掠，自诬服。宗安曰："今虽无以自明，九泉之下，当有冤对。吾终不能引屈。"竟不服而死。金主使人杀杲于汴，宗义等论死，皆灭其族。以魏王之孙呼尔察好修饰，亦族之。杲既死，金之宿将尽矣。

十一月，癸未，国子监李琳言本监经史未备，请下诸州有本处起发，从之。

金尚书左丞相刘筈罢，以会宁牧图克坦恭为平章政事。尚书左丞刘麟、右丞完颜思恭罢，以参知政事张浩为尚书右丞。乙酉，以行台尚书左丞张通古为尚书左丞。

戊子，金主戒约官吏。

己丑，金主命庶官许置次室二人，百姓亦许置妾。

十二月，癸卯朔，金诏去群臣所上尊号。

丙午，金初定袭封衍圣公俸格。命外官去所属百里外者，不许参谒；百里内者，往还不得过三日。

癸丑，金立太祖射碑于吉迪勒部，金主及皇后致奠于碑下。

乙卯，金有司奏庆云见，金主曰："自今瑞应毋得上闻。"

己未，金罢行台尚书省事，改都元帅府为枢密院。以左副元帅大托卜嘉为尚书右丞相兼中书令，参知行台省事张中孚为参知政事，都元帅充为枢密使、太尉，领三省如故，元帅左监军昂为枢密副使，刑部尚书赵资福为御史大夫。

己巳，金贺正旦使正奉大夫、秘书监兼左谏议大夫萧颐等，入见于紫宸殿。

绍兴二十一年 　金天德三年【辛未，1151】　春，正月，乙亥，金参知政事萧玉丁忧，起复如故。

丁亥，金初造灯山于宫中。

甲午，左宣义郎曹筠知衢州。

筠自御史斥去，会衢州阙守，帝谕秦桧曰："台谏无大过恶，当优假之以来言者。"

金初置国子监。

金主谓御史大夫赵资福曰："汝等多徇私情，未闻有所弹劾，朕甚不取。自今举劾无惮权贵。"

乙未，帝曰："布衣步孝友上书，言丹阳练湖堙塞，艰于漕运，可谕漕臣修治。"

金主出猎，宰相以下辞于近郊，金主驻马戒之曰："朕不惜高爵厚禄以任汝等，比闻事多留滞，岂汝等苟图自安，不以民事为念耶！自今朕将察其勤惰以为赏罚，其各勉之。"

丁酉，白虹贯日。

丁未，直秘阁、知静江府方滋，升直敷文阁、知广州；左朝散郎、广南西路转运判官琦知静江府。

初，朝廷命广西帅臣即横山寨市马于大理诸蛮，岁捐黄金五十镒，白金三百斤，绵缯四千，廉州盐二百万斤，而得马千有五百匹。良马高五尺，率直中金五镒，它以是为差。每五十匹为纲，选使臣部送至行在及建康、镇江府、太平、池州诸军。先是廉州之盐，分令钦、横、宾、贵、浔、梧、藤、象、柳、容等州转至横山仓，然诸州科民则苦富民，差吏则杂私贩，往往陷没留滞；至琦，始令官支脚钱，选使臣运盐，若及十万斤，即与部良马一纲至行在。

丁巳，金主还京。

己未，诏诸州各置惠民局。

初，军器监丞齐旦，请令州县合药散民，上恐不能遍及，故命户部举旧法行之，仍命毋多取利。

大理少卿李如冈权尚书吏部侍郎。

壬戌，诏端明殿学士、签书枢密院事巫伋充大金祈请使，保信军节度使、领阁门事郑藻副之，请归宗族等。

是月，集英殿修撰、提举江州太平兴国宫魏矼卒于衢州。

自秦桧用事，士大夫少失其意，祸辄不测。当始议和时，矼与桧异论。桧尝欲除近郡，矼逊辞不就，奉祠十馀年，寓居常山僧舍，一室萧然，卒免于祸焉。

初，赵鼎既谪居，尝谓其客左奉议郎方畴曰："自鼎在相，除正府外，所引从官如常同、胡寅、张致远、张九成、潘良贵、吕本中、魏矼，皆有士望，异日决可保其无它。"畴曰："愿公徐观

2989

之。"其后诸人各久流落,虽死不变,畴乃信服。

三月,丁亥,帝曰:"州县多催理积欠,民间重困,朕顷在京东亲睹其害,可令户部照年分蠲放。"既而户部请自绍兴十一年至十七年,诸色拖欠钱物,除形势及公吏、卿司与上上有力之家未纳数外,并与放免,从之。

壬辰,金广燕京城,建宫室。

夏,四月,甲辰,起居舍人、权直学士院王㫤权尚书礼部侍郎,以使还迁也。

丙午,金主诏迁都燕京。

辛酉,金有司图上燕城宫室制度,营建阴阳,五姓所宜。金主曰:"国家吉凶,在德不在地。使桀、纣居之,虽卜善地何益! 使尧、舜居之,何用卜为!"金主与侍臣燕语,辄引古贤君以自况云。

丙寅,金罢岁贡鹰隼。

闰月,辛未朔,金命尚书右丞张浩、右丞蔡松年调诸路夫匠筑燕京宫室。

丙子,金主命大臣常膳唯进鱼肉,旧贡鹅鸭等悉罢之。金主欲示人以俭,故有是命。然游猎顿次,不时需索,一鹅一鹑,民间或用数万售之,有以一牛易一鹑者。

帝亲试南省举人,擢赵逵等四百四人及第、出身,特奏名进士昌永等五百三十一人,武举进士汤莺等六人,授官有差。帝亲书《大学篇》赐新及第进士。

金主既杀诸宗室,释其妇女,皆欲纳之宫中,使图克坦贞讽萧裕曰:"朕嗣续未广,此党人妇女,有朕中外亲,纳之宫中,何如?"裕曰:"近杀宗室,中外异议纷纭,奈何复为此耶?"金主曰:"吾固知裕不肯从。"乃使贞自以己意讽裕,必欲裕等请其事。贞谓裕曰:"上意已有所属,公固止之,将成疾矣。"裕曰:"必不肯已,唯上择焉。"贞曰:"必欲公等白之。"裕不得已乃具奏。五月,纳宗本、宗固之子妇、秉德之弟妻,俱入宫中。

戊午,金主使翰林学士、崇政大夫、知制诰兼太子少詹事刘长言,昭毅大将军、殿前右卫充龙翔军都指挥使耶律夔,来贺天申节。

检校少师、奉国军节度使、御前诸军都统制、知兴州吴璘,检校少保、武当军节度使、御前诸军都统制、知兴元府杨政,定江军节度使、殿前都虞候、鄂州驻劄御前诸军都统制、提领营田田师中,并为太尉。璘等建节皆十年,以其守边安静,故有是命。

乙丑,秦桧请令国子监复刻《五经》《三史》,帝曰:"其它阙书,亦令次第雕板,虽重有所费,亦不惜也。"

六月,辛巳,诏:"大理寺、三衙及州县,岁支官钱合药以疗病囚。"

秋,七月,丁未,秦桧请勿税商贩柴米,帝曰:"甚善。临安自减定物价之后,盗贼消矣。"

己未,安德军节度使、开府仪同三司、权主奉濮安懿王祠事士棨薨,追封通化郡王,谥孝敏。

庚申,修天章阁神御殿成。

八月,壬申,扬武翊运功臣、太傅、镇南武安宁国军节度使、充醴泉观使、咸安郡王韩世忠为太师,致仕。是日,世忠薨于赐第,年六十三。

始,世忠得疾,帝饬太医驰视,问访之使,相属于道。将吏问疾卧内,世忠曰:"吾以布衣百战致位公王,赖天之灵,得全首领,卧家而没,诸君尚哀其死邪!"

世忠少时，慓悍绝人，不用鞭辔，能骑生马驹。其制兵器，凡〔今〕跳涧以习骑，洞贯以习射，狻猊之鍪，连锁之甲，斧之有掠陈，弓之有克敌，皆世忠遗法。尝中毒矢洞骨，则以强弩拔之，十指仅全，四不能动，身被金疮如刻画。晚奉朝请，绝口不言功名。自罢政居都城，高卧十年，若未尝有权位者。百偏裨部曲，往往致身通显，节钺相望，岁时造门，类皆谢遣。独好浮图法，自号清凉居士。于时举朝惮秦桧权力，皆附丽为自全计，世忠于班列一揖之外，不复与亲。逮薨，有诏选日临奠，桧遣中书吏韩瑊以危语胁其家，辞而止。追封通义郡王。其子直敷文阁彦直、直秘阁彦朴、彦质、彦古，皆进职二等，又命睿思殿祗候徐伸护葬事。

乙亥，宝文阁学士、提举江州太平兴国宫梁扬祖卒，赠特进、龙图阁学士，赐其家银帛三百匹两。

甲申，中书门下省校正诸房公事陈夔、武功大夫、惠州刺史、权知阁门事苏华，充贺金国正旦使副；枢密院检详诸房文字陈相、武节大夫、吉州刺史、权知阁门事孟思恭，充贺生辰使副。

辛卯，诏昭信军节度使、知大宗正事士权主奉濮安懿王祠事。

时有言赡学公田多为权势之家所占，九月，戊戌朔，帝谓宰执曰："缘不度僧，常住多绝产，令户部拨以赡学。"

庚戌，金赐燕京役夫帛一匹。

丁巳，增筑景灵宫，用韩世忠赐第为之。前殿五楹，中殿七楹，后殿十有七楹，斋殿、进食殿皆备焉，期年而毕。

庚申，右正言章厦试右谏议大夫。

是月，签书枢密院事巫伋自金使还。

甲戌，帝幸太傅、醴泉观使、清河郡王张俊第。壬午，制拜俊太师，以其侄龙神卫四厢都指挥使、清海军承宣使、添差两浙西路马步军副都总管子盖为德安军节度使，馀子弟迁官进职者十有三人。干办府武功大夫尚准，制转行右武大夫，管辖亲兵濠州团练使顾晖，除防御使，皆异数也。

是月，加封吴将甘宁为昭毅武惠遗爱灵显王。

十一月，（戊寅）〔庚戌〕，参知政事余尧弼罢。右谏议大夫章厦，殿中侍御史林大鼐，共劾尧弼倾邪贪鄙，交通三衙，结诸州将，朝廷有大议论则闵默无言，请贬之以清政府。诏尧弼充资政殿学士、提举江州太平兴国宫；寻落职。

斩有荫人惠俊，以指斥乘舆，法寺鞫实故也。

十二月，己丑，亲卫大夫、利州观察使马广卒。

癸巳，金主使骠骑上将军、殿前右副都点检鲁定方，大中大夫、右谏议大夫、秘书少监萧永祺，来贺来年正旦。

绍兴二十二年　金天德四年【壬申，1152】　春正月，丁酉朔，金群臣请立皇太子，从之。戊戌，初定东宫官属。立捕盗赏格。

丁未，少师、昭庆军节度使、万寿观使、平乐郡王韦渊为太保。

癸卯，太白经天。

癸亥，金主朝谒世祖、太祖、太宗、德宗陵；甲子，还宫。

二月,丁卯,金立皇子光英为皇太子;庚午,诏中外。

甲戌,金主如燕京。

昭义军节度使萧仲宣家奴告其主怨谤,金主曰:"仲宣之侄拱,近以谤诛,故妄诉。"命杀告者。

庚辰,军器监丞黄然论:"沿江一带税务,比来非理邀取,商旅患之,于是号蕲之蕲阳、江之湖口、池之雁汊为大小法场,咸谓利归公家无几而为吏窃取大半。宜令所隶州县选官检察收放,漕臣考察。"从之。

壬午,诏建祚德庙于临安府,用殿中侍御史林大鼐请也。

先是毁其庙以为大理寺,而大鼐言:"三人者有大功德于圣朝,今神灵不妥,士庶悲嗟,宜进爵加奖。"寻进封程婴为强济公,公孙杵臼为英略公,韩厥为启佑公,升为中祀。

戊子,金主次泰州。

三月,庚戌,徽猷阁直学士致仕向子諲卒于临江军。

子諲既告老,归玉笥之旧隐,号曰芗林,凡十五年而卒。

丁巳,诏新除司农寺丞钟世明往福建路措置寺观常住绝产。

时鬻度僧道牒已久停,其徒浸少,而福建官自运盐直颇贵,于是民多私贩。议者以为客贩可行,遂命世明往本路措置。凡僧道之见存者,计口给食,馀则为宽剩之数,籍归于官。其后世明言,自租赋及常住岁用外,岁得羡钱二十四万缗,诏付左藏库。

戊午,资政殿学士、提举江州太平兴国宫何铸薨,后谥忠敏。

己未,秘书省校书郎董德元论:"高禖名为大祀,而禖神乃位于坛下,酌用一献,恐非所宜,请与青帝分为二坛。"诏礼部看详。

癸酉,右谏议大夫章厦试御史中丞,殿中侍御史林大鼐试右谏议大夫。

夏,四月,丙寅朔,金有司请今岁河南、北选人并赴中京铨注,从之。

丙子,端明殿学士、签书枢密院事巫伋罢。

伋与秦桧居同乡,一日,桧在都堂,偶问伋云:"里中有何新事?"伋不敢对,徐云:"近有一术士自乡里来,颇能论命。"其意恐辄及时事,或触桧怒,故泛举不切之事以塞责。桧遽变色谓伋曰:"是人言公何日拜相?"伋惶恐而罢。章厦闻之,即劾伋阴怀异意以摇国是,林大鼐亦奏伋黩货营私,于是并迁二人,而伋以本职提举江州太平兴国宫;章再上,遂落职。

辛巳,章厦拜端明殿学士、签书枢密院事。

丙戌,孟飨景灵宫,令宰执分诣。时新宫未成,祖宗神御皆寓于西斋殿故也。

壬辰,秦桧奏利州观察使王俊,往在岳飞军中弹压有劳,以为浙东马步军副都总管。

庚戌,封婕好刘氏为婉容,新兴郡夫人吴氏,宜春郡夫人刘氏,并为才人。宫中号婉容为大刘娘子,才人为小刘娘子。

癸丑,金主使宣奉大夫、刑部尚书、行大理卿田秀颖,安远大将军、充客省使兼四方馆副使大允,来贺天申节。

襄阳大水,平地丈五尺,汉水冒城而入。右朝奉大夫、知府事荣薿乘桴得免,于是与转运判官魏安行,议请复环城石堤以捍水,许之。次年冬,按四县之籍,计田出力,百亩一夫,得三千馀人,减其田亩十之二,凡五旬有七日而毕,计用工二十五万有奇,其长四十馀里。

是月，金主自泰州如凉陉。

五月，丁酉，金主出猎；甲寅，赐猎士人一羊。

乙卯，金主次临潢府。

丁巳，太白经天。

六月，甲子朔，金主驻绵山。

乙酉，奉安祖宗帝后神御于景灵宫。

戊子，大理少卿章焘请申严暑月浣濯狱具之令，从之。

壬辰，起居舍人、权直学士院汤思退权尚书礼部侍郎。

金(从)〔崇〕义军节度使乌达既外出，其妻唐古鼎格旧与金主通，金主念之，秋，七月，癸卯，使鼎格缢杀乌达，而纳鼎格于宫中，寻封贵妃。

乙卯，诏："仲冬荐献永佑陵等攒宫及检察禁地，就差大宗正丞冯至游。"故事，太常少卿以春、秋二仲行园陵，至是太常官全阙，但以秘书省著作佐郎丁娄明兼权。娄明请于朝，至游供职绍兴，就遣之也。

丁巳，虔州军乱。

初，江西多盗，而虔州尤甚，故命殿前司统制吴进以所部戍之。虔之禁卒尝捕寇有劳，江西安抚司统领马晟将之，与进军素不相下。会步军司遣将拣州之禁军，而众不欲行。有齐述者，以赂结所司，选其徒之强壮者，以捕盗为名，分往诸县。夜，两军交斗，州兵因攻城作乱，杀进、晟，遂焚居民，逐官吏守臣。

八月，癸亥，金主猎于图弥山。

己卯，江西安抚使张澄言虔州兵乱，诏鄂州诸军统制田师中速遣兵，仍合澄集本路兵擒捕。后二日，又遣殿前司游奕军统制李耕将所部千六百人往讨之。

丙戌，尚书司封员外郎兼权国子司业孙仲鳌为大金贺正旦使，阁门宣赞舍人陈靖副之；吏部员外郎李琳为贺生辰使，忠州防御使、带御器械石靖副之。

乙未，诏殿前司左翼军统制陈敏以所部讨虔州叛兵。

先是叛兵突出，径走南康军，而寓居左朝奉郎田如鳌为其所得，遂复还据虔城。时李耕才至江东，而敏驻温陵，被本路安抚司檄，以所部千五百人护闽境。于是领殿前都指挥使杨存中，言敏本虔人，且尝于江西捕寇有功，望令进攻，与耕并力讨贼，乃以如鳌权江西提点刑狱公事，令即城中抚定之。

九月，甲午，金主如中京，独留图克坦太后于上京。图克坦太后常忧惧，每中使至，必易衣以俟命。皇太后大氏在中京，常思念图克坦太后，谓金主曰："永寿宫待我母子甚厚，慎无相忘也！"

癸卯，右谏议大夫林大鼐言："兵弛久佚，主将辄移其力而它役之。今有伐山为薪炭，聚木为萍筏，行商坐贾，开酒坊，解质库，名为赡军回易，而实役人以自利，甚至有差借白直，为厮隶之贱，供土木之工。请诏中外将帅遵守祖宗条法，仍取约束未尽者增广行之。"诏："刑部检见行条法，行下诸军遵守。内借人一节，借者与借之者并同罪。"

丙午，升广州香山镇为县。

金尚书右丞相大托卜嘉罢。

戊申,升桂阳监为县。

己酉,殿中侍御史兼崇政殿说书宋朴为侍御史。

朴甫受命,即劾"端明殿学士、签书枢密院事(张)〔章〕厦,多纳贿赂,引致市井小人以为肘腋。平居备位充数,未见有害,一旦临大利害,内怀奸邪,外肆谗险,必致败事而后已。"右谏议大夫林大鼐,亦论"厦斗筲小器,一旦致身宥密之地,议论喧然,皆曰章新妇也作两府,言厦为人踧踖无仪矩也。况又背公营私,附下罔上,朝廷机密,无不泄漏。宜亟加黜责,以为贪懦素餐之戒。"癸丑,诏章厦以本职提举江州太平兴国宫。章再上,遂夺职。厦入枢府才九十三日。

己未,右谏议大夫林大鼐试吏部尚书。

尚书左司员外郎陈相权吏部侍郎。

冬,十月,壬戌朔,侍御史兼崇政殿说书宋朴试御史中丞。

金遣使奉迁太庙神主。

初,殿前司游奕军统制李耕,左翼军统制陈敏,副将周成,鄂州副统制张训通,池州统领崔定,殿前司摧锋军统制兼知循州张宁,皆以兵至虔州城下,而敏所部统领官元圯战死。既而权江西提点刑狱公事田如鳌在城中,与贼党齐述谋诛首乱者萧容等四十馀人,即以抚定闻于朝;耕往受其降,述等列拜城上,而终不肯出。有诏:"如鳌果是抚定,令素队〔赴〕军前,与免究。"诏耕谕述等速出降,即不进兵。述欲听命,为其子所制,但列众于城上,声喏而拜,终不肯出。是日,如鳌自出城与耕相见,耕遂留之。有父老数十人诣耕,乞令如鳌复入,耕叱之去,因密言贼已穴地道,欲出犯官军,宜防之,耕即以其兵二百人送如鳌还南康军。甲子,如鳌及左朝请郎施钜并赴行在。

甲戌,御史中丞兼侍讲宋朴为端明殿学士、签书枢密院事。

忠州团练使、殿前司游奕军统制李耕为龙神卫四厢都指挥使、知虔州。

庚辰,诏责授建宁军节度副使、昌化军安置李光,依已降指挥,永不检举。徽猷阁待制、知台州萧振,落职,池州居住。从政郎杨炜,特贷命,追毁出身以来文字,除名勒停,永不收叙,送万安军编管。

初,光既参大政,炜以和议为非,作书欲献光,先见振言其意,光不答。及是振知台州,炜为黄岩令,政颇有声。振每闻炜大言无顾畏,则击节称善,遂荐炜改秩,又移书浙东提点刑狱公事秦昌时,俾同荐之。昌时,桧之侄也,因嘱吏密语振曰:"炜尝以书责光及太师,昌时其侄,义不当举,如待制亦不可举也。"振曰:"吾业已许之,岂可中辍!"炜在官,鉏治凶恶无所贷。俄县吏得炜书,有诋桧语,昌时闻于朝,诏送大理寺,仍下所司发卒大索炜家,得所草万言书,语益切。炜具伏:"绍兴八年在临安府,闻朝廷讲和邻国,炜以为非是,欲撰造语言,作书上光,言更改讲和之意,以规进用。时振任侍御史,炜因见振先说书意。振答云:'亦恐敌人难信,公书意甚好。'遂作书上光,光览书,遣人传语炜,谕以不及答之意。"刑寺奏炜当死,上特宥之。其兄左从政郎炬,亦连坐除名。炜徒步赴贬所,至抚州,病,士人邹陶见之,异致其家,出白金以赆,乃得去。

甲申,金主杀太祖女长公主乌鲁,以侍婢谮诉于皇后也,并杖其夫图克坦恭,罢其平章政事。

是月,李耕始受知虔州之命。

耕既往攻城,犹冀就招安,贼曰:"健儿辈初只缘与吴统制下人争,今作过已至此,纵招安,朝廷亦不赦也。"时城中细民皆绝食,每日为贼役者,才得一二升,间有出投官军,又为贼所杀。帝谓宰执曰:"前日差耕知虔州,甚当,使百姓知已有知州,心有所归也。"

十一月,戊戌,金以咸平尹李德固为平章〔政〕事。

辛丑,金买珠于乌尔古德埒勒部及富楚,禁百姓私相贸易,仍谕两路民夫采珠。

戊申,合祀天地于南郊,赦天下。

金以前平章政事图克坦恭为司徒。

乙卯,吏部尚书兼侍讲林大鼐言:"武林江山之会,大江潮信,一日再至。顷者江流失道,滩碛山积,潮与洲斗,怒号激烈,一城为之不安枕。虽诏守臣、漕司专意堤埽,日计营缮,才成即决,不支年岁。臣以为南至龙山,北至红亭,二十里间,乃潮势奔冲之下流,正迎敌受患之处,虽缮治无益也。望选历练谙晓之士,专置一司,博询故老,讲究上流利病,古今脉络,而后兴工。或者谓钱塘之潮,应有神物主之。葺庙貌,建浮屠,付之有司,此亦易事。"时六和塔坏,又伍员祠以火废,故大鼐及之。帝曰:"恐浸淫为害,可令乘冬月水不泛溢时,治之为易。又,旧有塔庙,阴以相之,虽出小说,亦不可废,宜付礼部看详。"

丁巳,太常卿徐宗说权尚书户部侍郎。

是日,忠州团练使、知虔州李耕引兵入城,虔州平。

时诸军既集,而江西马步军副总管刘纲,右宣教郎、统押池州土豪乡兵邓酢,皆在兵间,耕招降,不听,率诸军登城收叛卒,尽诛之。

帝曰:"朕思虔贼闭城已四十日,城中乏食,可谕杨存中速令济师,庶几良民得免困苦。"于是遣〔前〕军统制苗定等率兵五千,马四百,往听耕节制。定等未至,闻贼平,乃还。

贼之始作也,其徒侵轶旁郡,或劝左朝散郎、南安军居住张九成徙避之,九成曰:"吾谪此邦,死分也,何避焉!"守贰拒贼未得计,请于九成曰:"此为广南要冲,失守,则郡以南皆贼区,策将安在?"九成曰:"僻小寡弱,难与争锋,今闻贼寨水南,夜募善泅者火攻之,俾其众惊扰,则宵遁必矣。"用其策,贼果散走。

贼之未平也,右宣教郎、知醴陵县鲜于广曰:"是五日可至吾邑。"告于府,请以所部兵列境上,留民租于县以为食。提点刑狱司命五里建一楼,民持更其上,广曰:"是当为六十八楼,重费民,不可。且盗必从官道来耶?"独取乡保伍之壮者,选其豪六十领之,它盗亦不敢犯。

十二月,己巳,大尉、安庆军节度使、提举万寿观邢孝扬薨,谥忠靖。

戊子,金主使太子詹事张利用、广威将军、尚书兵部郎中兼四方馆副使耨盌温都子敬,来贺明年正旦。

庚寅,金太尉、领三省事、枢密使充卒。充,会主弟也。

【译文】

宋纪一百二十九　起庚午年(公元1150年)四月,止壬申年(公元1152年)十二月,共两年有余。

绍兴二十年　金天德二年(公元1150年)

夏季，四月，戊午（十二日），完颜亮处死太傅、领三省事宗本及尚书左丞相唐古辨，派人杀死领行台尚书省事秉德。

当初，完颜亮任宰相时，就担忧金太宗几个儿子的势力太强盛，曾经与唐古辨、秉德谈及此事。等到篡夺皇位，又厌恶唐古辨、秉德，就与秘书监萧裕密谋，想将太宗诸子斩尽杀绝，但却没有适当的借口给他们定罪，萧裕说："尚书省令史萧玉，素为宗本所厚待，大家都知道此事。现在假托萧玉之口告发宗本谋反，可以取信于人，再按照罪名诛杀他。"阴谋已定，完颜亮便派人召令宗本等人一起击鞠，完颜亮先到楼上，宗本和判大宗正事宗美不一会到了，当即就杀死他们。宗本被杀死后，萧裕派人召来萧玉。这一天，萧玉送客出城，喝醉了酒，披衣散发，用车把他拖到萧裕的府第。等到夜幕降临，萧玉酒醒，看见军士守护着他，心想有人陷害他，就用头撞墙壁，号啕大哭说："我不曾犯什么罪，母亲年高七十，希望你们可怜可怜。"萧裕附着他的耳朵说："皇上认为宗本等几个人不可留，现在已将他们诛杀，想强加给他们谋反罪，命令上告此事，状稿已写好。"状稿大意是说："秉德出任领行台尚书省事，向宗本告别，因而一起饮酒，约定内外相呼应。唐古辨说内侍张彦会看面相，相太傅有天子的福分，宗本说：'我有哥哥东京留守在，我能有什么作为！'这时宗美说太傅正是太宗当家的儿子，北京留守完颜卞，临走时对宗本说，事不宜迟。宗本等人商议将于近日在围场内举事。"萧裕引着萧玉谨见完颜亮，完全按状稿上所说的上奏。完颜亮大喜，将状稿布告全国，于是诛杀东京留守完颜宗懿、北京留守完颜卞等人，一共杀死金太宗的子孙七十余人，太宗的后人被杀绝了。

乌达也上言说："秉德在宗本家饮酒，看相的人说他相貌象赵太祖，秉德听后笑得前仰后翻并接受了此话。臣的妻子说秉德的妻子曾指责咒骂皇上，秉德与宗本告别，指责得更加厉害，并且说运数有轮回。谋反的情状很明显。"完颜亮便派人将秉德杀死在行台。秉德是完颜宗翰的孙子。完颜宗翰的子孙被杀掉的有三十余人，宗翰的后代也绝了。

完颜亮又处死皇族成员五十余人。

辛酉（十五日），完颜亮任命尚书省令史萧玉为礼部尚书，秘书监萧裕为尚书左丞，右丞相乌达为司空、左丞相兼侍中，这是奖赏他们告发宗本等人谋反的功劳。任命刘筈为尚书右丞相，宗义、温都思忠为平章政事，任命刘麟为尚书右丞，任命布萨思恭为殿前都点检。

癸酉（二十七日），左朝奉大夫、新知庐州吴逵上言说："两淮之间，是肥沃的平原，土地都像膏腴一样肥美，适宜种植谷物，也容易垦殖，稍微动用一些人力，每年都会有收获，而现在茅草芦苇到处充塞，不能收到功效。希望设置力田科目，招募百姓去耕种，奖赏给他们做官的资格，开辟出来的农田以扩大官庄。应下令江、浙、福建委派监司、守臣，规劝诱导土豪大姓人家前往淮南就便开垦。田地归官庄所有的，一年收谷五百石，可免除本户差役一次，收谷七百石，可补官进义副尉，收谷四千石可补官进武校尉，并作力田出身看待。受赏后再开垦荒田达到原来数目的可依法参选官职，其名次排列在武举特奏名出身之上，遇科举考试可以到转运司应试。"宋高宗同意。

五月，戊子（十三日），完颜亮任命平章行台尚书省事、右副元帅大托卜嘉为行台尚书右丞相，元帅职务照旧。壬辰（十七日），任命左副元帅完颜杲为行台尚书左丞相，元帅职务照旧；任命同判大宗正事宗安为御史大夫。

当时完颜杲从陕西进京朝见金主完颜亮，从容进言道："唐朝李建成无道，唐太宗以道义除掉了他,唐太宗即位后,极力推行善政,后世称颂他的贤能。陛下因为前任君主失德无道,大义废绝,大力推行善政,就像是唐太宗。"完颜亮听后变了脸色,完颜杲也后悔说这些话。完颜亮考虑到完颜杲在外握有重兵,颇得士人之心,就忌恨他,表面上给他特殊的礼仪,使他加入皇族名籍,把玉带玺书赏赐给他。完颜杲到达汴京,完颜亮下诏告诉托卜嘉不要使完颜杲干预军事,完颜杲不知道此变化,每件事都要力争不让。托卜嘉骗他说:"太师梁王把陕西的事托付给你,把河南的事托付给我托卜嘉,到现在还没有接到其他的命令;如果是陕西的事,我托卜嘉根本不敢干涉。"托卜嘉长期驻扎河南,将士们都害怕他而依附他,完颜杲到了势单力孤的地步,他争不赢托卜嘉,就告到朝廷,大臣知道完颜亮的旨意,答复他说:"按梁王的说法办。"等到传旨使者到达汴京,将诏书内容告诉托卜嘉,使者还朝,托卜嘉独自附奏折进呈,完颜杲不得而知,人们都知道是完颜亮指使托卜嘉在这样做。

甲午(十九日),宋高宗在紫宸殿接受金国贺生辰使、副侍卫马步军都指挥使完颜思恭、翰林直学士翟永固的拜见。完颜思恭等人是来报告金主代立之事的,已经出境,又被派来祝贺宋高宗生日。

六月,甲寅(初九),徽猷阁待制、知台州萧振开始到任。起初,海上盗寇连年聚众骚扰,其嚣张气焰日益高涨,到现在又进犯台州的临门寨、章安镇,所以命令萧振为台州守臣。

萧振走马上任,上书请求殿前司水军统制王交一同围捕海贼,宋高宗同意。王交到达台州,萧振对他说:"滨海的老百姓,多年来受海贼骚扰之苦,如果能够剿除海贼,愿意将全部兵力拼死一战,以使一方获得安宁。倘若战败,萧振当上奏自劾。"王交就率舰队入海,大败众海贼,其余党徒散去。萧振拿出数千缗钱犒赏王交士兵,为王交庆功,台州境内于是安宁。

庚申(十五日),捧日天武四厢都指挥使、武信军承宣使、新任江南西路兵马钤辖李横移任江南东路。

李横驻在信州的时候,正碰上贵溪魔贼密谋发难,守臣左朝散大夫季柽传文要李横统率军队以备策应,终于获得安宁。季柽又派遣离军人拱卫大夫、果州团练使、添差东南第五副将孙青统兵出战,不久平定魔贼,宋高宗于是下诏令孙青为正式副将。但是帅臣王昫奏劾季柽及知县事、左奉议郎叶颙、右朝散大夫、提举常平茶盐公事、权提刑张昌,不能事先察觉防范,致使盗贼聚集起来,三人一并被免去职务,并降二级官职。

癸亥(十八日),特进、观文殿大学士、万寿观使兼侍读秦熺,因进献书籍被晋升少保。

该年夏季,已故宰相赵鼎的儿子、右承事郎赵汾,奉送赵鼎灵柩回到衢州常山县安葬。

当时李光的案子刚刚审理完毕,然而守臣左中奉大夫章杰,与赵鼎有旧怨,章杰知道朝廷内外的士大夫平常与赵鼎有书信来往,到这时又带酒去参加赵鼎的葬礼,心想这可是难得的把柄。于是派遣统兵官同县尉翁蒙之,以搜查私酒为名,急速前往搜查捕获;他又疑心翁蒙之泄露机密,秘密派心腹去监视他。翁蒙之写了一张小纸条,派奴仆从后墙逃出,秘密告诉赵汾,催促他把箱子里的书籍、弓箭、刀剑等东西全部烧毁。等官兵到了,一无所获,章杰大怒,正要重惩翁蒙之,并追捕赵汾与已故侍读范冲的儿子范仲彪,拘留到官军住所。翁蒙之的母亲投诉于朝廷,秦桧指责章杰太过分了,宋高宗下诏令翁蒙之移任兰溪尉,将此事下达浙东安抚司处理,事情才得以平息。

章杰的门客魏揆之,愤然写信谴责章杰,向章杰长揖辞别回归故里,章杰也不加害于他。

魏掞之是建阳人,少年有大志,从师于籍溪人胡宪。

秋季,七月,癸未(初九),任命安德军承宣使、知大宗正事赵士㑹为昭信军节度使。

金国左丞相乌达早晨上朝,看到天空阴云密布将下雨,以为完颜亮不会来视朝,率先退出,文武百官都随他退出。不一会完颜亮驾临圣殿,知道乌达已率领百官退朝,很憎恶他,己丑(十五日)下令乌达外出担任崇义军节度使。任命平章政事温都思忠为左丞相,任命尚书左丞萧裕为平章政事,任命右丞相刘麟为左丞,任命侍卫亲军步军都指挥使完颜思恭为右丞,参知政事张浩服丧未满,金主命令他仍担任原职。

八月,甲辰朔(初一),宋高宗下诏,特进、提举江州太平兴国宫、连州居住张浚移住永州。

辛酉(十八日),任命权尚书礼部侍郎兼侍讲陈诚之,均州观察使、知阁门事钱恺为大金国贺正旦使和副使;任命起居舍人兼权直学士院王㬎,武节大夫、和州团练使、权知阁门事赵述被任命为贺生辰使和副使。赵述曾经被任命为使节,因病免除,这次又命令他出使。

当初,金熙宗在世时,皇太后每年送给裴磨申皇后礼物以万计,等到完颜亮当了皇帝,于是削除这项礼物。陈诚之进入金国边境,事先准备了委婉的言辞谈到这件事,金人竟不敢谈论这个问题。还朝后,宋高宗嘉奖了他。

九月,丙戌(十三日),宋高宗下诏:"金国的使节,从现在起,在淮阴县接待,命令本路转运判官沈调照例修盖馆舍。"因为金人提出,使者宜于在近便处山东邳州路一带联络接待。

从建炎初年起,大盗范汝为在建州瓯宁县偷偷发难,朝廷命令大军去讨伐。但是,这里的民风剽悍并且习惯暴乱,遇到小小的饥荒,就群起剽劫掠夺。去年因严重干旱,有个叫杜八子的人,乘机聚众闹事,攻破建阳城。这年夏季,平民张大一、李大二,又在回源洞中作乱,安抚使仍然每年调兵去攻打。

庚午(疑误),参知政事余尧弼,签书枢密院事巫伋,建议从今天起退朝后,依照旧例去太师秦桧的府第聚集议政,宋高宗同意。这是因为当时秦桧患病告假在家的缘故。

甲午(二十一日),金主完颜亮册立惠妃图克坦氏为皇后。完颜亮喜欢掩饰欺诈,当初做宰相时,妻妾不过几人,等到篡取了皇位,图克坦氏从国妃地位晋封为皇后,姜大氏、萧氏、耶律氏依次进封。后来就发泄欲望没有满足,肆意淫荡,不能自我控制。

十月,癸卯(初一),金国太师、领三省事完颜勖退休。完颜勖看到宗本因无罪被诛杀,嘴上边的胡子顿时雪白,因而上表皇帝请求告老还乡。完颜亮最初不允许,赐给他玉带,下优抚诏晓谕他,有什么大事,命令宰相到他的家里去商议,上朝可不行叩拜礼。完颜勖于是称病重,上表请求退休更加迫切,完颜亮不高兴,便同意了他的请求。后来与宗室成员一起迁往中都。

辛未(二十九日),完颜亮杀死太皇太妃萧氏,萧氏是金太祖的妃子。

完颜亮的母亲大氏已经尊封为太后,每当有宴席集会,太妃萧氏坐上座,大氏却按媳妇的礼节在一旁侍候,完颜亮对此积怨很深愤愤不平,于是诬陷萧氏隐瞒恶事,将她处死,并且处死了她的亲生儿子任王。

完颜亮想除掉辽王完颜舍音的子孙和平章政事完颜宗义等人。元帅令史约索迎合完颜亮的旨意,诬蔑左副元帅完颜杲父子谋反。约索先模仿完颜杲的签名手迹和印章,伪造完颜杲用契丹小字写的家书,写给他的儿子宗安;约索与左都监浑都一起上告完颜杲谋反,家信的封口作已经开拆的样子,信纸上隐隐约约写有白色的字,作成曾经被水浸泡使笔画清晰分明,伪称是御史大夫宗安在宫门外遗失,约索拾到,信中写了很多怨恨金主、准备谋反的话。有司审问宗安,宗安不服,说:"如果真有这样的家信,我剖开肌肉藏在血管里还怕泄露,怎么可能遗失在朝门下!"严刑拷打,宗安神色不变。宗义因受不住毒打,屈打成招。宗安说:"现在虽然无法辨明清白,九泉之下,当会与冤家对质。我死也不会屈服。"竟然不屈而死。完颜亮派人去汴京杀死完颜㭱,宗义等人被处死,将他们的全族灭绝。因魏王的孙子呼尔察喜好清高自洁,亦被诛灭全族。完颜㭱死后,金国的老将全部死光了。

十一月,癸未(十一日)国子监李琳上言说本监经史书籍尚不完备,建议下令各州有传本的征集呈上,宋高宗同意。

金国尚书左丞相刘筈被罢职,任命会宁牧图克坦恭为平章政事。尚书左丞刘麟、右丞完颜思恭被罢职,任命参知政事张浩为尚书右丞。乙酉(十三日),任命行台尚书左丞张通古为尚书左丞。

戊子(十六日),完颜亮颁布戒律,约束官吏。

己丑(十七日),完颜亮下令准许一般官员可以纳妾二人,也允许百姓纳妾。

十二月,癸卯朔(初一),完颜亮下诏去掉群臣所上的尊号。

丙午(初四),金国首次规定袭封衍圣公的俸禄标准。命令地方官员不准去百里以外的地方拜见;百里以内的,往返不得超过三天。

癸丑(十一日),金国在吉迪勒部树立金太祖射碑,完颜亮和皇后在碑下行祭奠礼。

乙卯(十三日),金有司上奏出现五彩祥云,完颜亮说:"从今以后出现五彩祥云不得上报。"

己未(十七日),金国罢黜行台尚书省事,改都元帅府为枢密院。任命左副元帅大托卜嘉为尚书右丞相兼中书令,参知行台省事张中孚为参知政事,都元帅完颜㪍为枢密使、大尉,领三省职务依旧,元帅左监军完颜昂为枢密副使,刑部尚书赵资福为御史大夫。

己巳(二十七日),金国贺正旦使正奉大夫、秘书监兼左谏议大夫萧颐等人,入紫宸殿拜见宋高宗。

绍兴二十一年 金天德三年(公元1151年)

春季,正月,乙亥(初三),金国参知政事萧玉因服丧,被下令停止服丧,恢复原职。

丁亥(十五日),金国首次在皇宫内建造由篷帐搭成的灯山。

甲午(二十二日),任命左宣义郎曹筠任知衢州。

曹筠被免除御史的官职,正好衢州郡守空缺,宋高宗晓喻秦桧:"台谏曹钧没有大的过错,应当优待他以鼓励敢于上言的人。"

金国开始设置国子监。

完颜亮对御史大夫赵资福说:"你们经常徇私情,从来没有听到弹劾的事,朕很不满意。从今往后,检举弹劾不要害怕权贵。"

乙未(二十三日),宋高宗说:"平民步孝友上书,称丹阳练湖淤塞,致使漕运艰难,可晓谕主管漕运的官员主持修治。"

完颜亮外出狩猎,宰相以下的官员送行到近郊,完颜亮停住马告诫说:"朕不惜用高官厚禄来任用你们,近来听说你们很多事情都滞留未办,你们怎能如此苟且偷安,而不关心老百姓的事呢!从现在起我将考察你们政绩的勤勉懒惰来进行奖赏与惩罚,希望你们好自为之。"

丁酉(二十五日),白色的虹霓横贯太阳。

丁未(疑误),直秘阁、知静江府方滋,升职直敷文阁、知广州;左朝散郎、广南西路转运判官陈踌知静江府。

当初,朝廷命令广西帅臣到横山寨向大理各蛮购买马匹,每年支付黄金五十镒,白金三百斤,绵绚四千,廉州盐二百万斤,从而换得一千五百匹马。良马身高五尺,一般每匹值中金五镒,其他马匹以此为准增减不等。每五十匹为一纲,选派使臣送到行在及建康、镇江府、太平、池州各军。以前,廉州的盐,分别命令钦、横、宾、贵、浔、梧、藤、象、柳、容等州转运到横山仓,然而各州向百姓摊派则苦了富裕的民户,差遣吏役则会有私贩混入,往往迟缓丢失。到陈踌做了静江知府,才开始下令由官府支付脚钱,选派使臣运盐,如果达到十万斤,就让他们送良马一纲到行在。

丁巳(疑误),完颜亮返回国都。

己未(疑误),宋高宗下令各州设置惠民局。

起初,军器监丞齐旦,建议下令各州县配制药物发给民众,皇上担心不能普及到每一户,所以下令户部照旧法执行,并下令不能取利太多。

大理少卿李如冈任权尚书吏部侍郎。

壬戌(疑误),宋高宗诏令端明殿学士、签书枢密院事巫伋充任大金祈请使,任命保信军节度使、领阁门事郑藻为副使,向金国请求放回皇室宗族成员。

该月,集英殿修撰、提举江州太平兴国宫魏矼死于衢州。

自从秦桧弄权以来,士大夫稍微不如他的意,就会遭受不测之祸。当开始议和时,魏矼与秦桧观点不一致。秦桧曾经想调他到附近州郡任职,魏矼推辞不上任,担任宫观官十余年,寓居常山寺院,屋里寂寞冷落,终于免遭秦桧祸害。

当初,赵鼎被贬官后,曾对他的门客左奉议郎方畴说:"自从我赵鼎担任宰相,除正府(指在中书门下和枢密院担任正职的)外,我所引荐的官员如常同、胡寅、张致远、张九成、潘良贵、吕本忠、魏矼,都在士大夫中有声望,他日一定可以保持节操而没有其他不好的表现。"方畴说:"请您慢慢观察。"后来,上述诸人各自长期流落在外,至死不变节,方畴于是信服了。

三月,丁亥(十六日),宋高宗说:"各州县大多在向百姓催交积欠的赋税,百姓更加穷困,朕近日在京东亲眼目睹了这种做法的危害,可以下令户部按照年份减免。"不久,户部建议从绍兴十一年至绍兴十七年,各种拖欠的钱物,除有权势的大户及公吏、卿司与上上等富裕人家尚未缴纳的数额外,其他一律免除,宋高宗同意。

壬辰(二十一日),金国扩建燕京城,修建宫殿。

夏季,四月,甲辰(初三),起居舍人、权直学士院王旿任权尚书礼部侍郎,因出使归来而得到升迁。

丙午(初五),完颜亮下诏迁都燕京。

辛酉(二十日),金国官员向完颜亮呈报营造燕京城的设计图纸,营建法则符合阴阳五行。完颜亮说:"国家命运的好坏,在于行道德而不在于择地点。如果是桀、纣居住,即使是占卜到好地方又有什么用处!如果是尧、舜居住,又何必用占卜!"完颜亮与侍臣闲谈的时候,时常把自己与古代贤君相比。

丙寅(二十五日),金国罢免每年进贡鹰隼。

闰四月,辛未朔(初一),完颜亮令尚书右丞张浩、右丞蔡松年征调各路民夫工匠修筑燕京宫室。

丙子(初六),完颜亮下令大臣用膳只进鱼肉,原来进贡的鹅鸭等全部免除。完颜亮想向世人表白自己节俭,所以有这一命令。然而他自己游猎住宿在外,经常索要贡品,一只鹅一只鹌鹑,民间的售价要几万钱,有用一头牛换一只鹌鹑的事。

宋高宗亲自考试南省举人,选拔赵逵等四百零四人为进士及第、进士出身,特奏名进士昌永等五百三十一人,武举进士汤鸶等六人,被授予不同的官职。宋高宗亲笔书写《大学篇》赐给新及第的进士。

完颜亮已诛杀了各宗室,释放了各家妇女,想把她们都纳入宫中,就指使图克坦贞暗示萧裕说:"朕的子孙不多,这些朋党家的妇女,有朕的内亲和外亲,将她们纳入宫中,怎么样?"萧裕回答说:"近来诛杀宗室,朝野内外异论纷纷,怎么能再做这样的事呢?"完颜亮说:"我早已知道萧裕不会同意。"于是指使图克坦贞以他自己的意见去劝告萧裕,一定要让萧裕等人提请此事。图克坦贞对萧裕说:"皇上的主意已定,你一定要制止,将成为祸患。"萧裕说:"皇上必不肯罢休,那就只有按他的意思办了。"图克坦贞说:"必须要你们来向皇上面奏此事。"萧裕万般无奈只有上奏请求此事。五月,将完颜宗本、完颜宗固的儿媳,完颜秉德的弟媳,一起纳入宫中。

戊午(十九日),完颜亮派遣翰林学士、崇政大夫、知制诰兼太子少詹事刘长言,和昭毅大将军、殿前右卫充龙翔军都指挥使耶律夒,来祝贺宋高宗生日。

检校少师、奉国军节度使、御前诸军都统制、知兴州吴璘,检校少保、武当军节度使、御前诸军都统制、知兴元府杨政,定江军节度使、殿前都虞候、鄂州驻扎御前诸军都统制、提领营田田师中,一并被任命为太尉。吴璘等人拜官节度使都已十年,护守边关平安无事,所以宋高宗有这一命令。

乙丑(二十六日),秦桧向皇上建议下令国子监重刻《五经》《三史》,宋高宗说:"其他缺遗书籍,也令依次雕版印刷,虽然开支很大,也在所不惜。"

六月,辛巳(十二日),宋高宗下诏:"大理寺、三衙以及各州县,每年从官钱中开支,配制药物以治疗生病的囚犯。"

秋季,七月,丁未(初九),秦桧建议不征收柴米商贩的税,宋高宗说:"很好。临安自从降低物价之后,盗贼就消失了。"

己未(二十一日),安德军节度使、开府仪同三司、权主奉濮安懿王祠事赵士㮀去世,追封为通化郡王,谥号孝敏。

庚申(二十二日),天章阁神御殿修造落成。

八月,壬申(初五),扬武翊运功臣、大傅、镇南武安宁国军节度使、充醴泉观使、咸安郡王韩世忠被任命为太师,退休。这一天,韩世忠在宋高宗赐给他的府第中去世,享年六十三岁。

韩世忠初患疾病时,宋高宗令太医赶往诊视,路上前去问候的人,络绎不绝。将士官吏们到他的卧室里询问病情,韩世忠说:"我从一个平民百姓身经百次战斗位至王公,依赖上天保佑,得以保全脑袋,躺在家中死去,诸位还为我的死而悲哀么!"

韩世忠年少时,剽悍勇猛过人,他不用鞭子和缰绳,就能骑未经驯服的马。他制造兵器,凡是现在跳跃沟堑练习骑马,瞄准目标练习射箭,以及猨猊鍪、连锁甲、掠阵斧、克敌弓,都是韩世忠遗留下来的制造方法。韩世忠曾被毒箭射穿骨头,用强弩才拔出来,十指虽然保全了,但有四个不能动,身上遭枪伤留下的疤痕就像刻的画一样。

韩世忠晚年接受朝请,闭口不谈自己的功名。自从罢免政务居住都城,高卧十年,好象不曾有过权位。而他的偏将部属,往往身居高官,仪仗相望,过年过节登门拜访他,韩世忠都一一委婉谢绝。他唯独喜好佛法,自号清凉居士。当时朝野上下害怕秦桧的权势,都趋附秦桧保全自己,韩世忠除了上朝向他作一揖之外,不再与他亲近。待韩世忠去世,宋高宗下诏要选择日期吊唁,秦桧派中书吏韩城用恐吓语言威胁他的家人,韩世忠家人辞谢此事才了结。韩世忠被追封通义郡王。他的儿子直敷文阁韩彦直、直秘阁韩彦朴、韩彦质、韩彦古,都进官两级,宋高宗又命睿思殿祗候徐伸去护送葬事。

乙亥(初八),宝文阁学士、提举江州太平兴国宫梁扬祖去世,被追赠特进、龙图阁学士,赏赐他的家银三百两、帛三百匹。

甲申(十七日),中书门下省校正诸房公事陈褒,武功大夫、惠州刺史、权知阁门事苏华,分别担任贺金国正旦使和副使;枢密院检详诸房文字陈相,武节大夫、吉州刺史、权知阁门事孟思恭,分别充任贺生辰使和副使。

辛卯(二十四日),宋高宗下诏令昭信军节度使、知大宗正事赵士㣓为主奉濮安懿王祠事。

当时有人上言说,学校的公田多被权势之家所霸占,九月,戊戌朔(初一),宋高宗对宰执大臣说:"因为不剃度俗人出家做和尚,寺庙中的田产很多都没有继承人,下令户部划拨给学校。"

庚戌(十三日),金国赐给在燕服役的民工每人帛一匹。

丁巳(二十日),扩建景灵宫,用韩世忠的受赐宅第扩建,前殿五间,中殿七间,后殿十七间,斋殿、进食殿都已备齐,一年后完工。

庚申(二十三日),右正言章厦任试右谏议大夫。

该月,签书枢密院事巫伋出使金国归来。

甲戌(疑误),宋高宗亲临太傅、醴泉观使、清河郡王张俊宅第。壬午(疑误),授予张俊太师衔,任命他的侄子龙神卫四厢都指挥使、清海军承宣使、添差两浙西路马步军副都总管张子盖为德安军节度使,其余子弟升官进职的有十三人。干办府武功大夫尚准,转任行右武大夫,管辖亲兵濠州团练使顾晖,任防御使,都是特别升迁。

该月,加封吴将甘宁为昭毅武惠遗爱灵显王。

十一月,庚戌(十四日),参知政事余尧弼被罢免。右谏议大夫章厦、殿中侍御史林大鼐,共同弹劾余尧弼邪恶贪婪,与三衙勾结,结交各州将领,朝廷议论大事则沉默不言,请求贬退他以使政府清纯。宋高宗于是下诏令余尧弼充任资政殿学士、提举江州太平兴国宫;不久免职。

处死受荫护人惠俊,因为他指责皇帝,经大理寺审讯属实。

十二月,己丑(二十三日),亲卫大夫、利州观察使马广去世。

癸巳(二十七日),完颜亮派遣骠骑上将军、殿前右副都点检鲁定方,大中大夫、右谏议大夫、秘书少监萧永祺,前来宋朝祝贺明年春节。

绍兴二十二年　金天德四年,(公元1152年)

春季、正月,丁酉朔(初一),金国众大臣请求立皇太子,完颜亮同意。戊戌(初二),初步确定太子东宫官属。定立捕获盗贼的奖赏办法。

丁未(十一日),少师、昭庆军节度使、万寿观使、平乐郡王韦渊升为太保。

癸卯(初七),太白金星经过天空。

癸亥(二十七日),完颜亮朝谒金世祖、金太祖、金太宗、金德宗陵墓;甲子(二十八日),返回皇宫。

二月,丁卯(初二),完颜亮册立皇子完颜光英为皇太子;庚午(初五),完颜亮下诏布告全国。

甲戌(初九),完颜亮前往燕京。

昭义军节度使萧仲宣的家奴告发他的主人怨恨诽谤皇上,完颜亮说:“萧仲宣的侄子萧拱,最近因诽谤罪被杀,所以诬告萧仲宣。”下令处死告发者。

庚辰(十五日),军器监丞黄然上书谈道:“沿长江一带的税务官员,近来无理征税,商贩深受其害,于是称蕲州的蕲阳、江州的湖口、池州的雁汊为大小法场,人们都在说公家得到的利益寥寥无几而大半都被官吏窃取。应该下令所属州县选派官员检查收税、放行的情况。”宋高宗同意。

壬午(十七日),宋高宗下诏在临安府修建祚德庙,这是采纳殿中侍御史林大鼐的建议。

在此之前是毁掉祚德庙改为大理寺,而林大鼐上言说:“这三个人对朝廷有大公德,毁掉祚德庙后现在神灵不安,士人百姓叫苦不迭,应该对他们晋爵加奖。”不久就进封程婴为强济公,公孙杵臼为英略公,韩厥为启佑公,升格为中祀。

戊子(二十三日),完颜亮驻泰州。

三月,庚戌(十五日),退休的徽猷阁直学士向子諲在临江军去世。

向子諲告老退休后,返回原来的隐居地玉笥,自号芗林,十五年后去世。

丁巳(二十二日),宋高宗下诏命新任司农寺丞钟世明前往福建路处理寺庙道观无人继承的田产。

当时出售允许出家为僧、道的度牒已停止了许久,僧道的门徒越来越少,福建官府贩运的官盐价格很贵,于是老百姓多私自贩盐,议论者说,私人贩盐可以行得通,于是下令钟世明前往处理。凡是僧人道士现存的,按人口发给食粮,剩余的土地收归官府。后来钟世明说,除去租赋和常住人口每年的费用外,每年可得余钱二十四万缗,宋高宗下诏交付左藏库。

戊午(二十三日),资政殿学士、提举江州太平兴国宫何铸去世,后来追谥忠敏。

己未(二十七日),秘书省校书郎董德元说:“高禖名义上是大祭祀,但禖神的神位却位于坛下,酌酒祭祀共同一套祭品,恐怕不太合适,请求与青帝分作二个坛祭祀。”宋高宗诏令礼部详细审定。

癸酉(疑误),右谏议大夫章厦任试御史中丞,殿中侍御史林大鼐任试右谏议大夫。

夏季,四月,丙寅朔(疑误),金国有司建议今年河南、河北入选人员一律送往中京登记量才授官,完颜亮同意。

丙子(十二日),端明殿学士、签书枢密院事巫伋被罢职。

巫伋与秦桧是同乡,一天,秦桧在尚书省都堂,偶尔问巫伋:"家乡有什么新事?"巫伋不敢回答,慢吞吞地说:"最近有一位算命先生从乡里来,很会算命。"他的本意是害怕涉及时事,会触犯秦桧,故意泛泛而论不切实际的事情来应付了事。哪知秦桧脸色一变对巫伋说:"这个人说您什么时候当宰相?"巫伋害怕得不敢再说下去。章厦听说这件事后,就奏劾巫伋心怀不轨,动摇政事,林大鼐也上言说巫伋贪污营私,于是将这二人升迁,而巫伋则以本职提举江州太平兴国宫;弹劾奏章再次呈上,于是被免职。

辛巳(十七日)章厦升任端明殿学士、签书枢密院事。

丙戌(二十二日),祭祀景灵宫,宋高宗下令宰执大臣分头前往。这是因为当时新宫未建成,祖宗神像都安放在西斋殿的缘故。

壬辰(二十八日),秦桧上奏说利州观察使王俊,前往岳飞军中平定骚动有功,升为浙东马步军副都总管。

庚戌(疑误),册封婕好刘氏为婉容,册封新兴郡夫人吴氏、宜春郡夫人刘氏,同为才人。皇宫中称婉容为大刘娘子,称才人为小刘娘子。

癸丑(疑误),完颜亮派遣宣奉大夫、刑部尚书、行大理卿田秀颖,安远大将军、充客省使兼四方馆副使大允,前来祝贺宋高宗生日。

襄阳发大水,平地水深一丈五尺,汉水越过城墙涌入城内。右朝奉大夫、知府事荣薿乘竹筏得以幸免,于是与转运判官魏安行一道,建议恢复环城石堤以抗洪水,宋高宗同意。第二年冬天,依照四个县的户籍数,依据田产摊派劳力,每一百亩田出一名役夫,得三千余人,减免他们田产十分之二的赋税,五十七天完工,共计用工二十五万多个,石堤长四十余里。

该月,完颜亮从泰州到达凉陉。

五月,丁酉(初三),完颜亮外出打猎;甲寅(二十日),赐给陪猎者每人一只羊。

乙卯(二十一日),完颜亮住临潢府。

丁巳(二十三日)太白金星经过天空。

六月,甲子朔(初一),完颜亮驻扎绵山。

乙酉(二十二日),供奉宋朝皇帝皇后神象于景灵宫。

戊子(二十五日),大理少卿章焘建议严格重申夏季洗刷狱具的命令,宋高宗同意。

壬辰(二十九日),起居舍人、权直学士院汤思退任权尚书礼部侍郎。

金国崇义军节度使乌达外出后,他的妻子唐古鼎格旧日与完颜亮私通,完颜亮对她念念不忘。秋季,七月,癸卯(初十)完颜亮指使唐古鼎格勒死乌达,于是把唐古鼎格纳入宫中,很快封为贵妃。

乙卯(二十二日),宋高宗下诏:"十一月祭祀永佑陵等攒宫以及检察禁地,就近委派大宗正丞冯至游前往。"旧例,太常少卿在二月、八月巡视陵园,到现在太常官全部空缺,只是以秘书省著作佐郎丁娄明兼任。丁娄明向朝廷建议,冯至游在绍兴任职,就近派遣他前往。

丁巳(二十四日),虔州军发生叛乱。

最初,江西盗贼很多,虔州最厉害,所以下令殿前司统制吴进率所部前往戍守。虔州禁军过去捕捉盗贼有功劳,由江西安抚司统领马晟统率他们,与吴进的军队互不买账。适逢步军司派将领挑选虔州禁军,然而众人都不想去。有一个叫齐述的士兵,用贿赂买通上司,挑选士兵中体格强壮的人,以追捕盗贼为名,分别前往各县。夜里,两军发生冲突,虔州禁军便攻破城门发起叛乱,杀死吴进、马晟,进而焚烧百姓房舍,驱逐官吏守臣。

八月,癸亥(初一),完颜亮狩猎图弥山。

己卯(十七日),江西安抚使张澄上言说虔州兵乱,宋高宗下诏令鄂州诸军统制田师中迅速派兵,会合张澄集合的本路兵马擒拿追捕;两天后,又派殿前司游奕军统制李耕率所部一千六百人前往讨伐。

丙戌(二十四日),尚书司封员外郎兼权国子司业孙仲鳌被任命为大金贺正旦使,阁门宣赞舍人陈靖为副使。吏部员外郎李琳为贺生辰使,忠州防御使、带御器械石靖为副使。

乙未(疑误),宋高宗下诏令殿前司左翼军统制陈敏率所部讨伐虔州叛军。

当初,叛军突围出走,径直奔南康军,寓居此地的左朝奉郎田如鳌被叛军俘获,于是叛军返回占据虔城。当时李耕初到江东,陈敏驻扎温陵,奉本路安抚司的檄文,率所部一千五百人守护闽地边境。此时领殿前都指挥使杨存中,上言说陈敏本是虔州人,并且曾于江西捕获盗贼有功,希望下令他进攻,与李耕一同讨贼,于是任命田如鳌权江西提点刑狱公事,令他到城中安抚平息乱军。

九月,甲午(初三),完颜亮到达中京,唯独将图克坦皇太后留在上京。图克坦皇太后常常忧郁害怕,每逢中京使者到来,必定换衣服等待完颜亮的命令。皇太后大氏在中京,常常思念图克坦太后,就对完颜亮说:"永寿宫待我们母子很厚,千万别忘了她。"

癸卯(十二日),右谏议大夫林大鼐上言说:"军队松懈,安逸已久,主将把精力转往其他地方。现在有的砍伐山林烧炭,有的收集木材做船筏,有的经商买卖,有的开了酒坊,有的办了当铺,名义上是供给军需,而实际上是役使士兵谋取私利,甚至有的将领还差遣侍从去做卑贱奴仆的工作,干土木一类的苦活。请求圣上诏令中外将帅遵守祖宗条法,并且将其中约束不周详的条款加以充实推行。"宋高宗下诏:"刑部核查现行条法,下发各军遵守。其中借用侍从一项,借用与被借用的人同罪。"

丙午(十五日),广州香山镇升为县。

金国尚书右丞相大托卜嘉被罢免。

戊申(十七日),桂阳监升为县。

己酉(十八日),任命殿中侍御史兼崇政殿说书宋朴为侍御史。

宋朴刚受命,就奏劾说:"端明殿学士、签书枢密院事章厦,大肆收受贿赂,引进市井无赖作为心腹。平常占据一个官位滥竽充数,看不到有什么危害,一旦遇有大的利害关系,他内怀奸邪,外行欺诈,必定会将事情弄糟。"右谏议大夫林大鼐,也谈到"章厦心胸狭小,一旦跻身于枢密院的重要地位,人们议论纷纷,都说章新妇也能做两府官员,言外之意指章厦为人处世微缩没有气质。况且他不顾公利营私舞弊,欺下瞒上,朝廷机密,没有不泄露。应该迅速加以贬责,使那些贪婪懦弱素餐尸位之辈引以为戒。"癸丑(二十二日),宋高宗下诏令章夏以本职提举江州太平兴国宫。弹劾奏章再度呈上,于是削他的职。章夏进入枢密院才九十三天。

己未(二十八日),右谏议大夫林大鼐任试吏部尚书。

尚书左司员外郎陈相任权吏部侍郎。

冬季,十月,壬戌朔(初一),侍御史兼崇政殿说书宋朴任试御史中丞。

金国派遣使者迁移太庙神主。

起初,殿前司游奕军统制李耕,左翼军统制陈敏,副将周成,鄂州副统制张训通,池州统领崔定,殿前司摧锋军统制兼知循州张宁,都率军队到达虔州城下,陈敏所部统领官元圮战死。不久,权江西提点刑狱公事田如鳌在城中,与乱贼党徒齐述谋杀首先倡乱的萧容等四十余人,就向朝廷报告说已经平定叛乱;李耕前往受降,齐述等人在城上列队叩拜,但始终不肯出城。宋高宗下诏:"如果田如鳌果真平息叛乱,应命令军队缴械后开到官军前,可免予追究。"宋高宗诏命李耕晓谕齐述等人迅速出降,就不进兵。齐述想听从命令,被他的儿子所制止,只是列队于城墙上,高喊遵命并叩拜,却始终不肯出城。这天,田如鳌自己出城与李耕相见,李耕于是留住了他。有当地父老乡亲数十人拜访李耕,请求将田如鳌放回城中,李耕将他们呵斥出去,于是他们秘密告诉李耕说叛贼已经在挖掘地道,要出来进犯官军,应该小心防范,李耕就派二百士兵送田如鳌回南康军。甲子(初三),田如鳌与左朝请郎施钜一同前往行在。

甲戌(十三日),任命御史中丞兼侍讲宋朴为端明殿学士、签书枢密院事。

忠州团练使、殿前司游奕军统制李耕任龙神卫四厢都指挥使、任知虔州。

庚辰(十九日),宋高宗下诏:责授建宁军节度副使、昌化军安置李光,依照已经降职的命令,永不起用。徽猷阁待制、知台州萧振免职。居住池州。从政郎杨炜,特许免除死罪,追缴销毁科举及第以来所接受的全部官方文字,除去吏部名籍,勒令停职,永不收用,送往万安军编管。

当初,李光任参知政事后,杨炜认为和议不对,写成书面报告想交给李光,先见到萧振就谈到了这一想法,李光没有表态。等到萧振任知台州,杨炜做了黄岩令,政绩颇有声望。萧振每次听到杨炜大谈政治无所顾忌,就击节叫好,于是举荐杨炜,又写信给浙东提点刑狱公事秦昌时,一同推荐杨炜。秦昌时是秦桧的侄子,就指使部下悄悄对萧振说:"杨炜曾经在书信中责备李光和太师,秦昌时是太师的侄儿,名义上不当去举荐他,待制您也不便去举荐他。"萧振说:"我已经答应他,岂能中途停止!"杨炜任职期间,惩治凶恶从不宽免。不久县令得到杨炜的书稿,有诋毁秦桧的话,秦昌时将此事报告朝廷,宋高宗诏令送大理寺,下令提刑司派兵大肆搜查杨炜家,找到了他草拟的万言书,言词更加激烈。杨炜一一供认说:"绍兴八年在临安府,听说朝廷与邻国讲和,我觉得不对,想发表看法,就写成书面文字上呈李光,说到改变讲和的想法,以上呈朝廷采用。当时萧振任侍御史,我先见到萧振便说了书稿中的意思。萧振回答说:'我也担心敌人难以相信,你书中的意见很好。'于是写成书稿上呈李光,李光看完书稿,派人传话给我,告诉说来不及回答。"刑部和大理寺上奏说杨炜应当处死刑,宋高宗特别宽恕了他。杨炜的兄长左从政郎杨炬,也因连坐被除去吏部名籍。杨炜徒步前往被贬地，到抚州，患了病，士大夫邹陶看见了，把他抬到家中，赠给他白金作为路费，才得以到达被贬地。

甲申（二十三日），完颜亮处死金太祖女儿长公主乌鲁，因为她的侍女到皇后那儿诬陷她，并且杖责她的丈夫图克坦恭，罢免他平章政事的职务。

该月，李耕开始受命担任虔州知府。

李耕率兵前往攻城，还希望能招安乱军，乱贼说："我们当初只是因为与吴统制手下的人争斗才发乱，现在已错到这个地步，纵使招安，朝廷也不会赦免。"当时城中百姓都已绝粮，每天为贼寇服役的，才能得到一二升粮食，偶尔有人出来投奔官军，又被贼寇杀死。宋高宗对宰执大臣说："前天差遣李耕任知虔州，很恰当，使老百姓知道虔州已有知州，人心有所归属。"

十一月，戊戌（初八），完颜亮任命咸平尹李德固为平章政事。

辛丑（十一日），金国派人到乌尔古德垾勒部和富楚购买珍珠，禁止百姓私下贸易，仍通告两路百姓采珠。

戊申（十八日），在南郊合祭天地，大赦天下。

金国任命前平章政事图克坦恭为司徒。

乙卯（二十五日），吏部尚书兼侍讲林大鼐上言："武林是钱塘江与山岭的会合处，钱塘江的大潮，一日内将两次到来。最近江水决堤失道，沙石堆积如山，潮水拍打沙洲，奔腾呼啸，全城的人都不能安睡。即使下诏令守臣漕司专门负责修理堤坝，天天修筑营建，刚刚修好即刻就溃决了，支撑不了一年。臣觉得南到龙山，北到红亭，二十里之间，是潮水势头奔腾冲刷的下流，正是迎面受害的地方，即使修治也没有什么用。尚望挑选通晓地理水文的能干士人，专门设置一司，广泛征询当地老人，研究上流的利弊、古今脉络，然后兴修工程。有人说钱塘江的潮水，应有神物在主宰。可以翻修庙宇，建造浮塔，交付有司去办，这也是很容易的事。"当时六和塔损坏，伍员祠又被火焚烧，所以林大鼐谈到此事。宋高宗说："朕担心江水泛滥成灾，可下令乘冬月江水不泛滥时，整治较容易。另外，原有塔庙，暗中辅助治水，虽然出自小说家之口，也不可废除，应当交付礼部详细审议。"

丁巳（二十七日），太常卿徐宗说任权尚书户部侍郎。

这一天，忠州团练使、知虔州李耕率兵入城，虔州贼寇被平定。

当时，各路军马已经聚集，而江西马步军副总管刘纲，右宣教郎、统押池州土豪乡兵邓酢，都在军中。李耕招降贼军，贼军不听命令，李耕就率军队登上城楼搜剿叛军，将他们全部处死。

宋高宗说："朕考虑虔州乱贼闭城已四十天，城中食物匮乏，可传令杨存中速派援军，使良民免除困苦。"于是派遣前军统制苗定等人率兵五千，马匹四百，前往虔州听从李耕指挥。苗定等人还未到达虔州，听说叛贼已被平定，便返回原地。

叛贼开始发乱时，其党徒侵扰临近州郡，有人就劝左朝散郎、南安军居住张九成离开避敌，张九成说："我被贬谪到此地，只有一死，还躲避什么！"守臣抗敌没有好办法，就向张九成请教："此处为广南要冲，如果失守，那么本郡以南都将成为叛贼的控制区，'有什么抗敌良策？"张九成说："本郡地处偏远，兵力弱小，很难与敌人正面较量。现在听说乱贼在水南结寨,我方可以募集会游泳的人在晚上用火攻击敌人,使敌人惊恐不已,并且会连夜逃跑。"守臣采用了张九成的计策,乱贼果然逃走了。

虔州乱贼尚未平定时,右宣教郎、知醴陵县鲜于广说:"五日内乱贼可到达我县。"便上报知府,请求率领军队守卫在边境上,把百姓的租粮留在县里作为军粮。提点刑狱司命令五里修一座哨楼,百姓轮流在上面守卫,鲜于广说:"这样做就要修六十八座哨楼,百姓负担太重,不可行。并且强盗一定会从官道上来吗?"他独自挑选乡里保甲中的强壮汉子,再选择其中的六十个豪杰来统领他们,强盗也不敢来侵犯。

十二月,己巳(初九),太尉、安庆军节度使、提举万寿观邢孝扬去世,谥号忠靖。

戊子(二十八日),完颜亮派遣太子詹事张利用,广威将军、尚书兵部侍郎兼四方馆副使耨盌温都子敬,前来大宋朝祝贺明年春节。

庚寅(三十日),金国太尉、领三省事、枢密使完颜衮去世。完颜衮是完颜亮的弟弟。

续资治通鉴卷第一百三十

中华传世藏书

【原文】

宋纪一百三十　起昭阳作噩【癸酉】正月,尽旃蒙大渊献【乙亥】十二月,凡三年。

高宗受命中兴全功至德　圣神武文昭仁宪孝皇帝

绍兴二十三年　金贞元元年【癸酉,1153】　春,正月,辛卯朔,金主以弟衮殁于除夕,不视朝。

丙午,金以中京留守高祯为御史大夫。

己酉,降授平海军承宣使、提举台州崇道观、台州居住李显忠,复宁国军节度使,以赦叙也。

是月,昭信军节度使士衾薨,追封安化郡王,录其子右宣教郎不谂三人为直秘阁,它子弟选官改秩除官者七人,恤典如执政。

二月,庚申朔,诏岳阳军节度使、开府仪同三司、万寿观使士樽权主奉濮安懿王祠事。

金主自中京如燕京。

庚午,斋虔州军贼黄明等八人于市。明等据州城凡百有十二日。

辛未,改虔州为赣州,改虔化县为宁都。

癸未,龙神卫四厢都指挥〔使〕、忠州团练使、殿前司游奕军统制、措置盗贼、节制军马、知赣州李耕,以功为金州观察使,于是诸将刘纲等九人各迁二官,将士受赏者万三千百二十有四人。

三月,丙午,光山军节度使、开府仪同三司、提举西京嵩山崇福宫齐安郡〔王〕士優薨于建州,赠太傅,追封循王,六子皆进官二等,女封郡主,诸妾受封者五人。

辛亥,金主至燕京,备法驾。

壬子,故武功大夫、贵州刺史杨宗闵,赐谥忠介;故敦武郎、知麟州建宁寨杨震,赐谥恭毅。二人,杨存中祖、父,皆以死事故,用存中请也。

甲寅,金主亲选良家子百三十馀人充后宫。

乙卯,金以迁都诏中外,改元贞元,内外文武皆进官一等。

改燕京为大兴府,号中都,(为)中京(会宁)〔大定〕府为北京,汴京开封府为南京,而旧辽阳府为东京,大同府为西京如故。〔削上京之名,止称会宁府。〕分蕃、汉地为十四路,置总管府。名都城门十二,命近臣书之。名太(府)庙曰衍庆宫,以奉太祖、太宗、德宗神主;又作原庙于其东,以奉太祖已上。

旧取士无殿试,金主始复之。凡乡试三人而取一,府试四人而取一。府试分六路:河北及燕人于大兴,辽之东北于会宁,山后及河东人于大同,山东人于东平,河南人于开封,关中人于河中,通以五百人为合格,殿试又黜之,榜首即授奉直大夫、翰林应奉文字。后又罢经义、神童等科,惟以词赋、法律而已。

金之用刑,旧有沙袋,熙宗立,始去之,金主立,又去杖脊,凡徒刑,止以荆决臀,为其近人心故也。徒刑五等,自五年至一年,皆使之杂作,满则释之。

金主又定车盖之式,后妃车饰以金,三品以上饰以银;自后妃至五品皆朱轮,六品以下,黑、绿而已。旧亲王、宰执用紫盖,金主使削之,惟太子用红,诸妃用紫,三品以上用青,皆以罗;四品、五品用青,皆以绢;馀不得用。

丙辰,金以司徒图克坦恭为太保、领三省事,平章政事萧裕为尚书右丞相兼中书令,右丞张浩、左丞张通古为平章政事,参知政事张中孚为左丞,萧玉为右丞,平章政事李德固为司空,左宣徽使刘筈为参知政事,枢密副使昂为枢密使,工部尚书布萨思恭为枢密副使。

夏,四月,戊寅,金皇太后大氏崩。

大氏病笃,以不得一见图克坦太后为恨,临终,谓金主曰:“汝以我之故,不令永寿宫偕来中都。我死,必迎致之,事永寿宫当如我。”金主不听。

辛巳,诏:“诸州编管、羁管人,在法止许月赴长吏呈验。闻比来囚禁锁闭,甚于配隶,可令遵守成宪。如走失捉获人,即具名申尚书省别遣。”

五月,庚子,右朝奉郎、就权利州东路安抚司主管书写机宜文字杨庭言:“兴元府褒斜谷有古六堰,溉民田甚广。兵火后,修不以时,水至辄坏。若全以食水户修葺,恐民力重困,请每遇夏月水泛,于见屯将兵内,差不入队兵卒并手修葺。”

兴元自兵乱以来,城内生荆棘,官民皆茅屋,而帑藏寓僧舍。自太尉杨政再为帅,以次缮治,至是一新,户口浸盛,如承平时矣。

政尝葺学舍,府学教授青神唐迪请增学田以广养士,政从之。时有欲以学田馈军,迪言:“大军岁费四千万,而欲取学田以当赋,何啻九牛一毛,又岂爱礼存羊之意邪?”论者乃止。

辛亥,金国贺生辰使副中奉大夫、秘书监兼右谏议大夫赫舍哩大雅,广威将军、尚书兵部郎中兼四方馆副使萧简,见于紫宸殿。

金主以其弟衮名声彰著,忌之。衮不自安,尝召日者问休咎;家奴希旨,乃上急变,言衮召日者问天命。金主使高祯等就鞫之,无状。金主怒,械衮至中都,不复究问,斩于市,牵连者皆磔之。

六月,己卯,潼川大水,涪江涨。

庚辰,沅江武陵涨水坏城,人争保城西牛头山,〔山〕趾大溪桥坏,水大至,平地丈五尺,死者甚众。

金主以京城多隙地,夏间以赐朝官及卫士等,秋,七月,戊子朔,仍命征钱有差。

庚寅,右正言兼崇政殿说书史才试右谏议大夫。

戊申,将作监主簿孙寿祖言:“湖、广、夔、峡,多杀人以祭鬼,近又寖行于它路,浙路有杀人而祭海神,川路有杀人而祭盐井者,请饬监司、州县严行禁止,犯者乡保连坐,仍毁巫鬼淫祠以绝永害。"从之。

是月,少保、昭化军节度使、醴泉观使、驸马都尉、和国公潘正夫薨于婺州,赠太傅,官给葬事。

八月,壬戌,金司空李德固卒。

金禁中都路捕射獐、兔。

乙丑,岳阳军节度使、开府仪同三司、权主奉濮安懿王祠事士樽薨,赠太傅,追封韶王。其弟降授郢州防御使士嵊,特复潭州观察使;诸子迁官除职者九人。后谥恭靖。

丙寅,左宣教郎王孝廉,谋据成都以叛,伏诛。

初,孝廉之父辅,以左朝请大夫守合州,所为不法,左朝奉大夫史聿,时为潼川府路转运判官,置狱遂宁府,穷治之,孝廉与其兄孝忠俱就逮,辅忧惧死,聿移夔州路转运判官,狱遂不竟。孝廉兄弟知不免,阴怀异志,即归所寓成都府,破产招集亡命,多市弓剑,离军使臣之无赖者,靡然从之。会敷文阁待制、四川安抚制置使兼知成都府曹筠,当以是夕诣府学斋宿,孝忠与其徒谋夜袭杀筠,然后举事。忠训郎王立知其谋,与孝忠家婢潜以告本路兵马钤辖、左武大夫、英州刺史柳俏,俏率兵,以素队往捕,孝忠与其徒相拒敌,官军死者三人,俏走趋府治。筠卧阁不出,都钤辖司干办公事张行成排闼入告,始授甲讨之。孝忠等徐步至府门纵火,人皆惊散。孝忠等驰出衙西门,官军蹑其后,孝忠、孝廉登楼自刎死。孝忠子大正与其党樊常等五人为官军所杀,馀党二十八人走郫县,后四日,皆伏诛。诏劾孝忠反状,馀者悉原之。官军以次受赏,凡为钱万七千馀缗。

戊寅,金赐营建宫室工匠及役夫帛。

己卯,侍卫亲军步军副都指挥使、武安军承宣使、充福建路马步军副都总管王贵卒。

甲申,武功大夫、吉州团练使、新江南西路马步军副总管丁禩,移江南东路副总管,建康府驻劄。

九月,甲午,帝谓大臣曰:"闻潼川路水灾,可令转运、常平司将被灾州县检放赈济。"

冬,十月,丁巳,金主猎于良乡,封料石冈神为灵应王。金主自言曩时尝过此祠,持杯珓祷曰:"使吾有天命,当得吉卜。"投之,吉。又祷曰:"果如所卜,它日当有报,否则毁尔祠。"投之,又吉,故封之。金主托言神道,欲掩其弑逆也。戊午,还京。

以御史施钜为大金贺正旦使,带御器械冀彦明副之。行尚书左司郎中吴槩为贺生辰使,阁门宣赞舍人张彦攸副之。

壬戌,金有司言太后园陵未毕,合停冬享及祫祭,从之。

戊辰,端明殿学士、签书枢密院事兼权参知政事宋朴罢。

右谏议大夫史才,论朴执政无状,朴闻,求去;章四上,诏以本职提举江州太平兴国宫。才言:"朴为士而不自爱,乃从道罔俗,与丐者为伍,其欺诞罔俗,罪不在少正卯之下,请重行窜逐。"诏朴落职。

壬申,右谏议大夫兼侍讲史才充端明殿学士兼签书枢密院事。

安远军承宣使、同知大宗正事士街,权主奉濮安懿王祠事。

丙子,金诏:"内外官闻大功以上丧,止给当日假;若父母丧,听给假三月。著为令。"

丁丑,侍御史兼崇政殿说书魏师逊试御史中丞。

十一月,丙戌朔,定州献嘉禾,金主命自今不得复进。

己丑,金瑶池殿成。

戊戌,金左丞相温都思忠致仕。

壬寅,诏为张叔夜立庙于信州永丰县墓侧,赐名旌忠。叔夜之死也,其家葬衣冠于县境,至是乃请建祠焉。

乙巳,以经筵彻章,赐宰执、讲读、说书、修注官御筵于秘书省,自是以为故事。

庚戌,金以枢密使昂为左丞相,以枢密副使布萨思恭为枢密使。

十二月,戊午,金主特赐贵妃唐古鼎格家奴孙梅进士及第。

壬戌,金以签书枢密院事宁萨为枢密副使。

癸亥,太傅、昭庆军节度使、万寿观使、平乐郡王韦渊薨,赠太师,命睿思殿祗候王晋行护丧事。

辛未,金主封所纳皇叔曹国王宗敏之妃阿兰为昭妃。既而大臣奏宗敏属近行尊,不可,乃令出宫。

丙子,金贵妃唐古鼎格坐与旧奴奸,赐死。

癸未,禁民车服逾制。

闰月,癸巳,金定社稷制度。

丙申,命检正都司官详定郡守所上利病以闻。

癸卯,金以太保、领三省事图克坦恭为太师,领三省如故。命西京路统军达兰、西北路招讨使萧怀忠等巡边。

庚戌,金使宣奉大夫、尚书左丞蔡松年等来贺正旦。

绍兴二十四年　金贞元二年【甲戌,1154】　春,正月,甲寅朔,金主不豫,不视朝。

庚申,金尚书右丞相萧裕,以谋反诛。

金主待裕甚厚,而裕自以专擅权势,虑金主疑己,又以金主嗜杀,恐及祸,乃与前真定尹萧冯嘉努、博州同知约索谋立亡辽豫王延禧之孙。遣人结西北路招讨使萧怀忠。怀忠依违其间,既而上变,金主使宰相问裕,裕即款伏。金主甚惊愕,犹未尽信,自引问之,裕曰:"大丈夫为事至此,又岂可讳!"金主曰:"汝何怨于朕而作此事?"裕曰:"陛下与唐古辨及臣约同生死,辨以强忍果敢致之死,臣皆知之,恐不得死,所以谋反,幸求苟免耳。太宗子孙无罪,皆死臣手,臣之死亦晚矣。"金主曰:"杀太宗诸子,岂独在汝,朕为国家计也。"又曰:"自来与汝相好,今令汝守祖墓。"裕固请死,金主遂以刀割左臂,取血涂裕面,谓之曰:"汝死之后,当知朕本无疑汝心。"裕曰:"久蒙陛下非常眷遇,自知错谬,虽悔何及?"金主哭送裕出门,杀之,并诛约索等。

癸酉,初诏郡国同以中秋日试举人。旧诸州皆自选日举士,故士子或有就数州取解者,至是禁之。

丙子,封婉容刘氏为贵妃。

二月,甲申朔,金以平章政事张浩为尚书右丞相。甲午,以尚书右丞萧玉为平章政事,前河南路统军使张晖为尚书右丞,西北路招讨使萧怀忠为枢密副使。

三月,己未,诏:"太尉、御前诸军都统制吴璘、杨政郊恩荫补,特依杨存中例于文资内安排。"

辛酉,帝御射殿,策试正奏名进士,策问诸生以师友之渊源,志所欣慕,行何修而无伪,心何治而克诚。进张孝祥为第一,以下三百五十六人及第至同出身。

壬申,鄂州驻劄御前诸军都统制田师中奏武冈军猺人杨再兴已就擒。

刘旦之帅潭也,再兴既还建炎初所侵省地,至是八年,犹抄掠不已,师中遣前军统制李道讨之。帝览奏曰:"方国家闲暇之时,寇盗窃发,擒之足以靖民。可如所请,令槛赴行在。"时再兴已老,诸子惟正修聚人最多,颇奸猾,而正拱者最凶悍。于是再兴与正拱兄弟皆得,正修继就擒。

先是吉州盗胡邦宁攻劫郴、桂二州之间,破安仁县,提刑司遣土兵射士捕之,为所败,未敢进。

丙子,特奏名进士吕克成以下四百三十四人,武举进士郑砡等十六人,特奏名二人,授官有差。

丙戌,金主幸大兴府及都转运使司,荐含桃于衍庆宫。

夏,四月,己丑,帝诣景灵宫朝献。

乙巳,进士孔搢为右承奉郎,袭封衍圣公。先是搢之父右宣教郎衍圣公玠卒,衢州守臣以闻,故有是命。

五月,癸丑朔,日有食之。

丁卯,金始置交钞库。

戊辰,中书门下省检正诸房公事施钜权尚书吏部侍郎。

辛未,金主遣金吾卫上将军、工部尚书耶律安礼,正议大夫、尚书吏部侍郎许霏,来贺天申节。

金太原尹图克坦额埒楚克,自谓有佐命功,受铁券,凶很益甚,奴视僚属,动加箠楚。尝问休咎于人,誉者言其当有天命,额埒楚克喜,以语卜者王鼎。鼎上变,额埒楚克伏诛。金主复命其子乘传焚其骨,掷水中。

六月,癸巳,端明殿学士、签书枢密院事史才罢。

御史中丞魏师逊,劾才"受李光荐得改秩,迨今阴相交通,谋为国害,屡遗书问,不惮数千里之远,凡光所厚者悉与结托,包藏祸心,自为不靖。"右正言郑仲熊亦言:"李光曩知温州,孙仲鳌掌其表章,才用其荐书以改秩。及今得路,遂与仲鳌及光所厚者互相交结,密通光书于万里之外,盖欲阴连死党以摇国是,请亟行窜除。"才闻,乃再章求去。初命以旧职提举江州太平兴国宫,师逊等再论,遂落职。

甲午,御史中丞兼侍讲魏师逊充端明殿学士、签书枢密院事,寻兼权〔参〕知政事。

甲辰,保宁军承宣使、主管侍卫马军司公事成闵为庆远军节度使,以积阀迁也。

秋,七月,癸丑,安民靖难功臣、太师、靖江、宁武、靖海军节度使、醴泉观使、清河郡王张

3013

俊薨于行在,年六十九。帝曰:"张俊遽亡。曩者张通古来,俊极宣力,与韩世忠等不同,恩数宜从优厚。"遂赐貂冠、朝服、刀剑,命内侍省押班张去为护葬事。

俊晚年主和议,与秦桧意合,帝厚眷之。其麾下将佐,若杨存中、田师中、王德、赵密、刘宝,皆建节钺,或至公师,幕府诸僚为侍从、帅守者甚众。

庚申,金初设盐钞香茶文引印造库使副。

乙亥,帝谓大臣曰:"莫公晟以丹州归顺及进马,可检拟取旨施行。"

先是公晟自宣和以来,屡为边患,岁调官军防守。至是直秘阁、知靖江府兼主管广西经略司公事吕愿中言:"公晟献马三十匹,且遣其部落七百馀人至靖江府,与经略司属官歃血而盟,诸蛮愿以二十七州、一百三十五县为本路羁縻,实为熙朝盛事。"丙子,帝谓大臣曰:"得丹州,非以广地,但徭人不作过,百姓安业可喜。"乃诏公晟以南丹州防御使致仕,其子延沈为银青光禄大夫、检校太子宾客、使持节南丹州诸军事、南丹州刺史、知南丹州公事、武骑尉,其馀首领并推恩。愿中又画图进呈,帝曰:"且喜一方宁静。"秦桧曰:"陛下兼怀南北,定计休兵,小寇岂敢不服!"帝曰:"若非休兵,安能致此!"于是铸羁縻粲州县印一百六十二,给之。

先是贺金国正旦使施(臣)〔钜〕将归,金主使左宣徽使敬嗣晖问之曰:"宋国几科取士?"对曰:"诗赋、经义、策论兼行。"又曰:"秦桧作何官?年几何?"对曰:"桧为尚书左仆射、中书门下平章事,年六十五矣。"金主复使人谓之曰:"我闻秦桧贤,故问之。"桧阴挟金人为重,帝堕其术中,终不悟。

丙子,金参知政事耶律恕罢。

戊寅,帝幸张俊第临奠。诏:"俊侄右宣教郎子安等五人,各进一官,诸婿直徽猷阁韩彦朴、直秘阁刘尧勋、杨儇,并进一官,升一职。"

八月,丙午,礼部拟定故太师、清河郡王张俊赠典,乞依韩世忠例。

先是帝谕秦桧曰:"武臣中无如张俊者,比韩世忠相去万万,赠典宜令有司检讨祖宗故事,务从优厚。"及是进呈,帝曰:"俊在明受间有兵八千,屯吴江,朱胜非降授指挥,与秦州差遣,俊不受。进兵破贼,实为有功,可与赠小国一字王。"于是封循王。自淳化以后,异姓不封真王,其追封自俊始。俊葬无锡县,比葬,自行朝至无锡,将相、州郡祭之者接迹,江左以为荣。后谥忠烈。

戊申,金以御史大夫高桢为司空,御史大夫如故。

九月,己未,金主击鞠于常武殿,令百姓纵观。

辛酉,金以吏部尚书萧(颐)〔赜〕为参知政事。

癸亥,金主猎于近郊。

乙丑,大理寺丞环周言:"临安、平江、湖、秀四州,低下之田多为积水浸灌。盖缘溪山诸水,接连并归太湖,自太湖水分为二派,由松江入海,东北由诸浦注之江。其松江泄水,诸浦中惟白茅一浦最大,今为泥沙淤塞,每岁遇暑雨稍多,则东北一派,水必壅溢,遂至积浸,有伤农田。请令有司相视,于农隙开决白茅浦水道,俾水势分派流畅,实四州无穷之利。"诏转运司措置。

丁卯,金太师、领三省事图克坦恭卒。

乙亥,诏建天章等六阁。

冬,十月,庚辰朔,金广宁尹韩(正)〔王〕亨见杀。

亨之赴广宁也,金主使罗卜藏为同知,使伺动静,且构成其罪。亨待之厚,罗卜藏不忍发,金主使人促之,罗卜藏乃诱亨之家奴言亨怨望,且欲刺金主,鞫之,不服。罗卜藏夜至囚所,使人蹴其阴,杀之。

亨材武似其父宗弼,击鞠为天下第一,马无良恶皆如意,持铁锤击野兽,洞中其腹,积为金主所忌,故不免。

国子司业沈虚中为贺金国正旦使,敦武郎张抡副之;尚书左司郎中张士襄为贺生辰使,阁门宣赞舍人张说副之。

庚子,金左丞相致仕温都思忠起为太傅,领三省事。

十一月,甲寅,权尚书刑部侍郎韩仲通权刑部尚书,权户部侍郎徐宗说试兵部侍郎,(右)〔左〕正言兼崇政殿说书郑仲熊权吏部侍郎,直显谟阁、知临安府曹泳〔权〕户部侍郎兼权知临安府。时徐宗说久病,故以泳代之。

乙丑,端明殿学士、签书枢密院事兼权参知政事魏师逊仍旧职,提举江州太平兴国宫。

殿中侍御史董德元劾师逊嗜利怀奸,不恤国事,师逊乃抗章求去,遂罢之。

丁卯,权尚书吏部侍郎施钜参知政事,权尚书吏部侍郎郑仲熊为端明殿学士、签书枢密院事。

自秦桧专国,士大夫之有名望者,悉屏之远方。凡龌龊委靡不振之徒,一言契合,率由庶僚一二年即登政府,(乃)〔仍〕止除一厅,谓之伴拜。稍出一语,斥而去之,不异奴隶,皆褫其职名,阁其恩数,犹庶官云。故万俟禼罢至此十年,参预政事之臣才四人而已。

戊辰,少保、观文殿大学士、充万寿观使兼侍读、提举秘书省秦熺,加恩迁少傅,封嘉国公。

辛未,敷文阁待制、提举佑神观兼实录院修撰秦埙试尚书工部侍郎。

是月,金初置惠民局。

十二月,己卯朔,清远军节度使、侍卫亲军马军都虞候、荆湖北路马步军副都总管王德薨于荆南府,赠检校少保。后谥威定。

乙酉,金以太傅温都思忠为太师,领三省事如故;平章政事张通古为司徒,平章政事如故。

丁亥,降授右朝奉郎勒停人王趯,追三官,依旧勒停,特除名,送辰州编管,以趯前知雷州与李光通书及差兵级应副使唤也。

郑仲熊之为谏官也,论光海外罪人,擅离受责之地,逃匿趯家。时趯坐与光通书,停官未叙。乃诏湖南、广西宪臣亲往捕光,押还地分,仍逮趯赴大理狱。既而究治,事皆虚,特有是命。

乙巳,金主使骠骑上将军、签书枢密院事白彦恭、中散大夫、守右谏议大夫、充翰林待制、同知制诰胡励,来贺来年正旦。

是岁,金主命诸从姊妹皆分属妃位。宗本之女出入贵妃位,宗望之女、宗磐之女孙出入昭妃位,宗弼、宗隽之女出入淑妃位。卧内遍设地衣,裸逐为戏。尝对其嬖幸张仲轲与妃嫔亵渎,仲轲但称死罪,不敢仰视。又尝令仲轲裸形以观之,侍臣往往令裸裼,虽图克坦贞亦不免。故事,凡宫人在外有夫者,皆听其出入,金主欲率意幸之,尽遣其夫往上京,妇人皆不听出。

又杂置伶人及唐古辨、乌达等之家奴,皆列宿卫,有侥幸至一品者。左右或无官职人,或以名呼之,即授以显职,金主谓其人曰:"尔复能名之乎?"尝置黄金祸褥间,喜之者令自取之,其滥赐如此。

金济南尹葛王褒妃乌凌阿氏,事舅姑孝谨,治家有叙,甚得妇道,金主使人召赴中都。妃念若身死济南,金主必杀葛王,或奉诏去济南而死,王可以免,谓王曰:"我当自勉,不可累大王也。"妃既离济南,从行者皆知妃必不肯见金主,防护甚谨。行至良乡,去中都七十里,防者稍缓,妃得间即自杀。金主犹疑褒教之,旋改褒为西京留守。

绍兴二十五年 金贞元三年【乙亥,1155】 春,正月,辛酉,金以判东京留守大托卜嘉为太傅、领三省事。

辛未,中侍大夫、保宁军承宣使、鄂州驻劄御前军统制李道,落阶官,加龙神卫四厢都指挥使,将士迁官者五千七百七十有二人,以收捕猛人杨再兴之劳也。

二月,壬午,金以左丞相昂为太尉、枢密使,以右丞相张浩为左丞相兼侍中,枢密使布萨思恭为右丞相兼中书令。尚书左丞张中孚罢,以右丞张晖为平章政事,〔参知政事〕刘筹为左丞,参知政事萧(颐)〔颐〕为右丞,吏部尚书蔡松年为参知政事。

乙未,捧日天武四厢都指挥使、镇江府驻劄御前诸军都统制刘宝为安庆军节度使,龙神卫四厢都指挥使、建康府驻劄御前诸军都统制王权为清远军节度使,皆以总戎十年故也。

金主御下严厉,亲王大臣,未尝假以颜色。会磁州僧法宝欲去,张浩、张晖欲留之,金主闻其事。三月,壬子,诏三品以上官上殿,责之曰:"闻卿等到寺,僧法宝正坐,卿等皆坐其侧,殊失大臣礼。"召法宝诘之,法宝战惧不知所为,金主曰:"长老当有定力,乃畏死耶?"杖法宝二百,浩、晖各二十。

乙卯,金以大房山云峰寺为山陵,建行宫其麓。

夏,四月,丁丑朔,金境昏雾四塞,日无光,凡十有七日。

甲申,安南入贡,诏广西帅臣差熟事近上使臣伴送赴行在。

乙未,参知政事施钜罢。

先是侍御史董德元,右正言王珉,共劾钜罪。德元言:"臣闻国朝赵普有佐命之功,而卢多逊阴陷之;寇准有澶渊之功,而丁谓阴陷之。后来事体虽终归于正,当时不能无伤于国体。钜顷为小官,常与李光游,后为何铸引用,铸既被斥,钜尝怏怏。钜尝与一猾僧往还,及居府第,频以书简传人,不知所谋何事,深恐倾陷君子有如卢多逊、丁谓之所为。"珉劾钜慢易宗庙,与僧宗喜往来,共为奸谋,有不可测。钜再章求去,初罢为资政殿学士、提举江州太平兴国宫,章再上,遂夺职。

丁亥,鄂州驻劄御前诸军都统制田(思)〔师〕中等言武冈军徭人已平,请于其所侵省地置一县,以新宁为名,从之。

己丑，右通直郎、通判广州刘景知台州。景，旦弟也。

时台州阙守，州人诣御史台举右朝请大夫、通判州事管镐。镐，师仁兄孙也。侍御史董德元奏："罪人李光之子名孟津者，其继母乃镐之妹，故鼓率士民，举镐为知州，镐纵而不禁。请将镐先次放罢，以破其奸计，并议孟津鼓煽之罪。"辛卯，诏镐放罢，孟津绍兴府羁管。

李光之得罪也，其弟宽亦被罗织，除名勒停。长子孟传、中子孟醇皆侍行，死贬所。仲子孟坚以私史事对狱，掠治百馀日，除名，编管。孟津，其季也，至是亦抵罪，田园居第悉籍没，一家残破矣。

辛丑，敷文阁直学士王会复为尚书兵部侍郎。

五月，丁未朔，日有食之。

癸丑，金南京大内火。

乙卯，金主命判大宗正事如上京，奉迁太祖、太宗梓宫。

乙丑，金主使正议大夫、守秘书监兼右谏议大夫李通、广威将军、充群牧副使耶律隆，来贺天申节。

丙寅，金主如大房山，营山陵。

六月，庚辰，端明殿学士、签书枢密院兼权参知政事郑仲熊罢。

侍御史董德元言："仲熊素行贪秽，众所共闻。旧在李光门下，赃污狼籍，密令佺时中与背驰之党日夕相通，招权纳货，几无虚日。近者沈长卿以谤讪被乡人讼送棘寺，而陈祖安最为长卿密交，仲熊令时中营救祖安，故言语文字，州县并为隐匿，及至棘寺，得以脱免。"右正言王珉言："李光，误国之大奸也，仲熊未第时，尝托其门，光与之定交，沈长卿与光庶婢之子陈祖安为狎邪之友。如谤讪之事，仲熊特为救免，深恐启后来狂言妄语之弊。"德元等又言："近日大金遣使庆贺生辰，南北敦好已久，陛下屡降诏旨，馆遇使客，务加周旋。仲熊既被旨押宴，对客謇傲，略无和颜，酒行匆遽，顷刻而罢。误国之深，莫甚于此，请即行罢黜，屏之远方。"疏六上，仲熊亦求去，乃诏仲熊提举江州太平兴国宫，职名依旧。

辛巳，尚书礼部侍郎兼权直学士院汤思退为端明殿学士、签书枢密院事兼权参知政事。丁亥，侍御史兼侍讲董德元试尚书吏部侍郎，右正言兼侍讲王珉试礼部侍郎。

丙戌，金主登宝昌门观角觝，百姓纵观。

乙未，金主命右丞相布萨思恭等奉迁山陵及迎永寿宫太后。

癸卯，诏改岳州为纯州，岳阳军为华容军。

先是左朝散郎姚岳言："乱臣贼子侵叛，州郡不幸污染其间，则当与之惟新。今岳飞躬为叛乱以干天诛，湖、湘、汉、沔，皆其生时提封之地，而巴陵郡独为岳州，以叛臣故地，又与姓同，顾莫之或改。"事下本路诸司。于是直秘阁、知荆南府孙汝翼等言："按《水经》，汨水西径罗县，与纯水合。罗县，即今巴陵郡是也。纯之为字，有纯臣之义焉，其言纯粹、纯白、纯常，皆静一不杂之义，足以洗叛臣之污。"故有是命。

岳尝为飞幕属，至是自谓非飞之客，且乞改州名，士论鄙之。

秋，七月，戊申，宰执进呈疏决文字。帝曰："行在刑狱，皆已蕃充，外路须令宪臣躬诣州县，庶无冤滥。"

辛酉,金主如大房山,杖提举营造官吏部尚书耶律安礼等。

甲戌,静海军节度使、安南都护交趾郡王李天祚,进封南平王。

乙亥,金主还京。八月,壬午,复之大房山。甲申,启土,赐役夫人绢一匹;是日,还宫。

国子司业兼权直学士院沈虚中权兵部侍郎。

大理卿张柄权刑部侍郎。

丙戌,尚书吏部侍郎兼侍讲董德元参知政事。德元登第七年而执政,自吕蒙正以后所未有。

壬辰,权尚书刑部侍郎张柄充敷文阁待制、知潭州。柄,秦桧死党也。时张浚谪居永州,桧犹忌浚,故俾柄与王召锡共察之。

甲午,金遣平章政事萧玉迎祭祖宗梓宫于广宁。

乙未,金增置教坊人数。

庚子,金主杖左宣徽使敬嗣晖、同知宣徽事(马)〔乌〕居仁及尚食官。

九月,戊申,金平章政事张晖迎祭梓宫于宗州。

乙卯,金主谓宰臣及左司官曰:"朝廷之事,尤在慎密。昨授张中孚、赵庆袭官,除书未到,先已知之,皆汝等泄之也。敢复尔者,杀无赦。"

己未,金主如大房山;庚申,还宫。

丁卯,敷文阁直学士、提举佑神观秦埙试尚书礼部侍郎。

金主亲迎梓宫及皇太后于沙流河,命左右持杖二束,跽太后前曰:"亮不孝,久失温清,愿痛笞之,不然,不自安。"太后掖起之,曰:"凡民间有子克家犹爱之,况我有子如此。"叱持杖者退。

庚午,金主猎,亲射獐以荐梓宫。壬申,金主至自沙流河。

冬,十月,金太后至中都,居寿康宫。

己卯,金以梓宫至中都,以大安殿为丕承殿安置。

壬午,以礼部侍郎王珉为贺大金正旦使,阁门宣赞舍人王汉臣副之;宗正丞郑楠为贺生辰使,阁门宣赞舍人李大授副之。

金主命省部诸司便服治事,不奏死刑一月。

辛卯,尚书左仆射秦桧言:"衰老交侵,日就危慑,望许臣同男熺致仕,二孙埙、堪改差在外宫观。"帝赐诏曰:"卿比失调护,日冀勿药之喜,遽览封奏,深骇听闻。加意保摄,以遂平复,副朕所望。"

桧久擅大权,富贵已极,老病日侵,将除异己者,故使徐嘉、张扶论赵汾、张祁交结,先捕汾下大理寺,拷掠无全肤,令汾自诬与特进永州居住张浚、责授建宁军节度副使、昌化军安置李光、责授果州团练副使致仕、新州安置胡寅谋大逆。凡一时贤士五十三人,桧所恶者皆与。狱方欲上,而桧已病不能书矣。

壬辰,少傅、观文殿大学士秦熺言:"父久病未安,乞谢事纳禄,望许臣守本官致仕,庶几父子俱退,追迹二疏。"帝赐诏曰:"朕方赖卿父子同心合谋,共安天下,岂可遽欲舍朕而去,效汉二疏哉!"癸巳,桧再请,诏答言:"卿独运庙堂,再安社稷,朝廷恃以为轻重,天下赖以为安

N危。勿药之喜，中外所期;纳禄有陈，岂朕所望!"甲午，熺再奏:"臣已与臣父议定，盖是素志，乞同降处分。"诏曰:"宗社再安，卿与有力，方将同德之求，遽有纳禄之请，非朕所望，勿复有陈。"是时桧病已笃，而熺秘不以闻，但以满盈求退为请而已。

乙未，帝幸秦桧第问病。桧朝服拖绅，无一语，惟流涕淋浪，帝亦为之挥涕，就解红帕赐桧拭泪。熺奏请代居宰相为谁，帝曰:"此事卿不当与。"是夕，召权兵部侍郎兼权直学士院沈虚中草桧父子致仕制。

夜，熺遣其子礼部侍郎埙，与其党右司员外郎林一飞、宗正丞郑楠等见殿中侍御史徐嚞、右正言张扶谋奏请除熺为宰相。

左朝奉郎、主管台州崇道观洪晧卒于南雄州，年六十八。

丙申，太师、尚书左仆射、同中书门下平章事兼枢密院使益国公秦桧，进封建康郡王，少傅、观文殿大学士、充万寿观使兼侍读、提举秘书省秦熺为少师，并致仕。诏:"秦熺已降制，其孙试尚书礼部侍郎兼实录院修撰埙，敷文阁待制、提举佑神观堪，并提举江州太平兴国宫，埙仍充敷文阁直学士。"

初，桧病笃，招参知政事董德元、签书充枢密院事汤思退至卧内，以后事嘱之，且赠黄金各千两。德元以为若不受，则它时病愈，疑我二心，乃受之。思退以为桧多疑，它时病愈，必曰:"我以金试之，便待我以必死邪?"乃不敢受。帝闻之，以思退为非，桧党乃以思退兼权参知政事。

是夜，桧死，年六十六，遗表略曰:"愿陛下益固邻国之欢盟，深思宗社之大计，谨国是之摇动，杜邪党之窥觎。"

初，靖康末，桧在中司，以抗议请存赵氏，为金所执而去，天下高之。及归，骤用为相，力引一时仁贤如胡安国、程瑀、张焘之徒，布在台省，士大夫亟称之。未几，为吕颐浩、朱胜非所排，遂不复用。桧以张浚与赵鼎有隙，因荐枢密使张浚，浚罢，鼎复相，诸执政尽逐而桧独留。既而与鼎并居宰相，卒倾鼎去之。金人渝盟，军民皆归咎于桧，桧傲然不肯退，又使王次翁奏留之。韩世忠、张俊、岳飞方持兵权，桧与张俊密约和议，而以兵权归张俊。飞既诛，世忠亦罢，俊居位不去，桧乃使江邈论罢之。由是中外大权尽归于桧，非桧亲党及昏庸谀佞者，则不得仕宦，忠正之士，多避山林间。绍兴十二年科举，谕考试官以其子熺为状元，二十四年科举，又令考试官以其孙埙为状元。彗星见，桧不退，频使臣寮州县奏祥瑞，以为桧秉政所致。帝见江左小安为桧力，任之不疑。桧因结内侍及医师王继先希微旨，动静必具知之，日进珍宝、珠玉、书画、奇玩、羡馀，帝宠眷无比，命中使陈腆、续瑾赐珍玩、酒食无虚日。两居相位，凡十九年，荐执政，必选无名誉柔佞易制者，不使预事，备员书姓名而已;其任将帅，必选驽才。初见财用不足，密谕江、浙监司暗增民税七八，故民力重困，饥死者众。又命察事卒数百游市间，闻言其奸恶者，即捕送大理狱杀之;上书言朝政者，例贬万里外。日使士人歌诵太平中兴圣治之美，士人稍有政声名誉者，必斥逐之，固宠市权，谏官略无敢言其非者。自刘光世薨，其建康园第并以赐桧，及张俊殁，其房地宅缗日二百千，其家献于国，桧尽得之。性阴险如崖阱，深阻不可测，喜赃吏，恶廉士，略不用祖宗法。每入省，已漏即出，文案壅滞皆不省。贪墨无厌，监司、帅守到阙，例要珍宝，必数万贯乃得差遣，及其赃污不法为民所讼，桧复力保

3019

之,故赃吏恣横,百姓愈困。腊月生日,州县献香送物为寿,岁数十万,其家富于左藏数倍。士大夫投书启者,皋、夔、稷、契以为不足比拟,必曰元圣,或曰圣相,至有请加桧九锡及置益国官属者。至于忘仇逆理,陷害忠良,阴沮宗资之议,其罪尤大。帝渐知桧跋扈,惮之,不敢发,至是首勒熺仕,欲以次斥逐其党,而国势已不振矣。

丁酉,金大房山行宫成,名曰磐宁。

庚子,殿中侍御史兼崇政殿说书徐嚞权尚书吏部侍郎。

十一月,己巳朔,金奉梓宫发丕承殿。

戊申,右承事郎赵汾,特降二官,制曰:"汝大臣子,不自爱重,言者谓交通宗室,窥伺机事。朕于汝究其始末,亦既有状。从有司议,姑削二官,尚体宽恩,毋重后戾。"

金山陵礼成。

壬子,敷文阁直学士魏良臣参知政事。

甲寅,金诏:"内外大小官覃迁一重;贞元四年租税并与放免;军士久于屯戍不经替换者,人赐绢三匹,银三两。"群臣称贺。

乙卯,赐秦桧谥忠献。

丙辰,金燕百官于泰和殿。

丁巳,占城进奉使萨达麻等入见,贡沈笺等香万馀斤,乌里香五万五千馀斤,犀角、象牙、翠羽、玳瑁等,赐酒食殿门外。后三日,即怀远驿燕之。其后交趾,三佛齐使人,率如此例。时占城国王阳卜麻薨,其子邹时兰已嗣立,故遣入贡。

乙未,宗正丞、充金贺生辰使郑楠罢,权尚书吏部侍郎徐嚞充金贺生辰使。

癸亥,冬至日,合祀天地于南郊,赦天下。

乙丑,左朝奉郎、主管台州崇道观、袁州居住洪皓,复敷文阁直学士。

皓谪英州九年,至是已卒。魏良臣等言皓在贬所病甚,欲复旧职宫观,任便居住,帝曰:"皓顷在敌中,屡有文字到朝廷,甚忠于国。中间以言语得罪,事理暧昧,可依所奏。"

丁卯,诏曰:"廷尉为天下平,而年来法寺惟探大臣旨意,轻重其罪,致民无所措手足,舞文弄法,莫此为甚。所冀端方之士,详核审复,一切以法而不以心,俾无冤滥,副朕丁宁之谕。"

庚午,诏:"近岁以来,士风浇薄,恃告讦为进取之计,致莫敢耳语族谈,深害风教。可戒饬在位及内外之臣,咸悉此意。有不悛者,令御史台弹奏,当置于法。"

右监门卫大将军、和州防御使士伐,和僖穆王宗朴孙,荣国公仲闵之子也。自秦桧当国,二王不袭封者十馀年,至是始命之。时令衿当封,而方坐累拘管,乃封令垠。安懿王曾孙五百五十有三人,得绍封者自士伐始。

直秘阁、两浙转运副使钟世明,守尚书右司员外郎兼权户部侍郎。

辛未,三省枢密院言:"士大夫当修行义以敦风俗。顷者轻儇之子,辄发亲戚箱箧私书,讼于朝廷,遂兴大狱,因得美官。缘是相习成风,虽朋旧骨肉,亦相倾陷,取书牍于往来之间,录戏语于醉饱之后,况其间固有暧昧而傅致其罪者,薄恶之风,莫此为甚!愿令刑部开具其后告讦姓名,议加黜罚。庶几士风不变,人知循省。"诏刑部开具,申省取旨。

十二月，甲戌朔，右正言张修言："资政殿大学士郑亿年，以宰相子，身为近臣，不能捐躯报国，乃甘事逆臣刘豫。既还朝，大臣力为之地，高爵重禄，坐享累年。端明殿学士郑仲熊，与大臣连姻，不一二年致身右府，贿赂狼籍。"诏（坐）〔并〕落职，亿年南安军安置，仲熊依旧提举江州太平兴国宫。

特进、提举江州太平兴国宫、永州居住张浚，降授左朝请大夫、提举临安府洞霄宫、郴州居住。〔折彦质，降授左中大夫，提举江州太平兴国宫、沅州居住。〕万俟卨，左中大夫、提举江州太平兴国宫、南康军居住。〔段拂，并令任便居住。〕建宁军节度副使、昌化军安置李光，移郴州安置，光年八十矣。

庚辰，安丰军进蚼鲊、白鱼，诏以"朕不欲以口腹劳人，可下本军，自今免进。"翼日，帝曰："温州柑橘，福建荔枝，去年皆令罢进，独蚼（鲜）〔鲊〕、淮白，皆祖宗岁进之物，朕恐劳百姓，所以再降指挥住罢。"

壬午，刑部开具到前后告讦人："右朝奉郎张常先任江西运判，告讦知洪州张宗元与张浚书并寿诗；右通直郎、直秘阁汪召锡，左从政郎莫汲，并告讦衢州寄居官赵令衿有谤讪言语；〔右〕朝散郎范洵，告讦和州教授卢傅霖作雪诗，称是怨望；左朝奉郎、提举两浙路市舶陆升之，告讦亲戚李孟坚将父光所作文籍告人及有讥谤语言；左从政郎、福建（镇）〔路〕安抚司干办公事王浦，任两浙转运（司）〔使〕催纲日，告讦知常州黄敏行不法等事；追官勒停人前右通直郎、明州鄞县丞王肇，诬告程纬慢上无人臣之礼等语言；降授承信郎雍端行，任监潭州湘潭县酒税，告讦本县丞郑玘、主簿贾子展，因筵会酒后有嘲讪语言；福建进士郑炜，告吴元美讥谤等事。"帝曰："此等须重与惩艾，近日如此行遣，想见人情欢悦，感召和气。"于是并除名勒停，常先送循州，召锡容州，汲化州，洵梅州，升之、炜雷州，浦南恩州，肇高州，端行宾州，并编管。浦，铁子。端行，蜀人，祖孝闻，崇宁举进士南省第一，坐上书诋斥〔废〕死。父子纯，建炎间为右职，隶赵哲军，哲诛，子纯亦编置，张俊怜之，复授端行一官，至是抵罪，后不知所终。

诏："除名勒停前左朝请郎、荆门军编（营）〔管〕人范彦挥，前右朝奉大夫、辰州编（营）〔管〕人王趯，前右朝散大夫、夔州编管人元不伐，特勒停前右承议郎、徽州编管人苏思德，除名勒停前右承务郎、峡州编（营）〔管〕人李孟坚，右承务郎、绍兴府羁管人李孟津，除名勒停前右承务郎、峡州编管人王之奇，前右承务郎、容州编管人王之旬，特勒停前右朝散大夫、鼎州编管人阎大钧，并放令逐便。"

甲申，左朝散郎周葵复直秘阁、知绍兴府。

诏："除名勒停前左朝请郎、处州编管人（邵）〔郎〕大受，前左从政郎、武冈军编管人芮晔，前右从政郎、万安军编管人杨炜，前左迪功郎、横州编管人郑玘，前右迪功郎、肇庆府编管人贾子展，并放令逐便，仍与复原官。"炜度海而卒。

乙酉，参知政事董德元罢，为资政殿学士、提举江州太平兴国宫。

先是殿中侍御史汤鹏举言："德元器能浅陋，徒以巧言令色取媚权贵，叨窃进取；既参大政，又以承乏得权宰执。兴利除害，岂能任其责乎？进贤退不肖，岂能任其怨乎？是真伴食备员者也。请将德元罢黜，以为贪进无耻之戒。"右正言张修言："参知政事董德元，以猥琐之才，偶中巍科，大臣当轴，欲其附会，遂唉以要官。至如台谏，人主耳目之寄，尤非它官比，而德元为侍御史,与之交通,令恺人往来,传道密意,所喜者即骤进之,所怒者即挤排之,群小得计,相为党与,善类慑栗,若无所容,此实台谏附会,以至此极。近者圣诏初颁,在位之臣,敢不精白一心,仰承休德！如德元自宜告退,犹洋洋然不以为耻,处庙堂,举机政,士论切齿。若不急行罢斥,深虑有误国事。"鹏举又言:"去岁省闱,德元为参详官,于誊录处取号得秦埙卷子,对众曰:'吾曹可以富贵矣！'今房中以得埙之试卷更自相庆,而德元对众又曰:'此卷子高妙,魁等有馀。'近日又接引乡人之浮浪者,公然鼓噪于市肆中,乞朝廷除德元为相。宜早赐罢斥,以为谄奉权贵妄意进用之戒。"诏德元落职。

癸巳,责授果州团练副使、致仕胡寅为徽猷阁直学士,致仕。

甲午,以敷文阁待制沈该参知政事。

该自蜀召还,入见。帝曰:"秦桧何忌卿之深？"该曰:"臣始用桧荐；及登从列,圣知益深,桧稍相猜。"帝笑曰:"然。"遂有是命。该首进曰:"朝廷机务至烦,所赖以同力协济者,惟二三执政。比岁大臣怙权,参、枢皆取充位,政事例不关决。宜特诏三省,务各尽诚以赞国事。"时上复亲庶政,躬揽权纲,首诏该及万俟卨还朝。已而二人共政,无所建明,益不厌人望云。

乙未,金主朝太后于寿宁宫。

丙申,吉阳军编管人胡铨,量移衡州。

丁酉,特进、提举江州太平兴国宫、和国公张浚复观文殿大学士。

己亥,金国贺正旦使、奉国上将军、太子詹事耶律归一,副使左中大夫、行大理少卿马枫,见于紫宸殿。

特进、观文殿大学士、和国公张浚判洪州,宝文阁学士张焘知建康府。浚以母忧不赴。

金太傅、领三省事大托卜嘉卒。

托卜嘉先世仕辽,代膺显秩。托卜嘉既降金,金人使伺察反侧,有闻必达,太祖以为忠。尝从栋摩取中、西两京,辽军二十万来战,栋摩使托卜嘉守营,托卜嘉坚请出战。或止之,托卜嘉曰:"丈夫不得一决胜负,尚何为！苟临陈不捷,虽死犹生也。"及战,栋摩军少却,托卜嘉率本部兵横击之,杀辽军数百人,由是显名。屡从南伐,累功至行台右丞相。构陷完颜杲,遂得金主意,故金主擢用之。及卒,金主亲临哭之,命有司废务及禁乐三日。后赠太师、晋国王,谥杰忠。

是岁,金以西京留守葛王褒为东京留守。金主猜忌宗室,以褒恭慎畏己,忌刻之心颇懈,进封赵王。

【译文】

宋纪一百三十　起癸酉年(公元1153年)正月,止乙亥年(公元1155年)十二月,共三年。

绍兴二十三年　金贞元元年(公元1153年)

春季,正月,辛卯朔(初一),完颜亮因为其弟弟完颜衮死在除夕日,所以不上朝视事。

丙午(十六日),完颜亮任命中京留守高祯为御史大夫。

己酉(十九日)降授平海军承宣使、提举台州崇道观、台州居住李显忠,恢复宁国军节度使官职,因赦免而重新任用。

该月,昭信军节度使赵士会去世,被追封为安化郡王,录用他的儿子右宣教郎赵不谦等三人为直秘阁,其他七个子弟分别被选官、升官或安排职位,抚恤规格同于执政大臣。

二月,庚申朔(初一),宋高宗下诏令岳阳军节度使、开府仪同三司、万寿观使赵士樽权主奉濮安懿王祠事。

完颜亮从中京来到燕京。

庚午(十一日),将虔州军贼黄明等八人在大街上凌迟处死。黄明等人占据虔州城共一百一十二天。

辛未(十二日),改虔州为赣州,改虔化县为宁都。

癸未(二十四日),龙神卫四厢都指挥使、忠州团练使、殿前司游奕军统制、措置盗贼、节制军马、知赣州李耕,因军功升为金州观察使,部将刘纲等九人各升官二级,受到奖赏的将士共一万三千一百二十四人。

三月,丙午(十七日),光山军节度使、开府仪同三司、提举西京嵩山崇福宫齐安郡王赵士儇在建州去世,赠太傅,追封为循王,六个儿子都升官二级,女儿封为郡主,五个姬妾受封。

辛亥(二十二日),完颜亮到达燕京,乘坐的是天子马车。

壬子(二十三日),已故武功大夫、贵州刺史杨宗闵,被宋高宗赐予忠介谥号;已故敦武郎、知麟州建宁寨杨震,被赐予恭毅谥号。他们二人是杨存中的祖父和父亲,都是因公而死,这是采纳了杨存中的请求。

甲寅(二十五日),完颜亮亲自挑选良家姑娘一百三十余人充实后宫。

乙卯(二十六日),金国因迁都布告中外,改年号贞元,朝廷内外文武官员都进官一级。

金国改燕京为大兴府,号称中都,以中京大定府为北京,汴京开封府为南京,原辽阳府为东京,大同府为西京如旧。削去上京之名,只称为会宁府。将蕃、汉两族地区分为十四路,设置总管府。为都城的十二座城门命名,命令身边的大臣书写。称太庙为衍庆宫,以供奉金太祖、金太宗、金德宗的神位;又在衍庆宫的东面修建原庙,以供奉太祖以上的列祖列宗。

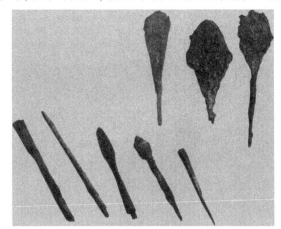

铁镞 金

金国的科举取士以前没有殿试,完颜亮开始恢复它。凡乡试三人中取一人,府试四人中取一人。府试分六路进行:河北及燕人在大兴府,辽东辽北在会宁府,山后及河东人在大同府,山东人在东平府,河南人在开封府,关中人在河中府,各路均初选五百人,殿试时再进行淘汰,名列榜首的即授予奉直大夫、翰林应奉文字的官职。后来又废除经义、神童等科目,只设立辞赋、法律二科。

金国用刑,过去有沙袋,金熙宗登位,予以废止,完颜亮做了皇帝后,又废除杖脊,凡是给罪犯用刑,只用荆条抽打臀部,这是为了笼络人心的缘故。徒刑分为五等,从五年到一年,都被驱使去做杂活,刑满就予以释放。

完颜亮又制定了车盖的形式,后妃的车用黄金装饰,三品以上官员的车用白银装饰;从皇后贵妃到五品官员的车轮都用朱红色,六品以下官员的车轮,用黑色或者是绿色。以前亲王、宰执大臣的车盖是紫色,完颜亮下令削除,只有太子的车盖用红色,各妃子的车盖用紫色,三品以上官员的车盖用青色,都用罗制成;四品、五品以上官员用青色,都用绢制成;其余的人不能用车盖。

丙辰(二十七日),完颜亮任命司徒图克坦恭为太保、领三省事,平章政事萧裕为尚书右丞相兼中书令,右丞张浩、左丞张通古为平章政事,参知政事张中孚为左丞,萧玉为右丞,平章政事李德固为司空,左宣徽使刘萼为参知政事,枢密副使完颜昂为枢密使,工部尚书布萨思恭为枢密副使。

夏季,四月,戊寅(十九日),金国皇太后大氏驾崩。

大氏病重,以不能见图克坦太后为遗恨,临终的时候,对金主完颜亮说:“你因为我的缘故,不让永寿宫一起来中都。我死了后,一定要将她迎候到这里来,要像侍奉我那样侍奉永寿宫。”完颜亮不听。

辛巳(二十二日),宋高宗下诏:“各州受编管、羁管的人员,按照法律只许每月到地方官吏处验明,听说近来对这些人囚禁锁闭,比对发配的罪犯还要看管得严厉,应下令各地遵守成法。如有逃走被捉获的人,立即上报尚书省另外发落。”

五月,庚子(十二日),右朝奉郎、就权利州东路安抚司主管书写机宜文字杨庭上言说:“兴元府褒斜谷有六条古堰,能灌溉很多民田。战火后,由于修治不及时,大水一来就冲毁民田。如果全部让食水的农户来修葺,恐怕民力会有严重困难,请求每当夏季遇到洪水泛滥,在现在屯田的将士中,差遣不入队的兵卒一起动手修治。”

兴元府自从战乱以来,城内荆棘丛生,官民都住茅屋,官府的仓库也只能借用寺院。自从太尉杨政再度出任主帅,依次修治,到现在已是面貌一新,人口增多,仿如承平盛世。

杨政曾经修葺学校宿舍,府学教授青神人唐迪请求增加学田以扩大供养学生的规模,杨政听从这一建议。当时有人想把学田馈赠军队,唐迪说:“大军每年花费四千万,要想用学田充当军赋,只是九牛一毛,这那里还有爱礼存羊的意义?”议论的人才作罢。

辛亥(二十三日)金国贺生辰使和副使、中奏大夫、秘书监兼右谏议大夫赫舍哩大雅,广威将军、尚书兵部郎中兼四方馆耐使萧简,在紫宸殿拜见宋高宗。

完颜亮因为他的弟弟完颜衮名声很大,就忌恨他。完颜衮惶恐不安,曾经召占卜师问吉凶;他的家奴迎合完颜亮的旨意,报告有人要发动政变,说完颜衮召见占卜师问天命。完颜亮就派高祯等人去审问他,审问不出什么东西。完颜亮大怒,派人将完颜衮押往中都,不再审问他,在街市上将他斩首,牵连的人都被碎尸。

六月,己卯(二十一日),潼川发大水,涪江水位上涨。

庚辰(二十二日),沅江武陵段大水猛涨冲坏城墙,人们争相躲到城西牛头山,山脚大溪上的桥梁毁坏,洪水汹涌而来,平地涨一丈五尺,淹死的人很多。

完颜亮看到京城多空地,夏季就把它赏赐给朝中官员及卫士,秋季,七月,戊子朔(初一),仍下令征收钱赋不等。

庚寅(初三),右正言兼崇政殿说书史才任试右谏议大夫。

戊申(二十一日),将作监主簿孙寿祖上言说:"湖、广、夔、峡地区,多杀人来祭鬼,最近又蔓延到其他路,浙路有杀人来祭海神,川路有杀人来祭盐井,请下令监司、州县严行禁止,违反者同乡同保一并治罪,并要摧毁巫鬼淫祠永远杜绝患害。"宋高宗同意。

该月,少保、昭化军节度使、醴泉观使、驸马都尉、和国公潘正夫在婺州去世。赠授太傅,由官府出钱安葬。

八月,壬戌(初五),金国司空李德固去世。

金国禁止在中都路捕射獐、兔。

乙丑(初八),岳阳军节度使、开府仪同三司、权主奉濮安懿王祠事赵士樽去世,赠授太傅、追封韶王。他的弟弟降授郢州防御史赵士嵘,特复任潭州观察使;他的儿子中升官授职的有九人。后来又为他加谥号恭靖。

丙寅(初九),左宣教郎王孝廉,阴谋占据成都叛乱,被处死。

当初,王孝廉的父亲王辅,以左朝请大夫头衔守合州,尽干非法事,左朝奉大夫史聿,当时为潼川府路转运判官,将他关在遂宁府监狱,严厉惩治,王孝廉与他的哥哥王孝忠一起被捕,王辅忧虑害怕而死,史聿移任夔州路转运判官,此案未能了结。王孝廉兄弟知道免不了官司,就心怀阴谋,回到住所成都府,变卖家产召集亡命之徒,买了很多弓箭,那些离开军队的无赖之徒,纷纷前来投靠。正碰上敷文阁待制、四川安抚制置使兼知成都府曹筑,应当在这天晚上前往府学斋戒住宿,王孝忠与他的党徒策划夜晚袭杀曹筑,然后举事。忠训郎王立得知了这一阴谋,就与王孝忠家的奴婢偷偷地去将此事告诉了本路兵马钤辖、左武大夫、英州刺史柳俏,柳俏率领军队赤手空拳去捉拿叛军,王孝忠和他的党徒一起抵抗,官军死亡三人,柳俏逃到府衙。曹筑躺在屋里不出来,都钤辖司干办公事张行成推门入告,才授权发兵讨伐。王孝忠等人慢步到府门放火,众人惊散。王孝忠等人逃出府衙西门,官军紧随其后,王孝忠、王孝廉登楼自杀。王孝忠的儿子王大正与其党徒樊常等五人被官军所杀,其余党徒二十八人逃到郫县,四天后,全部诛杀。宋高宗下诏揭发王孝忠谋反的罪状,其余的人予以原谅。官军依次受到奖赏,总共用钱一万七千余缗。

戊寅(二十一日),完颜亮赏赐给营建宫室工匠及役夫帛。

己卯(二十二日)侍卫亲军步军副都指挥使、武安军承宣使、充福建路马步军副都总管王贵去世。

甲申(二十七日),武功大夫、吉州团练使、新江南西路马步军副总管丁禩,移任江南东路副总管,驻扎建康府。

九月,甲午(初八),宋高宗对大臣们说:"听说潼川路发生水灾,可下令转运、常平司向受灾州县发放赈济。"

冬季,十月,丁巳(初二),完颜亮狩猎良乡,封料石冈神为灵应王。完颜亮说他从前曾经过该祠,手持杯珓祈祷说:"如果我有天命,应当得吉卦。"投杯珓占卜,果然是吉。又祈祷说:"如果真如占卜所言,往后将有善报,否则就毁掉你的祠堂。"投杯珓,又是吉,于是有上述封王之事。完颜亮假托神灵,是为了掩饰他杀君篡位后之罪。戊午(初三),完颜亮返回都城。

宋高宗任命御史施钜为大金国贺正旦使,带御器械冀彦明为副使。行尚书左司郎中吴椠为贺生辰使,阁门宣赞舍人张彦攸为副使。

壬戌(初七),金国有司上言说太后园陵尚未完工,应停止冬飨祭礼和祫祭礼。完颜亮同意。

戊辰(十三日),端明殿学士、签书枢密院事兼权参知政事宋朴罢职。

右谏议大夫史才,评论宋朴执政无政绩,宋朴听说后,申请免除本官职;奏章四次呈上,宋高宗下诏以本职提举江州太平兴国宫。史才上言说:"宋朴作为士人却不自爱,追随旁门左道,与乞丐为伍。这种伤风败俗的行为,罪不在少正卯之下,请求再次严加贬黜。"宋高宗下诏宋朴罢职。

壬申(十七日),右谏议大夫兼侍讲史才充任端明殿学士兼签书枢密院事。

安远军承宣使、同知大宗正事赵士街,任权主奉濮安懿王祠事。

丙子(二十一日),完颜亮下诏:"朝廷内外官员遇大功以上丧事,只给当日假;如果遇父母丧事,给假三月。定为法令。"

丁丑(二十二日),侍御史兼崇政殿说书魏师逊任试御史中丞。

十一月,丙戌朔(初一),定州进献嘉禾,完颜亮命令从今以后不再进献。

己丑(初四),金国瑶池殿落成。

戊戌(十三日)金国左丞相温都思忠退休。

壬寅(十七日),宋高宗下诏为张叔夜在信州永丰县墓侧立庙,赐名旌忠。张叔夜去世后,他的家人将他的衣冠埋葬在县境内,到这时又请求建立祠堂。

乙巳(二十日),因讲授经筵结束一章,宋高宗赏赐宰执、讲读、说书、修注官在秘书省赴御宴,从此成为惯例。

庚戌(二十五日),金国任命枢密使完颜昂为左丞相,任命枢密副使布萨思恭为枢密使。

十二月,戊午(初四)完颜亮特赐贵妃唐古鼎格家奴孙梅进士及第。

壬戌(初八),金国任命签书枢密院事宁萨为枢密副使。

癸亥(初九),太傅、昭庆军节度使、万寿观使、平乐郡王韦渊去世,赠授太师,授命睿思殿祗候王晋护卫丧礼。

辛未(十七日),完颜亮册封所娶皇叔曹国王宗敏的妃子阿兰为昭妃。不久大臣上奏说宗敏属关系亲近的上辈,不太合适,于是下令阿兰出宫。

丙子(二十二日),金国贵妃唐古鼎格与原来的家奴通奸,完颜亮赐她死罪。

癸未(二十九日),禁止民间乘车穿衣越过等级规定

闰十二月,癸巳(初九),金国制定社稷制度。

丙申(十二日),命检正都司官详细审定郡守所列举的地方利弊上报朝廷。

癸卯(十九日),金国任命太保、领三省事图克坦恭为太师,领三省照旧。命西京路统军

达兰、西北路招讨使萧怀忠等巡视边境。

庚戌(二十六日),金国派宣奉大夫、尚书左丞蔡松年等人来大宋朝祝贺春节。

绍兴二十四年 金贞元二年(公元1154年)

春季,正月,甲寅朔(初一),完颜亮感觉身体不适,不临朝视事。

庚申(初七),完颜亮待萧裕非常优厚,而萧裕觉得自己独揽大权,害怕完颜亮怀疑自己,又因为完颜亮嗜好杀人,害怕祸及自己,就与前真定尹萧冯嘉努、博州同知约索策划拥立逃亡辽国的豫王完颜延禧的孙子为君主。派人联络西北路招讨使萧怀忠。萧怀忠犹豫不决,不久告发此事,完颜亮派宰相问萧裕,萧裕一一交代。完颜亮听说后非常惊愕,还不能全信,就亲自问萧裕,萧裕说:"大丈夫做事已到这个地步,又怎能隐瞒!"完颜亮说:"你对朕有何怨恨而要做此事?"萧裕说:"陛下与唐古辨和我约同生死,唐古辨因强忍果敢而招致死亡,过程我都知道,我害怕不得好死,所以谋反,希求侥幸得免。太宗子孙无罪,却都死在我的手里,我死得已经太晚了。"完颜亮说:"杀太宗的几个儿子,责任岂能只在你,是朕为国家考虑。"完颜亮又说:"长期以来与你相好,免你一死,令你去守祖宗陵墓。"萧裕执意要求去死,完颜亮于是用刀割自己的左臂,把血涂在萧裕的脸上,对他说:"你死之后,应当知道朕本没有怀疑你的心思。"萧裕说:"长久以来得到陛下非常的厚爱,我自己知道错了,即使痛悔又有什么用呢?"完颜亮哭送萧裕出门,杀死了萧裕,约索等人一并被处死。

癸酉(二十四日),宋高宗初次下诏各郡国同在中秋这一天考试举人。以前各州县都是自己选择日期进行考试,所以有些读书人就到几个州去分别参加考试,到现在予以禁止。

丙子(二十三日),册封婉容刘氏为贵妃。

二月,甲申朔(初一),完颜亮任命平章政事张浩为尚书右丞相。甲午(十一日),任命尚书右丞萧玉为平章政事,任命前河南路统军使张晖为尚书右丞,任命西北路招讨使萧怀忠为枢密副使。

三月,己未(初六),宋高宗下诏:"太尉、御前诸军都统制吴璘、杨政因郊祀荫补做官,特依照杨存中的例子在文官中安排。"

辛酉(初八),宋高宗驾临射殿,策试正奏名进士,策问诸生的内容是:师友渊源,心中的志向,如何修身才能诚实无伪,如何养心才能克己真诚。张孝祥获得第一名,以下三百五十六人获及第到同进士出身。

壬申(十九日),鄂州驻扎御前诸军都统制田师中上奏说武冈军傜人杨再兴已被擒。

刘旦任潭州统帅时,杨再兴已经归还建炎初年所侵占的地方,到现在已八年,但仍然骚扰侵掠不止,田师中派遣前军统制李道去讨伐。宋高宗看了奏章后说:"国家正处平安闲暇之时,强盗作乱,擒获他们可以安定百姓。可同意他的请求,下令用槛车将杨再兴押往行在。"当时杨再兴已老,他的儿子中只有杨正修手下聚人最多,非常奸猾,而杨正拱最凶狠剽悍。到这时杨再兴与杨正拱兄弟都被捕获,杨正修不久也就擒。

在此之前,吉州强盗胡邦宁在郴州、桂州之间攻抢劫掠,攻破安仁县,提刑司派遣士兵和射箭手去捕捉他,被他打败,不敢前进。

丙子(二十三日),特奏名进士吕克城以下四百三十四人,武举进士郑砡等十六人,特奏名二人,被授予不同官职。

丙子(二十三日),完颜亮驾临大兴府及都转运使司,向衍庆宫贡献樱桃。

夏季,四月,己丑(初七)宋高宗前往景灵宫行朝献礼。

乙巳(二十三日),任命进士孔搢为右承奉郎,袭封衍圣公爵位。在此之前孔搢的父亲右宣教郎衍圣公孔玠去世,衢州守臣上报朝廷,所以宋高宗有这一命令。

五月,癸丑朔(初一),日食。

丁卯(十五日),金国开始设置交钞库。

戊辰(十六日),任命中书门下省检正诸房公事施钜权尚书吏部侍郎。

辛未(十九日),完颜亮派遣金吾卫上将军、工部尚书耶律安礼,正议大夫、尚书吏部侍郎许霏,来祝贺宋高宗生日。

金国太原尹图克坦额埒楚克,自以为辅佐完颜亮有功,又有皇帝授予的可以免罪的铁券,更加凶狠残暴,对待同僚下属像对待奴仆一样,动不动就鞭打。曾经向人问吉凶,讨好他的人就说他有帝王之命,额埒楚克很高兴,告诉了占卜士王鼎。王鼎上言他谋反,额埒楚克被诛杀。完颜亮又命令他的儿子乘驿站车马,焚烧额埒楚克的尸骨,投入水中。

六月,癸巳(十一日),端明殿学士、签书枢密院事史才被免职。

御史中丞魏师逊,弹劾史才"受李光推荐得以升官,至今仍与李光暗中勾结,谋害国家,多次写信问候李光,不怕数千里远的路程,凡是与李光关系深厚的人都与他结交请托,包藏祸心,有所图谋。"右正言郑仲熊也上言说:"李光曾任知温州,孙仲鳌掌管他的表章文书,史才用他的推荐书得以升官。到现在飞黄腾达,就与孙仲鳌及李光交情深厚的人相互交结,秘密给万里之外的李光通信,企图阴谋结交死党以动摇国家,请求迅速贬黜。"史才听说了此事,便两次上书请求离去。最初任命他以原职提举江州太平兴国宫,魏师逊等再次抨击,于是罢职。

甲午(十二日),御史中丞兼侍讲魏师逊充任端明殿学士、签书枢密院事,不久兼权参知政事。

甲辰(二十二日),保宁军承宣使、主管侍卫马军司公事成闵任庆远军节度使,因积累政绩得以升迁。

秋季,七月,癸丑(初二),安民靖难功臣、太师、靖江、宁武、靖海军节度使、醴泉观使、清河郡王张俊在行在去世,终年六十九岁。宋高宗说:"张俊突然去世。以前张通古前来,张俊极其卖力,与韩世忠等人不同,恩赐应该优厚。"于是赐给他家人貂冠、朝服、刀剑,下令内侍省押班张去为护理丧葬事仪。

张俊晚年主张和议,与秦桧意见相符合,宋高宗厚待他。他手下的将领,如杨存中、田师中、王德、赵密、刘宝,都位至节度使,有的还位至三公,他幕府中的各幕僚担任侍从、帅守的很多。

庚申(初九),金国初次设立盐钞香茶文引印造库使和副使。

乙亥(二十四日),宋高宗对大臣说:"莫公晟将丹州归顺朝廷并进献马匹,可检验并按圣旨执行。"

在此之前，莫公晟从宣和年间以来，多次在边境闹事，每年调官军防守。到此时，直秘阁、知靖江府兼主管广西经略司公事吕愿中上言说："莫公晟献马三十匹，并且派遣他的部落七百余人到靖江府，与经略司属官歃血而盟，各蛮族愿以二十七州、一百三十五县交由本路管辖，实在是朝廷盛事。"丙子(二十五日)，宋高宗对大臣说："得到丹州，其好处不在于扩大土地，只要猺人不再捣乱，百姓安居乐业就非常可喜了。"于是宋高宗下诏令莫公晟以南丹州防御使职位退休，他的儿子莫延沈任银青光禄大夫、检校太子宾客、使持节南丹州诸军事、南丹州刺史、知南丹州公事、武骑尉，其余首领一并推恩授官。吕愿中又画图进呈，宋高宗说："一方安宁平静真让人高兴。"秦桧说："陛下怀柔天下，计议罢兵休战，小寇哪敢不服！"宋高宗说："如果不是议和休兵，怎么达到这样的局面！"于是铸造羁縻州县印一百六十二枚，发给他们。

在此之前，贺金国正旦使施钜将要回朝，完颜亮指使左宣徽使敬嗣晖问施钜说："宋国分几科取士？"施钜回答说："诗赋、经义、策论三科并行。"又说："秦桧做什么官？年龄有多大？"施钜回答说："秦桧任尚书左仆射、中书门下平章事，年龄六十五岁。"完颜亮又派人对施钜说："我听说秦桧贤能，所以问一问。"秦桧暗中借助金人的力量抬高自己，宋高宗被他愚弄欺骗，最终也没有醒悟。

丙子(二十五日)，金国参知政事耶律恕被免职。

戊寅(二十七日)，宋高宗亲临张俊府第吊唁。宋高宗下诏令说："张俊的侄子右宣教郎张子安等五人，各自进官一等，各个女婿直徽猷阁韩彦朴、直秘阁刘尧勋、杨㑦，一并进官一级，升一职。

八月，丙午(二十五日)，礼部拟定已故太师、清河郡王张俊的追赠典仪，请求依照韩世忠的旧例。

在此之前，宋高宗晓谕秦桧说："武臣中设有比得上张俊的，比起韩世忠相差更远，赠典礼仪应当令有司查找前朝先例，务必给予优厚待遇。"到这时礼部进呈拟定的追赠典仪，宋高宗说："张俊在明受年间拥有八千兵众，屯驻吴江，朱胜非发下命令文书，任命他到秦州任职，张俊不接受。进兵破贼，实为有功，可赠授他小国一字王。"于是追封张俊为循王。自从淳化年间以后，异姓不封真王，这样的追封从张俊开始。张俊葬在无锡县，安葬的时候，从行在到无锡，将相、州郡去祭奠的人络绎不绝，江东人引以为荣。后来追封谥号忠烈。

戊申(二十七日)，金国任命御史大夫高桢为司空，御史大夫一职照旧。

九月，己未(初九)完颜亮在常武殿打鞠球，让老百姓随意观看。

辛酉(十一日)，金国任命吏部尚书萧赜为参知政事。

癸亥(十三日)，完颜亮在近郊游猎。

乙丑(十五日)，大理寺丞环周上言说："临安、平江、湖、秀四州，地势低的田地多被积水浸灌。这是因为溪山各水流，汇集一起流入太湖，太湖水又分为两个支流，一支由松江入海，东北一支由诸浦注入长江。松江水道，诸浦中只有白茅一浦最大，现为泥沙淤塞，每逢夏季雨水稍多，那么东北一支，水势就漫溢出来，于是积水浸灌，损伤农田。请下令有司视察，在农闲的时候，开决白茅浦的水道，使水势分道流畅，实在是四州百姓的无穷福利。"宋高宗下诏由转运司去办理。

丁卯（十七日），金国太师，领三省事图克坦恭去世。

乙亥（二十五日），宋高宗下诏兴建天章阁等六阁。

冬季，十月，庚辰朔（初一），金国广宁尹韩王完颜亨被杀。

完颜亨前往广宁，完颜亮派罗卜藏做同知，让他监视完颜亨的行动，并且罗织他的罪名。完颜亨厚待罗卜藏，罗卜藏不忍心动手，完颜亮派人催促，罗卜藏于是引诱完颜亨的家奴，说完颜亨对金主有怨言，并且想刺杀金主。就审问完颜亨，完颜亨不服。罗卜藏深夜来到囚禁地，派人猛踢完颜亨的阴部，将他杀死。

完颜亨文武才能与他的父亲完颜宗弼颇相似，打鞠球为天下第一，不论善马劣马他都能驾驭自如，手持铁锤袭击野兽，正中野兽腹部，渐渐受到完颜亮的猜忌，所以不能幸免。

任命国子司业沈虚中为贺金国正旦使，敦武郎张抢为副使；尚书左司郎中张士襄为贺生辰使，阁门宣赞舍人张说为副使。

庚子（二十一日），金国已经退休的左丞相温都思忠被重新起用为太傅，领三省事。

十一月，甲寅（初五），权尚书刑部侍郎韩仲通任权刑部尚书，权户部侍郎徐宗说任试兵部侍郎，左正言兼崇政殿说书郑仲熊任权吏部侍郎，直显谟阁、知临安府曹泳任权户部侍郎兼权知临安府。当时徐宗说长期患病，所以用曹泳代替他。

乙丑（十六日），端明殿学士、签书枢密院事兼权参知政事魏师逊仍以旧职提举江州太平兴国宫。

殿中侍御史董德元弹劾魏师逊贪利奸诈，不体恤国事，魏师逊于是反驳奏章并请求离职，于是罢了他的职。

丁卯（十八日），权尚书吏部侍郎施钜任参知政事，权尚书吏部侍郎郑仲熊为端明殿学士、签书枢密院事。

自从秦桧专权弄国，士大夫中有名望的人，都被排挤到边远的地方。凡是品行恶劣、萎靡不振的人，说一句迎合秦桧的话，就由一般官职一二年便升至宰执大臣的高位，另外只设一员执政，叫作伴拜。只要有一句话不合秦桧的口味，便被贬职，与奴隶没有两样，都被剥夺其职位官名，停止其应得恩惠，和普通官员一样。所以从万俟卨被罢官到现在已十年，参与政事的大臣却只有四人。

戊辰（十九日），少保、观文殿大学士、充万寿观使兼侍读、提举秘书省秦熺，被皇上加恩升迁少傅，封为嘉国公。

辛未（二十二日），敷文阁待制、提举佑神观兼实录院修撰秦埙任试尚书工部侍郎。

该月，金国初次设置惠民局。

十二月，己卯朔（初一），清远军节度使、侍卫亲军马军都虞候、荆湖北路马步军副都总管王德在荆南府去世，赠授检校少保。后来追谥威定。

乙酉（初七）完颜亮任命太傅温都思忠为太师，领三省事照旧；任命平章政事张通古为司徒，平章政事照旧。

丁亥（初九）降授右朝奉郎勒令停职的王趯，被追夺三官，依旧勒令停职，特别除去官吏名籍,送辰州编管,这是因为原来王趯任知雷州的时候与李光通信以及差遣士兵供他使唤的缘故。

郑仲熊担任谏官后,批评李光是流放海外的罪人,擅自离开受贬责的地方,逃藏到王趯家。当时王趯正因与李光通信而获罪,停职未用。于是宋高宗下诏令湖南、广西宪臣亲自前去追捕李光,押回原贬地,同时逮捕王趯到大理寺问罪。经过严厉审讯,事情都空虚无凭,所以特有这一命令。

乙巳(二十七日)完颜亮派遣骠骑上将军、签书枢密院事白彦恭、中散大夫、守右谏议大夫、充翰林待制、同知制诰胡励,前来祝贺来年正旦。

这年,完颜亮命令将所有的堂姊妹都立为妃子。宗本的女儿封贵妃位,宗望的女儿、宗磐的孙女封为昭妃位,宗弼、宗隽的女儿封为淑妃位。他的卧室内都铺着地毯,以光着身子追逐为游戏。曾经当着幸臣张仲轲的面与妃嫔淫乱,张仲轲只称死罪,不敢仰视。又曾令张仲轲裸露形体让他观看,侍臣往往被下令脱掉衣服,即使是图克坦贞也不能幸免。原来的规矩,凡宫女在外面有丈夫的,都听任她们出入宫廷,完颜亮想随意玩弄她们,就把她们的丈夫全部遣送上京,宫中妇女一律不准外出。

又胡乱安置艺人和唐古辨、乌达的家奴,都列入亲卫军中,有的侥幸官至一品。完颜亮左右的人,有的如没有官职,听到有人直呼其姓名,就被授予显赫的官职,完颜亮对人说:"你还能直呼他的姓名吗?"曾在被褥间放置黄金,完颜亮喜欢的人可以随便去拿,滥用赏赐到如此地步。

金国济南尹葛王完颜褒的妃子乌凌阿氏,事奉公婆恭敬孝顺,治家井井有条,很守妇道,完颜亮派人召她赴中都。乌凌阿氏想,如果死在济南,完颜亮必杀葛王,或奉诏离开济南而葛王可以幸免,她就对葛王说:"我会自己把握自己,不会连累大王。"乌凌阿氏已离开济南,随行的人都知道乌凌阿氏一定不肯见完颜亮,守护得非常严密。行走到良乡,离中都还有七十里,防护的人稍微松缓了一下,乌凌阿氏就寻到机会自杀。完颜亮还是怀疑是完颜褒教她这样做的,很快就将完颜褒改任为西南留守。

绍兴二十五年　金贞元三年(公元1155年)

春季,正月,辛酉(十三日),金国任命判东京留守大托卜嘉为太傅、领三省事。

辛未(二十三日),中侍大夫、保宁军承宣使、鄂州驻扎御前军统制李道,免去阶官,加任龙神卫四厢都指挥使,将士升官的有五千七百七十二人,这是因为收捕徭人杨再兴有功劳的缘故。

二月,壬午(初五),金国任命左丞相完颜昂为太尉、枢密使,任命右丞相张浩为左丞相兼侍中,枢密使布萨思恭为右丞相兼中书令。尚书左丞相张中孚被罢职,任命右丞张晖为平章政事,参知政事刘筶为左丞,参知政事萧赜为右丞,吏部尚书蔡松年为参知政事。

乙未(十八日),捧日天武四厢都指挥使、镇江府驻扎御前诸军都统制刘宝任安庆军节度使,龙神卫四厢都指挥使、建康府驻扎御前诸军都统制王权任清远军节度使,都是因为他们总领军队十年的缘故。

完颜亮对待下属非常严厉,即使对亲王大臣,也未曾给一个好颜色。正逢磁州僧人法宝想离去,张浩、张晖想留住他,完颜亮得知了这件事。三月,壬子(初五),完颜亮下诏三品以上官员上殿,斥责说:"听说众爱卿到寺院去,僧人法宝正襟危坐,众爱卿都坐在他的旁边,非常有失大臣之礼。"召来法宝诘问此事,法宝战战兢兢不知所措,完颜亮说:"长老应当有定力(即佛语所说的坚定之心),还怕死吗?"打了法宝二百杖,张浩、张晖各二十杖。

乙卯(初八),金国在大房山云峰寺修建皇陵,在山边修行宫。

夏季,四月,丁丑朔(初一),金国境内四处浓雾弥漫,太阳没有光辉,持续了十七天。

甲申(初八),安南进贡,宋高宗下诏令广西帅臣派遣熟悉事务级别较高的使臣陪同前往行在。

乙未(十九日),参知政事施钜被罢职。

在此之前,侍御史董德元,右正言王珉共同弹劾施钜罪行。董德元上言说:"臣听说本朝赵普有辅佐皇帝之功,而卢多逊却暗地里陷害他;寇准对促成澶渊之盟有功劳,然而丁谓却私下里陷害他。后来事情虽然得以澄清,但在当时却不能不有伤国体。施钜不久前担任小官,常与李光交往,后来被何铸举荐引用,何铸被贬斥之后,施钜曾怏怏不乐。施钜曾与一奸猾的僧人关系密切,等他做了参知政事,频频寄送书信,很担心他像卢多逊、丁谓那样做。"王珉弹劾施钜怠慢宗庙,与僧人宗喜往来,狼狈为奸,心怀叵测。施钜再次上书请求离去,最初罢为资政殿学士、提举江州太平兴国宫,参劾的奏章又上,终被罢官夺职。

丁亥(十一日)鄂州驻扎御前诸军都统制田师忠等人上言说武冈军的猺人已被平定,请求在他们所侵占的地方设置一县,命名新宁县,宋高宗同意。

己丑(十三日),右通直郎、通判广州刘景任台州知府。刘景是刘旦的弟弟。

当时台州知州一职空阙,台州人前往御史台推举右朝请大夫、通判州事管镐。管镐是管师仁哥哥的孙子。侍御史董德元上奏说:"罪犯李光的儿子李孟津,他的继母就是管镐的妹妹,所以鼓动士民,推举管镐为知州,管镐放纵他们而不加禁止。建议将管镐先放逐罢官,使他的奸计破产,并治李孟津鼓惑煽动之罪。"辛卯(十五日),宋高宗下诏将管镐放逐罢官,李孟津交绍兴府监管。

李光获罪,他的弟弟李宽也被罗织罪名,除去官吏名籍,勒令停职。长子李孟传,三儿子李孟醇侍奉李光赴贬所,死在贬所。二儿子李孟坚因私史事入狱,被整治了一百余日,除去官吏名籍,给予编管。李孟津,是李光最小的儿子,到现在也被抵偿李光的罪名,田地房产全部被没收,李光一家已残破不堪。

辛丑(二十五日),敷文阁直学士王会再次被任命为尚书兵部侍郎。

五月,丁未朔(初一),日食。

癸丑(初七),金国南京(即开封)皇宫大火。

乙卯(初九)完颜亮命判大宗正事前往上京,迁移太祖、太宗梓宫。

乙丑(十九日),完颜亮派遣正议大夫、守秘书监兼右谏议大夫李通,广威将军、充群牧副使耶律隆,来祝贺宋高宗生日。

丙寅(二十日),完颜亮前往大房山,营造陵墓。

六月,庚辰(初四),端明殿学士、签书枢密院兼权参知政事郑仲熊被罢免。

侍御史董德元上言说:"郑仲熊一向贪赃枉法,人所共知。原来在李光门下,贪赃受贿,声名狼藉,秘密指使他的侄子郑时忠与叛党朝夕相通,利用职权,接受贿赂,几乎天天如此。近来沈长卿因为诽谤朝廷被乡人控告并送往大理寺,然而陈祖安与沈长卿交往很深,郑仲熊命令郑时忠营救陈祖安,过去的言语文字,州县都帮他隐藏起来,到了大理寺,得以免罪。"右正言王珉上言说:"李光,是误国的大奸人,郑仲熊未及第时,曾托请到他门下,李光与他定交,沈长卿与李光侍婢的儿子陈祖安是酒肉朋友。如诽谤朝廷之事,郑仲熊特别为他开脱,恐怕会导致以后狂言妄语非议朝廷的弊病。"董德元等人又上言说:"最近几天大金国使臣来庆贺皇上生日,南北结盟友好已很长时间了,陛下多次降旨,接待来使,务必周到细致。郑仲熊既然受旨主持宴会,对客人却态度傲慢,脸上没有笑容,劝酒的时间很短,不一会儿就结束了宴会。对国家的危害,没有比这更严重的,请求即刻将他罢黜,流放到边远的地方。"此奏疏上呈了六次,郑仲熊也要求离去,于是宋高宗下诏命郑仲熊提举江州太平兴国宫,职名照旧。

辛巳(初五),尚书礼部侍郎兼权直学士院汤思退任端明殿学士、签书枢密院事兼权参知政事。丁亥(十一日),侍御史兼侍讲董德元任试尚书吏部侍郎,右正言兼侍讲王珉任试礼部侍郎。

丙戌(初十),完颜亮登上宝昌门观看角觝游戏,百姓随便观看。

乙未(十九日),完颜亮任命右丞相布萨思恭等迁移先王陵墓及迎接永寿宫太后。

癸卯(二十七日),宋高宗下诏改岳州为纯州,改岳阳军为华阳军。

在此之前,左朝散郎姚岳上言说:"乱臣贼子侵扰叛乱,州郡不幸遭到践踏,应当改造变新。现在岳飞叛乱已被诛杀,湖、湘、汉、沔,都是他在世时管辖的地方,而巴陵郡又恰好叫岳州,是叛臣故地,又与他的姓相同,所以不得不改。"此事下达本路各司管理。于是直秘阁、知荆南府孙汝翼等人上言:"根据《水经注》的说法,汨水西经罗县,与纯水会合。罗县,就是现在的巴陵郡。纯字有纯臣的含义,它是表明纯粹、纯白、纯常,都是纯净一致不含杂质的意思,足以清洗叛臣的污染。"所以宋高宗有上述命令。

姚岳曾经做过岳飞的幕僚,到现在又称不是岳飞的门客,并且请求改州名,士大夫们都鄙视他。

秋季,七月,戊申(初三),宰执大臣进呈清理判决罪犯的公文。宋高宗说:"行在的监狱,都已人满为患,外路必须令宪臣亲自前往各州县去处理,避免冤狱泛滥。"

辛酉(十六日),完颜亮到大房山,杖责提举营造官吏部尚书耶律安礼等人。

甲戌(二十九日),静海军节度使、安南都护交趾郡王李天祚,被进封南平王。

乙亥(三十日),完颜亮回到京城。八月,壬午(初七),完颜亮又到大房山。甲申(初九),皇陵破土动工,赐给服役的民夫每人一匹绢;当天,回到宫中。

国子司业兼权直学士院沈虚中任权兵部侍郎。

大理卿张柄任权刑部侍郎。

丙戌(十一日),尚书礼部侍郎兼侍讲董德元任参知政事。董德元进士及第七年后执政,自从吕蒙正以后就没有过。

壬辰(十七日),权尚书刑部侍郎张柄充任敷文阁待制、任知潭州。张柄是秦桧的死党。当时张浚贬谪居住永州,秦桧还是忌恨张浚,所以派张柄与王召锡共同监督张浚。

甲午(十九日),完颜亮派遣平章政事萧玉到广宁迎祭先朝皇帝梓宫。

乙未(二十日),金国增加教坊人员的数额。

庚子(二十五日),完颜亮杖责左宣徽使敬嗣晖、同知宣徽事乌居仁以及尚食官。

九月,戊申(初四),金国平章政事张晖在宗州迎祭梓宫。

乙卯(十一日),完颜亮对宰臣及左司官说:"朝廷的政事,特别要谨慎保密。昨天赠授张中孚、赵庆袭官职,授官文书还没有送到,他们却先已知道了,这都是你们泄的密。如果再敢这样,格杀勿赦。"

己未(十五日),完颜亮前往大房山;庚申(十六日),回到宫中。

丁卯(二十三日),敷文阁直学士、提举佑神观秦埙任试尚书礼部侍郎。

完颜亮在沙流河亲自迎接梓宫和皇太后,命左右侍卫手持两束木杖,他自己跪在太后面前说:"亮不孝顺,很久没有侍候您,愿意接受您的痛笞,否则心中不安。"皇太后拉起完颜亮,说:"大凡老百姓家出了败家子,尚且爱他,何况我有这样的儿子。"将持杖的人喝退。

庚午(二十六日),完颜亮外出打猎,亲自射杀獐来祭献梓宫。壬申(二十八日),完颜亮从沙流河返回。

冬季,十月,金太后到达中都,居住在寿康宫。

己卯(初五),金国将梓宫运到中都,将大安殿改成丕承殿安置梓宫。

壬午(初八),任命礼部侍郎王珉为贺大金国正旦使,阁门宣赞舍人王汉臣为副使;任命宗正丞郑楠为贺生辰使,阁门宣赞舍人李大授为副使。

完颜亮下令省部各司穿便服处理公务,一月之内不得上奏死刑案件。

辛卯(十七日)尚书左仆射秦桧上言说:"臣病老交加,身体一天不如一天,希望陛下同意臣和儿子秦熺退休,二个孙子秦埙、秦堪改任外地官观官。"宋高宗赐诏说:"爱卿近来有失调养护理,朕每天都希望听到病愈的喜讯,仓促看了一下你的奏章,深感惊骇。请加紧保养,恢复健康,不负朕的期望。"

秦桧长期专权,荣华富贵登峰造极,因病老交加,想要排除异己,因此指使徐嚞、张扶弹劾赵汾、张祁勾结,首先逮捕赵汾到大理寺,严刑拷打,体无完肤,逼使赵汾自己诬蔑自己与特进永州居住张浚,责授建宁军节度副使、昌化军安置李光,责授果州团练副使致仕、新州胡寅图谋叛乱。当时的贤士五十三人,由于被秦桧憎恶,都被牵连进去。此案正准备上报,但秦桧已病得不能写字了。

壬辰(十八日),少傅、观文殿大学士秦熺上言说:"父亲久病不愈,请求谢绝政事和俸禄,望允许臣以本官退休,让我们父子一起退休,效法汉代的疏广、疏受父子。"宋高宗赐诏说:"朕正依赖你们父子同心合谋,安定天下,怎么可以突然想舍朕而去,效法汉代疏广、疏受父子!"癸巳(十九日),秦桧再次请求,宋高宗下诏回答说:"爱卿独自在朝廷运筹指点,使国家再次获得安宁,是朝廷倚赖的重臣,天下安危所系。恢复健康,是朝野的希望;你要求辞去官职,这哪里是朕所期望的!"甲午(二十日),秦熺再次上奏:"臣与臣的父亲已商议决定,这是一贯的愿望,乞求同时给以退休。"宋高宗下诏说:"国家社稷再度安定,卿出了很大的力,正想请你们同心同德治理国家,你们却突然要求辞官,这不是朕所希望的,不要再上陈此事。"此时秦桧的病情已很严重,但秦熺隐瞒不上报,只以任期已满为借口请求退职。

乙未(二十一日),宋高宗驾临秦桧宅第询问他的病情。秦桧穿着朝服拖着长带,不说一句话,只是泪如雨下,宋高宗也为他揩泪,就解下红帕赐给秦桧擦眼泪。秦熺奏问谁来代替宰相的职位,宋高宗说:"这件事你不应当过问。"这天傍晚,宋高宗召来权兵部侍郎兼权直学士院沈虚中草拟秦桧父子退休的文稿。

深夜,秦熺派他的儿子礼部侍郎秦埙,与同党右司员外郎林一飞、宗正丞郑楠等人会见殿中侍御史徐嚞、右正言张扶,策划奏请提秦熺为宰相。

左朝奉郎、主管台州崇道观洪晧在南雄州去世,终年六十八岁。

丙申(二十二日),太师、尚书左仆射、同中书门下平章事兼枢密院使益国公秦桧,被晋封为建康郡王,少傅、观文殿大学士、充万寿观使兼侍读,提举秘书省秦熺任少师,一并退休。宋高宗下诏说:"秦熺的安排已降下制文,秦桧的孙子试尚书礼部侍郎兼实录院修撰秦埙,敷文阁待制、提举佑神观秦堪,一并提举江州太平兴国宫,秦埙还充任敷文阁直学士。"

起初,秦桧病重,他招来参知政事董德元、签书枢密院事汤思退到卧室内,将后事嘱咐他们,并且赠给每人黄金一千两。董德元认为如果不接受,它日秦桧病愈,就会怀疑他董德元有二心,于是接受了。汤思退则考虑到秦桧多疑,它日病愈,必说:"我用黄金试他的心,便以为我一定会死吗?"于是不敢接受。宋高宗听说此事,认为汤思退不对,秦桧党徒却举荐汤思退兼权参知政事。

这天夜里,秦桧死去,终年六十六岁,遗书中大致说:"愿陛下更加巩固与邻国的友好,深思国家的大计方针,谨防国家根本的动摇,杜绝奸邪党徒的窥视。"

当初,靖康末年,秦桧在中司,因抗议金国,请求保存赵氏政权而被金国掳去,举国上下都称赞他的高尚德行。从金国回来以后,马上被起用为宰相,极力引荐同时的仁德贤才胡安国、程瑀、张焘等人,安置在台省机构,士大夫都称赞他。不久,被吕颐浩、朱胜非所排挤,便不被重用。秦桧因张浚与赵鼎有矛盾,便推荐枢密使张浚为宰相,张浚罢职后,赵鼎又做宰相,各执政大臣尽被驱逐只留下秦桧。不久与赵鼎同为宰相,最终把赵鼎挤下去了。金国背弃盟约,军民都归罪于秦桧,秦桧却傲然不肯引退,又指使王次翁上奏皇上留住他。韩世忠、张俊、岳飞正掌握兵权,秦桧与张俊密谋和议之事,将兵权交张俊统管。岳飞被诛杀,韩世忠也被罢职,张俊占据高位不肯去,秦桧就指使江邈弹劾使张俊罢官。因此,朝廷内外大权都归秦桧把持,不是秦桧死党和昏庸无能、阿谀逢迎的人,就不能做官,忠诚正直的士大夫,大多隐逸山林。绍兴十二年科举考试,他指使考试官让他的儿子秦熺考上状元,绍兴二十四年科举考试,他又下令考试官让他的孙子秦埙考上状元。彗星出现,秦桧不引退,他还频频指使臣僚与地方州县官上奏吉祥瑞兆,说是秦桧执政所致。宋高宗以为江左出现的小小宁静是秦桧努力的结果,就对他重用不疑。秦桧便勾结宦官和医师王继先迎合皇上的旨意,宋高宗的一举一动都被他了如指掌,每天向宋高宗进呈珍宝、珠玉、书画、奇玩、赋税盈余,宋高宗宠爱无比,命中使陈腆、续瑾赐给秦桧珍玩、酒食没有一天间断。秦桧两次做宰相,共十九年,他举荐执政官,必定挑选那些没有什么名望、柔顺奸邪、容易控制的人,不让他们参与政事,只不过是做做摆设,列具一个姓名而已;秦桧任命将帅,必定挑选庸才。最初看到财用不充足,就秘密指使江、浙监司暗中增加民众赋税七、八成,所以百姓困苦不堪,饿死的很多。又下令数百名士兵在街市间游荡观察,听到骂他奸恶的话,就逮捕押往大理寺处死;上书议论朝政的人,照例要贬黜到万里之外。天天指使一些士大夫写文章歌颂太平盛世、国家中兴、英明圣治的美事,士大夫中稍有政绩和名望的,必定遭到排斥放逐,他享受恩宠、玩弄权术,谏官一点也不敢说他的不是。自从刘光世去世,他在建康的园林、宅第一并被赐给秦桧,张俊死后,他的地产、住宅租钱每天二百千缗,他的家人献给国家,秦桧则将其私吞。秦桧的性格阴险狠毒如悬崖陷阱,深不可测,他喜欢贪赃枉法的官吏,恨恶廉洁奉公的士大夫,丝毫不采用祖宗的法规制度。每次到省衙处理政务,到巳时就走了,公文积压很多都不处理。秦桧贪得无厌,监司、帅守补阙赴任,照例要向他进献珍宝,必定要送数万贯才能得到差遣,等到这些人贪赃枉法被百姓投诉,秦桧又极力保护他们,所以贪官污吏横行,老百姓更加穷困。秦桧腊月过生日,各州县为他献香送礼祝寿,每年花费数十万,他家里的财富比左藏国库要多数倍。士大夫给他写信称呼他,认为皋、夔、稷、契等都不值得比拟,必须称他为元圣,或者圣相,甚至有的请求给秦桧加赐九锡仪仗和设置益国属官。至于忘记国仇,违背天理,陷害忠良,暗地败坏宗资议论,其罪行特别大。宋高宗渐渐发觉秦桧专横跋扈,因害怕他,又不敢发作,因此首先勒令秦熺退休,准备依次驱逐秦桧党徒,但国势已衰败不振了。

丁酉(二十三日),金国大房山行宫建成,名叫磐宁宫。

庚子(二十六日),殿中侍御史兼崇政殿说书徐嚞任权尚书吏部侍郎。

十一月,己巳朔(疑误),金国护送梓宫自忝承殿出发。

戊申(初四),右承事郎赵汾,特降官二级,制书上说:"你身为大臣之子,不自重自爱,有人揭发你与宗室成员勾结,窥伺机要政事。朕了解你的来龙去脉,也确实有问题。同意有司建议,姑且削官二级,你要理解这是对你的宽大,不要再犯。"

金国举行皇陵落成典礼。

壬子(初八),敷文阁直学士魏良臣任参知政事。

甲寅(初十),完颜亮下诏:"朝廷内外大小官员升官一级;贞元四年租税一律免除;士兵长期驻守边防没有替换的,每人赐绢三匹、银三两。"群臣称贺。

乙卯(十一日),宋高宗赐给秦桧忠献谥号。

丙辰(十二日),完颜亮在太和殿大宴百官。

丁巳(十三日),占城进奉使萨达麻等入宫拜见宋高宗,进贡沈笺等香一万余斤,乌里香五万五千余斤,犀角、象牙、翠羽、玳瑁等珍稀物品,宋高宗赏赐他们在殿门外吃酒食。以后三天,在怀远驿宴请他们。后来交趾、三佛齐的使者来,都按此规格接待。当时占城国王阳卜麻去世,他的儿子邹时兰已经继位,所以遣使进贡。

乙未(疑误),宗正丞、充金贺生辰使郑柟被罢免,权尚书吏部侍郎徐嚞充任金国贺生辰使。

癸亥(十九日),冬至日,在南郊合祭天地,大赦天下。

乙丑（二十一日），左朝奉郎、主管台州崇道观、袁州居住洪晧，恢复敷文阁直学士官职。

洪晧贬谪英州九年，到现在已去世。魏良臣等上言说洪晧在贬所病重，想恢复旧职宫观官，允许他随便居住，宋高宗说："洪晧以前在敌营中，经常写信到朝廷，对国家非常忠诚。后来因说话而获罪，事情也不重，可以同意他的奏请。"

丁卯（二十三日），宋高宗下诏说："廷尉的职责就是为天下主持公平，而近年来法寺只是探听大臣的旨意，来确定罪行的轻重，使得百姓手足无措，他们舞文弄法，没有比这更严重的了。希望主持正义的士大夫，详细审核复查，一切依照法度而不是随心所欲，杜绝冤狱泛滥，不辜负朕的告诫。"

庚午（二十六日），宋高宗下诏："近年以来，士风败坏，通过诬告陷害作为升官发财的阶梯，以致人们不敢私谈和聚众闲聊，非常有害于风俗教化。可告诫在位的朝廷内外官员，都要领会朕的这个意思。有不改正错误的，令御史台弹劾上奏，当依法处置。"

右监门卫大将军、和州防御史赵士佺，是和僖穆王赵宗朴的孙子，荣国公赵仲闵的儿子。自从秦桧专权，二王有十余年没有人继承封爵，到现在才下令袭封。当时赵令衿应当袭封，然而因被牵连正被监管，于是封赵令悢。安懿王的曾孙有五百五十三人，得以继承封位从赵士佺开始。

直秘阁、两浙转运副使钟世明，升任守尚书右司员外郎兼权户部侍郎。

辛未（二十七日），三省、枢密院上言说："士大夫应当加强修养来使风气敦厚。近来有些轻薄之徒，总是揭发亲戚箱子里的私人书信，报告朝廷，酿成大案，因而得到一个理想的官职。由此相习成风，虽然是骨肉亲朋，也互相倾轧诬陷，在往来的书信间挑出文字，酒足饭饱后的嬉笑谈话也被记录下来，况且这些人中有本来就关系暧昧而要罗织罪名的，侥薄恶劣的风气，没有比这更严重的！希望下令刑部开列出那些在别人背后进行诬陷攻击的人的名单，加以贬黜处罚。这样要不了多长时间，士风就会根本改变，人人知道循规蹈矩。"宋高宗下令诏刑部开列姓名，上报省衙听候处置。

十二月，甲戌朔（初一），右正言张修上言说："资政殿大学士郑亿年，身为宰相之子，又是朝廷近臣，不能捐躯报国，却甘心追随叛臣刘豫。回到朝廷之后，居于大臣的重要政位，高官厚禄，坐享多年。端明殿学士郑仲熊，与大臣结为儿女亲家，不到一二年就位居枢密院，贪污受贿、声名狼藉。"宋高宗下诏，上述二人一并贬职，郑亿年到南安军安置，郑仲熊依原职提举江州太平兴国宫。

特进、提举江州太平兴国宫、永州居住张浚，降职任左朝请大夫、提举临安府洞霄宫、郴州居住。折彦质，降职任左中大夫、提举江州太平兴国宫、沅州居住。万俟卨，降授左中大夫、提举江州太平兴国宫、南康军居住。段拂，一并任其随便居住。建宁军节度副使、昌化军安置李光，移郴州安置，李光年龄已八十岁。

庚辰（初七），安丰军进献蝛鲊、白鱼，宋高宗下诏："朕不想因满足口腹而去劳累百姓，可下令本军，今后不要进献。"第二天，宋高宗说："温州柑橘，福建荔枝，去年都已下令不许进献，唯独蝛鲊、淮河白鱼，都是祖宗以来每年进贡的物品，朕担心劳累百姓，所以再次下令不许进献。"

壬午(初九),刑部开列出前后诬陷告状者的名单:"右朝奉郎张常先任江西运判,状告知洪州张宗元给张浚写信并有祝寿诗;右通直郎、直秘阁汪召锡,左从政郎莫汲,一起状告衢州寄居赵令衿有讥笑诽谤朝廷的语言;右朝散郎范洵,状告和州教授卢傅霖作咏雪诗,声称是发泄不满;左朝奉郎、提举两浙路市舶陆升之,状告亲戚李孟坚将父亲李光所作文章书籍告诉他人并有讥笑诽谤的言论;左从政郎、福建路安抚司干办公事王涉,在担任两浙转运使催办纲运时,状告知常州黄敏行不守法纪等事;追官勒停人前右通直郎、明州鄞县丞王肇,诬告程纬怠慢上级没有人臣之礼等语言;降授承信郎雍端行,任监潭州湘潭县酒税,状告本县丞郑玘、主簿贾子展,在酒宴后有嘲讽朝廷的语言;福建进士郑炜,状告吴元美讥谤朝廷等事。"宋高宗说:"这些人必须重加惩罚,现在如此处置这些人,可以想见会群情欢悦,感受到和睦风气。"于是将这些人一并除去官吏名籍,勒令停职,张常先押送循州,汪召锡押送容州,莫汲押送化州,范洵押送梅州,陆升之、郑炜押送雷州,王涉押送南恩州,王肇押送高州,雍端行押送宾州,一律实行编管。王涉是王铁的儿子。雍端行是蜀地人,祖父雍孝闻,崇宁年间考举南省进士第一,因上书诋毁获罪,废黜而死。父亲雍子纯,建炎年间任要职,隶属赵哲军队,赵哲被诛杀,雍子纯也被编管,张俊怜悯他,重新授予雍端行一个官职,到现在犯法抵罪,后来就不知结果了。

宋高宗下诏:"除名勒停的前左朝请郎、荆门军编管人范彦辉,前右朝奉大夫、辰州编管人王趯,前右朝散大夫、夔州编管人元不伐,特旨勒停的前右承议郎、徽州编管人苏思德,除名勒停的前右承务郎、峡州编管人李孟坚,右承务郎、绍兴府羁管人李孟津,除名勒停的前右承务郎、峡州编管人王之奇,前右承务郎、容州编管人王之旬,特旨勒停的前右朝散大夫、鼎州编管人阎大钧,一并释放,可随便居住。"

甲申(十一日),左朝散郎周葵恢复直秘阁、知绍兴府官职。

宋高宗下诏:"除名勒停的前左朝请郎、处州编管人郎大受,前左从政郎、武冈军编管人芮晔,前右从政郎、万安军编管人杨炜,前左迪功郎、横州编管人郑玘,前右迪功郎、肇庆府编管人贾子展,一并释放,准允随便居住,仍恢复原职。"杨炜度海时去世。

乙酉(十二日),参知政事董德元被罢免,任资政殿学士、提举江州太平兴国宫。

在此之前,殿中侍御史汤鹏举上言说:"董德元器量狭小、是个庸才,只是以花言巧语取悦权贵,窃取官位;掌握大权后,又因朝中无人,得以任权宰执职位。兴利除害,他能担当如此重任吗?举荐贤能,罢黜庸才,他能任劳任怨吗?他才真是一个饱食终日,滥竽充数的无能之辈。请求将董德元罢黜,以惩戒那些贪恋官位无德无能的可耻之辈。"右正言张修上言说:"参知政事董德元,以卑琐庸劣之才,侥幸科举中第,当政大臣,想拉他入伙,就用高官引诱他。象台谏这样的官员,是君主的耳目之所在,尤为其他官职所不能比拟,而董德元为侍御史,和台谏官勾结,使奸人往来其间,传递秘密,他所喜欢的人就马上晋升,他所憎恨的人便遭到排挤,一群小人得志,朋比为奸,好人惶恐不安,无容身之地,这就是台谏附会权势,使事情糟到极点。近来,圣上初次颁布了诏令,在位的臣僚,谁敢不以赤诚之心,仰承圣德!像董德元应该退职,却还在洋洋自得恬不知耻,身居朝廷,掌握军机政务大权,人们对他已恨得咬牙切齿。如果不迅速罢黜他,深感将危害国家大事。"汤鹏举又上言说:"去年省试,董德元任参详官,在誊录处取号得到秦埙的试卷,对众人说:'我们大家可以富贵了!'当同考官拿到秦埙的试卷相互庆贺时,董德元对众人又说:'这份试卷答得相当高妙,夺得第一名绰绰有余。'最近又怂恿同乡中的浪荡子弟,公然在大街上叫喊,请求朝廷任命董德元为宰相。应该及早罢黜董德元,告诫那些谄媚权贵、伺机钻营的人。"宋高宗下诏令董德元免职。

癸巳(二十日),责授果州团练副使、已退休的胡寅任徽猷阁直学士,退休。

甲午(二十一日)敷文阁待制沈该任参知政事。

沈该从蜀地被召回,入宫拜见宋高宗。宋高宗说:"秦桧为何对你恨得这样深?"沈该说:"臣是由秦桧举荐走上仕途,等到升为侍从官,圣上知遇更深,秦桧就有所猜忌。"宋高宗笑着说:"对。"于是有这一命令。沈该首先进言说:"朝廷军机要务繁多,可以依赖同心协办处理政务的,只有两三个执政。近些年大臣专权,参知政事、枢密院都是用来作摆设的,对正事没有决定权。应该特别诏令三省,务必各自尽力,以辅佐国家大事。"当时,皇上重新亲政,亲自总揽朝纲,首先诏令沈该和万俟卨回到朝廷。不久二人共同执政,无所建树,更加引起人们的不满。

乙未(二十二日),金主完颜亮到寿宁宫朝见太后。

丙申(二十三日),在吉阳军编管的胡铨,移到衡州编管。

丁酉(二十四日),特进、提举江州太平兴国宫、和国公张浚恢复观文殿大学士之职。

己亥(二十六日),金国贺正旦使、奉国上将军、太子詹事耶律归一,副使左中大夫、行大理少卿马枫,在紫宸殿拜见宋高宗。

特进、观文殿大学士、和国公张浚判洪州,宝文阁学士张焘任建康知府。张浚因母亲丧事没有赴任。

金国太傅、领三省事大托卜嘉去世。

托卜嘉的祖先在辽国做官,世代显赫。托卜嘉投降金国后,金人派他窥探反叛苗头,他只要听到什么就上报,金太祖认为他忠诚。曾经跟随栋摩攻取中、西两京,辽军二十万军马来战,栋摩让托卜嘉守护大本营,托卜嘉坚决要求出战。有人劝阻他,托卜嘉说:"大丈夫不能到战场上一决胜负,还有什么作为!如果出战不能取胜,虽死犹生。"等到一开战,栋摩的军队稍微向后退却,托卜嘉率领本部兵马从侧面攻杀过去,杀死辽军数百人,由此名声大振。多次随军南伐,积累战功,官至行台右丞相。他设计陷害完颜杲,因而得到完颜亮的欢心,被完颜亮提拔重用。他死了后,完颜亮亲自前往哭祭,下令有司停止办公及禁乐三日。后来又赠授太师、晋国王,谥号杰忠。

这一年,金国任命西京留守葛王完颜褒为东京留守。完颜亮对宗室一心猜疑忌恨,因为完颜褒对完颜亮毕恭毕敬并有几分害怕,所以完颜亮的猜忌刻毒之心有所松懈,进封完颜褒为赵王。

续资治通鉴卷第一百三十一

【原文】

宋纪一百三十一　起柔兆困敦【丙子】正月,尽强圉赤奋若【丁丑】十二月,凡二年。

高宗受命中兴全功至德　圣神武文昭仁宪孝皇帝

绍兴二十六年　金正隆元年【丙子,1156】　春,正月,己酉,金群臣上其主尊号曰圣文神武皇帝。

金主自上年九月废朝,常数月不出,有急奏,召左右司郎中省于卧内。庚戌,始视朝。

辛亥,尚书礼部侍郎兼侍讲王珉、权吏部侍郎徐嚞罢。

时珉等使北未还,而殿中侍御史汤鹏举,论二人皆以谄事秦桧故骤为台谏,无一言弹击奸邪,无一事裨补时政,不修人臣之礼,不识事君之义,故有是命。

癸丑,翰林学士陈诚之兼侍读,尚书吏部侍郎〔张纲兼侍讲,起居舍人王纶兼崇政殿说书〕。

甲子,故责授清远军节度副使赵鼎,追复观文殿大学士。责授左朝散郎、秘书少监、分司南京、赣州居住孙近,责授濠州团练副使郑刚中,并追复资政殿学士。故左大中大夫、提举江州太平兴国宫、永州居住汪藻,追复显谟阁学士。

乙丑,金主观角觚戏。

罢中书、门下省,以太师温都思忠为尚书令,以太尉、枢密使昂为太保,右丞相布萨师恭为太尉。

丙寅,以令裿为明州观察使、安定郡王。

直秘阁周葵权尚书礼部侍郎。

左奉议郎、知泰州海陵县冯舜韶为监察御史。

帝监秦桧擅权之弊,遂增置言事官。时何溥、王珪、沈大廉与舜韶并为察官,而汤鹏举、周方崇、凌哲为台谏。

己巳,诏:"昨降指挥,已得差遣人,限五日出门;其已有差遣及在贬谪者,不得辄入国门。"

庚午,左朝奉郎、通判肇庆府黄公度引见,帝曰:"卿官肇庆,岭外有何弊事?"公度曰:"广东西路有数小郡,如贵、新、南恩之类,有至十年不除守臣者。权官苟且,郡政废弛,或不半年而去,监司又复差人,公私疲于迎送,民受其弊。"帝曰:"何不除人?"公度曰:"盖缘其阙在堂,欲者不与,与者不欲。"帝曰:"若拨归部,当无此弊。"遂以公度为考功员外郎。

辛未,左承议郎、新知黎州唐租入辞。租言:"臣所治黎州,控制云南极边,在唐为患尤甚。自太祖皇帝即位之初,指舆地图,弃越巂不毛之地,画大渡河为界,边民不识兵革,垂二百年。昨蒙遣钟世明(于)裕民(州属)〔川蜀〕,蠲减虚额,人受其赐,更请降诏抚谕,庶几蜀民扶老携幼,共闻德音。"租,重之子也。

二月,癸酉朔,金主改元正隆,大赦。

甲戌,左朝议大夫刘才邵权尚书工部侍郎。

己卯,龙神卫四厢都指挥使、武当军承宣使、池州驻劄御前诸军都统制李耕卒。昭庆军承宣使、殿前司右军统制岳超为龙神卫四厢都指挥使,充池州驻扎御前诸军都统制。

庚辰,金主御宣华门观迎佛,赐诸寺僧绢五百匹,彩五十段,银五百两。

辛巳,金改定内外诸司印记。

辛卯,参知政事魏良臣罢,为资政殿学士、知绍兴府。

先是侍御史汤鹏举言:"良臣人品凡下,天资凶险,率意任情,浮躁浅陋。通判以下差遣,已得旨令吏部差注,必留堂除以市私恩。台谏之论列人才,良臣引用私亲赵公智,必欲庇之,是恨台谏不与之为支党也。廷尉之禁勘公事,良臣改正富人胡迈奏补,必欲从之,是使狱官与之容私也。议论于同寅之间,则愚而好自用;奏对于君父之间,则贱而好自专。迹其所为,稍若假以岁月,授以权柄,殆有甚于秦桧。"于是良臣亦抗章求去,乃有是命。

乙未,左朝请大夫、新知汉州陈康伯试尚书吏部侍郎。

金司徒张通古致仕。

庚子,金主谒山陵;辛丑,还都。

三月,壬寅朔,金始定职事朝参等格,仍罢兵卫。

甲寅,诏:"比缘军兴,令宰相兼枢密院使,典掌机务;今边事已定,可依祖宗故事,宰相更不兼领。"

戊午,权刑部尚书韩仲通守户部尚书,仍兼权知临安府;敷文阁待制、新知信州周三畏试刑部尚书。

己未,资政殿学士、提举万寿观兼侍读万俟卨参知政事。

癸亥,太尉、奉国军节度使、御前诸军都统制、知兴州吴璘开府仪同三司。

丙寅,诏曰:"朕惟偃兵息民,帝王之盛德;讲信修睦,古今之大利;是以断自朕志,决讲和之策。故相秦桧,但能赞朕而已,岂以其存亡而有渝定议耶!近者无知之辈,遂以为尽出于桧,不知悉由朕衷,乃鼓唱浮言以惑众听,至有伪造诏命,召用旧臣,献章公车,妄议边事,朕实骇之。仰惟章圣皇帝子育黎元,兼爱南北,肇修邻好,二百馀年,戴白之老,不识兵革。朕奉祖宗之明谟,守信睦之长策,自讲好以来,聘使往来,边郵绥静,嘉与宇内共底和宁。内外大小之臣,其咸体朕意,恪遵成绩,以永治安;如敢妄议,当置重典!"

自秦桧死,金人颇疑前盟不坚;会荆、鄂间有妄传召张浚者,敌情益疑。于是参知政事沈该言:"向讲和息民,悉出宸衷,远方未必究知,谓本大臣之议,惧复用兵,宜特降诏书,具宣此意,远人闻之,当自安矣。"时参知政事万俟卨,签书枢密院事汤思退,言皆与该合,乃下是诏。

夏,四月,甲申,刑部开具自去岁郊祀后监司、郡守尝被台劾之人:直龙图阁赵士髟,直徽猷阁龚鎏,直秘阁郑侨年、郑震、郑霭、高百之、张永年、王晌、孙汝翼,直敷文阁方滋,共十人。诏并夺职。

先是殿中侍御史周方崇言:"延阁寓直,所以待英俊而宠劳能,请将去岁郊祀后臣僚论列放罢监司、郡守等人并镌落职名,非徒奸恶有所警惧,而委任责成见带贴职之人,实为荣耀。"故有是命。

庚寅,翰林学士兼侍读陈诚之假资政殿大学士、醴泉观使兼侍读,充贺大金上尊号使;吉州刺史、知阁门事苏华假崇信军节度使、领阁门事,副之。诚之三至北庭,颇见信,后有往聘者,必问其安否云。

癸巳,诏:"武学生以八十人为额,上舍十五人,内舍二十五人,外舍四十人,置博士、学谕各一员。"未几,诏:"学生百员为额。"

甲午,诏:"诸路州军自今不得奏祥瑞。"

帝尝曰:"前大理寺狱空,不许上表称贺,甚为得体。比年四方奏祥瑞,皆饰空文,取悦一时。如信州林机奏秦桧父祠堂生芝草,其佞尤甚。莲子双头,处处有之,亦何为瑞!麟、凤,瑞之大者,然非上有明君,下有贤臣,麟、凤之生,亦何所取!朕以为年丰谷登,可以为瑞。若汉武作《芝房》《宝鼎》之歌,奏之郊庙,非为不美,然何益于事?"

戊戌,置六科以举士:一曰文章典雅,可备制诰;二曰节操公正,可备台谏;三曰法理皆通,可备刑谳;四曰节用爱民,可备理财;五曰刚方岂弟,劳绩著闻,可备监司、郡守;六曰知机识变,知勇绝伦,可备将帅。令侍从岁举之,如元祐中司马光所请。

庆远军承宣使、提举佑神观吴盖为宁武军节度使。

五月,壬寅,参知政事沈该为尚书左仆射,万俟卨为右仆射,并同中书门下平章事。

甲辰,端明殿学士、签书枢密院汤思退知枢密院事。

甲午,太常少卿贺允中权尚书礼部侍郎。

丁未,侍御史汤鹏举试御史中丞。

戊申,诏:"故追复观文殿学士赵鼎,特与致仕恩泽四名;故追复资政殿学士孙近,与致仕恩泽三名;故追复显谟阁学士汪藻,与致仕恩泽二名;故左中大夫刘大中、李若谷、段拂,并追复资政殿学士,与恩泽二名;故左朝散大夫程昌寓,追复徽猷阁待制,与致仕恩泽二名;故左大中大夫范冲,追复龙图阁直学士;故左中奉大夫王居正,右文殿修撰赵开,并追复徽猷阁待制,与恩泽一名;故左朝请郎李朝正,左朝散郎致仕高闳,左朝奉郎游操、吕本中,并特与恩泽一名。"

诏:"李显忠昨缘归朝,全家被害,理宜优恤,除已给恩泽外,更特与五资。"

己未,金主使宣奉大夫、左宣徽使敬嗣晖,定远大将军、尚书兵部郎中萧中立,来贺天申节。

己巳,前特进张浚,度金人必渝盟,上疏曰:"今日事势极矣,陛下将拱手而听其自然乎,抑将外存其名而博谋密计以为久长计欤?臣诚恐自此数年之后,民力益竭,财用益乏,士卒益老,人心益离,忠烈之士沦亡殆尽,内忧外患相仍而起,陛下将何以为策?今天下譬如中人之家,盗踞其堂,安眠饱食其间而阴伺其隙,一日之间,其舍我乎?"书奏,执政不省。

是月,金颁行正隆官制。

六月，丁丑，端明殿学士、新知湖州程克俊参知政事。

庚辰，金天水郡公赵桓薨。

壬午，诏：“故追复资政殿学士郑刚中，特与致仕恩泽二名。”

左奉议郎孙觌复左朝奉郎。觌既叙官，当秦桧秉政，畏祸深居者二十馀年。及是上书自诉，乃复旧秩。

丙戌，金以尚书右丞蔡松年为左丞，以枢密副使耶律安礼为右丞。

丁亥，作皇帝本命殿于万寿观，依在京以纯福为名。

流星尽陨。

秋，七月，甲辰，三佛齐国遣使入贡。

丁未，彗星出井宿间。

戊申，诏曰：“太史言彗出东方，朕甚惧之，已避殿减膳，侧身省愆。尚虑朝政有阙失，民间有疾苦，刑狱有冤滥，官吏有贪残，致伤和气，上天垂象。可令士庶实封陈言，诣登闻检院投进；仍令诸路监司、郡守，条具便民、宽恤合行事件闻奏；提点刑狱官躬诣属州县，详虑〔决〕遣，将枝蔓干连之人，日下疏放，务使施实惠以尽应天之实。”

己酉，金主命太保昂如上京，奉迁始祖以下梓宫。

壬子，诏：“故赠右谏议大夫陈瓘，赐谥忠肃。”先是帝谓辅臣曰：“近览瓘所著《尊尧集》，无非明君臣之大分，深有足嘉。”

丙辰夜，彗星没。

辛酉夜，天雨水银。

八月，丁丑，金主如大房山行视山陵。

庚寅，南平王李天祚，遣太平州刺史李国以右武大夫李义、（政）〔武〕翼郎郭应五来贺升平，献黄金器千一百三十六两，明珠百，沈香千斤，翠羽五百只，杂色绫绢五千匹，马十，象九。诏尚书左司郎中汪应辰燕国于玉津园。迁国为太平州团练使，义左武大夫，应五武经郎，加赐袭衣、金带、器、币有差。

辛卯，参知政事陈克俊罢，为资政殿学士、提举临安府洞霄宫，以疾自请也。克俊再执政才七十五日。甲午，尚书吏部侍郎兼侍讲兼权吏部尚书张纲参知政事。

乙未，静海军节度使、检校太尉、南平王李天祚为检校太师，功号加“归仁”二字，赐袭衣、金带、鞍马、器、币。

中书舍人吴秉信试尚书吏部侍郎。

九月，庚子朔，奉国军节度使、开府仪同三司、御前诸军都统制、知兴州吴璘领御前诸军都统制职事，判兴州。自建炎以来，未尝有使相为都统制者，故改命之。

璘尝自著书，号《兵要大略》，谓：“金人有四长，我有四短，当反我之短以制彼之长。盖彼之所长，曰骑兵，曰坚忍，曰甲重，曰弓矢。吾当集蕃、汉所长而用之，故以分队制其骑兵，以番休迭战制其坚忍，制其甲重则劲弓强弩，制其弓矢则以远克近，以强制弱。”其说甚备。至于陈法，有图而无书焉。

辛丑，沈该等言安南人欲买捻金线缎，此服华侈，非所以示四方，帝曰：“华侈之服，如销金之类，不可不禁。近时金绝少，由小人贪利，销而为泥，甚可惜。天下产金处极难得，计其所出不足以供毁之费。虽屡降指挥,而奢侈之风终未能绝,须申严行之。"

乙巳,翰林学士陈诚之兼侍(讲)〔读〕、同知枢密院事。

癸丑,御史中丞汤鹏举兼侍读、权尚书兵部侍郎。

甲子,汤鹏举言:"西清次对,超躐禁从,所以褒有德而显有功也。敷文阁直学士秦埙,敷文阁待制秦堪,敷文阁待制吴益,皆以庸琐之才,恃亲昵之势,可谓无功无德者也,其可直西清而充次对乎?请镌褫职名,示天下以至公之道。"诏:"鹏举所论,甚协公议。然朕以秦桧辅佐之久,又临奠之日,面谕桧妻,许保全其家。今若遽夺诸孙与婿职名,不惟使朕食言,而于功臣伤恩甚矣!可令中外知朕此意,今后不得更有论列。"

冬,〔十〕月,己巳朔,右朝议大夫、知明州王俟试尚书户部侍郎。

丙子,拱卫大夫、忠州防御使、两浙西路兵马钤辖邵宏渊为殿前司前军统制。

乙酉,金葬始祖以下十帝于大房山。

丁酉,诏:"前特进张浚,依旧永州居住,俟服阕取旨。"

先是浚奉母丧归葬于蜀,行至江陵,会以星变求直言。浚虑金数年间决求衅用兵,而吾方溺于宴安,谓金可信,荡然莫之为备;沈该、万俟离居相位,尤不厌天下望,朝廷益轻,虽在苫块,不得不为帝终言之。乃复奏曰:"向者讲和之事,陛下以太母为重尔。幸而徽宗梓宫亟还,此和之权也。不幸用事之臣,肆意利欲,乃欲翦除忠良,以听命于敌而阴蓄其邪心,故身死之日,天下相庆,盖恶之如此。方奸雄之人,豢于富贵,分别党与,布在要郡,聚敛珍货,独厚私室,皆为身谋而不为陛下谋也。坐失事机二十馀年,有识痛心。夫贤才不用,政事不修,形势不立,而专欲受命于敌,适足启轻侮之心而正坠其计中。臣愿陛下深思大计,复人心,张国势,立政事,以观机会,未绝其和,而遣一介之使与之分别曲直逆顺之理,事必有成。"

万俟离、汤思退见之,大怒,以为金未有衅,而浚所奏乃若祸在年岁间者。汤鹏举即奏:"浚身在草土,名系罪籍,要誉而论边事,不恭而违诏书,取腐儒无用之常谈,沮今日已行之信誓,岂复能为国家长虑!徒以闲居口久,以冀复用。议者以为前此权臣尝被其荐,故虽致人言,犹窜近地。况浚近得旨归葬于蜀,尚坚异议,以唱率远方之人,虑或生患。望屏之远方,以为臣下不忠之戒。"故有是命。

闰十月,己亥朔,汤思退言昨日张浚行遣极当,帝曰:"浚用兵,不独朕知,天下皆知之。如富平之败,淮西之师,其效可见。今复论兵,极为生事。且太祖以神武定天下,亦与契丹议和。"陈诚之曰:"浚论事颇有不当,如石晋因契丹之力以自立,其势不得不与之和,此桑维翰之功也。及景延广用事,遽以翁孙之礼待之,契丹遣使问曲直,延广对使者云:'晋有横磨剑十万口,翁欲战则来。'石晋之祸自此始。浚不罪延广而谓维翰不当与契丹和好,甚无谓。"帝曰:"耶律德光入汴,首以此言数延广罪。"诚之曰:"浚永州之命,甚塞众议。"帝曰:"不如此,议论不定。"

庚子,秘阁修撰、知婺州辛次膺权尚书礼部侍郎。

辛丑,宗正少卿李琳为贺大金正旦使,秉义郎、侍卫马军司干办公事宋均副之;尚书左司郎中葛立方为贺生辰使,阁门宣赞舍人梁份副之。

3044

丙午,诏:"廉州岁贡珠,虽祖宗旧制,闻取之颇艰,或伤人命。自今可罢贡,盍丁纵其自便。"帝谓宰执曰:"朕尝读太祖《实录》,〔见刘钺〕进珠子马鞍,太祖知刘钺所采珠子甚多,日役置丁数千人,死者不少。朕以为珠子非急用之物,既是难得,且伤人命,故特令罢贡,以为一方无穷之利。”

龙神卫四厢都指挥使、建武军承宣使、新江南西路马步军副都总管董先卒于鄂州。

徽猷阁直学士致仕胡寅卒于衡州。

十一月,丙子,左从事郎、主管礼兵部架阁文字杜莘老充敕令所删定官。

先是诏以星变求言,莘老上书论:“彗,戾气所生,历考史牒,多为兵兆。国家为息民通和,而将骄卒惰,军政不肃。今因天戒以修人事,思患预防,莫大于此。”因陈时弊十事。

丙戌,知盱眙军吴说奏请禁止采蜯。帝曰:“暴殄天物,诚为可禁。第贫民以此为生,一旦禁止,恐致失业。古之圣人,先仁民而后爱物,今但令官司不得买蜯,民间从其便也。”

十二月,戊戌朔,腊飨太庙。是日也,罢朔祭,以礼官援淳化故事有请也。

辛丑,知枢密院事汤思退同知枢密院事。

壬戌,三佛齐国进奉使蒲晋等入见。癸亥,封其国首领为王,蒲晋等赐秩有差。

甲子,金贺正旦使中奉大夫、秘书监、右谏议大夫梁铢、副使定远大将军、充马军副都指挥使耶律谌入见。

帝尝制宣圣及七十子像赞,亲书之。是月,始命刻石。

绍兴二十七年　金正隆二年【丁丑,1157】　春,正月,戊子,右通直郎、监登闻检鼓王述,以贫乞补外。帝曰:“王伦顷年奉使金国,金欲留之,许以官爵,伦不从,乃冠带南向,再拜求死。此事亦人所难,宜恤其后,可特添差通判平江府。”

庚寅,金以工部侍郎韩锡同知宣徽院事。锡不谢,杖百二十,夺所授官。

二月,丁酉朔,诏:“自今国学及科举取士,并令兼习经义、诗赋,内第一场大小经各一道,永为定制。”

庚子,太尉、武当军节度使、御前诸军都统制、充利州东路安抚使兼知兴元府杨政薨,年六十。政守汉中凡十八年,特赠开府仪同三司,后谥襄毅。

辛丑,金初定太庙时享牲牢礼仪。

癸卯,金改定亲王以下封爵等第,命置局,追取存亡诰身,存者二品以上,死者一品,参酌削降。公私文书但有王爵字者,皆立限毁抹,虽坟墓碑志,亦发而毁之。

戊午,御史中丞兼侍读汤鹏举参知政事。

鹏举为台官凡一年半,所论皆秦桧徐党,它未尝及之。

己未,敷文阁待制、知荆南府王师心试尚书户部侍郎。庚申,尚书吏部侍郎陈康伯兼侍读,权礼部侍郎。〔贺允中兼侍讲。〕

是月,金主坐武德殿,召吏部尚书李通,刑部尚书胡励,翰林直学士萧廉,语以“朕夜梦至上帝所,殿中人如婴儿。少顷,有青衣特宣授朕天策上将,命征某国。朕受命出,上马,见鬼兵无数,朕发一矢射之,众皆喏而应。既觉,声犹在耳,即遣人至厩中视所乘马,其汗如水,取箭数之,亦亡其一。此异梦也,岂非天假手于朕,令取江南乎?”通等皆贺。金主戒无泄于外。

三月,丙戌,帝御射殿,引正奏名进士唱名。

先是汤鹏举以御史中丞知贡举,上合格进士博罗张宋卿等,帝亲策试。既而以手诏宣示考试官曰:“对策中有鲠亮切直者,并置上列,以称朕取士之意。”

时乐清王十朋,首以法天、揽权为对,其略曰:"臣劝陛下揽权者,非欲陛下衡石量书如秦皇帝,而谓之揽权也;又非欲陛下传飧听政如隋文帝,而谓之揽权也;又非欲其以强明自任、亲治细事、不任宰相如唐德宗,而谓之揽权也;又非欲其精于吏治、以察为明、无复仁恩如唐宣宗,而谓之揽权也。盖欲陛下惩其既往,戒其未然,操持把握,使威福之柄一归于上,不至于下移而已。"又曰:"朝廷往尝屡有禁铺翠之令矣,而妇人以翠羽为首饰者,今犹自若也。是岂法令之不可禁乎?岂宫中服浣濯之化,衣不曳地之风,未形于外乎?夫法之至公者,莫如取士,名器之至重者,莫如科第,往岁权臣子孙、门客、省闱、殿试,类皆窃巍科,有司以国家名器为媚权臣之具,而欲得人,可乎?"又曰:"臣愿陛下以正身为揽权之本,而又任贤以为揽权之助,广收兼听,以尽揽权之美,则所求无不得,所欲皆如意,虽社稷之大计,天下之大事,皆可以不动声色而为之矣。"

晋原阎安中策言:"太子天下根本,自昔人君嗣政之后,必建立元子,授之匕鬯,所以系隆社稷,基固邦本,示奕世无穷之休。臣观汉、唐史,东海王彊之于显宗,宋王宪之于明皇帝,既皆为太子矣;暨天命定于后,莫不优加职秩,大封殊礼,退就宫邸,当时无闲言,后世无异议。孝成帝即位二十五年,立弟之子定陶王为子。今陛下之心,祖宗之心也,圣虑经远,神机先物,尝修祖宗故事,累年于兹矣。日就月将,缉熙光明之学,其历试周知,不为不久也。而储位未正,嫡长未辨,臣深恐左右近习之臣,寖生窥伺,渐起党与,间隙一开,有误宗社大计,此进退安危之机也。臣愿陛下断自宸衷,早正储位,以系中外之望。"

帝谓大臣曰:"今次举人程文,议论纯正,仍多切直,似此人才,极有可用。"翼日,又谓大臣曰:"昨览进士试卷,其间极有切直者。如论理财,则欲省修造。朕虽无崇台榭之事,然喜其言直。至论铺金、铺翠,朕累年禁止,尚未尽革,自此当立法必禁之。"汤思退曰:"太宗朝有雍邱尉武程,上疏愿减后宫嫔嫱。太宗谓宰相曰:'程疏远,未悉朕意,纵欲败度,朕所不为。内廷执掌,有不可缺者。'李昉欲斥程以戒妄言,太宗:'朕何尝以言罪人,但念程不知耳。'士人论事,不究虚实,陛下能容之,实千载之遇。"帝曰:"正不消与辨。"陈诚之曰:"天下自有公论。陛下此举,大足以感动天下。愿陛下自此益崇俭约,以节浮费。"

时帝临御久,主器未定,大臣无敢启其端者,安中对策,独以储贰为请。帝感其言,于是赐十朋等四百二十六人及第、出身,而擢安中第二。或曰:"安中与举人黄成孙同县相友善,成孙父源,尝为书言储贰事,安中得其说以对,帝大赏之。"

始,蜀人之未集也,帝数有展日之命。沈该奏:"天时向暄,恐陛下临轩,不无少劳。请一面引试,后有至者,臣等策之,中书定其高下。"帝不许,曰:"三年取士,朕岂惮一时之劳耶!"及唱名至安中,又至第三人双流梁介,帝连举首谓该曰:"如何?"该大惭悚。

丁亥,特奏名进士李三英等三百九十二人,武举进士赵应熊等十五人,特奏名一人,授官有差。

应熊武艺绝伦,且试南省为第一人。帝谓大臣曰:"徽宗时,如马扩、马识远俱以武举擢用,或衔命出疆。今次魁选文武皆得人,应熊弓马甚精,文字亦可采。朕乐于得士,虽终日临轩,不觉倦也。"遂以应熊为阁门祇候、江东安抚司准备将。

左宣奉大夫、守尚书右仆射、同中书门下平章事万俟卨卒;壬辰,拜特进、观文殿大学士、致仕、赠少师。命入内内侍省都知卫茂实护丧,拜其子右承奉郎夷中、右迪功郎致中并直秘阁,它子侄九人各进一官。

夏,四月,丙申朔,清远军承宣使、知金州、节制屯驻御前军马姚仲为龙神卫四厢都指挥使、御前诸军都统制、利州东路安抚使,兼知兴元府。保宁军承宣使、御前前部统制、知阶州王彦为金、房、开、达州安抚使,节制屯驻御前军马,兼知金州。

辛亥,保宁军节度使、万寿观使、提举秘书省信安郡王孟忠厚薨,赠太保,擢其子右朝请郎充、右宣义郎嵩、右承事郎雍皆直秘阁,它子孙六人皆进一官。

诏以提举秘书省印纳礼部,自是不复除。

辛酉,尚书吏部侍郎兼侍读陈康伯迁吏部尚书。

壬戌,尚书户部侍郎王俣权工部尚书,太府少卿林觉权户部侍郎。

是月,加封徐偃王曰灵惠仁慈王。

金降景宣帝为辽王。

五月,丁丑,诏:"孟庾追复端明殿学士、左宣奉大夫;路允迪追复龙图阁学士、左通议大夫。"庾既得归,废为民而死,或言允迪在汴不食卒,故皆复之。

癸未,金国贺生辰使、正议大夫、守礼部尚书耶律守素、中靖大夫、太常少卿许竑,见于紫宸殿。

辛卯,礼部、太常寺言:"每岁大祀三十六,除天地、宗庙、社稷、感生帝、九宫贵神、高禖、文宣王等已行外,其馀并请寓祠斋宫。立春祀青帝,朝日,出火东阶,权于东门外长生院;赤帝、黄帝,权于南门外净明寺;白帝,夕〔月〕,纳火西阶,权于西门外惠照院;黑帝,权于北门外精进寺;皆用少牢,备乐舞。而神州地祇以精进地狭,祀荧惑以与赤帝同日,皆权于惠照院行之。"神州当用犊,而亦用少牢,盖权礼也。自绍兴以来,大祀所行二十三而已,至是侍御史周方崇以为言,乃悉复之。

六月,戊申,知枢密院事汤思退守尚书右仆射、同中书门下平章事。

庚戌,诏:"故追复中大夫黄潜善,再复观文殿大学士、左光禄大夫,官一子。"

甲寅,中书舍人兼侍讲、权直学士院王纶试尚书工部侍郎,太府少卿徐林权尚书刑部侍郎。乙卯,尚书左司员外郎葛立方权吏部侍郎。

戊午,初命太庙冬飨祭功臣,蜡飨祭七祀,祫飨兼之。

辛酉,故责授昭化军节度副使周望,追复龙图阁学士、左中大夫,官其家二人。

自秦桧死,左司谏凌哲请追复大臣死于贬所者。朝论初指赵鼎、王庶等数人;沈该、汤思退为相,遂并取先得罪于国者而追复之,哲复争,以为不可,乃止。

秋,七月,乙丑,秘书省校书郎陈俊卿言:"人之才性,各有所长,禹、稷、皋陶、垂、益、伯夷,在唐、虞之际,各守一官,至终身不易。此数君子者,苟使之更来迭去,易地而居,未必能尽善,况其馀乎!今也监司、帅臣鲜有终其任者,远者一年,近者数月,辄已迁徙;州县百姓送往迎来之不暇,其为劳费,不可殚举。以至内而朝廷百执事之官,亦无肯安其职业,为三数年计者,往往数日待迁,视所居之官,有如传舍。虽有勤恪之人,宣力公家,于人情稍通,纲条稍举,已舍而它去。来者皆未能尽识吏人之面,知职业之所主,则又迁矣。因循岁月,积弊已久,是以胥吏得以囊囊为奸,贿赂公行而莫之谁何,如此而望职业之举,难矣。夫爵禄名器,人所奔趋,必待积劳而后迁,则人各安分,不敢躁求。若开骤进之门,使有侥幸之望,则人人怀苟且之心，无守公之节，其自为谋则得矣，朝廷何赖焉！臣尝读《国史》，见太祖朝任魏丕掌作坊十年，刘温叟为台丞十有二年，太宗朝刘蒙正掌内藏二十馀年，陈恕在三司亦十馀年，此祖宗用人之法也。望与执政大臣参酌，立为定论。其监司、帅守，有政术优异者，或增秩赐金，必待终秩而后迁擢。至于朝廷百执事之官，亦当少须岁月，俾久于其职，然后察其勤惰而升黜之。庶几人安其分，尽瘁于国，无有过望，而万事举矣。”诏三省行下。遂以俊卿为著作佐郎。

庚午，户部侍郎林觉言：“国朝庆历以来，岁铸钱一百八十馀万缗，其后亦不下百万，如前年犹得十四万缗，去年犹得二十二万缗。而典司官吏，徒縻禄廪，朝廷罢之，殊快人意，但付之漕司，日久亦未有涯。议者以为诸路物料有无不等，运司不相统辖，无以通融鼓铸。宜出户部钱八万缗为饶、赣、韶三州铸本，委各州通判主管，漕臣往来措置，今岁权以二十三万缗为额，即不复以旧钱得代发。”从之。

甲戌，直秘阁、知临安府荣嶷权尚书户部侍郎。

八月，甲午朔，帝谕宰执曰：“昨日卿等缴到宋晙所上徽宗赐晙手诏，朕已恭览。盖徽宗内禅之美，远过尧、舜，而一时小人，外庭如唐恪、聂昌、耿南仲，内侍如邵成章、张藻、王孝竭辈，辄为妄言以惑渊圣之听，父子之间，几于疑贰。至宋晙、李纲奉迎徽宗还京，纲先归，具言徽宗之意，而后渊圣感悟，两宫释然。今观手诏，并得纲题识，皆朕昔所亲见者。朕朝徽宗于龙德宫，尝闻亲谕云：‘朕平生慕道，天下知之。今倦于万机，以神器授嗣圣，方筑甬道于两宫间，以便朝夕相见。且欲高居养道，抱子弄孙，优游自乐，不复以事物撄怀。而小人希进，妄生猜间，不知朕心如此。嗣圣在春宫二十年，朕未尝有纤芥之嫌，今岂复有所疑耶?’此皆当时玉音，外庭往往不知。”沈该等曰：“昨日臣等既得窃观徽宗诏墨，今又亲闻陛下宣谕，此实尧、舜盛德之事，因以知李纲题识，盖实录也。”翼日，该等又请宣付实录院，帝曰：“朕为人子，何可不暴白其事，使天下后世知之!”既而又亲笔书于诏后，宣示宰执。

乙未，参知政事汤鹏举知枢密院事。

壬寅，清远军承宣使兼知兴元府姚仲为保宁军节度使。

癸卯，金始置登闻院。

甲寅，金罢上京留守司。

己未，右奉议郎宋汝为卒。

汝为弃妻子亡去，至是十年，卒于青城县开先观，年六十。汝为未病，以后事托其友人监永康茶税王槐孙，后月馀乃死，槐孙为葬之青城山中。

是月，金主试进士于广乐园。

九月，戊辰，故房州观察使王瓆追复建武军承宣使。

戊寅，吏部尚书兼侍读陈康伯参知政事。

辛巳，给事中兼侍读王师心权吏部尚书。

癸未，敷文阁待制王俣卒。

丙戌，侍御史周方崇试尚书礼部侍郎。

冬，十月，庚申，左司谏凌哲权尚书礼部侍郎。

先是台谏官皆汤鹏举所荐，至是哲与方崇皆内徙，而以朱倬、叶义问代之，自是鹏举始不安矣。

〔十一月〕，乙丑，太常少卿充贺金国正旦使孙道夫、阁门宣赞舍人充副使郑朋辞行。

先时左从（正）〔政〕郎左跸为书状官，死于涿州驿舍，不暇为棺具，但坎地葬之，及道夫至北庭，乃焚其骨以归。后特官一子。

丁卯，工部侍郎兼侍讲王纶等言："兴化军进士郑樵，耽嗜坟籍，杜门著书，尝以所著书献之朝廷，降付东观。比闻撰述益多，当必有补治道，终老韦布，可谓遗才。望赐召对，验其所学，果有所取，即乞依王蘋、邓名世例施用，庶学者有所激劝。"乃命樵赴行在。

殿中〔侍〕御史叶义问论知枢密院事汤鹏举，以为："人臣不忠之罪，莫大于掠美以欺君，植党以擅权；有一于此，法当窜殛，况兼而有之！鹏举初罢平江，适逢陛下欲去权臣党与之弊，起废匿瑕，付以风宪。凡所弹击，发踪指示，皆出陛下之英断，初非鹏举可得而窃。况鹏举本非正直敢言之士，尝除广帅，惮于远行，因秦桧之嬖人丁禩献佞于桧，遂移平江。及秦桧还建康焚黄，鹏举弃去郡事，连日奔走吴江，望尘雅拜，比它郡守最为谀佞，自非陛下收拭用之，则鹏举实秦桧党中之奸猾耳。至处言路，乃妄自尊大，窃弄威权，使陛下去邪之英断，反为鹏举卖直之虚名，此臣所谓掠美以欺君者也。鹏举自居要途，引用非类，凡平日之所忌者，虽贤德忠良，必极力挤之，平日之所喜者，虽轻猥邪佞，必极力援之。坐是刘天民、范成象、留观德之徒，争为鹰犬，同恶相济，牢不可解。逮居枢府，积忌尤甚，凡己所恶，必遣天民辈先谕台谏，有议论不同者，即怫然作色曰：'此人我所荐拔，何相负如是！'夫台谏者，陛下之台谏，非鹏举之私人也。而鹏举自违诏旨，败坏成法，略无忌惮之心，复蹈前车之辙，此臣所谓植党以擅权者也。况鹏举位居宥密，执权甚重，若不急去，其害有甚于秦桧。望将鹏举明正典刑，窜之远方，以为不忠罔上之戒。"

辛巳，左正言何溥请特诏大臣勿数易郡守，帝谓宰执曰："此论切中时病。近亦有因事移易者，今非甚不得已，且令成资。"汤思退曰："岂惟郡守！监司亦然。欲于卿、监、郎官中择资浅者，令中外更代，皆至成资而罢。"帝曰："如此，不惟免迎送之扰，亦可革内重外轻之弊矣。"

丁亥，知枢密院事汤鹏举罢，为资政殿学士、提举在外宫观，免辞谢。

十二月，乙未，重见尚书六部成。

己酉，以徐林为刑部侍郎。

戊午，金主遣骠骑上将军、侍卫亲军马步军副都指挥使高思（广）〔廉〕，昭毅大将军、行尚书兵部郎中阿勒根彦忠，来贺明年正旦。

是岁，金以张仲轲为谏议大夫，修起居注，但食谏议俸，不得言事。

金主恃累世强盛，欲用兵以一天下，吏部尚书李通揣知其意，遂与仲轲及右补阙马钦等，盛谈江南富庶，子女玉帛之多，以逢其意。宦者梁珫因极称宋刘妃绝色倾国，金主大喜，命县君高苏库尔贮衾褥之新洁者，俟得刘贵妃用之。

钦为人轻脱，不识大体，金主每召见与语，钦出，辄以语人曰："上与我论某事，将行之矣。"其视金主如僚友然。累迁国子司业。

【译文】

宋纪一百三十一　起丙子年（公元 1156 年）正月，止丁丑年（公元 1157 年）十二月，共

绍兴二十六年　金正隆元年（公元 1156 年）

春季，正月，己酉（初七），金国大臣们给国主上尊号为圣文神武皇帝。

金国主从上一年九月停止上朝，经常几个月不露面，有紧急事情上奏，就召见左、右司郎中到内室请示汇报。庚戌（初八），开始上朝理政。

辛亥（初九），罢免尚书礼部侍郎兼侍讲王珉、权吏部侍郎徐嚞的职务。

当时王珉等出使北方没有回来，而殿中侍御史汤鹏举，指责二人都是因为阿谀奉承秦桧才骤然升为台谏，没有一条言论是抨击奸邪之徒的，没有一件事是有补于政务的，不遵循作臣子的原则，不明白侍奉君主的道义，所以才有了上面这道命令。

癸丑（十一日），任命翰林学士陈诚之兼侍读，尚书吏部侍郎张纲兼侍讲，起居舍人王纶兼崇政殿说书。

甲子（二十二日），已故受处分为清远军节度副使赵鼎，追认恢复为观文殿大学士。受处分为左朝散郎、分司南京、赣州居住孙近，受处分为濠州团练副使郑刚中，一并追认恢复为资政殿学士。已故左大中大夫、提举江州太平兴国宫、永州居住汪藻，追认恢复为显谟阁学士。

乙丑（二十三日），金国主观看角抵戏。

金国撤销中书省、门下省官职，任命太师温都为尚书令，任命太尉、枢密使完颜昂为太保，任命右丞相布萨师恭为太尉。

丙寅（二十四日），任命令衿为明州观察使、安定郡王。

任命直秘阁周葵为权尚书礼部侍郎。

任命左奉议郎、知泰州海陵县冯舜韶为监察御史。

宋高宗鉴于秦桧专权的弊端，就增设了议论事务的官职。当时何溥、王珪、沈大廉与冯舜韶同为监察官员，而汤鹏举、周方崇、凌哲同为台谏官。

己巳（二十七日），诏令："昨日降下指挥文书，已经受到差遣的人，限五日内出门；那些已经受到差遣以及在贬谪中的人，不得擅自进入京城。"

庚午（二十八日），左朝奉郎、通判肇庆府黄公度受到接见，高宗说："爱卿在肇庆为官，岭外有什么弊端没有？"黄公度说："广东西路有几个小郡，如贵、新、南恩等郡，有的十数年不任命官员。代理官员苟且塞责，郡中政务废弛，有的不到半年又离开，监司再委派人，官府民间都因为迎送而疲惫不堪，百姓深受其害。"高宗问："为什么不任命官员？"黄公度说："大概因为缺职由堂官管辖，想去的不给任命，任命的又不想去。"高宗说："假如划归部里管辖，应当就没有这个弊病。"于是任命黄公度为考功员外郎。

辛未（二十九日），左承议郎、新任知黎州唐秬入朝辞行。唐秬说："臣所管辖的黎州，控制着云南边远的地带，在唐朝时危害朝廷极为严重。从太祖皇帝之初，指点疆域，放弃了越嶲那些不毛之地，以大渡河为界，边远的民众，不知道战火已经近二百年了。前不久幸蒙派遣钟世明去川蜀，使百姓生活富足，减免不实的税赋，百姓都受到恩惠，请求再下诏安抚，那么蜀地百姓就会扶老携幼，倾听皇上的仁德之声了。"唐秬，是唐重的儿子。

二月，癸酉朔（初一），金主改年号为正隆，大赦天下。

甲戌（初二），任命左朝议大夫刘才邵权尚书工部侍郎。

己卯（初七），龙神卫四厢都指挥使、武当军承宣使、池州驻扎御前诸军都统制李耕去世。昭庆军承宣使、殿前司右军统制岳超被任命为龙神卫四厢都指挥使，充池州驻扎御前诸军都统制。

庚辰（初八），金国主驾临宣华门观看迎佛的仪式，赏赐各寺僧绢五百匹，彩五十段，银五十两。

辛巳（初九），金国改定内外各官署的印记。

辛卯（十九日），参知政事魏良臣免职，被任命为资政殿学士、知绍兴府。

当初侍御史汤鹏举上奏："魏良臣品行低下，天性凶恶阴险，随意任性，虚浅浮躁。通判以下的派遣，已经得到旨意应由吏部安排，却一定要留在政事堂安排，以换得个人的恩德。台谏官议论评判人才，魏良臣引用的私人亲故赵公智，极力加以庇护，这是恨台谏官不愿与他结为私党。廷尉禁止勘察公事，魏良臣却改动富人胡迈的奏补，一定要顺从他的意见，这是让司法官员为他徇私情。在同僚之间议论，则愚蠢而自以为是；上奏对答君主，则低贱而自专。从这些作为来看，假若给他的时间一长，给予权力，一定会甚过秦桧。"这样魏良臣也提出驳议的奏章，并要求辞职，于是有了这项诏命。

乙未（二十三日），左朝请大夫、新任汉州知州陈康伯被任命为试尚书吏部侍郎。

金国司徒张通古致仕。

庚子（二十八日），金国主拜谒山陵；辛丑（二十九日），回到京城。

三月，壬寅朔（初一），金国开始确定职事朝参规格，仍然取消兵卫。

甲寅（十三日），诏令："近来因为军兴，命令宰相兼任枢密院使，掌管机要事务；现在边境事务已经安定，可按照祖宗的旧事，宰相不再兼任。"

戊午（十七日），权刑部尚书韩仲通代理户部尚书，仍兼权知临安府；敷文阁待制、新知信州周三畏试刑部尚书。

己未（十八日），资政殿学士、提举万寿观兼侍读万俟卨为参知政事。

癸亥（二十二日），太尉、奉国军节度使、御前诸军都统制、知兴州吴璘为开府仪同三司。

丙寅（二十五日），下诏令说："朕想停止兵事让百姓休息，是帝王的盛德；讲求信义修好睦邻关系，是古今最大的利益；这样由朕心中做出决断，定下讲和的方针。过去的宰相秦桧，只是能够协助朕而已，怎么因为他的存亡而改变已经决定的事项呢！近来无知的人，就认为全部是出自秦桧，不知道全部是出自朕的心意，却鼓吹虚浮不实的话以混淆视听，以至有伪造诏命，召用旧臣，让士人呈献章疏，随意议论边防事务的，朕实在为此震惊。仰唯章圣皇帝像抚育子女一样养育百姓，兼爱南北，开创订立睦邻友好，二百多年了，白发老人，没有见过兵革之事。朕奉受祖宗明确的旨意，坚守信义和睦的长久计策，从讲和以来，探问使者往来，边境来往平静，与全国共同平和安宁。朝廷内外的大小臣子，都能体会朕的心意，遵守已完成的业绩，以达到长治久安；如敢妄加议论，当按法令给予重罚！"

自从秦桧死后，金人很怀疑先前的盟约不能坚守；碰上荆、鄂之间有妄自传召张浚的，敌方更加疑心。因此参知政事沈该说："向来讲和让百姓休息，都是出自皇帝的心意，远方的人未必知道底细，认为本大臣的意见，是惧怕再用兵，应该特别降下诏书，完全宣布这种意图，远方的人听到此事，将自我安定了。"当时参知政事万俟卨，签书枢密院事汤思退，意见都与沈该一致,于是下达此诏令。

夏季,四月,甲申(十三日),刑部开列从去年郊祀以后监司、郡守曾经被台官弹劾的人:直龙图阁赵士彩,直徽猷阁龚鉴,直秘阁郑侨年、郑震、郑霭、高百之、张永年、王响、孙汝翼,直敷文阁方滋,共十人。诏令都夺职。

此前殿中侍御史周方崇说:"延用阁职设立直官,是为了接纳英才而信任有才干的人,请求将去年郊祀以后臣僚论列放罢的监司、郡守等人都降落职名,不仅让奸恶的人有所警惧,而受委任负责的现任贴职官员,切实地感到荣耀。"所以有这个诏令。

庚寅(十九日),翰林学士兼侍读陈诚之以假资政殿大学士、醴泉观使兼侍读身份,充任贺大金上尊号使;吉州刺史、知阁门事苏华假崇信军节度使、领阁门事,担任副使。陈诚之三次到北面朝廷,很受信任,后来有使臣前去北方探问,必定问他安好否。

癸巳(二十二日),诏令:"武学生以八十人为定额,上舍生十五人,内舍生二十五人,外舍四十人,设置博士、学谕各一人。"不久,诏令:"学生以一百人为定额。"

甲午(二十三日),诏令:"各路州军自此不得上奏祥瑞。"

皇帝曾经说:"先前大理寺监狱空无犯人,不许上表祝贺,很得体。近年来四方上奏祥瑞,都是粉饰空文,取悦一时。如信州林机上奏秦桧父亲的祠堂生出芝草,尤其荒诞。双头莲子,处处都有,又算什么祥瑞!麟、凤,是大的祥瑞,然而不是上有明君,下有贤臣,麟、凤出现,又有什么可取!朕认为年成好谷物丰收,可以认为是祥瑞。如汉武帝作《芝房》《宝鼎》之歌,在郊祀和祖庙演奏,不是不美,但对事情有什么益处呢?"

戊戌(二十七日),设置六科以推举士人:一科是文章典雅,可以充任起草制诰官的;二科是节操公正,可以充任台谏官员的;三科是法理都能通达,可以充任司法官员的;四科是节俭用度爱护百姓,可以充任理财官员的;五科是刚正和顺,劳绩显著,可以充任监司、郡守的;六科是了解机变,智勇杰出,可以充任将帅的。命令侍从每年推举,就像元祐年间司马光所奏请的那样。

庆远军承宣使、提举佑神观吴盖为宁武军节度使。

五月,壬寅(初二),参知政事沈该为尚书左仆射,万俟卨为右仆射,都为同中书门下平章事。

甲辰(初四),端明殿学士、签书枢密院汤思退知枢密院事。

甲午(疑误),太常少卿贺允中任权尚书礼部侍郎。

丁未(初七),侍御史汤鹏举试御史中丞。

戊申(初八),诏令:"已故追复观文殿学士赵鼎,特给予致仕恩泽四人;已故追复资政殿学士孙近,给予致仕恩泽三人;已故追复显谟阁学士汪藻,给予致仕恩泽二人;已故左中大夫刘大中、李若谷、段拂,都追复资政殿学士,给予致仕恩泽二人;已故左朝散大夫程昌寓,追复徽猷阁待制,给予致仕恩泽二人;已故左中大夫范冲,追复龙图阁直学士;已故左中奉大夫王居正,右文殿修撰赵开,都追复徽猷阁待制,给予恩泽一人;已故左朝请郎李朝正,左朝散郎致仕高阅,左朝奉郎游操、吕本中,都特给予恩泽一人。"

诏令:"李显忠前不久因为归附朝廷,全家被害,理应优加抚恤,除已经给予的恩泽外,再特给予五资官阶。"

己未(十九日),金国主派宣奉大夫、左宣徽使敬嗣晖,定远大将军、尚书兵部郎中萧中立,前来祝贺天申节。

己巳(二十九日),前特进张浚,估计金人必定违背盟约,上疏说:"现在的事情形势已经到极点了,陛下将拱手而听其自然呢,还是表面上保持这个名义而广泛谋划周密考虑作为长久之计呢?臣实在担心从此数年之后,民力更加枯竭,财用更加缺乏,士兵更加年老,人心更加离散,忠烈之士沦亡殆尽,内忧外患相继而起,陛下将有什么样的计策?现在的天下就像中等家庭,强盗占据厅堂,在那里安睡饱食而暗中察看间隙,哪一天,放弃了对我们的企图呢?"疏章奏上,执政大臣不予审阅。

本月,金国颁布正隆官制。

六月,丁丑(初七),端明殿学士、新知湖州程克俊任参知政事。

庚辰(初十),金国天水郡公赵桓去世。

壬午(十二日),诏令:"已故追复资政殿学士郑刚中,特给予致仕恩泽二人。"

左奉议郎孙觌复左朝散郎。孙觌任职时,正是秦桧当政,畏惧灾祸深居二十多年。到此时上书自陈,就恢复过去官秩。

丙戌(十六日),金国任命尚书右丞蔡松年为左丞,任命枢密副使耶律安礼为右丞。

丁亥(十七日),在万寿观兴建皇帝的本命殿,依照在京的办法以纯福命名。

流星白天陨落。

秋季,七月,甲辰(初五),三佛齐国派遣使臣前来进贡。

丁未(初八),彗星在井宿之间出现。

戊申(初九),诏令说:"太史报告彗星从东方出现,朕非常畏惧,已经回避正殿减少用膳,侧身反省过失。还考虑到朝政有缺失,民间有疾苦,刑狱有冤屈滥用,官吏有贪婪残害,以至损伤祥和之气,上天以天象显示。可以命令士人百姓密封进言,到登闻检院投进;并令各路监司、郡守、开列便民、宽容而又可以实行的事项上报;提点刑狱官亲自到所属州县,仔细审察决断,将受牵连的人,尽早释放,务必施行实惠以做出顺应上天的实际反应。"

己酉(初十),金国主命令太保完颜昂到上京,敬迁始祖以下的棺椁。

壬子(十三日),诏令:"已故的赠右谏议大夫陈瓘赐给谥号为忠肃。"此前皇帝对辅臣说:"近来阅览陈瓘所著的《尊尧集》,无非是明确君臣的大义,深远值得嘉奖。"

丙辰(十七日),夜间,彗星消失。

辛酉(二十二日),夜间,下水银雨。

八月,丁丑(初八),金国主到达大房山巡视山陵。

庚寅(二十一日)南平王李天祚,派遣太平州刺史李国带领右武大夫李义、武翼郎郭应五来祝贺升平,献上黄金器物一千一百三十六两,明珠一百颗,沉香一百斤,翠羽五百只,杂色绫绢五千匹,马十匹,象九只。诏令尚书左司郎汪应辰在玉津园宴请李国。升迁李国为太平州团练使,李义为左武大夫,李应五为武经郎,加赐袭衣、金带、器物、币帛不等。

辛卯(二十二日),参知政事陈克俊免职,为资政殿学士、提举临安府洞霄宫,是因为有病自己奏请的。陈克俊再次执政才七十五天。甲午(二十五日),尚书吏部侍郎兼侍讲兼权吏部尚书张纲为参知政事。

乙未(二十六日),静海军节度使、检校太尉、南平王李天祚为检校少师,功号加上"归仁"二字,赏赐给袭衣、金带、鞍马、器物、币帛。

中书舍人吴秉信试尚书吏部侍郎。

九月,庚子朔(初一),奉国军节度使、开府仪同三司、御前诸军都统制、知兴州吴璘领御前诸军都统制职事,判兴州。自建炎年间以来,没有使相官员而担任都统制的,所以改任命此职。

吴璘曾经自己著书,称为《兵要大略》,书中说:"金人有四项长处,我军有四项短处,应当改变我军的短处以制止对方的长处。大概金人的长处,一是有骑兵,二是坚忍,三是盔甲厚重,四是善于用弓矢。我军应当集蕃、汉人的长处而使用它,所以用分阵来制约他们的骑兵,以轮番休整作战制约他们的坚忍,制约他们的厚重盔甲用劲弓强弩,制约他们的弓矢则以远克近,以强制弱。"他的论述很完备。至于阵法,有图形却没有书写说明。

辛丑(初二),沈该等人说安南人想买捻金线缎,此种服料豪华奢侈,不能用来向四方展示,皇帝说:"豪华奢侈的服料,如销金之类的织物,不能不禁止。近来黄金绝少,由于小人贪利,销而成泥金,很是可惜。天下产金的地方极为难得,统计产量还不够销毁的花费。虽然屡次降下指挥文书,而奢侈的风气始终没能禁绝,必须申明严格执行。"

乙巳(初六),翰林学士陈诚之兼侍读、同知枢密院事。

癸丑(十四日),御史中丞汤鹏举兼侍读、权尚书兵部侍郎。

甲子(二十五日),汤鹏举说:"西班学士和待制官员,超越禁从官员之前,是为了褒奖有德和彰显有功。敷文阁直学士秦埙,敷文阁待制秦堪,敷文阁待制吴益,都是平庸之才,仗着皇上亲昵的威势,可以说是无功无德的人,他们可以列入西班学士而充任待制官员吗?请剥夺职名,向天下展示至公之道。"诏令:"汤鹏举所论述的,很符合公众的议论。然而朕因为秦桧长期辅佐,又在亲临祭奠那天,当面告诉秦桧的妻子,答应保全他们全家。现在如果剥夺他的各个孙子和女婿的职名,不仅是朕食言,而对有功之臣伤害就大了!可以命令朝廷内外知道朕的心意,今后不得再有论列。"

冬季,十月,己巳朔(初一),右朝议大夫、知明州王俣试尚书户部侍郎。

丙子(初八),拱卫大夫、忠州防御使、两浙西路兵马钤辖邵宏渊为殿前司前军统制。

乙酉(十七日),金国安葬始祖以下十位皇帝于大房山。

丁酉(二十九日),诏令:"前任特进张浚,依旧永州居住,等服丧期满后听候旨意。"

此前张浚护送母亲的遗体回到蜀地安葬,走到江陵,碰上朝廷因为星象变异寻求直言。张浚考虑金国数年间执意挑衅用兵,而我朝还沉溺于安逸中,认为金国可以相信,毫不作防备;沈该、万俟卨担任宰相职,尤其不能服天下的人望,朝廷更加受到轻视,虽然正在居丧期,不能不向皇帝陈述此事。于是就上奏说:"先前讲和的事,陛下是以太母的安危为重罢了。幸而徽宗皇帝的梓宫得以迅速送回,这就是和议的权宜之计。不幸掌权的大臣,为利欲放肆妄为,是想要除掉忠良之人,以听从敌人的命令而暗中怀有奸邪之心,所以他死亡的那天,天下的人相互庆贺,是因为厌恶他才这样。现在奸雄的人,受到富贵的豢养,分别布列党羽,占据要害州郡,聚集珍奇财物,只是充实自己的家财,都是为自身考虑而不是为陛下考虑。坐失良机二十多年,有见识的人感到痛心。贤才不能任用,政事得不到修整,形势不能确定,而专门想听从敌人的命令,恰恰足以挑起敌人轻视欺侮的心理而正好坠入敌人的计谋之中。臣希望陛下深刻地考虑国家大计,恢复人心,壮大国势,确立政事,以观察时机,不断绝和议,而派遣一名使臣与对方分清曲直逆顺的道理,事情必定成功。"

万俟卨、汤思退见到奏章,大为恼怒,认为金国没有挑衅,而张浚所上奏的好像战祸就在年内发生一样。汤鹏举当即上奏:"张浚身在服丧,名字列在罪人名籍中,为求得名誉而陈述边防事务,不恭而违背诏书,拿出腐儒无用的平常意见,阻止目前已经实行的信义盟誓,怎么还能为国家长久考虑! 只是因为闲居时间太长,希望再被任用。议论的人认为先前权臣曾经受到他的推荐,所以虽然招致人们的批评,还只将他流放到近地。况且张浚最近得到旨意回蜀地安葬母亲,还坚持不同的意见,以倡和率领远方的百姓,担心或许会产生祸患。希望屏退他到远方,以作为臣子不忠的鉴戒。"所以有此诏令。

闰十月,己亥朔(初一),汤思退说昨日对张浚的行遣极为恰当,皇帝说:"张浚用兵,不只是朕知道,天下的人都知道。如富平的失败,淮西的军队,结果可以看到。现在又陈述兵事,真是生事。而且太祖以神武平定天下,也与契丹和议。"陈诚之说:"张浚论述事情很不恰当,如石氏的晋国是因为契丹的力量得以自立为帝的,形势上不得不与契丹和议,这是桑维翰的功劳。等到景延广当权,突然以祖孙的礼节对待,契丹派遣使臣来责问是非曲直,景延广对使者说:'晋国有锋利的剑十万口,祖父想要作战就来吧。'石氏晋国的祸患就从此开始了。张浚不认为景延广有罪而认为桑维翰不应当与契丹和好,很没有道理。"皇帝说:"耶律德光进入汴京,首先拿此话来列举景延广的罪过。"陈诚之说:"张浚永州居住的诏命,很好地平定了众人的议论。"皇帝说:"不这样,议论不能平定。"

庚子(初二),秘阁修撰、知婺州辛次膺权尚书礼部侍郎。

辛丑(初三),宗正少卿李琳为贺大金正旦使,秉义郎、侍卫马军司公事宋均为副使;尚书左司郎中葛立方为贺生辰使,阁门宣赞舍人梁份为副使。

丙午(初八),诏令:"廉州每年进贡的珍珠,虽然是祖宗的旧制,听说获取很艰难,有时还伤人命。从现在可以停止进贡,疍族丁男可以允许自便。"皇帝对宰执说:"朕曾经读太祖的《实录》,看到刘铱进献珍珠装饰的马鞍,太祖知道刘铱所采珍珠很多,每天役使疍丁数千人,死的人不少。朕认为珍珠不是急用的物品,既然难得,而且又伤人命,所以特命令停止进贡,以此让一方百姓得到无穷的好处。"

龙神卫四厢都指挥使、建武军承宣使、新江南西路马步军副都总管董先在鄂州去世。

徽猷阁直学士致仕胡寅在衡州去世。

十一月,丙子(初八),左从事郎、主管礼兵部架阁文字杜莘老充任敕令所删定官。

此前诏令因为星象变异求进言,杜莘老上书论述:"彗星,是戾气所产生的,一一考察历史记载,多是用兵的征兆。国家为了让百姓休息而通和结好,而将领骄纵士兵懒惰,军事政务不整肃。现在因为上天的告诫而修整人事,想到祸患而预防,没有比这更大的事。"于是陈述有关时弊的十件事。

丙戌(十八日),知盱眙军吴说上奏请求禁止采蜮。皇帝说:"暴殄天物的行为,确实应当禁止。只是贫民以此为生,一旦禁止,恐怕导致他们失去生业。古代的圣人,先对百姓施以仁而后爱惜万物,现在只命令官府不得购买蜮,民间听其自便。"

十二月，戊戌朔（初一），在太庙举行腊祭。这天，停止朔祭，是因为礼官引用淳化的旧事而提出请求。

辛丑（初四），知枢密院事汤思退为同知枢密院事。

壬戌（二十五日），三佛齐国的进奏使蒲晋等人入朝晋见。癸亥（二十六日），封三佛齐国的首领为王，赐给蒲晋等人官秩不等。

甲子（二十七日），金国贺正旦使中奉大夫、秘书监、右谏议大夫梁铢，副使定远大将军、充马军副都指挥使耶律谌入朝晋见。

皇帝曾经写宣圣孔子以及七十弟子的画像赞语，亲自书写。本月，才命令刻在石碑上。

绍兴二十七年　金正隆二年（公元 1157 年）

春季，正月，戊子（二十一日），右通直郎、监登闻检鼓王述，因为家贫请求补外任职。皇帝说："王伦当年奉命出使金国，金国要留下他，许诺官爵，王伦不答应，就穿戴冠服，向南再次叩拜求死。此事也是一般人难以做到的，应该抚恤他的后代，可以特添差为通判平江府。"

庚寅（二十三日），金国任命工部侍郎韩锡同知宣徽院事。韩锡不拜谢，杖打一百二十下，夺去所授予的官职。

二月，丁酉朔（初一），诏令："从今国学以及科举取士，都让他们兼习经义、诗赋，内第一场考大小经各一道，永远作为定制。"

庚子（初四），太尉、武当军节度使、御前诸军都统制、充利州东路安抚使兼知兴元府杨政去世，时年六十。杨政守汉中共十八年，特赠予开府仪同三司，后来赠谥号襄毅。

辛丑（初五），金国初次确定太庙每季祭享礼仪。

癸卯（十六日），金国改定亲王以下的封爵等第，命令设置局，追取活着和已死的人的诰身，活着的人二品以上，死者一品，参考酌情降级。公私文书中只要有王爵字样的，都限令毁抹掉，即使是碑文墓志，也挖出抹毁。

戊午（二十二日），御史中丞兼侍读汤鹏举为参知政事。

汤鹏举担任台官共一年半，所指论的都是秦桧的余党，其他的未曾提及。

己未（二十三日），敷文阁待制、知荆南府王师心试尚书户部侍郎。庚申（二十四日），尚书吏部侍郎陈康伯兼侍读，权礼部侍郎。贺允中兼任侍讲。

本月，金国主在武德殿坐朝，召见吏部尚书李通，刑部尚书胡励，翰林直学士萧廉，说到"朕夜间梦见到上帝那里，殿中的人如同婴儿。不一会，有穿青衣的特别授予朕为天策上将，命令征伐某国。朕接受命令出来，上马，看见鬼兵无数，朕发一箭射他们，众人都喏而呼应。醒后，声音还在耳边，就派人到马厩中看所骑的马，马身上汗流如水，取箭计算，也差一枝。这是奇异的梦，难道不是上天借助朕的手，命令去攻取江南吧？"李通等人都表示祝贺。金国主命令不得泄露到外面。

三月，丙戌（二十一日），皇帝亲临射殿，命令引导正奏名的进士点名召见。

此前汤鹏举以御史中丞的身份知贡举，上报合格进士博罗人张宋卿等人，皇帝亲自策试。接着用手诏向考试官宣布说："对策中有耿直切实直言的人，都应排列在前面，以符合朕取士的用心。"

当时乐清人王十朋，首先以效法上天、独揽大权作为对策内容，大致说："臣劝陛下独揽大权,不是要陛下像秦始皇那样审阅很重的奏章,才认为是独揽大权;也不是要陛下像隋文帝那样进餐时决断政务,才认为是独揽大权;又不是要陛下像唐德宗那样,认为自己强干精明、亲自处理细事、不信任宰相,才认为是独揽大权;也不是要陛下像唐宣宗那样精于吏治、以苛察为明、不施仁恩,才认为是独揽大权。是希望陛下惩治已过去的,戒绝将来要发生的,操持把握住权柄都归于手中,不至于权力下移罢了。"又说:"朝廷过去曾经屡次有禁止用翡翠作装饰的命令,而妇人用翡翠作为首饰的,现在还泰然自若。这难道是法令不能禁止的吗? 还是宫中衣着俭朴的风气没有传到外面呢? 法令中最公正的,莫过如录取士人,名器中最重要的,莫过于科举考试,往年权臣的子孙、门客,省闱或者殿试,大都窃居榜首,有关官员以国家的名器作为取媚权臣的工具,想得到人才,能行吗?"又说:"臣希望陛下以端正自身作为独揽大权的根本,而以任用贤人作为独揽大权的辅助,广泛地收用人才兼听各方面意见,以达到独揽大权的完美境界,那么所寻求的无不能得到,所希望的都能如愿,即使是社稷国家的大计,天下的大事,都可以不动声色地做出。"

晋原人阎安中的对策说:"太子是天下的根本,自过去君主继位当政以后,必定立定太子,授予宗庙祭祀用品,这是为了维系社稷,巩固国家根本,显示以万世无穷的美好。臣观察汉代、唐代的历史,东海王刘彊对于显宗,宋王李宪对于唐明皇,都曾被确立为太子;等到天命另定之后,莫不对他们优加职秩,给以特殊的礼遇,退出太子名号,当时没有闲话,后世也没有异议。孝成帝即位二十五年,立弟弟的儿子定陶王为太子。现在陛下的心意,就是祖宗的心意,圣意深远,洞察先前的事物,曾经修订祖宗的旧事,多年致力于此了。日积月累,对于光明的学说,历次试用无不知悉,不能说时间不长久了。而皇储没有确立,嫡长子的地位没有辨明,臣深为担心左右身边的大臣,逐渐生出窥探的心思,逐渐形成党羽,裂缝一出现,会误害宗社的大计,这是进退安危的关键。臣希望陛下心中做出决断,早日确定皇储,以维系天下的希望。"

皇帝对大臣说:"现在举人的试卷文字,议论端正,有很多切实正直的言辞,这样的人才,极值得任用。"次日,又对大臣说:"昨日阅览进士的试卷,其中有极为切实正直的人。如论述理财,则希望减少兴建。朕虽然无修建高台楼榭的事,然而很喜欢他们的直言。至于论述到装饰黄金、翡翠,朕虽然历年禁止,还没有完全革除,自此应当定下法令切实禁止此事。"汤思退说:"太宗朝时有雍丘的尉官武程,上疏希望减少后宫嫔妃。太宗对宰相说:'武程是疏远的小官,不明白朕的心意,纵欲败坏法度,是朕所不做的事。内廷执掌事务,是不能缺少的。'士人论述事情,不考察真假,陛下能够宽容他们,实在是千载难逢的机遇。"皇帝说:"正是不用辩白。"陈诚之说:"天下自有公论。陛下这个举措,大到足以感动天下的人。希望陛下从此更加崇尚节俭,以节省虚浮的费用。"

当时皇帝即位很久,没有确立继位者,大臣没有人敢提出此事,阎安中对策,唯独敢以建立皇储作为请求。皇帝被他的话感动,因此赐给王十朋等四百二十六人及第、出身,而将阎安中提为第二。有人说:"阎安中与举人黄成孙是同县的好朋友,黄成孙的父亲黄源,曾经写信论述建立皇储的事,阎安中得到他的观点作为对策,皇帝对此大加赏识。"

开始,蜀地士人没有集中,皇帝数次有延期的命令。沈该说:"天气逐渐炎热,恐怕陛下亲临主考,难免劳乏。请皇上一面引试后,后面有人来到的,臣等人策问他们,由中书省确定高低。"皇帝不同意,说:"三年取士一次,朕岂能惧怕一时的辛劳!"等到唱名叫到阎安中,又至第三人双流人梁介时,皇帝连连抬头对沈该说:"怎么样?"沈该很为惭愧惶恐。

丁亥(二十二日),特奏名进士李三英等三百九十二人、武举进士赵应熊等十五人、特奏名一人,授予官职不等。

赵应熊武艺出众,而且在尚书省主持的考试中为第一名。皇帝对大臣说:"徽宗皇帝时,像马扩、马识远都因为武举得以任用,有的奉命出使。现在殿试文武科都得到人才,赵庆熊射箭骑马都很精通,文采也好。朕乐于得士人,即使整天亲临殿中考试,不觉得疲倦。"于是任命赵庆熊为阁门祇候、江东安抚司准备将。

左宣奉大夫、守尚书省右仆射、同中书门下平章事万俟卨去世;壬辰(二十七日),拜为特进、观文殿大学士,致仕,赠少师。命令入内内侍省都知卫茂实护丧,任命万俟卨的儿子右承奉郎万俟夷中、右迪功郎万俟致中为直秘阁,其他子侄九人各进官一级。

夏季,四月,丙申朔(初一),清远军承宣使、知金州、节制屯驻御前军马姚仲为龙神卫四厢都指挥使、御前诸军都统制、利州东路安抚使,兼知兴元府。保宁军承宣使、御前前部统制、知阶州王彦为金州、房州、开州、达州安抚使、节制屯驻御前军马,兼知金州。

辛亥(十六日),保宁军节度使、万寿观使、提举秘书省信安郡王孟忠厚去世,赠太保,提升他的儿子右朝请郎王充、右宣义郎王嵩、右承事郎王雍为直秘阁,其他子孙六人各进一级官阶。

诏令将提举秘书省官印送往礼部,从此不再任命此职。

辛酉(二十六日),尚书吏部侍郎兼侍读陈康伯升任为吏部尚书。

壬戌(二十七日),尚书户部侍郎王俣担任权工部尚书,太府少卿林觉担任权户部侍郎。

本月,加封徐偃王为灵惠仁慈王。

金国将景宣帝降为辽王。

五月,丁丑(十三日),诏令:"孟庾追复为端明殿学士、左宣奉大夫;路允迪追复为龙图阁学士、左通议大夫。"孟庾归国后,被废为平民而死,有人说路允迪在汴京不进食而死,所以都追复官职。

癸未(十九日),金国贺生辰使、正议大夫、守礼部尚书耶律守素、中靖大夫、太常少卿许竑,在紫宸殿朝见。

辛卯(二十七日),礼部、太常寺说:"每年大的祭祀三十六项,除祭天地、宗庙、社稷、感生帝、九宫贵神、高禖、文宣王已经举行外,其余的都请求在斋宫举行祭祀。立春祭祀青帝,早晨对着太阳,在东阶下点火,暂时在东门外长生院举行;祭祀赤帝、黄帝,暂时在南门外净明寺举行;祭祀白帝,傍晚对着月亮祭拜,在西阶下面纳息火,暂时在西门外惠照院举行;祭祀黑帝,暂时在北门外精进寺举行;都用猪羊二牲,配备乐舞。而祭祀神州地祇,因为精进院狭小,祭祀荧惑星因为与祭祀赤帝为同一天,都暂时在惠照院举行。"祭祀神州地祇应当用牛犊作为祭品,却也用少牢规格,大概是用的权宜礼仪。从绍兴年间以来,大的祭祀举行的只是二十三项而已,到此时侍御史周方崇为此提出建议,就全部恢复。

六月,戊申(十五日),知枢密院事汤思退守尚书右仆射、同中书门下平章事。

庚戌(十七日),诏令:"已故的追复中奉大夫黄潜善,再追复为观文殿大学士、左光禄大夫,授予一个儿子官职。"

甲寅(二十一日),中书舍人兼侍讲、权直学士院王纶试尚书工部侍郎,太府少卿徐林权尚书刑部侍郎。乙卯(二十二日),尚书左司员外郎葛立方权吏部侍郎。

戊午(二十五日),初次规定太庙冬祫时祭祀功臣,蜡祫时祭七祀,祫祫时兼祭功臣与七祀。

辛酉(二十八日),已故责授昭化军节度副使周望,追复龙图阁学士、左中大夫,授予他的家中两人官职。

自从秦桧死后,左司谏凌哲请求追复死于贬谪之地的大臣。朝廷的议论开始提出赵鼎、王庶等数人;沈该、汤思退等人担任宰相,就将先前因误国得罪的人都予以追复,凌哲争辩此事,认为不能这样做,才停止。

秋季,七月,乙丑(初二),秘书省校书郎陈俊卿说:"人的才干和品性,各有所长,大禹、后稷、皋陶、垂、益、伯夷等人,在唐尧、虞舜时,各担任某一官职,终身不变。这几位君子,如果让他们变来变去,改换官职,未必能够完美,何况其他的人呢! 现在监司、帅臣很少有任职届满的,长的一年,短的数月,就已改任;州县内的百姓迎来送往应接不暇,花费的力量费用,不可尽举。以至朝内的朝廷执事之官,也不肯安居其职,做出三数年的长远计划,往往数日等待改任,把所担任的官职,看作是馆舍。虽然有勤奋尽职的人,致力于公事,对人情略微了解,事项刚确立,也舍弃而调迁。长年累月,积弊很久,这样胥吏得以从中作奸,贿赂公然进行没有人能把他们怎么样,这样而希望职责振作,是很难了。爵禄名位,是人们所追求的,一定要等到积累政绩而后升迁,那么人们各自安分,不敢急切要求。如果打开骤然进用的大门,让他们有侥幸的希望,那么人人怀有苟且的想法,不能把守公正的名节,他们为自己考虑就行了,朝廷怎么依靠他们呢! 臣曾经读《国史》,看见太祖朝任命魏丕掌管作坊十年,刘温叟担任台丞十二年,太宗朝刘蒙正掌管内藏二十多年,陈恕在三司也有十多年,这是祖宗时用人的方法。希望与执政大臣参酌考虑,确立为规定。那些监司、帅守,有政绩突出的,或者增加官秩赐给黄金,一定要等到届满后升迁。至于朝廷各执事官员,也应当略等些岁月,让他担任职务久一些,然后考察勤奋还是懒惰而给予升降。差不多人人安守本职,尽忠于国家,没有过分的希望,而万事可以振作了。"诏令三省下发。于是任命陈俊卿为著作郎。

庚午(初七),户部侍郎林觉说:"国朝庆历年间以来,每年铸钱一百八十多万缗。而主管官员,只是花费国家的俸禄,朝廷撤销他们,很让人高兴,只是交给转运司,日久也有不便。议论的人认为各路是否有物料并不一样,转运司不统一管理,无法协调开炉鼓铸。应该拨出户部的钱八万缗作为饶州、赣州、韶州三州铸造的本钱,委任各州通判主管、转运使往来处置,今年暂时以二十三万缗作为限额,并不再用旧钱代替发行。"同意了此意见。

甲戌(十一日),直秘阁、知临安府荣嶷为权尚书户部侍郎。

八月,甲午朔(初一),皇帝告谕宰执说:"昨日上缴徽宗赐给宋唤的手诏,朕已经敬阅。徽宗内禅的美德,远远超过尧、舜,而一时的小人,朝臣如唐恪、聂昌、耿南仲,内侍如邵成章、张藻、王孝竭等人,轻率地以虚妄的话来迷惑渊圣皇帝的视听,父子之间,几乎出现怀疑与二心。至于宋唤、李纲奉迎徽宗皇帝返京,李纲先回来,报告了徽宗皇帝的全部心意,而后渊圣皇帝感动而醒悟,两位圣上都放心了。现在观览手诏,并发现李纲写的题识,都是朕所亲自见到的。朕在龙德宫朝见徽宗皇帝,曾经得到亲口宣谕说:'朕平生信慕道教,天下的人知道。现在对日理万机感到疲倦了,将皇位传给嗣君,刚在两宫之间筑密封通道,以便早晚能相见。想要闲居求道,逗抱子孙,悠闲自乐,不再以事情牵挂。而小人希望进用,虚妄地生出猜疑,不知道朕的心意是这样的。嗣君在东宫二十年,朕不曾有丝毫的嫌隙,现在难道还有所怀疑吗?'这都是当时徽宗皇帝所说的金口玉言,外面的人往往不知道。"沈该等人说:"昨日臣等已经得以私下看到徽宗皇帝的诏令墨宝,现在又听到陛下宣谕,实在是像尧、舜一样有盛大德行的事,因此知道李纲的题识,确实是实际的记录。"次日,沈该等人又请求宣布下达到实录院,皇帝说:"朕作为徽宗的儿子,怎么能不说明此事,让天下后代的人都知道呢!"接着又亲笔书写诏书,向宰执大臣宣布。

乙未(初二),参知政事汤鹏举为知枢密院事。

壬寅(初九),清远军承宣使兼知兴元府姚仲为保宁军节度使。

癸卯(初十),金国开始设置登闻院。

甲寅(二十一日),金国撤销上京留守司。

己未(二十六日),右奉议郎宋汝为去世。

宋汝为抛弃妻子儿女出走,到此时十年,在青城县开先观去世,时年六十岁。宋汝为没有生病时,将后事托付给友人监永康茶税王槐孙,后来过了一个多月去世,王槐孙将他安葬在青城山中。

本月,金国在广乐园考试进士。

九月,戊辰(初六),已故房州观察使王瓘追复建武军承宣使。

戊寅(十六日),吏部尚书兼侍读陈康伯为参知政事。

辛巳(十九日),给事中兼侍读王师心为权吏部尚书。

癸未(二十一日),敷文阁待制王俣去世。

丙戌(二十四日),侍御史周方崇为试尚书礼部侍郎。

冬季,十月,庚申(二十八日),左司谏凌哲为权尚书礼部侍郎。

此前台谏官都是汤鹏举所推荐,到此时凌哲与周方崇都内调,而以朱倬、叶义问代替他们的职务,从此汤鹏举开始不安。

十一月,乙丑(初三),太常少卿充贺金国正旦使孙道夫、阁门宣赞舍人充任副使郑朋入朝辞行。

先前左从政郎左踔担任书状官,死在涿州馆舍中,来不及作棺木葬具,只是挖地埋葬,等孙道夫到达金国,就焚烧他尸骨带回。后来特别给他的一个儿子授予官职。

丁卯(初五),工部侍郎兼侍讲王纶等人说:"兴化军进士郑樵,潜心研究古代典籍,闭门著书,曾经将所著的书献给朝廷,下令存放在东观。近来听说著述更多,想必能对治理之道有所帮助,而以布衣终其一身,可以说是遗漏了的人才。希望赐令召见奏对,检验他的学问,果然有能够取用的,就请求按王蘋、邓名世的先例任用,使学者受到激励。"于是命令郑樵前往行在。

殿中侍御史叶义问指论知枢密院事汤鹏举,认为:"人臣不忠的罪行,没有比掠取美名欺骗君主,培植党羽专擅权柄更大的;有其中一条,就应当放逐诛杀,何况兼而有之! 汤鹏举当初从平江任上免职,正逢陛下要去除权臣党羽的弊端,起用被废的人退黜无才的人,任用监察职。凡是弹劾的人,指点提示,都是出于陛下的英明决断,当初不是汤鹏举能够可以得以擅夺的。况且汤鹏举本来不是正直敢言的人,曾经任命为广州的帅臣,害怕远行,利用秦桧的亲信小人丁禩向秦桧献媚讨好,于是移任平江。等到秦桧回到建康高升,汤鹏举丢下郡中事务,连日在吴江奔走,望见车尘就拜下,比其他郡守更为谄媚,如果不是陛下收用他,那么汤鹏举实际上成为秦桧党羽中的奸猾之人了。到担任言官职,就妄自尊大,盗取权柄,使陛下去除邪人的英明决断,反而成为汤鹏举卖弄正直的虚名,这就是臣所说的掠取美名欺骗君主。汤鹏举自从担任要职,引用的都不是善良的人,凡是平时所忌恨的人,虽然贤良忠直,也一定要极力排挤,平时所喜欢的人,即使是轻浮奸邪的人,也一定极力帮助。因此刘天民、范成象、留观德之类的人,争相作鹰犬,一同作恶互相支持,牢不可破。等到进入枢密府,排挤忌恨更为严重,凡是自己所厌恶的,一定派刘天民等人先告诉台谏官,如果有意见不同的,当即恼怒变脸色说:'此人是我所推荐提拔的,怎么这样有负于我呢!'台谏官,是陛下的台谏官,不是属于汤鹏举私人的。而汤鹏举自己违背诏令旨意,败坏已定的法度,毫无忌惮的心理,又重蹈前车之辙,这就是臣所说的培植党羽专擅权柄。况且汤鹏举位居枢密重地,掌握权力很大,如果不马上除去,祸害会比秦桧更大。希望将汤鹏举明确地按法令处置,放逐到远方,以给不忠欺上的人作为鉴戒。"

辛巳(十九日),左正言何溥请求特别下诏命令大臣不要数次更换郡守,皇帝对宰相执政官员说:"这个意见切中时弊。近来也有因为事情而调动的,从今以后不是很不得已,就让他们任满。"汤思退说:"岂止是郡守!监司也是这样。拟在卿、监、郎官中选择资历浅的,让朝廷内外的官员交换职务,都让他们任满为止。"皇帝说:"这样,不仅免去迎送的烦扰,也可以革除朝廷官员重而地方官员轻的弊端。"

丁亥(二十五日),知枢密院事汤鹏举免职,为资政殿学士、提举在外宫观,免予辞谢。

十二月,乙未(初三),重建的尚书六部修成。

己酉(十七日),任命徐林为刑部侍郎。

戊午(二十六日),金国派遣骠骑上将军、侍卫亲军马步军副都指挥使高思廉,昭毅大将军、行尚书兵部郎中阿勒根彦忠,前来祝贺明年的正旦节。

本年,金国任命张仲轲为谏议大夫,修起居注,只拿谏议大夫俸禄,不得谈论政事。

金国主依仗累世的强盛,想用兵以统一天下,吏部尚书李通揣知他的心意,与张仲轲以及右补阙马钦等人,盛谈江南富庶,子女玉帛众多,以迎合他的心意。宦官梁珫于是极力称赞宋朝的刘妃是倾国的绝色美人,金国主大为高兴,命令县君苏库尔贮藏新的洁净的被褥,等得到刘妃后使用。

马钦为人轻率,不识大体,金国主每次召见与他交谈,马钦出来,就对人说:"主上与我谈论某事,将要实行了。"他把金国主视如同僚朋友一样。累次升迁官任国子司业。

续资治通鉴卷第一百三十二

【原文】

宋纪一百三十二　　起著雍摄提格【戊寅】正月,尽屠维单阏【己卯】六月,凡一年有奇。

高宗受命中兴全功至德　　圣神武文昭仁宪孝皇帝

绍兴二十八年　金正隆三年【戊寅,1158】　　春,正月,己巳,殿中侍御史王珪言殿前马步军三衙强刺平民为军,诏禁止。

先是殿前司阙额数千人,诏三衙分月招补,而所遣军士利其例物,往往驱掠市人以充数;民以樵采、鱼虾为业者,皆不敢入行在,至有招刺辇官者。自行在至衢、婺数州,道路之间,商旅不行,远近大扰。珪为帝言:"外郡寄招之兵,人材亦略可使,皆民间之无家可归者,出于所愿,但州县吝费,所招不多。今若以三衙招兵之资付之,宽为其限,何患不集!"帝谓大臣曰:"招军一事,士大夫往往以为不切事宜。殊不知圣人思患预防,若暗失军额,何以为先事之备!但当措置约束,毋令扰人足矣。"于是诏三司毋得遣人于外路招刺,违者统制以下官皆抵罪。

既而殿中侍御史叶义问亦奏其事,且言不当强提辇官,诏殿前司究治,乃吐浑押官潘胜所招也。权刑部侍郎陈正同等请决杖降资。叶义问言:"辇官最为亲近,比于足蹙路马之刍,万万不侔。今刑部官吏以轻刑处之,附下不恭,孰大于此!"诏正同罚铜十斤。

贺金正旦使孙道夫将还,金主使左宣徽使敬嗣晖谕之曰:"归白尔主,事我上国,多有不诚。今略举二事:尔民有逃入我境者,边吏皆即发还;我民有逃叛于尔境者,有司索之,往往托词不发,一也。尔于沿边盗买鞍马,以备战陈,二也。且马得人而后可用,如无其人,得马百万,亦奚以为? 我亦岂能无备! 且我不取尔国则已,如欲取之,固非难事。我闻接纳叛亡,盗买鞍马,皆尔国杨太尉所为,常因俘获问知,其人无能为者也。"又曰:"闻秦桧已死,果否?"道夫对曰:"桧实死矣,陪臣亦桧所荐者。"又曰:"尔国比来行事,殊不如秦桧时,何也?"道夫曰:"容陪臣还国,一一具闻宋帝。"时金主日谋南伐,故设词以为兵端,而杂以它辞乱之。

金主尝召谏议大夫张仲轲,补阙马钦,校书郎田与信,直长迪实,入便殿侍坐。金主与仲轲论《汉书》,谓仲轲曰:"汉之封疆,不过七八千里,今我国幅员万里,可谓大矣。"仲轲曰:"本朝疆土虽大,而天下有四主:南有宋,东有高丽,西有夏。若能一之,乃为大耳。"金主曰:"宋人且何罪而伐之?"仲轲曰:"臣闻宋人买马、修器械,招纳山东叛亡,岂得为无罪!"金主曰:"向者梁珫尝为朕言,宋有刘贵妃者,资质艳美,蜀之花蕊,吴之西施,所不及也。今一举而两得之,俗所谓因行掉手也。江南闻我举兵,必远窜耳。"钦、与信俱对曰:"海岛蛮越,臣等皆知道路,彼将安往!"钦又曰:"臣在宋时,尝帅军征蛮,所以知也。"金主谓迪实曰:"汝敢战乎?"对曰:"受恩日久,死亦何避!"金主曰:"汝料彼敢出兵否?彼若出兵,汝果能死敌乎?"迪实良久曰:"臣虽懦弱,亦将与之为敌耳。"金主曰:"彼将出兵何地?"曰:"不过淮上耳。"金主曰:"然则天赞我也。"既而曰:"朕举兵灭宋,不过二三年,然后讨平高丽、夏国,一统之后,论功迁秩,分赏将士,彼必忘劳矣。"

二月,丙申,同知枢密院事陈诚之知枢密院事。

先是诚之奏事,帝曰:"卿文人读书,乃知兵务如此之熟!"遂进用之。

乙巳,尚书工部侍郎兼侍讲兼直学士院王纶同知枢密事。

丙午,太常少卿孙道夫权尚书礼部侍郎,因道夫使金还,具奏金主所言也。

三月,辛酉朔,日有食之,阴云不见,宰相遂率百僚称贺。诏以日月薄蚀,乃上穹垂戒,而有司以阴云不见,欲集班拜表称贺,殊非朕寅畏天威之意,令毋得称贺。翼日,宰执共赞所降诏语,帝曰:"朕德薄,不足以格天,阴云蔽日,盖偶然耳。至于时雨滂霈,此乃可喜也。"

壬戌,起居郎刘章权尚书工部侍郎。

丁丑,太尉、定江军节度使、鄂州驻劄御前诸军都统制兼提领营田田师中开府仪同三司,以三省言师中除太尉已及八年,有捕猛贼功,当迁也。

戊寅,诏曰:"设官分职,民事为先。古者二千石位次九卿,公卿阙则选所表而用之。祖宗以来,郡守阙多选诸台省,至分遣朝行以治剧邑,非曾历亲民不得为清望官,重民事也。朕式稽古训,为官择人,今后侍从有阙,通选帅臣及第二任提刑资序曾任郎官以上者;卿、监、郎官阙,选监司、郡守之有政绩者,并须治状昭著及有誉望之人。卿、监、郎官未历监司、郡守者,令更选补外任;内官除词臣、台(监)〔谏〕系朕亲擢,馀并须在职二年,方许迁除。庶内外适均,无轻重之偏,职业修举,有久任之效,以副朕重民事之意。"

戊子,追复故敷文阁直学士洪晧再复徽猷阁直学士,以其子起居舍人遵言复职未尽也;寻赐谥曰忠宣。

夏,四月,乙未,大理寺少卿杨揆权刑部侍郎,司农卿汤允恭权尚书兵部侍郎。

五月,辛未,改光州为蒋州,光化军为通化军,光山县为期思县,避金太子名也。

金太子光瑛,年十二,善骑射,尝射獐,获之,金主以荐太庙。

戊寅,金国使骠骑上将军、殿前司副都点检萧恭,副使中大夫、尚书工部侍郎魏子平,见于紫宸殿。

丙戌,金使萧恭、魏子平入辞,置酒紫宸殿,以雨故,复就垂拱殿。

时金主决意南下,子平还,入谒,首问以南方事,且曰:"汝谓苏州与大名孰优?"子平曰:"不可比。"曰:"何谓也?"子平曰:"宫室、车马、衣服、饮食,人之所美也。江湖地卑湿,舟船以为居,鱼虾以为酿,夏服焦葛,犹不堪其热。以此言之,殆不侔矣。"金主不悦。

是月,金主召吏部尚书李通、翰林院学士承旨翟永固、左宣徽使敬嗣晖、翰林直学士韩汝嘉四人谋,欲再修汴京而徙居之,为南侵之计。通、嗣晖皆言此正合天时,金主喜。永固、汝嘉曰:"燕京甫成,帑藏已乏,民力未苏,岂可再营汴邑?江南通好,岁帑无阙,遽兴征伐,亦恐出师无名。"金主怒曰:"非汝所知!"麾之使去。既而召翰林应奉文字綦戩讲《汉书》,金主怒稍解。翼日,擢通尚书右丞,嗣晖参知政事。永固因请老,许之。

六月,癸巳,名眉州青神县中岩山龙潭慈姥神祠曰慈济。

是日,流星昼陨。

甲辰,枢密院都承旨陈正同,言诸路奏谳死囚,例多降配,非是,帝曰:"刑罚非务刻深,欲当其罪。若专姑息,废法用例,则人不知畏,非所以禁暴戢奸。可(令)〔谕〕刑官,常(谕)〔令〕遵守成(意)〔宪〕。"

秋,七月,己未,诏筑皇城东南之外城。

戊寅,起居舍人洪遵论铸钱利害,大略谓:"今钱宝(不)〔少〕,〔多〕为错毁作器用,而南过海,北渡淮,所失至多。自罢提点官,复(直)〔置〕属二员,无异监司,而铸钱殊未及额,亦宜多方措置。"帝谕大臣曰:"遵论颇有可采。前后铜禁,行之不严,殆成虚文。铜器虽民间所常用,然亦可以它物代之。今若自公卿贵戚之家,以身率之,一切不用,然后申严法禁,宜无不成者。"

己卯,帝出御府铜器千五百事送铸钱司,遂大敛民间铜器。其道、佛像及寺观钟磬之属并置籍,每斤收其笄二十文;民间所用照子、带钅夸之类,则官鬻之。凡民间铜器,限一月输官;限满不纳,十斤已上徒二年,赏钱三百千,许人告,自后犯者,私匠配钱监重役。其后得铜二百万斤。

庚辰,帝出御制《郊祀天地、宗庙乐章》十三首示辅臣。

壬午,国子祭酒周绾权尚书吏部侍郎,秘书少监曾几权礼部侍郎。

八月,戊子朔,诏置国史院,修神宗、哲宗、徽宗三朝正史。

辛卯,权礼部侍郎孙道夫权工部侍郎。丙申,秘阁修撰、知绍兴府赵令裉权尚书户部侍郎。

壬寅,尚书省勘会张浚已服阕,诏:"〔特〕进观文殿大学士、和国公张浚,落职,提举江州太平兴国宫,依旧永州居住。"

丁卯,加封唐柳州刺史柳宗元为文惠昭灵侯。

辛亥,诏立愍节庙于顺昌县,以祠范旺。

甲寅夜,地震。

九月,(丁丑)〔戊寅〕,右迪功郎李耆言:"自经界之后,税重田轻,终所入且不足以供两税,今又配州县买铜,民力愈困。况江西州县,多用私钱,旧钱百,重十一两,新钱百,重五两有奇。若毁旧钱千,以铅锡杂之,则可铸二千五百,是以赣、吉等州,比屋私铸。一路且以万户言之,户日销千钱,是日毁万缗也。民既销钱而盗铸,官又抑民毁钱而更铸,得不偿失,徒弊百姓,费邦财。愿诏诸监,钱姑仍旧岁,计坑冶所入铜锡兴铸,(俱)〔诸〕路委提刑兼主其事,户部岁终课其殿最,则事省而民安矣。"

自户部提领铸钱,而分州县科买铜锡,民多毁钱为铜以应命,故耆言如此。诏提领铸钱司措置约束。

庚辰,中书舍人兼史馆修撰王刚中充龙图阁待制、四川安抚制置使兼知成都府。

先是权礼部侍郎孙道夫,言中外籍籍,皆谓金人有窥江、淮意,帝曰:"朕待之甚厚,彼以何名为兵端?"道夫曰:"兴兵岂问有名! 愿陛下早为之图。"又言:"成都帅,陛下不可不择,宜求才可制置四川者二三人,常置之圣度。"帝云:"当储人以待缓急之用。"刚中亦言:"御敌最今日先务之急,盍先自择将帅,蒐士卒,储备军械,加我数年,国势富强,彼请盟则为汉文帝,犯边则为唐太宗。"帝壮其言。会西蜀谋帅,宰执谓宜得文武威风识大体者,帝曰:"无逾王刚中矣。"遂有是命,又令道夫以蜀中利害语之。

辛巳,以士𫓧为昭化军节度使,嗣濮王。

冬,十月,丁亥朔,秘书少监沈介为贺大金正旦使,阁门祗候宋直温副之;国子司业黄中为贺生辰使,阁门祗候、办御前忠佐(领)军头引见司李景夏副之。

戊子,左承议郎虞允文为秘书丞。

允文知渠州,地硗民贫,常赋之外,又行加敛,流江尤甚。允文奏罢之,凡六万五千馀缗。

初,帝作损斋,屏去玩好,置经史古书其中,以为燕坐之所,且为之记,权吏部尚书贺允中请以赐群臣。庚寅,帝谓宰执曰:"允中尝于经筵问朕所好之意,朕谓之曰:'朕之所好,非世俗之所谓道也。若果(然)〔能〕飞升,则秦皇、汉武当得之;若果能长生,则二君至今不死。朕惟治道贵清净,故恬淡寡欲,清心省事。所谓为道日损,期与一世之民同跻仁寿,如斯而已。'当降出碑本以赐卿等。朕又惟比年侈靡成风,如婚祭之类,至有用金、玉器者,此亦不可以不戒。"至是降诏谕中外如帝旨。

戊戌,诏:"尚书省凡事理不当者,许诣登闻检院投状类奏,览讫,付御史台理问。"

癸丑,故进士杨居中、执中,并特赠右承事郎。

二人,存中弟也,建宁之破死焉。至是存中乞以大礼所得亲属、门客二官为恤典,帝特命录之。

十一月,癸亥,金诏有司勤政安民。

己卯,(冬日)〔日南〕至,合祀天地于南郊,赦天下。

权礼部侍郎孙道夫言:"今合祭天地,奉祀宗庙,悉复承平旧典。加以辟道山,求遗书,修太学,育人才,文治既举,自此愿训敕将士,增修武备,以为不虞之戒。"又言:"仁宗景祐初,采古兵法及旧史成败,为《神武秘略》以赐边臣,训迪有方,故一时爪牙有古良将风。愿下文馆重加雠正,遍赐将帅,以继仁宗故事,岂无曹玮、王德用、狄青之徒为时出乎!"时金人渝盟有端,而中外疑信未决。道夫独忧之,故数以武事为言。

癸未,金尚书左丞耶律安礼罢。参知政事李通以忧制起复如故。

己丑,诏出御前钱修葺睦亲宅及重建学宫殿宇凡一百七十一区。

十二月,丁未,诏:"才人刘氏进封婉仪。"

责授宁远军节度副使、郴州安置李光,复左朝奉大夫,任便居住。

壬子,金国贺正旦使正奉大夫、工部尚书苏保衡,副使定远大将军、太子左卫率府率阿典谦入见。

乙卯,金以枢密副使张晖为尚书左丞,归德尹高召和式起为枢密副使。

御前诸军都统制兼知兴元府姚仲言:"兴元府、洋州诸县,各有以前保丁内选到人材少壮堪出战人,差充义士,臣已于数内摘拣到三千人,团结队伍,教习武艺,及欲于附近大安军、巴、蓬州差拨保丁,以备船运军粮。"从之。自朝廷与金约和罢兵,议者乃奏罢(到诸路)〔利路诸〕州义士。至是仲闻金有意败盟,欲为战守备,乃奏复之。

议者亦谓："兴、洋旧有义士，皆骁勇可用，只是免身丁、差役之类，不费有司钱粮。望下本路帅司检照旧来簿藉条例，依旧收充，以时教阅，无令州县别致骚扰，以备缓急使唤，此正古人寓兵于农之意。"奏可。

始，王庶立法，义士每丁蠲家业钱二百千，部辖使臣蠲六分科敛，及是诸县民间所馀家业不多，科买军粮草料（若干）〔苦于〕偏重。仲乃命视旧法，止蠲其半，部辖使臣三分之二，衣甲、兜鍪、神臂弓箭官给，其它应军中所用，皆自为之。军行，日支粮二升有半。每六十五人为队，管队二人，押拥队三人，旗首三人。县立三部，都、副部辖、管辖各一人。于是合五郡所籍，为二万一千七百馀人，惟兴、洋、大安久而不废。

金主欲都汴，而汴京大内失火，命左丞相张浩、参知政事敬嗣晖营建南京宫室。浩从容奏曰："往岁营治中都，天下乐然趋之。今民力未复而重劳之，恐不似前时之易成也。"不听。浩朝辞，金主问以用兵江南之利害，浩不敢正对，乃婉辞以谏，欲以讽止，曰："臣观天意欲绝赵氏久矣。"金主愕然曰："何以知之？"对曰："赵构无子，树立疏属，其势必生变，可不烦用兵而服之。"金主虽喜其言而不能从。

浩等至汴，金主时使宦者梁玩来视工役，运一木之费至二千万，牵一车之力至五百人，宫殿之饰，遍傅黄金，而后间以五采，金屑飞空如落（屑）〔雪〕，一殿之费以亿万计。殿既成，玩指曰："某处不如法式。"辄撤之更造，浩不能抗，与之钧礼。

金旧制，宦者惟掌掖庭宫闱，至金主篡位，始以宦者王光道为内藏库使，卫愈、梁安仁领内藏。金主尝曰："人言宦者不可用，朕以为不然。后唐庄宗委张承业以事，竟立大功，此中岂无人乎？"玩最被委任，故尤骄恣。

是岁，夏始立通济监，铸钱。

绍兴二十九年　金正隆四年【己卯，1159】　春，正月，丙辰朔，帝以皇太后年八十，诣慈宁殿行庆寿之礼，宰执、使相皆进上寿礼物。诏："庶人年九十、宗子女若贡士以上父母年八十者，皆授官封；文臣致仕官大夫以上，并赐三品服；僧、尼、道士〔八十〕以上者，赐紫衣及师号有差。"宰执沈该率百官诣文德殿称贺，用建隆故事也。班退，帝御垂拱殿受北使礼。

金主朝太后于寿康宫。

丁巳，金御史大夫高桢卒。

庚申，金更定私相越境法，并论死。

乙卯，诏："故洪州观察使王彦，特赠安远军节度使。"

名导江县金马碧鸡神祠曰昭应。

金主诏："自来沿边州军设置榷场，本务通商，便于民用，其间多有夹带违禁物货，图利交易，及不良之人私相来往，可将密、寿、颖、唐、蔡、邓、秦、巩、洮、凤翔府等处榷场，并行废罢，只留泗州榷场一处，每五日一次开场，仍指挥泗州照会移文对境州军，照验施行。"

二月，丙戌朔，盱眙军申到北界泗州牒，金国已废罢密、寿等州榷场，只存留泗州一处。诏："盱眙军榷场存留，馀并罢之。"时事出不意，南北商旅，弃物货而逃者甚众，既而无所得食，渐致抄掠。议者请严责州县捕之，帝不听，命给裹粮，各使归业，久之遂定。金人又于泗州增榷场屋二百间，于是盱眙亦如之，仍创给渡淮木牌，增守卒焉。

奉国军节度使、开府仪同三司、领御前诸军都统制职事、判兴州吴璘为少保。

己丑，诏："海商假托风潮辄往北界者，依军法。"

侍御史叶义问试尚书吏部侍郎。

金以左宣徽使许霖为御史大夫。

壬辰，定江军承宣使、同知大宗正事士篯为安庆节度使。

己亥，权尚书工部侍郎刘璋兼权吏部侍郎，给事中兼侍讲、权直学士院杨椿试兵部侍郎。

壬寅，宗正少卿杨偰权尚书工部侍郎。

丁未，金修中都城，造战船于通州。

金主谕宰相曰："宋国虽臣服，有誓约而无诚实；比闻沿边买马及招纳叛亡，不可不备。"乃遣使籍诸路明安部族及州县渤海丁壮充军，及分往上京、东京、北京、西京，凡年二十以上、五十以下者皆籍之，虽亲老、丁多，乞一子留侍，亦不许。

己酉，帝谓大臣曰："闻江西境内有群聚而掠人于道者。"王纶曰："艰食之民，不得已而为之，未必皆啸聚也。"帝曰："凡灾伤处，悉令赈济，蠲欠已及二十七万，不知州县奉行伺如。轻徭薄赋，自无盗贼，故唐太宗用魏征之言，行仁义既效，且曰'惜不令封德彝见之。'然德彝与虞世基辈，皆隋朝佞臣误炀帝者。太宗受命，自当斩之，以为奸佞之戒。"

三月，丙辰朔，金遣兵部尚书萧恭经画夏国边界，遣使分诣诸道总管府督造兵器。

丁丑，诏帅臣、监司、侍从、台谏岁举可任将帅者二员，具材略所长及曾立功效以奏。

秘书少监沈介权尚书吏部侍郎。

夏，四月，壬辰，国子司业黄中贺金主生辰还，言金主再修汴梁，役夫万计，此必欲徙居以见逼，不可不早为之计。时约和久，中外解弛，无战守备，帝闻，矍然曰："但恐为离宫也。"中曰："臣见其行事，恐不止为离宫。果南徙居汴，则壮士健马，不数日可至淮上，可无虑乎！"宰相沈该、汤思退闻之，诘中曰："沈监之归，属耳不闻此言，公安得云云也？"居数日，复往言之，曰："请勿以妄言即罪。"思退怒，至以语侵中。时中书舍人洪迈亦请密为边备，该等不听。

辛丑，国子司业黄中守秘书少监。近例，使北还者，率得从官。宰相以中言金有南牧之意，恶之，故沈介迁吏部侍郎，而以中补其处。

先是武成王庙生芝草，武学博士朱熙载密为图以献。熙载，金坛人，汤思退所荐也。于是宰相召长贰赴都堂，责之曰："治世之瑞，抑而不奏，何耶？"祭酒周绾未及言，中指此图曰："治世何用此为！"绾退而叹曰："惜不使中为谏净官也！"

诏以唐西平王李晟配食武成王，降李勣于堂下。

金主命增山东路泉水，(军)〔毕括两营兵士廪给〕。

辛亥，金尚书左丞张晖、御史大夫许霖罢，以大兴尹图克坦贞为枢密副使。

是月，归朝官李宗闵上书言："臣窃闻近者金人于岐、雍间伐木以造浮梁，东京、长安修治宫室，迁诸路近戍聚于关陕，游骑千数出近边觇视虚实，奸谋诡计，未可窥测。臣疏贱冗散，谨以区区管见有可裨庙堂末议者，析为三事：

其一曰严守御。方今天下根本在吴、蜀，其势若手足之相应，荆州据其中，心腹之地也。襄阳扼荆州之冲，又足以为荆州重轻。今重兵皆驻武昌，而荆、襄之间所以自卫者未固。且襄阳在今为极边，去荆州四百五十里，无重山峻岭、长江大河之险，敌人驰轻骑，不两日可至城下，万一荆州为其所据，吴、蜀首尾不能救。朝廷虽以刘锜镇荆州，然无兵以自固；至襄阳之兵，不过千馀人，又皆疲懦，安能以备缓急！宜令刘锜将二万人分屯荆州要害，更令不住召募，日夜训习，张声势，严斥堠，仍择久历将陈者一人如田晟其人者以副之。盖晟虽老而战功素著，敌人深畏之，今居南昌，未足究其施设，若使与刘锜协办，敌人不敢复事南牧。襄阳则遣一智勇兼全之将，分武昌之兵万人，比岁更其戍守。襄既有备，吴、蜀可高枕而卧矣。

其二曰募新军。臣往（往）在行间，常见三衙及诸处招军，皆市井游手，数年之后，虽习知骑射击刺之事，而资性疲懦不改也。臣闻福建、汀、赣、建昌四郡之民，轻慓勇悍，经涉险阻，习以为常，平居则投石超距，椎牛伐冢，聚为小盗，而为奸雄之资，使有人驾驭役使，必能得死力。臣窃见殿前司左翼军统制陈敏，生长赣土，天资忠勇，其民亦畏而爱之；所统之兵，近出田舍，且宜占籍，遂为精近，人人可用。若朝廷专委陈敏，俾招集四郡之民，使金人果渝盟，则攻守皆可为用，若尚守和好，则可以填三衙之数。臣观今日敌人之举，其志不小，如闻（迁）〔签〕陕右、两河民悉以为兵，与夫契丹、奚家、汉儿诸军不下数十万众，聚之关陕，其在它路，又不知几万人。若欲攻蜀，则吴璘、姚仲、王彦之兵足以相抗。臣观其兵，皆远来乌合之众，利在速战，朝廷遣杨存中、成闵提兵总率沿边诸帅，各守江、淮之险，坚壁持重以老其师，将不战而自溃。况金人比年以来，父子骨肉，自相屠灭，用事之臣，死亡殆尽，更且离远巢穴，大兴土木，虐用中原之民，皆自取灭亡之道。且空国而与人战，兵家所深忌。吾方与之相持与江、淮之间，别以陈敏所招数万人，兴战船，取海道，不旬日可至山东，径入燕山捣其巢穴，此所谓攻其所必救者。前湖北副总管李横，虽出河朔贼盗，朝廷优以美官，横亦感激奋励，思有以报。臣顷过荆州，观其为人，听其议论，皆有可取；刘锜亦为之加礼。山东、河朔，横习知形势，若朝廷使与陈敏分兵北向，均其事权，必然协济机事。仍委三衙，令诸军统制，各举河朔、山东勇而有谋者多人，计得三（十多）〔千馀〕人，使从其行，分往郡县，晓以逆顺祸福之理。河朔、山东既为内应，敌人进退失据，而陕右、两河兵必思溃叛，吾能及其锋而用之，适足以为吾之资。若朝廷以趋海道为迂，只以陈敏所招人屯之襄阳，亦可以捍御一面。

其三曰通邻国。宣和之末，臣陷燕、云者累年，敌人以先臣不屈就死，没于韩企先家，充奴婢役使，企先与乌珠密议，臣皆得密听之。盖闻金人马皆达勒达所入，冀北虽号产马之地，自兴兵以来，所养至少。金人置榷场于白水，与达勒达贸易，丁未岁，达勒达之马不入金国，而又通好于达实林牙，使达勒达助兵以为乡道，许归太子。已而伊都败师，欲结连谋叛，谋泄亡入达勒达，太子卒不遣还，自是太子郁结成疾，并其母死于云中，达勒达之恨，深入骨髓。今若遣一介之使，开示祸福，晓以利害，使达勒达之马无与金人互市，金人利于骑战，舍马则无所施其能矣。至于西夏，亦与金人为雠，而金人亦素畏之，金人常割天德、云中、金肃、河清四军及八馆之地以赂夏人矣。丁未之岁，伊实郎君领数万骑，阳为出猎，而直犯天德，逼逐夏人，悉夺其地，夏人请和，金人执其使者。臣是时久留云中，人情稔熟，因得出入云中，副使李阿雅卜谓臣曰：‘昔年大金赂我四军、八馆，俾我出军牵制关中，合从以攻南宋，及其得志，首叛盟约。某昔年两使南朝，其礼义文法非它国之比。’自是观之，则西夏恶金人喜中国可知。壬子之岁，尼堪闻蜀地富饶，欲提兵亲取，令云中副留守刘思恭条陈书传所载下蜀故事，及图画江山形势，锐然欲往。夏人闻云中聚兵，以为攻己，举国屯境上以备其来，而尼堪亦不敢出兵，止遣萨里干等以兵攻饶风。今莫若遣辩士谕以盟约，俾以重兵出境上，为吾声援。

臣尚有私忧过计者，金人强则称兵，弱则称和，顷岁经合肥、顺昌及川口数战，敌人仓皇议和,朝廷姑务息兵,屈体从之。然则今日之举,首叛盟约,自取灭亡;其势不利,必将复要前日之计,慎勿许和。小胜则于荆、楚之间练兵秣马,积粟务农,徐为后图;大胜则长驱席卷以图恢复。临机制胜,固有不可预言者。

臣又闻自古用兵,有声有实。今者兵不出境,而张皇声势,惟恐吾之不知,乃于近塞积石为郛,闭榷场,绝商贾,造战船,自春徂夏,且非秋高马壮之时,臣愿分遣谍者,伺其虚实,若诚如臣言,则上兵伐谋之举,不可后也。”

五月,壬戌,保康军承宣使、知南外宗正事士𡊸为建宁军节度使。

己巳,宰相沈该、汤思退言:“近令监司、守臣按察所部官属,未有定立条目。元祐间,司马光陈请举按官吏八条,详密可行,今请重行修立。其举荐四条,曰仁惠、公直、明敏、廉谨;按察四条,曰苛酷、狡佞、昏懦、贪纵。凡应荐举者,州举之部使者,部使者举之朝廷,皆籍记姓名,随材任使。又虑一路、一州官吏众多,长吏觉察不尽,请令监司专按察守倅、路都监以上,守倅按察在州兵曹职官以上,及诸县令、丞,所举失实者,取旨审责;失按察者,递降差遣一资。馀所部守、监司、守倅皆得举按,但不坐失察之罪。”从之。

壬申,金贺生辰使资德大夫、秘书少监王可道,副使定远大将军、太子左监门兼尚厩局副使王蔚入见。

六月,甲申朔,同知枢密院事王纶为大金奉表称谢使,保信军承宣使、知阁门事曹勋副之。

丁亥,捧日天武四厢〔都〕指挥使、武信军承宣使李横为两浙东路马步军副都统总管,绍兴府驻劄。

己丑,秘阁修撰、提举江州太平兴国宫张九成卒,年六十八。诏复敷文阁待制,致仕。

癸巳,宁国军节度使、殿前司选锋军统制李显忠,升本司选锋军都统制。

戊戌,名乌江县楚霸王项籍庙曰英惠。

参知政事陈康伯,兼权枢密院事。

辛丑,左朝奉大夫李光守本官,致仕。光既许任便居住,行至江州而卒,年八十二。

乙巳,侍御史朱倬,殿中侍御史任古,劾尚书左仆射沈该:“天资疏庸,人品凡下。自居政地,首尾数年,曾无建明以裨国论。渎货无厌,请托公行,纵令子弟凌轹州县。起造第宅,扰害公私,贪鄙之迹,不可毛举,上孤陛下之恩,下失四海之望。请赐罢黜,别置宪典。”丙午,左司谏何溥、右正言都民望亦言:“沈该性资庸回,志趣猥陋,自为小官,已无廉声。徒以谄谀秦桧,遂蒙提挈,滥厕禁严。连帅梓、夔,略无善状,以子弟为商贾,以亲信为爪牙。陛下比因更化,录其一得之虑,起之谪籍,擢在政途,俾得自新,以图报塞。今冠台席,亦既三年,举措乖方,积失人望,引所厚善,置在要津,请托公行,几成市道。夫宰相之职,无所不统,该乃谓军旅钱谷之事,各有司存,凡百文书,谩不加省。陛下近念士人留滞逆旅,特令速与差注,旬日以来,未闻有不因介绍而得之者。望亟赐罢黜。”帝命溥等皆退而俟命。该乞罢政,不允。

己酉,特进、尚书左仆射、同中书门下平章事沈该,充观文殿大学士、提举临安府洞霄宫。庚戌,诏:“沈该依前特进、观文殿大学士,致仕。”该以言者弹击未已,上疏力辞职名,乃有是命。

闰六月,丙辰,秘阁修撰、新知明州董萃权尚书户部侍郎。

丁卯,宁武军承宣使、侍卫步军司第一将统制官戚方为本司前军都统制。

己巳,故责授向德军节度副使王庶,追复资政殿学士,故责授秘书少监黄潜厚,追复左通议大夫,官子孙有差。

丁丑,潭州观察使、枢密副都承旨吴拱为利州西路驻劄御前中军都统制、充〔阶成〕西和凤州路兵马都钤辖,兼知成州。拱乞依例升充副都总管,从之。拱,玠之子也。

金方建宫室于南京,又营中都,与四方所造军器材木,皆赋于民。箭翎一尺至千钱,村落间往往椎牛以供筋革,以至鸟、鹊、狗、彘,无不被害,境内骚然。

金主侍太后于宫中,外极恭顺,太后坐起,自扶掖之,常从舆辇徒行;太后所御物,或自执之。见者以为至孝,太后亦以为诚然。及谋南伐,太后谏止之,金主不悦,每谒太后还,必忿怒。

【译文】

宋纪一百三十二　起戊寅(公元 1158 年)正月,止己卯年(公元 1159 年)六月,共一年有余。

绍兴二十八年　金正隆三年(公元 1158 年)

春季,正月,己巳(初八),殿中侍御史王珪说殿前马步军三衙强迫平民刺字参军,下诏令禁止。

在此之前殿前司按定员差数千人,诏令三衙逐月招募补充,而派遣招兵的军士被例物所利诱,往往捕捉市人来充数;百姓中以打柴、捕鱼为职业的,都不敢进入皇帝行都,甚至将辇官刺字招兵。从京都到衢州、婺州等地,道路之间,商旅不行,远近百姓受到严重骚扰。王珪对宋高宗说:"外地郡县招募的士兵,人才也能驱使,都是民间无家可归的人,自愿当兵,只因州县各啬钱财,招兵不多。现在如果把三衙招兵费用交付他们,放宽期限,还担心招不到兵吗!"宋高宗对大臣说:"招军一事,士大夫往往认为不是当务之急。却不知道圣人思虑忧患预防的心事,如果暗中减少军士名额,又怎么防备突发事件!但应该做出规定和限制,不令他们骚扰百姓就足够了。"于是诏令三司不能派人在外路强行刺字招兵,违者统制以下官员都要论罪。

不久殿中侍御史叶义问也奏报此事,并且说不应当强行招募辇官当兵,诏令殿前司追究查明,原来是吐浑押官潘胜招募辇官当兵。权刑部侍郎陈正同等请求给予潘胜杖责和降官资的处罚。叶义问说:"辇官同皇上最为亲近,将此比作践踏路马的草料,是万万不相称的。现在刑部官吏减轻对潘胜的处罚,迁就下属对上不恭,还有什么比这更严重!"诏令陈正同罚铜十斤。

贺金正旦使孙道夫准备启程回国,金国主派左宣徽使敬嗣晖告谕他说:"回去后告诉你的君主,侍奉我们高贵国家,大多不诚心。现在只略举二事:你国有百姓逃入我国境内,边吏都立即发放归还;我国有百姓叛逃到你国境内,有司索取,往往找借口不予发放,这是一件。你们在边境地区暗中购买鞍马,为打仗做准备,这是第二件。况且战马只有配备了骑手然后才能派上用场,如无骑手,既使得马百万,又有何用? 我方岂能没有防备! 而且我们不进攻你国则罢,如想进攻,本来不是难事。我听说接纳叛亡之民,暗中购鞍买马,都是你国杨太尉所为,常常询问被俘获的人得知,这个人也是无能之辈。"又说:"听说秦桧已死,是真的吗?"孙道夫回答说:"秦桧确实死了,我也是秦桧推荐的人。"又说:"你国近来行事,还不如秦桧活着时,为什么?"孙道夫说:"容许我回国后,一一奏报宋国皇帝。"当时,金国主每天都在策划南下伐宋,故意找借口以挑起发兵事端,又掺杂其他的事来掩盖真相。

金国主曾召见谏议大夫张仲轲、补阙马钦、校书郎田与信、直长迪实,到便殿侍坐。金国主和张仲轲评论《汉书》,对张仲轲说:"汉代疆域,不过七八千里,现在我国幅员万里,可谓大矣。"张仲轲说:"本朝疆土虽大,但天下有四主:南有宋国,东有高丽国,西有夏国。如果能统一他们,才算是大。"金国主说:"以什么罪名讨伐宋国呢?"张仲轲说:"臣听说宋人买战马、修军械,招纳山东叛亡之人,难道是无罪!"金国主说:"过去梁琫对我说,宋国有位刘贵妃,姿质艳美,蜀国的花蕊,吴国的西施,都比不上。现在讨伐,一举两得,就如俗语所说的'因行掉手'。江南听说我将发兵,必定逃得远远的。"马钦、田与信都回答说:"海岛蛮越之地,臣等都知道线路,他们能逃到哪里去!"马钦又说:"臣在宋时,曾帅军征讨蛮族,所以知道。"金国主对迪实说:"你敢参战吗?"回答说:"长期蒙受陛下恩宠,即使死也不逃避!"金国主说:"你估计他们敢出兵吗?他们如果真的出兵,你果真能拼死作战吗?"迪实过了一会儿说:"臣虽懦弱,也将参与

金"撒土浑谋克印"

作战。"金国主说:"他们将从哪里出兵?"回答说:"只会从淮上出兵。"金国主说:"这样则天助我也。"接着又说:"朕举兵灭宋,只不过二三年时间,然后再讨平高丽、夏国,天下统一之后,论功大小晋官升职,分别奖赏将士,他们必定忘劳地为国尽力。"

二月,丙申(初五),同知枢密院事陈诚之出任知枢密院事。

在此之前陈诚之上奏政事,宋高宗说:"你是文人学者,原来对军务也如此熟练!"于是提拔他。

乙巳(十四日),尚书工部侍郎兼侍讲兼学士院王纶升任同知枢密院事。

丙午(十五日),太常少卿孙道夫升任权尚书礼部侍郎,因为孙道夫出使金国还国后,全部奏报了金国主所说的话。

三月,辛酉朔(初一),发生日食,阴天云多看不见,宰相于是率领百官入朝称贺。诏令说:"日食月食,乃上天垂戒,有司却因为阴云不见,想召集百官拜表称贺,这绝对不是朕畏惧天威,下令不许称贺。"第二天,宰执官员共同称赞皇上诏令中的语言,宋高宗说:"朕虽德薄,不足以通天意,阴云蔽日,只是偶然现象。至于下了一场及时大雨,这才是值得庆贺的。"

壬戌(初二),起居郎刘章出任权尚书工部侍郎。

丁丑(十七日),太尉、定江军节度使、鄂州驻扎御前诸军都统制兼提领营田田师中升任三府仪同三司,因为三省官员进言说田师中出任太尉已有八年,有捕获猺贼的功劳,应当

迁升。

戊寅(十八日),诏令说:"设官分职,以管理民事为先。古时官秩为二千石的官位次于九卿,公卿有空缺就从他们当中选择功绩突出的人任用。自太祖太宗以来,郡守官位空缺多从台省官员中选用,甚至派遣朝官到边远的地方做官,未曾当过亲民官的不能出任清望官,这是为了重视民事。朕依照古代成法,选任官员,今后侍从有空缺,在帅臣和第二任提刑资序中曾任过郎官以上的官员中选用;卿、监、郎官有空缺,从监司、郡守中有突出政绩的官员中选用,都必须是政绩昭著和声望很高的人。卿、监、郎官未担当过监司、郡守的官员,让他们轮流补任地方官;内官除词臣、台谏是由朕亲自选拔外,其余的一律任职二年,才允许迁升任命。这样才能内外适宜均衡,无轻重偏失,尽职立业,有长期任职的成效,以符合朕重视民事的心意。"

戊子(二十八日)曾追认复官的已故敷文阁直学士洪晧再次追认复官为徽猷阁直学士,因为他的儿子起居舍人洪遵进言说复职一事还未彻底完成;不久,赐给谥号忠宣。

夏季,四月,乙未(初六),大理寺少卿杨揆出任权刑部侍郎,司农卿汤允恭出任权尚书兵部侍郎。

五月,辛未(十二日),改光州为蒋州,改光化军为通化军,改光山县为期思县,这是为了避金太子的名讳。

金太子光瑛,十二岁,擅长骑射,曾用箭射獐子,射中并捕获了它,金国主用獐子祭祀太庙。

戊寅(十九日),金国使臣骠骑上将军、殿前司副都点检萧恭,副使中大夫、尚书工部侍郎魏子平,在紫宸殿朝见宋高宗。

丙戌(二十七日),金使萧恭、魏子平入宫辞行,在紫宸殿设置酒宴送行,因为下雨的原因,又改在垂拱殿。

当时金国主决意南下伐宋,魏子平回国后,入宫拜见,金国主首先就询问南方的情况,并且说:"你说苏州与大名谁好?"魏子平说:"不能比。"金国主说:"为什么这样说?"魏子平说:"宫室、车马、衣服、饮食,这是人们认为美的东西。南方江湖之地,空气潮湿,以舟船为居室,以鱼虾佐酒,夏天穿着焦葛衣服,还不能忍受其炎热。以此来说,大概不能相比。"金国主不高兴。

本月,金国主召见吏部尚书李通、翰林院学士承旨翟永固、左宣徽使敬嗣晖、翰林直学士韩汝嘉四人谋划,打算重新修复汴京然后迁徙居住在那里,为南侵做准备。李通、敬嗣晖都说此意正合天时,金国主很高兴。翟永固、韩汝嘉说:"燕京刚刚完工。国库财政匮乏,民力未复苏,岂可再营建汴京?江南通好我国,每年进献的钱财也未缺少,突然兴师讨伐,恐怕出师无名。"金国主发怒说:"不是你们懂得的事!"挥手让他们离开。不久召见翰林应奉文字綦戡讲解《汉书》,金国主怒气渐渐缓解。第二天,提拔李通为尚书右丞,敬嗣晖为参知政事。翟永固请求告老还乡,金国主批准了。

六月,癸巳(初五),将眉州青神县中岩山龙潭慈姥神祠命名为慈济。

这一天,流星在白天陨落。

甲辰(十六日),枢密院都承旨陈正同,说各路奏报朝廷审判定案的死囚,大多改为发配流放,这是不对的。宋高宗说:"刑罚不一定追求刻深,但受到的惩罚应和所犯的罪相吻合。如果专门姑息罪犯,废除法律常用的案例,那么人们不知道畏惧,就不能禁止暴行惩治奸贼。可告谕刑官,应当遵守国家既定的法律。"

秋季,七月,己未(初二),诏令修筑皇城东南的外城。

戊寅(二十一日),起居舍人洪遵谈论铸钱的利与害,大意说:"现在钱币少,大多销毁做成了器物,而南过大海,北渡淮河,损失很多。自从罢免提点官后,又设置了二员官属,和监司无异,但铸钱数量远未达到定额,应该多方采取措施。"宋高宗对大臣说:"洪遵的建议很可能采纳,前后颁布了铜禁令,执行得不严格,大概成了一纸虚文。现在如果从公卿贵戚之家开始,以自身做表率,一切不用铜器,然后重申严格执行法禁,应当没有不成功的。"

己卯(二十二日),宋高宗从御府拿出铜器一千五百件送给铸钱司,于是大量征收民间铜器。其中道、佛像及寺观里钟磬之类的铜器登记造册,每斤铜算二十文钱;民间所用的镜子、钩子之类的铜器,由官府征购。凡是民间所有的铜器,限一月交纳官府;期满不交纳的,私藏十斤以上判二年徒刑。官府悬赏钱三百千,鼓励人们告发,此后再有违犯,私造铜器的工匠发配到铸钱司服重役。后来共收集铜二百万斤。

庚辰(二十三日),宋高宗拿出御制《郊祀天地、宗庙乐章》十三首给辅政大臣看。

壬午(二十五日),国子祭酒周绾出任权尚书吏部侍郎,秘书少监曾几出任权礼部侍郎。

八月,戊子朔(初一),诏令设置国史院,编修神宗、哲宗、徽宗三朝正史。

辛卯(初四),权礼部侍郎孙道夫出任权工部侍郎。丙申(初九),秘阁修撰、知绍兴府赵令詪出任权尚书户部侍郎。

壬寅(十五日),尚书省审查张浚已服丧期满,诏令:"特进观文殿大学士、和国公张浚,免职,改为提举江州太平兴国宫,依旧在永州居住。"

丁卯(疑误),加封唐朝柳州刺史柳宗元为文惠昭灵侯。

辛亥(二十四日),诏令在顺昌县修建愍节庙,以祭祠范旺。

甲寅(二十七日)夜间,发生地震。

九月,戊寅(二十二日),右迪功郎李耆说:"自实行经界法之后,税收过重,田地为人所轻视,年终的收入还不够缴纳两税,现在又分配州县买铜定额,民力更加困苦。况江西的州县,大多使用私钱,旧钱每一百枚重十一两,新钱每一百枚,重五两多。如果销毁旧钱一千枚,掺杂一些铅、锡,就可以铸钱二千五百枚,因此赣、吉等州,到处都私铸钱币。江西一路以万户来计算,每户每天销毁一千枚钱,就相当每天销毁一万缗钱。百姓既已毁钱又私下铸钱,官府禁止百姓毁钱又重铸新钱,得不偿失,只是害了百姓,浪费了国家钱财。希望下诏各监,铸钱姑且和以前一样,统计矿冶出产铜锡的总量用来铸钱,各路委托提刑兼管其事,户部年终考核政绩优劣,这样既省事又使百姓安宁。"

自从户部总管铸钱事务,分配州县征购铜锡的指标,百姓大多毁钱为铜来充数完成上缴铜材的指令,所以李耆说了这些话。于是诏令提领铸钱司采取措施进行约束。

庚辰(二十四日),中书舍人兼史馆修撰王刚中充任龙图阁待制、四川安抚制置使兼知成都府。

3073

在此之前权礼部侍郎孙道夫,说中外议论纷纷,都说金人有窥视江、淮的意图,宋高宗说:"朕对待他们很好,他们以什么名义挑起兵端?"孙道夫说:"兴兵岂问有名!希望陛下提前做好防御准备。"又说:"成都将帅,陛下不可不慎重选择,应当寻求可处置四川军务的二三人,经常参与陛下的谋划。"宋高宗说:"应当储备人才以待缓急之用。"王刚中也说:"防御敌人是现在的当务之急,应该首先选择将帅,训练士卒,储备军用器械。待我数年后,国势富强,他们请求结盟就学汉文帝给以安抚,进犯边境就学唐太宗给以征伐。"宋高宗赞赏他的话。正巧西蜀选择将帅,宰执说应当选一个能文能武又顾全大局的人,宋高宗说:"无人超过王刚中。"于是才有了这项任命,又让孙道夫把蜀中的利害关系告诉王刚中。

辛巳(二十五日),任命士辂为昭化军节度使、嗣濮王。

冬季,十月,丁亥朔(初一),秘书少监沈介为贺大金正旦使,阁门祗候宋直温任副使;国子司业黄中为贺生辰使,阁门祗候、办御前忠佐领军头引见司李景夏任副使。

戊子(初二),左承议郎虞允文任秘书丞。

虞允文任渠州知州,地瘦民贫,官府规定常赋之外,又另行增加税收,流江地区尤其厉害。虞允文上奏请求罢免额外税收,共计六万五千多缗。

当初,宋高宗设"损斋",摒除古玩,将经史古书陈列其中,作为休闲场所,且为之作记。权吏部尚书贺允中奏请将这篇记文赐给群臣。庚寅(初四),宋高宗对宰执说:"贺允中曾在经筵间问朕喜好之意,朕对他说:'朕之所好,并非世俗所说的道。如果果真能够成仙升天,那么秦始皇、汉武帝应当做得到,如果果真能长生不老,那么二君至今也不会死。朕只认为修道贵在清净,所以恬淡少欲,清心省事。所谓修道以每日减少欲念,期望与当世百姓共同达到仁寿境地,如此而已。'应当把记文的拓本赐予你们。朕又想到近年来奢侈成风,如婚嫁、祭祀之类,甚至有人使用金器、玉器,此风不能不加以禁止。"至此降旨诏谕中外遵照皇上的旨意办事。

戊戌(十二日),诏令:"尚书省凡是处事不当者,允许到登闻检院投递举报奏章,朕览毕,交付御史台处理。"

癸丑(二十七日),已故进士杨居中、杨执中,一同为特赠右承事郎。

此二人,是杨存中的弟弟,在建宁被敌攻破之时殉国。至此杨存中乞求以大礼所得亲属、门客二官作为恤典,追任二人为官,宋高宗特地下诏赠给二人官职。

十一月,癸亥(初七),金国主诏令有司勤政安民。

己卯(二十三日),冬至节,在南郊举行合祀天下的仪式,大赦天下。

权礼部侍郎孙道夫说:"现在合祭天地,奉祀宗庙,都恢复了太平盛世时典礼仪式。加上辟道山,求遗书,修太学,育人材,文治已经兴起,从此希望训诫将士,增强修治武备,以防备意外事故的发生。"又说:"宋仁宗景祐初年,采集古代兵法以及前代成败兴亡的事例,汇编成《神武秘略》赐给边境帅臣,训诫启迪有方,所以一时期统兵的将帅都具有了古代良将的风范。希望下令文馆重新加以校点整理,赐予所有将帅,以继承仁宗时的旧例,难道没有像曹玮、王德用、狄青之类的良将应时而出吗!"当时金人有违背盟约的端倪,而京城内外将信将疑。唯独孙道夫忧虑此事,所以多次提出整修武备的事。

 癸未(二十七日),金国尚书左丞耶律安礼免职。参知政事李通服孝期满恢复原职。

己丑(疑误),诏令拿出御前钱修葺睦亲住宅及重建学宫殿宇共一百七十一间。

十二月，丁未（二十一日），诏令："才人刘氏晋封为婉仪。"

责授宁远军节度副使、在郴州接受安置处分的李光，恢复为左朝奉大夫，随意居住。

壬子（二十六日），金国贺正旦使正奉大夫、工部尚书苏保衡，副使定远大将军、太子左卫率府率阿典谦入宫朝见。

乙卯（二十九日），金国主任命枢密副使张晖为尚书左丞，归德尹高召和式，起用为枢密副使。

御前诸军都统制兼知兴元府姚仲说："兴元府、洋州各县，各有以前从保甲丁勇中选出身强力壮能披甲上阵的人，差充义士，臣已从中挑选到三千人，团练队伍，教习武艺，还打算在附近大安军、巴、蓬州差遣拨调保丁，以备护船运输军粮。"宋高宗批准了。自从朝廷与金国和盟息兵，有人上奏罢免利路诸州义士。到这时姚仲听说金国有意毁约，想为作战守土作准备，于是奏报朝廷恢复义士。

议论的人说："兴元府、洋州过去有义士，都骄骁勇猛可以使用，只是免除了身丁税、差役之类，不花费有司钱粮。希望下令本路帅司检阅依照原来簿籍条例，依旧招收补充义士，以农闲之时教练检阅，不让州县造成新的骚扰，以备在发生突然事故时使用，这正是古人寓兵于农的本意。"奏报得到许可。

当初，王庶立法，规定义士每人免征家业钱二百贯，部辖使臣免征十分之六的赋税，至此各县民间所剩余的家业不多，购买军粮草料负担沉重。姚仲于是命令查阅原有规定，改为义士免征一半家业钱，部辖使臣免征三分之二的赋税，衣甲、兜鍪、神臂弓箭由官府供给，其他军需物资，都自行准备。有军事行动时，每日支粮二升半。每六十五人为一队，设管队二人，押拥队三人，旗首三人、各县设立三部，每部设都部辖、副部辖、管辖各一人。于是合计五郡登记在册的义士，是二万一千七百余人，只有兴元府、洋州、大安军长久不废义士制度。

金国主想迁都汴京，而汴京宫城失火，命令左丞相张浩、参知政事敬嗣晖营建南京宫室。张浩从容上奏说："过去营建中都时，百姓高兴地前去服役。现在民力尚未恢复而重新劳苦他们，恐怕不像以前那样容易成功。"金国主不听从。张浩入朝辞行，金国主询问用兵江南的利与弊，张浩不敢正面回答，于是用委婉的言辞进谏，想能谏止用兵，说："臣观天意想断绝赵氏很久了。"金国主惊奇地问："凭什么知道的？"回答说："赵构无子，树立一个远房为继承人，其势必发生变乱，就可不用一兵而征服他。"金国主虽然喜欢他说的话而不能听从止兵的建议。

张浩等人到了汴京，金国主时常派宦臣梁珫来视察工程进展，运一根木头费用达二千万钱，牵引一车的人力达五百人，宫殿的装饰，到处涂上黄金，然后再间以五彩颜色，金屑在空中飞舞如雪花一般，一座宫殿的费用以亿万计。宫殿建成之后，梁珫指点说："某处不符合设计要求。"就拆毁重建，张浩不能对抗、与他平起平坐。

金国原来规定，宦官只负责掖庭宫闱事务，到金国主篡位，才开始任命宦官王光道为内藏库使，卫愈、梁安仁领内藏库事。金国主曾说："别人说宦官不可任用，朕以为不是这样。后唐庄宗给张承业委以重任，竟然立下大功，宦官当中难道没有人才吗？"梁珫最被信赖，所以更加骄横恣肆。

这一年，夏国开始设立通济监，负责铸造钱币。

绍兴二十九年 金正隆四年(公元1159年)

春季,正月,丙辰朔(初一),宋高宗为庆贺皇太后八十寿辰,到慈宁殿行庆寿之礼,宰执、使相都进献上寿礼物。诏令:"百姓中年纪达九十岁、宗室子女以及贡士以上官员的父母年纪达八十岁,都授予官职封号;文臣中致仕官大夫以上的,都赐予三品官服;僧、尼、道士中年纪八十以上,赐予紫衣和不同等级的称号。"宰执沈该率领百官到文德殿称贺,是沿用建隆年间的成例。百官退朝后,宋高宗亲临垂拱殿接受北国使臣的贺礼。

金国主在寿康宫朝见太后。

丁巳(初二),金国御史大夫高桢去世。

庚申(初五),金国重新修订对私自偷越国境者的惩罚条例,都按死刑论处。

乙卯(疑误),诏令:"已故洪州观察使王彦,特追赠安远军节度使。"

命名导江县金马碧鸡神祠为昭应神祠。

金国主诏令:"长期以来在沿边州军设置榷场,本是用来通商贸易,方便百姓生活,但其中大多人夹带违禁物品,进行交易以图暴利,还有不良之人暗中勾结,可将密、寿、颍、唐、蔡、邓、秦、巩、洮、凤翔府等处榷场,一律进行废止罢免,只留泗州一处榷场,每五天开场一次,并命令泗州照会移文对境州军,依照此法验证施行。"

二月,丙戌朔(初一),盱眙军申请到与北界泗州通商的文书,金国已经废罢密、寿等州榷场,只存留泗州一处。诏令:"盱眙军榷场存留,其余一律罢免。"当时事出突然,南北商旅,抛弃货物而逃命的人很多,他们不久无以为生,渐渐干起抢掠勾当。议者请求严责州县拘捕这些人,宋高宗不同意,下令供给衣食,让他们各自归乡从事农业,很长时间后这件事才渐渐平息。金人又在泗州增修榷场屋二百间,于是盱眙军也如法炮制,于是创立发放渡淮木牌的制度,在那里增加了驻防军队。

奉国军节度使、开府仪同三司、领御前诸军都统制职事、判兴州吴璘出任太保。

己丑(初四),诏令:"海商假托因为风潮原因将船开往北方海面的,依照军法论罪。"

侍御史叶义问出任试尚书吏部侍郎。

金国主任命左宣徽使许霖为御史大夫。

壬辰(初七),定江军承宣使、同知大宗正事士篯出任安庆节度使。

己亥(十四日),权尚书工部侍郎刘璋兼权吏部侍郎,给事中兼侍讲、权直学士院杨椿出任试兵部侍郎。

壬寅(十七日),宗正少卿杨偰任权尚书工部侍郎。

丁未(二十二日),金国修筑中都城,在通州造战船。

金国主告谕宰执说:"宋国虽然表面臣服,有和盟誓约而无诚实之意;近来听说宋国在边境地区买马和招纳叛亡之徒,不可不防备。"于是派遣使臣登记各路明安部族以及州县渤海丁壮充军人数,并将他们送往上京、东京、北京、西京,凡是年龄在二十岁以上五十岁以下的都登记入册,即使双亲年迈、家丁很多,乞求留一子侍奉双亲,也不允许。

己酉(二十四日),宋高宗对大臣说:"听说江西境内有聚众拦路抢劫的现象。"王纶说:"困苦百姓,不得已而为之,未必都是聚众闹事。"宋高宗说:"凡是遭受灾害的地方,都令官府开仓赈济,免征欠缴的赋税已达二十七万,不知州县执行得如何。轻徭役,薄赋税,自然就没有盗贼,所以唐太宗采纳魏征的建议,推行仁义政策取得成效后,还说'可惜未能让封德彝看到这些。'然而封德彝与虞世基之流,都是隋朝奸佞之臣,误害了隋炀帝。唐太宗受命后,自然应该杀了他们,以此作为奸佞之臣的鉴戒。"

三月,丙辰朔(初一),金国派遣兵部尚书萧恭划定与夏国之间的边界,派遣使臣分别到各道总管府监督制造兵器。

丁丑(二十二日),诏令帅臣、监司、侍从、台谏每年推举二名可担任将帅的人,详细奏明他们的特长以及曾经建立的功劳。

秘书少监沈介任权尚书吏部侍郎。

夏季,四月,壬辰(初八),国子司业黄中出使贺金国主生辰后回国,说金国主重修汴梁,役使民夫以万人计,他们一定是想迁居于此以进攻我国,不能不提前做好准备。当时和盟签约已久,朝廷内外放松警惕,无战守准备,宋高宗一听说这件事,吃惊地说:"只怕是修建离宫吧。"黄中说:"臣观察他们的举止,恐怕不只是兴修离宫。如果他们南迁居住在汴京,那么壮士健马,用不了几天就可到达淮上,怎能不做考虑!"宰相沈该、汤思退听说此事,就责怪黄中说:"秘书少监沈介从金国回来,都未听说这些事,你怎么能随便乱说?"过了几天,黄中又去谈论此事,说:"请不要以为我是妄言胡说而见怪。"汤思退大怒,以至用恶语侵伤黄中。当时中书舍人洪迈也请求秘密做好边防战备,沈该等人不采纳。

辛丑(十七日),国子司业黄中任守秘书太监。按照近期惯例,出使金国回国后,一律可任侍从官。宰相因为黄中说金国有南侵之意,讨厌他,所以提升沈介为吏部侍郎,而让黄中填补沈介的空缺。

在此之前武成王庙中长出了灵芝草,武学博士朱熙载偷偷画下来进献朝廷。朱熙载,金坛人,是由汤思退推荐上来的。于是宰相召集正副长官到都堂,责问他们说:"这是太平盛世的瑞兆,压着不奏报,为什么?"祭酒周绾还未来得及回答,黄中指着灵芝图说:"太平盛世又何必这样做!"周绾退下后感叹说:"可惜不让黄中做谏诤官!"

诏令以唐西平王李晟配飨武成王,将李勣的神位降到堂下。

金国主命令增加山东路官吏俸禄,包括两营兵士的军饷供应。

辛亥(二十七日),金国尚书左丞张晖、御史大夫许霖免职,任命大兴尹图克坦贞为枢密副使。

这个月,归朝官李宗闵上奏说:"臣窃闻最近在岐州、雍州一带划木以造浮桥,东京、长安修筑宫室,调集了各州的戍守部队集中在关陕地区,数千的游骑在边界出没以侦察虚实,奸谋诡计,未可窥测。臣才疏位卑,谨以区区管见奏报,希望对朝廷的决策起到一点裨益,具体分为三件事:

"其一,严加防御。现在天下的根本在于吴蜀,其形势就像手足之间互相照应,荆州占据中间,是心腹重地。襄阳扼守荆州的交通要道,又足以成为荆州举足轻重的关键。现在重兵都驻守武昌,而荆州、襄阳之间用来自卫的武装力量不够。况且襄阳在目前处在最前沿,离荆州四百五十里,没有崇山峻岭、长江大河的天险可设防,敌人轻骑直驱,不用两天就可到荆州城下,万一荆州被敌人占领,吴、蜀首尾分隔不能互相救援。朝廷虽然任用刘锜镇守荆州,然而没有足够的兵力来加强防守;至于襄阳的守兵,也不过一千多人,又都是疲兵懦将,怎能应付突发事变！宜命令刘锜将二万守军分别驻守在荆州要害之地,更要命令他不断地招募士兵,日夜训练,大张声势,严密侦察,还要选择一位久经沙场的老将如田晟一类的人担任助手。因为田晟年纪虽老但战功卓著,敌人很怕他,现在居住在南昌,未充分考虑他的职位安排,如果让他与刘锜共同协助办理军务,敌人就不敢再次南侵。襄阳则派遣一位智勇双全的将领,从武昌驻兵中分出一万人,每年轮流戍守襄阳。襄阳有了严密的防备,吴、蜀就可以高枕而卧。

"其二,招募新军。臣以往在行伍中,常见三衙和各处招募军兵,都是市井中游手好闲之人,数年之后,虽然学会了骑射击刺的技能,但懒散懦弱的本性不改。臣听说福建、汀州、赣州、建昌四郡的百姓,慄悍勇猛,经涉险阻,习以为常,平常闲居时就投掷石头比谁掷得远,杀牛盗墓,聚积成小股强盗,而成为奸雄利用的力量,如果派人驾驭指挥他们,一定能得到他们的以死相报。臣觉得殿前司左翼军统制陈敏,生长在赣州本土,天资忠勇,赣地百姓也敬畏他;所统帅的士兵,来自附近一带的农民,而且应该名列户籍,于是就成了精兵,人人都能发挥作用。如果朝廷专门委任陈敏,让他招集四郡的百姓,假使金人毁约,那么他们能防能守都可使用,假若尚能遵守和好条约,又可以填充三衙兵力。臣观察敌人现在的举动,其图谋不小,比如听说征发陕右、两河百姓全部充军,再加上契丹、奚家、汉儿各军总数不下十万,将他们聚集在关陕一带,在其他各路的兵力,又不知几万人。如果想进攻蜀地,那么吴璘、姚仲、王彦的兵力足以相对抗。臣分析金人的军队,皆是远方来的乌合之众,宜速战速决,朝廷派遣杨存中、成闵统兵指挥边境各地的将帅,各自坚守长江、淮河的天险要地,坚壁清野拖延时间,让金军疲惫,就不用出战而金兵自动溃退。况且金人近年以来,父子骨肉互相屠杀,执政大臣死亡殆尽,再加上远离故都,大兴土木,虐待役使中原百姓,这都是在自取灭亡。况且倾国而出与人作战,是兵家最忌讳的。我方与金军相持在长江、淮河之间,另外让陈敏招募的数万人,兴造战船,通过海道,不过十天就可到山东,直驱攻入燕山捣其巢穴,这就是所说的攻其必救。前任湖北副总管李横,虽然出身河朔贼盗,朝廷优待他授其美职,李横也因感激之心而自我激励,想立功报答朝廷。臣不久路过荆州,观察他的为人,细听他的言语,都有可取之处;刘锜也对他优礼相待。山东、河朔一带,李横熟悉了解地理形势,如果朝廷派他与陈敏分别领兵向北进发,均衡他们执事的权力,必能协调配合共谋军事任务。再委任三衙,下令各军统制,分别推举河朔、山东一带有勇有谋的人才多人,总计可得三千多人,让他们跟随军队行动,分别前往各郡县,以逆顺祸福的道理晓谕百姓。河朔、山东作为内应之后,敌人进退都失去凭据之地,而陕右、两河的士兵必然想到溃叛,我们能及时控制并利用他们,正好足以成为我们的资助。如果朝廷认为走海道过于迂回,只把陈敏所招募的兵力屯守襄阳,也可以捍卫防御一面。

"其三,通好邻国。宣和末年,臣沦陷燕州、云州多年,敌人因为先臣祖先宁死不屈,就把臣发配在韩企先家,充作奴婢役使,韩企先与乌珠的密议,臣都偷听过。大致是说金人战马都是达勒达族人所进献的。冀北虽然号称产马之地,自从兴兵以来,所养战马很少。金人在白水设置榷场,与达勒达族进行贸易,丁未(公元1127年)年间,达勒达之马不进献金国,又和达实林牙创建的西辽国通好,金人让达勒达出兵助战作为向导,答应归还太子。不久金将伊都打了败仗,想勾结达勒达人共同谋叛,阴谋泄露逃亡到达勒达,太子最终未被归还,从此以后太子忧郁成疾,和母亲一起死在云中,达勒达人的仇恨,深入骨髓。现在如果派遣一名使者,告之祸福,晓以利害,让达勒达人不与金人贸易战马,金人擅长骑兵作战,没有马就不能施展他们的特长。至于西夏,也与金人有仇,而金人也一向畏惧他们,金人曾割让天德、云中、金肃、河清四军及八馆之地来贿赂夏国。丁未(公元1227年)年间,伊实郎君率领数万骑兵,假装狩猎,直接进犯天德,威逼驱逐夏人,全部掠夺了这块土地,夏人请求讲和,金人扣留了西夏国的使臣。臣当时长期留在云中,人情稔熟,因此可以出入云中,西夏副使李阿雅卜对臣说:'过去大金将四军、八馆送给我国,让我国出军牵制关中,联合进攻南宋,等到他达到目的,首先背叛盟约。我过去两次出使宋朝,其礼仪文法非他国能相比。'从此得知,西夏厌恶金人而喜欢中国。壬子年间,尼堪听说蜀地富饶,想率兵亲自攻取,下令云中副留守刘思恭逐条陈述书籍中所记载的进攻蜀地的故事,以及描绘江山形势图,决意奔赴蜀地。夏人听说云中聚集兵力,以为攻己,举国屯守边境以防御金人进攻,而尼堪也不敢出兵,只派遣萨里干等出兵进攻饶风。现在不如派善辩家劝告夏人与我结盟,并派重兵驻守边境,为我国声援。

“臣还有一些多余的忧虑,金人强大时就兴兵,衰弱时就求和,前几年经过合肥、顺昌及川口数战,敌人仓皇议和,朝廷姑且息兵,屈尊从之。然而金人目前的举动,首先背弃盟约,是自取灭亡;其形势失利时,必将再次提出以前求和的计策,要慎重不要答应求和。我们取得小胜就在荆楚之间秣马厉兵,积贮粮食,鼓励农业,慢慢地为今后打算;大胜就长驱直入席卷金国以图恢复故土。临机应变,出奇制胜,本来不可事先预言。

“臣又听说自古用兵,有虚有实。现在兵不出境,却大造声势,唯恐我国不知,于是在边塞垒石为城,关闭榷场,断绝商贾,修造战船,从春到夏,况且不是秋高马壮之时,臣希望分别派遣侦察员,观察金人虚实,如果的确像臣所说的那样,那么重视武备谋划防御的举动,不能推后了。”

五月,壬戌(初九),保康军承宣使、知南外宗正事士劏出任建宁军节度使。

己巳(十六日),宰相沈该、汤思退说:“近来命令监司、守臣按察所属官员,未定立具体条目。元祐年间,司马光上奏陈述举按官吏的八条标准,详备缜密可以推行,现在请求重新修订执行。其中举荐的四条标准是:仁惠、公直、明敏、廉谨;按察的四条标准是:苛酷、狡佞、昏懦、贪纵。凡是应当举荐的,州官向监司举荐,监司向朝廷举荐,都登记姓名,量才使用。又考虑到一路、一州官吏众多,长官觉得按察不能详尽,请求下令监司专门按察知州和通判、路都监以上官员,知州和通判负责按察在州中任职的兵曹以上官员,以及各县县令和县丞,所举荐的人如果名不副实,请降旨予以流放贬责;未尽到按察职责的,下调差遣一级官资。其余各部守臣、监司、知州和通判都应履行举荐按察职责,但不追究按察失实的人。”宋高宗同意了。

壬申(十九日),金贺生辰使资德大夫、秘书少监王可道,副使定远大将军、太子左监门兼尚厩局副使王蔚入宫朝见宋高宗。

六月,甲申朔(初一),同知枢密院事王纶出任大金奉表称谢使,保信军承宣使、知阁门事曹勋出任副使。

丁亥(初四),捧日天武四厢都指挥使、武信军承宣使李横出任两浙东路马步军副都统总管,在绍兴府驻扎。

己丑(初六),秘阁修撰、提举江州太平兴国宫张九成去世,享年六十八。诏令复官敷文阁待制,追赠致仕。

癸巳(初十),宁国军节度使、殿前司选锋军统制李显忠,升任本司选锋军都统制。

戊戌(十五日),将乌江县楚霸王项籍庙命名为英惠庙。

参知政事陈康伯,兼任权枢密院事。

辛丑(十八日),左朝奉大夫李光守本官,辞职归居。李光经允许可任意选择居住地,走到江州就去世了,享年八十二。

乙巳(二十二日),侍御史朱倬,殿中侍御史任古,弹劾尚书左仆射沈该:"天资疏浅平庸,人品低下。自任职以来,前后数年,未曾提出有益国家的建议。贪得无厌,公开接受请托,放纵子弟欺凌州县。建造宅第,损公肥私,贪婪卑鄙的行径,不可一一列举。对上辜负了陛下的恩宠,对下丧失了四海的期望。请求赐予罢黜,再依法处置。"丙午(二十三日),左司谏何溥、右正言都民望也说:"沈该秉性庸劣,志趣低级浅陋,从做小官,就无廉洁名声。只因谄谀秦桧,于是承蒙秦桧提携,混入朝廷。先后在梓州、夔州任帅,毫无善行,让子弟经商,让亲信充当武臣。陛下连年实行改革,采纳了他的一得之见,在谪籍中起用,提升到政要之途,让他改过自新,以图报答朝廷。现在出任宰相,也已经三年,举措乖逆,让人大失所望,引用与他交情好的人,安排重要职位,公行请托,几乎变成市井。宰相的职位,无所不统,沈该却说军旅钱粮的事务,各有官员管理,所有文书,漫不加以审阅。陛下最近挂念士人留滞逆旅的困境,特令尽快予以任用,十多天来,未听说有不因介绍而得到任用的人。望陛下尽快赐诏罢黜。"宋高宗命何溥等人退朝待命。沈该乞请辞职,宋高宗不允许。

己酉(二十六日),特进、尚书左仆射、同中书门下平章事沈该,充观文殿大学士、提举临安府洞霄宫。庚戌(二十七日),诏令:"沈该依前特进、观文殿大学士、致仕。"沈该因为弹劾的人不断,上疏极力请求辞职,才有了这道诏令。

闰六月,丙辰(初四),秘阁修撰、新任明州知州董萃权尚书户部侍郎。

丁卯(十五日),宁武军承宣使、侍卫步军司第一将统制官戚方出任本司前军都统制。

己巳(十七日),已故责授向德军节度副使王庶,追认复官为资政殿学士,已故责授秘书少监黄潜厚,追认复官为左通议大夫,并让他们的子孙做不同级别的官。

丁丑(二十五日),潭州观察使、枢密副都承旨吴拱出任利州西路驻扎御前中军都统制、充阶州、成州、西州、和州、凤州路兵马都钤辖,兼任成州知州。吴拱乞请依照惯例升充副都总管,朝廷同意了。吴拱是吴玠的儿子。

金国在南京建宫室的同时,又营建中都,在各地制造军器的木材,都征收于民。一尺箭翎贵至于钱,村落间往往杀牛以供应牛筋和皮革,以至于鸟、鹊、狗、猪,无不被害,境内骚乱。

金国主在宫中侍奉太后,外表极为恭顺,太后坐起,亲自扶持她,常常跟在太后的舆车后行走;太后所用物品,有时亲自去拿。看见这种场面的人都认为金国主对太后最孝顺,太后也认为的确如此。等到策划南下伐宋,太后进谏劝阻他,金国主不高兴,每次拜见太后返回,一定生气发怒。

续资治通鉴卷第一百三十三

【原文】

宋纪一百三十三　起屠维单阏【乙卯】七月,尽上章执徐【庚辰】十二月,凡一年有奇。

高宗受命中兴全功至德　圣神武文昭仁宪孝皇帝

绍兴二十九年　金正隆四年【乙卯,1159】　秋,七月,壬午朔,淮东安抚司言:"北边蝗虫为风所吹,有至盱眙军、楚州境上者,然不食稼,比复飞过淮北,皆已净尽。"癸巳,帝谓大臣曰:"此事甚可喜,仰见上天垂祐之意。"

丁亥,权吏部尚书、同修国史兼侍读贺允中参知政事。

己丑,权尚书吏部侍郎兼史馆修撰兼侍读叶义问权吏部尚书。

癸巳,中书舍人洪遵言:"近奉指挥,自今功臣子孙序迁至侍从,并令久任在京宫观,永为定法。臣窃计内外将家子孙无虑二千人,若以序迁,不出十年,西清次对之班,皆可坐致。太祖皇帝之世,所与开国创业及南征西伐诸大臣,功如曹彬、潘美、王审琦、石守信、王全斌、慕容延钊之徒,其子若孙不过诸司使,惟彬之子琮、玮以功名自奋,王承衍、石保吉以联姻帝室,皆为节度使,初不闻有递迁侍从之例。今指挥一出,使十年之间,清穆敞闲之地,类皆将种,非所以示天下之美观,望收还前诏。"从之。

戊戌,翰林学士、修国史周麟之,言左宣教郎、知双流县李焘,尝著《续皇朝公卿百官表》九十卷,诏给札录付史馆。

焘博学刚正,张浚、张焘咸器重之。秦桧盛时,尝遣人谕意,欲得焘一通问,即召用之,焘迄不与通,坐此偃蹇州县二十年。四川安(处)〔抚〕制置使王刚中闻其名,奏以为干办公事。

初,焘父中,仕至左朝奉大夫,通习本朝典故。焘以司马光《百官表》未有继者,乃遍求正史、实录,旁采家集、野史,增广门类,起建隆,迄靖康,分新旧官(置)〔制〕,踵而成书。其后《续资治通鉴长编》盖始于此。

己酉,诏:"殿前司破敌军,以五千为额。"时左翼军之改隶者,与统制官陈敏所募士才二千人,乃于本司诸军那摘以充其数。

八月,甲子,诏:"左朝请郎、两浙东路提点刑狱公事徐度,左朝请郎、两浙西路提点刑狱公事吕广问,左迪功郎朱熹,并召赴行在;右通直郎、知建州建安县韩元吉,令任满日赴行在。"并诏度、广问:"俟任满日,与在内升等差遣。"

熹少孤,从延平李侗学。弱冠,中进士第,调泉州同安簿,官满,当路尊敬,不敢以属吏相待,同安之民不忍其去,五年而后罢。于是慨然有不仕之志,筑室武夷山中,四方游学之士多从之。帝闻其贤,故召之,熹卒不至。

丙寅,翰林学士兼修国史周麟之兼侍读、权尚书刑部侍郎。

乙卯,金尚书左丞相蔡松年卒,金主悼惜之,奠于其第,命作祭文以见意。

是月,金诏诸路调马以户口为差,计五十六万馀匹,富室有至六十匹者,仍令户自养饲以俟。

九月,甲申,诏:"建炎以来奉使未还,后嗣无人食禄者,并予一子官。"

乙酉,奉使大金称谢使同知枢密院事王纶、副使昭信军节度使、领阁门事曹勋等还朝,言邻国恭顺,和好无它;丙戌,宰相汤思退拜贺。帝曰:"朕自纶等归,中夜以思,不寒而栗。盖前此纷纷之论,皆欲沿边屯戍军马,移易将帅,及储积军粮之类,便为进取之计。万一遂成轻举,则兵连祸结,何时而已!今而后宜安边息民,以图久长。"

甲午,尚书右仆射汤思退迁左仆射,参知政事陈康伯守右仆射,并同中书门下平章事。省枢密院机速房。

乙未,以皇太后服药,赦天下,命辅臣祈祷天地、宗庙、社稷。不视朝,召辅臣奏事内殿。

丙申,放临安府公私僦钱半月。诏:"诸路四等以下户去年未纳税赋,两浙、江东、西去年水灾赈贷物料,及浙东、江西民田为螟螣损稻者,其租赋皆蠲之。"丁酉,减僧、道今年丁钱之半。己亥,诏:"见盐赃罚及赏钱,并与除放。"皆为东朝祈福也。

庚子,皇太后韦氏崩于慈宁宫,年八十。

自南渡后,典故多有司省记,至恤章又讳不录。至是一时斟酌,皆出于太常寺少卿宋斐,而博士杜莘老以古谊裁定。

壬寅,诏:"权吏部侍郎沈介暂兼权礼部侍郎。"

癸卯,翰林学士周麟之为大金奉表哀谢使,吉州团练使、知阁门事苏华假崇信节度使副之。

时朝廷已议定遗金金缯等物,麟之固请增币而后行。麟之至金,金主喜其辨利,赐赍加厚。

丁未,百官以帝未听政,诣文德殿门进名,自是不复临。

冬,十月,辛亥朔,不视朝,文武百僚诣文德殿门进名奉慰,自是朔望皆如之。

壬子,小祥,帝诣几筵殿行礼。

癸卯,皇太后启攒,有司以权制已讫,请百官以吉服行事。黄中复曰:"唐制,攒虽在易月之外,犹曰各服其初服。今以易月故而遂吉服以殡,非礼也。"于是百官常服黑带入朝,衰服行事。

甲寅,帝始听政,御慈宁殿之素幄。

起居舍人杨邦弼为贺大金正旦使,右武大夫、荣州刺史、两浙西路马步军副都统管张说副之;太府卿李润为贺生辰使,阁门宣赞舍人张安世副之。

壬戌,尚书兵部侍郎兼侍讲兼直学士院杨椿,上皇太后谥议曰显仁。

甲子,大祥,帝衰服行礼,百官常服陪位。丙寅,禪祭。

戊辰,帝始御前殿。

乙亥,金主猎于近郊,复命诸路夫匠造军器于燕京,尚书右丞李通董之。又令户部尚书苏保衡、侍郎韩锡造战船于潞河,夫匠死者甚众。

十一月,辛巳朔,日南至。命尚书工部侍郎王晞亮祀昊天上帝于南郊。

丁亥,参知政事贺允中、保信军节度使、领阁门事、提点皇城司郑藻为皇太后遗留国信使副。

故事,使者入北境,当服黑带鞯,至是朝议虑北廷不从,已命允中等随宜改移。允中等至汴京,金主命故叛将孔彦舟押宴,且用常礼赐花。允中辞曰:"使人之来,致太后遗物。国有大丧,乐何忍闻,况戴花乎!"其大使怒,谓将杀之。允中曰:"王人无暴,事固有体,吾年馀七十矣,当守节死。"彦舟解曰:"两国通好久,参政勿动心也。"揖允中坐,命左右捧花侍侧而已。

己丑,大行皇太后启攒,帝服初丧之服以祭;礼毕,更素服还内。百官亦如之。

丙申,显仁皇后灵发引,帝启奠于庭,遣奠于丽正门外。礼毕,帝易吉服还宫,太史焚衰服。

丙午,显仁皇后掩攒宫在永祐陵之西,去显肃攒宫十九步。旧下宫分前后殿,至是更筑前殿以奉徽宗,中殿以奉显肃、显恭、显仁三后神御,而御殿奉懿节如故。

于是始立四隅,以二十里为禁城,居民皆徙之。又有士庶立墓杂错其间,阴阳家请悉挑去,宗正寺主簿、权太常丞吴曾从而和之。时监察御史任文荐奉诏监掩攒宫,就令按视,乃挑其近攒宫者百七十有三穴而已。

十二月,辛亥朔,有司于浙江亭行六虞毕,百官奉迎虞主还慈宁殿,帝行安神礼。癸丑,帝服素黄袍、黑带、素履,诣慈宁行七虞之祭,八虞、九虞皆如之。

甲寅,谍报北界揭榜禁妄传起兵事,帝曰:"此事有无固不必问,朕观其科扰劳役,民不堪生,岂是久长之道。惟当精择牧守,务为自治,安边息民,静以待之耳。"

庚申,金国贺正旦使施宜生等入境。

先是宜生坐范汝为事远窜,遂奔伪齐,齐废,复为金用,累迁礼部尚书。至是以翰林侍讲学士来贺来年正旦,侍卫亲军马步军副都指挥使耶律翼副之。

壬戌,帝亲行卒哭之祭。甲子,祔显仁皇后于太庙徽宗室。

丙寅,端明殿学士、提举万寿观兼侍读张焘试吏部尚书。

初,帝知普安郡王之贤,欲建为嗣,而恐显仁皇后意所未欲,故迟回久之。显仁崩,帝问焘以大计所在,焘曰:"储贰者,国之本也。天下大计,无逾于此。今两郡名分宜早定。"帝喜曰:"朕怀此久矣,卿言适契朕心,开春当举典礼。"时风俗侈靡,财用匮乏,焘劝帝止北货之贸易,非时之赐予,罢土木,减冗使,躬行节俭,民自富足,帝嘉奖再三。

侍御史朱倬试御史中丞,左司谏何溥试右谏议大夫。

丁卯,尚书兵部侍郎、直学士院杨椿进尚书,〔仍兼翰林学士〕。

丙子,金国贺正旦使施宜生、副使耶律翼见于垂拱殿,以谅阴故,命坐,赐茶,正侍〔郎〕、观察使以上,皆与帝(素服)〔服素〕黄袍、黑带,供帐皆用素黄,卫士常服,去银鹅对凤,侍坐者锦(墊)〔墼〕,易以紫素。既见,命大臣就驿赐宴,不用乐;辞,亦如之。

时吏部尚书张焘奉诏馆客,宜生素闻其名,畏慕之,一见,顾翼曰:"是使南朝不拜诏者也。"宜生,闽人,焘以首邱、桑梓语之。宜生顾其介不在旁,为庾语曰:"今日北风甚劲。"又取几间笔扣之曰:"笔来。"焘密奏之,且言宜早为备。

金主又潜使画工密写临安之湖山城郭以归,继则绘为屏而图己之像,策马于吴山绝顶,后题以诗,有"立马吴山第一峰"之句,盖金主所赋也。

〔乙亥〕,金杀其太医使祁宰。

宰性慷慨,欲谏南伐,未得见。会元妃有疾,召宰诊视,既入见,即上疏谏,略言:"国初荡辽戡宋,曾不十年。当此之时,上有武元、文烈英武之君,下有宗翰、宗雄谋勇之臣,然犹不能混一区宇,举江、淮、巴蜀之地以遗宋人。况今谋臣将士,异于曩时,且宋人无罪,师出无名。加以大起徭役,营中都,建南京,缮治甲兵,调发军旅,赋役繁重,民人怨嗟,此人事不修也。间者昼星见于牛斗,荧惑伏于翼轸,三岁自刑,害气在扬州,太白未出,进兵者败,此天时不顺也。舟师水涸,舳舻不继,而江湖岛渚之间,骑士驰射,不可驱逐,此地利不便也。"言甚激切。金主怒,戮于市,籍其家,金人哀之。

绍兴三十年　金正隆五年【庚辰,1160】　春,正月,庚辰朔,不受朝。金国贺正旦施宜生等诣西上阁门进名奉慰。

乙酉,中书舍人洪遵兼权尚书礼部侍郎。

丙戌,北使施宜生等出北门。故事,北使以八日出门,九日宴赤岸,至是施宜生等不肯用例,是晚,抵赤岸,宴罢即行。

戊子,太尉、知荆南府、节制屯驻御(林)〔前〕军马刘锜,言所招效用六千人,请以荆南驻劄御前效用中军、左军为名,分四将,仍以右武大夫周赟充左军统制,阁门宣赞舍人、荆湖北路兵马都监刘汜充中军统领,皆从之。

先是赐锜回易钱四十万缗,及是锜请益三十万缗,诏出御前激赏库钱、榷(贷)〔货〕务通〔钞〕与之,如其数。

吏部员外郎虞允文言:"金决渝盟为南牧之计,必为五道:出蜀口,出荆、襄,止以兵相持;淮东沮洳,非用骑之地;它日正兵必出淮西,奇兵必出海道,宜为之备。"帝颇纳其言。

辛卯,北使施宜生等至镇江府,赐宴,不受,遂即时渡江。

癸巳,尚书左司员外郎邵大受权户部侍郎。

乙未,金国贺正旦使施宜生等渡淮。

故事,北使既登舟,即舟中与伴使置酒三行而别。是日,天未明,送伴使金安节至淮岸,国信副使耶律翼已先渡淮北去,宜生以下皆不及知,安节遂于中流瞻拜而已。

丙申,尚书吏部侍郎、同修国史兼侍读叶义问〔同〕知枢密院事。

丁酉,罢军容班,本殿前司乐工〔也〕。

先是御前置甲库,凡乘舆所须图画、什物,有司不能供者,悉取于甲库,故百工技艺精巧者皆聚其间,日费无虑数百千。禁中既有内酒库,而甲库所酿尤胜,以其馀酤卖,颇侵户部赡军诸库课额,以此军储常不足。吏部尚书张焘言:"甲库萃工巧以荡上心,酤良酝以夺官课,教坊乐工,员增数百,俸给、赐赉,耗费不赀,皆可罢。"帝曰:"卿可谓责难于君。"明日,罢甲库诸局,以酒库归有司,减乐工数百人。焘之从容补益,皆此类也。

庚子,命辅臣朝献景灵宫,以帝未纯吉服故也。

先是礼官引熙宁故事,请命宰执行礼,既从之矣。权吏部侍郎兼权礼部侍郎沈介言:"今祔庙礼毕,天地、宗庙、百神之祀,并皆如仪。将来大享明堂,亦合庙享景灵宫,朝献太庙。若于四孟独否,恐无以副主上之诚孝。请依典礼躬诣。"上终以为疑。会介出迓使,后五日,有诏:"郊祀行事,稽之礼经,盖无可疑。若四孟朝献景灵宫,元丰以来自有典故。可令给舍、台谏、礼官详悉讨论,参以古谊。"议奏,于是帝不出,而命辅臣分诣。

丁未,中书舍人兼权枢密都承旨洪遵试尚书吏部侍郎,太常少卿宋棐权礼部侍郎。

二月,乙卯,大金吊祭使金吾卫上将军、左宣徽使大怀忠,副使大中大夫、尚书礼部侍郎耨盌温都谨,行礼于慈宁殿,朝散大夫、充翰林修撰、同知制诰石琚读祭文。既退,命辅臣就驿宴之,不用乐。

丁卯,吏部尚书兼侍读张焘充资政殿学士,致仕。

辛酉,北使辞于几筵殿,次辞帝于垂拱殿。

癸亥,直徽猷阁、知临安府赵子潚权尚书户部侍郎。

甲子,百官纯吉服。

宰相汤思退、陈康伯奏事毕,枢密院官将退,帝留王纶、叶义问,谕之曰:"朕有一事,施行似不可缓。普安郡王甚贤,欲与差别,卿等可议除少保、使相,仍封真王。"众皆前贺。纶、义问退,帝曰:"朕久有此意,深惟载籍之传,并后匹嫡,两政耦国,为乱之本,朕岂不知此!第恐显仁皇后意所未欲,迟迟至今。"思退曰:"陛下春秋鼎盛,上天鉴临,必生圣子。为此以系人心,不可无也。"于是普安郡王自育宫中至是三十年。

戊午,命同知枢密院事叶义问、和州防御使、知阁门事刘允升假崇信军节度使,充大金报谢使副,谢其来吊祭也。帝亦恐金有南侵意,因使义问觇之。

庚申,起居郎黄中权工部侍郎。

癸酉,帝始服淡黄袍、黑犀带,御垂拱殿。

甲戌,内出手诏曰:"朕荷天祐序,承列圣之丕基,思所以垂裕于后,夙夜不敢康。永惟本支之重,强固皇室,亲亲尚贤,厥有古谊。普安郡王瑗,艺祖皇帝七世孙也,自幼鞠于宫闱,嶷然不群,聪哲端正,抗于宗藩,历年滋多,厥德用茂,闻望之懿,中外所称。朕将考礼正名,颁示天下。夫立爱之道,始于家邦,自古帝王,以此明人伦而厚风俗者也。稽若前宪,非朕敢私,其以为皇子,仍改赐名玮。"诏,翰林学士周麟之所草也。是日,以麟之兼权吏部尚书。

丙子,制以皇子玮为宁国节度使、开府仪同三司,进封建王。制既出,中外大悦。

是月,金遣引进使高植等分道监视所获盗贼,并磔之。

三月,辛巳,兵部尚书杨椿,奉诏举利州西路驻劄御前左部统制杨从仪、右部统制李师颜可备将帅;而左朝散郎、利州路提点刑狱公事富衡,荐师颜忠节尤力。诏进〔从〕仪一阶,令枢密院籍记;召师颜赴行在。

金东海县民张旺、徐元等反。金主遣都水监徐文、步军指挥使张宏信等率舟师九百,浮海讨之。金主曰:"朕意不在一邑,欲试舟师耳。"

乙酉,保宁军节度使、开府仪同三司、万寿观使吴益迁少保,太尉、崇信军节度使、主管侍卫步军司公事赵密开府仪同三司。二人皆以攒宫之劳,故有是命。

戊子,上策试礼部举人刘朔等于集英殿,既而得右迪功郎许克昌为首,用故事降为第二,遂赐晋江梁克家等四百十二人及第、出身、同出身。

辛卯,参知政事贺允中等使金国还,入见,允中言敌势必败盟,宜为之备。

壬辰,池州奏龙神卫四厢都指挥使、昭庆军承宣使、本州驻劄御前诸军都统制岳超卒;以宁国军节度使、殿前司选锋军都统制李显忠充池州驻劄御前诸军都统制。

乙未,太府卿李涧权尚书吏部侍郎。

丙戌,左武大夫、荣州刺史、江南诸路马步军副总管刘光辅,移淮南诸路副总管,楚州驻劄。

先是金东海县民为盗,有李秀者,密请淮东副总管宋肇纳款,愿得南归。时议疑其或致冲突,谍者因谓其与金结纳,将大兴师南来,乃命光辅驻楚州以为之备。光辅未至,秀又遣其徒至楚州,见右朝奉郎、通判权州事徐宗偃求济师,宗偃谕遣之。因遗书大臣,大约谓:"东海饥民,困其科敛苛扰,啸聚海岛,一唱百和,犯死求生,初无能为。金主蒙蔽,下情不通,犹未之闻。若知,偏师一至,即便扑灭;纵使猖獗得志,必自沂、密横行山东,失利则乘舟入海,诚不足为吾患。今添置兵官,招集叛亡,适足以生边衅。"

丁酉,以立皇(太)子,命兵部尚书杨椿告昊天上帝,权礼部侍郎宋棐告皇地祇,嗣濮王士辐告太庙,安定郡王令误告诸陵。

保宁军承宣使、知金州兼金、房、开、达州安抚使、节制屯驻御前军马王彦为龙神卫四厢都指挥使,充金、房、开、达州驻劄御前诸军都统制,兼知金州、金房都统制。

甲辰,赐特奏名进士黄鹏举等五十三人同进士出身,宗子彦髻等三十一人,武举进士樊仁远等十九人,特奏名一人,并授官有差。

丙午,检校少保、武康军节度使、恩平郡王璩开府仪同三司、判大宗正事,置司绍兴府,始称皇侄。

诏建王府置直讲、赞读各一员,以郎官兼;小学教授一员,以馆职兼。

加封梁昭明太子统为〔英〕济忠显王。

夏,四月,壬子,诏:"天申节州县并免排宴。"以帝在谅阖故也。

甲寅,金以耶律翼南使失体,杖一百,除名;施宜生以漏言烹死。

丙申,参知政事贺允中兼权同知枢密院事。

五月,辛巳,太尉〔知〕荆南府刘琦兼本府驻劄御前诸军都统制。

先是领殿前都指挥使职事杨存中建言:"诸重地如四川、鄂渚、池阳、建康、京口,皆已宿兵严守,独荆南历代用武之地,今为重镇,江西九江上流要害之地,缓急不相应援。请各置都统制以广〔屯〕备。"朝廷从之。荆南府、江州创军自此始。

乙酉,初置江州驻劄御前诸军都统制一员,以殿前及步军司兵各三千人,马军司及新招各二千人隶之。以龙神卫四厢都指挥使、宁武军承宣使、侍卫步军〔司前军〕都统制戚方为江州驻劄御前诸军都统制。

辛卯，参知政事贺允中，免兼同知枢密院事，以同知枢密院事叶义问将及境也。

初，义问入北境，见金已聚兵，有南侵意，乃还，密奏："敌人以克剥不恤为能，以杀戮不恕为威，穷奢极侈，燕京已剧壮丽，而修汴京，伐木琢石，车载塞路，民劳而多死于道，天人共怨，观此岂能久也。又，海州贼党未尽，而任契丹出没太行，臣去时闻破濬之卫县，回时闻破磁之邯郸，北使三人皆被击伤，夺去银牌，燕京以南，在处不宁。今欲迁汴京，且造战船，以臣度之，若果迁都，则在彼已失巢穴。今江、淮既有师屯，独海道宜备。臣谓土豪、官军不可杂处。土豪谙练海道之险，凭藉海食之利，能役使船户；杂以官兵，彼此气不相下，难以协济。今宜于江海要处分寨，以土豪为寨主，令随其便，使土豪绕于舟楫之间，官军振于塘岸之口，则官无虚费，民无惊扰，此策之上者也。"

兵部尚书兼权翰林学士杨椿，言于右仆射陈康伯曰："北朝败盟，其兆已见，今不先事为备，悔将何及！"因与康伯策所以防御之术：其一，两淮诸将，各画界分，使自为守；其二，措置民社，密为寓兵之计；其三，淮东刘宝，将骄卒少，不可专用；其四，沿江州郡，增壁积粮，以为归宿之地。康伯见帝，言敌谓我为和好久而兵备弛，南牧无疑，因条上两淮守御之计，帝嘉纳之。

丙申，金国贺生辰使辅国上将军、殿前右副都点检萧荣，副使中大夫、太子右谕德张忠辅入见。

自休兵以后，北使见紫宸殿，设黄麾仗干五百有六人。至是以未纯吉不设仗，既见，置酒垂拱殿。时建王玮侍燕，荣等望见，耸然曰："此为建王邪？"竟夕不敢仰视。

戊戌，天申节，百官及北使上寿，以显仁皇后丧制未终，不用乐。

六月，庚午，知枢密院事王纶充资政殿大学士、知福州。纶引疾求去，故有是命。

壬申，故太尉、武泰军使郭仲荀，赠开府仪同三司。

仲荀薨十五年矣，至是其孙成忠郎永茂投匦自诉，故录之。

金都水监徐文等破贼张旺、徐元，东海平。

秋，七月，辛巳，金诏："东海县民为张旺等所诖误者，并释之。"壬午，金主以张宏信被命讨贼，逗留莱州，与妓燕乐，杖之一百。

诏："诸路禁兵，以其半教习弓弩，令帅臣春秋遣将官巡行按视。"

丁亥，右文殿修撰、知临安府钱端礼权尚书户部侍郎。

戊戌，同知枢密院事叶义问进知枢密院事。

于是义问奏应变、持久二说，以为："两淮形势，在今危急。荆南刘琦，则均、襄、隋、郢、(道)〔通〕化、枣阳之所隶也。鄂渚田师中，则安、复、信阳、汉阳之所隶也。九江戚方，则蕲、黄之所隶也。池阳李显忠，则龙舒、无为军之所隶也。建康王权，则滁、和之所隶也。镇江刘宝与马(师)〔帅〕成闵，则真、扬、通、泰之所隶也。江阴正控海道，宜自镇江分兵以扼之；至于濠梁、固始、安丰诸郡近边，亦宜总之合肥。比已分屯诸将，宜饬令择地险要，广施预备，此应变之说也。秋冬之交，淮水浅涸，徒步可过，若敌今岁未动，请江、淮一带，遴选武臣为守，

3087

公私荒田,悉拨以充屯田,使募人耕之,暇则练习,专务持重,勿生衅端,来则坚壁勿战,去则入壁勿追,使之终无所得而自困,此持久之说也。"

御史中丞兼侍讲朱倬参知政事,翰林学士兼修国史兼侍读兼权吏部尚书周麟之同知枢密院事。

辛丑,成忠郎、殿前司准备使唤都遇为阁门祗候、添差东南第二副将,庐州驻劄。

加封伍员为忠壮英烈威显王。

八月,丙午朔,日有食之。

癸丑,左大中大夫、参知政事贺允中充资政殿大学士,致仕。

允中使北还,言敌势必背盟,宜为之备,上疑未决;允中因告老,乃有是命。

端明殿学士、致仕折彦质薨于潭州。

丙辰,中书舍人沈介试吏部侍郎。

宗正少卿金安节权礼部侍郎。

辛未,安庆军承宣使、同知大宗正士衔为安德军节度使。

壬申,淮南东路马步军副都总管兼权安抚司公事许世安得谍报,金主已至汴京,重兵皆屯宿、泗,亦有至清河口者,乃遣右宣义郎、通判州事刘礼告急于朝廷。

先是金主命户部尚书梁球,兵部尚书萧德温,计女直、契丹、奚三部之众,不限丁数,悉签起之,凡二十有四万,以其半壮者为正军,弱者为阿里善,一正军,一阿里善副之。又签中原汉儿、渤海,十七路,除中都路造军器,南都路修汴京免签外,吏部侍郎高怀正等十五人,分路带银牌而出,号曰宣差签军使,每路各万人,合蕃、汉兵通二十七万,仿唐制分为二十七军。签数已定,遂以百户部为穆昆,千户为明安,万户为统军。其统军则有正、副,诸军悉以蕃、汉相兼,无独用一色人者。

金主命榷货务并印造钞引库,起赴南京。

金主喜沽誉,其谒陵也,见田间获者,问其丰耗,以衣赐之。然乱政亟行,民不堪命。盗贼蜂起,大者连城邑,小者保山泽。山东贼犯沂州,杀其县令;大名府贼王九等据城叛,众至数万;契丹边禄锦等,皆以十数骑,张旗帜,白昼公行,官军不敢谁何。所过州县,开劫府库,置于市,令人攘取之,小人皆喜贼至,而良民不胜其害。太府监高彦福、大理正耶律正、翰林待诏大颖出使还朝,皆言盗事,金主恶闻其言,皆杖之,颖仍除名。自是人不敢复言。

九月,庚辰,右朝奉郎、通判楚州徐宗偃闻扬州告急,自高邮以驿书遗大臣,言:"宗偃自到官以来,饱谙觇逻者之情伪。密院、三衙沿江诸将所遣,固不一矣,要皆取办于都梁、山阳土著之人;由都梁者不过入于泗,自山阳者不过至于涟水,采听骫骳,信实蔑然。且若东海之人,止缘饥民困于暴敛,犯死求生,而候者哄然,有兴师十万、驾海航二千艘因而南面之说,遂至重烦朝廷忧顾。宗偃独以为不然,已而卒如所料。矧今日自六月以来,日闻签军聚粮,修京除道,敷敛金帛,营造舟船,添立砦栅,虐用其民,无所不至。且约七月必迁都矣,既而不效,展取八月;又不效,则曰京都改筑外城,更造秘殿,且有登封泰山、款谒明道宫之议。此何所考信哉?宗偃近以职事至维扬帅府,而都梁持羽檄来,谓金主已迁于汴,重兵散布宿、泗、清河之间,帅司告急,人情恟惧。才少须臾,又无一验,合是此辈传闻之诞,亦甚明矣。靖康之初,再侵京阙,荐至维扬,无一人知其来者。先声播传,计之诡也。

"庙谟成算,固非一介可测涯涘,然长江不足恃,两淮不可失,虽三尺童子,知其利害灼然。若密诏沿流诸将,或以屯田,或为牧放,添增防扼,遣数万人散处要害以候之。若都梁太逼,则屯天长;若山阳太逼,则屯宝应;又若合肥、襄、邓,择敌人耳目不甚相接之地,悉储兵备,且命大臣护之,以为缓急调发救应之用,则敌骑猝来,吾盖有以待之矣。若信觇逻者之言,骇然有自失之意,非所望于中兴之世。朝廷防虞料角,至严至备,是注意于海道,可谓亲切。然楚州盐城县,去海不过一里,又居料角之上,可为藩篱。若屯以千百人,假一二十舟障蔽其前,则料角决可力守,且与敌人耳目全不相接,亦一控扼之地。望特赐采择。"

辛巳,右谏议大夫何溥、权工部侍郎黄中并兼侍(读)〔讲〕。

己丑,左武大夫、忠州防御使、淮南西路马步军副总管兼知黄州李宝,改添差两浙西路副总管、平江府驻劄兼副提督海船。

时浙西及通州皆有海舟,兵梢合万人,诏平江守臣朱翌提督。言者请择武臣有勇略知海道者副之,宝先除知黄州未行,乃有是命,寻以解带恩升宣州观察使。宝请于沿江州县招水军效用千人,诏许三百。又请器甲弓矢及乞镇江军中官兵曹等五十人自隶,皆从之。

甲午,小祥,帝行祭奠之礼。百官常服黑带,行香毕,诣文德殿门进名奉慰,退,行香于仙林普济寺。

丙申,镇江府驻防御前诸军都统制刘(实)〔宝〕,言自罢宣抚司,背嵬一军发赴行在,欲补置二千人,以制胜军为名,诏许。旋招武勇、效用、胜捷、吐浑共一千人为之。

壬寅,太学录周必大,太学正程大昌,并为秘书省正字。

冬,十月,乙巳朔,帝始纯吉服。

庚午,金遣护卫完颜普连等二十四人督捕山东、河东、河北、中都盗贼。籍诸路水手,得三万人。

丁未,起居舍人虞允文为贺大金正旦使,知阁门事孟思恭副之。允文至金廷,与馆客者偕射,一发中的,君臣惊异。枢密院检详诸房文字徐度充贺大金生辰使,武功大夫、新江南东路兵马都监苏绅副之。

戊申,诏太尉、知荆南府、充本府驻劄御前诸军统制刘锜,赴行在奏事。以荆南驻劄前军右军统制李道兼权都统制。朝廷将以锜代刘宝掌军,故有是命。

癸丑,兵部尚书兼权翰林学士杨椿权吏部侍郎。

庚申,侍御史陈俊卿论镇江府驻劄御前诸军都统制刘宝十罪,大略谓:"宝减削军食,暗请钱粮,多遣军士于湖广、江西回易。去岁镇江大〔火〕,宝闭壁,下令出救者死,城中半为煨烬。宝市物为苞苴,皆刻剥置办,乃谓其下曰:'此官家教我置买。'宝内藏不臣,尝公言曰:'前代帝王皆起于微贱。'此何等语!又养阎、李二道人夜观星象,至五更则具录以呈。镇江屡易守臣,皆以宝故,近又欲击赵公偁,赖朱夏卿劝免。今知人言籍籍,乃因入觐,载苞苴之物三十馀舟,欲因为结纳。宝专悍愚愎,暴虐奸贪,何所不有,使有缓急之事,责之成功,不亦难乎!请因其来朝斥之,别择良将往肃军旅。"辛酉,安庆军节度使、捧日天武四厢都指挥使、镇江府驻劄御前诸军都统制刘宝,罢都统制,添差福建路马步军副都总管,给真俸,临安府差兵级同本军见随行人前去之任。

先是宝为谏官何溥所劾，帝乃召宝赴行在，未至，陈俊卿复奏其罪。侍御史汪澈亦言："宝无尺寸功，朝廷尝调兵戍黄鱼垛，宝既不听，乃请创招制胜军三千人。方命若此，尚知戴天子之威乎！宝尝出缗钱，遣其军校回易，岁计三万有奇，犹以为鲜，械诸囹圄；掊刻诸军，至有冻馁不能出门户者。望命有司议宝之罪。"故有是命。

壬戌，太尉、武泰军节度使、知荆南府刘锜为威武军节度使，充镇江府驻劄御前诸军都统制。仍诏："总领官同诸军统制，将日前非理掊敛及应干私役，日下改政；诸军所负回易钱，具数以闻，当议除放。除刘宝私财还宝外，馀并桩充军须，仍出榜晓谕。"

镇南军承宣使、龙神卫四厢都指挥使、荆南府驻劄御前前军右军统制李道为荆南府驻劄御前诸军都统制。

丁卯，权工部侍郎黄中兼权吏部侍郎。

十一月，戊寅，皇侄常德军承宣使、权主奉益王祭祀居广为华容军节度使，以主祭逾十年也。

戊子，大理少卿张运权刑部侍郎。

丁酉，池州驻劄御前诸军统制李显忠，请令诸军屯田，帝谓大臣曰："此事可行，然须先立规摹，如括田、市牛、立庐舍、给粮种、置农具之类，悉有条理，乃可施行。两三年间，且尽与地利，使之岁入有得，则不劝而耕矣。"

戊戌，侍御史汪澈言："自陛下更化以来，进贤退奸，兴利除害，求治如不及，而辅相未得其人。如汤思退者，本无器识，徒以工骈俪之文，尝缀科目，饰谀言以奉秦桧，用选举而私秦埙，夤缘超躐，径跻枢近。自桧之死，一时支党，悉从贬窜，而思退独得漏网。陛下以其外若纯笃，而不知其中实佞邪，偶因乏人，遂至大用。为相以来，亦三阅岁矣，曾无一善之可纪；任情率意，凡所施为，多拂公论。且匿名迹，远权势，大臣之事也，思退则蔑视同列，擅作威福，恩欲归己，怨使谁当？孔子曰：'鄙夫可与事君与欤哉？其未得之，患得之；既得之，患失之。苟患失之，无所不至矣。'夫望轻不足服士夫，则众怨并兴；德薄不足理阴阳，则天戒垂示。祖宗法令，或废格而不用；臣寮章疏，多沈抑而不行。久玷钧辅，物议沸腾，岂惟有妨贤路，实亦深负陛下所以委任责成之意。望早赐罢黜，以快中外之望。"

金主命亲军司以所掌付大兴府，置左右骁骑副指挥使，隶点检司；步军都指挥使，隶宣徽院。

十二月，乙巳朔，左金紫光禄大夫、守尚书左仆射、同中书门下平章事汤思退罢，为观文殿大学士，提领江州太平兴国宫。

丁未，诏："观文殿大学士、提领江州太平兴国宫汤思退落职，依旧宫观。"

戊申夜，白气如带，东西亘天。

癸丑，金禁中都、河北、山东、河南、河东、京兆军民网捕禽兽及畜养雕隼者。

丁卯，閤门宣赞舍人、荆南府驻劄御前中军统领刘玘为镇江府驻劄御前中军统制，用刘锜奏也。

庚午，金国贺正旦使奉国上将军、兵部尚书仆（射）〔散〕权，副使翰林学士、忠靖大夫、知制诰、同修国史韩汝嘉,见于紫宸殿。

安南进驯象,边吏以闻,帝谓大臣曰:"蛮夷贡方物乃其职,但朕不欲以异兽劳远人。可令帅臣谕今后不必以驯象入献。"

金主以降将孔彦舟习知兵事,起为南京留守。

彦舟荒于色,有禽兽行,而金主独喜之。时有传〔彦〕舟已死者,既而知其妄,金主为杖妄传者以激励之。无何,彦舟果死,遗表言伐宋当先淮南云。

金主禁朝臣饮酒,除三国人使宴饮,其馀饮酒者死。既而益都尹京、安武节度使爽等,以立春节饮于驸马都尉图克坦贞家。金主召而诘之曰:"戎事方殷,禁百官饮酒,卿等知之乎?"贞等伏地请死。金主数之曰:"汝等若以饮酒杀人太重,则宜早谏。魏武帝军令曰:'犯麦者死。'已而乘马入麦中,乃割发以自刑。犯麦,微事也,然必欲示信。朕为天下主,法不能行于贵近乎?朕念慈献子四人,惟朕与公主在,而京等皆近属,曲贷死罪。"于是杖贞七十,京等各杖一百。降贞为安武军节度使。京为滦州刺史,爽为归化州刺史。

西夏主仁孝之嗣位也,国中多乱,其臣任得敬抗御有功,遂以为相,封楚王。

【译文】

宋纪一百三十三　起己卯年(公元1159年)七月,止庚辰年(公元1160年)十二月,共一年有余。

绍兴二十九年　金正隆四年(公元1159年)

秋季,七月,壬午朔(初一),淮东安抚司奏报:"北方的蝗虫被风所吹,有的蝗虫被吹到了盱眙军、楚州境内,却不吃庄稼,不久又飞回淮河以北,已经全部飞走了。"癸巳(十二日),宋高宗对大臣说:"此事很值得高兴,可以仰见上天保佑之意。"

丁亥(初六),权吏部尚书、同修国史兼侍读贺允中任参知政事。

己丑(初八),权尚书吏部侍郎兼史馆修撰兼侍读叶义问任权吏部尚书。

癸巳(十二日),中书舍人洪遵说:"近来接到旨令,从现在开始功臣的子孙依次序迁官至侍从,并让他们长期在京城担任宫观官,作为永久的制度。臣私自统计京城内外功臣子孙总数不少于二千人,如果按次序迁官,不出十年,西班学士和待制等清要官位,都可以占据。太祖皇帝时代,所有与太祖一起创国立业和南征西伐的大臣,像曹彬、潘美、王审琦、石守信、王全斌、慕容延钊等功勋卓著的大臣,他们的子孙做官未超过诸司使,只有曹彬的儿子曹琮、曹玮因为自我奋斗而建立功名,王承衍、石保吉因为与皇室联姻,都做了节度使,当初没有听说逐级升迁为侍从的先例。现在旨令一颁布,在十年之间,清穆敞闲之地,大都是将门的后代,这不能显示天下的好现象,希望朝廷收回前诏。"宋高宗同意了。

戊戌(十七日),翰林学士、修国史周麟之说左宣教郎、知双流县李焘,曾经著有《续皇朝公卿百官表》九十卷,皇上下诏赐给纸笔抄录交付史馆。

李焘学识渊博为人刚正,张浚、张焘都器重他。秦桧得势时,曾派人转告想法,想得到李焘的交往问候,就立即召用他。李焘始终不与秦桧交往,所以在困顿的州县呆了二十年。四川安抚制置使王刚中听说其名。奏报批准任用他为干办公事。

当初，李焘的父亲李中，官至左朝奉大夫，精通熟习本朝典章制度，李焘因为司马光《百官表》没有续编，就遍求正史、实录、旁采私人文集、野史，增加扩充门类，始于建隆年间，止于靖康年间，分列新旧官制，接着就编成书。以后他编撰《续资治通鉴长编》大概是由此开始。

己酉（二十八日），诏令"殿前司破敌军，编制为五千人。"当时左翼军改编的，和统制官陈敏所招募的士兵才二千人，于是从殿前司各军中拼凑以补充人数。

八月，甲子（十三日），诏令："左朝请郎、两浙东路提点刑狱公事徐度，左朝请郎、两浙西路提点刑狱公事吕广问，左迪功郎朱熹，都召赴临安；右通直郎、知建州建安县韩元吉，令他任期届满后赴临安。"并诏令徐度、吕广问："等任职届满后，授以与在内官员晋升相等的差遣。"

武官像

朱熹少年时成了孤儿，在延平人李侗的门下从师求学。不满二十岁考中进士，调至泉州任同安簿，任期届满，知县对他很尊敬，不敢把他当成下属官吏相待，同安的百姓不愿让他离开，任职五年后才卸职。在这时慨然萌发了不再做官的志向，在武夷山中修筑房室，四方游学之士大多从师于他。宋高宗听说他有才能，所以召见他，朱熹始终不去。

丙寅（十五日），翰林学士兼修国史周麟之，任兼侍读、权尚书刑部侍郎。

乙卯（疑误），金国尚书左丞相蔡松年去世，金国主悼惜他，到他家中祭奠，命人写成祭文来表达哀悼之意。

这个月，金国诏令各路按户口多少征调战马，总计五十六万余匹，富裕家庭有征调多达六十匹马的，仍然下令各自饲养以待征用。

九月，甲申（初四），诏令："建炎年以来奉命出使未能回国的官员，后代中无人以俸禄生活的，一律授予一个儿子官职。"

乙酉（初五），奉命出使大金称谢使的同知枢密院事王纶、副使昭信军节度使、领阁门事曹勋等还朝，说邻国恭顺，和睦友好没有其他变化；丙戌（初六），宰相汤思退拜贺。宋高宗说："朕自从王纶等回国后，彻夜思考，不寒而栗。大概前段时间议论纷纷，都想在边境地区屯戍军马，调换将帅，以及储积军粮等，以便为进取做准备。万一真的轻举妄动，就会兵连祸结，何时才能停止！从今以后应当安宁边境生息百姓，以图长治久安。"

甲午(十四日),尚书右仆射汤思退迁任左仆射,参知政事陈康伯为守右仆射,都任同中书门下平章事。裁减枢密院机速房。

乙未(十五日),因为皇太后生病服药,大赦天下,命辅政大臣祈祷天地、宗庙、社稷降福保佑。不上朝,在内殿召集辅政大臣奏事。

丙申(十六日),放宽临安府内官衙和百姓缴纳僦钱的期限半个月。诏令:"各路四等以下民户去年未缴纳税赋,两浙、江东、江西去年水灾时赈贷的物料,以及浙东、江西民田遭受虫害的,其租赋都予以免征。"丁酉(十七日),规定僧、道今年应缴的丁钱减半。己亥(十九日),诏令:"正在押的贪赃受罚的案犯以及应该发放的赏钱,同时给予赦免或者发放。"都是为皇太后祈祷福寿。

庚子(二十日),皇太后韦氏在慈宁宫驾崩,享年八十。

自从宋室南迁,典章掌故大多由有司记载,至于善后抚恤的表章又因为避讳没有记录。至此临时的斟酌意见,都出自太常寺少卿宋斐,由博士杜莘老根据古代礼仪加以裁定。

壬寅(二十二日),诏令:"权吏部侍郎沈介暂兼权礼部侍郎。"

癸卯(二十三日),翰林学士周麟之出任大金奉表哀谢使,吉州团练使、知阁门事苏华假崇信节度使出任副使。

当时朝廷已经议定了送给金国的金器缯帛等物品,周麟之坚持请求增加礼物数量后启程。周麟之到了金国,金主很喜欢他带来的众多礼物,也回赠了丰厚的礼物。

丁未(二十七日),百官因为宋高宗没有上朝听政,到文德殿门通报姓名,从此以后宋高宗不再临朝听政。

冬季,十月,辛亥朔(初一),宋高宗不上朝,文武百官到文德殿门通报姓名恭奉慰问,从此以后每逢初一、十五都这样做。

壬子(初二),小祥祭祀日,宋高宗到几筵殿行礼。

癸卯(疑误),为皇太后举行启攒礼仪,有司认为权制已经结束,请百官穿吉服参加仪式。黄中又说:"按照唐制,启攒虽在一个月以外举行,还应各穿服丧初期的服装。现在因为在另一个月的原因就穿吉服参加殡礼,是不符合礼仪的。"于是百官穿常服外加黑带入朝,穿衰服参加仪式。

甲寅(初四),宋高宗开始听政,在慈宁殿的素帐中设朝。

起居舍人杨邦弼出任贺大金正旦使,右武大夫、荣州刺史、两浙西路马步军副都统管张说出任副使;太府卿李润出任贺生辰使,阁门宣赞舍人张安世出任副使。

壬戌(十二日),尚书兵部侍郎兼侍讲兼直学士院杨椿,奏报议定上皇太后的谥号为"显仁"。

甲子(十四日),大祥祭祀日,宋高宗穿衰服行礼,百官穿常服参加祭礼。丙寅(十六日),举行禫祭。

戊辰(十八日),宋高宗开始在前殿上朝。

乙亥(二十五日),金国主在近郊狩猎,又命令各路服役工匠在燕京制造军器,尚书右丞李通负责管理。又命令户部尚书苏保衡、侍郎韩锡在潞河修造战船,服役的工匠死亡很多。

十一月,辛巳朔(初一),冬至节。命令尚书工部侍郎王晞亮在南郊祭祀昊天上帝。

丁亥(初七),参知政事贺允中,保信军节度使、领阁门事、提点皇城司郑藻分别任皇太后遗留国信使和副使。

依照惯例,使臣进入北方金国,应当穿黑服加软质衣带,到这时朝臣议论担心金国朝廷不同意这么穿着,宋高宗已下令贺允中等随机应变。贺允中等到了汴京,金国主命令原宋国叛将孔彦舟设宴欢迎,而且依照常礼赐花。贺允中推辞说:"使臣来此,是为了送太后遗物。国有大丧,音乐都不忍心听,何况戴花!"金国大使发怒,扬言要杀他们。贺允中说:"有德之君没有暴行,事情本来就有大体,我已七十多岁,应当守节而使。"孔彦舟劝解说:"两国通好已久,参政不要生气。"揖请贺允中落座,命令左右捧花站立在两侧而已。

己丑(初九),为皇太后举行启攒仪式,宋高宗穿着初丧的丧服祭奠;礼毕,换了白色衣服返回宫内。百官也如此照办。

丙申(十六日),显仁皇后灵柩启程,宋高宗在庭内举行启奠仪式,在丽正门外举行遣奠仪式。礼毕,宋高宗换上吉服还宫,太史焚烧了衰服。

丙午(二十六日),显仁皇后的掩攒宫在永祐陵之西,离显肃攒宫十九步。以前下宫分为前后殿,至此重新修筑前殿以供奉徽宗,中殿以供奉显肃、显恭、显仁三位皇后的神主,而御殿供奉懿节神主如故。

至此开始划立四边,以方圆二十里为禁城,居民都搬迁出去。又有吏民以前建的墓穴杂错其间,阴阳家奏请全部迁出,宗正寺主簿、权太常丞吴曾听从附和阴阳家的意见。当时监察御史任文荐奉诏管理掩攒宫,就下令他检查落实,于是将攒宫附近的七十三座墓穴全部迁出。

十二月,辛亥朔(初一),有司在浙江亭举行六虞祭礼完毕后,百官奉迎虞主返回慈宁殿,宋高宗举行了安神礼。癸丑(初三),宋高宗穿素黄袍、系黑色衣带、脚穿白鞋,到慈宁殿举行七虞祭礼,八虞、九虞都如此。

甲寅(初四),侦察人员奏报金国张贴布告禁止妄传起兵的事,宋高宗说:"此事有无本来不必过问,朕观察金国赋税重劳役多,民不堪生,岂是长久之道。只应当精心选择守臣,努力自治,安边息民,以静待之。"

庚申(初十),金国贺正旦使施宜生等人入境。

在此之前施宜生因为受范汝为的牵连被流放,于是奔投伪齐,伪齐废除,又被金人所用,逐步升迁至礼部尚书。此次以翰林侍讲学士的身份来祝贺来年正旦节,侍卫亲军马步军副都指挥使耶律翼任副使。

壬戌(十二日),宋高宗亲自举行卒哭祭礼。甲子(十四日),把显仁皇后的神主供奉在太庙徽宗室。

丙寅(十六日),端明殿学士、提举万寿观兼侍读张焘出任试吏部尚书。

当初,宋高宗了解普安郡王贤良,想立为皇子,又担心显仁皇后不愿意,所以推迟了很久。现在显仁皇后驾崩,宋高宗询问张焘国家大计所在,张焘说:"太子是国家的根本。天下大计,没有超过此事的。现在两郡主的名分应当尽早确定。"宋高宗高兴地说:"朕怀此心很久了,你的话正合我意—,开春后举行典礼。"当时风俗崇尚奢靡,国家财政匮乏,张焘劝宋高宗停止与北方的贸易,禁止不合时宜的赏赐,禁止大兴土木,裁减多余官员,以身作则提倡节俭,百姓自然富足了,宋高宗多次嘉奖他。

侍御史朱倬出任试御史中丞,左司谏何溥出任试右谏议大夫。

丁卯(十七日),尚书兵部侍郎、直学士院杨椿升任尚书,仍兼翰林学士。

丙子(二十六日),金国贺正旦使施宜生、副使耶律翼在垂拱殿朝见宋高宗,因为守丧的缘故,命坐,赐茶,正侍郎、观察使以上的官员,都与宋高宗一样穿着素黄袍、系黑带,供帐都用素黄,卫士穿常服,除去了银鹅对风的装饰,侍坐官员的锦墩,都换成了紫素色。接见完毕,命令大臣在驿馆设宴,不用音乐;辞行时,也如此。

时史部尚书张焘奉诏在驿馆接待客人,施宜生早就闻其名,一向敬畏他,刚一见面,回头对耶律翼说:"他就是让南朝不拜诏的人。"施宜生,闽人,张焘引用狐死首丘、桑梓情深的典故与他交谈。施宜生回头看他的随从不在身旁,用隐语说:"现在北风很劲。"又拿着几案上的笔叩击说:"笔来。"张焘密奏皇上,并且说应当及早做防御准备。

金国主又暗中派画工密绘临安山水城郭图送回金国,接着又绘成屏风并在屏风上画上自己的像,策马至吴山顶峰,后面题有诗作,其中有"立马吴山第一峰"的句子,大概就是金国主所吟赋的。

乙亥(二十五日),金国主杀了他的太医使祁宰。

祁宰性情慷慨,想谏止南伐,未能见到金国主。正巧元妃有病,召令祁宰诊视,入宫拜见时,就上疏进谏,大意说:"开国之初扫荡辽国攻伐宋国,不曾用十年时间。当此之时,上有武元、文烈那样英武的君主,下有宗翰、宗雄那样有谋勇的大臣,然而还不能统治天下,把江、淮、巴蜀之地送给宋人。况且现在的谋臣将士,不同于以前,而且宋人无罪,师出无名。加上大规模的徭役,营造中都,修建南京,缮治甲兵,调遣军旅,赋役烦重,百姓怨恨,这是人事不修。近来启明星出现在牛斗之间,荧惑星潜伏在翼轸之间,三年自刑,害气在扬州,太白星未出现,进兵的一方失败,这是天时不顺。舟师因为水枯,舳舻不断,而江湖岛渚之间,不利于骑士驱逐驰射,这是地利不便。"言辞非常激切。金国主发怒,将他斩首市井,籍没全家,金国人为他哀悼。

绍兴三十年　金正隆五年(公元 1160 年)

春季,正月,庚辰朔(初一),宋高宗不受朝贺。金国贺正旦使施宜生等到西上阁门通报姓名恭奉慰问。

乙酉(初六),中书舍人洪遵任兼权尚书礼部侍郎。

丙戌(初七),金国使者施宜生等从北门出城。按照惯例,北国使臣在初八出城,初九在赤岸设宴送行,这次施宜生等不愿按惯例行事,当晚,抵达赤宴,宴会完毕即启程回国。

戊子(初九),太尉、知荆南府、节制屯驻御前军马刘锜,说他招募的士兵有六千人,请以荆南驻扎御前效用中军、左军为名号,下分四将,仍以右武大夫周赟充任左军统制,阁门宣赞舍人、荆湖北路兵马都监刘汜充任中军统领,宋高宗都同意了。

在此之前赐予刘锜回易钱四十万缗,及这次刘锜请求增加的三十万缗,诏令拨出御前激赏库钱、榷货务通钞给他,满足他的数额。

吏部员外郎虞允文说:"金决意背叛盟约举兵南侵的计划,必为五道;进攻蜀口,进攻荆襄,只是以兵相持;淮东湖泽棋布,不是用骑之地;日后进犯的主力一定从淮西进攻,奇兵必定通过海道进攻,应当做好防御的准备。"宋高宗颇多地采纳他的建议。

辛卯(十二日),北使施宜生等到达镇江府,赐宴,推辞不受,于是立即渡江北上。

癸巳(十四日),尚书左司员外郎邵大受出任权户部侍郎。

乙未(十六日),金国贺正旦使施宜生等渡过淮河。

依照惯例,北使登舟之后,在船上与送伴使设酒饮三杯而别。这天,天未亮,送伴使金安节到淮河岸边,国信副使耶律翼已经提前渡过淮河北上,施宜生以下官员都不知道,金安节于是只好在淮河中间瞻拜而已。

丙申(十七日),尚书吏部侍郎、同修国史兼侍讲叶义问任知枢密院事。

丁酉(十八日),裁减军容班,他们原来是殿前司的乐工。

在此之前,御前设置甲库,凡是皇上所需要的图画、什物,有司不能供应的,全部从甲库中取用,所以各种行业的能工巧匠都聚集在这里,每天的消费不少于数百贯。宫内既有内酒库,而甲库所酿之酒更好,将剩余的酒拿出宫外出卖,严重地侵害户部赡军各库按例课收的数额。因此军费储备常常不够。吏部尚书张焘说:"甲库集中了能工巧匠使皇上心意放纵,出售美酒以侵夺官课,教坊乐工,人员增加数百人,俸禄、赏赐,耗费不少钱财,都可以罢免。"宋高宗说:"你可谓对君严格要求。"第二天,撤销甲库各局,将酒库交付有关部门,裁减乐工数百人。张焘从容进言补益政事,都是这样做的。

庚子(二十一日),命令辅政大臣在景灵宫举行朝献礼,因为宋高宗还没有穿上纯粹的吉服的缘故。

在此之前礼官引用熙宁年间的成例,请诏令宰执行礼,宋高宗同意了。权吏部侍郎兼权礼部侍郎沈介说:"现在祔庙礼已经完毕,天地、宗庙、百神的祭祀,都照此办理。将来在明堂举行大享祭礼,也应当在景灵宫举行庙享,在太庙举行朝献。如果唯独四季的祭祀不按先例举行,恐怕难以符合主上的诚孝之意。请求依照典章由皇帝亲自前往行礼。"宋高宗始终很犹疑。正巧沈介出京迎接使臣,过了五天,有诏令:"郊祀的安排,考证于礼经,大概无可疑之处。如果在景灵宫举行四季朝献祭祀,元丰年以来自有成例。可令给舍、台谏、礼官详细全面讨论,参照古代礼仪。"议定上奏,于是宋高宗不出场,而命辅政大臣分别前往执行。

丁未(二十八日),中书舍人兼权枢密都承旨洪遵任试尚书吏部侍郎,太常少卿宋棐任权礼部侍郎。

二月,乙卯(初六),大金吊祭使金吾卫上将军、左宣徽使大怀忠,副使大中大夫、尚书礼部侍郎耨碗温都谨,在慈宁殿举行吊祭礼,朝散大夫、充翰林修撰、同知制诰石琚宣读祭文。礼毕退出,诏命辅臣在驿馆设宴款待,不用音乐。

丁卯(十八日),吏部尚书兼侍读张焘以充资政殿学士的身份,辞职归居。

辛酉(十二日),北使在几筵殿辞行,又在垂拱殿向宋高宗辞行。

癸亥(十四日),直徽猷阁、知临安府赵子潚权尚书户部侍郎。

甲子(十五日)，百官都穿上了吉服。

宰相汤思退、陈康伯奏事完毕，枢密院的官员准备退出时，宋高宗留下王纶、叶义问，告诉他们说："朕有一事，要尽快实施不可延缓。普安郡王很贤良，想有些区别，你们可议定立他为少保、使相，并且封为真王。"大家都向前祝贺。王纶、叶义问退出，宋高宗说："朕怀此意很久了，只是忧虑史籍记载，两位皇后并立，嫡子地位相等，政出两门，是国家祸乱的根本，朕岂不知此！以前担心显仁皇后不愿意，才推迟至今。"汤思退说："陛下正值壮年，上天垂鉴保佑，必生圣子。立皇太子以维系人心，这是非办不可的事情。"普安郡王自从养育在宫中至今已经三十年了。

戊午(初九)，任命同知枢密院事叶义问、和州防御使、知阁门事刘允升假崇信军节度使，分别充任大金报谢使和副使，感谢他们前来吊祭皇太后亡灵。宋高宗也担心金人有南侵意向，于是派叶义问前去打探虚实。

庚申(十一日)，起居郎黄中出任权工部侍郎。

癸酉(二十四日)宋高宗开始穿着淡黄袍、黑犀带，亲临垂拱殿。

甲戌(二十五日)，宫内颁降手诏说："朕承蒙上天保佑，继承了列代圣王的基业，思考着怎样留福泽于后世，日夜不敢懈怠。永远把祖宗大业放在重要位置，巩固皇室地位，和睦家族崇尚贤良，这是符合古训大义的。普安郡王赵瑗，是艺祖皇帝的七世孙，从小在宫中养育，卓尔不群，聪明端正，受封为王，已有多年，他的道德高尚，名声美好，被中外所称道。朕将依照古礼予以正名，颁示天下。树立仁爱之道，在家族内部开始，自古帝王，以此来倡明伦理道德和使风俗趋向纯朴忠厚。考查遵照了前代法律，而不是朕出自私心，立普安郡王为皇子，并改赐名为赵玮。"诏令是翰林学士周麟之起草的。这天，任命周麟之任兼权吏部尚书。

丙子(二十七日)，下达制书任命皇子赵玮为宁国节度使，开府仪同三司，晋封为建王。制书颁布以后，中外大悦。

这个月，金派遣引进使高植等人到各道监察审视所捕获的盗贼，并处以分尸酷刑。

三月，辛巳(初二)，兵部尚书杨椿，奉诏举荐利州西路驻扎御前左部统制杨从仪、右部统制李师颜可作将帅的备选人员；而左朝散郎、利州路提点刑狱公事富衡，极力推荐李师颜的忠节。诏令晋升杨从仪一级官职，令枢密院登记在册，召李师颜赴京城临安。

金国东海县百姓张旺、徐元等造反。金国主派遣都水监徐文、步军指挥使张宏信等率领水军九百人，渡海前去镇压。金国主说："朕的用意不在那一个地方，想通过此次行动测试一下水军的作战水平。"

乙酉(初六)，保宁军节度使，开府仪同三司、万寿观使吴益升迁少保，太尉，崇信军节度使、主管侍卫步军司公事赵密任开府仪同三司。二人都因为在皇太后的殡葬工作中立了功，所以有了这样的任命。

戊子(初九)，宋高宗在集英殿策试礼部举人刘朔等，之后认为右迪功郎许克昌测试成绩最好，依照成例将他的名次降为第二，于是赐给晋江梁克家等四百一十二人进士及第、进士出身、同进士出身。

辛卯(十二日)，参知政事贺允中等出使金国后回国，入宫朝见，贺允中说敌人势必毁约，应当做好迎敌准备。

壬辰(十三日),池州奏报龙神卫四厢都指挥使、昭庆军承宣使、本州驻扎御前诸军都统制岳超去世;任命宁国军节度使、殿前司选锋军都统制李显忠充任池州驻扎御前诸军都统制。

乙未(十六日),太府卿李涧任权尚书吏部侍郎。

丙戌(疑误),左武大夫、荣州刺史、江南诸路马步军副总管刘光辅,改任淮南诸路副总管,驻扎在楚州。

在此之前金国东海县百姓造反,有一名叫李秀的人,暗中请求淮东副总管宋肇接受他们的归降,愿意归附江南。当时群臣议论担心此事或许会导致军事冲突,侦察人员又说他们与金朝勾结,准备大规模举兵南伐,就命令刘光辅率兵驻扎楚州作防御准备。刘光辅还未到任,李秀又派遣他的下属到楚州,求见右朝奉郎、通判权州事徐宗偃答应他们渡江南下,徐宗偃派人打发了他们。接着徐宗偃致信大臣,大约说:"东海饥民,因为苛捐杂税负担重而很困苦,啸聚海岛,一唱百和,犯死求生,开初之时不能有所作为。金国主蒙蔽,下情无法上通,还未听说这件事。如果知道了,偏师一至,就会被扑灭;纵使他们猖獗得志,一定从沂州、密州横行山东,失败了就乘舟入海,确实不足以对我构成威胁。现在添置兵官,招纳叛亡之人,这却足以导致发生边境冲突。"

丁酉(十八日),因为册立皇太子,命令兵部尚书杨椿祭告昊天上帝,权礼部侍郎宋棐祭告皇地祇,嗣濮王赵士辐祭告太庙,安定郡王赵令詪祭告列祖陵寝。

保宁军承宣使、知金州兼金、房、开、达州安抚使、节制屯驻御前军马王彦任龙神卫四厢都指挥使,充金、房、开、达州驻扎前诸军都统制,兼知金州、金房都统制。

甲辰(二十五日)赐特奏名进士黄鹏举等五十三人为同进士出身,宗族子弟彦髳等三十一人,武举进士樊仁远等十九人,武举恩科特奏名一人,都授予不同等级的官职。

丙午(二十七日),检校少保、武康军节度使、恩平郡王赵璩为开府仪同三司、判大宗正事,官署置设在绍兴府,开始称为皇侄。

诏令建王府设置直讲、赞读各一名,由郎官兼任;小学教授一名,由馆职兼任。

加封梁朝的昭明太子萧统为英济忠显王。

夏季,四月,壬子(初四),诏令:"天申节各州县都免去排宴庆贺。"因为宋高宗为太后服丧的缘故。

甲寅(初六),金朝因为耶律翼出使宋国时不守礼仪,杖责一百,免去官职;施宜生因为泄露机密被烹死。

丙申(疑误),参知政事贺允中任兼权同知枢密院事。

五月,辛巳(初四),太尉、知荆南府刘锜兼任本府驻扎御前诸军都统制。

在此之前领殿前都指挥使职事杨存中建议说:"各重地如四川、鄂渚、池阳、建康、京口,都已派兵严加防守,只有荆南是历代用武之地,现在是重镇,江西的九江是京城上游的要害之地,遇到紧急事变双方不便互相应援,请求分别设置都统制扩大屯兵防守的范围。"朝廷同意了。荆南府、江州创设军的建制由此开始。

乙酉(初八),初次设置江州驻扎御前军诸军都统制一名,以殿前及步军司兵各三千人,马军司及新招募的士兵二千人隶属于该都统制。任命龙神卫四厢都指挥使、宁武军指挥使、侍卫步军司前军都统制为江州驻扎御前诸军都统制。

辛卯(十四日),参知政事贺允中,免去兼同知枢密院事职务,因为同知枢密院事叶义问将要到达边境。

当初,叶义问进入北国边境,看见金朝已聚集兵力,有南侵意向,返朝后,密奏:"敌人以克扣剥削不体恤百姓为能事,以杀戮无辜不讲宽恕为威力,穷奢极侈,燕京已很壮观美丽,而修建汴京,伐木琢石,车载塞路,民伕因劳累很多死在服役的途中,天人共怨,由此可见金朝岂能长久。另外,海州贼党还未除尽,而且听任契丹人出没在太行地区,臣去时听说契丹人攻破了浚州的卫县,回时听说又攻破了磁州的邯郸,北使三人都被击伤,被夺去了银牌,燕京以南,到处都不安宁。现在又想迁都汴京,而且修造战船,臣推测他们,如果真的迁都,对他们来说已失去了巢穴。现在江、淮已经有兵力屯守,只有海道应加强防备。臣认为土豪、官军不能杂乱相处。土豪熟悉了解海道的险要之地,凭恃着以海为生的便利,能够役使船户;如果杂以官兵,彼此互不服气,难以协调共济。现在应当在江海险要之处分立营寨,以土豪为寨主,让他们各随其便,让土豪在舟楫之间巡逻,官军在江河口岸严阵以待,那么官府不会浪费钱财,百姓又未受到骚扰,这是上策。"

兵部尚书兼权翰林学士杨椿,对右仆射陈康伯说:"北朝毁盟,征兆已经明显,现在不提前做好准备,到时后悔莫及!"于是与陈康伯策划防御的战术:其一,两淮地区的各位将领,各自划分防守区域,自己坚守阵地;其二,设置民社,暗中为寓兵于民做准备;其三,淮东守将刘宝,将帅骄横士卒少,不可独守一方;其四,沿州各郡,增筑工事积蓄粮食,作为根据地。陈康伯拜见宋高宗,说敌人认为我国以为和好的时间会长久因而军事防御松懈,南下进犯无疑,于是陈述了两淮地区屯守防御的计策,宋高宗高兴地接纳了他的意见。

丙申(十九日),金国贺生辰使辅国上将军、殿前右副都点检萧荣,副使中大夫、太子右谕德张忠辅入宫求见宋高宗。

自从停战以来,北使在紫宸殿朝见,都安排手持黄麾的仪仗队一千五百零六人。这次因为为皇太后服丧没有安排仪仗队,朝见之后,在垂拱殿设宴款待。当时建王赵玮陪客席间,萧荣等人看见了,肃然起敬地说:"他就是建王吗?"整个晚上都不敢抬头看建王。

戊戌(二十一日),这天是天申节,百官及北使为宋高宗祝寿,因为显仁皇后服丧期未满,不用音乐。

六月,庚午(二十三日),知枢密院事王纶改任充资政殿大学士、知福州。王纶以病为由请求辞职,所以有了这个诏令。

壬申(二十五日),已故太尉、武泰军使郭仲荀,被追赠为开府仪同三司。

郭仲荀去世十五年了,至此他的孙子成忠郎郭永茂向朝廷投书自诉,所以给予优恤褒奖。

金国都水监徐文等打败了贼党张旺、徐元,东海叛乱被平定。

秋季,七月,辛巳(初五),金国主诏令:"东海县的百姓被张旺等欺骗误入歧途的,一律释放。"壬午(初六),金国主因为张宏信奉命讨贼,在莱州逗留,与妓女饮酒作乐,下令杖责一百。

诏令:"各路禁兵,分出一半的兵力教练、学习弓弩技法,命令帅臣在春秋两季派将官巡视检查"

丁亥(十一日),右文殿修撰、知临安府钱端礼任权尚书户部侍郎。

戊戌(二十二日),同知枢密院事叶义问晋升知枢密院事。

这时叶义问奏报应变、持久两种观点,认为:"两淮地区的形势,现在很危急。荆南的刘琦,负责均州、襄阳、隋州、郢州、通化、枣阳的军备。鄂渚的田师中,负责安州、信州、信阳、汉阳的军备。九江的戚方,负责蕲州、黄州的军备。池阳的李显忠,负责龙舒、无为军的军备。建康的王权,负责滁州、和州的军备。镇江的刘宝与马帅成闵,负责真州、扬州、通州、泰州的军备。江阴直接控制海道,应当从镇江守军中分出一部分兵力来扼守;至于濠梁、固始、安丰等边境地区,也应当由合肥总管。以前已经分别屯守的各位将领,应当责令他们选择险要地方,做好多方面的预备工作,这是应变的观点。秋末冬初,淮河水浅干涸,徒步可过河,如果敌人今年内没有行动,请在江淮一带,挑选武臣为守令,公私荒田,全部拨给他们充当屯田,招募人耕种,农闲时就练习军事,致力持重,不要滋生事端,敌人来就坚守壁垒不与交战,敌人撤就进入壁垒不予追击,让敌人始终不能达到目的而自陷困境,这是持久的观点。"

御史中丞兼侍讲朱倬任参知政事,翰林学士兼修国史兼侍读兼权吏部尚书周麟之任同知枢密院事。

辛丑(二十五日),成忠郎、殿前司准备使唤都遇任阁门祗候、添差东南第二副将,在庐州驻扎。

加封伍员为忠壮英烈威显王。

八月,丙午朔(初一),发生日食。

癸丑(初八),左大中大夫、参知政事贺允中以资政殿大学士身份,致仕。

贺允中出使金国返回,说敌人势必背盟,应当做好防御准备,宋高宗犹豫不决;贺允中于是请求告老还乡,于是有了这一诏令。

端明殿学士、致仕折彦质在潭州去世。

丙辰(十一日),中书舍人沈介任试吏部侍郎。

宗正少卿金安节任权礼部侍郎。

辛未(二十六日),安庆军承宣使、同知大宗正赵士衎任安德军节度使。

壬申(二十七日),淮南东路马步军副都总管兼权安抚司公事许世安得到侦察消息,金国主已经到了汴京,重兵都屯守在宿州、泗州,也有的屯守在清河口,于是派遣右宣义郎、通判州事刘礼向朝廷告急。

在此之前金国主命令户部尚书梁球,兵部尚书萧德温,统计女真、契丹、奚三部的人数,不限制兵丁数额,全部征集参军,总计二十四万,以其中半数的健壮者为正军,体弱者充当阿里善,一个正军,就配一个阿里善作副军。又征集中原的汉人、渤海人参军,十七路中,除了中都路制造军器、南都路修建汴京免于征集外,吏部侍郎高怀正等十五人,分别带银牌前往

3100

各路,号称宣差签军使,每路各征集一万人,合计番兵、汉兵一共有二十七万,仿照唐制分为二十七军。征集的人数已经确定,于是以每百户为一穆昆,每千户为一明安,每万户为一统军。每个统军有正副两职,各军全部以蕃人汉人混合编制,没有只用一种人组建的。

金国主下令榷货务和印造钞引库,迁往南京。

金国主喜欢沽名钓誉,在拜谒祖陵时,看见在田间收获的人,询问他们的丰歉,赐给他们衣服。然而乱政亟行,民不聊生。盗贼蜂起,势力大的已经占据了几座城市,势力小的也凭借山泽自保。山东盗贼进犯沂州,杀了当地县令;大名府盗贼王九等据城叛乱,人数已达数万;契丹边禄锦等人,都凭借十几个骑士,张扬旗帜,白日公开行事,官军无人敢问津。他们所经过的州县,抢劫官府库藏,将物品陈列于市,让人前来夺取,小人都喜欢盗贼来,而善良的百姓深受其害。太府监高彦福、大理正耶律正、翰林待诏大颖出使还朝,都谈到盗贼的情况,金国主讨厌他们说的话,都受到杖责,大颖还被免职。从此以后谁也不敢再说此事。

九月,庚辰(初五),右朝奉郎、通判楚州徐宗偃听说扬州告急,从高邮以驿道加急文书的方式致信给朝廷大臣,说:"宗偃自到官以来,饱谙侦察人员情报的虚假。枢密院、三衙及沿江各将所派的侦察人员,本来就不能详说,重要消息都是从都梁、山阳土著人那里获取的;来自都梁的消息最远不过泗州,来自山阳的消息最远不过涟水,道听途说,仿佛可信,事实却不是这样。就像车海之人,只因饥民被横征暴敛所困苦,拼死求生,而守候消息的人却哄然传言,说有十万大兵、驾着二千艘海船并南面称尊,于是导致了朝廷的忧虑。宗偃独自以为不是那样,不久最终的结果就如我预料的那样。况且现在从六月以来,每日都传闻金国征兵聚粮、修筑京城清理道路,广征金帛,营造舟船,添立军营壁垒,虐役百姓,无所不至。并且传说金国主在七月一定迁都,之后金国并未迁都,又说推迟到八月;又没有兑现,则说京都在改筑外城,重造秘殿,还有金国主将登封泰山、拜谒明道宫的议论。这些消息以什么考察其真实性?宗偃近期因公事到了维扬帅府,正遇上都梁人持羽书而来,说金国主已迁都汴京,重兵屯守在宿州、泗州、清河一带,帅司告急,人心惶恐。这是转眼之间的事情,又无法验证,都是这些人以讹传讹,也很明显了。靖康初年,金人两次侵扰京城,多次兵临维扬,没有一个人事先知道。大事张扬,这是用兵的诡计。

"朝廷的谋略成算,本来并非一个人可以推测的,然而长江不足以凭恃,两淮不可轻失,即使是三尺童子,也能清楚地知道它的利害关系。如果密诏沿流各将,或以屯田的方式,或以牧放的方式,添增防守控制兵力,派遣数万人分散在要害地带以待敌军。如果都梁离边境太近,就屯守天长;如果山阳离边境太近,就屯守宝应;又比如合肥、襄阳、邓州等,选择敌人的耳目不易接近的地方,全部储存军事装备,并且派大臣守护,以作为紧急情况下调发救应之用,如果敌人的骑兵突然而来,我们也能严阵以待。如果相信侦察人员的消息,突然间惊慌失措,这不是人们所期望的中兴之世。朝廷对料角的防守措施,最严密最完备,这是注意对从海道来犯敌人的防范,可以说是切中了关键。然而楚州的盐城县,离海不过一里,又在料角的上游,可以设置一道屏障。如果以千百人屯守,拨给一二十艘船只在它的前面构成一道屏障,那么料角一定能奋力防守,况且它与敌人耳目全不相接,也是一处军事要地。望特赐采纳择其可行者。"

辛巳(初六)，右谏议大夫何溥、权工部侍郎黄中，都兼任侍讲。

己丑(十四日)，左武大夫、忠州防御使、淮南西路马步军副总管兼知黄州刘宝，改任为添差两浙西路副总管、平江府驻扎兼副提督海船。

当时浙西和通州都有海船水军，兵力合计接近一万人，诏令平江守臣朱翼任提督。有人说请在武臣中挑选有勇略熟知海道的人任副职，刘宝先前任黄州知州尚未到任，于是下了这道诏令，不久刘宝因为解帮恩升任宣州观察使。刘宝请求在沿州县招募水军效用千人，下诏允许招募三百。又请求拨给器甲弓矢以及请求从镇江军中拨出将士兵长等五十人隶属自己，宋高宗都同意了。

甲午(十九日)，小祥祭祀日，宋高宗举行祭奠之礼。百官穿常服黑带，焚香完毕，到文德殿门通报姓名奏奉安慰，退出之后，在仙林普济寺上香。

丙申(二十一日)，镇江府驻防御前诸军都统制刘宝，说自从罢撤宣抚司以来，背嵬军调赴京城，想补充配置二千人，命名为制胜军，宋高宗下令批准。立即招募武勇、效用、胜捷、吐浑共一千人组建了制胜军。

壬寅(二十七日)，太学录周必大、太学正程大昌，任秘书省正字。

冬季，十月，乙巳朔(初一)，宋高宗开始穿纯吉服。

庚午(疑误)，金国派遣完颜普连等二十四人督促缉捕山东、河东、河北、中都盗贼。登记统计各路的水手，总计三万人。

丁未(初三)，起居舍人虞允文任贺大金正旦使，知阁门事孟思恭任副使。虞允文到达金国朝廷，与作陪的金国官员共同射箭，一发中的，金国君臣惊异。

枢密院检详诸房文字徐度任贺大金生辰使，武功大夫、新江南东路兵马都监苏绅任副使。

戊申(初四)，诏令太尉、知荆南府、充本府驻扎御前军统制刘锜，赴临安奏事。任命荆南驻扎前军右军统制李道任兼权都统制。朝廷准备任命刘锜代替刘宝统帅军队，所以有了这道诏令。

癸丑(初九)，兵部尚书兼权翰林学士杨椿任权吏部侍郎。

庚申(十六日)，侍御史陈俊卿谈论镇江府驻扎御前诸军都统制刘宝的十条罪状，大略是："刘宝削减军粮，又暗中申请钱粮，大多派军士到湖广、江西往来贸易。去年镇江发生大火，刘宝关闭军营，下令出营救火者处死，城中有一半地方化为灰烬。刘宝购买物品用以行贿，都刻剥置办，还对其下属说：'这是朝廷教我置买。'刘宝暗藏不臣之心，曾公开说：'前代帝王皆起于微贱。'这是什么话！又养着阎、李二位道人在夜里观测星象，到五更时就记录下来呈送刘宝。镇江多次更换守臣，都是因为刘宝的缘故，近来又想攻击赵公傅，幸亏朱夏卿劝免才未得逞。现在知道对他的议论很多，于是借入宫观见的机会，装载行贿之物三十多船，想以此结交人情。刘宝专横、凶悍、愚蠢、刚愎自用、暴虐、奸佞、贪婪，何所不有？假如发生了意外情况，责成他获取成功，不是也很难吗！请借他入朝之机罢免他，另外选择良将前去整肃军旅。"辛酉(十七日)，安庆军节度使、捧日天武四厢都指挥使、镇江府驻扎御前诸军都统制刘宝，罢免都统制职务，改任添差福建路马步军副都总管，给以副都总管的俸禄待遇，临安府拨给军兵和节级,连同本军现有随行人员前去上任。

在此之前刘宝被谏官何溥所弹劾,宋高宗于是召刘宝赴临安,未到京城,陈俊卿又奏报他的罪状。侍御史汪澈也说:"刘宝没有寸尺之功,朝廷曾调兵戍守黄鱼垛,刘宝竟然不服从指挥,又请招募三千人创建制胜军。如此违抗命令,尚能知道尊重天子的威严吗!刘宝曾拨出缗钱,派遣军士往来贸易,每年获利三万多,还认为少,将军士关在牢里上刑;克扣各军粮饷,以至于有士兵因为饥寒不能走出户外。希望下令有关部门裁定刘宝的罪责。"所以才有这道诏令。

壬戌(十八日),太尉、武泰军节度使、知荆南府刘锜任威武军节度使,充镇江府驻扎御前诸军都统制。于是下诏:"总领官和各军统制,将以前非法的克扣盘剥和所有私自征发的民夫,立即改正放还;各军所欠的回易钱,开列数目上报奏闻,自当议定免于收缴。除了刘宝私人财产还给刘宝外,其余的钱财全部充作军资,并出榜晓谕。"

镇南军承宣使、龙神卫四厢都指挥使、荆南府驻扎御前前军右军统制李道任荆南府驻扎御前诸军都统制。

丁卯(二十三日),权工部侍郎黄中任兼权吏部侍郎。

十一月,戊寅(初四),皇侄常德军承宣使、权主奉益王祭祀赵居广任华容军节度使,因为担任主祭已超过了十年。

戊子(十四日),大理少卿张运任权刑部侍郎。

丁酉(二十三日),池州驻扎御前诸军统制李显忠,请求下令各军屯田,宋高宗对大臣说:"此事可行,然而须先立规章制度,如划定屯田范围、买牛、建立房舍、供给粮种、添置农具等,全部都有条理可依,才可施行。两三年间,将土地的收入全部给屯田者,那么他们就不须劝农而自觉耕种了。"

戊戌(二十四日),侍御史汪澈说:"自从陛下实行改革以来,举贤退奸,兴利除害,求治唯恐不及,但没有得到适合担任辅相的人选。比如汤思退,本无才学见识,只是擅长骈俪之文,曾参与科举考试,花言巧语以讨好秦桧,利用科举选人的方便而偏私秦埙,趋炎附势以至飞黄腾达,径直跻身枢密院事。自从秦桧死后,一时间他的党羽,全都被贬官流放,只有汤思退漏网。陛下因为他貌似纯朴笃实,而不知其内心实际是奸邪的,朝廷因偶然缺人,于是他得到重用。为相以来,也已经过了三年,不曾有一件值得记载的善事;随心所欲,凡是所作所为,大多违背公论。况且隐藏名声、远离权势,本是大臣本分;汤思退则蔑视同列,擅自作威作福,恩欲都归于自己,怨恨让谁来承当?孔子说:'鄙夫可以侍奉君主吗?当他未得到官位时,就害怕得到它;得到之后,又害怕失去它。假如害怕失去它,就会无所不做了。'威望轻不足以信服士大夫,那么众怨并起;道德薄不足以调理阴阳,那么上天就会垂示告诫。祖宗法令,有的被废置不用;臣僚的章疏,多被积压不上达。汤思退长期玷污辅相职位,招致了纷纷议论,难道只是妨碍了贤者进身之路,实质上也深深地辜负了陛下委以重任的心意。希望尽早赐予他罢官贬黜,以快中外人心。"

金国主命令亲军司将所掌管的事务交付大兴府,设置左右骁骑副指挥使,隶属点检司;步军都指挥使,隶属宣徽院。

十二月，乙巳朔（初一），左金紫光禄大夫、守尚书左仆射、同中书门下平章事汤思退免职，改任观文殿大学士、提领江州太平兴国宫。

丁未（初三），诏令：“观文殿大学士、提领江州兴国宫汤思退撤职，依旧做宫观官。”

戊申（初四）夜间，白气如带，东西横贯天空。

癸丑（初九），金国禁止中都、河北、山东、河南、河东、京兆等地军民网捕禽兽以及蓄养雕隼猛禽。

丁卯（二十三日），阁门宣赞舍人、荆南府驻扎御前中军统领刘玘任镇江府驻扎御前中军统制，这是采用刘锜的奏请。

庚午（二十六日），金国贺正旦使奉国大将军、兵部尚书仆散权，副使翰林学士、忠靖大夫、知制诰、同修国史韩汝嘉，在紫宸殿朝见宋高宗。

安南国进献驯服的大象，边境官吏将此事奏报朝廷，宋高宗对大臣说：“蛮夷进贡地方物产是他们的本分，但朕不想因为异兽而劳累远方之人。可下令帅臣告谕今后不必以驯象进献。”

金国主因为降将孔彦舟熟悉军事，起用为南京留守。

孔彦舟沉湎女色，有禽兽的行为，而金国主却喜欢他。当时有人传说孔彦舟已经死了，不久知道这是妄传，金国主为了孔彦舟而对妄传者施加杖刑以激励他。不久，孔彦舟果真死了，留下遗表说伐宋应当首先攻取淮南。

金国主禁止朝臣饮酒，除了陪同三国使者宴饮外，其余饮酒的人处以死刑。不久益都尹京、安武节度使完颜爽等，因为立春节在驸马都尉图克坦贞家饮酒。金国主召见并责问他们说：“战事刚刚兴起，禁止百官饮酒，你们知道吗？”图克坦贞等人伏地请求处死刑。金国主数落他们说：“你们如果认为饮酒杀人处罚太重，就应当提早进谏劝止。魏武帝下军令：‘践踏麦地者死。’不久他自己的坐骑进入麦田，于是割发以表示对自己施加刑法。践踏麦地，小事情，然而必定要显示军令必须信守。朕为天下之主，难道不能在亲贵近臣中执法吗？朕只是考虑慈献太后的四个孩子，只有朕与公主健在，而完颜京等都是近支亲属，才枉法饶了你们的死罪。”于是杖责图克坦贞七十，完颜京等人各杖一百。图克坦贞被降为安武军节度使。完颜京降为滦州刺史，完颜爽降为归化州刺史。

西夏仁宗赵仁孝即位时，国中多有祸乱，他的大臣任得敬抗御有功，于是任命为宰相，封为楚王。